Blue hat den Blues. Ihr Vater, der Universitätsprofessor, zieht schon wieder um. Nie länger als ein Semester bleiben Vater und Tochter an einem Ort. Bald kennt Blue jedes College. Zum Glück hat sie die Bücher – ihre engsten Freunde und Vertrauten. Und so hungrig wie sie Geschichten auf Papier verschlingt, so ungestüm stürzt sie sich mitten ins Leben: Charmant und witzig besticht sie als wandelndes Lexikon und lässt zugleich keine Wodkaflasche an sich vorbeiziehen. Jeder weiß, Blue ist besonders. Man liegt ihr zu Füßen. Und dann passiert ein mysteriöser Mord und ihr Leben gerät aus den Fugen. Ein Aufsehen erregender und temporeicher Roman und ein spannend komischer Streifzug quer durch die Sätze von Shakespeare bis Cary Grant.

»Was für ein verrücktes Buch! ›Die alltägliche Physik des Unglücks‹ ist ein Feuerwerk aus Romanzitaten, unglaublich irrsinnigen Charakteren und einer spannenden Krimihandlung.«
Woman

»›Die alltägliche Physik des Unglücks‹ tatsächlich unglaublich pointensicher und gut geschrieben ist. (...) Es ist spannend, charmant und anspielungsreich.«
Annabelle

Marisha Pessl wurde 1977 geboren, studierte an der Columbia University. Pessl lebt in New York. ›Die alltägliche Physik des Unglücks‹ ist ihr erstes Buch.

Unsere Adresse im Internet: www.fischerverlage.de

Marisha Pessl

Die alltägliche Physik des Unglücks

Roman

Aus dem Amerikanischen
von Adelheid Zöfel

Fischer Taschenbuch Verlag

Veröffentlicht im Fischer Taschenbuch Verlag,
einem Unternehmen der S. Fischer Verlag GmbH,
Frankfurt am Main, Oktober 2008

Die Originalausgabe erschien 2006 unter dem Titel
›Special Topics in Calmity Physics‹
im Verlag Viking Penguin, USA
Die Illustrationen stammen von der Autorin

Druck und Bindung: CPI – Clausen & Bosse, Leck
Printed in Germany
ISBN 978-3-596-17073-9

Für Anne und Nic

Curriculum (Lektüreliste)

Einleitung

Dad sagte immer, ein Mensch braucht einen fabelhaften Grund, um seine Lebensgeschichte aufzuschreiben, wenn er will, dass jemand sie liest.

»Wenn man nicht Mozart heißt oder Matisse, Churchill, Che Guevara, Bond – *James* Bond –, dann sollte man seine Freizeit lieber damit verbringen, mit Fingerfarben zu malen oder Shuffleboard zu spielen, denn außer deiner Mutter mit den Wabbelarmen und der Betonfrisur und dem Kartoffelbrei-Blick, mit dem sie dich immer ansieht, möchte niemand die Einzelheiten deiner jämmerlichen Existenz hören, die zweifellos genauso enden wird, wie sie begonnen hat – mit einem Ächzen.«

Angesichts so rigider Parameter war ich bisher davon ausgegangen, dass ich meinen fabelhaften Grund frühestens mit siebzig finden würde, wenn ich Altersflecken und Rheumatismus habe, einen Verstand so scharf wie ein Tranchiermesser, ein kompaktes kleines Stuckhaus in Avignon (wo ich 365 verschiedene Käsesorten esse), einen zwanzig Jahre jüngeren Liebhaber, der auf dem Feld arbeitet (keine Ahnung, auf was für einem – jedenfalls ist es golden und leuchtet), und nachdem ich, mit ein bisschen Glück, einen kleinen Triumph auf dem Gebiet der Naturwissenschaften oder der Philosophie eingeheimst habe, der mit meinem Namen verbunden ist. Und doch kam die Entscheidung – nein, die zwingende Notwendigkeit –, zum Stift zu greifen und über meine Kindheit zu schreiben – vor allem über das

Jahr, in dem sie aufgeribbelt wurde wie ein alter Wollpullover – sehr viel früher, als ich gedacht hatte.

Begonnen hat es mit schlichter Schlaflosigkeit. Da war es schon fast ein Jahr her, dass ich Hannah tot aufgefunden hatte, und ich dachte, ich hätte es geschafft, alle Spuren jener Nacht aus meinem Inneren zu tilgen, so wie Henry Higgins mit seinen gnadenlosen Sprechübungen Elizas Cockney-Akzent ausradierte.

Ich hatte mich geirrt.

Ende Januar lag ich wieder einmal mitten in der Nacht hellwach im Bett. Im Flur draußen war alles still. Spitze Schatten lauerten in den Ecken der Zimmerdecke. Ich hatte nichts außer ein paar dicken, anmaßenden Lehrbüchern, zum Beispiel die *Einführung in die Astrophysik*, und dem traurigen, stummen James Dean, der, eingesperrt in Schwarz und Weiß und mit Klebeband hinten an unserer Tür befestigt, auf mich herunterblickte. Als ich durch die fleckige Dunkelheit zu ihm schaute, sah ich, in mikroskopischer Klarheit, Hannah Schneider.

Sie hing einen Meter über dem Boden, an einem orangeroten Verlängerungskabel. Die Zunge – aufgequollen, kirschrot wie ein Küchenschwamm – hing ihr aus dem Mund. Ihre Augen sahen aus wie Eicheln oder wie stumpfe Pennymünzen oder wie zwei schwarze Mantelknöpfe, die Kinder für das Gesicht eines Schneemanns nehmen würden, und sie sahen nichts. Oder aber, und genau da lag das Problem, sie hatten alles gesehen; J. B. Tower schrieb, dass man im Augenblick des Todes »alles, was je existiert hat, auf einmal sieht« (obwohl ich mich fragte, woher er das wusste, da er in den besten Jahren war, als er *Sterblichkeit* schrieb). Und ihre Schnürsenkel – eine ganze Abhandlung könnte man über diese Schnürsenkel schreiben –, sie waren burgunderrot, symmetrisch, zu perfekten Doppelknoten gebunden.

Aber als ewige Optimistin (»Die van Meers sind von Natur aus Idealisten und positive Freigeister«, befand Dad) hoffte ich, dass das eklige Wachliegen eine Phase sein würde, aus der ich schnell herauskomme, eine Art Mode, so wie Pudelröcke oder Lieblingssteine, aber dann, eines Abends Anfang Februar, während ich gerade die *Aeneis* las, erwähnte meine Zimmerkollegin Soo-Jin, ohne von ihrem Lehrbuch für Organische Chemie aufzublicken, dass ein paar Erstsemester auf unserem Flur vorhätten, uneingeladen zu einer Party außerhalb des Campus zu gehen, die irgendein Doktor der Philosophie gab, aber mich wollten sie nicht mitnehmen, weil alle fänden, dass ich in meiner Grundhaltung mehr als nur ein bisschen »düster« sei: »Besonders morgens, wenn du zu deiner Einführung in die Gegenkultur der sechziger Jahre und die Neue Linke gehst. Dann wirkst du immer irgendwie so *gequält*.«

Das war natürlich nur Soo-Jin, die das sagte (Soo-Jin, deren Gesicht für Wut und Begeisterung denselben Ausdruck hatte). Ich bemühte mich, die Bemerkung auszublenden, wie einen unangenehmen Geruch aus einem Reagenzglas, aber dann fielen mir alle möglichen Dinge auf, die bei mir tatsächlich düster waren. Zum Beispiel, als Bethany am Freitagabend Leute zu einem Audrey-Hepburn-Marathon einlud, merkte ich, dass ich im Gegensatz zu all den anderen Mädchen, die auf ihren Kissen saßen, eine Zigarette nach der anderen pafften und Tränen in den Augen hatten, eigentlich hoffte, dass Holly ihre Katze Cat nicht finden würde. Wenn ich mir selbst gegenüber ganz ehrlich war, dann wollte ich sogar, dass Cat für immer wegbliebe und ganz allein vor sich hin miaute zwischen den kaputten Holzverschlägen in dieser schrecklichen Gasse in Hollywood, der bei diesem Sturzregen in weniger als einer Stunde vom Pazifik verschlungen würde. (Diesen Wunsch behielt ich natürlich für mich und lächelte entzückt, als George Peppard fieberhaft nach Audrey Hepburn tastete, die ihrerseits fieberhaft nach Cat tastete, die aber gar nicht mehr aussah wie eine Katze, sondern wie ein ertrunkenes Eichhörnchen. Ich glaube, ich gab sogar eins von diesen mädchenhaft quiekigen »Uuuh«-Geräuschen von mir, das perfekt zu Bethanys Seufzern passte.)

Und damit nicht genug. Ein paar Tage später war ich in meinem Kurs über Amerikanische Biographie, gehalten von Glenn Oakley, dem Assistenten mit dem teigigen Maisbrot-Teint und der schrecklichen Angewohnheit, immer mitten im Wort zu schlucken. Er redete gerade über Gertrude Stein auf dem Totenbett.

»›Was ist die Antwort, Gertrude?‹«, zitierte Glenn in manieriertem Flüsterton, die linke Hand erhoben, als hielte er, mit gespreiztem kleinen Finger, einen unsichtbaren Sonnenschirm. (Er ähnelte Alice B. Toklas, mit dem Phantomschnurrbart). »›In diesem Fall, Alice, was ist die Fra-*schluck*-ge?‹«

Ich unterdrückte ein Gähnen, schaute auf mein Heft und sah, dass ich in Gedanken mit seltsam verschnörkelter Schreibschrift ein sehr beunruhigendes Wort gekritzelt hatte. Leb wohl. Für sich betrachtet war es banal und harmlos, klar, aber ich hatte es, wie eine Irre mit gebrochenem Herzen, mindestens vierzigmal geschrieben, über den ganzen Rand der Seite – und auch noch ein bisschen über die vorhergehende.

»Kann mir jemand sagen, was Ger-*schluck*-trude mit diesem Satz ausdrücken wollte? Blue? Nein? Könnten Sie bitte etwas besser aufpassen? Wie wär's mit Ihnen, Shilla?«

»Das ist doch offensichtlich. Sie spricht von der unerträglichen Leere der Existenz.«

»Sehr gut.«

Es sah so aus, als hätte ich, trotz meiner Bemühungen, das Gegenteil zu tun (ich trug flauschige Pullis in Gelb und Rosa, frisierte meine Haare zu einem meiner Meinung nach höchst munteren Pferdeschwanz), mich genau dorthin begeben, wovor ich Angst hatte, seit das alles passiert ist. Ich wurde immer verkrampfter und verdrehter (nur Stationen auf dem Weg zu komplett verrückt), eine Frau, die dann mit vierzig jedes Mal zusammenzuckt, wenn sie irgendwo Kinder sieht, oder absichtlich in einen Schwarm Tauben fährt, die ganz unschuldig ihre Krümel aufpicken. Sicher, mir lief es schon immer kalt den Rücken hinunter, wenn ich irgendeine Schlagzeile oder Werbung las, die mich wider Willen daran erinnerten: »Stahlboss stirbt überraschend mit fünfzig, Herzstillstand«, »Camping-Ausrüstungen – Räumungsverkaufsfinale«. Aber ich sagte mir immer, dass jeder Mensch – jedenfalls jeder, der einigermaßen interessant ist – seine Narben hatte.

Und auch mit Narben konnte man ja eher wie, sagen wir mal, Katharine Hepburn sein als wie Captain Queeg, was die allgemeine Lebenseinstellung und das Verhalten anging, und man konnte ein bisschen mehr Ähnlichkeit mit Sandra Dee haben als mit Scrooge.

Mein Abstieg in die Welt der Dunkelheit wäre vielleicht unaufhaltsam gewesen, hätte ich nicht an einem kalten Nachmittag im März einen ungewöhnlichen Anruf bekommen. Es war, fast auf den Tag genau, ein Jahr nach Hannahs Tod.

»Für dich«, sagte Soo-Jin und reichte mir das Telefon, den Blick auf ihr Diagramm 2114.74 »Aminosäuren und Peptide« gerichtet.

»Hallo?«

»Hi. Ich bin's. Deine Vergangenheit.«

Es verschlug mir den Atem, nein, eine Verwechslung war ausgeschlossen – die tiefe Stimme, Sex und Highways, halb Marilyn, halb Charles Kuralt, aber sie hatte sich verändert. War sie früher zuckrig und brüchig gewesen, so war sie jetzt breiig wie Haferschleim.

»Keine Bange«, sagte Jade. »Ich will nicht mit dir über früher reden.« Sie lachte, ein kurzes *Ha*!, wie wenn man mit dem Fuß gegen einen Stein kickt. »Ich hab aufgehört zu rauchen«, verkündete sie, offensichtlich stolz auf sich, und dann erzählte sie, dass sie es nach St. Gallway nicht aufs College geschafft habe. Stattdessen hatte sie sich, wegen ihrer »Schwierigkeiten«, in eine Institution »à la Narnia« einweisen lassen, wo man über seine Gefühle redete und lernte, Obst zu aquarellieren. Entzückt berichtete sie, dass auf ihrem Stockwerk, das heißt, auf dem relativ angepassten dritten Stock (»nicht so suizidal wie der vierte und nicht so manisch wie der zweite«) ein »echt berühmter Rockstar« untergebracht war und sie sich »nähergekommen« seien, aber wenn sie seinen Namen nennen würde, hieße das, dass sie alles preisgäbe, was sie in dieser zehnmonatigen »Wachstumsphase« in Heathridge Park gelernt hatte. (Jade betrachtete sich jetzt offenbar als eine Art Kletterpflanze oder Ranke.) Einer der Parameter für ihre »Graduation« (sie verwendete tatsächlich dieses Wort, vermutlich fand sie es besser als »Entlassung«), war gewesen, dass sie ein paar »unerledigte Dinge« regeln sollte.

Ich gehörte also zu den unerledigten Dingen.

»Und du?«, fragte sie. »Wie geht's dir? Was macht dein Dad?«

»Ihm geht's blendend.«

»Und Harvard?«

»Schön.«

»Gut, das bringt mich gleich zum Anlass meines Anrufs – es ist eine Entschuldigung, vor der ich mich nicht drücken will und die nicht unglaubwürdig klingen soll«, sagte sie förmlich, was mich irgendwie traurig machte, weil es überhaupt nicht zur richtigen Jade passte. Die Jade, die ich kannte, drückte sich eigentlich immer vor Entschuldigungen, und wenn sie trotzdem gezwungen war, sich zu entschuldigen, klang sie nie überzeugend, aber sie war ja jetzt die Jaderanke (*Strongylodon macrobotrys*), die zur Familie der *Leguminosea* gehörte, entfernt verwandt mit der bescheidenen Gartenerbse.

»Ich möchte mich für mein Verhalten entschuldigen. Ich weiß, was passiert ist, hatte nichts mit dir zu tun. Sie ist einfach durchgedreht. So was passiert immer wieder, und jeder hat seine eigenen Gründe. Bitte, nimm meine Bitte um Verzeihung an.«

Ich überlegte mir, ob ich sie unterbrechen sollte mit meinem kleinen Cliffhanger, meiner Kehrtwendung, meinem Tritt zwischen die Zähne, meinem Kleingedruckten: »Na ja, um die Sache mal rein technisch zu betrachten, ähm ...« Aber ich brachte es nicht über mich. Zum einen hatte ich nicht den Mut, zum andern fand ich es auch nicht sinnvoll, ihr die Wahrheit zu sagen – jedenfalls jetzt nicht. Jade blühte und gedieh, sie bekam genau die richtige Menge Sonne und Wasser, es gab vielversprechende Anzeichen dafür, dass sie ihre Maximalhöhe von zwanzig Metern erreichen würde, und nach und nach würde sie sich vermehren, durch Samen, durch Beschneidung des Stamms im Sommer, durch Ableger im Frühjahr, um schließlich die ganze Breite einer Steinmauer zu bedecken. Meine Worte würden sich auswirken wie hundert Tage Trockenheit.

Der Rest des Telefongesprächs bestand aus einem hitzigen Austausch von »Dann gib mir doch mal deine E-Mail-Adresse« und »Wir müssen unbedingt ein großes Treffen planen« – Papierpuppensprüche, die nicht vertuschen konnten, dass wir uns nie wieder sehen und nur ganz selten miteinander reden würden. Ich wusste schon immer, dass sie, und vielleicht die anderen auch, gelegentlich zu mir herübergeweht kommen würden, wie die Samen eines verblühten Löwenzahns, mit Nachrichten von zuckersüßen Eheschließungen, klebrigen Scheidungen, Umzügen nach Florida, einem neuen Job im Immobiliengeschäft, aber es hielt sie nichts, und sie würden wieder entschweben, genauso beliebig, wie sie gekommen waren.

Und wie es das Schicksal wollte, hatte ich später an diesem Tag noch meine Vorlesung über Griechische und Römische Epen bei Professor Zolo Kydd, einem emeritierten Professor der Klassischen Philologie. Die Studenten nannten Zolo »Rolo«, weil er, wenn auch nur von der Statur und Hautfarbe her, an diese weichen Schokokaramellbonbons erinnerte. Er war klein, braun gebrannt und rund, trug knallig karierte Weihnachtshosen, ohne Rücksicht auf die Jahreszeit, und seine dichten weißgelben Haare klebten verkrustet auf der schimmernden Sommersprossenstirn, als hätte ihm vor Ewigkeiten jemand Hidden Valley Ranch-Salatsoße über den Kopf gekippt. Für gewöhnlich waren gegen Schluss der Vorlesung über »Götter und Gottlosigkeit« oder »Der Anfang und das Ende« die meisten Studenten eingeschlafen. Das lag an seinen Endlossätzen sowie an seiner Angewohnheit, irgendein Wort, in der Regel eine Präposition oder ein Adjektiv, mehrmals zu wiederholen, was an einen kleinen grünen Frosch erinnerte, der von einem schwimmenden Seerosenblatt zum nächsten hüpft.

Und doch war an diesem Nachmittag bei mir alles anders. Ich hing regelrecht an seinen Lippen.

»Bin neulich auf, auf, auf einen unterhaltsamen kleinen Aufsatz über Homer gestoßen«, sagte Zolo, schaute mit gerunzelter Stirn auf sein Manuskript und schnüffelte (Zolo schnüffelte immer, wenn er nervös wurde, weil er den tapferen Entschluss gefasst hatte, das sichere Terrain seiner Vorlesungsnotizen zu verlassen und einen riskanten Umweg zu wagen.) »Er stand in einer kleinen Zeitschrift – ich empfehle Ihnen allen, in der Bibliothek mal einen Blick hineinzuwerfen, es ist die, die, die kaum bekannte *Classic Epic and Modern Ame-*

rica. Winterausgabe, glaube ich. Vor einem Jahr haben ein paar verrückte Gräzisten und Latinisten wie ich ein Experiment durchgeführt, mit dem sie die Macht des Epischen testen wollten. Sie schickten die *Odyssee* an, an, an hundert der schlimmsten, abgefeimtesten Kriminellen in einem Hochsicherheitsgefängnis – Riverbend, wenn ich mich recht entsinne –, und ob Sie's glauben oder nicht, zwanzig der Insassen lasen den Text von Anfang bis Ende, und drei haben sich hingesetzt und ihr eigenes Epos verfasst. Eins davon wird nächstes Jahr von der Oxford University Press veröffentlicht. Der Artikel vertrat die These, epische Dichtung sei eine durchaus praktikable Form, selbst die, die die hartgesottensten Verbrecher auf der Welt zu erreichen und zu resozialisieren. Auch wenn es lustig klingt, aber es sieht so aus, als gäbe es etwas in dieser Kunstform, was die Wut, den, den Stress, den Schmerz abmildert und selbst bei, bei Menschen, die ganz, ganz weit weg sind, ein Gefühl der *Hoffnung* auslöst – denn heutzutage gibt es ja eigentlich kein echtes Heldentum mehr. Wo sind die wahren Helden? Die großen Taten? Wo sind die Götter, die Musen, die Krieger? Wo ist das alte Rom? Nun ja, sie, sie, sie müssen irgendwo sein, nicht wahr, denn laut Plutarch wiederholt sich ja die Geschichte. Hätten wir nur den Mut, danach in, in uns selbst zu suchen, dann, dann könnte vielleicht –«

Ich weiß nicht, was über mich kam.

Vielleicht war es Zolos schwitzendes Gesicht, in dem sich festlich die Neonröhren an der Decke widerspiegelten, wie Jahrmarktslichter in einem Fluss, oder die Art, wie er sich an seinem Rednerpult festhielt, als würde er sonst in sich zusammensacken zu einem Bündel bunter Klamotten – ein krasser Gegensatz zu Dads Haltung auf Bühnen oder erhöhten Plattformen. Wenn Dad über die Reformen in der Dritten Welt dozierte (oder worüber er sonst dozieren wollte; Dad hatte keine Scheu vor Abschweifungen in Randgebiete oder vor Ausflügen ins Apropos), stand er immer ganz aufrecht, ohne auch nur im Geringsten zu wanken oder sich zu krümmen. (»Wenn ich einen Vortrag halte, sehe ich mich immer als eine der dorischen Säulen des Parthenons«, sagte er.)

Ohne zu überlegen stand ich auf. Mein Herz wummerte gegen die Rippen. Zolo unterbrach sich mitten im Satz, und gemeinsam mit den dreihundert schläfrigen Studenten im Hörsaal starrte er mich an, während ich mich mit gesenktem Kopf zwischen Rucksäcken, ausgestreckten Beinen, Jacken, Turnschuhen und Büchern zum nächsten Gang durchkämpfte. Ich torkelte zur Schwingtür, zum AUSGANG.

»Da geht Achilles«, scherzte Zolo ins Mikrophon. Er erntete ein paar müde Lacher.

Ich rannte ins Wohnheim. Dort setzte ich mich an meinen Schreibtisch, nahm einen zehn Zentimeter dicken Papierstapel und begann hastig, diese Einleitung zu kritzeln, die ursprünglich mit Charles begann und mit dem, was mit ihm passiert war, als er sich an drei Stellen das Bein gebrochen hatte und von der Nationalgarde gerettet wurde. Angeblich hatte er so wahnsinnige Schmerzen, dass er immer wieder »Lieber Gott, hilf mir!« schrie und gar nicht aufhören konnte. Charles hatte eine furchtbare Stimme, wenn er außer sich war, und ich musste mir immer vorstellen, dass diese Wörter ein Eigenleben besaßen und wie Heliumballons durch die sterilen Gänge des Burns County Hospitals schwebten, bis zur Entbindungsstation, sodass jedes Kind, das an diesem Morgen auf die Welt kam, seine Schreie hörte.

Natürlich kann man »Es war einmal ein hübscher, trauriger kleiner Junge namens Charles« nicht gerade als fair bezeichnen. Charles war das Traumschiff von St. Gallway, er war Doktor Schiwago und Tom Destry aus *Der große Bluff*. Er war der Goldjunge, den Fitzgerald aus jedem Klassenbild herausgefischt und mit sonnengetränkten Begriffen wie »aristokratisch patrizisch« und »mit unendlichem Selbstbewusstsein gesegnet« tituliert hätte. Charles würde sich heftig dagegen wehren, wenn ich eine Geschichte mit seinem Moment der Niederlage beginnen würde.

Ich kam nicht weiter (und fragte mich, wie diese Gefangenen es geschafft hatten, trotz allem und mit so viel Schwung das leere Blatt zu besiegen), aber als ich die zerknüllten Seiten in den Papierkorb unter Einstein warf (der an der Wand neben Soo-Jins planloser Pinnwand

»Tun oder nicht tun« als Geisel gehalten wurde), fiel mir plötzlich etwas ein, was Dad in Enid, Oklahoma, gesagt hatte. Er blätterte in dem verblüffend attraktiven Vorlesungsverzeichnis der University of Utah in Rockwell, die ihm, wenn mein Gedächtnis mich nicht im Stich lässt, gerade eine Gastprofessur angeboten hatte.

»Es gibt nichts Faszinierenderes als einen gut strukturierten Lehrplan«, verkündete er unvermittelt.

Ich muss die Augen verdreht oder eine Grimasse gezogen haben, denn er schüttelte den Kopf, stand auf und drückte mir das Ding – das beeindruckende fünf Zentimeter dick war – in die Hand.

»Ich meine es ernst. Gibt es etwas Glorioseres als einen Professor? Vergiss, dass er das Denken der Jugend und so die Zukunft der Nation formt – ohnehin ein zweifelhaftes Konzept; man kann bei Leuten nur sehr wenig bewirken, wenn sie schon bei der Geburt für Autodiebstahl-City bestimmt sind. Nein. Was ich meine, ist Folgendes: Ein Professor ist der einzige Mensch auf Erden, der die Macht besitzt, dem Leben einen Rahmen zu geben – nicht dem ganzen, um Gottes willen, nein – nur einem Fragment, einem kleinen *Ausschnitt.* Er strukturiert das Unstrukturierbare. Teilt es ein in Moderne und Postmoderne, Renaissance, Barock, Primitivismus, Imperialismus und so weiter. Und der Vorgang wird in Referate, Semesterferien und Prüfungen gegliedert. So viel Ordnung – einfach göttlich. Die Symmetrie eines Semesters. Sieh dir doch nur die Wörter an: Seminar, Tutorium, Kolloquium in Was-weiß-ich, nur für fortgeschrittene Semester, für Doktoranden, das Praktikum – was für ein herrliches Wort: *Praktikum*! Du findest, ich bin verrückt. Denk mal an Kandinsky. Das große Chaos, aber dann rahmst du ihn ein, und *voilà* – sieht doch sehr hübsch aus über dem Kamin. Und so ist es auch mit dem Curriculum. Dieses himmlische, beglückende System aus Vorschriften, das im Schreckensmirakel des Abschlussexamens kulminiert. Und was *ist* das Abschlussexamen? Ein Test, bei dem das Verständnis gigantischer Konzepte geprüft wird. Kein Wunder, dass so viele Erwachsene am liebsten wieder auf die Universität gehen würden, mit all den Abgabeterminen – aaah, diese Struktur! Ein Gerüst, an dem wir uns festhalten können! Auch wenn es beliebig ist – ohne dieses Gerüst sind wir verloren, völlig unfähig, in unserem traurigen, wirren kleinen Leben die Romantik und das Viktorianische Zeitalter auseinanderzuhalten …«

Ich sagte zu Dad, er habe den Verstand verloren. Er lachte.

»Eines Tages wirst du es begreifen«, sagte er mit einem Augenzwinkern. »Und vergiss nicht – du musst alles, was du sagst, mit erstklassigen Anmerkungen versehen, und am besten noch mit Anschauungsmaterial, mit Abbildungen, denn glaub mir, es gibt immer irgendeinen Komiker hinten in der letzten Bank, irgendwo bei der Heizung, der seine flache Flosse hebt und sich beschwert: ›Nein, Sie haben das alles falsch verstanden.‹«

Ich schluckte und starrte auf das leere Blatt. Während ich den Stift zwischen meinen Fingern einen dreifachen Lutz vollführen ließ, schaute ich aus dem Fenster hinaus auf den Harvard Yard, wo die feierlichen Studenten, ihre Winterschals fest um den Hals geschlungen, die Wege entlang und über die Rasenflächen rannten. »›Singen will ich von Kämpfen und von dem Mann, der zuerst von Trojas Gestade, / vom Schicksal verbannt, zu Laviniums Küste, nach Italien kam‹«, hatte Zolo uns erst vor ein paar Wochen vorgetragen und bei jedem zweiten Wort mit dem Fuß auf den Boden gestampft, völlig bizarr, sodass seine karierten Hosenbeine nach oben rutschten und man, ob man wollte oder nicht, seine zahnstocherdünnen Knöchel und die feinen weißen Söckchen zu sehen bekam. Ich schrieb in meiner schönsten Schönschrift: »Curriculum« und dann »Lektüreliste«.

So hat Dad auch immer angefangen.

Teil 1

Othello

Bevor ich von Hannah Schneiders Tod erzähle, möchte ich über meine Mutter reden.

Um 15.10 am 17. September 1992, zwei Tage, bevor sie den neuen blauen Volvo Kombi beim Autohändler Dean King's Volvo and Infiniti in Oxford abholen sollte, fuhr meine Mutter, Natasha Alicia Bridges van Meer, mit ihrem weißen Plymouth Horizon (dem Wagen, dem mein Vater den Spitznamen Todesmaschine gegeben hatte) durch eine Leitplanke an der Mississippi State Highway 7 und in eine Wand aus Bäumen.

Sie war sofort tot. Ich wäre auch sofort tot gewesen, wenn Dad nicht, durch eine seltsame Fügung des Schicksals, in der Mittagspause meine Mutter angerufen hätte, um ihr zu sagen, sie müsse mich nicht, wie sonst immer, im Kindergarten der Calhoun Elementary School abholen. Dad hatte nämlich beschlossen, die Studenten, die nach seinem Kurs »Politikwissenschaft 400a: Konfliktlösungsstrategien« immer noch herumhingen und schlecht überlegte Fragen stellten, einfach wegzuschicken. Er wollte lieber mich von Ms Jettys Kindergarten abholen, damit wir den Rest des Tages im Mississippi Wildlife Conservatory Project in Water Valley verbringen konnten.

Während Dad und ich erfuhren, dass Mississippi eines der besten Rotwild-Management-Programme in den ganzen Staaten hatte, mit 1,75 Millionen Weißwedelhirschen (nur noch übertroffen von Texas), versuchten Rettungssanitäter, die Leiche meiner Mutter mit dem Rettungsspreizer aus dem Autowrack zu befreien.

Dad über Mom: »Deine Mutter war eine Arabesque.«

Dad benutzte gern Ballettbegriffe, um sie zu beschreiben (zu den Lieblingswörtern gehörten auch: *Attitude, Ciseaux* und *Balancé*), zum Teil deswegen, weil sie als Kind sieben Jahre lang am berühmten Larson Ballet Conservatory in New York Unterricht gehabt hatte (auf Wunsch ihrer Eltern hörte sie auf, um die Ivy School in der East 81st Street zu besuchen), aber auch, weil sie ihr Leben in Schönheit und mit Disziplin lebte. »Obwohl sie eine klassische Ausbildung hatte, entwickelte Natasha schon früh im Leben eine eigene Technik und galt bei ihren Eltern und ihren Freunden als ziemlich radikal für ihre Zeit«, sagte er, eine Anspielung darauf, dass ihre Eltern, George und Geneva Bridges, und ihre Kindheitsfreunde nicht verstanden, wieso Natasha sich dafür entschied, nicht im fünfstöckigen Townhouse ihrer Eltern in der Nähe der Madison Avenue zu wohnen, sondern in einer Einzimmerwohnung in Astoria, Queens; wieso sie nicht für American Express oder Coca-Cola arbeitete, sondern für NORM (Non-profit Organization for Recovering Mothers), wieso sie sich in Dad verliebte, einen Mann, der dreizehn Jahre älter war als sie.

Nachdem er drei Bourbon getrunken hatte, erzählte Dad gern von dem Abend, an dem sie sich im Pharaonen-Raum der Edward Stillman Collection of Egyptian Art in der East 86th Street kennengelernt hatten. Er sah sie auf der anderen Seite des Raums stehen, zwischen den mumifizierten Gebeinen der ägyptischen Könige und den Menschen, die für 1000 Dollar pro Person Ente aßen (die Einnahmen kamen einer Wohltätigkeitsorganisation zugute, die sich um Waisenkinder in der Dritten Welt kümmerte). Dad hatte von einem verbeamteten Kollegen an der Universität, der verhindert war, ganz zufällig zwei Eintrittskarten bekommen. Ich kann mich also bei Professor Arnold B. Levy, Professor für Politikwissenschaft an der Columbia University, und bei der Diabeteserkrankung seiner Frau für meine Existenz bedanken.

Natashas Kleid wechselt in seiner Erinnerung öfter die Farbe.

Manchmal trug sie ein »taubenweißes Kleid, das ihre perfekte Figur betonte und in dem sie mindestens so attraktiv aussah wie Lana Turner in *Im Netz der Leidenschaften.*« Dann wieder war sie »ganz in Rot«. Dad hatte eine Begleiterin mitgebracht, eine gewisse Miss Lucy Marie Miller aus Ithaca, Assistenzprofessorin für Englisch an der Columbia University. Aber er konnte sich beim besten Willen nicht erinnern, welche Farbe *sie* getragen hatte. Er konnte sich nicht einmal erinnern, Lucy überhaupt noch gesehen oder sich von ihr verabschiedet zu haben, nachdem sie sich kurz über die bemerkenswert gut erhaltene Hüfte von König Taa II. ausgetauscht hatten – denn gleich darauf erspähte er eine blasse Blondine mit einer aristokratischen Nase, Natasha Bridges, die beim Knie und Unterschenkel von Ahmosis IV. stand und sich etwas zerstreut mit ihrem Begleiter Nelson L. Aimes unterhielt, einem Mitglied der Aimes aus San Francisco.

»Der Junge hatte ungefähr so viel Charisma wie ein Teppichboden«, sagte Dad gern, aber manchmal war der arme Mr Aimes in seinen Erzählungen einfach nur ein Mann mit »schlechter Haltung« und »wirrem Haaransatz«.

Ihre Liebesgeschichte war grausam wie ein Märchen. Es kam alles vor: die böse Königin, der stümperhafte König, die reizende Prinzessin, der verarmte Prinz, eine verzauberte Liebe (die bewirkte, dass sich Vögel und irgendwelche kleinen Felltierchen auf einem Fenstersims versammelten) – und ein letzter Fluch.

»Mit ihm wirst du unglücklich sterben«, sagte Geneva Bridges angeblich während ihres letzten Telefongesprächs zu meiner Mutter.

Dad konnte nicht adäquat antworten, wenn man ihn fragte, warum George und Geneva Bridges eigentlich derart unbeeindruckt von ihm waren, während doch der Rest der Welt ihn so liebte. Gareth van Meer, am 25. Juli 1947 im schweizerischen Biel geboren, hatte seine Eltern nie kennengelernt (er vermutete, dass sein Vater ein deutscher Soldat war, der sich versteckt hielt) und wuchs in einem Züricher Waisenhaus für Knaben auf, in dem Liebe und Zuwendung etwa so selten waren wie persönliche Auftritte des Rat Packs. Mit nichts ausgestattet als mit einem eisernen Willen, der ihn zu Höchstleistungen antrieb, bekam Dad ein Stipendium für die Universität Lausanne, um Volkswirtschaft zu studieren, dann lehrte er zwei Jahre Soziologie an der Jefferson International School in Kampala, Uganda, arbeitete als Assistent an der Diaz-Gonzales-Schule in Managua, Nicaragua, und kam 1972 in die USA. 1978 promovierte er an der Kennedy School of Government in Harvard mit einer viel gerühmten Dissertation über das Thema: »Der Fluch des Freiheitskämpfers: Irrtümer in Guerilla-Kriegsführung und revolutionärer Strategie in der Dritten Welt«. Die nächsten vier Jahre lehrte er in Cali, Kolumbien, und danach in Kairo; dazwischen ging er zu wissenschaftlichen Feldstudien nach Haiti, Kuba und in verschiedene afrikanische Länder, einschließlich Sambia, Sudan und Südafrika, weil er ein Buch über territoriale Konflikte und Entwicklungshilfe schreiben wollte. Als er in die USA zurückkehrte, bekam er die Harold H. Clarkson Professur für Politikwissenschaft an der Brown University, danach 1986 die Ira F. Rosenblum Professur für Weltpolitische Studien an der Columbia University. Außerdem veröffentlichte er sein erstes Buch, *Die herrschenden Mächte* (Harvard University Press, 1987). In diesem Jahr bekam er sechs verschiedene Auszeichnungen, unter anderem den Mandela Award of the American Political Science Institute und den renommierten McNeely Prize of International Affairs.

Doch als George und Geneva Bridges aus der 16 East 64th Street Gareth van Meer kennenlernten, verliehen sie ihm keinen Preis, ja, er bekam nicht einmal eine lobende Erwähnung.

»Geneva war Jüdin, und sie hasste meinen deutschen Akzent. Dabei kam ihre Familie aus St. Petersburg, und Geneva hatte auch einen Akzent. Sie beschwerte sich immer, weil sie an Dachau denken musste, wenn sie mich reden hörte. Ich habe mich also bemüht, meine Aussprache zu verbessern – deshalb spreche ich heute so picobello akzentfrei. Tja, ja«, seufzte er und wedelte mit der Hand, eine Geste, die signalisierte: Mehr gibt's dazu nicht zu sagen. »Ich denke, ich war ihnen einfach nicht gut genug. Sie wollten für ihre Tochter einen dieser hübschen Jungen mit gepflegter Frisur und mit einem Talent für Immobiliengeschäfte, jemanden, der noch nichts von der Welt gesehen hatte, oder höchstens durch die Fenster der Präsidenten-Suite im Ritz. Sie haben Natasha nicht verstanden.«

Und meine Mutter wagte es, »so Schönheit, Geist, Vermögen auszuliefern / Dem heimatlos unsteten Abenteurer / Von hier und überall«, und verliebte sich in Dads Geschichten von Land und See. Sie heirateten auf einem kleinen Standesamt in Pitts, New Jersey, mit zwei Trauzeugen, die sie in einer Kneipe am Highway aufgelesen hatten, einem Lastwagenfahrer und einer Kellnerin namens Peaches, die seit vier Tagen nicht mehr geschlafen hatte und zweiunddreißigmal gähnte (Dad zählte mit), während sie das Ehegelöbnis sprachen. Damals hatte Dad bereits Differenzen mit dem konservativen Leiter des Instituts für Politikwissenschaft an der Columbia University, was darin gipfelte, dass Dad in *The Federal Journal of Foreign Affairs* einen Artikel veröffentlichte, mit dem Titel »Stilettos mit Stahlspitzen: Die Designermode der amerikanischen Entwicklungshilfe« (Bd. 45, Nr. 2, 1987). Er kündigte mitten im Semester. Sie zogen nach Oxford, Mississippi. Dad nahm eine Stelle an der Ole Miss an und lehrte Konfliktlösungsstrategien in der Dritten Welt, während meine Mutter fürs Rote Kreuz arbeitete und begann, Schmetterlinge zu fangen.

Ich kam fünf Monate später auf die Welt. Meine Mutter beschloss, mich Blue zu nennen, denn während ihres ersten Jahres als Schmetterlingsforscherin bei der Southern Belles' Association of Butterflies mit den Treffen dienstagabends in der Baptistenkirche (zu den Vortragsthemen gehörte: Habitat, Artenschutz und Hinterkörperpaarung sowie attraktive Vitrinen und Schaukästen) konnte Natasha nur eine Sorte Schmetterling fangen, den Cassius Blue (siehe *Leptotes cassius, Schmetterlingslexikon*, Meld, 2001 ed.). Sie probierte verschiedene Käscher aus (Nessel, Musseline, Netzbeutel), sowie Gerüche (Patschuli, Geißblatt), verschiedene Techniken, sich anzupirschen (Gegenwind, Rückenwind, Seitenwind) sowie die zahlreichen Netzschwünge (Überraschungsangriff, rasches Zuschlagen, Lowsell-Pit-Manöver). Beatrice »Bee« Lowsell, Präsidentin der SBAB, traf sich an Sonntagnachmittagen sogar privat mit Natasha, um ihr die Methoden der Schmetterlingsjagd beizubringen (Zickzack, indirekte Verfolgung, schneller Zugriff, Einsammeln) sowie die Kunst, den eigenen Schatten zu kaschieren. Nichts half. Der Shy Yellow, der Weiße Admiral und der Nymphalide wurden vom Käscher meiner Mutter abgestoßen, als handelte es sich um gleich gepolte Magnete.

»Deine Mutter fand, das muss ein Zeichen sein, also hat sie beschlossen, sich darauf zu spezialisieren, nur den Cassius Blue zu fangen. Jedes Mal, wenn sie loszog, kam sie mit ungefähr fünfzig Exemplaren nach Hause und wurde mit der Zeit eine richtige Expertin für diese Sorte. Sir Charles Erwin, oberster Schmetterlingsexperte im Insektenmuseum von Surrey, England, ein Mann, der nicht nur einmal, sondern viermal in der BBC-Sendung *Bug Watch* aufgetreten ist, hat deine Mutter sogar angerufen, um mit ihr über die Nahrungsaufnahme des *Leptotes cassius* bei der Blüte der Limabohne zu diskutieren.«

Wenn ich mich negativ über meinen Namen äußerte, sagte mein Vater immer das Gleiche: »Du kannst froh sein, dass sie nicht immer den Swamp Metalmark oder den Silbernen Perlmutterfalter gefangen hat.«

Die Lafayette County Police teilte Dad mit, Natasha sei offenbar am Steuer eingeschlafen, am helllichten Tag, und Dad wusste, dass Natasha vier oder fünf Monate vor dem Unfall oft ganze Nächte an ihren Schmetterlingen gebastelt hatte. Sie war an den merkwürdigsten Orten eingeschlafen: am Herd, während sie für Dad Irish Oatmeal kochte, auf dem Untersuchungstisch, als Dr. Moffet ihr Herz abhörte, sogar auf der Rolltreppe vom ersten zum zweiten Stock im Ridgeland Shoppingcenter.

»Ich habe ihr gesagt, sie soll nicht so viel an den Faltern arbeiten«, sagte Dad. »Schließlich waren sie nur ein Hobby. Aber sie wollte unbedingt die ganze Nacht an diesen Schaukästen herumtüfteln, und sie konnte sehr dickköpfig sein. Wenn sie eine Idee hatte, wenn sie an etwas *glaubte*, ließ sie nicht locker. Und trotzdem – sie war genauso zerbrechlich wie ihre Schmetterlinge, eine Künstlerin, mit tiefen Gefühlen. Es ist ja gut und schön, wenn man empfindlich ist, aber es macht das Alltagsleben – das Leben überhaupt – nicht leichter, würde ich denken. Ich habe manchmal im Spaß gesagt, wenn jemand im brasilianischen Urwald einen Baum fällt oder auf eine Ameise tritt oder wenn ein Spatz gegen eine Glastür knallt, tut ihr das weh.«

Ich weiß nicht, an wie viel ich mich erinnern würde, ohne Dads Anekdoten und Beobachtungen (sein *Pas de Deux*, seine *Attitudes*). Ich war fünf, als sie starb, und anders als bei jenen Genies, die von sich behaupten, sie könnten sich an die eigene Geburt erinnern (»ein Erdbeben unter Wasser«, sagte der bekannte Physiker Johann Schweitzer über das Ereignis, »erschütternd.«), ist es bei mir so, dass meine Erinnerung an das Leben in Mississippi immer stottert und zum Stillstand kommt, wie ein Motor, der nicht laufen will.

Dads Lieblingsfoto von Natasha ist eine Schwarzweißaufnahme aus der Zeit, bevor sie ihn kennenlernte. Sie war einundzwanzig und für eine viktorianische Kostümparty verkleidet (Abbildung 1.0). (Das Originalfoto habe ich nicht mehr; deshalb zeige ich hier und an den Stellen, an denen es mir angemessen erscheint, nach meiner Erinnerung gezeichnete Illustrationen.) Obwohl sie im Vordergrund ist, scheint sie im Raum zu versinken, in einem Raum, der vollgestopft ist mit »bürgerlichem Besitz«, wie Dad gern mit einem Seufzer bemerkte. (Es sind echte Picassos.)

Und obwohl Natasha fast direkt in die Kamera blickt und ein vornehmes, aber trotzdem zugängliches Gesicht macht, blitzt bei mir kein Funke des Erkennens auf, wenn ich diese Blondine mit den ausgeprägten Wangenknochen und den tollen Haaren ansehe. Ich bringe diese kultiviert elegante Person auch nicht in Verbindung mit dem kühlen Gefühl der Geborgenheit, an *das* ich mich erinnere, wenn auch nur vage: ihr Handgelenk auf meiner Hand, glatt wie poliertes Holz, während sie mich in ein Klassenzimmer mit orangerotem Teppich führte, in dem es nach Klebstoff stank, das Gefühl, wenn wir mit dem Auto fuhren und ihre milchigen Haare fast ihr ganzes rechtes Ohr bedeckten und nur der Rand noch hervorlugte, wie eine Fischflosse.

Der Tag, an dem sie starb, ist ebenfalls vage und immateriell. Ich glaube mich zu erinnern, wie Dad in einem weißen Schlafzimmer saß

Abbildung 1.0

und seltsame Würgegeräusche in seine Hände machte und es überall nach Pollen und feuchtem Laub roch, aber ich frage mich, ob das nicht eine erzwungene Erinnerung ist, geboren aus Notwendigkeit und »eisernem Willen«. Ich weiß allerdings noch ganz genau, dass ich hinausgeschaut habe auf die Stelle, wo ihr weißer Plymouth immer stand, neben dem Schuppen mit dem Rasenmäher, und dass ich nichts sah außer Ölflecken. Und ich weiß auch noch, dass mich ein paar Tage lang, bis Dad seinen Vorlesungsplan geändert hatte, unsere Nachbarin vom Kindergarten abholte, eine hübsche Frau in Jeans und mit kurzen roten Stachelhaaren, die nach Seife roch, und immer, wenn wir in unsere Einfahrt einbogen, machte sie nicht gleich die Wagentür auf, sondern umklammerte das Lenkrad und flüsterte, dass es ihr so leid tue – aber dieses Flüstern galt nicht mir, sondern der Garagentür. Dann zündete sie sich eine Zigarette an und saß ganz still, während sich der Rauch um den Rückspiegel kräuselte.

Ich erinnere mich auch daran, wie sich unser Haus veränderte, früher war es klobig gewesen und hatte gekeucht wie eine rheumakranke Tante, aber ohne meine Mutter war es angespannt und zurückhaltend, als würde es auf ihre Rückkehr warten, weil es sich erst dann wieder wohlfühlte und knarzen und ächzen konnte und den Holzfußböden wieder erlaubte, unter unseren eiligen Schritten Grimassen zu schneiden; erst dann wollte es die Gittertür jedes Mal, wenn man sie öffnete, 2¼-mal gegen den Türrahmen schlagen lassen und mit dem Gegurgel der Gardinenstangen einverstanden sein, wenn ein unfreundlicher Windstoß durchs Fenster rauschte. Ohne Mom weigerte sich das Haus zu klagen, und bis Dad und ich 1993 unsere Sachen packten und Oxford verließen, verharrte es in dieser verschämt schmallippigen Haltung, die man zum Beispiel auch für die langweiligen Predigten von Pastor Monty Howard in der neupresbyterianischen Kirche brauchte, wo Dad mich jeden Sonntagmorgen ablieferte, während er selbst auf dem McDonald's-Parkplatz auf der anderen Straßenseite wartete, Bratkartoffeln aß und *The New Republic* las.

Aber man kann sich ja vorstellen, dass ein Tag wie der 17. September 1992 einem im Kopf herumsaust, auch wenn man sich nicht mehr genau daran erinnert. Dass er sich meldet, wenn ein Lehrer nicht mehr weiß, wie man heißt, und einen schließlich »Green« nennt. Ich dachte auch an den 17. September, als ich in der Poe-Richards-Grundschule war und mich zwischen den tristen Regalen der Bibliothek verkroch, um dort mein Lunch zu essen und *Krieg und Frieden* zu lesen (Tolstoi, 1865–1869). Oder wenn Dad und ich abends den Highway entlangfuhren und er in undurchdringliches Schweigen verfiel und sein Profil aussah wie in einen Totempfahl geschnitzt. Ich schaute aus dem Fenster auf die schwarz gezackten Silhouetten der vorbeirauschenden Bäume und hatte eine Was-Wenn-Attacke. Was, wenn Dad mich nicht vom Kindergarten abgeholt hätte und sie an seiner Stelle gekommen wäre und sich ganz besonders angestrengt hätte, auf der Heimfahrt nicht einzuschlafen, weil ich ja auf dem Rücksitz saß – was, wenn sie das Fenster heruntergekurbelt hätte und ihre glänzenden Haare durchgepustet worden wären (und ihr *ganzes* rechtes Ohr zu sehen gewesen wäre), was, wenn im Radio »Revolution« von den Beatles gekommen wäre, eins ihrer Lieblingslieder, und sie laut mitgesungen hätte? Oder was, wenn sie gar nicht eingeschlafen war? Was, wenn sie *absichtlich* mit 130 Stundenkilometern durch die Leitplanke gedonnert war, um frontal gegen die Mauer aus Tulpenbäumen zu rasen, die neun Meter vom Randstreifen des Highways entfernt standen?

Darüber wollte Dad nicht reden.

»Am Morgen hat deine Mutter noch mit mir darüber geredet, dass sie sich in einen Abendkurs einschreiben will, Einführung in die Falter Nordamerikas, also wirf diese trüben Gedanken über Bord. Natasha war das Opfer zu vieler Schmetterlingsnächte.« Er schaute auf den Boden. »Eine Art Mottenmondsucht«, fügte er leise hinzu.

Dann lächelte er und schaute mich wieder an, wie ich da in der Tür stand, aber seine Augen waren schwer, als würde es ihn viel Kraft kosten, sie auf mein Gesicht zu richten.

»Und dabei wollen wir es belassen.«

Ein Porträt des Künstlers als junger Mann

Wir reisten.

Dank der verblüffend hohen Verkaufszahlen von *Die herrschenden Mächte* (zumal im Vergleich zu den anderen Knüllern, die von der Harvard University Press in diesem Jahr veröffentlicht wurden, einschließlich *Finanzen und Außenpolitik* [Toney, 1987] und *FDR und sein großer Deal: Ein neuer Blick auf die ersten 100 Tage* [Robbe, 1987]), aufgrund seines makellosen zwölfseitigen Lebenslaufs sowie wegen der häufigen Veröffentlichung seiner Essays in renommierten, hoch spezialisierten (wenn auch wenig gelesenen) Zeitschriften wie *International Affairs and American Policies* und Daniel Hewitts *Federal Forum* (ganz zu schweigen davon, dass er 1990 für das begehrte Johann D. Stuart Prize for American Political Science Scholarship nominiert wurde), hatte Dad es geschafft, sich so weit einen Namen zu machen, dass er im ganzen Land von den Instituten für Politikwissenschaft als Gastdozent berufen wurde.

Aber wohlgemerkt – Dad bemühte sich längst nicht mehr um die Topuniversitäten mit ihren vielnamigen Professuren, wie die Eliza Grey Peastone-Parkinson Professur für Regierungswesen in Princeton oder die Louisa May Holmo-Gilsendanner Professur für Internationale Politik am MIT. (Ich vermutete, dass angesichts der harten Konkurrenz diese Anstalten nicht besonders betrübt waren, dass Dad sich den »inzestuösen Zirkeln« – wie er die akademische Elite nannte – entzog.)

Nein, Dads Interesse war es jetzt, seine Bildung, Belesenheit, seine praktische internationale Erfahrung und seine Forschungsarbeit den niedrigeren Rängen (den Niedrig*fressern*, nannte er sie in einer Bourbon-Laune) zur Verfügung zu stellen, den Universitäten, von denen kein Mensch je gehört hatte, gelegentlich nicht einmal die Studenten, die dort eingeschrieben waren: die Cheswick Colleges, die Dodson-Miner Colleges, die Hicksburg State Colleges, die Universitäten von Idaho und Oklahoma und Alabama in Runic, in Stanley, in Monterey, in Flitch, in Parkland, in Picayune, in Petal.

»Warum soll ich meine Zeit damit verplempern, irgendwelche aufgeplusterten Jugendlichen zu unterrichten, deren Verstand vor lauter Arroganz und Materialismus völlig zugekleistert ist? Nein, ich will meine Energie dafür einsetzen, die bescheidenen und normalen Amerikaner zu lehren. ›Keine Majestät ist der des gemeinen Mannes vergleichbar.‹« (Wenn ihn Kollegen fragten, warum er nicht mehr an der Ivy League unterrichten wollte, schwärmte er in den höchsten Tönen vom gemeinen Mann. Aber manchmal, unter vier Augen, wenn er grauenhaft schlechte Klausuren oder ein blödsinniges Referat korrigierte, konnte auch in Dads Augen der wunderbare, unverstellte gemeine Mann ein »Idiot«, ein »Schwachkopf«, eine »monströse Verschwendung von Materie« werden.

Ein Ausschnitt aus Dads persönlicher Webpage für die University of Arkansas in Wilsonville (www.uaw.edu/polisci/vanmeer):

> Dr. Gareth van Meer (Promotion 1978 in Harvard) ist im akademischen Jahr 1997–1998 hier als Gastdozent für Politikwissenschaft tätig. Er kommt von Ole Miss, wo er das Institut für Politikwissenschaft leitet und als Direktor des Zentrums für US-amerikanische Studien fungiert. Sein Hauptinteresse gilt der politischen und ökonomischen Revitalisierung, dem militärischen und humanitären Engagement sowie der Nationenbildung in der Dritten Welt nach territorialen Konflikten. Derzeit arbeitet er an einem Buch mit dem Titel *Die eiserne Faust* über ethnische Politik und Bürgerkrieg in Afrika und Südamerika.

Dad kam immer von irgendwoher, meistens von Ole Miss, obwohl wir während unserer zehn Reisejahre nie nach Oxford zurückgingen. Er arbeitete auch immer an seinem Buch *Die eiserne Faust*, obwohl ich so gut wie er wusste, dass die *Faust* – fünfundfünfzig Briefblöcke mit unlesbaren Notizen (viele waren irgendwann einmal nass geworden), die in einem großen Karton mit der schwarzen Filzstift-Aufschrift FAUST lagerten – in den letzten fünfzehn Jahren weder »derzeit« noch sonst irgendwann angefasst worden war.

»Amerika«, seufzte Dad, als er mit dem blauen Volvo Kombi wieder einmal die Grenze zwischen zwei Bundesstaaten überquerte. Willkommen in Florida, dem Sonnenschein-Staat. Ich klappte die Sonnenblende herunter, obwohl die Sonne mich nicht blendete. »Nichts kann es mit diesem Land aufnehmen. Nichts und nada. Wirklich das gelobte Land. Das Land der Freien und der Tapferen. Also, wie war das nochmal mit Sonett Nummer 30? Du hast es nicht zu Ende gesagt. ›Wenn ich zum stillen Rat in meiner Brust / Entbiete die Erinn'rung alter Tage‹. Komm schon, ich weiß doch, dass du es kannst. Auf geht's. ›Wein' ich um manchen schmerzlichen Verlust …‹«

Von der zweiten Klasse in der Grundschule in Wadsworth, Kentucky, bis zu meinem Abschlussjahr an der St. Gallway School in Stockton, North Carolina, verbrachte ich genauso viel Zeit in dem blauen Volvo wie im Klassenzimmer. Obwohl Dad immer eine komplizierte Erklärung für unser wenig sesshaftes Leben auf Lager hatte (siehe unten), stellte ich mir heimlich vor, dass wir durchs Land zogen, weil er vor dem Geist meiner Mutter fliehen musste oder weil er ihren Geist in jeder Dreizimmerwohnung suchte, die wir mitsamt den ollen Verandaschaukeln mieteten, in jedem Diner, das Waffeln servierte, die wie Pappe schmeckten, in jedem Motel mit Pfannkuchenkissen, abgetretenen Teppichen und Fernsehapparaten, bei denen die Kontrasttaste kaputt war, weshalb die Nachrichtensprecher alle aussahen wie die Oompa Loompas aus der Schokoladenfabrik von Willy Wonka.

Dad, über Kindererziehung: »Es gibt keine bessere Erziehung als das Reisen. Man denke nur an das *Tagebuch einer Motorradreise* oder daran, was Montrose St. Millet in *Jahre des Forschens* schreibt: ›Stillhalten heißt dumm sein. Dumm sein heißt sterben.‹ Und wir werden *leben.* Jede Betsy, die in der Schule neben dir sitzt, kennt nur die Maple Street, in der ihr viereckiges weißes Haus steht, in dem ihre viereckigen weißen Eltern herumjaulen. Durch deine Reisen kennst du Maple Street, klar, aber auch die Wildnis und die Ruinen, den Karneval und den Mond. Du kennst den Mann, der in Cheerless, Texas, auf einer Apfelkiste vor einer Tankstelle sitzt und ein Bein in Vietnam verloren hat, und die Frau in der Mautkabine außerhalb von Dismal, Delaware, die sechs Kinder hat und einen Ehemann mit Staublunge und ohne Zähne. Wenn ein Lehrer im Unterricht von euch verlangt, dass ihr das *Verlorene Paradies* interpretiert, kriegt dich niemand an den Rockschößen zu packen, Sweet, weil du allen weit, weit vorausfliegst. Für sie bist du ein Fleck irgendwo über dem Horizont. Und wenn du dann endgültig auf die Welt losgelassen wirst ...« Er zuckte die Achseln und grinste müde wie ein alter Hund. »Ich habe den Verdacht, dass mir nichts anderes übrig bleibt, als in die Geschichte einzugehen.«

Normalerweise teilte sich unser Jahr in drei Städte: September bis Dezember in der ersten, Januar bis Juni in der nächsten, Juli bis August in einer dritten, obwohl die Zahl manchmal auf ein Maximum von fünf Städten anstieg, bis ich schließlich drohte, massenhaft schwarzen Eyeliner und ausgebeulte Klamotten anzuhäufen. (Dad beschloss, zum Mittelwert von drei Städten pro Jahr zurückzukehren.)

Mit Dad durch die Gegend zu fahren war aber nicht kathartisch oder befreiend (siehe *Unterwegs*, Jack Kerouac, 1957). Es war anstrengend. Es war ein Sonnet-a-thon. Es war Hundert Meilen Einsamkeit: der Versuch, *Das wüste Land* auswendig zu lernen. Dad konnte einen Bundesstaat von einem Ende zum anderen genau aufteilen, aber nicht in Fahrtstrecken, sondern in exakte halbstündige Segmente mit Vokabel-Karten (Wörter, die jedes Genie kennen sollte), Autor-Analogien (»die Analogie ist die Zitadelle des Denkens: die schwierigste Art, widerspenstige Beziehungen in den gewünschten Zustand zu bringen«), Referate vortragen (gefolgt von einer zwanzigminütigen Frage-und-Antwort-Phase), Kampf der Wörter (Coleridge / Wordsworth) sowie sechzig Minuten eines großen Romans, darunter *Der große Gatsby* (Fitzgerald, 1925) und *Schall und Wahn* (Faulkner, 1929), die Van-Meer-Radio-Theaterstunde mit Stücken wie *Frau Warrens Gewerbe* (Shaw, 1894), *Ernst sein ist alles* (Wilde, 1895) und alles Mögliche aus Shakespeares Œuvre, etwa die späten Romanzen.

»Blue, ich höre keinen Unterschied zwischen Gwendolyns raffiniertem Oberschichtakzent und Cicelys mädchenhaft ländlicher Sprache. Versuch mal, die Charakteristika deutlicher herauszuarbeiten, und wenn ich dir eine Regieanweisung à la Orson Welles geben darf – denk daran, in dieser Szene sind beide wütend. Du darfst dich nicht zurücklehnen und so tun, als würdest du in aller Muße eine Tasse Tee trinken. Es geht um *sehr viel*! Diese Frauen glauben, dass sie mit demselben Mann verlobt sind! Mit Ernst!«

Mehrere Bundesstaaten später, Augen wässrig, Blick erschöpft, Stimme heiser, stellte Dad im immergrünen Zwielicht des Highways nicht das Radio an, sondern legte seine Lieblings-CD auf, A. E. Housman, *Gedichte auf Wenlock Edge*. Schweigend lauschten wir dem Stahltrommel-Bariton des Sir Brady Heliwick von der Royal Shakespeare Company (zu dessen jüngsten Rollen Richard in *Richard III.*, Titus in *Titus Andronicus*, Lear in *König Lear* gehörten): Vor dem Hintergrund einer schmachtenden Violine las er »Als ich einundzwanzig war« und »Auf einen jung sterbenden Athleten«. Manchmal sprach Dad den Text mit und versuchte dabei, Brady zu übertrumpfen.

Mann und Knabe jubelnd stehn,
Und wie wir schulterhoch dich sehn

»Ich hätte Schauspieler werden können«, sagte Dad und räusperte sich.

* * *

Wenn ich mir die U. S. Rand-McNally-Landkarte anschaue, auf der Dad und ich mit roten Reißzwecken jede Stadt, in der wir je wohnten, und sei es auch noch so kurz, markiert haben (»Napoleon hat seinen Herrschaftsbereich ähnlich gekennzeichnet«, sagte Dad), dann komme ich zu dem Ergebnis, dass ich zwischen sechs und sechzehn in neununddreißig Städten in dreiunddreißig Bundesstaaten gelebt habe, Oxford nicht mitgerechnet, und dass ich demzufolge etwa vierundzwanzig Elementary Schools, Middle Schools und High Schools besuchte.

Dad sagte öfter im Scherz, ich könnte das Buch *Die Suche nach Godot: Eine Reise, um in Amerika eine gute Schule zu finden* im Schlaf herunterrasseln, aber da war er zu zynisch. Er unterrichtete an Universitäten, an denen mit *Student Center* ein leerer Raum gemeint war, mit nichts drin als einem Tischfußball und einem Snackautomaten, in dem sich ein paar Süßigkeiten tapfer gegen das Glas drückten. Ich hingegen besuchte große, frisch renovierte Schulen mit schmalen Gängen und aufgepeppten Sporthallen: Schulen mit zahlreichen Teams (Football, Baseball, Spirit, Tanz) und Schulen mit zahlreichen Listen (Anwesenheit, Auszeichnungen, Rektorat, Nachsitzen); Schulen, die auf neu machten (neuer Kunstraum, neuer Parkplatz, neuer Speiseplan), und Schulen, die auf alt machten (und sich in ihren Broschüren mit Begriffen wie *klassisch* und *traditionell* anpriesen); Schulen mit grummeligen, grinsenden Maskottchen, Schulen mit pickenden, putzigen Maskottchen; es gab die Schule mit der bestechenden Bibliothek (deren Bücher nach Klebstoff und Mr Clean rochen) und die Schule mit der Moder-Bibliothek (deren Bücher nach Schweiß und Rattenkot rochen), die Schule mit den triefäugigen Lehrern, mit den tropfnasigen Lehrern, mit den Lehrern, die man nie ohne eine lauwarme Tasse Kaffee sah, mit den Lehrern, die Kuchenverkauf organisierten, mit den Lehrern, die sich engagierten, mit den Lehrern, die insgeheim all die kleinen Monster abgrundtief hassten.

Wenn ich mich in diese relativ hoch entwickelten Kulturnationen mit ihren festgeschriebenen Regeln und Hackordnungen einfädelte, bekam ich nicht sofort den Status der Drama-Queen mit dem Silberblick oder den der nervigen Intelligenzbestie mit den sauber gebügelten Madrasblusen. Ich war nicht einmal die NEUE, weil mir diese Glamourtitel jedes Mal innerhalb von Minuten von einer Schülerin mit volleren Lippen und einem lauteren Lachen weggeschnappt wurden.

Ich würde am liebsten behaupten, ich war Jane Goodall, die furchtlose Fremde in einem noch fremderen Land, die bahnbrechende Arbeit leistet, ohne die natürliche Hierarchie des Universums zu stören. Aber aufgrund seiner Stammeserfahrungen in Sambia sagte Dad, ein Titel hat nur dann eine Bedeutung, wenn die anderen ihn uneingeschränkt anerkennen, und ich bin mir sicher, wenn jemand die braun gebrannte Sportprinzessin mit den schimmernden Beinen fragen würde, dann würde sie antworten, wenn ich schon unbedingt eine Jane sein müsste, dann garantiert nicht Jane Goodall, auch nicht Plain Jane, Calamity Jane oder Baby Jane und schon gar nicht Jayne Mansfield. Ich war eher so was wie Jane Eyre vor Rochester, und sie würde für mich zwischen zwei Pseudonymen wählen: entweder *Keine Ahnung, wen Sie meinen* oder *Ach so, die!*

Hier ist vielleicht eine kurze Beschreibung erforderlich (Abbildung 2.0). Ich bin natürlich das halbverdeckte Mädchen mit den dunkelbraunen Haaren und der Brille, das bedauernswert eulenmäßig aussieht (siehe Zwergohreule, *Enzyklopädie der Lebewesen*, 4. Auflage). Eingerahmt bin ich von (unten rechts, dann weiter im Uhrzeigersinn): Lewis »Albino« Polk, der bald darauf suspendiert wurde, weil er eine Pistole in den Mathematikunterricht mitbrachte; Josh Stetmeyer, dessen älterer Bruder Beet verhaftet wurde, weil er Achtklässlern LSD vertickte; Howie Easton, der die Mädchen durchmachte, so wie ein Jäger an einem einzigen Jagdtag Hunderte von Runden Munition durchmachen konnte (manche behaupteten, auf seiner Eroberungsliste stand auch Mrs Appleton, unsere Kunstlehrerin); John Sato, dessen Atem immer wie eine Ölpumpe roch; sowie die viel verspottete, einsneunzig große Sara Marshall, die ein paar Tage nach dieser Aufnahme Clearwood Day verließ, um in Berlin den deutschen Frauenbasketball zu revolutionieren. (»Du bist das Ebenbild deiner

Abbildung 2.0

Mutter«, sagte Dad, als er das Foto das erste Mal sah. »Du hast den Biss und den Charme einer Ballerina, genau wie sie – eine Eigenschaft, um die dich die Hässlichen und Langweiligen dieser Welt tödlich beneiden.«)

Ich habe blaue Augen, Sommersprossen und bin ohne Schuhe ziemlich genau einssechzig groß.

Ich sollte auch erwähnen, dass Dad, obwohl er sowohl für die Pflicht wie auch für die Kür peinlich schlechte Noten bekommen hatte, die Art von gutem Aussehen besaß, die sich erst mit dem Älterwerden richtig entfaltet. Wie man sehen kann, wirkte Dad in der Zeit an der Universität von Lausanne unsicher und misstrauisch – die Haare aggressiv blond, die große Gestalt unproportioniert und unentschieden (Abbildung 2.1) (Dads Augen sind angeblich haselnussbraun, aber damals hätte die Silbe »Hase« ausgereicht). Im Verlauf der Jahre (und großenteils durch das afrikanische Brennofenklima) hatte sich Dad sehr angenehm zu einem Mann mit einem ungeschliffenen, etwas kaputten Äußeren verhärtet (Abbildung 2.2). Das machte ihn zur Zielscheibe, zum Leuchtturm, zum Lichtblick für zahlreiche Frauen quer durchs Land, vor allem für die Altersgruppe über fünfunddreißig.

Dad zog die Frauen an, so wie bestimmte Wollstoffhosen zwangsläufig Fussel anziehen. Jahrelang hatte ich einen Spitznamen für sie, aber ich habe ein schlechtes Gewissen, wenn ich ihn jetzt verwende: Junikäfer (siehe Cotinis Mutabilis, *Gewöhnliche Insekten*, Bd. 24).

Da war Mona Letrovski, die Schauspielerin aus Chicago mit den weit auseinander stehenden Augen und den dunklen Härchen auf den Armen, die immer rief: »Gareth, du bist ein *Idiot*« und ihm den Rücken zuwandte – Dads Stichwort, um zu ihr zu laufen, sie umzudrehen und in ihr bitter sehnsüchtiges Gesicht zu schauen. Nur dass Dad sie nie umdrehte, nie in ihr bitter sehnsüchtiges Gesicht schaute. Stattdessen betrachtete er ihren Rücken, als wäre dieser ein abstraktes Gemälde. Dann ging er in die Küche und holte sich ein Glas Bourbon. Da war Connie Madison Parker, deren Parfüm wie eine geschlagene Pinata in der Luft hing. Da war Zula Pierce aus Okush, New Mexico, eine Schwarze, die größer war als er, sodass sie sich, wenn

Abbildung 2.1

Dad sie küsste, hinunterbeugen musste, als würde sie durch einen Türspion gucken, um zu sehen, wer geklingelt hatte. Sie nannte mich zuerst »Blue, Schätzchen«, aber der Name schliff sich mit der Zeit immer mehr ab, synchron zu der Beziehung mit Dad, wurde er zu »Blueschätzchen«, zu »Blueschatz« und schließlich zu »Bluesy«. (»Bluesy war sowieso von Anfang an gegen mich!«, schrie sie.)

Dads Amouren hatten unterschiedliche Laufzeiten, meistens irgendwo zwischen der Brutzeit des Platypus (19–21 Tage) und der Tragzeit bei Eichhörnchen (24–45 Tage). Ich gebe zu, manchmal hasste ich sie, vor allem diejenigen, die mit »Tipps von Frau zu Frau« ankamen, mit guten Ratschlägen und mit Typverbesserungshilfen, wie zum Beispiel Connie Madison Parker, die sich zu mir ins Bade-

Abbildung 2.2

zimmer quetschte und mich belehrte, ich müsse doch so langsam mal zeigen, was ich habe (siehe Mollusken, *Enzyklopädie der Lebewesen*, 4. Aufl.).

Connie Madison Parker, 36, über das, was man hat: »Du musst dein Kapital zur Schau stellen, Babe. Sonst ignorieren dich nicht nur die Jungs, nein – und das kannst du mir glauben, ich hab nämlich eine Schwester, die ist genauso flach wie du – also wir reden hier von den Great Plains in East Texas – kein Hügel weit und breit –, und eines Tages schaust du an dir runter und stellst fest, du hast überhaupt nichts mehr zu verzollen. Und was machst du dann?«

Manchmal waren die Junikäfer gar nicht so übel. Mit einigen der Netteren, Zahmeren, wie zum Beispiel mit der armen Tally Meyerson, hatte ich sogar richtig Mitleid, denn obwohl Dad keinerlei Anstalten machte, so zu tun, als wären die Käferchen für ihn mehr als nur eine vorübergehende Notlösung, so etwas wie Klebestreifen, fiel den meisten seine Interesselosigkeit gar nicht auf (siehe Basset Hound, *Wörterbuch der Hunde*, Bd. 1).

Vielleicht begriffen sie ja, dass Dad für alle anderen Kandidatinnen so empfunden hatte, aber da sie mit Leitartikeln aus *Ladies Home Journal* aus drei Jahrzehnten ausgestattet waren und Bücher wie *Wie kriege ich ihn vor den Altar* (Trask, 1990) und *Cool bleiben: Wie hält man ihn an der langen Leine (und sorgt dafür, dass er mehr will)* (Mars, 2000) gelesen hatten und zudem ihre ganz persönlichen Erfahrungen mit Beziehungen hatten, die in die Brüche gegangen waren, glaubten die meisten von ihnen felsenfest (mit der unerbittlichen Sturheit, die man auch bei religiösen Fanatikern findet), dass Dad, ganz im Bann ihrer karamellisierten Aura, für *sie* andere Gefühle hegte. Schon nach ein paar unterhaltsamen Verabredungen würde Dad begreifen, wie verführerisch sie in der Küche war, was für eine gute Spielkameradin im Schlafzimmer, wie nett beim Carsharing. Und deshalb war es für sie immer eine große Überraschung, wenn Dad die Lichter löschte, sie erbarmungslos von seinem Fliegengitter vertrieb und dann die ganze Veranda mit Schädlingsbekämpfungsmittel besprühte.

Dad und ich waren wie die Passatwinde, die durch die Stadt wehten und überall trockenes Wetter brachten.

Manchmal versuchten die Junikäfer uns aufzuhalten, in dem Irrglauben, sie könnten globale Winde umleiten und nachhaltig das Wettersystem der Erde verändern. Zwei Tage bevor wir nach Harpsberg, Connecticut, umziehen sollten, teilte Jessie Rose Rubiman aus Newton, Texas, Erbin des Rubiman Teppich-Unternehmens, Dad mit, sie sei von ihm schwanger. Unter Tränen verlangte sie, mit uns nach Harpsberg zu ziehen, sonst müsse Dad eine einmalige Gebühr von 100 000 Dollar bezahlen, gefolgt von monatlichen Belastungen à 10 000 Dollar während der nächsten achtzehn Jahre. Aber Dad geriet nicht in Panik. Er brüstete sich damit, dass er das Flair eines Maitre d' in einem Restaurant mit einer exorbitanten Weinliste, vorbestelltem

Soufflé und endlosen Käsesorten habe. Er bat sie seelenruhig um einen Bluttest.

Wie sich herausstellte, war Jessie nicht schwanger. Sie litt an einer exotischen Magengrippe, die sie gierig mit Morgenübelkeit verwechselt hatte. Während wir uns auf Harpsberg vorbereiteten, jetzt schon eine Woche hinter unserem Terminplan, sprach Jessie traurige, schluchzende Monologe auf unseren Anrufbeantworter. Am Tag der Abreise fand Dad einen Umschlag auf der Veranda vor der Haustür. Er versuchte, ihn vor mir zu verstecken. »Unsere letzte Stromrechnung«, sagte er, weil er lieber sterben würde, als mir die »Hormonrasereien einer Irren« zu zeigen, die er ausgelöst hatte. Sechs Stunden später, irgendwo in Missouri, klaute ich den Brief aus dem Handschuhfach, als Dad an einer Tankstelle hielt, um sich dort Tums, diese Antacid-Bonbons, zu kaufen.

Dad fand Junikäfer-Liebesbriefe etwa so spannend wie die Gewinnung von Aluminium, aber für mich war es, als wäre ich auf eine Goldader gestoßen. Nirgends auf der Welt waren die Emotionsgoldnuggets absoluter.

Ich besitze immer noch eine Sammlung von siebzehn Briefen. Hier ein Exzerpt aus Jessies vierseitiger Ode an Gareth:

> Du bedeutest mir unendlich viel, und ich würde mit dir bis ans Ende der Welt gehen, wenn du mich darum bitten würdest. Aber du hast mich nicht gebeten, und ich akzeptiere das – in Freundschaft. Du wirst mir fehlen. Ich entschuldige mich für die Sache mit dem Baby. Ich hoffe, wir bleiben in Kontakt und du betrachtest mich in Zukunft als gute Freundin, mit der du durch dick und dünn gehen kannst. Was den Anruf von gestern betrifft – es tut mir leid, dass ich dich als Schwein beschimpft habe. Gareth, ich flehe dich an: Behalte mich nicht so in Erinnerung, wie ich in den letzten Tagen war, sondern als die fröhliche Frau, die du auf dem K-Mart-Parkplatz kennengelernt hast.
>
> Friede sei mit dir – für immer.

Aber abgesehen von den gelegentlichen Brummern, die durch die abendliche Ruhe surrten, waren es meistens immer nur Dad und ich, so wie es immer George und Martha waren, Butch und Sundance, Fred und Ginger, Mary und Percy Bysshe.

An einem typischen Freitagabend in Roman, New Jersey, traf man mich nicht mit der *braun gebrannten Sportprinzessin mit den schimmernden Beinen* in der dunklen Ecke des Sunset Cinemas-Parkplatzes an, wo wir American Spirits pafften und auf den *Verwöhnten Angeber (im Auto seines Vaters)* warteten, um mit ihm die Atlantic Avenue hinunterzubrettern oder über den Zaun des längst eingegangenen Safari-Minigolfs zu klettern und auf dem abgewetzten Astroturf bei Loch 10 lauwarmes Budweiser zu trinken.

Ich war auch nicht hinten im Burger King und hielt verschwitzt Händchen mit dem *Jungen, der aussieht wie ein Affe, weil er so viele Spangen im Mund hat*, oder bei der Pyjama-Party der *Streberin, deren verkrampfte Eltern, Ted und Sue, verhindern wollen, dass sie erwachsen wird, als wär's eine Krankheit wie Mumps*. Und ich war erst recht nicht bei den *Angesagten* oder den *Coolen*.

Ich war bei Dad. Immer in einem gemieteten Haus mit drei Zimmern in einer unauffälligen Straße mit verzierten Blechbriefkästen und Eichen. Wir aßen verkochte Spaghetti, die mit Parmesan-Sägespänen bestreut waren, und lasen Bücher, korrigierten Klausuren oder schauten uns Klassiker an wie *Der unsichtbare Dritte* oder *Mr Smith geht nach Washington* und danach, wenn ich das Geschirr gespült hatte (und nur, wenn er in Bourbon-Stimmung war), konnte ich Dad dazu bringen, Marlon Brando als Vito Corleone zu geben. Manchmal, wenn er sich besonders inspiriert fühlte, steckte er sich sogar ein Stück Küchentuch in den Unterkiefer, um Vitos gealtertes Bulldoggengesicht nachzuahmen (Dad tat immer so, als wäre ich Michael):

> Also – Barzini wird den ersten Schritt machen und ein Treffen arrangieren lassen durch jemanden, dem du absolut vertraust. Für deine Sicherheit stellt er einen Bürgen. Und wenn ihr zusammensitzt, dann wirst du umgebracht … Ich hoffe, es macht

dir nichts aus, dass ich ständig von diesem Barzini spreche. Eine alte Angewohnheit … Ich war mein Leben lang nie unvorsichtig.

Dad sagte »unvorsichtig« mit einem gewissen Bedauern und starrte auf seine Schuhe.

Frauen und Kinder können unvorsichtig sein, aber nicht Männer … Hör zu.

Dad zog die Augenbrauen hoch und fixierte mich.

Wer zu dir kommt und sagt, dass Barzini dich treffen will – der ist der Verräter. Egal, wer's ist.

Jetzt kam mein einziger Satz in dieser Szene.

Grazie, Pop.

Hier nickte Dad und schloss die Augen.

Prego.

Aber einmal, als ich elf war, in Futtoch, Nevada, da lachte ich nicht über Dad, der Brando spielte, der Vito Corleone spielte. Ich erinnere mich ganz genau. Wir waren im Wohnzimmer, und während er sprach, beugte er sich über eine Schreibtischlampe mit rotem Schirm; und plötzlich halloweenisierte das rote Licht sein Gesicht – vergeisterte die Augen, verhexte den Mund, vertierte den Unterkiefer, sodass seine Wangen aussahen wie vertrocknete Baumrinde, in die irgendein Jugendlicher seine Initialen ritzen könnte. Er war nicht mehr mein Dad, sondern jemand anderes, *etwas* anderes – ein Furcht einflößender, rotgesichtiger Fremder, der seine dunkle, schimmelige Seele zur Schau trug, vor dem alten Samtsessel, vor dem schiefen Bücherregal, dem gerahmten Foto meiner Mutter mit ihren bürgerlichen Besitztümern.

»Sweet?«

Ihre Augen waren lebendig. Sie starrte melancholisch auf seinen Rücken, als wäre sie eine alte Frau in einem Pflegeheim, die über alle großen Lebensfragen nachgedacht und sie vermutlich auch beantwortet hatte – aber niemand nahm sie ernst in diesen muffigen Räumen, in denen es nur Fernsehshows wie *Risiko* gab, außerdem Haustiertherapie und Make-up-Beratung für die Dame. Dad stand direkt vor ihr, fixierte mich, seine Schultern wippten. Er schaute unsicher, als wäre ich gerade ins Zimmer gekommen und als wüsste er nicht, ob ich ihn beim Klauen erwischt hatte.

»Was ist los?« Er kam auf mich zu, und sein Gesicht wurde wieder von der harmlosen gelben Beleuchtung des restlichen Zimmers erfasst.

»Ich habe Bauchschmerzen«, erklärte ich unvermittelt, rannte nach oben in mein Zimmer und holte aus dem Regal ein altes Taschenbuch, *Ausverkauf der Seelen: Der alltägliche Soziopath* (Burne, 1991). Dad hatte es für mich beim Vorruhestand-Flohmarkt eines Psychologieprofessors gekauft. Ich blätterte das ganze 2. Kapitel durch, »Charakterskizze: Mangelnde Bindungsfähigkeit in Liebesbeziehungen« und Teile des 3. Kapitels: »Zwei Elemente, die fehlen: Skrupel und Gewissen«. Erst dann merkte ich, wie hysterisch ich war, wie bescheuert. Ja, es stimmte, dass Dad eine »auffallende Geringschätzung für die Gefühle anderer« (S. 24) an den Tag legte, dass er mit seinem Charme alle »um den Finger wickeln« (S. 29) konnte und sich nicht um den gängigen »gesellschaftlichen Moralkodex« (S. 5) kümmerte, aber er war durchaus fähig, »andere Dinge als sich selbst« (S. 81) oder »den wunderbaren Weisen, den er sah, wenn er sich im Badezimmerspiegel betrachtete, zu lieben« (S. 109): meine Mutter und natürlich mich.

Sturmhöhe

Der Princeton-Professor und renommierte Soziologe Dr. Fellini Loggia stellte in *Die unmittelbare Zukunft* (1978) die etwas pessimistische Behauptung auf, dass im Leben nichts passiert, was wirklich verwunderlich ist, »nicht einmal, wenn man vom Blitz getroffen wird« (S. 12). »Das Leben eines Menschen«, schreibt er, »ist nicht viel mehr als eine Aneinanderreihung von Fingerzeigen auf das, was bevorsteht. Wenn wir klug genug wären, um diese Hinweise zu erkennen, könnten wir vielleicht unsere Zukunft ändern.«

Also, wenn es in meinem Leben je einen Hinweis gab, ein Flüstern, ein hübsches, gut platziertes Indiz, dann, als ich dreizehn war und Dad und ich nach Howard, Louisiana, zogen.

Mein Nomadenleben mag auf Außenstehende abenteuerlich und revolutionär wirken, aber die Realität sah anders aus. Es gibt ein irritierendes (und vollkommen undokumentiertes) Bewegungsgesetz für ein Objekt, das eine amerikanische Autobahn entlangfährt: Obwohl es wie verrückt vorwärts schießt, geschieht trotzdem eigentlich nichts. Zur unendlichen Enttäuschung des Betroffenen sind, wenn man an Punkt B ankommt, sowohl das Energielevel als auch sämtliche anderen physikalischen Merkmale völlig unverändert. Hin und wieder schaute ich abends vor dem Einschlafen an die Decke und betete, dass etwas *Richtiges* passieren möge, etwas, was mich transformierte – und Gott nahm dabei immer die Persönlichkeit der Decke an, auf die ich gerade schaute. Wenn sie in Mondlicht getaucht und mit Blätterschatten gesprenkelt war, dann war Er glamourös und poetisch. Wenn sie leicht schief war, dann schenkte Er mir sein geneigtes Ohr. Wenn in der Ecke ein blasser Wasserfleck war, dann hatte Er manchem Sturm standgehalten und würde auch meinem standhalten. Wenn in der Mitte neben der Deckenlampe eine Schmierspur war, weil dort ein sechs- oder achtbeiniges Etwas mit einer Zeitung oder einem Schuh zerdrückt worden war, dann war Er rachsüchtig.

Als wir nach Howard zogen, erhörte Gott mein Gebet. (Er stellte sich als glatt und weiß heraus, war aber ansonsten verblüffend unauffällig.) Auf der langen, trockenen Fahrt durch die Andamo Wüste in Nevada, bei der wir ein Hörbuch mit Dame Elizabeth Gliblett hörten, die mit ihrer grandios mondänen Ballsaalstimme *Der geheime Garten* (Burnett, 1909) las, sagte ich ganz nebenbei zu Dad, dass keins der Häuser, die wir bisher gemietet hatten, einen anständigen Garten gehabt hatte, und als wir dann im September nach Howard kamen, entschied sich Dad für 120 Gildacre Street, ein geplagtes kleines hellblaues Haus, mitten in einem tropischen Biotop. Während man im Rest der Gildacre Street propere Päonien und pflichtbewusste Rosen pflegte sowie friedliche Rasenflächen, die nur durch gelegentliche Fingergrasklumpen gestört wurden, kämpften Dad und ich mit einer wuchernden Pflanzenwelt, die eigentlich ins Amazonastal gehört hätte.

Drei Wochen lang standen Dad und ich samstags und sonntags immer ganz früh auf und zogen, mit Baumschere und Lederhandschuhen bewaffnet, in unseren Regenwald, um heroisch den Urwald zurückzudrängen. Wir hielten selten länger als zwei Stunden durch, manchmal nicht mal zwanzig Minuten, weil Dad unter den Blättern einer Talipotpalme etwas entdeckte, was angeblich ein Hirschkäfer war, so groß wie sein Fuß (Männerschuhgröße 46).

Da Dad sich nie geschlagen gab, versuchte er, mit markigen Appellen wie »Nichts treibt die van Meers in die Flucht« und »Glaubst du etwa, Patton würde an unserer Stelle hier das Handtuch werfen?« seine Truppen hinter sich zu versammeln, bis zu jenem schicksalhaften Vormittag, als er auf mysteriöse Weise von etwas gestochen wurde. (»*Aaaaaaahh*!«, hörte ich ihn schreien, während ich gerade auf der Veranda mühsam eine verschlungene Liane bändigte.) Sein linker Arm schwoll an wie ein Football. Noch am selben Abend meldete sich Dad auf die Anzeige eines erfahrenen Gärtners im *Howard Sentinel*.

»Gartenarbeit«, stand da. »Irgendetwas. Irgendwo. Ich komme.«

Er hieß Andreo Verduga und war das schönste Wesen, das ich je gesehen hatte (siehe Panter, *Das Wunder der Raubtiere*, Goodwin, 1987). Er war braun gebrannt, hatte schwarze Haare, Zigeuneraugen und, soweit ich das von meinem Fenster im ersten Stock beurteilen konnte, einen Oberkörper so glatt wie ein Flusskiesel. Er stammte aus Peru. Er verwendete ein schweres Eau de Cologne und die Sprache eines altmodischen Telegramms.

WIE GEHT'S STOP SCHÖNER TAG STOP WO IST SCHLAUCH STOP

Jeden Montag und Donnerstag um vier Uhr nachmittags schob ich meine Hausaufgaben in Französisch oder Algebra III vor mir her und beobachtete stattdessen Andreo bei der Arbeit – obwohl er meistens gar nicht arbeitete, sondern herumtrödelte, sich ausruhte, faulenzte, die Zeit totschlug, an einem der wenigen sonnigen Fleckchen gemütlich eine Zigarette rauchte. (Die Kippe entsorgte er immer in einer entlegenen Ecke, schleuderte sie hinter eine Bromeliade oder in einen dichten Bambus, ohne zu kontrollieren, ob sie wirklich aus war.) Andreo begann eigentlich erst zwei oder drei Stunden nach seiner Ankunft zu arbeiten, wenn Dad aus der Universität nach Hause kam. Begleitet von demonstrativen Gesten (heftiges Keuchen, Schweiß von der Stirn Wischen) schob er dann den Rasenmäher ohne große Wirkung über den Waldboden oder lehnte die Sprossenleiter seitlich ans Haus, in dem vergeblichen Versuch, den Baldachin zurückzustutzen. Am tollsten fand ich es immer, wie Andreo auf Spanisch vor sich hin brummelte, wenn Dad ihn zur Rede stellte und genau wissen wollte, wieso die Liane immer noch diesen Gewächshauseffekt auf die hintere Veranda hatte oder weshalb am anderen Ende unseres Grundstücks plötzlich eine nagelneue Sorte Strangler Figs wucherte.

Eines Nachmittags war ich in der Küche, als Andreo sich hereinschlich, um eins von meinen Eis am Stiel aus dem Gefrierfach zu klauen. Er musterte mich schüchtern, und dann lächelte er und zeigte seine schiefen Zähne.

DIR MACHT ES NICHTS STOP ICH ESSE STOP RÜCKEN TUT WEH STOP

In der Mittagspause in der Schule studierte ich in der Stadtbücherei von Howard die Spanisch-Lehrbücher und Lexika und brachte mir selbst so viel bei, wie ich konnte.

Me llamo Azul.
Ich heiße Blue.

El jardinero, Mellors, es una persona muy curiosa.
Der Wildhüter, Mellors, ist ein sehr seltsamer Mensch.

¿Quiere usted seducirme? ¿Es eso que usted quiere decirme?
Möchten Sie mich verführen? Wollen Sie mir das sagen?

¡Nelly, soy Heathcliff!
Nelly, ich bin Heathcliff!

Ich wartete vergeblich darauf, dass Nerudas *Zwanzig Liebesgedichte und ein Gedicht der Verzweiflung* (1924) in der Bibliothek zurückgegeben wurde. (Die Freundin, die nichts anderes trug als hautenge Tops, hatte das Buch ausgeliehen und bei dem Freund, der diese komischen Haare am Kinn wegrasieren sollte, liegen lassen.) Ich sah mich gezwungen, ein Exemplar aus dem Spanischraum zu entwenden, lernte sofort Nummer XVII auswendig und fragte mich, ob ich irgendwann den Mut finden würde, den Romeo zu geben und diese Liebesworte öffentlich vorzutragen, ja, sie so laut zu rufen, dass sie Flügel bekamen und bis zu den Balkonen hinaufflogen. Ich war mir nicht mal sicher, ob ich den Cyrano hinkriegen würde – dann müsste ich die Worte auf eine Karte kritzeln, mit einem anderen Namen unterschreiben und die Karte heimlich durch das kaputte Fenster seines Trucks stecken, während er im Garten unter den Gummibäumen herumhockte und *Hola!* las.

Wie sich herausstellte, sollte ich weder den Romeo noch den Cyrano geben.

Ich gab den Herkules.

* * *

Etwa um 20.15 an einem kühlen Mittwochabend im November war ich oben in meinem Zimmer und lernte für eine Französischarbeit. Dad war bei einem Fakultätsessen zu Ehren des neuen Dekans. Es klingelte an der Tür. Ich erschrak und sah sofort alle möglichen bösartigen Bibelverkäufer vor mir oder irgendwelche blutrünstigen Asozialen (siehe O'Connor, *Sämtliche Erzählungen*, 1971). Ich huschte in Dads Zimmer und spähte durch das Eckfenster. Zu meiner Verwunderung sah ich in der nachtschwarzen Dunkelheit Andreos roten Truck, der allerdings von der Abfahrt runter und in ein dichtes Farngestrüpp gefahren war.

Ich wusste nicht, was schlimmer war: die Vorstellung, dass ein Asozialer auf der vorderen Veranda lauerte, oder das Wissen, dass *er* dort wartete. Mein spontaner Impuls war, meine Zimmertür zu verriegeln und mich unter der Decke zu verkriechen, aber er klingelte immer wieder – bestimmt hatte er in meinem Zimmer Licht gesehen. Auf Zehenspitzen schlich ich die Treppe hinunter, blieb mindestens drei Minuten vor der Tür stehen, knabberte an meinen Fingernägeln und übte meinen Eisbrecher (¡Buenas Noches! ¡Qué sorpresa!). Schließlich öffnete ich die Tür, mit klammen Fingern und mit einem Mund wie halbtrockener Elmer's Kleister.

Es war Heathcliff.

Und auch wieder nicht. Er stand ein Stück von mir entfernt, bei den Stufen, wie ein wildes Tier, das Angst hat, näher zu kommen. Das Abendlicht, das nur spärlich durch das Gewirr aus Zweigen drang, beleuchtete sein Gesicht von der Seite. Es war verzerrt, als würde er schreien, aber da war kein Schrei, nur ein leises Brummen, kaum wahrnehmbar, wie Strom in der Wand. Ich schaute auf seine

Kleidung und dachte zuerst, er hätte irgendwelche Wände gestrichen, aber dann merkte ich, dass es Blut war – überall Blut, an seinen Händen, tintenfarben und mit diesem metallischen Geruch, wie die Rohre unter der Spüle. Er stand sogar in Blut – um seine halb geschnürten Springerstiefel hatten sich matschige kleine Pfützen gebildet. Er blinzelte, sein Mund stand offen. Dann machte er einen Schritt auf mich zu. Ich hatte keine Ahnung, ob er mich umarmen oder mich töten wollte. Er taumelte und sackte vor meinen Füßen in sich zusammen.

Ich rannte in die Küche und wählte 911. Die Frau am anderen Ende war eine Mischung aus Mensch und Maschine, und ich musste unsere Adresse zweimal wiederholen. Schließlich sagte sie, der Krankenwagen sei unterwegs, und ich ging wieder auf die Veranda, kniete mich neben ihn. Ich versuchte, ihm die Jacke auszuziehen, aber er ächzte und griff sich an die linke Seite, und da sah ich die Schusswunde unterhalb der Rippen.

»*Yo telefoneé una ambulancia*«, sagte ich. (Ich habe den Krankenwagen gerufen.)

Ich fuhr hinten mit ihm mit.

NEIN STOP NICHT GUT STOP PAPA STOP

»*Usted va a estar bien*«, sagte ich. (Sie werden wieder gesund.)

Im Krankenhaus rasten die Sanitäter mit seiner Trage durch die fleckige weiße Schwingtür, und die Schwester, die für die Notaufnahme zuständig war, die zierliche, muntere Schwester Marvin, reichte mir ein Stück Seife sowie eine Papierhose und sagte, ich solle die Toilette am Ende des Flurs benutzen; mein Hosenbein war unten ganz blutverschmiert.

Nachdem ich mich umgezogen hatte, sprach ich für Dad eine Nachricht auf unseren Anrufbeantworter und setzte mich dann ganz still auf einen der pastellfarbenen Plastikstühle im Warteraum. Irgendwie hatte ich Angst vor Dads unvermeidlichem Erscheinen. Klar, ich hatte diesen Mann sehr gern, aber im Gegensatz zu den anderen Vätern, die ich am Papa-kommt-in-die-Schule-Tag in der Walhalla Elementary School beobachtet hatte, Väter, die schüchtern waren und mit gedämpfter Stimme sprachen, war mein Dad laut und ungeniert, ein Mann, der resolut handelte und weder viel Geduld noch eine angeborene Gelassenheit besaß, vom Temperament her also eher Papa Dop als Paddington Bear, Pavlova oder Streichelzoo. Dad war jemand, der, vielleicht wegen seiner unterprivilegierten Herkunft, nie zögerte, Verben wie *machen* und *tun* zu benutzen. Er machte immer alles gut, voran, Krach, keine Umstände, sich die Hände schmutzig, den Mund auf, das Licht aus. Er tat immer jemandem einen Gefallen, nicht so, sich keinen Zwang an, etwas in die Tüte, Salz in die Suppe. Und wenn es darum ging, sich Dinge genau anzuschauen, war Dad so etwas wie ein zusammengesetztes Mikroskop, er betrachtete das Leben durch ein verstellbares Okular und erwartete deshalb, dass alles exakt und scharf zu sehen war. Er hatte keinerlei Toleranz für das Verschwommene, das Diffuse, das Nebelhafte oder Verwischte.

Er kam in die Notaufnahme gestürzt und rief: »Was zum Teufel geht hier vor? *Wo ist meine Tochter?*« Und Schwester Marvin schoss von ihrem Stuhl hoch.

Nachdem er sich versichert hatte, dass ich keine Schusswunde hatte und auch keine offenen Schnittwunden oder Kratzer, durch die ich mich bei »diesem Latino-Gangster« hätte tödlich infizieren können, stürmte Dad durch die fleckige weiße Schwingtür mit den riesigen roten Buchstaben, die unmissverständlich verkündeten NUR FÜR AUTORISIERTES PERSONAL (Dad betrachtete sich immer als AUTORISIERTES PERSONAL). Er wollte wissen, was passiert war.

Jeder andere Dad wäre beschimpft, vertrieben, rausgeschmissen worden, vielleicht sogar verhaftet. Aber das war Dad, die Pershing-Rakete, der Prinz des Volkes. Innerhalb von Minuten tanzten mehrere aufgeregte Krankenschwestern und die komische rothaarige Assistenzärztin von der Major Shock Trauma Unit um ihn herum, sie kümmerten sich nicht um den Mann mit den Verbrennungen dritten Grades oder um den Jungen, der eine Überdosis Ibuprofen genommen hatte und jetzt leise in die Ellenbeuge weinte, sondern um Dad.

»Er ist oben im OP, sein Zustand ist stabil«, sagte die komische rothaarige Assistenzärztin, die ganz dicht neben Dad stand und zu ihm hinauflächelte (siehe Bulldoggenameise, *Die Welt der Insekten*, Buddle, 1985).

»Wir sagen Ihnen sofort Bescheid, wenn der Arzt aus dem Operationssaal kommt. Hoffentlich mit guten Nachrichten«, rief eine Krankenschwester (siehe Waldameise, *Die Welt der Insekten*).

Kurz darauf erschien Dr. Michael Feeds vom 3. Stock, Chirurgie, und teilte Dad mit, Andreo habe eine Schusswunde im Bauch, aber er werde durchkommen.

»Wissen Sie, was er heute Abend vorhatte?«, fragte er. »So wie die Wunde aussieht, wurde er aus nächster Nähe getroffen, was bedeuten könnte, dass es sich um einen Unfall handelt, vielleicht mit der eigenen Waffe. Möglicherweise hat er den Lauf geputzt, und dabei hat sich ein Schuss gelöst. Bei manchen halbautomatischen Waffen kann so etwas passieren ...«

Dad starrte auf den armen Dr. Mike Feeds hinunter, bis Dr. Mike Feeds quer durchgeschnitten war, auf einen makellosen Objektträger gelegt und zum Spezimen wurde.

»Meine Tochter und ich wissen nichts über diesen Menschen.«

»Aber ich dachte –«

»Er hat unseren Rasen gemäht, zweimal in der Woche, und diese Aufgabe hat er angemessen erfüllt, aber warum, in Gottes Namen, er sich entschlossen hat, ausgerechnet auf unserer Veranda zusammenzubrechen, übersteigt mein Vorstellungsvermögen«, sagte Dad. »Wir verstehen natürlich die Tragik der Situation. Meine Tochter hat ihm gern das Leben gerettet und dafür gesorgt, dass er die notwendige Behandlung bekommt und alles, aber ich muss Ihnen ganz offen sagen, Dr. ...«

»Dr. Feeds«, sagte Dr. Feeds. »Mike.«

»Ich muss Ihnen sagen, Dr. Meeds, dass wir mit diesem Herrn nicht verwandt sind, und ich lasse nicht zu, dass meine Tochter in irgendeiner Weise in das hineingezogen wird, was den Herrn in diese unangenehme Lage gebracht hat – Bandenkriege, Glücksspiel oder irgendwelche anderen Unterweltaktivitäten. Unser Beitrag endet hier.«

»Verstehe«, sagte Dr. Feeds leise.

Dad nickte kurz, legte mir die Hand auf die Schulter und führte mich durch die fleckige weiße Schwingtür.

An diesem Abend blieb ich lange wach und malte mir in meinem Zimmer eine feuchtschwüle Vereinigung mit Andreo aus, umgeben von Philippinischen Feigen und Pfauenmohn. Seine Haut roch nach Kakao und Vanille, meine nach Passionsfrucht. Ich war nicht gelähmt vor Schüchternheit. Nicht mehr. Wenn ein Mensch mit einer Schusswunde zu einem gekommen ist, wenn man sein/ihr Blut an Händen, Socken und Jeans hatte, dann ist man durch ein existenzielles Band mit ihm verbunden, das niemand, nicht einmal ein Vater, verstehen kann.

¡Non puedo vivir sin mi vida! ¡Non puedo vivir sin mi alma! (Ich kann nicht leben ohne mein Leben! Ich kann nicht leben ohne meine Seele!)

Er fuhr sich mit der Hand durch die schwarzen Haare, so glänzend und dicht.

DU RETTEST MEIN LEBEN STOP EINES NACHTS MACHE ICH DICH COMIDA CRIOLLA STOP

Doch zu so einer Begegnung sollte es nicht kommen.

* * *

Am nächsten Morgen, nachdem die Polizei vorbeigekommen war und Dad und ich unsere Aussage gemacht hatten, zwang ich ihn, mit mir ins St. Matthew's Hospital zu fahren. Ich hatte ein Dutzend rosarote Rosen im Arm (»Du wirst diesem Jungen keine *roten* Rosen mitbringen, da erhebe ich Einspruch«, dröhnte Dad in der Blumenabteilung von Deal Foods, was zwei Mütter veranlasste, sich erstaunt umzudrehen) und ein geschmolzenes Schokomilchshake.

Er war weg.

»Ist aus seinem Zimmer verschwunden, so um fünf heute Morgen«, berichtete Schwester Joanna Cone (siehe Rieseneidechse, *Enzyklopädie der Lebewesen*, 4. Auflage). »Wir haben seine Versicherung überprüft. Die Karte, die er abgegeben hat, war gefälscht. Die Ärzte denken, deshalb ist er abgehauen, aber die Sache *ist die*«, Schwester Cone beugte sich vor, reckte ihr rundes, rosarotes Kinn und sprach in einem emphatischen Flüsterton, den sie vermutlich auch einsetzte, wenn sie Mr Cone in der Kirche ermahnte, er solle nicht einschlafen, »er konnte kein Wort Englisch, deshalb hat Dr. Feeds nicht aus ihm rausbekommen, wo er die Kugel abgekriegt hat. Die Polizei weiß es auch nicht. Was ich denke – das ist nur eine Vermutung – aber ich wüsste schon gern, ob er einer von diesen illegalen Ausländern ist, die hierher kommen, weil sie 'nen guten Job wollen und gute Sozialleistungen mit Versicherungen und Urlaub und allem. Solche Leute hat man hier schon öfter beobachtet. Meine Schwester Cheyenne – sie hat 'ne ganze Truppe gesehen, an der Kasse im Electronic Cosmos. Wissen Sie, wie die das machen? Die kommen mit Schlauchbooten. Mitten in der Nacht. Manche sogar aus Kuba, weil sie vor Fidel fliehen. Verstehen Sie, was ich meine?«

»Ich denke, solche Gerüchte habe ich schon gehört«, sagte Dad.

Er brachte Schwester Cone dazu, von dem Schreibtisch im Ruhebereich den Abschleppdienst anzurufen, und als wir heimkamen, wurde Andreos Truck gerade abgeholt. Ein großer, weißer Van mit der diskreten Aufschrift *Industrial Cleaning Co.* parkte unter unserem Banyan-Baum. Auf Dads Bitte hin war der ICC, der sich auf Aufräumarbeiten an Tatorten spezialisiert hatte, die halbe Stunde von Baton Rouge nach Norden gefahren, um sich um Andreos Blutspuren auf dem Weg, der Veranda und auf ein paar Frauenhaarfarnen zu kümmern.

»Wir lassen diesen traurigen Zwischenfall hinter uns, mein Wölkchen«, sagte Dad und drückte meine Schulter, während er der grimmig dreinblickenden ICC-Mitarbeiterin Susan zuwinkte; sie war 40–45, trug einen blendend weißen Regenmantel und grüne Gummihandschuhe, die ihr über die Ellbogen gingen, bis zu den Oberarmen, und trat auf unsere Veranda wie ein Astronaut auf den Mond.

* * *

Als die Notiz über Andreo im *Howard Sentinel* erschien (AUSLÄNDER ANGESCHOSSEN, VERSCHWUNDEN), bedeutete dies das Ende des Verduga-Zwischenfalls, wie Dad sagte (ein kleinerer Skandal, der eine ansonsten makellose Regierung kurzfristig in Misskredit gebracht hatte).

Drei Monate später, als der Nelkenpfeffer und die Maniokstraucher erfolgreich den Rasen übernommen hatten, als die Schlingpflanzen jede Verandasäule und jeden Abfluss abgewürgt hatten und ihre mörderischen Anschläge auf das Dach auszuweiten drohten, als die Strahlen der Sonne es selbst um die Mittagszeit nur noch selten schafften, durch das Unterholz auf den Boden durchzudringen, hatten wir immer noch nichts über Andreo erfahren, und im Februar verließen Dad und ich Howard, um nach Roscoe, Michigan, zu ziehen, die offizielle Heimat des roten Eichhörnchens. Obwohl ich seinen Namen nie erwähnte und auch, wenn Dad von ihm redete, nichts sagte, um so meine angebliche Teilnahmslosigkeit zu zeigen (»Ich wüsste schon gern, wie's mit dem Latino-Gangster weitergegangen ist«), dachte ich die ganze Zeit an ihn, an meinen Telegrammstil-Wildhüter, meinen Heathcliff, meinen *Etwas*.

Es gab noch einen zweiten Zwischenfall.

Als Dad und ich in Nestles, Missouri, wohnten, streiften wir – nach der Feier meines fünfzehnten Geburtstags im Hashbrown Hut – durch Wal-Mart, um noch ein paar Geschenke für mich auszusuchen. (»Sonntags im Wal-Mart«, sagte Dad. »Die Obdachlosen toben sich einen Nachmittag lang in einem Fußballstadion voll spektakulärer Sonderangebote aus, damit sich die Waltons in Südfrankreich noch ein Château kaufen können.«) Dad war zur Schmuckabteilung gegangen, und ich schaute mich in der Elektronik um. Da sah ich plötzlich einen Mann mit struppigen Haaren, die so schwarz waren wie die Achterkugel beim Billard. Er ging an den Digitalkameras vorbei, mit dem Rücken zu mir. Er trug verwaschene Jeans, ein graues T-Shirt und eine Camouflage-Baseballmütze, die er tief in die Stirn gezogen hatte.

Sein Gesicht konnte ich nicht sehen – nur ein Stück seiner braunen, unrasierten Wange –, aber als er in den Gang mit den Fernsehern einbog, bekam ich Herzklopfen – ich erkannte sofort das demonstrative Seufzen, die gebückte Haltung, die langsamen Bewegungen, wie unter Wasser – die Gesamtaura von Tahiti. Gleichgültig, welche Tageszeit war oder wie viel Arbeit anstand, ein Mensch mit der Tahiti-Aura konnte die Augen schließen, und schon verschwand die Wirklichkeit der albernen Rasenmäher, der ungepflegten Rasenflächen, der angedrohten Entlassung – innerhalb von Sekunden war er einfach wieder auf Tahiti, splitterfasernackt, trank aus einer Kokosnuss, spürte nur die Windböen und horchte auf das mädchenhafte Seufzen des Ozeans. (Nur wenige Menschen kamen mit dieser Aura auf die Welt, aber bei Griechen, Türken und männlichen Südamerikanern gab es immerhin eine Tendenz dazu. In Nordamerika kam sie hauptsächlich bei Kanadiern vor, vor allem in den Yukon Gebieten, aber in den USA war sie höchstens bei der ersten und zweiten Generation von Hippies und Nudisten anzutreffen.)

Ich folgte ihm unauffällig, um herauszufinden, dass er es nicht war, sondern nur jemand, der aussah wie er, mit einer platten Nase oder einem Muttermal wie Gorbatschow. Aber als ich in den Fernsehergang kam, verließ er ihn bereits am anderen Ende, als wäre er in einer seiner rastlosen, schläfrigen Stimmungen (was ja auch der Grund war, weshalb er sich nie um die Neptunorchideen gekümmert hatte). Offenbar strebte er zur Musik. Ich flitzte zurück und näherte mich ihm von der anderen Seite, an den CDs und an dem *Räumungsverkauf*-Papp-Display von Bo Keith Badleys »Honky-tonk Hookup« vorbei, aber als ich um das Schild mit der Aufschrift KÜNSTLER DES MONATS herumspähte, war er schon im Foto-Center.

»Hast du ein paar ansprechende Sonderangebote gefunden?«, fragte plötzlich Dad hinter mir.

»Äh – nein.«

»Also wenn du zu Garten und Balkon mitkommst, zeige ich dir was, ich glaube nämlich, ich habe einen Volltreffer gefunden. Buchenholz-Gesamterlebnis-Hot-Tub mit Stereoeffekt. Mit Wirbel im Rücken und mit Jetdüsen für den Nacken. Kostenlose Wartung. Platz für acht Personen, die sich alle gleichzeitig amüsieren können. Und der Preis? Sehr stark reduziert. Beeil dich. Wir haben nicht viel Zeit.«

Ich schaffte es, ihm zu entkommen, unter dem windigen Vorwand, ich wolle mich bei den Kleidern umschauen, und nachdem ich gesehen hatte, dass Dad sich gut gelaunt in Richtung Haustiere bewegte, sauste ich zum Foto-Center zurück. Da war er nicht. Ich überprüfte Medikamente; Geschenke und Blumen, Spielwaren, wo eine rotgesichtige Frau gerade auf ihre Kinder einprügelte; Schmuck, wo ein Latino-Paar Armbanduhren ausprobierte; das Optik-Center, wo eine alte Frau tapfer überlegte, wie das Leben hinter einer braun getönten Riesenbrille aussehen könnte. Ich rannte durch eine Gruppe mürrischer Mütter in der Baby-Abteilung, durch benebelte Jungverheiratete in Bad und Küche; bei den Haustieren beobachtete ich heimlich, wie Dad mit einem Goldfisch über Freiheit debattierte (»Das Leben ist nicht so besonders schön in so 'nem Kasten, stimmt's, alter Junge?«); und bei Stoffe und Kurzwaren wog ein kahlköpfiger Mann die Vor- und Nachteile von rosa-weiß gemustertem Möbelkattun ab. Ich schritt das Café und die Kassen ab, einschließlich Kundendienst und Express-Kasse, wo ein fetter kleiner Junge kreischend gegen die Süßigkeiten trat.

Aber überall dasselbe Ergebnis: Er war weg. Es würde kein verlegenes Wiedersehen geben, kein WENN DIE LIEBE SPRICHT STOP DIE STIMME DER GÖTTER MACHT DEN HIMMEL SCHWINDELIG VOR LAUTER HARMONIE STOP.

Erst, als ich deprimiert zum Foto-Center zurückkam, bemerkte ich den Einkaufswagen. Stehen gelassen in der Nähe der Kasse, ragte er halb in den Gang hinein und war leer – was ich auch geschworen hätte – bis auf eine kleine Plastikpackung mit etwas, was sich *ShifT-bush™ Invisible Gear, Herbstmischung,* nannte.

Verdutzt nahm ich die Tüte und schaute sie an. Darin befanden sich glänzende Nylonblätter. Ich las, was hinten drauf stand: »ShifT-bush™ Fall Mix, eine Mischung aus 3D-, fotoverstärkten synthetischen Blättern von Waldbäumen. Bringen Sie die Blätter mit EZStik™ an Ihrem Camouflage-Anzug an – und Sie sind in jeder

Waldumgebung augenblicklich unsichtbar, auch für das scharfsichtigste Tier. ShifTbush™ ist der Traum jedes Jägers.«

»Sag nur nicht, du kommst jetzt in die Jäger-Phase«, sagte Dad hinter mir. Er schnupperte. »Was ist das für ein penetranter Geruch – Männer-Eau de Cologne, ätzend! Ich hab dich nirgends gefunden. Da dachte ich schon, du bist in dem großen schwarzen Loch, auch Toilette genannt, verschwunden.«

Ich warf die Tüte wieder in den Einkaufswagen. »Ich dachte, ich hätte jemanden gesehen.«

»Ach, ja? Dann sag mir mal, was dir als Erstes zu folgenden Wörtern einfällt: Kolonialstil. Dellahay. Holz. Veranda. Fünf Stück. Resistent gegen Sonne, Wind und gegen das Jüngste Gericht. Verblüffend günstig, nur 299 Dollar. Und dann denk über das Dellahay-Motto nach, das sie auf ihre hübschen kleinen Schildchen schreiben ›Veranda-Möbel sind keine Möbel, sondern ein Lebensstil.‹« Dad grinste, legte den Arm um mich und schob mich sanft zur Gartenabteilung. »Ich gebe dir zehntausend Dollar, wenn du mir sagst, was das heißen soll.«

Dad und ich verließen Wal-Mart mit Veranda-Möbeln, einer Kaffeemaschine und einem befreiten Goldfisch (die Freiheit war allerdings zu anstrengend für ihn; einen Tag nach der Befreiung schwamm er schon mit dem Bauch nach oben). Und doch, noch Wochen später, selbst als längst die Völligunwahrscheinlichs und die Kanngarnichtseins meinen Kopf übernommen hatten, konnte ich den Gedanken nicht abschütteln, dass er es gewesen sein musste, der rastlose, unberechenbare Heathcliff, der Tag für Tag durch die Wal-Marts Amerikas streifte und in hunderttausend einsamen Gängen nach mir suchte.

Das Haus mit den sieben Giebeln

Natürlich war die Vorstellung von einem festen Wohnsitz (ein Begriff, den ich für jede Unterkunft verwendete, in der Dad und ich länger als neunzig Tage lebten – die Zeitspanne, die eine amerikanische Kakerlake ohne Nahrung überleben kann) für mich nichts anderes als ein Luftschloss, ein Wolkenkuckucksheim, wie für die Bürger der Sowjetunion im trostlosen Winter 1985 die Hoffnung, einen nagelneuen Cadillac Coupé De Ville mit hellblauen Ledersitzen zu kaufen.

Bei unzähligen Gelegenheiten deutete ich auf unserer Rand-McNally-Karte auf New York oder Miami »... oder Charleston. Warum kannst du nicht an der University of South Carolina Konfliktlösungsstrategien unterrichten? Das ist doch eine zivilisierte Gegend!« Den Kopf ans Fenster gepresst, halb erwürgt vom Sicherheitsgurt, mein Blick hypnotisiert von den sich ständig wiederholenden Maisfeldern, phantasierte ich oft, dass Dad und ich uns eines Tages friedlich irgendwo niederlassen würden, still und leise wie Staub.

Weil er sich in all den Jahren strikt weigerte, darauf einzugehen, und sich über meine sentimentalen Anwandlungen lustig machte (»Wie kannst du nicht reisen wollen? Ich verstehe das nicht. Wie kann *meine* Tochter sich wünschen, so unterbelichtet und langweilig zu sein wie ein handgemachter Aschenbecher, eine Blümchentapete, oder wie dieses Schild da – ja, das da – Big Slushy. Neunundneunzig Cent. So werde ich dich von jetzt an nennen. Big Slushy.«), hatte ich mir abgewöhnt, bei unseren Highway-Diskussionen über die *Odyssee*

(Homer, Ende 8. Jhdt. v. Chr.) oder *Früchte des Zorns* (Steinbeck, 1939) auf literarische Themen wie Haus, Vaterland oder Heimaterde auch nur anzuspielen. Und daher machte Dad ein großes Tamtam, als er mir bei einem Stück Rhabarberkuchen im Qwik Stop Diner außerhalb von Lomaine, Kansas, eröffnete (»*Ding! Dong!, The Witch is Dead*«, sang er wie die Munchkins aus dem *Zauberer von Oz*, allerdings ironisch, was die Bedienung dazu veranlasste, uns misstrauisch zu mustern), wir würden mein gesamtes letztes High-School-Jahr, das heißt, sieben Monate und neunzehn Tage, an einem einzigen Ort verbringen, nämlich in Stockton, North Carolina.

Komischerweise hatte ich von dieser Stadt schon gehört, nicht nur, weil ich vor ein paar Jahren im *Venture Magazine* die Titelgeschichte »Die fünfzig besten Städte für Ruheständler« gelesen hatte und Stockton (Einwohnerzahl 53339), das in den Appalachian Mountains lag und mit seinem Spitznamen (das Florenz des Südens) offenbar sehr zufrieden war, dort als Nummer 39 auftauchte, sondern auch, weil die Stadt eine zentrale Rolle gespielt hatte in dem faszinierenden FBI-Bericht über die Jacksonville-Flüchtlinge, *Auf der Flucht* (Pillars, 2004). Es war die Geschichte von drei Verbrechern, die aus einem staatlichen Gefängnis in Florida ausgebrochen waren und zweiundzwanzig Jahre lang im Great Smoky Mountain National Park lebten. Sie wanderten über die tausend Pfade, welche die Hügel zwischen North Carolina und Tennessee durchziehen, ernährten sich von Wild, Kaninchen, Stinktieren und von den Abfällen der Wochenendcamper und wären nie gefunden worden (»Der Park ist so riesig, dass sich dort sogar eine Herde rosaroter Elefanten mühelos verstecken könnte«, schrieb Janet Pillars, die Autorin, Special Agent im Ruhestand), hätte einer von ihnen nicht dem unwiderstehlichen Drang nachgegeben, im nächsten Shoppingcenter herumzuhängen. An einem Freitagnachmittag im Herbst 2002 schlenderte Billy »The Pit« Pikes ins Einkaufszentrum von West Stockton, in die Dinglebrook Arcade, kaufte ein paar Frackhemden, aß eine Pizza Calzone und wurde von einer Kassiererin im Cinnabon erkannt. Zwei der drei wurden gefasst, aber der

Letzte, nur unter dem Namen Sloppy Ed bekannt, blieb in Freiheit, irgendwo in den Bergen.

Dad, über Stockton: »Eine dieser typischen drögen Städte in den Bergen, wo ich ein beängstigend geringes Gehalt von der UNCS beziehen werde und du dir für nächstes Jahr einen Studienplatz in Harvard sichern wirst.«

»Aber hallo«, sagte ich.

Im August vor unserem Umzug, während wir noch im Atlantic Waters Condotel in Portsmouth, Maine, wohnten, stand Dad bereits in engem Kontakt mit einer gewissen Mrs Dianne L. Seasons, einer bewährten Mitarbeiterin von Sherwig Realty, einem Makler mit Sitz in Stockton. Die Dame konnte eine beeindruckende Liste von Verkäufen und langfristigen Mietverträgen vorweisen. Einmal pro Woche schickte sie Dad Glanzfotos von Sherwig Objekten, an die mit einer Büroklammer Bemerkungen befestigt waren: »Eine wunderschöne Bergoase!«; »Erfüllt vom Charme der Südstaaten!«; »Wirklich etwas ganz Besonderes, mein absolutes Lieblingsobjekt!«

Dad war berüchtigt dafür, dass er mit Verkäufern, die unbedingt einen Abschluss erreichen wollten, spielte wie eine Wildkatze mit einem humpelnden Weißschwanzgnu. Er schob die endgültige Entscheidung über das Haus immer weiter hinaus und reagierte auf Diannes abendliche Telefonanrufe (»Ich wollte mich nur mal erkundigen, wie Ihnen Nr. 52 Primrose gefällt!«) mit melancholischer Unentschlossenheit und endlosen Seufzern, wodurch Diannes handschriftliche Anmerkungen immer aufgeregter wurden (»Wird den Sommer nicht überdauern!!«; »Geht bestimmt weg wie warme Semmeln!!!«).

Schließlich erlöste er Dianne aus ihrer Not und nahm eine der exklusivsten Sherwig Immobilien, das vollständig eingerichtete Haus in 24 Armor Street, die Nummer 1 auf der Hotlist.

Ich war schockiert. Dad hatte von seinen Lehraufträgen am Hicksburg State College oder an der University of Kansas in Petal garantiert keine großen Rücklagen (*Federal Forum* bezahlte lächerliche 150 Dollar pro Artikel), und fast alle Häuser, in denen wir bisher gewohnt hatten, Adressen wie 19 Wilson Street oder 4 Clover Circle, waren winzig und belanglos gewesen. Und jetzt hatte Dad ein GERÄUMIGES HAUS IM TUDOR-STIL, FÜNF SCHLAFZIMMER, MÖBLIERT IN FÜRSTLICHEM LUXUS ausgewählt, das – jedenfalls auf Diannes Foto – aussah wie ein riesiges zweihöckeriges Kamel, das sich gerade ausruht. (Dad und ich sollten später herausfinden, dass der Sherwig-Fotograf sich große Mühe gegeben hatte zu vertuschen, dass es sich um ein sich häutendes zweihöckeriges Kamel handelte. Fast alle Regenrinnen waren locker, und viele der Holzbalken, die das Äußere dekorierten, krachten im Herbst herunter.)

Als wir in der 24 Armor Street eintrafen, verwandelte sich Dad innerhalb weniger Minuten wie üblich in Leonard Bernstein und dirigierte die Männer der Feathering Touch Movin Co., als wären sie nicht einfach Larry, Roge, Stu und Greg, die so bald wie möglich wieder abhauen und ein Bier trinken wollten, sondern Blechbläser, Holzbläser, Streicher und Schlagzeug.

Ich verdrückte mich und erforschte Haus und Gelände auf eigene Faust. Die Villa bestand nicht nur aus 5 SCHLAFZIMMERN; EINER TRAUMKÜCHE IM GRANIT-DESIGN, DIELEN, KÜHLSCHUBLADENSYSTEM und SPEZIELL ANGEFERTIGTEN SCHRÄNKEN, sondern auch aus einem GROSSEN SCHLAFZIMMER MIT MARMORBAD, einem BEZAUBERNDEN FISCHTEICH und einer FANTASTISCHEN BIBLIOTHEK FÜR DEN BÜCHERWURM.

»Dad, wie sollen wir dieses Haus denn *bezahlen*?«

»Hmmm – ach, mach dir keine Sorgen. Entschuldigung, aber müssen Sie den Karton so herum tragen? Sehen Sie denn nicht den Pfeil und die Aufschrift ›Diese Seite oben‹? Ja, genau. Das bedeutet, diese Seite muss oben sein.«

»Wir können es uns nicht leisten.«

»Aber natürlich – ich sag's nochmal, das hier gehört ins Wohnzimmer, und bitte, nicht fallen lassen – das Zeug ist wertvoll – ich hab ein bisschen etwas angespart letztes Jahr, Sweet. Nein, nicht da! Sie müssen wissen, meine Tochter und ich, wir haben ein *System*. Ja, wenn Sie lesen, was auf den Kartons steht – sehen Sie, da stehen *Wörter*, mit

Filzstift, und diese Wörter entsprechen einem bestimmten Raum hier im Haus. So ist's gut! Sie kriegen ein goldenes Sternchen.«

In dem Moment gingen gerade die Streicher mit einer riesigen Kiste an uns vorbei, in Richtung TRAUMKÜCHE.

»Wir sollten lieber weg hier, Dad. In die 52 Primrose.«

»Sei nicht albern. Ich habe mit Miss Grußpostkarte einen guten Preis ausgehandelt – ja, das bleibt hier unten in meinem Arbeitszimmer, und bitte – in diesem Karton sind echte Schmetterlinge, nicht werfen – können Sie nicht lesen? Ja, bitte vorsichtig anfassen.«

Ein Blechbläser trug einen riesigen Karton mit der Aufschrift SCHMETTERLINGE – ZERBRECHLICH die Treppe hinunter.

»Hmm? Entspann dich einfach und freu dich –«

»Dad, das ist zu viel Geld.«

»Ich verstehe, was du meinst, Sweet, und selbstverständlich ist das hier ...« Sein Blick wanderte zu der riesigen Messinglampe, die an der gut drei Meter hohen Stuckdecke hing, eine umgedrehte Darstellung des Ausbruchs von Mt. Tambora im Jahr 1815 (siehe *Indonesien und der Feuerring*, Priest 1978). »Es ist ein bisschen schmucker hier als wir es gewohnt sind, aber warum nicht? Wir sind das ganze Jahr hier, stimmt's? Es ist sozusagen das letzte Kapitel, bevor du aufbrichst, um die Welt zu erobern. Ich möchte, dass es ein unvergessliches Jahr wird.«

Er rückte seine Brille zurecht und schaute hinunter in einen bereits geöffneten Karton mit der Aufschrift BETTWÄSCHE, wie Jean Simmons, die in den Trevi Brunnen blickt, kurz bevor sie eine Münze hineinwirft und sich etwas wünscht.

Ich seufzte. Es war offensichtlich – und zwar schon seit einiger Zeit –, dass Dad entschlossen war, aus diesem Jahr, meinem letzten Jahr an der High School, *une grande affaire* zu machen (daher das zweihöckerige Kamel und andere Überraschungen, auf die ich gleich näher eingehen werde). Aber er hatte auch Angst (daher der traurige Blick auf die Bettwäsche). Zum Teil lag das daran, dass er nicht daran denken wollte, dass ich ihn am Ende des Jahres verlassen würde. Ich dachte auch nicht besonders gern daran. Der Gedanke war schwierig.

Dad allein zu lassen fühlte sich so an, als würde man die ganzen alten amerikanischen Musicals auseinanderreißen und Rodgers von Hammerstein trennen, Lerner von Loewe, Comden von Green.

Der andere Grund, weshalb Dad meiner Meinung nach ein bisschen melancholisch war, und vielleicht sogar der wichtigere, war, dass unser für ein ganzes Jahr geplanter Aufenthalt an einem einzigen Ort unleugbar eine monotone Passage in Kapitel 12, »American Teachings and Travel« in Dads ansonsten so hochspannender mentaler Biographie sein würde.

»Lebe immer mit deiner Biographie im Sinn«, sagte Dad gern. »Natürlich wird sie nicht veröffentlicht, es sei denn, du hast einen fabelhaften Grund, aber auf jeden Fall wirst du ein großartiges Leben leben.« Es war deutlich zu spüren, dass Dad hoffte, seine posthume Biographie würde nicht an *Kissinger – Der Mensch* (Jones, 1982) oder sogar *Dr. Rhythm: Das Leben mit Bing* (Grant, 1981) erinnern, sondern eher an etwas auf dem Niveau des Neuen Testaments oder des Korans.

Obwohl er das natürlich nie sagte, war nicht zu übersehen, dass Dad am liebsten in Bewegung war, in einem Übergangsstadium. Er fand Stillstand, Haltestellen, Endstationen und Termini unangenehm, langweilig. Ihn kümmerte es nicht, dass er selten lang genug an einer Universität war, um die Namen seiner Studenten zu lernen, und dass er, um am Ende des Semesters die Noten richtig zuzuordnen, gezwungen war, ihnen bestimmte Spitznamen zu geben, wie zum Beispiel, Fragt-zu-viel, Kaulquappenbrille, Zahnfleischgrinsen und Sitzt-links-von-mir.

Manchmal hatte ich Angst, Dad könnte denken, eine Tochter zu haben sei eine Endhaltestelle, der Schluss. Manchmal, wenn er in einer Bourbon-Laune war, befürchtete ich, er wäre mich und Amerika vielleicht gern los, um wieder nach Zaire zu gehen, heute Demokratische Republik Kongo (»demokratisch« in diesem Fall ein Wort wie die Slang-Verwendung von *total* und *Streuselkuchen-Face*, die man nur verwendet, um cool zu klingen), und um im Freiheitskampf dort eine Art Che-cum-Trotzki-cum-Spartacus zu spielen. Immer, wenn Dad von seinen vier wertvollen Monaten 1985 im Tal des Kongo sprach, während derer er mit den »nettesten, fleißigsten und ehrlichsten« Menschen zusammengearbeitet hatte, denen er je im Leben begegnet war, wirkte er ungewohnt flach und fadenscheinig, wie ein gealterter Stummfilmstar, der mit Weichzeichner und raffinierten Objektiven aufgenommen wurde.

Ich warf ihm manchmal vor, insgeheim wolle er ja nach Afrika zurück, um eine gut organisierte Revolution anzuführen, im Alleingang die Demokratische Republik Kongo zu stabilisieren (und die mit den Hutu verbündeten Kräfte zu vertreiben) und anschließend in andere Länder weiterzuziehen, die nur darauf warteten, befreit zu werden, wie ans Bahngleis gefesselte exotische Jungfrauen (Angola, Kamerun, Tschad). Wenn ich diesen Verdacht äußerte, lachte er natürlich, aber ich hatte immer das Gefühl, dass dieses Lachen nicht ganz echt war; es klang verdächtig hohl, weshalb ich mich fragte, ob ich meine Angel auf gut Glück ausgeworfen und dabei den größten aller Fische erwischt hatte, mit dem ich gar nicht gerechnet hatte. Dies war Dads Tiefseegeheimnis, noch nie fotografiert oder wissenschaftlich analysiert: Er wollte gern ein Held sein, ein Poster-Idol für die Freiheit, mit Siebdruckverfahren und auf grelle Farben reduziert, gedruckt auf hunderttausend T-Shirts: Dad mit Marxistenbaskenmütze, mit martyriumbereiten Augen und einem dünnen Schnurrbart (siehe *Die Ikonographie der Helden*, Gorky, 1978).

Er hatte auch so ein völlig untypisches, jungenhaftes Vergnügen dabei, wenn er wieder eine Stecknadel in die Rand-McNally Karte stecken konnte und mich mit einem angeberischen und zugleich sachlichen Riff auf unseren nächsten Aufenthaltsort vorbereitete, seine Version des Gangsta Rap: »Nächster Halt ist Speers, South Dakota, Heimat des ringhalsigen Fasans, des schwarzfüßigen Frettchens, der Badlands, des Black Hills Forest, des Crazy Horse Denkmals. Hauptstadt Pierre, größte Stadt Sioux Falls. Flüsse: Moreau, Cheyenne, White, James ...«

»Du nimmst das große Zimmer oben an der Treppe«, sagte er jetzt, während er zuschaute, wie Schlagzeug und Holzbläser eine schwere

Kiste quer durch den Garten schleppten, zu dem separaten Giebeleingang des RIESIGEN ELTERNSCHLAFZIMMERS. »Ach, am besten übernimmst du das ganze obere Stockwerk. Ist das nicht toll, Sweet, ein ganzes Stockwerk? Warum sollen wir zur Abwechslung nicht mal wohnen wie Kubla Khan? Wenn du nach oben gehst, findest du eine Überraschung. Ich glaube, du freust dich. Ich musste einige Leute bestechen: Eine Hausfrau, eine Immobilienmaklerin, zwei Möbelverkäufer, einen Manager bei UPS – jetzt hören Sie doch mal zu, ja, mit Ihnen rede ich – würden Sie bitte nach unten gehen und Ihrem Kollegen helfen, die Sachen für mein Arbeitszimmer auszupacken, das wäre am effizientesten. Er ist anscheinend in einen Kaninchenbau gefallen.«

* * *

Im Lauf der Jahre hatte ich von Dad verschiedene Überraschungen bekommen, große und kleine, und sie hatten alle mehr oder weniger mit Wissen und Bildung zu tun gehabt, etwa ein Set der Lamure-France *Enzyklopädie der Physik*, aus dem Französischen übersetzt und in den Vereinigten Staaten nicht zu bekommen (»Alle Nobelpreisträger besitzen diese Enzyklopädie«, sagte Dad).

Aber als ich die Tür zu dem Zimmer oben an der Treppe öffnete und den großen Raum betrat – blaue Wände, ländliche Ölgemälde, riesengroße Bogenfenster an der gegenüberliegenden Wand, wehende Vorhänge – fand ich dort keine seltene Ausgabe von *Wie schafft man ein Meisterwerk* oder *Handbuch für die schrittweise Erstellung Ihres Magnum Opus* vor (Lint, Steggertt, Cue, 1993), nein – verwunderlicherweise stand mein alter Citizen-Kane-Schreibtisch in der Ecke beim Fenster. Es war der echte: ein riesengroßer, altmodischer Bibliothekstisch aus Walnussholz, der mir vor acht Jahren in der 142 Tellwood Street in Wayne, Oklahoma, gehört hatte.

Dad hatte den Schreibtisch bei einem Nachlass von Lord und Lady Hillier entdeckt, gleich außerhalb von Tulsa, zu dem ihn an einem schwülen Sonntagnachmittag ein Junikäfer gezerrt hatte, eine umtriebige Antiquitätenhändlerin namens Pattie »Let's Make a Deal« Lupine. Aus irgendeinem Grund sah Dad, als er diesen Schreibtisch sah (und die fünf Schwarzeneggers, die ihn ächzend aufs Auktionspodium hievten), mich und nur mich an diesem Tisch sitzen (obwohl ich erst acht war, mit einer Flügelspanne, die nicht einmal für seine halbe Länge ausreichte). Er bezahlte eine enorme, nie bekannt gegebene Summe dafür und verkündete mit großer Geste, dies sei »Blues Schreibtisch«, ein Schreibtisch, der »meiner kleinen Eve von St. Agnes« würdig sei und an dem sie »all die großen Ideen entlarven wird«. Eine Woche später platzten zwei von Dads Schecks, einer beim Lebensmittelhändler, der andere in der Universitätsbuchhandlung. Ich glaubte insgeheim, dass es daran lag, dass er einen »exorbitanten Preis« für den Schreibtisch bezahlt hatte, wie »Let's Make a Deal« meinte, während Dad behauptete, er habe einfach bei der Kontoführung nicht aufgepasst. »Ich habe eine Kommastelle übersehen«, sagte er.

Und dann konnte ich aber leider nur in Wayne die großen Ideen entlarven, weil wir den Schreibtisch nicht nach Sluder, Florida, mitnehmen konnten – es hatte irgendetwas mit den Möbelpackern zu tun (die mit dem irreführenden Slogan »Wir nehmen alles mit!« warben): Er passte nicht in ihren Van. Ich heulte wie wild und schimpfte Dad ein Reptil, als wir den Schreibtisch zurücklassen mussten, als handelte es sich nicht nur um einen übergroßen Tisch mit kunstvollen Klauenfüßen und sieben Schubladen, für die man sieben verschiedene Schlüssel brauchte, sondern um ein schwarzes Pony, das ich in einer Scheune zurückließ.

Jetzt rannte ich wieder die ZWÖLF EICHENSTUFEN hinunter und fand Vater im Untergeschoss, wo er gerade die Kiste SCHMETTERLINGE – ZERBRECHLICH öffnete, in der sich die Spezimen meiner Mutter befanden – die sechs Glaskästen, an denen sie gearbeitet hatte, bevor sie starb. Wenn wir in ein neues Haus kamen, verbrachte er Stunden damit, sie aufzuhängen. Immer in seinem Arbeitszimmer, immer an der Wand gegenüber von seinem Schreibtisch: Zweiunddreißig aufgereihte Mädchen in einem erstarrten Schönheitswettbewerb. Das war der Grund, weshalb er es nicht mochte, wenn die Junikäfer – oder sonst irgendjemand, nebenbei bemerkt – in seinem Ar-

Abbildung 4.0

beitszimmer herumschnüffelten. Der schwierigste Aspekt der Lepidoptera war nicht ihre Farbe und auch nicht die unerwartete Pelzigkeit der Fühler des Einaugenfalters, auch nicht das beklemmende Gefühl, das einen überkam, wenn man vor etwas stand, was früher wie verrückt durch die Luft geflattert war und jetzt ganz still hielt, die Flügel linkisch gespreizt, der Körper auf ein Stück Pappe in einem Glaskasten gepikst. Nein – es war die Gegenwart meiner Mutter in diesen Kästen. Wie Dad einmal sagte – sie erlaubten einem, ihr Gesicht aus größerer Nähe zu sehen als auf jedem Foto (Abbildung 4.0). Ich hatte auch schon immer das Gefühl, dass sie eine magische Anziehungskraft besaßen, und wenn jemand erst angefangen hatte, sie zu studieren, war es nicht leicht, seinen Blick anderswohin zu lenken.

»Na – wie findest du's?«, fragte er fröhlich, während er einen der Kästen aus dem Karton holte und die Ecken kontrollierte.

»Perfekt«, sagte ich.

»Nicht wahr? Der perfekte Tisch, um eine Bewerbung zu schreiben, bei der jeder Graubart in Harvard aus den Pantoffeln kippt.«

»Aber wie viel hat es dich gekostet, ihn wieder zurückzukaufen – und ihn dann hierher transportieren zu lassen!«

Er musterte mich. »Hat dir noch niemand gesagt, dass es sich nicht gehört, nach dem Preis eines Geschenks zu fragen?«

»*Wie viel?* Insgesamt?«

Nachdem er mich noch eine Weile angestarrt hatte, antwortete er mit einem resignierten Seufzer: »Sechshundert Dollar.« Dann legte er den Kasten wieder in die Kiste, drückte meine Schulter und ging an mir vorbei, die Treppe hinauf, rief den Blech- und den Holzbläsern zu, sie sollten beim letzten Teil das Tempo beschleunigen.

Er log. Ich wusste das, nicht nur, weil seine Augen zur Seite gerutscht waren, als er »sechshundert« sagte, (und Fritz Rudolph Scheizer, Dr. med., hatte in *Das menschliche Verhalten* (1998) geschrieben, das Klischee, dass die Augen eines Menschen beim Lügen seitlich wegrutschen, sei »durch und durch wahr«), sondern auch, weil ich, als ich die Unterseite des Schreibtischs überprüft hatte, ein winziges rotes Preisschild entdeckt hatte, das immer noch um das hintere Bein geschlungen war (17 000 Dollar).

Ich rannte auch nach oben, in das Foyer, in dem Dad eine andere Kiste inspizierte, nämlich die BÜCHER BIBLIOTHEK. Ich war verwirrt – und auch ein bisschen sauer. Dad und ich hatten uns schon vor langer Zeit auf das *Sojourner Agreement* geeinigt, die Übereinkunft, dass wir einander immer die Wahrheit sagen würden, »auch wenn sie ein wildes Tier ist, Furcht einflößend und übel riechend«. Im Verlauf der Jahre hatte es unzählige Gelegenheiten gegeben, bei denen der Durchschnittsvater bestimmt eine komplizierte Geschichte aufgetischt hätte, um die Theorie aufrechtzuerhalten, dass Eltern asexuell und moralisch einwandfrei waren wie Krümelmonster – zum Beispiel damals, als Dad vierundzwanzig Stunden verschwunden war und dann beim Heimkommen die müde, aber zufriedene Aura eines Farmarbeiters ausstrahlte, der gerade als Pferdeflüsterer erfolgreich einen empfindlichen Palomino behandelt hat. Wenn ich nach der Wahrheit fragte (und manchmal entschied ich mich dafür, nicht zu fragen), enttäuschte er mich nie – nicht einmal, wenn die Wahrheit mir ermöglichte, seinen Charakter gegen das Licht zu halten, sodass ich ihn so sehen konnte, wie er manchmal war: streng, kratzig, mit verblüffenden Löchern.

Ich musste ihn zur Rede stellen, sonst würde die Lüge mich fertigmachen (siehe »Saurer Regen und seine katastrophalen Auswirkungen auf die Wasserspeier«, *Die Bedingungen*, Eliot, 1999, S. 513). Ich rannte nach oben, machte das Preisschild ab und trug es den Rest des Tages in der Hosentasche mit mir herum, um es Dad im richtigen Schachmatt-Moment unter die Nase zu halten.

Aber dann kam er, kurz bevor wir zum Abendessen ins Outback Steakhouse gehen wollten, zu mir ins Zimmer, um den Tisch zu bewundern, und er sah so absurd fröhlich aus, so stolz auf sich selbst (»Ich bin *gut*«, sagte er und rieb sich die Hände wie Dick Van Dyke. »Bereit für St. Peter, was, Sweet?«) Ich konnte nicht anders – es kam mir unnötig und grausam vor, ihm diese gut gemeinte Extravaganz vorzuwerfen, ihn vorzuführen – so ähnlich, wie wenn man zu Blanche Dubois sagen würde, ihre Oberarme seien wabbelig, ihre Haare stumpf und sie tanze gefährlich nah bei der Lampe.

Es war besser, nichts zu sagen.

Die Frau in Weiß

Wir waren in der Gefrierabteilung von Fat Kat Foods, als ich Hannah Schneider das erste Mal sah, zwei Tage, nachdem wir in Stockton angekommen waren.

Ich stand bei unserem Einkaufswagen und wartete darauf, dass Dad seine Lieblings-Eissorte aussuchte.

»Amerikas größte Erfindung war nicht die Atombombe, nicht der Fundamentalismus, nicht die Fat Farms, nicht Elvis, nicht einmal die doch sehr zutreffende Beobachtung, dass Gentlemen Blondinen bevorzugen, sondern das enorme Niveau, auf das unser Land das Speiseeis gebracht hat«, kommentierte Dad gern, während er vor der offenen Gefrierschranktür stand und sämtliche Geschmacksrichtungen von Ben & Jerry's inspizierte, ohne auf die anderen Kunden zu achten, die um ihn herumschwirrten und warteten, dass er endlich weiterging.

Während er die Packungen auf den Regalen studierte wie ein Wissenschaftler, der aus einer Haarwurzel ein akkurates DNS-Profil erstellen will, fiel mein Blick auf eine Frau ganz am anderen Ende des Gangs.

Sie hatte dunkle Haare und war dünn wie eine Reitgerte. In ihrer Trauerkleidung – schwarzes Kostüm mit schwarzen Stilettos aus den 80er Jahren (eher Dolche als Schuhe) – wirkte sie völlig deplatziert, blass von der Neonbeleuchtung und der grauenvollen Musik. An der Art, wie sie den Rücken der Packung mit gefrorenen Erbsen studierte, merkte man allerdings ganz genau, dass es ihr Spaß machte, unpassend zu wirken, die einsame *Bombshell*, die durch ein Gemälde von Norman Rockwell schlenderte, der Vogel Strauß unter den Büffeln. Sie strahlte diese Mischung von Selbstvertrauen und Befangenheit aus, wie alle schönen Frauen, die es gewohnt sind, angegafft zu werden. Was mich wiederum veranlasste, sie irgendwie zu hassen.

Ich hatte schon vor langer Zeit beschlossen, alle Menschen zu verachten, die glaubten, dass alle anderen Leute sie nur als Objekt für AUFTAKTEINSTELLUNG, KRANAUFNAHME, GEGENSCHUSS, GROSSAUFNAHME sahen – wahrscheinlich, weil ich mir nicht vorstellen konnte, dass ich je auf jemandes Storyboard auftauchen würde, nicht mal auf meinem eigenen. Gleichzeitig könnte ich (und der Mann, der sie mit einem O-Mund anglotzte, in der Hand eine Packung Lean Cuisine) nichts anderes als rufen: »Ruhe am Set!« und »Action!«, weil sie selbst aus dieser Entfernung unglaublich toll und ungewöhnlich aussah und, wie Dad in einer seiner Bourbon-Launen gern zitierte: »›Schönheit ist Wahrheit, Wahrheit schön – so viel/Wisst ihr auf Erden, und dies Wissen reicht.‹«

Sie legte die Erbsen wieder ins Gefrierfach und kam langsam auf uns zu.

»*New York Super Fudge* oder *Phish Food?*«, fragte Dad.

Das Klacken ihrer Absätze war nicht zu überhören. Ich wollte nicht glotzen, deshalb unternahm ich einen wenig glaubwürdigen Versuch, die Zutaten verschiedener Eis-am-Stiel-Sorten zu überprüfen.

Dad sah sie nicht. »Es gibt ja immer noch *Half Baked*, würde ich denken«, sagte er. »Ach, sieh mal, *Makin' Whoopie Pie*. Ich glaube, das ist was Neues, aber ich bin mir nicht sicher, wie ich Marshmallows womit? – mit *Devil's Food* finde. Irgendwie übertrieben.«

Im Vorbeigehen musterte sie Dad, der seinerseits in das Eisfach schaute. Als ihr Blick auf mich fiel, lächelte sie.

Sie hatte ein elegantes, irgendwie romantisches Gesicht mit klaren Wangenknochen, das sowohl im Schatten als auch im Licht sehr gut wirkte, selbst unter extremen Bedingungen. Und sie war älter, als ich zuerst gedacht hatte, irgendwo Ende dreißig. Am auffallendsten war allerdings ihre Aura: Ein Hauch von Château Marmont umgab sie, ein Touch von RKO, was mir bisher noch nie persönlich begegnet war, ich kannte es nur von dem Film *Jezebel*, den ich einmal mit Dad spätabends noch geguckt hatte. Ja, in ihrer Körperhaltung und ihren rhythmischen Metronomschritten (die jetzt hinter den Regalen mit Kartoffelchips verhallten) war eine Spur von Paramount, von feinem Scotch und Luftküssen bei Ciro's. Ich hatte die Vorstellung, wenn sie den Mund aufmachen würde, dann würde sie nicht die brüchige Sprache der Moderne verwenden, sondern Wörter wie *Beau*, *Oberhaus* und *Klang* (sowie auch ein gelegentliches *Ring-a-ding-ding*), und im Umgang mit anderen würde sie die fast ausgestorbenen Persönlichkeitsmerkmale wie Charakter, Ruf, Integrität und Klasse über alle anderen stellen.

Nicht, dass sie nicht *real* gewesen wäre. Das war sie durchaus. Manche Haare waren nicht am richtigen Platz, an ihrem Rock klebte ein weißer Fussel. Ich hatte nur einfach das Gefühl, dass sie irgendwo, irgendwann das Schönheitszentrum gewesen war. Und der selbstbewusste, ja, aggressive Ausdruck in ihren Augen überzeugte mich davon, dass sie ein Comeback plante.

»Ich denke an *Heath Bar Crunch*. Was meinst du? Blue?«

* * *

Hätte ihre Präsenz in meinem Leben nur aus diesem einen, kurzen Auftritt à la Hitchcock bestanden, könnte ich mich trotzdem an sie erinnern, glaube ich, vielleicht nicht genauso deutlich, wie ich mich an den Sommerabend mit den 35° Celsius erinnere, an dem ich im Lancelot Dreamsweep Drive-in zum ersten Mal *Vom Winde verweht* sah und Dad es für notwendig befand, ständig zu kommentieren, welche Sternbilder zu sehen waren (»Da ist Andromeda«), nicht nur, während Scarlett sich gegen Sherman stellte und als ihr von der Karotte übel wurde, sondern auch, als Rhett am Schluss sagte, ihm sei alles egal.

Wie es die schimmernde Hand des Schicksals wollte, musste ich nur vierundzwanzig Stunden warten, bis ich sie wiedersah. Aber diesmal in einer Sprechrolle.

Die Schule begann drei Tage später, und Dad, passend zu seiner momentanen Öffne-ein-neues-Fenster-Persona, bestand darauf, den Nachmittag im Blue Crest Shoppingcenter zu verbringen, und zwar bei Stickley's in der Abteilung für Junge Mode, wo er mich drängte, lauter Sachen für den Schulbeginn anzuprobieren. Dabei nahmen wir die Beratung einer gewissen Ms Camille Luthers in Anspruch (siehe Curly Coated Retriever, *Wörterbuch der Hunde*, Bd. 1). Camille war die Chefin der Jungen Mode und arbeitete nicht nur seit acht Jahren dort, sondern wusste auch ganz genau, welcher Stickley-Stil dieses Jahr angesagt war, weil sie selbst eine Tochter in meinem Alter hatte, die Cinnamon hieß.

Ms Luthers über eine grüne Hose, die aussah, als wäre sie für Maos Befreiungsarmee gedacht, Größe 36: »Die würde dir perfekt passen, glaube ich.« Diensteifrig presste sie den Kleiderbügel gegen meine Taille und starrte mich im Spiegel an, den Kopf schräg gelegt, als würde sie einen hohen Ton hören. »Cinnamon steht sie auch ganz super. Ich habe ihr gerade so eine Hose gekauft, und sie *lebt* praktisch darin. Sie will sie gar nicht mehr ausziehen.«

Ms Luthers über eine weiße Bluse mit Knöpfen, die aussah wie die Hemden der Bolschewiken beim Sturm auf das Winterpalais, Größe 34: »Genau dein Stil! Cinnamon besitzt diese Bluse in allen Farben. Sie hat ungefähr deine Figur. Knochen wie ein Vögelchen. Jeder denkt, sie ist anorektisch, aber das stimmt nicht, viele ihrer Altersgenossinnen sind nur neidisch und müssen von Obst und Bagels leben, damit sie in Größe 38 passen.«

Nachdem Dad und ich die Junge Mode von Stickley's mit einem großen Teil von Cinnamons revolutionärer Garderobe verlassen hatten, begaben wir uns zu Surley Shoos in der Mercy Avenue in North Stockton, einem hilfreichen Tipp von Ms Luthers folgend.

»Ich glaube, die hier sind genau Cinnamons Geschmack«, sagte Dad und hielt ein Paar große schwarze Plateau-Schuhe hoch.

»Nein«, sagte ich.

»Gott sei Dank! Ich kann jedenfalls mit Sicherheit sagen, dass Chanel sich im Grab umdrehen würde.«

»Humphrey Bogart hat während der Dreharbeiten zu *Casablanca* immer Plateauschuhe getragen«, sagte jemand.

Ich drehte mich um, in der Erwartung, eine Mutter zu sehen, die um Dad kreiste wie ein Kapuzengeier, der ein Aas erspäht hat, aber es war keine Mutter.

Sie war's, die Frau von Fat Kat Foods.

Sie war groß, trug hautenge Jeans, eine maßgeschneiderte Tweedjacke und eine große schwarze Sonnenbrille auf dem Kopf. Ihre dunkelbraunen Haare hingen ihr lässig ums Gesicht.

»Er war zwar weder Einstein noch Truman«, sagte sie, »aber ich glaube, der Gang der Geschichte wäre ohne ihn ein anderer. Vor allem, wenn er gezwungen gewesen wäre, zu Ingrid Bergman *aufzublicken*, wenn er sagt: ›Ich schau dir in die Augen, Kleines.‹«

Ihre Stimme war wunderbar, eine Grippestimme.

»Sie sind nicht von hier aus der Gegend?«, fragte sie Dad.

Er starrte sie nur an.

Wenn Dad mit einer schönen Frau interagierte, war das immer ein komisches, wenig inspiriertes chemisches Experiment. Meistens gab es gar keine Reaktion. In anderen Fällen sah es so aus, als würden Dad und die Frau sehr heftig reagieren und dabei Hitze, Feuer und Gas produzieren. Aber am Ende entstand nie ein brauchbares Produkt, wie Plastik oder Glas, sondern nur übler Gestank.

»Stimmt«, antwortete Dad. »Wir sind nicht von hier.«

»Sie sind erst kürzlich hierher gezogen?«

»Ja.« Er grinste, gab sich aber keinen Fitzel Mühe, zu kaschieren, dass er das Gespräch gern beenden würde.

»Wie gefällt es Ihnen hier?«

»Ausgezeichnet.«

Ich verstand nicht, wieso er nicht freundlicher war. Für gewöhnlich hatte Dad nichts dagegen, wenn irgendein Junikäfer ihn umschwirrte. Und er war mit Sicherheit nicht darüber erhaben, die Junikäfer zu ermutigen – er öffnete alle Vorhänge, knipste sämtliche Lampen an, hielt aus dem Stegreif Vorträge über Gorbatschow, über Waffenkontrolle, das 1x1 des Bürgerkriegs (wobei den Junikäfern immer das Wesentliche entging, wie ein seltener Regentropfen) und ließ dabei oft Andeutungen über sein eindrucksvolles Werk fallen, *Die eiserne Faust.*

Ich fragte mich, ob sie zu attraktiv oder zu groß für ihn war (sie war fast so groß wie er), oder ob es ihm gegen den Strich gegangen war, dass sie sich mit dieser Bogie-Bemerkung ungefragt eingemischt hatte. Was Dad mit am meisten ärgerte war, wenn jemand ihm etwas »mitteilte«, was er längst wusste, und diese Geschichte kannten Dad und ich selbstverständlich. Auf der Fahrt von Little Rock nach Portland hatte ich das erhellende Buch *Schläger, Knirpse, große Ohren: Das wahre Gesicht der Stars von Hollywood* (Rivette, 1981) sowie *Andere Stimmen, 32 Zimmer: Mein Leben als L. B. Mayers Zimmermädchen* (Hart, 1961) gelesen. Zwischen San Diego und Salt Lake City hatte ich unzählige Promi-Biographien gelesen, autorisierte und nicht autorisierte, darunter Howard Hughes, Bette Davis, Frank Sinatra, Cary Grant und das unvergessliche Werk *Den gab's ja schon mal! Jesus auf Zelluloid von 1912–1988. Warum Hollywood Jesus nicht länger auf die Leinwand bringen sollte* (Hatcher, 1989).

»Und Ihre Tochter?«, sagte sie und lächelte mich an. »Welche Schule wird sie besuchen?«

Ich öffnete den Mund, aber Dad antwortete.

»St. Gallway.«

Er fixierte mich mit seinem *Ich-will-hier-raus*-Blick, der schnell in das *Bitte-zieh-die-Reißleine*-Gesicht überging, und dann kam auch schon *Wenn-du-bitte-so-nett-wärst-und-einen-Karnickelschlag-anwenden-würdest.* Normalerweise sparte er sich diese Gesichter für die Situationen auf, wenn ihn ein Junikäfer mit körperlichen Mängeln aktiv verfolgte, wie zum Beispiel einem gestörten Orientierungssinn (extreme Kurzsichtigkeit) oder einem erratischen Zwinkern (Gesichts-Tic).

»Ich unterrichte dort«, sagte sie und reichte mir die Hand. »Hannah Schneider.«

»Blue van Meer.«

»Was für ein schöner Name.« Sie schaute Dad an.

»Gareth«, sagte er nach einer Pause.

Mit dem selbstverständlichen Selbstbewusstsein, das man nur bei Frauen antrifft, die das Etikett »Sexsymbol« abgestreift haben und sich als dramatische Schauspielerin mit beträchtlichem Talent und einer breiten Ausdrucksskala (und als Kassenmagnet) bewähren, teilte Hannah Schneider Dad und mir mit, dass sie an dieser Schule seit drei Jahren Filmgeschichte unterrichte, einen kleinen Kurs. Außerdem behauptete sie mit Nachdruck, dass St. Gallway eine »ganz besondere Schule« sei.

»Ich glaube, wir müssen weiter«, sagte Dad und fügte, an mich gewandt, hinzu: »Hast du jetzt nicht Klavierunterricht?« (Ich hatte keinen Klavierunterricht, hatte noch nie welchen gehabt.)

Unverfroren wie sie war, hörte Hannah Schneider einfach nicht auf zu reden, sondern tat so, als wären Dad und ich zwei Klatschreporter, die seit sechs Monaten nur darauf gewartet hatten, endlich ein Interview mit ihr zu bekommen. Ihr Verhalten hatte allerdings nichts Anmaßendes oder Arrogantes – sie ging schlicht und ergreifend davon aus, dass jeder sich für das, was sie zu sagen hatte, unbändig interessierte. Und so war es auch – man interessierte sich dafür. Sie fragte, woher wir kämen (»Ohio«, brodelte Dad), in welche Klasse ich gehe (»Letztes Schuljahr«, zischte Dad), wie uns unser neues Haus gefalle (»Nicht schlecht«, sagte Dad eisig), dann erzählte sie, dass sie selbst vor drei Jahren aus San Francisco hierher gezogen war (»Erstaunlich«, knurrte Dad). Ihm blieb nichts anderes übrig, als ihr immer wieder einen Krümel hinzuwerfen.

»Vielleicht sehen wir Sie ja bei einem Heimspiel der Footballmannschaft«, sagte er und winkte zum Abschied (eine Hand in der Luft, was auch als »Nicht jetzt« gedeutet werden konnte) und schob mich zum Vorderausgang des Geschäfts. (Dad war noch nie beim Heimspiel einer Footballmannschaft gewesen und hatte auch nicht die Absicht, zu einem zu gehen. In seinen Augen waren die meisten Kontaktsportarten ebenso wie die schreienden und bellenden Zuschauer nichts als »peinlich«, »ganz, ganz falsch«, »jämmerliche Auftritte des *Australopithecus* in uns«. »Ich nehme an, wir haben alle einen inneren *Australopithecus*, aber ich ziehe es vor, wenn meiner tief in seiner Höhle bleibt und mit seinen simplen Steinwerkzeugen an Mammutkadavern herumschnitzt.«)

»Gott sei Dank sind wir da lebendig rausgekommen«, sagte Dad und startete den Motor.

»Was war eigentlich los?«

»Da muss ich genauso raten wie du. Wie ich dir ja schon öfter gesagt habe – diese alternden amerikanischen Feministinnen, die sich etwas darauf einbilden, dass sie selbst die Tür aufmachen und ihre Rechnung selbst bezahlen, also, naja – sie sind keineswegs die faszinierenden modernen Frauen, für die sie sich halten. Nein, nein, sie sind Magellan'sche Raumsonden, auf der Suche nach einem Mann, um den sie endlos kreisen.«

Beim Geschlechterdiskurs verglich Dad selbstbewusste Frauen gern mit Weltraumfahrzeugen (Vorbeiflugsonden, Orbiter, Satelliten, Lander) und Männer mit den ahnungslosen Zielen dieser Missionen (Planeten, Monde, Kometen, Asteroiden). Sich selbst sah Dad natürlich als Planeten, der so weit weg lag, dass er nur einmal besucht worden war – die erfolgreiche, aber kurze *Natasha*-Mission.

»Ich meine *dich*«, sagte ich. »Du warst sehr unhöflich.«

»Unhöflich?«

»Ja. Sie war doch nett. Ich mochte sie.«

»Leute, die in deine Privatsphäre eindringen, sind nicht ›nett‹ – sie erzwingen eine Landung und nehmen es sich heraus, Radarsignale zu senden, die von deiner Oberfläche abprallen, sie machen Panorama-Aufnahmen von deiner Landschaft und schicken sie pausenlos ins All.«

»Was war mit Vera Strauss?«

»Mit wem?«

»Vera P. Strauss.«

»Du meinst die Tierärztin?«

»Die Kassiererin am Expressschalter im Hearty Health Foods.«

»Ja, genau. Sie wollte Tierärztin werden. Jetzt erinnere ich mich.«

»Sie hat uns überfallen, mitten während deines –«

»Während meines Geburtstagsessens. Im Wilber Steakhaus, ja, ich weiß.«

»Im Wilson Steakhaus in Meade.«

»Na ja, ich –«

»Du hast sie aufgefordert, sie soll sich zu uns setzen und mit uns einen Nachtisch essen, und wir mussten uns drei Stunden lang die grässlichsten Geschichten anhören.«

»Über ihren armen Bruder, der diese ganzen Psychobehandlungen über sich ergehen lassen musste, ja, ich erinnere mich, und ich habe hinterher zu dir gesagt, dass es mir leid tut. Wie hätte ich ahnen sollen, dass sie selbst eine Kandidatin für Elektroschocks war und dass wir die gleichen Leute hätten rufen sollen, die am Schluss von *Endstation Sehnsucht* erscheinen, um die Frau abzutransportieren?«

»Ich habe damals nichts davon gemerkt, dass du dich über ihre Panoramabilder ärgerst.«

»Du hast recht. Aber ich weiß noch genau, dass Vera eine sehr ungewöhnliche Qualität besaß. Dass sich diese ungewöhnliche Qualität zu einer der vielen Sylvia-Plath-Spielarten entwickelt hat – das war nun wahrlich nicht meine Schuld. Aber ungewöhnlich war sie durchaus. Immerhin hat sie uns einen direkten, unzensierten Einblick in die Welt des Wahnsinns geliefert. Diese Frau gerade, diese – ich hab ihren Namen schon wieder vergessen.«

»Hannah Schneider.«

»Also, sie war …«

»Was?«

»Gewöhnlich.«

»Du spinnst.«

»Ich habe nicht sechs Stunden damit verbracht, mit dir diese ›Wie verbessere ich meinen High-School-Abschluss‹-Karten durchzugehen, um zu erleben, dass du Ausdrücke wie ›spinnst‹ im Alltag verwendest –«

»Du bist *outré*«, erwiderte ich, verschränkte die Arme und schaute aus dem Fenster in den Nachmittagsverkehr. »Und Hannah Schneider war« – ich wollte mir ein paar angemessene Wörter einfallen lassen, um Dads Haare zurückzupusten – »gewinnend. Wenn auch abstrus.«

»Hmmm?«

»Du weißt, wir sind ihr gestern schon beim Einkaufen begegnet.«

»Wem?«

»Hannah.«

Er warf mir einen kurzen Blick zu, verdutzt. »Diese Frau war im Fat Kat Foods?«

Ich nickte. »Sie ist direkt an uns vorbeigegangen.«

Dad schwieg einen Moment, dann seufzte er. »Na ja, ich kann nur hoffen, dass sie nicht eine von diesen kaputten Galileo-Raketen ist. Ich glaube nicht, dass ich noch eine Bruchlandung überstehe. Wie hieß sie nochmal? Die aus Cocorro –«

»Betina Mendejo.«

»Genau, Betina, mit dem süßen kleinen vierjährigen Asthmatiker.«

»Sie hatte eine neunzehnjährige Tochter, die Ernährungswissenschaft studierte.«

»Ja, stimmt«, sagte Dad. »Jetzt erinnere ich mich.«

Schöne neue Welt

Dad sagte, er habe von der St. Gallway School das erste Mal von einem Kollegen am Hicksburg State College gehört, und mindestens ein Jahr lang fuhr die Hochglanz-Schulbroschüre 2001–2004, atemlos betitelt mit *Je höher, desto besser – High School auf höchstem Niveau,* in einem Karton hinten in unserem Volvo mit (zusammen mit fünf Exemplaren des *Federal Forum*, Nr. 5, Bd. 10, 1998, mit Dads Artikel: »*Die Nächtlichen: Populärmythen des Freiheitskampfs*«).

In dieser Schulbroschüre fand sich die typisch überdrehte Rhetorik mit unzähligen Adjektiven, dazu sonnige Fotos von üppigen Herbstbäumen, von Lehrern mit freundlichen Mäusegesichtern und von Jugendlichen, die grinsend die Gehwege entlangschlenderten, dicke Schulbücher im Arm wie Rosensträuße. In der Ferne, als Zuschauer sozusagen, hockte eine Gruppe von mürrisch plumpen Bergen, darüber ein Himmel in wehmütigem Blau. »Unsere Einrichtungen werden allen Wünschen gerecht«, stöhnte S. 14, und natürlich gab es Footballplätze, die so perfekt gepflegt waren, dass sie aussahen wie Linoleum, eine Cafeteria mit großen Fenstern und gusseisernen Kronleuchtern und einen Sport-Komplex, der an das Pentagon erinnerte. Eine Minikapelle versteckte sich hinter den massiven Gebäuden im Tudorstil, die sich über die Rasenfläche verteilten. Diese Gebäude trugen Namen wie Hanover Hall, Elton House, Barrow und Vauxhall, jedes mit einer Fassade, die an frühere US-Präsidenten erinnerte: oben grau, schwere Brauen, hölzerne Zähne, störrische Haltung.

In der Broschüre befand sich auch ein amüsant exzentrischer Text über Horatio Mills Gallway, den Vom-Tellerwäscher-zum-Millionär Papierfabrikanten, der die Schule 1910 gegründet hatte, nicht im Namen altruistischer Prinzipien wie Bürgerpflicht oder Bildungsgut, sondern aus dem größenwahnsinnigen Wunsch heraus, vor seinem Nachnamen ein *Saint* zu sehen; die Gründung einer Privatschule zeigte sich als der leichteste Weg, dieses Ziel zu erreichen.

Mein Lieblingsteil war »Sag mir, wo die Gallwayaner sind?«. Auf den stolzen Beitrag von Direktor Bill Havermeyer (einem korpulenten alten Robert-Mitchum-Typ) folgte eine Zusammenfassung der unvergleichlichen Leistungen der Alumni von St. Gallway. Anders als die meisten aufgeplusterten Privatschulen – stratosphärische High-School-Ergebnisse, die unglaubliche Anzahl von Absolventen, die sofort auf den Ivy League Universitäten herumsprangen – prahlte St. Gallway mit etwas abwegigeren Errungenschaften: »Wir haben die größte Zahl von Schulabgängern in diesem Land, die nach ihrem Abschluss revolutionäre Performance-Künstler werden; ... 7,27 Prozent aller Graduierten von St. Gallway haben in den letzten fünfzig Jahren Patente angemeldet; einer von zehn Gallway-Schülern wird Erfinder; ... 24,3 Prozent aller Gallwayaner werden veröffentlichte Dichter; 10 Prozent studieren Make-up und Bühnen-Design; 1,2 Prozent Marionettenkunst; ... 17,2 Prozent wohnen irgendwann in ihrem Leben in Florenz, 1,8 Prozent in Moskau, 0,2 Prozent in Taipeh.« »Einer von 2031 Gallwayanern kommt ins Guinnessbuch der Rekorde. Wan Young, Abschluss 1982, hält den Rekord im Halten eines Operntons ...«

Als Dad und ich zum ersten Mal auf dem Schulgelände den zentralen Weg entlanggingen (der den passenden Namen Horatio Way trug: eine schmale Straße, die durch ein Wäldchen aus dürren Nadelbäumen führte, ehe sie einen ins Zentrum des Campus brachte), merkte ich, wie ich den Atem anhielt, weil ich aus unerklärlichen Gründen ganz beeindruckt war. Gleich links von uns erstreckte sich ein renoirgrüner Rasen, der so aufgeregt dahintaumelte, dass es aussah, als wollte er davonfliegen, wären da nicht die Eichen, die ihn auf den Boden nagelten (»die Wiese«, schwärmte die Broschüre, »ein Rasen, gepflegt von unserem genialen Verwalter Quasimodo, von dem manche sagen, es sei der Ur-Gallwayaner …«). Zu unserer Rechten, klobig und leidenschaftslos, stand Hanover Hall, bereit, den Delaware unter eisigen Bedingungen zu überqueren. Am anderen Ende des viereckigen, gepflasterten Hofs, der von Birken gesäumt war, befand sich ein vornehmes Auditorium aus Glas und Stahl, kolossal und chic: das Love Auditorium.

Unsere Absichten waren ausschließlich geschäftlicher Natur. Dad und ich waren gekommen, um einerseits eine Campus-Tour zu machen, unter Leitung von Zulassungs-Guru Mirtha Grazeley (einer nicht mehr ganz jungen Frau in fuchsienroter Seide, die uns wie eine ältliche Motte in torkelndem Zickzack über das Gelände führte: »Äh, die Kunstgalerie haben wir uns noch gar nicht angeschaut, stimmt's? Ach, Gott, die Cafeteria habe ich ja ganz vergessen. Und die Pferde-Wetterfahne auf Elton House, ich weiß nicht, ob Sie sich erinnern, aber sie war im *Southern Architecture Monthly* abgebildet, letztes Jahr.«), und andererseits mussten wir zur Verwaltung, zu der Person, die dafür zuständig war, die Zeugnisse von meiner letzten Schule ins Notensystem von St. Gallway zu übertragen und mich dem entsprechenden Kursniveau zuzuweisen. Dad ging diese Aufgabe mit derselben Zielstrebigkeit an wie Reagan, als er sich wegen des Atomwaffensperrvertrags an Gorbatschow heranmachte.

»Überlass mir das Reden. Du musst nur dasitzen und klug dreinschauen.«

Unser Zielobjekt, Ms Lacey Ronin-Smith, war in Hanover Hall in einer Art Rapunzelturm untergebracht. Sie war drahtig, hatte eine schneidende Stimme und eine trostlose Frisur. Sie war Ende sechzig, arbeitete seit einunddreißig Jahren für den Kanzler von St. Gallway, und nach den Fotos auf ihrem Schreibtisch zu urteilen, liebte sie Quilting, Naturwanderungen mit ihren Freundinnen und ihren Schoßhund, der strähnige graue Haare hatte wie ein gealterter Rockstar.

»Was Sie da in der Hand halten, ist eine offizielle Kopie von Blues High-School-Zeugnis«, sagte Dad.

»Ja«, sagte Ms Ronin-Smith. Die Winkel ihrer schmalen Lippen, die, wenn sie nichts sagte, aussahen, als würde sie an einer Limone saugen, zitterten leicht, was auf eine gewisse Missbilligung hinzudeuten schien.

»Die Schule, von der Blue kommt – Lamego High in Lamego, Ohio – ist eine der dynamischsten Schulen unseres Landes. Ich möchte dafür sorgen, dass ihre Leistung hier entsprechend gewürdigt wird.«

»Selbstverständlich möchten Sie das«, sagte Ronin-Smith.

»Es kann natürlich sein, dass sich Schüler von ihr bedroht fühlen, vor allem solche, die davon ausgehen, in ihren Kursen die Ersten oder Zweiten zu sein. Wir möchten niemanden beunruhigen. Aber es ist nur fair, dass Blue die Position bekommt, die sie innehatte, als wir aus beruflichen Gründen zu diesem Umzug gezwungen wurden. Sie war die Nummer eins –«

Lacey musterte Dad mit bürokratisch sturem Blick – Bedauern, vermischt mit einer Spur von Triumph. »Ich möchte Sie auf keinen Fall entmutigen, Mr van Meer, aber ich muss Ihnen mitteilen, dass die Vorschriften hier an Gallway in diesem Punkt eindeutig sind. Ein neuer Schüler kann, gleichgültig, wie gut seine Noten sind, nicht besser platziert werden als –«

»Guter Gott!«, rief Dad unvermittelt. Mit hochgezogenen Augenbrauen, den Mund zu einem verzückten Lächeln verzogen, beugte er sich vor, genau im Winkel des schiefen Turms von Pisa. Ich bemerkte mit Entsetzen, dass er sein *Ja-Virginia-es-gibt-einen-Weihnachtsmann*-Gesicht machte. Am liebsten hätte ich mich unter meinem Stuhl verkrochen. »Das ist ja ein sehr beeindruckendes Diplom, das Sie da hängen haben. Darf ich fragen, was es ist?«

»Äh – wie bitte?«, quiekte Ms Ronin-Smith (als hätte Dad sie gerade auf einen Tausendfüßler aufmerksam gemacht, der hinter ihr die Wand hinaufkletterte) und drehte ihren Stuhl, um das riesige Diplom – mit Goldsiegel und auf cremefarbenem Papier, kalligraphisch durchgestaltet – anzusehen, das neben einem Foto des Mötley Crüe Hundes (mit Fliege und Zylinder) hinter ihr hing. »Ach, das. Das ist mein North-Carolina-Zertifikat für erstklassige akademische Beratung und Vermittlung.«

Dad seufzte leise. »Klingt so, als könnte man Sie bei der UNO brauchen.«

»Oh, bitte«, wehrte Ms Ronin-Smith kopfschüttelnd ab und lächelte mit ihren gelblichen, schiefen Zähnen ein zaghaftes Lächeln. Röte kroch ihren Hals empor. »Ich glaube nicht.«

Eine halbe Stunde später, nachdem Dad sie genügend umworben hatte (er agierte wie ein wild gewordener Prediger; man hatte keine andere Wahl, als erlöst zu werden), gingen wir die Wendeltreppe hinunter, die zu dem Büro führte.

»Nur ein einziger Idiot ist vor dir«, flüsterte Dad mit unverhohlener Schadenfreude. »Irgendeine kleine Tarantel namens Radley Clifton. Wir kennen diesen Typ. Ich nehme an, nach drei Wochen hältst du eins deiner Referate über den Relativismus, und er macht ›platsch‹.«

* * *

Als Dad mich am nächsten Tag, einem grauen Morgen, um 7.45 vor Hanover Hall ablieferte, war ich lächerlich nervös. Ich hatte keine Ahnung, wieso. Ich kannte den ersten Schultag so gut wie Jane Goodall ihre tansanischen Schimpansen, nach fünf Jahren im Urwald. Trotzdem kam mir meine Leinenbluse zwei Nummern zu groß vor (die kurzen Ärmel standen mit einer strengen Falte von meinen Schultern ab, wie steif gebügelte Servietten), mein rotweiß karierter Rock fühlte sich klebrig an und meine Haare (normalerweise der Aspekt meines Äußeren, auf den ich mich immer verlassen konnte) hatten beschlossen, einen Getrockneten-Löwenzahn-Look auszuprobieren: Ich sah aus wie ein Tisch in einem Bistro, auf dem Barbecue serviert wurde.

»›In ihrer Schönheit wandelt sie / Wie wolkenlose Sternennacht‹«, rief Dad durch das heruntergekurbelte Fenster, als ich ausstieg. »›Vermählt auf ihrem Antlitz sieh' / Des Dunkels Reiz, des Lichtes Pracht.‹ Mach sie platt, Mädchen! Zeig ihnen, was Bildung ist!«

Ich nickte matt und knallte die Tür zu (und ignorierte die Frau mit den Fanta-Haaren, die auf den Stufen stehen geblieben war und sich nach Dad-Dr.-Kings-Abschiedspredigt umgedreht hatte). Eine Morgenansprache für die gesamte Schule war für 8.45 angesetzt, das heißt, nachdem ich mein Schließfach im zweiten Stock der Hanover Hall gefunden hatte und meine Bücher abgeholt (und dabei der Lehrerin freundlich zugelächelt hatte, die hektisch mit Fotokopien aus ihrem Klassenraum herausrannte und wieder zurück – die Soldatin, die beim Aufwachen merkt, dass sie die Tages-Offensive nicht hinreichend geplant hat), ging ich wieder nach draußen und langsam zum Love Auditorium. Ich war immer noch absurd früh dran, und die große Aula war leer, bis auf einen einzigen Jungen ganz vorn, der so tat, als wäre er total vertieft in sein sichtlich leeres Spiralheft.

Für die Schüler des letzten Schuljahrs waren die hinteren Reihen vorgesehen. Ich setzte mich auf den mir von Ronin-Smith zugewiesenen Platz und zählte die Minuten, bis das ohrenbetäubende Schülergetrappel losging, begleitet von dem pausenlosen »Na, was gibt's?« und »Wie war dein Sommer?«, dem Geruch von Shampoo, Zahncreme und neuen Lederschuhen – und dazu diese beängstigende kinetische Energie, die Jugendliche produzieren, wenn sie in großer Zahl erscheinen: Der Boden zitterte, die Wände vibrierten, und man dachte, wenn man nur wüsste, wie man diese Energie bündelt, könnte man sie durch ein paar Parallelschaltkreise direkt in ein Kraftwerk schicken und auf diese Weise problemlos und sehr ökonomisch die gesamte Ostküste mit Strom versorgen.

Ich fühle mich verpflichtet, einen alten Trick preiszugeben: Jeder kann unerschütterliches Selbstbewusstsein erwerben, aber das schafft man nicht dadurch, dass man so tut, als wäre man in ein eindeutig leeres Spiralheft vertieft; nicht dadurch, dass man versucht sich einzureden, man sei ein unentdeckter Rockstar, ein Topmodel, ein Großkapitalist, Bond, Bond Girl, Königin Elizabeth, Elizabeth Bennett oder Eliza Dolittle beim Ambassador's Ball; auch nicht dadurch, dass man sich vorstellt, man sei ein lang vermisstes Mitglied der Familie Vanderbilt, oder dass man sein Kinn fünfzehn bis fünfundvierzig Grad hochreckt – und so tut, als wäre man Grace Kelly in ihren besten Zeiten. Diese Methoden funktionieren in der Theorie, in der Praxis versagen sie jedoch, und man bleibt schutzlos und nackt zurück, mit dem fleckigen Laken des Selbstvertrauens um die Knöchel.

Stattdessen kann man Gelassenheit und Würde mit zwei Methoden erreichen:

1. Man lenkt sich durch ein Buch oder ein Theaterstück ab
2. Man rezitiert Keats

Ich habe diese Technik schon sehr früh entdeckt, in der zweiten Klasse der Sparta Elementary School. Als ich mir gezwungenermaßen von Eleanor Slagg sämtliche Einzelheiten über ihre exklusive Pyjamaparty anhören musste, holte ich einfach ein Buch aus meiner Tasche, das ich aus Dads Bücherregal entwendet hatte, *Mein Kampf* (Hitler, 1925). Ich klemmte den Kopf zwischen die Buchdeckel, und mit einer Besessenheit, die der des deutschen Reichskanzlers gleichkam, zwang ich mich zu lesen, zu lesen und immer weiter zu lesen, bis die Wörter auf den Buchseiten in Eleanors Wörter einmarschierten und Eleanors Wörter sich ergaben.

* * *

»Willkommen«, rief Direktor Havermeyer ins Mikrophon. Bill hatte eine Figur wie ein Saguaro-Kaktus, der zu lang ohne Wasser war, und seine Kleidung – marineblaues Jackett, blaues Hemd, Ledergürtel mit gigantischer Gürtelschnalle, auf der entweder die Belagerung von Fort Alamo oder die Schlacht am Little Bighorn abgebildet war –, seine Kleidung sah genauso verdorrt, verblasst und staubig aus wie sein Gesicht. Er ging gravitätisch auf dem Podium auf und ab, als würde er im imaginären Klirren seiner Sporen schwelgen; er hielt das schnurlose Mikrophon sehr liebevoll; es war sein hoher Stetson. »Jetzt geht's los«, flüsterte der hyperaktive Mozart neben mir, der auf dem Stück Stuhl zwischen seinen Beinen pausenlos *Die Hochzeit des Figaro* (1786) trommelte. Ich saß zwischen Amadeus und einem traurigen Jungen, der aussah wie Sal Mineo (siehe *Denn sie wissen nicht, was sie tun*).

»Für diejenigen unter euch, die Dixons Worte der Weisheit noch nicht kennen«, dröhnte Havermeyer los, »für alle, die neu sind – also, ihr habt Glück, weil ihr sie das erste Mal hört. Dixon war mein Großvater, Pa Havermeyer. Er mochte junge Menschen, die zuhören können und von ihren Vorfahren etwas lernen wollen. Als ich klein war, hat er mich manchmal beiseite genommen und gesagt: ›Junge, hab keine Angst vor Veränderungen.‹ Besser kann ich es auch nicht sagen. Habt keine Angst vor Veränderungen! So ist es.«

Er war mit Sicherheit nicht der erste Schuldirektor, der am Ol'-Blue-Eyes-im-Sands-Hotel-Syndrom litt. Unzählige Direktoren, insbesondere Männer, verwechselten den polierten Fußboden einer spärlich erleuchteten Cafeteria oder die verschwommene Akustik eines High-School-Auditoriums mit dem Copa Room in Las Vegas und seinen rubinroten Wänden, verwechselten die Schüler mit einem begeisterten Publikum, das schon Monate vorher Karten reserviert hatte und hundert Dollar pro Person löhnte. Tragischerweise glaubte er, er könnte »Strangers in the Night« auch ein bisschen falsch singen, könnte »The Best Is Yet to Come« schluchzen, eine Textzeile vergessen und trotzdem seinen Ruf als Vorstandsvorsitzender, als *The Voice*, als *Swoonatra* nicht beschädigen.

In Wirklichkeit wurde er natürlich belächelt, verspottet, nachgeäfft.

»Hey, was liest du da?«, fragte ein Junge hinter mir.

Ich glaubte nicht, dass die Frage an mich gerichtet war, bis sie ganz dicht an meiner rechten Schulter wiederholt wurde. Ich starrte auf das zerlesene Theaterstück in meiner Hand, Seite 18. »›Machst du Brick glücklich?‹«

»Hallo, Miss? Ma'am?« Der Sprecher beugte sich noch weiter vor und hinterließ auf meinem Nacken heiße Atemspuren. »Verstehst du kein Englisch?«

Ein Mädchen in seiner Nähe kicherte.

»Parlee vu fransä? Spreken Sie Deutsch?«

Nach Dads Theorie gab es in jeder Situation, aus der man nicht einfach aussteigen konnte, einen *Oscar Shapeley*, wie er sagte, einen ungeheuer lästigen Menschen, der aus unverständlichen Gründen glaubte, dass seine Beiträge in puncto Konversation sagenhaft faszinierend waren und sein Beitrag in puncto Sex absolut unwiderstehlich.

»Parlate Italiano? Hallo?«

Der Dialog aus *Die Katze auf dem heißen Blechdach* (Williams, 1955) zitterte vor meinen Augen. »Eins von diesen halslosen Monstern hat mich mit seinem Eisbecher getroffen. Ihre fetten kleinen Köpfe sitzen auf ihren fetten kleinen Schultern ohne jede Verbindung ...« Maggie, die Katze, würde sich solche Belästigungen nicht bieten lassen. Sie würde, nur mit ihrem dünnen Unterrock bekleidet, die Beine übereinander schlagen und etwas Leidenschaftliches, Schrilles sagen, und alle im Raum, auch Big Daddy, würden vor Schreck die Eiswürfel in ihren Mint Juleps verschlucken.

»Was muss man anstellen, um hier ein bisschen Aufmerksamkeit zu bekommen?«

Mir blieb keine andere Wahl, als mich umzudrehen.

»Was gibt's?«

Er grinste mich an. Ich hatte ein halsloses Monster erwartet, aber zu meinem Schrecken war er ein *Goodnight Moon* (Brown, 1947). Goodnight Moons haben Samtaugen, schattige Augenlider, ein Lächeln wie eine Hängematte und eine silbrig schläfrige Gelassenheit, die man bei den meisten Menschen nur in den Minuten kurz vor dem Einschlafen beobachten konnte. Die Goodnight Moons hatten sie den ganzen Tag und noch bis weit in den Abend hinein. Goodnight Moons konnten männlich oder weiblich sein und wurden überall auf der Welt verehrt. Sogar die Lehrer bewunderten sie. Sie schauten immer die Goodnight Moons an, wenn sie eine Frage stellten, und obwohl die dann eine träge, völlig falsche Antwort gaben, sagten die Lehrer »Ja, wunderbar«, und drehten die Wörter wie ein dünnes Stück Draht so lang hin und her, bis sie glorios aussahen.

»Entschuldige«, sagte er. »Ich wollte dich nicht stören.«

Er hatte blonde Haare, war aber nicht der verwaschen skandinavische Typ, der immer so aussah, als müsste er gefärbt, koloriert oder in irgendetwas hineingetunkt werden. Er trug ein frisch gebügeltes weißes Hemd, dazu einen dunkelblauen Blazer. Seine rotblau gestreifte Krawatte war locker gebunden und saß ein bisschen schief.

»Was bist du? Eine berühmte Schauspielerin? Auf dem Weg zum Broadway?«

»Ach, nein –«

»Ich bin Charles Loren«, sagte er, als würde er ein Geheimnis enthüllen.

Dad war ein überzeugter Anhänger des unverwandten Augenkontakts, aber es gab da ein Problem, das er nie erwähnte, nämlich dass es so gut wie unmöglich ist, jemandem aus nächster Nähe in die Augen zu sehen. Man musste sich für ein Auge entscheiden, für das rechte oder das linke, oder zwischen den beiden hin und her springen, oder man musste sich auf der Stelle zwischen den Augen niederlassen. Ich fand allerdings immer, dass das eine traurige, verletzliche Stelle ist, ohne Augenbrauen und komisch gekrümmt: die Stelle, auf die David mit seinem Stein zielte, um Goliath zu töten.

»Ich weiß, wer du bist«, sagte er. »Blue Irgendwas. Sag jetzt nur nicht –«

»Was soll dieses *Gequatsche* da hinten?«

Charles fuhr zurück. Ich drehte mich wieder zum Podium.

Eine korpulente Frau mit säuerlich orangefarbenen Haaren – die Frau, die auf Dads Byron-Zitat mit finsterem Blick reagiert hatte, als er mich ablieferte – hatte inzwischen Havermeyer am Mikrophon abgelöst. Sie trug ein rübenrosa Kostüm, das sich anspannte wie ein Gewichtheber, um zugeknöpft zu bleiben. Jetzt starrte sie zu mir hinauf, mit verschränkten Armen, breitbeinig, die Füße fest auf dem Boden, ähnlich wie bei Diagramm 11.23, »*Der türkische Krieger im Zweiten Kreuzzug*« in einem von Dads Lieblingswerken, *Aus Liebe zu Gott. Die Geschichte der Religionskriege und Verfolgungen* (Murgg, 1981). Und sie war nicht die Einzige, die mich anglotzte. Sämtliche Geräusche waren aus dem Love Auditorium herausgesaugt worden, und alle Köpfe wandten sich zu mir, wie ein Trupp Seldschuk-Türken, die einen einsamen, ahnungslosen Christen entdeckt haben, der auf seinem

Weg nach Jerusalem eine Abkürzung durch ihr Heerlager nehmen wollte.

»Du bist bestimmt eine neue Schülerin«, sagte die Frau ins Mikrophon. Ihre Stimme klang wie das elektronisch verstärkte Schlurfen von Absätzen auf Kopfsteinpflaster. »Gestatte mir, dass ich dich in ein kleines Geheimnis einweihe. Wie heißt du?«

Ich hoffte, dass die Frage rhetorisch gemeint war und ich keine Antwort geben musste, aber sie wartete.

»Blue«, sagte ich.

Sie verzog das Gesicht. »Wie bitte? Was hast du gesagt?«

»Sie hat *Blue* gesagt«, rief jemand.

»Blue? Na gut. Also, Blue, in dieser Schule zollen wir den Leuten, die aufs Podium kommen, den gebührenden Respekt. Wir hören ihnen zu.«

Wahrscheinlich brauche ich nicht extra zu erwähnen, dass ich es nicht gewohnt war, angeglotzt zu werden, schon gar nicht von einer ganzen Schule. Nein, Jane Goodall war diejenige, die selbst glotzte, immer allein und immer hinter dichtem Laub, in ihren Khakishorts und ihrer Baumwollbluse praktisch ununterscheidbar vom Bambusgestrüpp. Mein Herz stolperte, während ich in all die Augen starrte: Langsam begannen sie mich abzukratzen wie Eidotter von der Wand.

»Wie gesagt, es gibt wichtige Veränderungen bei den Abgabeterminen für eure Kurswahl, und ich werde für niemanden eine Ausnahme machen. Es ist mir egal, wie viele Godiva-Pralinen ihr anschleppt – ich rede mit dir, Maxwell! Ich fordere euch auf, die Entscheidungen über die Kurse, die ihr belegen wollt, rechtzeitig zu treffen, und das meine ich ernst.«

»Tut mir leid«, sagte Charles hinter mir. »Ich hätte dich warnen sollen. Eva Brewster – wenn sie in der Nähe ist, benimmt man sich am besten unauffällig. Hier nennen sie alle nur Evita. Sie gibt den Diktator. Technisch gesehen ist sie nur Sekretärin.«

Die Frau – Eva Brewster – entließ nun die Schülerschaft in den Unterricht.

»Hör zu, ich wollte dich noch was fragen – hey, warte einen Moment –!«

Ich schob mich an Mozart vorbei, bahnte mir einen Weg zum Ende der Reihe. Charles schaffte es, mir auf den Fersen zu bleiben.

»Warte mal kurz.« Er lächelte. »Du bist ja echt total versessen auf deine Kurse – typische Alpha-Persönlichkeit, tja ja – aber, äh, weil wir ja wissen, dass du nagelneu hier bist, haben ein paar Freunde und ich uns gedacht ...« Er redete mit mir, aber seine Augen wanderten schon die Stufen hinauf zum AUSGANG. Goodnight Moons haben Augen, die mit Helium gefüllt sind – sie können nie lang auf jemandem ruhen. »Wir dachten, du könntest dich mit uns zum Mittagessen treffen. Wir haben uns einen Pass besorgt, damit wir den Campus verlassen können. Also – geh nicht in die Cafeteria. Triff dich lieber mit uns, um 12.15 im Scratch.« Er beugte sich vor, sodass sein Gesicht ganz dicht vor meinem war. »Und komm nicht zu spät – das hätte böse Folgen. Kapiert?« Er zwinkerte mir zu und verschwand.

Weil ich mich nicht rühren konnte, blieb ich im Gang stehen, bis die Schüler gegen meinen Rucksack drückten und ich die Stufen nach oben geschoben wurde. Ich hatte keine Ahnung, woher Charles meinen Namen kannte. Allerdings wusste ich nur zu genau, weshalb er den roten Teppich für mich ausgerollt hatte: Er und seine Freunde hofften, dass ich in ihre Arbeitsgruppe kam. Ich hatte eine lange, beschwerliche Reihe von Einladungen zu Arbeitsgruppen hinter mir. Sie waren von allen möglichen Leuten an mich herangetragen worden, angefangen von dem mandeläugigen Footballstar, der im letzten Schuljahr einen Sohn zeugen sollte, bis hin zum Rita-Hayworth-Model, die sämtliche Coupons aus der Sonntagszeitung sammelte. Jedes Mal war ich begeistert gewesen, wenn ich in eine Arbeitsgruppe eingeladen wurde, und wenn ich das betreffende Wohnzimmer betrat, bewaffnet mit Karteikarten, Markern, roten Kulis und zusätzlichen Büchern, war ich euphorisch wie ein Chorus Girl, das man aufgefordert hat, die Hauptrolle als zweite Besetzung einzustudieren. Sogar Dad freute sich. Während er mich zu Brad, zu Jeb oder zu Sheena fuhr, murmelte er, das sei doch eine phantastische Gelegenheit, meine

Dorothy-Parker-Flügel zu spreizen und einem zeitgenössischen Algonquin-Round-Table vorzusitzen.

Aber nachdem er mich abgesetzt hatte, begriff ich immer ziemlich schnell, dass ich nicht wegen meines scharfen Verstandes eingeladen worden war. Wenn Carlas Wohnzimmer der *Lasterhafte Kreis* war, dann war ich die Bedienung, die alle ignorierten, außer wenn sie noch einen Scotch wollten oder wenn etwas mit dem Essen nicht stimmte. Irgendwie hatte einer von ihnen herausgefunden, dass ich schlau war (eine »Strickjacke«, wie sie an der Coventry Academy sagten), und man teilte mir die Aufgabe zu, jede zweite Frage auf den Arbeitsblättern zu recherchieren, wenn nicht gleich alle.

»Das kann sie doch auch noch übernehmen. Du hast nichts dagegen, Blues, oder?«

Der Wendepunkt kam bei Leroy. Mitten in seinem Wohnzimmer, das vollgestopft war mit Porzellan-Dalmatinern, brach ich in Tränen aus – allerdings weiß ich nicht, wieso ich ausgerechnet bei diesem Anlass losheulte; Leroy, Jessica und Schyler hatten mir nur jede vierte Frage des Arbeitsblattes aufgedrückt. Jetzt flöteten sie mit hohen, zuckersüßen Stimmen: »Oh, Gott, was ist los?«, was die drei lebendigen Dalmatiner veranlasste, ins Wohnzimmer gesaust zu kommen, im Kreis herumzurennen und laut zu bellen, woraufhin wiederum Leroys Mutter aus der Küche kam, mit pinkfarbenen Gummihandschuhen an den Händen, weil sie gerade das Geschirr spülte. Sie rief: »Leroy, ich habe dir doch gesagt, ihr sollt die Hunde nicht nervös machen!« Ich raste nach draußen und den ganzen Weg nach Hause, zehn Kilometer. Leroy hat mir meine zusätzlichen Bücher nie zurückgegeben.

»Und – woher kennst du Charles?«, fragte Sal Mineo, als wir nebeneinander die Glastür erreichten.

»Ich kenne Charles nicht«, antwortete ich.

»Na, da hast du aber Glück. Jeder will ihn kennen.«

»Wieso?«

Sal machte ein bekümmertes Gesicht, zuckte die Achseln und sagte leise und bedauernd: »Er gehört zu den Royals.« Bevor ich noch fragen konnte, was das bedeutete, rannte er die Steinstufen hinunter und verschwand in der Menge. Die Sal Mineos dieser Welt sprachen immer mit schwammigen Stimmen und machten Bemerkungen, die so fusselig waren wie das Profil eines Angorapullovers. Ihre Augen waren nicht wie die Augen anderer Leute, sondern hatten vergrößerte Tränendrüsen und zusätzliche Sehnerven. Ich überlegte, ob ich ihm hinterherlaufen und ihm sagen sollte, dass er sich am Schluss des Films als sehr sensibel und leidenschaftlich herausstellen würde, als Archetyp für die Verlorenheit und Verletztheit seiner Generation, dass er aber von einem schießwütigen Polizisten niedergeknallt werden würde, wenn er nicht aufpasste – wenn er nicht begriff, wer er war.

Stattdessen hatte ich das Mitglied der Royals entdeckt: Prinz Charles ging, den Rucksack über der Schulter, mit schnellen Schritten über den Innenhof, hinter einem großen, dunkelhaarigen Mädchen in einem langen braunen Wollmantel her. Er schlich sich von hinten an sie heran und legte dann mit einem lauten »Ah-hahhh!« den Arm um sie. Sie kreischte auf, und als er vor sie sprang, lachte sie. Es war ein glockenhelles Lachen, das wie ein Messer durch den Morgen schnitt, durch das müde Gemurmel der anderen Schüler, ein Lachen, das bewies, dass sie gar nicht wusste, was Verlegenheit und Peinlichkeit bedeuten, und dass bei ihr sogar Kummer und Schmerz, falls sie so etwas je erlebte, irgendwie glamourös waren. Offensichtlich war das seine Freundin, und die beiden waren eins dieser sonnenverwöhnten, Haare werfenden *Blaue-Lagune*-Paare (eins pro High School), die den Fels der hochanständigen Erziehungsanstalten zu sprengen drohten, einfach weil sie sich auf den Fluren so lasziv in die Augen schauten.

Die Schüler beobachteten solche Paare mit Staunen, als wären sie schnell wachsende gefleckte Feldbohnen in einem feuchtkalten, bedeckten Aquarium. Die Lehrer – nicht alle, aber viele – lagen die ganze Nacht wach und hassten sie, wegen ihrer merkwürdigen erwachsenen Art von Jugend, die an im Januar blühende Gardenien erinnerte; sie hassten ihre Schönheit, die so traurig und auch so verwunderlich war wie ein Rennpferd, und ihre Liebe, die nicht überdauern würde, was alle wussten, außer den beiden. Ich wandte den Blick ab (wer eine Version von *Blaue Lagune* gesehen hat, kennt sie alle), aber als ich die Seitentür von Hanover Hall öffnete, blickte ich mich ganz lässig noch einmal um und stellte schockiert fest, dass ich völlig daneben gelegen hatte.

Charles stand jetzt in respektvoller Entfernung vor ihr (sein Gesichtsausdruck erinnerte allerdings immer noch an ein Kätzchen, das eine Schnur fixiert), und sie redete mit ernstem Lehrergesicht auf ihn ein (ein Ausdruck, den alle richtigen Lehrer beherrschten; bei Dad verwandelte sich die Stirn augenblicklich in einen geriffelten Kartoffelchip). Sie war gar keine Schülerin. Ich konnte mir nicht erklären, wie das passiert war – wie ich sie, angesichts ihrer Haltung, überhaupt für eine hatte halten können. Eine Hand in der Hüfte, das Kinn vorgestreckt, als würde sie versuchen, einen Falken auszumachen, der über dem Rasen kreiste, so stand sie da, in ihren hohen braunen Lederstiefeln, die wie Italien aussahen, und scharrte mit einem der Absätze auf dem Pflaster, als würde sie eine unsichtbare Zigarette ausdrücken.

Es war Hannah Schneider.

* * *

Wenn Dad in einer Bourbon-Laune war, konnte es vorkommen, dass er einen fünfminütigen Toast auf Benno Ohnesorg ausbrachte, der im Juni 1967 bei einer Studentendemonstration von der Berliner Polizei erschossen wurde. Dad, damals neunzehn Jahre alt, stand neben ihm. »Er stand auf meinen Schnürsenkeln, als er zu Boden sank. Und mein Leben – völlig dümmliche Dinge, derentwegen ich mir immer unnötig Sorgen gemacht hatte – meine Noten, mein Ruf, meine *Freundin* – all das gerann zu einem Bild, als ich in seine toten Augen blickte.« Hier verstummte Dad und seufzte (es war allerdings weniger ein Seufzen als ein herkuleisches Ausatmen, das für einen Dudelsack gereicht hätte). Ich roch den Alkohol, diesen eigenartig scharfen Dunst, und als ich klein war, dachte ich immer, das sei der Geruch der romantischen Dichter oder jener lateinamerikanischen Generäle des neunzehnten Jahrhunderts, über die Dad so gern redete und die »immer wieder an die Macht kamen und auf den Wellen von Revolution und opponierenden Juntas trieben.«

»Und das war sozusagen mein Bolschewikenmoment«, erklärte er. »Als ich beschlossen habe, das Winterpalais zu stürmen. Wenn du Glück hast, erlebst du auch so einen Moment.«

Und hin und wieder ging Dad, nach Benno, dazu über, eins seiner Lieblingsthemen zu erörtern: das der Lebensgeschichte. Aber nur, wenn er keine Vorlesung vorbereiten musste und wenn er nicht mitten in einem Kapitel eines neuen Kriegsbuchs steckte, das jemand geschrieben hatte, den er von Harvard kannte. (Er sezierte es wie ein wild gewordener Pathologe, in der Hoffnung, den Autor als Betrüger zu entlarven: »Da haben wir's, Sweet! Das ist der Beweis dafür, dass Lou Swann eine Mogelpackung ist! Alles verdreht! Hör dir diesen Mist an! ›Um erfolgreich zu sein, brauchen Revolutionen demonstrativ bewaffnete Truppen, damit sie allgemeine Panik auslösen können; die Gewalt muss sich dann bis zum offenen Bürgerkrieg steigern.‹ Dieser Idiot würde einen Bürgerkrieg gar nicht bemerken, selbst wenn der ihn in den Hintern beißen würde!«)

»Jeder ist verantwortlich für den Spannungsbogen seiner Lebensgeschichte«, sagte Dad, kratzte sich nachdenklich das Kinn und zupfte den laschen Kragen seines Chambrayhemdes zurecht. »Auch wenn du einen fabelhaften Grund hast, kann deine Lebensgeschichte trotzdem so langweilig sein wie Nebraska, und daran ist niemand anderes schuld als du selbst. Also, wenn du merkst, dass meilenweit nichts als Maisfelder sind, dann musst du etwas finden, woran du glaubst, etwas außerhalb deiner selbst, vorzugsweise eine Sache ohne den Beigeschmack der Heuchelei, und dann musst du dich ins Gefecht stürzen. Es gibt nämlich einen Grund, weshalb die Leute immer noch Che Guevara auf die T-Shirts drucken, warum sie *immer noch* über die Nightwatchmen flüstern, obwohl es seit zwanzig Jahren keinen Beweis mehr für ihre Existenz gibt.«

»Das Entscheidende, Sweet, ist allerdings Folgendes: Versuche nie die Erzählstruktur der Geschichte eines anderen Menschen zu verändern, auch wenn es dich noch so sehr lockt, weil du diese armen Seelen in der Schule und im Leben beobachtest, wie sie, ahnungslos wie sie sind, gefährliche Umwege machen und sich auf fatale Abweichungen einlassen, von denen sie höchstwahrscheinlich nie mehr zurückkommen. Widerstehe der Versuchung. Verwende deine Energien auf deine eigene Geschichte. Darauf, sie umzuarbeiten. Sie zu verbessern. Das Niveau, die Gehaltstiefe, die universellen Themen auszubauen und zu steigern. Dabei ist es mir gleichgültig, was diese Themen sind – es ist deine Aufgabe, sie zu finden und zu vertreten –, aber eins ist von ganz zentraler Bedeutung: Mut. Courage. Mumm. Die Leute um dich herum mögen ihre Novellen haben, Sweet, ihre Kurzgeschichten mit lauter Klischees und Zufällen, gelegentlich gewürzt mit irgendwelchen Tricks der launischen, der banalen und grotesken Art. Ein paar werden sogar eine griechische Tragödie zustande bringen – diejenigen, die ins Elend geboren wurden und dazu bestimmt sind, im Elend unterzugehen. Aber du, meine Braut der Stille, du wirst mit deinem Leben nichts Geringeres schaffen als ein Epos. Von allen anderen wird deine Geschichte diejenige sein, die bleibt.«

»Woher willst du das wissen?«, fragte ich dann immer, und wenn ich das sagte, klang ich winzig und unsicher, im Vergleich zu Dad.

»Ich weiß es eben«, antwortete er nur und schloss dann die Augen, was bedeutete, dass er nicht weiterreden wollte.

Das einzige Geräusch im Zimmer war das Schmelzen der Eiswürfel in seinem Glas.

Gefährliche Liebschaften

Dass Charles Hannah Schneider gut kannte, lockte mich ein bisschen, aber letzten Endes entschied ich mich dann doch dagegen, ihn im Scratch zu treffen.

Ich hatte keine Ahnung, was das Scratch war, und mir blieb auch gar nicht genug Zeit, darüber nachzudenken. Ich war voll ausgelastet durch meine sechs AP-Kurse (»Genug um eine ganze Flotte von United States Ichweißnichtwas-Schiffen zu versenken«, sagte Dad), und ich hatte nur eine einzige Freistunde. Meine Lehrer stellten sich als intelligent, methodisch klug und insgesamt topfit heraus (nicht »völlig daneben«, wie Dad Mrs Roper von der Meadowbrook Middle School beschrieb, die jeden ihrer Sätze grammatikalisch gleich aufbaute). Die meisten verfügten über einen durchaus respektablen Wortschatz (Ms Simpson, die Physiklehrerin, verwendete das deutsche Lehnwort *Ersatz* in der ersten Viertelstunde nach Unterrichtsbeginn), und eine Lehrerin, Ms Martine Filobeque, die Französisch unterrichtete, hatte permanent gespitzte Lippen, was sich im Verlauf des Schuljahrs als ernsthafte Belastung herausstellen konnte. »Ständig gespitzte Lippen – ein Merkmal, das ausschließlich beim weiblichen Erziehungspersonal auftritt – sind ein Zeichen für erratische akademische Wut«, sagte Dad. »Ich würde in diesem Fall ernsthaft an Blumen denken, an Pralinen – an irgendetwas, wodurch sie dich mit allem, was in der Welt richtig ist, in Verbindung bringt, und nicht mit allem, was falsch ist.«

Meine Mitschüler waren ebenfalls weder Hohlköpfe noch Idioten (*Pasta*, wie Dad alle Schüler an der Sage Day School genannt hatte). Als ich mich in Englisch meldete, um Ms Simpsons Frage zu den Hauptthemen in *Der unsichtbare Mann* (Ellison, 1952) zu beantworten (ein Roman, der auf allen Sommerleselisten auftauchte, so sicher wie die Korruption in Kamerun), war ich, unfassbar, nicht schnell genug; ein Mitschüler, Radley Clifton, rundlich, mit fliehendem Kinn, hatte schon seine fette Hand in der Luft. Zwar war seine Antwort weder genial noch originell, aber sie war auch nicht ungeschliffen oder kalibanesk, und als Ms Simpson einen neunzehnseitigen Unterrichtsplan verteilte, nur für das Herbstquartal, dämmerte mir, dass St. Gallway vielleicht doch kein Kinderspiel sein würde. Wenn ich tatsächlich die Abschlussrede halten wollte (und ich glaube, das wollte ich, obwohl manchmal das, was Dad wollte, unmittelbar in das, was ich wollte, überging, ohne erst durch den Zoll gehen zu müssen), würde ich eine aggressive Kampagne starten und einen Kampfeswillen wie Attila, der Hunnenkönig, an den Tag legen müssen. »Die Abschlussrede an der High School kann man nur einmal im Leben halten«, erklärte Dad. »Genauso wie man nur einen Körper, nur eine Existenz hat und folglich nur eine Chance, Unsterblichkeit zu erringen.«

* * *

Ich reagierte gar nicht auf den Brief, den ich am nächsten Tag erhielt, aber ich las ihn zwanzigmal, sogar in Ms Gershons Einführung in die Physik: Von Kanonenkugeln zu Lichtwellen: Die Geschichte der Physik. Der Paläoanthropologe Donald Johanson fühlte sich wahrscheinlich, als er 1974 zufällig über den frühen Hominiden »Lucy« stolperte, ganz ähnlich wie ich, als ich mein Schließfach aufschloss und der cremefarbene Umschlag herausfiel.

Ich hatte keine Ahnung, was ich da gefunden hatte: ein Wunder (das den Gang der Geschichte für immer verändern würde) oder eine Fälschung.

Blue,

was war los? Du hast eine leckere Backkartoffel mit Broccoli und Cheddar bei Wendy's verpasst. Vielleicht spielst du ja »schwer zu kriegen«. Ich spiele mit. Sollen wir's nochmal probieren? Du erfüllst mich mit Sehnsucht. (Soll ein Witz sein.)

Gleiche Zeit. Gleiche Stelle.

Charles

Ich ignorierte auch die beiden Briefe, die ich am nächsten Tag, am Mittwoch, in meinem Schließfach vorfand: der erste wieder in einem cremefarbenen Umschlag, der zweite in spitzer Schrift auf selleriegrünem Papier, oben verziert mit kunstvoll verschlungenen Initialen: JCW.

Blue,

ich bin gekränkt. Also, ich werde heute wieder da sein. Täglich. Bis ans Ende aller Tage. Gib einem jungen Mann eine Chance.

Charles

Liebe Blue,

Charles hat offenbar alles vermasselt, deshalb leite ich eine Familienintervention ein. Ich vermute, du denkst, er ist so was wie ein Stalker. Kann ich verstehen. In Wirklichkeit hat aber unsere Freundin Hannah uns viel von dir erzählt und vorgeschlagen, wir sollten uns dir vorstellen. Keiner von uns ist mit dir in einem Kurs, also müssen wir uns nach dem Unterricht treffen. Geh am Freitag um 15.45 in den ersten Stock von Barrow House, Zimmer 208, und warte dort auf uns! Komm bitte nicht zu spät. Wir möchten dich UNBEDINGT kennenlernen und alles über Ohio erfahren!!!

Küsse von
Jade Churchill Whitestone

Eine durchschnittliche neue Schülerin hätte sich geschmeichelt gefühlt. Sie hätte sich ein, zwei Tage gesträubt, wie eine alberne Jungfrau im achtzehnten Jahrhundert, dann wäre sie auf Zehenspitzen in die dunklen Schatten des Scratch geschlichen, aufgeregt auf ihrer kirschroten Unterlippe kauend, und hätte dort auf Charles gewartet, den perücketragenden Aristokraten, der sie (mit fliegenden Rockschößen) wegtragen würde, um sie zu ruinieren.

Ich hingegen war die unerbittliche Nonne. Ich blieb ungerührt.

Na ja, hier übertreibe ich. Ich hatte noch nie von jemandem, den ich nicht kannte, einen Brief bekommen (genauer gesagt, ich hatte noch nie von irgendjemandem einen Brief gekriegt, der nicht Dad war), und dass es spannend war, einen mysteriösen Umschlag in der Hand zu halten, konnte niemand leugnen. Dad hatte einmal angemerkt, dass persönliche Briefe (heute, zusammen mit dem Haubenwassermolch, auf der Liste der vom Aussterben bedrohten Gattungen) zu den wenigen physikalischen Objekten auf dieser Welt gehörten, die magische Kräfte besaßen: »Selbst die Dummen und die Dämlichen, die, deren Gegenwart man kaum aushält, können erträglich werden und sogar gelinde amüsant erscheinen.«

Für mich hatten diese Briefe etwas Befremdliches, etwas Unaufrichtiges, ein bisschen zu viel »Madame de Merteuil an den Vicomte de Valmont im Château de –«, ein bisschen zu viel »Paris, am 4. August 17 –«.

Nicht, dass ich mich für die neueste Figur in ihrem Verführungsspiel hielt. So weit wäre ich nie gegangen. Aber ich kannte mich aus auf dem Gebiet des Kennens und des Nichtkennens. Es war eine gefährliche, mühsame Angelegenheit, einen Neuling in den exklusiven Zirkel, *le petit salon*, einzuführen. Die Plätze waren limitiert, deshalb musste sich unvermeidlich eins der alten Mitglieder bewegen (ein beängstigendes Zeichen dafür, dass man kurz davor war, seine gesicherte Stellung bei Hofe zu verlieren, sich in eine *grande dame manqué* zu verwandeln).

Um kein Risiko einzugehen, ignorierte man die Neue am besten, falls ihre Herkunft obskur genug war; man mied sie, hielt sich von ihr fern (und machte nur ab und zu versteckte Anspielungen auf eine uneheliche Geburt), es sei denn, es gab jemanden, eine Mutter mit Titel, eine einflussreiche Tante (liebevoll von allen Madame Titi genannt), die über genügend Zeit und Macht verfügte, um die Neue zu präsentieren, sie hineinzupressen (ohne Rücksicht darauf, dass sämtliche Vogelkäfigperücken zusammenstießen), und gleichzeitig die anderen auf Positionen zu schieben, auf denen sie sich wohl fühlten oder die sie zumindest akzeptabel fanden, bis zur nächsten Revolution.

Noch bizarrer waren die Verweise auf Hannah Schneider. Hannah Schneider hatte keinen Anlass, *meine* Madame Titi zu sein.

Ich fragte mich, ob ich beim Surely Shoos einen besonders traurigen und verzweifelten Eindruck gemacht hatte. Ich *dachte*, ich hätte »hellwache Intelligenz« verbreitet, wie mich Dads Kollege, der schwerhörige Dr. Ordinote, beschrieben hatte, als er in Archer, Missouri, bei uns abends zum Lammkotelett eingeladen war. Er machte Dad Komplimente, dass er eine junge Frau von »so erstaunlicher Energie und Intelligenz« erzogen habe.

»Wenn doch jeder so eine Tochter haben könnte, Gareth«, sagte er und zog die Augenbrauen hoch, während er am Knopf seines Hörgeräts drehte. »Die Welt würde sich ein wenig schneller drehen.«

Es bestand die Möglichkeit, dass Hannah Schneider während ihrer zehnminütigen Begegnung mit Dad ein Auge auf ihn geworfen hatte und zu dem Schluss gekommen war, ich, die stille Tochter, könnte die kleine, tragbare Trittleiter sein, über die sie an ihn herankam.

Diese Strategie hatte zum Beispiel Sheila Crane aus Pritchardsville, Georgia, angewandt, nachdem sie Dad nur zwanzig Sekunden in der Court Elementary Art Show gesehen hatte (sie riss seine Eintrittskarte ab) und sofort beschloss, dass er *ihr Mann* war. Nach der Show tauchte Miss Crane, die einen Teilzeitjob auf der Krankenstation der Court Elementary School hatte, in der Pause immer bei der Wippe auf, rief meinen Namen und bot mir eine Schachtel mit Thin Mints an. Sobald ich näher kam, hielt sie mir eine Waffel mit Pfefferminzfüllung hin, so als wollte sie einen streunenden Hund anlocken.

»Kannst du mir ein bisschen was von deinem Daddy erzählen?«, fragte sie beiläufig, aber ihre Augen drangen in mich ein wie ein Elektrobohrer. »Ich meine, welche Sachen mag er denn so?«

Normalerweise starrte ich sie nur ausdruckslos an, schnappte mir ein Thin Mint und sauste davon, aber einmal sagte ich: »Karl Marx.« Erschrocken riss sie die Augen auf.

»Was? Er's homosexuell?«

* * *

Die Revolution glüht langsam und kommt erst nach Jahrzehnten der Unterdrückung und Armut in Gang, doch der Moment, in dem sie dann tatsächlich ausbricht, wird oft durch einen dummen, schicksalhaften Zufall bestimmt.

Nach einem von Dads weniger bekannten Geschichtstexten, *Les Faits Perdus* (Manneurs, 1952), hätte der Sturm auf die Bastille gar nicht stattgefunden, wenn vor dem Gefängnis nicht einer der Demonstranten, ein Getreidebauer namens Pierre Fromande, mitgekriegt hätte, wie ein Gefängniswärter auf ihn zeigte und ihn als *bricon* (»Narr«) beschimpfte.

Am Morgen des 14. Juli 1789 war Pierre Fromande sehr gereizt. Er hatte sich mit seiner drallen Frau Marie-Chantal gestritten, weil diese *sans scrupule* mit einem seiner Feldarbeiter geflirtet hatte, einem gewissen Louis-Belge. Als Pierre die Beleidigung hörte und zugleich unterschwellig registrierte, dass der Gefängniswärter den gleichen vierschrötigen Körperbau hatte wie Louis-Belge, verlor er alle Selbstbeherrschung und rannte auf den Mann zu. *»C'est tout fini!«* (»Es ist alles vorbei!«), schrie er dabei. Die aufgebrachte Menge folgte ihm, und alle glaubten, er meine mit diesem Ausruf die Herrschaft Ludwigs XVI., während sich Pierre ja eigentlich nur auf Marie-Chantal bezog und vor sich sah, wie sie im Kornfeld vor Lust schrie, und auf Louis-Belge, der in ihr zerfloss. Doch Pierre hatte den Wärter falsch verstanden: Dieser hatte mit den besten Absichten auf Pierre gedeutet und gerufen: *»Votre bouton!«;* als Pierre sich am Morgen anzog, hatte er den dritten Hemdenknopf vergessen.

Manneurs stellte die These auf, dass die meisten historischen Ereignisse unter ähnlichen Umständen stattfanden, auch die Amerikanische Revolution (die Boston Tea Party war das Werk von Verbindungsstudenten aus dem Jahr 1777) und der Erste Weltkrieg (Gavrilo Princip hatte, nachdem er einen Tag lang mit seinen Kumpeln, den Schwarzhänden, gesoffen hatte, ein paar Runden Munition in die Luft gefeuert, um anzugeben, und das ausgerechnet, als Erzherzog Ferdinand in seiner königlichen Kutsche vorbeifuhr) (S. 199, S. 243). Auch Hiroshima war keine Absicht gewesen. Als Truman seinem Kabinett mitteilte: »Jetzt geh ich rein«, meinte er damit nicht, wie allgemein angenommen wurde, einen finalen Angriff auf Japan, nein, er äußerte nur die Absicht, in den Pool des Weißen Hauses zu tauchen.

Meine Revolution war nicht weniger zufällig.

An diesem Freitag gab es nach dem Mittagessen einen Lerne-deine-Schule-kennen-Treff, ein *Sorbet Social.* Schüler und Lehrer versammelten sich auf dem Steinpatio vor der Harper Racey '05 Cafeteria, wo von Chefkoch Christian Gordon eine Auswahl exklusiver französischer Sorbets serviert wurde. Eifrige Schüler (zum Beispiel Radley Clifton, unter dessen nur teilweise in die Hose gestopftem Hemd der Bauch herausschaute) wieselten um die Entscheidungsträger von St. Gallway herum (zweifellos um diejenigen, die für die Preise und Auszeichnungen am Ende des Schuljahrs zuständig waren; »Einschleimen ist heutzutage immer ein Schuss, der nach hinten losgeht«, erklärte Dad. »Netzwerke, Seilschaften – das ist alles längst gründlich aus der Mode.«). Nachdem ich ein paar meiner Lehrer dezent begrüßt hatte (ich lächelte Ms Filobeque zu, die ziemlich verloren unter einer Schierlingsfichte stand und als Antwort nur die Lippen spitzte), ging ich in meine nächste Unterrichtsstunde, Geschichte, in Elton House, und wartete im leeren Klassenzimmer.

Nach zehn Minuten erschien Mr Archer mit einem Riesenbecher Mango-Sorbet und einem *I'm-Earth-Friendly*-Stoffbeutel, biologisch abbaubar (siehe Rotäugiger Laubfrosch, *Die Welt der Reptilien: Vom Froschkönig zur Kaulquappe*, 1998). Er hatte so viele Schweißtropfen auf der Stirn, dass er aussah wie ein Glas Eistee.

»Könntest du mir helfen, den Diaprojektor für den Unterricht aufzubauen?«, sagte er. (Mr Archer, dieser Freund der Erde, war ein Feind von Apparaten und Maschinen.)

Ich sagte ja und war gerade dabei, die letzten der 112 Dias einzuordnen, als die anderen Schüler hereinkamen, die meisten mit einem breiten, schlürfenden Grinsen auf den Lippen, Sorbet-Becher in der Hand.

»Danke für deine Hilfe, Babs«, sagte Mr Archer, lächelte mir zu und legte seine langen, klebrigen Finger auf die Schreibtischfläche. »Heute schließen wir Lascaux ab und wenden uns der reichen künstlerischen Tradition zu, die aus der Gegend stammt, die wir heute als südlichen Irak bezeichnen. James, kümmerst du dich um die Beleuchtung?«

Im Gegensatz zu Pierre Fromande verstand ich den Mann richtig. Im Gegensatz zu Trumans Kabinettsmitgliedern verstand ich genau, was er sagen wollte. Selbstverständlich war ich von Lehrern schon mit allen möglichen Namen angesprochen worden, von Betsy und Barbara bis zu »Du da in der Ecke« und »*Red.* Nein. War nur ein Scherz.« Von zwölf bis vierzehn glaubte ich sogar, dass mein Name verflucht war und die Lehrer untereinander tuschelten, »Blue« besitze die unberechenbaren Eigenschaften eines Kugelschreibers in hoher Höhe; wenn sie den Namen aussprachen, dann konnte sich ein permanentes Blau, dunkel und unentrinnbar, über sie ergießen.

Lottie Bergoney, meine Lehrerin in der zweiten Klasse in Pocus, Indiana, rief sogar Dad an und legte ihm nahe, mich umtaufen zu lassen.

»Das glaubst du nicht!«, flüsterte Dad, die Hand über der Sprechmuschel, und gab mir mit Gesten zu verstehen, ich solle auf dem anderen Anschluss mithören.

»... Ich will ehrlich mit Ihnen sein, Mr van Meer. Der Name ist nicht gesund. Die anderen Mitschüler machen sich darüber lustig. Sie nennen sie Marineblau. Ein paar ganz Schlaue sagen Kobalt zu ihr. Und Cordon bleu. Sie sollten sich eine Alternative ausdenken.«

»Vielleicht können Sie ein paar Vorschläge machen, Miss Bergie?«

»Aber natürlich! Ich weiß nicht, was Sie davon halten, aber ich finde *Daphne* sehr schön.«

Vielleicht war es Mr Archers spezielle Namenswahl, Babs, der Kosename einer aufgeregten Ehefrau, die bei ihren Tennisstunden keinen Büstenhalter trägt. Oder es war die Sicherheit, mit der er ihn gesagt hatte, ohne Zögern, ohne Zweifel.

Plötzlich, an meinem Platz, bekam ich keine Luft mehr. Gleichzeitig wollte ich von meinen Stuhl aufspringen und schreien: *»Ich heiße Blue, ihr blöden Affen!«*

Aber stattdessen kramte ich in meiner Tasche und holte die drei Briefe heraus, die immer noch in meinem Hausaufgabenheft lagen. Ich las sie alle noch einmal durch, und dann wusste ich, was tun, mit derselben Klarheit, die Robespierre erfasst hatte, als er in eine Badewanne stieg und ihm *liberté, égalité* und *fraternité* durch den Kopf segelten – drei große Handelsschiffe, die in den Hafen einliefen.

* * *

Nach dem Unterricht ging ich zum Münzfernsprecher in Hanover Hall, der den Schülern zur Verfügung stand, und teilte Dad mit, dass ich erst um 16.45 abgeholt werden müsse; ich hätte einen Termin bei Ms Simpson, meiner Englischlehrerin, um über ihre großen Erwartungen für ein Referat zu sprechen. Um 15.40, nachdem ich mich in der Damentoilette im Erdgeschoss von Hanover Hall versichert hatte, dass ich weder auf Kaugummi noch auf Schokolade gesessen hatte, dass nichts zwischen meinen Zähnen hing und ich nicht aus Versehen meine tintenfleckige Hand an die Wange gelegt und so ein ganzes Mosaik aus schwarzen Fingerabdrücken geschaffen hatte (was mir schon einmal passiert war), ging ich, so lässig wie möglich, hinüber zu Barrows Hall, klopfte an die Tür von Raum 208 und hörte sofort ein paar müde, unüberraschte Stimmen rufen: »Es ist offen.«

Langsam öffnete ich die Tür. An den Tischen in der Mitte des Klassenzimmers saßen vier kreidebleiche Jugendliche, und keiner von ihnen lächelte. Die anderen Tische waren an die Wand geschoben.

»Hi«, sagte ich.

Sie musterten mich trübe.

»Ich bin Blue.«

»Du bist hier bei *Dungeons & Dragons*«, sagte einer der Jungen mit einer Quietschstimme, die klang, als würde jemand aus einem Fahrradschlauch die Luft herauslassen. »Da ist noch ein extra *Handbuch für Spieler*. Im Moment würfeln wir gerade unsere Rollen für das Schuljahr aus.«

»Ich bin der *Dungeon Master*«, erklärte ein anderer schnell.

»Jade?«, fragte ich hoffnungsvoll und wandte mich an eins der Mädchen. Es war kein ganz schlechter Tipp: Das Mädchen in dem langen schwarzen Kleid mit den engen Ärmeln, die in mittelalterlichen Vs auf ihren Händen endeten, hatte grüne Haare, die aussahen wie getrockneter Spinat.

»Lizzie«, antwortete sie und kniff misstrauisch die Augen zusammen.

»Ihr kennt Hannah Schneider?«, fragte ich.

»Die Filmkursleiterin?«

»Was redet die da?«, fragte das andere Mädchen den *Dungeon Master*.

»Entschuldigung«, murmelte ich. Ich klammerte mich an mein verkrampftes Lächeln wie eine durchgedrehte Katholikin an ihren Rosenkranz. Rückwärts schlich ich mich aus Raum 208 und rannte den Flur entlang und die Treppe hinunter.

Gemein reingelegt oder angeschmiert zu werden ist besonders schwer zu akzeptieren, wenn man sich etwas darauf einbildet, dass man ein intuitiver und extrem aufmerksamer Mensch ist. Während ich auf den Stufen von Hanover Hall auf Dad wartete, las ich Jade Whitestones Brief noch fünfzehnmal, überzeugt, dass ich irgendetwas überlesen hatte – den richtigen Tag, die Uhrzeit oder den Ort, oder vielleicht hatte *sie* einen Fehler gemacht, vielleicht hatte sie den Brief geschrieben und gleichzeitig *Die Faust im Nacken* gesehen und hatte sich durch das Pathos ablenken lassen, mit dem Brando Eva Marie Saints winzigen weißen Handschuh aufhebt und über seine kräftige Hand zieht, aber bald merkte ich natürlich, dass der Brief vor Sarkasmus triefte (vor allem der Schlusssatz), was mir vorher gar nicht aufgefallen war.

Es war alles Schmu gewesen.

Noch nie hatte es eine antiklimaktischere und zweitklassigere Rebellion gegeben, außer vielleicht dem »Gran Horizontes Tropicoco Aufstand« 1980 in Havanna, der sich, laut Dad, aus arbeitslosen Big-Band-Musikern und Chorus Girls von El Loro Bonito zusammensetzte und nur drei Minuten dauerte. (»Vierzehnjährige Liebespaare halten es länger aus«, hatte er gesagt.) Und je länger ich auf den Stufen saß, desto mieser fühlte ich mich. Ich tat so, als würde ich nicht voller Neid den glücklichen Mitschülern nachschauen, die sich und ihre riesigen Rucksäcke ins Auto ihrer Eltern zwängten. Oder die schlaksigen Jungen, mit ihren nicht in die Hose gestopften Hemden, die über den Rasen liefen, sich etwas zuriefen, Stollenschuhe über die knochigen Schultern gehängt wie Tennisschuhe über Telefondrähte.

Es war 17.10, und ich machte meine Physikhausaufgaben auf den Knien, aber nirgends eine Spur von Dad. Die Rasenflächen, die Dächer von Barrow und Elton, ja, selbst die Gehwege, wirkten dunkel und trist im verblassenden Licht, wie Fotos aus der Großen Depression, und außer ein paar Lehrern, die zum Personalparkplatz strebten (Bergleute auf dem Weg nach Hause), war alles still und traurig, nur die Eichen fächelten sich selbst wie gelangweilte Südstaatler Luft zu, und ganz in der Ferne pfiff ein Zug in den Feldern.

»Blue?«

Zu meinem Entsetzen war es Hannah Schneider, die hinter mir die Stufen herunterkam.

»Was tust du um diese Zeit noch hier?«

»Ach …« Ich lächelte so fröhlich, wie ich nur konnte. »Mein Dad muss heute länger arbeiten.« Es war enorm wichtig, glücklich und gut versorgt zu wirken; nach der Schule beäugten die Lehrer alle Kinder, deren Eltern sich nicht kümmerten, sehr misstrauisch, wie ein verdächtiges Paket, das ohne Besitzer in der Flughalle herumstand.

»Du hast keinen Führerschein?«, fragte sie und blieb neben mir stehen.

»Noch nicht. Fahren kann ich, ich habe nur die Prüfung noch nicht gemacht.« (Dad wollte den Sinn und Zweck nicht einsehen: »Was, nur damit du durch die Stadt kutschieren kannst, bevor du aufs College gehst, wie ein gewöhnlicher Ammenhai, der in der seichten Lagune auf die Millionenfische lauert? Finde ich überflüssig. Als Nächstes trägst du noch Biker-Kleidung. Gefällt es dir nicht sowieso besser, dich herumfahren zu lassen?«)

Hannah nickte. Sie trug einen langen schwarzen Rock und eine gelbe Strickjacke mit Knöpfen. Während bei den meisten Lehrern am Ende des Schultags die Frisur an eine verklebte Fensterbrettpflanze erinnerte, fielen Hannahs Haare – dunkel, aber im nachmittäglichen Licht mit einem leichten Rotschimmer – provokativ um ihre Schultern, wie bei Lauren Bacall im Türrahmen. Es war komisch, wenn eine Lehrerin so attraktiv und süchtig machend aussah. Sie war *Denver-Clan, Jung und leidenschaftlich*; man hatte das Gefühl, dass gleich etwas unvorstellbar Pikantes oder Fieses passieren würde.

»Dann muss Jade vorbeikommen und dich abholen«, erklärte sie sachlich. »Vielleicht ist das sowieso besser. Das Haus ist nicht leicht zu finden. Jetzt am Sonntag. Um zwei, halb drei. Isst du gern Thailändisch?« Sie wartete keine Antwort ab. »Jeden Sonntag koche ich für sie, und du bist ab jetzt und bis zum Ende des Schuljahrs unser Ehrengast. Du wirst sie kennenlernen. Nach und nach. Sie sind tolle Kids. Charles ist charmant und sehr lieb, die anderen sind manchmal etwas gewöhnungsbedürftig. Wie die meisten Menschen können sie Veränderungen nicht ausstehen, aber alles Gute im Leben ist nur eine erworbene Vorliebe. Sie müssen nur über ihren Schatten springen.« Sie stieß einen dieser Hausfrauenwerbungsseufzer aus (Kind, Teppichfleck) und vertrieb eine unsichtbare Fliege. »Wie gefallen dir deine Kurse? Findest du dich zurecht?« Sie redete schnell, und aus irgendeinem Grund hüpfte mein Herz aufgeregt in der Luft, als wäre ich die Kleine Waise Annie und sie diese wunderbare Frau, gespielt von Ann Reinking, von der Dad behauptete, sie habe spektakuläre Beine.

»Ja«, sagte ich und stand auf.

»Sehr schön.« Sie presste die Hände zusammen – so ähnlich wie ein Modedesigner, der seine eigene Herbstkollektion bewundert. »Ich frage im Büro nach deiner Adresse und gebe sie dann Jade.«

In dem Moment sah ich, dass Dads Volvo am Straßenrand parkte. Vermutlich beobachtete er uns, aber ich konnte sein Gesicht nicht sehen, nur die unscharfen Umrisse auf dem Fahrersitz. Die Windschutzscheibe und die anderen Fenster spiegelten die Eichen und den gelblichen Himmel wider.

»Das ist bestimmt euer Auto«, sagte Hannah, die meinem Blick gefolgt war. »Dann sehen wir uns am Sonntag?«

Ich nickte. Den Arm leicht um meine Schulter gelegt – sie roch nach Bleistiftminen und Seife und merkwürdigerweise wie ein Secondhand-Kleiderladen – führte sie mich zum Auto und winkte Dad kurz zu, ehe sie zum Personalparkplatz weiterging.

»Du kommst absurd spät«, sagte ich, während ich die Wagentür schloss.

»Es tut mir leid«, sagte Dad. »Ich wollte gerade aus dem Büro gehen, als die schrecklichste aller Studentinnen anmarschiert kam und mich mit unglaublich banalen Fragen in Geiselhaft nahm –«

»Na ja, es macht keinen guten Eindruck. Ich wirke wie eins dieser vernachlässigten Schlüsselkinder, über die sie immer die Sondersendungen nach der Schule machen.«

»Verkauf dich nicht unter Preis. Du bist eher *Masterpiece Theatre*.« Er startete den Motor, kontrollierte mit zusammengekniffenen Augen den Rückspiegel. »Und wenn ich es richtig sehe, war das wieder die Frau aus dem Schuhgeschäft, die sich in alles einmischt?«

Ich nickte.

»Was wollte sie diesmal?«

»Nichts. Mich begrüßen, mehr nicht.«

Ich hatte vor, ihm die Wahrheit zu sagen. Mir blieb ja keine andere Wahl, wenn ich am Sonntag mit einer »Suzy Wackelkinn«, einem »Wesen ohne Rückgrat«, einem »postpubertären Müllzwerg, der die Khmer Rouge für Make-up und Guerillakrieg für Rivalität unter Affen hält«, losziehen wollte –, aber dann beschleunigten wir und kamen am Bartleby Athletic Center vorbei und an dem Football-Platz, auf dem ein paar hemdlose Jungs in die Luft sprangen wie Forellen, um die Bälle mit dem Kopf zu treffen. Und als wir die Kapelle passierten, war Hannah Schneider direkt vor uns und schloss gerade einen alten roten Subaru auf, bei dem eine der hinteren Türen eingedellt war wie eine Coladose. Sie strich sich die Haare aus der Stirn, als sie uns vorbeifahren sah, und lächelte. Es war, unverkennbar, das heimliche Lächeln untreuer Hausfrauen, bluffender Pokerspieler, abgefeimter Betrüger auf Schnappschüssen, und in diesem Bruchteil einer Sekunde beschloss ich, das, was sie gesagt hatte, festzuhalten, es zwischen meine Handflächen zu pressen und erst in letzter Sekunde loszulassen.

Dad zum Thema Geheimnis oder ausgeklügelter Plan: »Nichts neigt so stark zu Fieberphantasien wie der menschliche Verstand.«

Madame Bovary

Es gab ein Gedicht, das Dad sehr mochte und auswendig konnte. Es hatte den Titel »Meine Liebste« und stammte von dem verstorbenen deutschen Dichter Schubert König Bonhoeffer (1862–1937). Bonhoeffer war verkrüppelt, taub und hatte nur ein Auge, aber Dad fand, dass er mehr über das Wesen der Welt wusste als die meisten Menschen, die über alle Sinne verfügten.

Aus irgendeinem Grund – und vielleicht unfairerweise – erinnerte mich dieses Gedicht immer an Hannah.

»Wo ist die Seel' meiner Liebsten?«, frag' ich.
Ach, irgendwo muss sie doch sein,
Sie lebt nicht in Wort und Versprechen, sag' ich,
Verändert wie Gold sich allein.

»Die Seele lebt in den Augen bestimmt«,
Das singen die Dichter uns oft.
Doch sieh ihre Augen; sie leuchten so hell,
Auf Himmel und Hölle man hofft.

Auch ich glaubte einst, dass ihr Mund so rot
zeigt' die Seel' wie im Winter der Schnee.
Doch gab es viel Mären von Kummer und Leid;
Ich verstand nichts, nur endloses Weh.

Ich dacht' an die Finger, die Hände so zart,
Wie Täubchen so sanft auf dem Schoß,
Doch manchmal noch kälter als Eis sie mir schien,
Vielleicht war die Liebe zu groß.

Ich sehe, sie winkt mir zum Abschied: »Leb wohl!«,
Doch ich kann nicht folgen ihr mehr,
Sie ist schon verschwunden, noch eh ich es weiß,
Das Haus ist so still nun, so leer.

Ich wünsch', ich verstünde stets ihren Gang,
Wie ein Seemann das Rauschen der See,
Und ich wüsste auch gern, was ihr Blick mir sagt,
Ob Hoffnung zu Recht ich drin seh.

Wie seltsam ist so ein Leben voll Licht!
Von Gott ihr kein Zweifel entsteht.
Doch ich bleib zurück und frage mich drum,
Was der Schatten der Liebsten verrät.

Die Sonntagsmahlzeiten bei Hannah waren eine *Honey Bunch*-Tradition und fand seit drei Jahren mehr oder weniger jede Woche statt. Charles und seine Freunde freuten sich auf die Stunden bei Hannah (schon die Adresse war charmant: 100 Willows Road), so ähnlich wie New York Citys selleriestangendünne Erbinnen und Rote Bete B-Filme Don Juans es nicht erwarten konnten, sich im Jahr 1943 an bestimmten verschwitzten Samstagabenden im Stork Club zu tummeln (siehe *Vergessen Sie El Morocco: Das Xanadu der New Yorker High Society, Der Stork Club, 1929–1965*, Riser, 1981).

»Ich weiß nicht mehr genau, wie es angefangen hat, aber wir fünf haben uns einfach blendend mit ihr verstanden«, erzählte mir Jade. »Ich meine – sie ist eine phantastische Frau – das sieht jeder. Wir waren neu an der High School und waren alle in ihrem Filmkurs, und nach dem Unterricht sind wir immer noch stundenlang im Klassenzimmer geblieben und haben über alles Mögliche geredet – über das Leben, Sex, *Forrest Gump*. Und dann fing es damit an, dass wir gemeinsam essen gegangen sind und so. Und schließlich hat sie uns zu einem kubanischen Essen zu sich nach Hause eingeladen, und wir haben die Nacht durchgemacht und die ganze Zeit geredet. Worüber, weiß ich gar nicht mehr, aber es war der Wahnsinn. Natürlich mussten wir es vertuschen. Immer noch. Havermeyer mag es nicht, wenn die Beziehung zwischen Lehrern und Schülern weitergeht als akademische Beratung oder Sport-Coaching. Er hat Angst vor den Grauzonen, wenn du weißt, was ich meine. Und genau das ist Hannah. Eine Grauzone.«

Natürlich ahnte ich am ersten Nachmittag nichts von all dem. Ich war mir nicht mal sicher, ob ich meinen eigenen Namen noch wusste, als ich neben Jade im Auto saß, neben dieser irritierenden Person, die mich erst zwei Tage vorher so hinterhältig zu *Dungeons & Dragons* geschickt hatte.

Ich hatte sogar vermutet, dass sie mich wieder reingelegt hatte; um 15.30 war nirgends eine Spur von ihr zu sehen. Am Morgen hatte ich Dad gegenüber angedeutet, dass ich eventuell nachmittags zu einer Arbeitsgruppe gehen würde (er hatte die Stirn gerunzelt, weil er sich wunderte, dass ich mich dieser Tortur wieder aussetzen wollte), aber ich musste keine längere Erklärung abgeben; er war in die Universität gefahren, weil er ein wichtiges Buch über Ho Chi Minh in seinem Büro vergessen hatte, und hatte mich angerufen, um mir zu sagen, dass er seinen nächsten Artikel für das *Forum* einfach dort fertig schreiben werde – »Die Verlockungen eiserner Ideologien« oder so etwas Ähnliches. Zum Abendessen wollte er zurück sein. Ich hatte mich mit einem Hähnchensalat-Sandwich in die Küche gesetzt und mich schon resigniert auf einen Nachmittag mit *Absalom, Absalom! Überarbeitete Fassung* (Faulkner, 1990) eingestellt, als ich draußen in der Einfahrt das laute Tröten einer Autohupe hörte.

»Ich komme grauenhaft spät. Tut mir entsetzlich leid«, rief eine Mädchenstimme durch die etwa einen Fingerbreit geöffnete getönte Scheibe des fetten Mercedes, der vor unserer Haustür gestrandet war.

Ich konnte sie nicht sehen, nur ihre zusammengekniffenen Augen, die eine undefinierbare Farbe hatten, und die sonnengebleichten Haare. »Bist du fertig? Sonst muss ich womöglich ohne dich los. Der Verkehr ist höllisch.«

Hastig nahm ich die Hausschlüssel, schnappte mir das erstbeste Buch, das ich finden konnte, eins von Dads Lieblingsbüchern, *Endspiele im Bürgerkrieg* (Agner, 1955), und riss hinten eine Seite heraus. Darauf kritzelte ich eine kurze Mitteilung (Arbeitsgruppe, *Ulysses*) und legte den Zettel auf den runden Tisch im Foyer, ohne mir die Mühe zu machen, mit »Liebe Grüße, Christabel« zu unterzeichnen. Und dann saß ich in diesem Killerwal von einem Mercedes, voller Misstrauen, Verlegenheit und unverhüllter Panik, und starrte zwanghaft auf den Tachometer, der sich nach und nach zu 130 kmh hinaufzitterte, schaute auf ihre manikürte Hand, die lässig oben auf dem Lenkrad lag, ihre blonden Haare, die sie zu einem furchtbaren Dutt frisiert hatte, die Schnürsandalen, die XXX-förmig ihre Beine hinaufkletterten. Kandelaber-Ohrringe feuerten Breitseiten auf ihren Hals ab, wenn sie die Augen vom Highway nahm, um mich mit einem Blick voll »ätzender Toleranz« zu mustern. (Mit diesem Begriff beschrieb Dad seine Stimmung, als er auf Junikäfer Shelby Hollow wartete, die bei Hot-2-Trot Hair & Nails ihre Acryl-Fingernägel, ihre kreativen half-a-head-Strähnchen sowie eine Pediküre machen ließ – »mit entzündeten Fußballen«, bemerkte Dad.)

»Tja, also, das hier« – Jade fasste sich vorn an ihr kunstvoll besticktes papageigrünes Kimonokleid, weil sie offenbar gespürt hatte, dass ich ihr Outfit stumm bewunderte – »das war ein Geschenk, das Jefferson, meine Mom, gekriegt hat, als sie sich um Hirofumi Kodaka gekümmert hat, irgendsoeinen steinreichen japanischen Geschäftsmann, 1982 im Ritz, drei schauerliche Abende lang. Er hatte Jetlag und konnte kein Wort Englisch, also war sie seine Vierundzwanzigstunden-Dolmetscherin, wenn du verstehst, was ich meine – *runter von der Straße, du blöde Schnepfe*!« Sie drückte auf die Hupe; wir überholten einen bescheidenen grauen Oldsmobile, gelenkt von einer alten Dame, die nicht größer war als eine Plastiktasse; Jade reckte den

Hals, um sie böse anzufunkeln, und zeigte ihr den Stinkefinger. »Warum verpisst du dich nicht auf den Friedhof und gibst endlich den Löffel ab, du alte Kuh!«

Wir fuhren zu Ausfahrt 19.

»Dabei fällt mir ein« – sie warf mir einen kurzen Blick zu. »Wieso bist du nicht gekommen?«

»Wie meinst du das?«, fragte ich.

»Du warst nicht da. Wir haben *gewartet*.«

»Ach so. Na ja, ich war im Raum 208 –«

»208?« Sie zog eine Grimasse. »Es war 308.«

Sie konnte mir nichts vormachen. »Du hast 208 geschrieben«, sagte ich leise.

»Stimmt doch gar nicht. Ich erinnere mich genau – 308. Und du hast echt was verpasst. Wir hatten einen Kuchen für dich mit unheimlich viel Zuckerguss und Kerzen und alles«, fügte sie irgendwie geistesabwesend hinzu (ich wappnete mich schon für Geschichten von bezahlten Bauchtänzerinnen, Elefantenritten, wirbelnden Derwischen), aber dann, zu meiner Erleichterung, beugte sie sich vor, und mit einem hoheitsvollen »Mein Gott, ich liebe Dara and the Bouncing Checks« drehte sie die CD ganz laut auf, eine Heavy-Metal-Band mit einem Sänger, der klang, als würde er in Pamplona von Stieren zerquetscht.

Wir fuhren weiter, ohne ein Wort zu wechseln. (Sie hatte beschlossen, mich auszuschütteln, so wie man den Musikantenknochen ausschüttelt, wenn man sich da anstößt.) Sie schaute auf ihre Armbanduhr, erschrak, ächzte, verfluchte Ampeln, Straßenschilder, jeden Wagen vor uns, der sich an die Geschwindigkeitsbegrenzung hielt, begutachtete stolz ihre blauen Augen im Rückspiegel, wischte sich Wimperntuschekrümel von den Wangen, trug glitzernd pinkfarbenes Lipgloss auf und dann noch mehr glitzerndes Lipgloss, sodass es schon aus dem Mundwinkel triefte – ich hätte mich allerdings nie getraut, sie darauf hinzuweisen. Die Fahrt zu Hannah machte das Mädchen so nervös und angespannt, dass ich mich schon fragte, ob uns am Ende dieser öden Parade von Bäumen, Wiesen und namenlosen Feldwegen, von viereckigen Scheunen und mageren Pferden, die an den Zäunen standen, womöglich gar kein normales Haus erwartete, sondern eine schwarze Tür, die mit einem Samtseil abgesperrt war und von einem Mann mit Klemmbrett bewacht wurde, der mich von oben bis unten mustern würde, und wenn er sich dann versichert hatte, dass ich weder Frank noch Errol noch Sammy persönlich kannte (und auch sonst keinen Giganten der Unterhaltungsindustrie), würde er verkünden, ich sei nicht zum Eintritt berechtigt – und hätte demzufolge überhaupt keine Existenzberechtigung.

Doch am Ende eines verschlungenen Kieswegs war dann doch das Haus, eine scheue, holzgesichtige Mistress, die sich an einen Hügel klammerte, mit sperrigen seitlichen Anbauten, die aussahen wie riesige Fehltritte. Sobald wir bei den anderen Autos geparkt und geklingelt hatten, öffnete Hannah schwungvoll die Haustür, eingehüllt in eine Wolke aus Nina Simone, östlichen Gewürzen, Parfüm, Eau de Irgendwasfranzösisches, ihr Gesicht warm wie das Licht im Wohnzimmer. Ein Rudel von sieben oder acht Hunden, lauter verschiedene Rassen und Größen, drängte sich ungeduldig hinter ihr.

»Das ist Blue«, sagte Jade knapp und ging ins Haus.

»Ja, natürlich«, sagte Hannah lächelnd. Sie war barfuß, trug massive Goldarmreifen und einen afrikanischen Batik-Kaftan in Orange- und Gelbtönen. Ihre dunklen Haare hatte sie zu einem perfekten Pferdeschwanz frisiert. »Die Dame der Stunde.«

Zu meiner Überraschung umarmte sie mich. Es war eine epische Umarmung, heroisch, großer Etat, üppig, mit zehntausend Statisten (nicht kurz, körnig und mit Minibudget gedreht). Als sie mich endlich losließ, nahm sie meine Hand und drückte sie, so wie man auf dem Flughafen die Hände von Leuten ergreift, die man seit Jahren nicht mehr gesehen hat, und sie fragt, wie der Flug war. Sie zog mich neben sich, den Arm um meine Taille geschlungen. Sie war verblüffend dünn.

»Blue, darf ich vorstellen – das hier sind Fagan, Brody, er hat drei Beine – was ihn allerdings nicht daran hindert, im Müll zu wühlen –, Fang, Peabody, Arthur, Stallone, der Chihuahua mit einem halben

Schwanz – ein Unfall mit der Autotür – und Old Bastard. Schau ihm lieber nicht in die Augen.« Sie meinte einen Windhund, der nur aus Haut und Knochen bestand und rote Augen hatte wie ein ältlicher Zollhauskassierer um Mitternacht. Die anderen Hunde musterten Hannah skeptisch, als hätte sie ihnen einen Poltergeist vorgestellt. »Irgendwo müssen auch die Katzen sein«, fuhr sie fort. »Lana und Turner, die Perserkatzen, und im Arbeitszimmer haben wir unseren Rosenpapagei. Lennon. Ich bin verzweifelt auf der Suche nach einer Ono, aber im Tierheim gibt's nicht viele Vögel. Möchtest du einen Oolong-Tee?«

»Gern«, sagte ich.

»Ach, und die anderen hast du ja auch noch gar nicht kennengelernt, stimmt's?«

Ich blickte von dem schwarz-hellbraunen Chihuahua auf, der sich an mich herangeschlichen hatte, um meine Schuhe zu begutachten, und sah sie. Samt Jade, die auf eine halbgeschmolzene Schokoladencouch geplumpst war und sich eine Zigarette angezündet hatte (die wie ein Pfeil auf mich deutete). Sie glotzten mich alle an, mit unbeweglichen Mienen und starren Körpern – sie hätten gut die Gemäldeserie sein können, die Dad und ich uns in der Galerie der Meister des neunzehnten Jahrhunderts im Chalk House am Rand von Atlanta angeschaut hatten. Auf der Klavierbank ein dürres Mädchen mit braunen Seegrashaaren, das seine Knie umschlang (*Porträt eines Bauernmädchens*, Pastell auf Papier); ein winziger Junge mit einer Ben-Franklin-Brille, im Gandhi-Stil, neben dem krätzigen Hund namens Fang (*Herr mit Fuchshund*, britisch, Öl auf Leinwand); und noch ein Junge, riesig und mit Kleiderschrankschultern, an ein Bücherregal gelehnt, Arme und Füße verschränkt, dünne schwarze Haare, die ihm in die Stirn hingen (*Die alte Mühle*, Maler unbekannt). Der Einzige, den ich kannte, war Charles im Ledersessel (*Der fröhliche Hirte*, Goldrahmen). Er lächelte mir aufmunternd zu, was aber vermutlich nicht viel zu bedeuten hatte; er schien sein Lächeln zu verteilen wie ein Mann in einem Hühnerkostüm die Coupons für ein kostenloses Mittagessen.

»Stellt euch doch vor«, sagte Hannah munter.

Sie nannten ihre Namen mit gelangweilter Höflichkeit.

»Jade.«

»Wir kennen uns ja schon«, sagte Charles.

»Leulah«, sagte das Bauernmädchen.

»Milton«, sagte Alte Mühle.

»Nigel Creech – schön, dich kennenzulernen«, sagte der Herr mit dem Fuchshund und lächelte, aber das Lächeln verglühte sofort wieder, wie der Funke bei einem kaputten Feuerzeug.

* * *

In der Geschichtsschreibung gibt es immer irgendwo zwischen dem Anfang und dem Ende eine Epoche, die als das goldene Zeitalter bezeichnet wird. Ich würde sagen, dass diese Sonntage im ersten Quartal bei Hannah genau das waren. Oder, um eine von Dads hoch geschätzten Kinofiguren zu zitieren, die berühmte Norma Desmond, die über die untergegangene Ära des Stummfilms sagte: »Wir brauchten keinen Dialog. Wir hatten Gesichter.«

Irgendwie denke ich, dass das damals auch für uns galt (Abbildung 8.0). (Man möge mir meine missglückte Darstellung von Charles verzeihen – die von Jade übrigens auch; beide waren im wirklichen Leben sehr viel schöner.)

Charles war der Gutaussehende (gut aussehend im gegenteiligen Sinn von Andreo). Goldenes Haar, quecksilbriges Temperament, der Leichtathletik-Star von St. Gallway, der aber nicht nur im Hürdenlauf und im Hochsprung exzellente Leistungen brachte, sondern auch der Travolta der Schule war. Es war nicht ungewöhnlich, dass er zwischen den Kursen einen hemmungslosen Tanz über den ganzen Campus vollführte und dabei nicht nur die Schönheiten von St. Gallway mitnahm, sondern auch die von der Natur eher benachteiligten Mädchen. Irgendwie schaffte er es, ein Mädchen am Lehrerzimmer abzuliefern, während das nächste schon auf ihn zugetanzt kam, und dann hüpfte er mit ihr gemeinsam den Flur hinunter. (Erstaunlicherweise wurde dabei nie jemandem auf die Füße getreten.)

Abbildung 8.0

Jade war eine Furcht einflößende Schönheit (siehe Raubadler, *Prächtige Raubvögel*, George, 1993). Sie schwebte ins Klassenzimmer – und die Mädchen stoben auseinander wie Backen- und Eichhörnchen. (Die Jungen, die genauso große Angst vor ihr hatten, stellten sich tot.) Sie war erbarmungslos blond (»gebleicht bis zum Gehtnichtmehr«, hörte ich Beth Price in Englisch sagen), einsvierundsiebzig (»drahtig«), schritt in kurzen Röcken durch die Flure, ihre Bücher in einem schwarzen Lederbeutel (»Wahrscheinlich ist sie die blöde Donna Karan«), und hatte meiner Meinung nach ein strenges, trauriges Gesicht, das die meisten aber einfach arrogant fanden. Wegen ihrer trutzburghaften Haltung (die, wie es sich bei einer gut gesicherten Burg gehörte, den Zugang schwierig machte) empfanden die anderen Mädchen Jades Existenz nicht nur als Bedrohung, sondern als grundfalsch. Das Bartleby Athletic Center zeigte gerade die neueste Werbekampagne von Ms Sturds Akzeptiere-deinen-Körper-Club mit seinen drei Mitgliedern (laminierte *Vogue*- und *Maxim*-Cover mit Unterschriften wie »Man kann nicht solche Beine haben und trotzdem laufen« und »Nur noch Luft«), aber Jade musste nur vorbeisegeln und an einem Snickers knabbern, und schon hatte man den irritierenden Gegenbeweis: Man konnte durchaus solche Beine haben und trotzdem laufen.

Nigel war die Nullziffer (siehe »Negative Space«, *Art Lessons*, Trey, 1973, S. 29). Auf den ersten Blick (und auch noch auf den zweiten und dritten) war er ganz normal. Sein Gesicht – oder besser, sein ganzes Wesen – war wie ein Knopfloch: klein, schmal, ereignislos. Er war nur einssechsundsechzig, hatte ein rundes Gesicht, braune Haare, wenig ausgeprägte Züge, einen babyrosa Teint (durch seine Nickelbrille weder ergänzt noch gestört). In der Schule trug er schmale, zungenartige Krawatten in Neonorange, ein modisches Statement, mit dem er, so vermutete ich, die Leute zwingen wollte, ihn zu bemerken, so wie bei einem Auto die Warnblinker. Und doch war, bei näherer Betrachtung, diese Durchschnittlichkeit alles andere als durchschnittlich: Er knabberte seine Fingernägel auf Reißzweckgröße herunter; er sprach gedämpft und anfallartig (farblose Millionenfische in einem Aquarium); in großen Gruppen konnte sein Lächeln eine sterbende Glühbirne sein (die nur zögernd aufleuchtete, an und aus ging, verschwand), und ein einziges Haar von ihm (ich fand einmal eines auf meinem Rock, nachdem ich neben ihm gesessen hatte) schimmerte in allen Regenbogenfarben, wenn man es unter eine Lampe hielt, sogar in Lila.

Und dann war da noch Milton, kräftig und grimmig, mit einem großen, gepolsterten Körper, der an einen bequemen Lesesessel erinnerte, den man neu beziehen muss (siehe amerikanischer Schwarzbär, *Fleisch fressende Landtiere*, Richards, 1982). Er war achtzehn, sah aber aus wie dreißig. In seinem Gesicht drängten sich braune Augen, schwarze Locken, geschwollene Lippen, und es war auf eine Art hübsch, dass einem das Blut in den Adern erstarrte, so als wäre dieses Gesicht, unglaublicherweise, nicht mehr das, was es früher einmal gewesen war. Er hatte Ähnlichkeit mit Orson Welles und mit Gérard Depardieu; man hatte den Verdacht, dass seine große, etwas übergewichtige Gestalt das dunkle Genie in ihm erdrückte und dass er auch nach einer zwanzigminütigen Dusche immer noch nach Zigarettenrauch roch. Den größten Teil seines Lebens hatte er in einer Stadt namens Riot in Alabama verbracht und redete deshalb mit einem dicken, klebrigen Südstaatenakzent, den man wahrscheinlich schneiden und auf ein Brötchen streichen könnte. Wie alle *Mysteriosi* hatte auch er eine Achillesferse: ein riesiges Tattoo auf dem rechten Oberarm. Er weigerte sich, darüber zu reden, und passte gut auf, dass man es nicht zu sehen bekam – er zog nie sein Hemd aus, trug immer lange Ärmel –, und wenn irgendein Komiker ihn im Sportunterricht fragte, was das sei, starrte er den Betreffenden, ohne zu blinzeln, so gnadenlos an, als wäre er eine Wiederholungssendung von *Der Preis ist heiß*, oder er antwortete in seinem Schokoladensaucen-Singsang: »Geht dich gar nichts an.«

Und dann war da dieses zarte Geschöpf (siehe *Juliet*, J. W. Waterhouse, 1898). Leulah Maloney hatte perlweiße Haut, dünne Vogelärmchen und lange braune Haare, die sie immer zu einem Zopf flocht, der aussah wie eine dieser Kordeln, an denen im neunzehnten

Jahrhundert die Aristokraten zogen, um ihre Bediensteten zu rufen. Sie besaß eine eigenartig altmodische Schönheit, ein Gesicht, das in ein Amulett passte oder in eine Kamee geschnitzt werden könnte – das romantische Äußere, das ich mir immer gewünscht hatte, als Dad und ich über Gloriana aus *Die Feenkönigin* (Spenser, 1596) redeten oder Dantes Liebe zu Beatrice Portinari erörterten. (»Hast du eine Ahnung, wie schwierig es ist, in der heutigen Welt eine Frau zu finden, die aussieht wie Beatrice?«, fragte Dad. »Man hat bessere Chancen, mit Lichtgeschwindigkeit zu laufen.«)

Am Anfang des Herbstquartals sah ich Leulah, wie sie in einem ihrer langen Kleider (meistens weiß oder zartes Himmelblau) während eines Wolkenbruchs über den Rasen ging und ihr kleines altmodisches Gesicht in den Regen hielt, während alle anderen schreiend an ihr vorbeirannten und sich ihre Lehrbücher oder die sich schon langsam auflösende *Gallway Gazette* über den Kopf hielten. Zweimal sah ich sie so – und dann beobachtete ich auch noch, wie sie im Gebüsch bei Elton House kauerte, offenbar fasziniert von einem Stück Rinde oder einer Tulpenzwiebel – und ich fand dieses feenhafte Getue einfach nur kalkuliert und nervig. Dad hatte in Okush, New Mexico, eine quälende Fünf-Tages-Affäre mit einer Frau namens Birch Peterson gehabt, und Birch, die außerhalb von Ontario in einer »fantastischen« Freie-Liebe-Community namens Verve auf die Welt gekommen war, wollte Dad und mich dazu bringen, mit ihr unbeschwert durch den Regen zu hüpfen, Moskitos zu segnen und Tofu zu essen. Wenn sie zum Abendessen kam, sprach sie immer ein Gebet, ehe wir »konsumierten«, eine fünfzehnminütige Bitte an »Shod«, auch noch jeden Schleimpilz und jede Molluske zu segnen.

»Das Wort *God* ist inhärent maskulin«, erklärte Birch, »deshalb habe ich mir ausgedacht, einfach *she, he* und *God* zu einem Wort zusammenzunehmen. *Shod* zeigt, dass die Höhere Macht wahrhaft geschlechtslos ist.«

Ich dachte, dass Leulah – oder Lu, wie alle sie nannten – mit ihren transparenten Kleidern, ihren Schilfrohrhaaren und ihrer Angewohnheit, überall, nur nicht auf dem Gehweg, entlangzutänzeln, garantiert

Birchs Tofu-Persona besaß, diesen *Esprit de Spirulina* – bis ich entdeckte, dass jemand das Mädchen tatsächlich verhext und sie mit einem machtvollen Bann belegt hatte: Ihre Marotten waren absolut unüberlegt, unbekümmert und ungeplant, sie dachte nie darüber nach, was andere Leute von ihr hielten oder wie sie wirkte, und so kam es, dass die Grausamkeiten des gesamten Königreichs (»Sie hat so was Säuerliches. Ihr Verbrauchsdatum ist längst abgelaufen«, hörte ich Lucille Hunter in Englisch sagen) sich wie durch ein Wunder in Luft auflösten, ohne dass sie ihr je zu Ohren kamen.

Da schon so viel über Hannahs außergewöhnliches Gesicht gesagt wurde, will ich hier nicht noch einmal ausführlich darauf eingehen, sondern nur noch einen Aspekt erwähnen: Im Gegensatz zu anderen Helena-Gestalten, die ihre Schönheit permanent zur Schau trugen wie ein Paar gefährlich hohe Stilettos, in denen sie ständig herumstöckelten (verlegen vorgebeugt oder arrogant alle anderen überragend), schaffte es Hannah, ihre Stöckelschuhe Tag und Nacht zu tragen und trotzdem nur andeutungsweise zu merken, dass sie überhaupt Schuhe anhatte. Bei ihr spürte man, wie anstrengend Schönheit sein konnte, wie ausgelaugt man sich fühlte, wenn wieder ein Tag vorbei war, an dem sich irgendwelche wildfremden Leute den Hals verrenkt hatten, nur um zu sehen, wie man den Süßstoff in den Kaffee schüttete oder das Körbchen Blaubeeren auswählte, in dem die wenigsten verfaulten Beeren waren.

»Ach, komm«, sagte Hannah, ohne jede Spur falscher Bescheidenheit, als Charles eines Sonntags meinte, sie sehe toll aus in dem schwarzen T-Shirt und den Armeehosen. »Ich bin nur eine müde alte Dame.«

Außerdem war da noch das Problem mit ihrem Namen.

Zwar kam er einem mühelos über die Lippen, leichter als beispielsweise Juan San Sebastién Orillos-Marípon (der Zungenbrechername von Dads Assistenten am Dodson-Miner College), aber ich fand trotzdem, dass er etwas Kriminelles hatte. Wer immer ihr den Namen gegeben hatte – ihre Mutter, ihr Vater, keine Ahnung –, hatte befremdlich wenig Verbindung zur Wirklichkeit gehabt, denn Hannah konnte unmöglich eins dieser Trollbabys gewesen sein, und Trollbabys waren es, die »Hannah« hießen. (Ich gebe zu, ich war voreingenommen: »Gott sei Dank ist dieses Ding in einen Wagen gesperrt. Sonst würden die Leute in Panik geraten und denken, es gibt tatsächlich einen Krieg der Welten«, sagte Dad, als er auf ein zufriedenes, aber schon ziemlich altes Baby herunterblickte, das in einem Gang im *Office Depot* abgestellt war. Dann kam die Mutter. »Oh, ich sehe, Sie haben sich mit Hannah unterhalten!«, rief sie.) Wenn sie einen gängigen Namen gehabt hätte, wäre sie eine Edith oder Nadia oder Ingrid gewesen oder mindestens eine Elizabeth oder Catherine; aber ihr Glasschuh-Name, der, der wirklich gepasst hätte, gehörte in die Kategorie von Gräfin Saskia Lepinska oder Anna-Maria d'Aubergette oder auch Agnes von Scudge und Ursula von Polen (»Hässliche Namen haben bei schönen Frauen oft einen amüsanten Rumpelstilzcheneffekt«, sagte Dad.)

»Hannah Schneider« passte ihr so gut wie sechs Größen zu große stonewashed Jordache Jeans. Und einmal – ganz komisch! – als Nigel beim Essen ihren Namen sagte, hätte ich schwören können, dass ihre Reaktion mit Verzögerung kam, als hätte sie einen Moment lang gar nicht begriffen, dass er sie meinte.

Ich fragte mich, ob Hannah Schneider, und sei es auch nur unbewusst, »Hannah Schneider« eigentlich nicht mochte. Vielleicht wünschte sie sich auch, sie wäre Angelique von Heisenstagg.

* * *

Viele Leute reden sehnsüchtig von der Fliege an der Wand. Sie wünschen sich ihre Eigenschaften: praktisch unsichtbar und doch Zeugin der Geheimnisse und der Gespräche einer exklusiven Gruppe von Menschen. Weil ich während der ersten sechs oder vielleicht sieben Sonntagnachmittage bei Hannah nichts anderes als eine Fliege an der Wand war, kann ich allerdings mit einer gewissen Autorität sagen, dass dieses Nichtbeachtetwerden ziemlich schnell sehr blöd wird. (Man könnte sogar sagen, dass die Fliegen mehr Aufmerksamkeit bekamen als ich, weil immer jemand eine Zeitschrift zusammenrollte und sie durchs ganze Zimmer jagte, und bei mir tat das keiner – es sei denn, man zählte Hannahs gelegentliche Versuche, mich in die Unterhaltung einzubeziehen, was mir noch peinlicher war als die Missachtung der anderen.)

Klar konnte dieser allererste Sonntag nicht anders enden als in einer katastrophalen Demütigung, die in vieler Hinsicht schlimmer als das Desaster damals bei Leroy war, denn da hatten Leroy und die anderen immerhin gewünscht, dass ich dabei war (zugegeben, sie wollten mich als Lastesel, der sie den steilen Hügel in die achte Klasse hinauftragen sollte), aber diese Leute – Charles, Jade und die anderen – sie zeigten mehr als deutlich, dass meine Gegenwart einzig und allein Hannahs Idee gewesen war und nicht ihre.

»Weißt du, was ich gar nicht leiden kann?«, fragte Nigel freundlich, als ich ihm half, den Tisch abzudecken.

»Was?«, fragte ich, dankbar, dass er wenigstens Smalltalk machte.

»Schüchterne Menschen«, antwortete er, und natürlich gab es keinen Zweifel daran, welcher schüchterne Mensch ihn zu dieser Aussage provoziert hatte; ich war während des Essens und während des Nachtischs stockstumm geblieben, und als Hannah mir eine Frage stellte (»Du bist aus Ohio hierher gezogen?«), war ich so verdattert gewesen, dass meine Stimme an meinen Zähnen hängen geblieben war. Später tat ich dann so, als wäre ich total faszinert von dem Paperback-Kochbuch, das Hannah neben ihren CD-Spieler gequetscht hatte, *Kochen ohne Konservierungsstoffe* (Chiobi, 1984), und da hörte ich, wie sich Milton und Jade in der Küche unterhielten. Er fragte sie – ganz ernsthaft, wie es schien –, ob ich überhaupt Englisch könne.

Jade lachte. »Sie ist sicher eine von diesen russischen Katalogbräuten«, sagte sie. »Aber so wie sie aussieht, ist Hannah reingelegt worden. Wer weiß, wie's mit dem Rückgaberecht ist. Hoffentlich können wir sie per Nachnahme zurückschicken.«

Minuten später fuhr Jade mich nach Hause, wie ein wild gewordenes Sumpfhuhn (Hannah hatte ihr bestimmt nur den Mindestlohn bezahlt). Ich schaute aus dem Fenster und dachte, dass es der scheußlichste Abend meines Lebens gewesen war. Nie wieder wollte ich mit diesen Schwachköpfen, mit diesen Einfaltspinseln reden (»banale, geistlose Teenager«, würde Dad hinzufügen). Nie wieder! Und ich hatte auch keine Lust, mich irgendwie mit dieser sadistischen Hannah Schneider abzugeben; sie war es schließlich, die mich in diese Schlangengrube gelockt hatte, um mich dann darin herumzappeln zu lassen, ohne mir irgendwie beizuspringen; sie hatte nur chic gelächelt, während sie über Hausaufgaben plauderte oder über die fünftrangigen Colleges, in die sich die blöden Nichtskönner quetschen wollten, und dann nach dem Essen hatte sie sich auf diese unverzeihliche Art seelenruhig eine Zigarette angezündet, die gepflegte Hand in der Luft, gebogen wie eine feine Teekanne, als wäre alles auf der Welt in bester Ordnung.

Was dann passierte, weiß ich nicht mehr. Am nächsten Dienstag begegnete ich Hannah ganz zufällig in Hanover Hall – »Wir sehen uns am Wochenende, ja?«, rief sie fröhlich durch die Schülermenge; und ich reagierte natürlich wie ein Reh im Scheinwerferlicht –, und am Sonntag erschien Jade wieder in unserer Einfahrt, diesmal um 14.15, das Fenster *ganz* heruntergedreht.

»Kommst du?«, rief sie.

Ich war gelähmt wie eine Jungfrau, die von Vampiren gebissen wurde. Zombiemäßig erklärte ich Dad, ich hätte meine Arbeitsgruppe ganz vergessen, und noch ehe er protestieren konnte, hatte ich ihn schon auf die Wange geküsst, ihm versichert, es sei eine St-Gallway-Veranstaltung, und war aus dem Haus geflohen.

Verlegen – nach einem Monat dann eher resigniert – arrangierte ich mich mit der Rolle der Fliege an der Wand, der gerade noch geduldeten Taubstummen, denn ehrlich gesagt (und das konnte ich Dad gegenüber unmöglich zugeben): Bei Hannah ignoriert zu werden war immer noch wesentlich spannender als zu Hause bei den Van Meers gedankenverloren gemustert zu werden.

* * *

Wie ein teures Geschenk in einen smaragdgrünen Batik-Kaftan oder einen violett-goldenen Sari gehüllt oder aber in irgendein weizengelbes Hauskleid, das direkt aus der Serie *Peyton Place* stammen könnte (bei diesem Vergleich musste man allerdings so tun, als würde man die brennende Zigarette an ihrer Hüfte nicht sehen), so gab Hannah an den Sonntagnachmittagen die Gastgeberin, im altmodischen, europäischen Sinn des Wortes. Bis heute verstehe ich nicht, wie sie es schaffte, in ihrer winzigen senfgelben Küche diese extravaganten Mahlzeiten zu kochen – türkische Lammkoteletts (»mit Mintsoße«), thailändische Steaks (»mit Ingwer-Kartoffeln«), Hühnernudelsuppe (»echt Pho Bo«), an einem weniger erfolgreichen Nachmittag eine Gans (»mit Preiselbeercreme und Salbeikarotten«).

Sie kochte. Die Luft begann zu vibrieren: Kerzen, Wein, Holz, ihr Parfüm, feuchter Tiergeruch. Wir quälten uns durch die Restbestände unserer Hausaufgaben. Die Küchentür ging auf, Hannah trat ein, eine *Geburt der Venus* mit einer roten, mit Mintsoße bekleckerten Schürze. Das war sie: rasche, schwungvolle Schritte, graziös wie Tracy Lord in *Die Nacht vor der Hochzeit*, weiche, nackte Füße (wenn das Zehen waren, dann war das, was man selbst hatte, etwas ganz anderes, Pratzen), Geglitzer an den Ohrläppchen, bestimmte Wörter mit einem leisen Beben am Ende vorgetragen. (Die gleichen Wörter wirkten lahm und dröge, wenn man sie selbst benutzte.)

»Na, wie läuft's? Ihr kriegt es hin, hoffe ich?«, sagte sie mit ihrer immeretwasheiseren Stimme.

Sie trug ein Silbertablett zu dem buckligen Couchtisch, kickte ein Taschenbuch beiseite, das auf dem Boden lag, verfehlte aber die Hälfte des Covers (*Die befr Fra* von Ari So): Gruyère und British Cheddar umwehten die Platte wie Tänzerinnen bei Busby Berkeley, noch eine Kanne Oolong-Tee. Ihr Erscheinen veranlasste die Hunde und Katzen, aus dem Schatten zu treten und sich um sie zu drängen, und wenn sie dann schnell wieder in die Küche verschwand (die Tiere durften nicht mit, wenn sie kochte), taperten sie im Wohnzimmer auf und ab wie benommene Cowboys, die nichts mit sich anzufangen wussten, weil es keinen Show-down gab.

Das Haus (die Arche Noah, wie Charles es nannte) fand ich faszinierend, ja, schon fast schizophren. Seine ursprüngliche Persönlichkeit war traditionell und charmant, wenn auch etwas aus der Mode und hölzern (die zweistöckige Variante einer Blockhütte, gebaut in den späten vierziger Jahren, mit Steinkamin und niedrigen Balkendecken). Aber in seinem Inneren lauerte eine zweite Persona, die ganz plötzlich zum Vorschein kommen konnte, wenn man um eine Ecke bog, profan, durchschnittlich, manchmal peinlich ungehobelt (die eckigen, mit Aluminium verkleideten Anbauten, die sie im vergangenen Jahr zum Erdgeschoss hinzugefügt hatte).

Jedes Zimmer war mit so vielen alten, nicht zusammenpassenden Möbeln vollgestopft (Streifen verheiratet mit Karo, Orange mit Pink verlobt, das Coming-out von Paisley), dass man überall und in jedem Raum ein x-beliebiges Polaroidfoto hätte machen können und jedes Mal einen Schnappschuss in der Hand gehalten hätte, der eine verblüffende Ähnlichkeit mit Picassos *Les Demoiselles d'Avignon* gehabt hätte. Statt dass verzerrte kubische Damen den Rahmen füllten, waren es bei Hannah die kantigen Formen der Bücherregale (die nicht für Bücher, sondern für Pflanzen, orientalische Aschenbecher und ihre Chopstick-Sammlung verwendet wurden, bis auf ein paar Ausnahmen: *Unterwegs* (Kerouac, 1957), *Ändere Dein Denken* (Leary, 1988), *Moderne Krieger* (Chute, 1989), ein Band mit Texten von Bob Dylan und *Queenie* (1985) von Michael Korda, außerdem Hannahs mit Blasen bedeckter Armsessel, Hannahs Samowar bei der Hutablage ohne Hüte, der Kaffeetisch ohne Kaffee.

Hannahs Mobiliar war aber nicht das Einzige, was müde und ärmlich wirkte. Verblüfft stellte ich fest, dass trotz ihrer makellosen Erscheinung – auch bei noch so strenger Inspektion konnte man selten auch nur eine deplatzierte Wimper entdecken – manche Kleider etwas abgetragen wirkten, was einem allerdings erst dann auffiel, wenn man direkt neben ihr saß und sie eine bestimmte Bewegung machte. Dann, völlig unerwartet, hüpfte der Lampenschein über Hunderte von kleinen Fusseln vorn in ihrem Wollrock, oder es wehte einem, wenn sie ihr Weinglas hob und wie ein Mann lachte, ganz schwach der unverkennbare Geruch von Mottenkugeln entgegen, der im ganzen *Palais de Anything* schlummerte.

Viele ihrer Kleidungsstücke sahen aus, als hätten sie die ganze Nacht nicht geschlafen oder billigen Fusel getrunken, wie etwa ihr knallgelb-beige gemustertes Kostüm à la Chanel mit dem hängenden Saum oder ihr weißer Kaschmirpulli mit den abgewetzten Ellbogen und der ausgeleierten Taille, und ein paar Stücke, wie die Silberbluse mit der laschen Rose, die eine Sicherheitsnadel am Halsausschnitt festhielt, sahen aus wie die zweiten Sieger bei einem Tanzmarathon zur Zeit der Großen Depression (siehe *Nur Pferden gibt man den Gnadenschuss*).

Ich hörte die anderen bei unzähligen Gelegenheiten von Hannahs »geheimem Treuhandfonds« reden, aber ich vermutete, dass es sich um einen Irrtum handelte und dass hinter Hannahs Einkäufen in Secondhand-Läden tatsächlich eine prekäre finanzielle Situation steckte. Einmal, bei einer Lammkeule »mit Teeblättern und Kirschrosenkompott«, beobachtete ich Hannah wie so oft und stellte mir vor, sie würde, wie ein Mann in einem Cartoon, betrunken und mit verbundenen Augen die schroffen Klippen der Insolvenz und des Untergangs entlangtaumeln. (Selbst Dad beklagte in einer Bourbon-Laune die Gehälter der Lehrer: »Und da wundern sich die Leute, dass die Amerikaner Sri Lanka nicht auf der Landkarte finden! Ich möchte ihnen ja nur ungern die schlechte Nachricht überbringen, aber die Räder des amerikanischen Bildungswesens bekommen einfach nicht genügend Schmiere! *Non dinero! Niet Geld!*«)

Wie sich aber herausstellte, war das Geld kein Faktor. Einmal, als Hannah mit den Hunden draußen war, unterhielten sich Jade und Nigel lachend über das riesengroße, vergammelte Wagenrad, das an der Garage lehnte wie ein fetter Mann bei einer Zigarettenpause. Die Hälfte der Speichen fehlte, und Hannah hatte verkündet, sie wolle es als Couchtisch verwenden.

»Bestimmt zahlt ihr St. Gallway nicht genug«, sagte ich.

Jade drehte sich zu mir um. »Wie bitte?«, fragte sie, als hätte ich sie gerade beleidigt.

Ich schluckte. »Vielleicht sollte sie eine Gehaltserhöhung beantragen«, fügte ich leise hinzu.

Nigel unterdrückte ein Lachen. Die anderen gaben sich damit zufrieden, mich einfach zu ignorieren, aber dann geschah etwas Unerwartetes: Milton blickte von seinem Chemiebuch auf.

»Ach, nein«, sagte er lächelnd. Ich spürte, wie mein Herz stolperte und dann kurz stehen blieb. Blut strömte mir in die Wangen. »Schrottplätze, Müllkippen – da gerät Hannah außer sich. Das ganze Zeug hier? Das hat sie an den traurigsten Plätzen gefunden, in Trailer Parks, auf Parkplätzen. Sie bremst immer plötzlich auf dem Highway – sodass die anderen Autos wie verrückt hupen und es einen Wahnsinnsstau gibt –, nur um irgendeinen Stuhl am Straßenrand zu retten. Bei den Tieren ist es genauso – die holt sie aus dem Heim. Letztes Jahr war ich mal mit ihr unterwegs, und da hat sie angehalten, um einen völlig irren Tramper mitzunehmen – Muskeln, Glatze, ein richtiger Skinhead. Hinten auf seinem Nacken stand ›Kill or Be Killed‹. Ich hab sie gefragt, was sie vorhat, und sie hat geantwortet, sie will ihm zeigen, was Freundlichkeit ist. Vermutlich habe er nie so etwas wie Zuneigung erfahren. Und sie hatte recht. Der Typ war total handzahm, hat die ganze Zeit nur gelächelt. Wir haben ihn am Red Lobster abgesetzt, und er ruft: ›Gott segne euch!‹ Hannah hatte sein Leben verändert.« Er zuckte die Achseln und widmete sich wieder der Chemie. »So ist sie eben.«

Sie war noch etwas: Eine erstaunlich mutige und kompetente Frau, die nicht klagte und nicht jaulte. Sie schaffte es innerhalb von Minuten, jede Rohrverstopfung, jeden tropfenden Wasserhahn, jedes Leck, jedes Loch zu beheben – kaputte Toilettenspülungen, klopfende Rohre vor Sonnenaufgang, eine verschlafene, verwirrte Garagentür. Ehrlich gesagt, ihre Reparaturkompetenz ließ Dad wie eine Großmutter mit zuckenden Lippen aussehen. An einem Sonntag schaute ich voll Ehrfurcht zu, wie Hannah ihre nicht mehr funktionierende Türklingel reparierte, mit Elektrikerhandschuhen, Schraubenzieher und Voltmesser – gar nicht so leicht, wenn man bei *Neue Leitungen legen – Mr Fix-its Anleitung für Haus und Heim* (Thurber, 2002) nachliest. Ein andermal verschwand sie nach dem Essen im Keller, um das launische Licht an ihrem Wasserboiler in Ordnung zu bringen: »Es ist zu viel Luft in der Heizröhre«, sagte sie mit einem Seufzer.

Und sie war auch eine erfahrene Bergsteigerin. Nicht, dass sie damit angegeben hätte: »Ich mache Camping«, sagte sie nur, mehr nicht. Man konnte es aber aus ihrer überdurchschnittlich guten Paul Bunyan-Ausrüstung herleiten: Überall im Haus lagen Karabiner und Wasserflaschen herum, Schweizermesser fanden sich in derselben Schublade wie Reklamezettel und alte Batterien, und in der Garage gab's wuchtige Wanderstiefel (Sohlen mit seriösem Profil), mottenzerfressene Schlafsäcke, Kletterseile, Schneeschuhe, Zeltstangen, vertrocknete Sonnencreme, ein Erste-Hilfe-Kasten (leer, bis auf eine stumpfe Schere und verfärbte Mullbinde). »Was ist das da?«, fragte Nigel mit gerunzelter Stirn und zeigte auf etwas, das aussah wie zwei brutale Tierfallen auf einem Stapel Feuerholz. »Steigeisen«, sagte Hannah, und als er sie verwirrt anschaute, fügte sie hinzu: »Damit man nicht vom Berg runterfällt.«

Einmal erwähnte sie, sozusagen als Fußnote zu unserem Tischgespräch, dass sie als Jugendliche beim Camping einem Mann das Leben gerettet hatte.

»Wo?«, wollte Jade wissen.

Hannah zögerte kurz und sagte dann: »In den Adirondacks.«

Ich muss gestehen, ich wäre fast von meinem Platz aufgesprungen und hätte gerufen: »Ich habe auch schon mal jemandem das Leben gerettet! Unserem Gärtner! Er hatte eine Schussverletzung!«, aber glücklicherweise hatte ich genug Taktgefühl; Dad und ich verachteten Menschen, die ständig ein interessantes Gespräch mit ihren eigenen läppischen Geschichten unterbrachen. (Dad nannte sie die Und-was-ist-mit-mir-Menschen und unterstrich diesen Titel immer mit einem langsamen Blinzeln, seine Geste für extreme Abneigung.)

»Er war gestürzt und hatte sich die Hüfte verletzt.«

Sie sagte das sehr bedächtig, als würde sie Scrabble spielen und sich darauf konzentrieren, die Buchstaben so zu sortieren, dass clevere Wörter herauskamen.

»Wir waren allein, mitten im Nichts. Ich bin in Panik geraten – ich wusste nicht, was tun. Ich bin einfach nur gerannt. Eine Ewigkeit. Zum Glück habe ich Camper gefunden, die ein Funkgerät dabei hatten, und die haben Hilfe geholt. Danach habe ich einen Pakt mit mir selbst geschlossen. Ich habe mir geschworen, nie wieder hilflos zu sein.«

»Und der Mann hat überlebt?«, fragte Leulah.

Hannah nickte. »Er musste operiert werden. Aber er ist wieder ganz gesund geworden.«

Selbstverständlich waren alle Versuche, noch mehr über diesen Zwischenfall herauszufinden – »Wer war der Mann?«, fragte Charles – so vergeblich, wie wenn man mit einem Zahnstocher einen Diamanten kratzen würde.

»Okay, okay«, sagte Hannah lachend und räumte Leulahs Teller weg. »Das genügt für heute Abend.« Sie öffnete die Schwingtür mit dem Knie (ein bisschen aggressiv, fand ich) und verschwand in der Küche.

* * *

Meistens setzten wir uns so um halb sechs zum Essen hin. Hannah machte die Lichter aus und stellte die Musik ab (Nat King Cole, der unbedingt zum Mond geflogen werden wollte, Peggy Lee, die predigte, dass man erst jemand war, wenn man von jemandem geliebt wurde) und zündete die dünnen roten Kerzen in der Mitte des Tischs an.

Die Tischgespräche waren nichts, was Dad besonders beeindruckt hätte (keine Debatten über Castro, Pol Pot und die Khmer Rouge, aber manchmal sprach Hannah das Thema Materialismus an: »In Amerika fällt es schwer, Glück nicht mit Besitz gleichzusetzen«). Allerdings war Hannah, das Kinn in die Hand gestützt, die Augen wie dunkle Höhlen, eine Meisterin der hohen Kunst des Zuhörens, weshalb die Mahlzeiten zwei, drei Stunden dauern konnten, und sie hätten vielleicht noch viel länger gedauert, wenn *ich* nicht diejenige gewesen wäre, die um acht zu Haus sein musste. (»Zu viel Joyce ist nicht gut für dich«, sagte Dad. »Schlecht für die Verdauung.«)

Es ist unmöglich, diese Spezialbegabung zu beschreiben (die, so glaube ich, ihr ansonsten eher schattiges Profil am besten beleuchtet), weil das, was sie tat, nichts mit Worten zu tun hatte.

Sie hatte einfach diese Art.

Und das war nicht geplant, herablassend oder verkrampft (siehe Kapitel 9, »Zurück in die Pubertät – *So verstehen Sie Ihre Kinder besser,* Howards, 2000).

Offensichtlich war die Fähigkeit, einfach , etwas, was in der westlichen Welt extrem unterschätzt wurde. Wie Dad gern erwähnte, hatten in Amerika alle Gewinner – außer denen, die in der Lotterie gewannen – eine laute Stimme, die sie mit Erfolg dafür einsetzten, das Gesumm der konkurrierenden Stimmen zu übertönen, und auf diese Weise schufen sie ein Land, das wahnsinnig laut war, so laut, dass man meistens gar nichts mehr verstehen konnte – die gesamte Nation bestand nur noch aus »weißem Rauschen«. Und deshalb war es, wenn man jemanden traf, der gern zuhörte und sich wohl dabei fühlte, wenn er nichts tat als , eine überwältigende Erfahrung, weil der Unterschied so riesengroß war und man plötzlich begriff, dass alle anderen, alle, denen man seit seiner Geburt begegnet war und die eigentlich hätten zuhören müssen, in Wirklichkeit gar nicht richtig zugehört hatten. Sie hatten nebenbei immer ganz unauffällig in der Glaskommode ein bisschen westlich von deinem Kopf ihr eigenes Spiegelbild überprüft und sich überlegt, was sie später am Abend noch erledigen mussten, oder sie hatten beschlossen, dir als Nächstes, sobald du den Mund zumachst, diese klassische Geschichte von ihrem Strand-Dysenterie-Anfall in Bangladesch zu erzählen und so zu zeigen, was für welterfahrene, wilde (und zudem unglaublich beneidenswerte) Menschen sie waren.

Hannah sagte natürlich auch etwas, aber nicht, um dir mitzuteilen, was sie dachte oder was du tun solltest, sondern nur, um dir relevante Fragen zu stellen, die in ihrer Einfachheit oft richtig lächerlich waren (eine, so erinnere ich mich, lautete: »Na, was denkst du?«). Später, wenn Charles die Teller abräumte, sprangen Lana und Turner zu ihr auf den Schoß und schlangen ihre Schwänze wie Armbänder um ihre

Handgelenke, und wenn Jade die Musik wieder anstellte (Mel Tomé, der meinte, dass er sich so an dich gewöhnt hat), dann hatte man nicht dieses ungute Gefühl, allein auf der Welt zu sein. So dumm es klingt – man kam sich vor, als hätte man eine Antwort gefunden.

Diese Eigenschaft war, glaube ich, der Grund, weshalb sie einen so großen Einfluss auf andere hatte und weshalb beispielsweise Jade, die gelegentlich sagte, sie würde gern Journalistin werden, als freie Mitarbeiterin bei der *Gallway Gazette* mitmachte, obwohl sie Hillary Leech, die Chefredakteurin, richtiggehend hasste, weil diese vor jeder Unterrichtsstunde immer den *New Yorker* herauszog (und manchmal über irgendetwas in der Kolumne »The Talk of the Town« sehr demonstrativ lachte). Und Charles trug hin und wieder ein dickes, fettes Buch mit sich herum, *Wie werde ich wie Hitchcock* (Lerner, 1999), in dem ich an einem Sonntag heimlich blätterte und die Widmung las: »Für meinen Meister der Spannung. Alles Liebe, Hannah.« Leulah gab Viertklässlern Nachhilfe in Naturwissenschaften, jeden Dienstag nach dem Unterricht, in der Budde-Hill Elementary School. Nigel las *Der ultimative Studienführer für das Ausland* (2001), und Milton hatte im vergangenen Sommer am UNCS einen Theaterworkshop gemacht: Einführung in Shakespeare: Die Kunst des Körpers – Akte der Nächstenliebe und der Selbstverbesserung, wobei ich automatisch dachte, dass es eine von Hannahs Ideen gewesen sein musste, aber vorgeschlagen auf ihre Art, sodass alle glaubten, sie seien selbst auf den Gedanken gekommen.

Ich selbst war auch nicht immun gegen diese Art von Inspiration. Anfang Oktober arrangierte Hannah mit Evita, dass ich aus Französisch bei der drögen Ms Filobeque ausstieg und stattdessen mit ein paar Anfängern den Zeichenkurs bei dem dalí-dekadenten Mr Victor Moats besuchte. (Dad sagte ich nichts davon.) Moats war Hannahs Lieblingslehrer an der Schule.

»Ich *verehre* Victor«, sagte sie und kaute auf der Unterlippe. »Er ist fantastisch. Nigel ist in einem seiner Kurse. Ist er nicht fantastisch? Ich finde, er ist *fantastisch*. Ganz ehrlich.«

Und Victor war fantastisch. Victor lief in Kunstwildlederhemden in Permanent Magenta und Siena Gebrannt herum und hatte Haare, die in der Zeichensaalbeleuchtung den Schimmer von Film-Noir-Straßen transportierten, samt Humphrey Bogarts Plateausohlen, Rampenlicht und Teer, alles auf einmal.

Hannah kaufte mir auch einen Skizzenblock und fünf Stifte, die sie in altmodisches Packpapier wickelte und an meine Schulmailbox schickte. (Sie redete nie über solche Sachen. Sie machte sie einfach.) Innen auf den Block hatte sie etwas geschrieben (in einer Handschrift, die ihr perfekt entsprach – elegant, mit winzigen Geheimnissen in den Kurven ihrer n's und h's): »Für deine blaue Periode, Blue. Hannah.«

Mitten im Unterricht holte ich manchmal diesen Block heraus und begann heimlich etwas zu malen, wie zum Beispiel Mr Archers Froschhände. Zwar gab es keine Anzeichen dafür, dass ich ein verkannter El Greco war, aber ich fand es lustig, so zu tun, als wäre ich ein rheumakranker *artiste*, eine Art Toulouse, der sich ganz auf die Umrisse des dünnen Arms einer Cancan-Tänzerin konzentrierte, und nicht die langweilige, alte Blue van Meer, die vielleicht dafür bekannt werden könnte, dass sie das Talent hatte, fieberhaft jede Silbe aufzuschreiben, die ein Lehrer von sich gab (samt allen *Äähs* und *Hmms*), falls etwas davon beim Abschlusstest abgefragt wurde.

* * *

Im ersten Kapitel ihrer fesselnden Memoiren *Mañana ist ein großer Tag* (1973) schrieb Florence »Feisty Freddy« Frankenberg, die in den vierziger Jahren eine typische *Their-Girl-Friday*-Schauspielerin war, deren großer Ruhm darauf beruhte, dass sie am Broadway in *Vergessen Sie nicht Ihr Taschentuch* mit Al Jolson aufgetreten war (sie hing auch mit Gemini Cervenka und Oona O'Neill herum) – sie schrieb, dass die Samstagabende im Stork Club auf den ersten Blick eine »Oase der raffinierten Vergnügungen« waren und dass man, obwohl sich auf der anderen Seite des Atlantiks der Zweite Weltkrieg wie ein Telegramm mit schlechten Nachrichten unaufhaltsam ausbreitete, trotzdem das Gefühl hatte, dass »nichts Schlimmes passieren konnte«, wenn man

»neu eingekleidet auf einer dieser bequemen Bänke saß«, weil man beschützt wurde von »all dem Geld und dem Nerz« (S. 22f.). Auf den zweiten Blick jedoch, so enthüllt Feisty Freddy im zweiten Kapitel, war der Stork Club eigentlich »so fies wie Rudolph Valentino zu einer Lady, die nicht mit ihm poussieren wollte.« Alle, von Gable und Grable bis zu Hemingway und Hayworth, achteten ängstlich darauf, wo der Besitzer, Sherman Billingsley, sie hinführte – ob sie in den exklusivsten aller absurd exklusiven Räume, den Club Room, zugelassen wurden, wo man »die Stelle zwischen Nacken und Schultern als Nussknacker nehmen konnte« (S. 49). Freddie enthüllte außerdem in Kapitel 7, dass sie bei mehr als einer Gelegenheit hörte, wie gewisse Studiomacker zugaben, dass sie nicht lange überlegen würden, »in die eine oder andere flotte Braut ein paar Kugeln zu platzieren«, wenn sie sich dadurch auf Dauer den begehrten Platz in der Ecke, Tisch 25, sichern könnten, den Royal Circle, von dem aus man einen idealen Ausblick auf die ganze Bar und die Tür hatte (S. 61).

Und deshalb muss ich erwähnen, dass auch bei Hannah extrem viel Spannung in der Luft lag, auch wenn ich mich oft fragte, ob ich, wie Feisty Freddie, die Einzige war, die dies registrierte. Manchmal fühlte es sich an, als wäre Hannah J. J. Hunsecker aus dem Film *Dein Schicksal in meiner Hand* und die anderen wären die sich windenden Sidney Falcos, die sich darum drängten, ihr erwählter Charlie zu sein, ihr bevorzugter Pyjama-Boy, ihr Traum *de luxe*.

Ich erinnere mich an die Nachmittage, an denen Charles für seinen Europäische Geschichte-Kurs an einer Zeittabelle für das Dritte Reich oder seinem Referat über den Zusammenbruch der Sowjetunion arbeitete. Immer wieder schleuderte er seinen Bleistift quer durchs Zimmer. »Ich kann das nicht! Scheiß auf Hitler! Scheiß auf Churchill, auf Stalin und die scheißblöde Rote Armee!« Hannah rannte dann nach oben, um ein Geschichtsbuch oder die *Encyclopedia Britannica* zu holen, und wenn sie zurückkam, steckten die beiden die Köpfe zusammen, wie frierende Tauben, Braun und Gold unter der Schreibtischlampe, und sie versuchten herauszufinden, in welchem Monat die deutsche Armee in Polen einmarschiert war und wann genau die Berliner Mauer fiel (September 1939, 9. November 1989). Einmal mischte ich mich ein und wollte ihnen behilflich sein, indem ich sie auf das 1200-seitige Geschichtsbuch hinwies, das Dad immer ganz oben auf seine Leseliste setzte, Hermin-Lewishons berühmtes Werk *Geschichte ist Macht* (1990), aber Charles schaute durch mich hindurch, und Hannah, die gerade in der *Britannica* blätterte, gehörte offensichtlich zu den Menschen, die, wenn sie lesen, nichts anderes mitkriegen, selbst wenn um sie herum der Bürgerkrieg zwischen den Sandinisten und den von den USA unterstützten Contras toben würde. Mir fiel allerdings auf, dass während dieser Zwischenspiele Jade, Lu, Nigel und Milton aufhörten zu arbeiten, und falls ihre ständigen Blicke irgendein Hinweis waren, dann beobachteten sie Hannah und Charles sehr genau, vielleicht sogar ein bisschen eifersüchtig, wie ein Rudel hungriger Löwen in einem Zoo, wenn nur einer von ihnen ausgewählt und von Hand aufgezogen wurde.

Ehrlich gesagt – ich fand es nicht besonders gut, wie sie sich in Hannahs Gegenwart aufführten. Mir gegenüber waren sie giftig und verschlossen, aber bei Hannah – sie schienen Hannahs konzentrierte Aufmerksamkeit für Cecil B. DeMilles Kamera zu halten und für die Scheinwerfer, die auf sie gerichtet waren, weil *Die größte Schau der Welt* gedreht wurde. Hannah musste Milton nur eine Frage stellen, ihn für das B+ loben, das er in Spanisch bekommen hatte, und schon legte er seinen bedächtigen Alabama-Akzent ab und hopste auf die Bühne wie der freche kleine Mickey Rooney (als Texaner), was sehr komisch aussah, und er posierte, protzte, grimassierte und grölte wie ein sechsjähriger Vaudeville-Veteran.

»Hab die ganze Nacht gelernt, hab noch nie im Leben so viel geschuftet«, prahlte er dann, und seine Augen suchten hechelnd ihr Gesicht nach Lob ab, wie ein Spaniel, nachdem er eine geschossene Ente apportiert hat. Leulah und Jade waren sich auch nicht zu schade dafür, als Lil' Bright Eyes und Curly Tops aufzutreten. (Am schlimmsten fand ich es immer, wenn Hannah auf Jades Schönheit anspielte und Jade sich in die Süßeste der Süßen verwandelte, in Little Miss Broadway alias Shirley Temple.)

Diese manischen Stepptänze waren allerdings harmlos im Vergleich zu den Horrormomenten, wenn Hannah die Scheinwerfer auf mich richtete, wie an dem Abend, als sie erwähnte, dass ich die besten Noten in der ganzen Schule hatte und deshalb vermutlich die Abschlussrede halten würde. (Lacey Ronin-Smith hatte den Staatsstreich bei der Morgenansprache angekündigt. Ich hatte Radley Clifton überholt, der seit drei Jahren unangefochten geherrscht hatte und offenbar glaubte, weil seine Brüder Byron und Robert die Rede gehalten hatten, habe er, Radley, der Langweiler, einen gottgegebenen Rechtsanspruch auf den Titel. Als er in Barrow Hall an mir vorbeiging, wurden seine Augen ganz schmal, sein Mund kniff sich zusammen, und er betete zweifellos darum, dass ich des Betrugs überführt und ins Exil geschickt würde.)

»Dein Vater ist bestimmt sehr stolz auf dich«, sagte Hannah. »*Ich* bin stolz auf dich. Deshalb werde ich dir jetzt etwas sagen. Du bist ein Mensch, der alles im Leben erreichen kann. Das meine ich ernst. Alles. Du kannst Raketentechnikerin werden. Weil du eine sehr seltene Gabe besitzt, die jeder haben möchte: Die Intelligenz, aber gleichzeitig auch die Sensibilität. Hab keine Angst davor. Denk dran – Gott, ich weiß nicht mehr, wer das gesagt hat – ›Glück ist ein Jagdhund in der Sonne. Wir sind nicht auf der Welt, um glücklich zu sein, sondern um unglaubliche Erfahrungen zu machen.‹«

Das war eins von Dads Lieblingszitaten (es stammte von Coleridge, und Dad hätte sie darauf hingewiesen, dass sie es entstellt hatte; »Wenn man seine eigenen Worte verwendet, ist es *eigentlich* kein Zitat mehr, oder?«) Und sie lächelte nicht, als sie das zu mir sagte, sondern war ganz ernst, als würde sie über den Tod reden (siehe *Morgen werde ich darüber reden*, Pepper, 2000). (Sie klang außerdem wie FDR bei seiner historischen Rundfunkansprache 1941, als er Japan den Krieg erklärte, Nr. 21 auf Dads Set mit den drei CDs, *Great Speeches, Modern Times.*)

Wenn alles optimal lief, war ich für die anderen eine Last, ihre bête noire, und wenn man Newtons drittes Bewegungsgesetz betrachtete, »Alle Reaktionen haben eine gleiche und eine gegensätzliche Reaktion, oder Actio ist gleich Reactio«, dann konnte man sagen, wenn die Fünf sich spontan in Lil' Baby Face Nelson und Dimples verwandelten, dann mussten sie sich *auch* in Verlorene Wochenenden und in Draculas verwandeln, womit man den Ausdruck auf ihren Gesichtern in *dem* Moment am besten beschreiben konnte. Meistens aber tat ich, was ich konnte, um diese persönliche Form der Aufmerksamkeit abzuwehren. Ich hatte keinen besonderen Ehrgeiz, an Tisch 25 und in den Royal Circle zu kommen. Ich war froh, dass ich eins der Gummibonbons war, das direkt von der Straße zugelassen wurde, und gab mich deshalb zufrieden damit, den Abend (und nicht das ganze snobistische Jahrzehnt) an dem absolut unbeliebten Tisch 2 zu verbringen, zu nah beim Orchester und ohne Blick auf die Tür.

Hannah reagierte eher teilnahmslos auf die Gesangs- und Tanzeinlagen der anderen. Sie setzte ein diplomatisches Lächeln auf und sagte nett: »Fantastisch, meine Lieben«, und in solchen Augenblicken überlegte ich, ob mir vielleicht bei meiner atemlosen Deutung ihrer Persönlichkeit ein paar Irrtümer unterlaufen waren, ob ich, wie Dad so treffend sagte, wenn er, was selten genug vorkam, einen Fehler zugab (und dabei mit zerknirschter Miene zu Boden blickte), »ein blinder Arsch« war.

Sie war nämlich sehr seltsam, wenn es um sie selbst ging. Alle Versuche, etwas über ihr Leben zu erfahren, indirekt oder anderswie, führten zu nichts. Man sollte denken, dass jeder Mensch *irgendeine* Art von Antwort geben muss, wenn man ihn direkt fragt, dass er zumindest durch seine Ausweichmanöver etwas enthüllt (scharfes Luftholen, abgewandter Blick), woraus man dann später düstere Wahrheiten über seine Kindheit ableiten kann, immer unter Berufung auf Freuds *Zur Psychopathologie des Alltagslebens* (1901) oder *Das Ich und das Es* (1923). Aber Hannah sagte ganz schmucklos: »Ich habe in Illinois gewohnt, in Chicago, und dann zwei Jahre lang in San Francisco. Ich bin nicht so interessant, Kinder.«

Oder sie zuckte die Achseln.

»Ich – ich bin Lehrerin. Ich wollte, ich könnte etwas Interessanteres sagen.«

»Aber nur Teilzeit«, sagte Nigel einmal. »Was machst du mit dem Rest der Zeit?«

»Keine Ahnung. Ich wollte, ich wüsste, wo die Zeit immer bleibt.« Sie lachte und sagte nichts mehr.

Dann gab es auch noch die Frage nach einem bestimmten Wort: Valerio. Diesen mythisch-ironischen Spitznamen hatten die anderen Hannahs heimlichem Cyrano, ihrem Mantel-und-Degen Darcy und ihrem stillen *Oh Captain! My Captain!* gegeben. Ich hörte den Namen immer wieder, und als ich schließlich den Mut aufbrachte, zu fragen, wer oder was Valerio war, fanden alle das Thema dermaßen spannend, dass sie vergaßen, mich zu ignorieren. Enthusiastisch erzählten sie von einem seltsamen Ereignis: Vor zwei Jahren, während ihres zweiten High-School-Jahres, hatte Leulah ihr Mathebuch bei Hannah vergessen. Als ihre Eltern sie am nächsten Tag zu Hannah fuhren, damit sie das Buch abholen konnte, ging Lu in die Küche, um ein Glas Wasser zu trinken, während Hannah oben nach dem Buch suchte. Beim Telefon entdeckte Lu einen kleinen gelben Notizblock. Auf die oberste Seite hatte Hannah ein eigenartiges Wort gekritzelt.

»Sie hatte das ganze Blatt mit *Valerio* vollgeschrieben«, berichtete Lu aufgeregt. Sie hatte so eine lustige Art, die Nase zu kräuseln, dass sie aussah wie eine kleine, zusammengerollte Socke. »Also bestimmt hunderttausendmal. Ganz verrückt, so wie Psychokiller irgendwelche Sachen aufschreiben, wenn in *CSI* der Ermittler in ihr Haus einbricht. Immer wieder dasselbe Wort. Als hätte sie telefoniert und gar nicht richtig gemerkt, was sie schreibt. So was mache ich auch oft, deshalb habe ich mir eigentlich gar nichts dabei gedacht. Bis sie reingekommen ist. Sie hat sofort den Block genommen und ihn so an sich gedrückt, dass ich nichts sehen konnte. Ich glaube, sie hat ihn erst wieder hingelegt, als ich unten im Auto war und wir davongefahren sind. Ich habe noch nie erlebt, dass sie sich so komisch verhält.«

Wirklich, sehr komisch. Ich nahm mir die Freiheit, das Wort in dem Werk von Herman Bertman, dem Etymologen aus Cambridge, nachzuschlagen: *Wörter, ihr Ursprung und ihre Bedeutung* (1921). Valerio war ein typischer italienischer patronymischer Name und bedeutete so viel wie »tapfer und stark«, abgeleitet von dem lateinischen Verb *valere*, »stark, kräftig, gesund sein; Einfluss oder Macht haben«. Außerdem hießen so mehrere kleine Heilige aus dem vierten oder fünften Jahrhundert.

Ich fragte sie, ob sie Hannah nicht einfach fragen könnten, wer Valerio war.

»Geht nicht«, antwortete Milton.

»Wieso?«

»Wir haben das doch längst getan«, sagte Jade verärgert und atmete den Rauch ihrer Zigarette aus. »Letztes Jahr. Und dann ist sie ganz komisch rot geworden. Fast lila.«

»Wie wenn wir ihr mit dem Baseballschläger auf den Kopf gehauen hätten«, sagte Nigel.

»Ja, ich konnte gar nicht sagen, ob sie traurig oder sauer ist«, fuhr Jade fort. »Sie stand einfach nur da, mit offenem Mund, dann ist sie in der Küche verschwunden. Und als sie fünf Minuten später wieder rauskam, hat sich Nigel entschuldigt. Und sie hat in so einer gekünstelten Beamtenstimme gesagt, ach, nein, alles in Ordnung, und dass sie es nur nicht leiden kann, wenn wir hinter ihrem Rücken herumschnüffeln oder über sie reden, weil ihr das wehtut.«

»Totaler Quatsch«, sagte Nigel.

»Überhaupt kein Quatsch«, sagte Charles verärgert.

»Na, jedenfalls können wir es nicht mehr ansprechen«, sagte Jade. »Wir wollen schließlich nicht schuld sein, wenn sie 'nen Herzinfarkt kriegt.«

»Vielleicht ist es ihr *Rosebud*«, schlug ich nach einer kurzen Pause vor. Normalerweise waren sie nie besonders entzückt, wenn ich den Mund aufmachte, aber diesmal drehten sich alle blitzschnell zu mir um.

»Ihr *was*?«, fragte Jade.

»Habt ihr *Citizen Kane* gesehen?«, fragte ich.

»Ja, klar«, sagte Nigel interessiert.

»Na ja, *Rosebud* ist das, was Kane, die Hauptperson, sein ganzes Leben lang sucht. Es ist das, wohin er unbedingt wieder zurückmöchte. Die unerfüllte, quälende Sehnsucht nach einer einfacheren, glücklicheren Zeit. Es ist sein letztes Wort, als er stirbt.«

»Warum geht er nicht einfach in 'nen Blumenladen und kauft 'ne Rose?«, fragte Jade gehässig.

Überhaupt machte es Jade großen Spaß (sie war zwar oft sehr prosaisch, hatte aber ein feines Gespür für Dramatik), alle möglichen spannenden Schlüsse aus Hannahs Rätselhaftigkeit zu ziehen, sobald Hannah aus dem Zimmer ging. Manchmal war *Hannah Schneider* ein Pseudonym. Dann wieder wurde Hannah vom *Federal Witness Protection Program* geschützt, nachdem sie als Hauptzeugin gegen den Verbrecherzar Dimitri »Caviar« Molotov von den Howard Beach Molotovs ausgesagt hatte und deshalb schuld daran war, dass er des Betrugs in sechzehn Fällen überführt wurde. Oder Hannah gehörte zu den Bin Ladens, befand Jade: »Die Familie Laden ist so groß wie die Familie Coppola.« Einmal, nachdem sie zufällig um Mitternacht auf TNT *Der Feind in meinem Bett* gesehen hatte, sagte sie zu Leulah, Hannah verstecke sich in Stockton, damit ihr Exmann sie nicht finden könne, der gewalttätig und insgesamt ein Psychopath sei. (Natürlich waren Hannahs Haare gefärbt, und sie trug getönte Kontaktlinsen.)

»Deshalb geht sie so gut wie nie aus und bezahlt immer bar. Sie will nicht, dass er sie über ihre Kreditkarten finden kann.«

»Sie bezahlt überhaupt nicht alles bar«, sagte Charles.

»Aber *manchmal*.«

»Jeder Mensch auf diesem Planeten zahlt *manchmal* bar.«

Ich unterstützte diese wilden Spekulationen, entwarf sogar selbst ein paar interessante Szenarien, aber eigentlich glaubte ich die Geschichten natürlich nicht.

Dad über Doppelleben: »Es macht Spaß, sich vorzustellen, dass das Doppelleben so epidemisch ist wie Analphabetismus oder das chronische Müdigkeitssyndrom oder sonst irgendeine kulturelle Malaise, die auf den Titelblättern von *Time* und *Newsweek* auftaucht, aber traurigerweise sind die meisten Bob Jones auf der Straße meistens nur genau das, was sie sind, nämlich Bob Jones, ohne irgendwelche dunklen Geheimnisse, ohne dunkle Ahnungen, ohne dunkle Siege und erst recht ohne die dunkle Seite des Mondes. Es genügt, um einem die Hoffnung auf Baudelaire auszutreiben. Na ja, Ehebruch rechne ich allerdings nicht mit, weil der in keiner Weise dunkel ist, sondern nur ein Klischee.«

Ich kam also heimlich zu dem Schluss, dass Hannah Schneider ein Tippfehler war. Das Schicksal war sentimental gewesen. (Höchstwahrscheinlich, weil es überarbeitet war. Kismet und Karma waren zu launisch, um irgendetwas hinzukriegen, und dem Verhängnis konnte man nicht trauen.) Ganz zufällig hatte das Schicksal eine ungewöhnliche Frau, die noch dazu atemberaubend schön war, in eine gottverlassene Stadt in den Bergen geschickt, wo Grandeur so etwas war wie dieser Baum, der im Wald umstürzte, ohne dass es jemand merkte. Irgendwo anders, vielleicht in Paris oder in Hongkong, lebte eine Frau namens Chase H. Niderhann, mit einem Gesicht so faszinierend wie eine Backkartoffel und einer Stimme wie ein Räuspern, *ihr* Leben, ein Leben mit Oper, Sonne und Seen und mit Wochenendausflügen nach Kenia (Aussprache: »KinJA«), mit Gewändern, die »schschsch« über den Fußboden zischelten.

Ich beschloss, die Situation in die Hand zu nehmen (siehe *Emma*, Austen, 1816).

* * *

Es war Oktober. Dad hatte eine neue Freundin namens Kitty (ich hatte noch nicht das Vergnügen gehabt, sie von unserer Gittertür zu vertreiben), aber sie war bedeutungslos. Warum sollte sich Dad mit einer durchschnittlichen amerikanischen *Wirehair*-Katze zufriedengeben, wenn er eine Perserkatze haben konnte? (Ich kann Hannahs schmalzigen Musikgeschmack für meine eigenwillige Vision verantwortlich machen, die alte Peggy Lee und ihr unaufhörliches Gejammer über den verrückten Mond oder Sarah Vaughns Geschniefe wegen ihres Geliebten.)

Ich handelte ungewöhnlich zielstrebig an jenem verregneten Mittwochnachmittag, als ich meinen von Disney inspirierten Plan ankurbelte. Ich sagte Dad, ich hätte eine Mitfahrgelegenheit, und dann bat ich Hannah, mich nach Hause zu fahren. Unter einem lahmen Vorwand sorgte ich dafür, dass sie im Auto wartete (»Warte bitte kurz, ich habe ein tolles Buch für dich.«), dann rannte ich ins Haus, um Dad von Patrick Kleinmans neuestem bei der Yale University Press veröffentlichten Werk, *Die Chroniken des Kollektivismus* (2004), loszueisen. Ich wollte, dass er nach draußen ging und mit ihr redete.

Er tat es.

Kurz gesagt: Es war nicht Frank Sinatra, keine *World on a String*, keine *Tender Trap*, auch nicht *In the Wee Small Hours in the Morning* und schon gar keine *Witchcraft*. Dad und Hannah unterhielten sich mondlos höflich. Dad sagte sogar: »Ja, ich wollte mir schon lang mal ein Football-Spiel anschauen. Blue und ich sehen Sie dort ganz bestimmt«, um das Schweigen zu überbrücken.

»Stimmt«, sagte Hannah. »Sie mögen Football.«

»Ja«, sagte Dad.

»Hattest du nicht ein Buch, das du mir leihen wolltest?«, fragte Hannah mich.

Wenige Minuten später fuhr sie weg, mit meinem einzigen Exemplar von *Die Liebe in den Zeiten der Cholera* (García Márquez, 1985).

»Ich bin zwar gerührt von deinen Bemühungen, dich als Cupido zu betätigen, meine Liebe, aber überlass es in Zukunft lieber mir, meinen Ritt in den Sonnenuntergang zu planen«, sagte Dad, als er ins Haus zurückging.

* * *

In der Nacht konnte ich nicht schlafen. Obwohl ich nie etwas zu Hannah gesagt hatte und sie nie etwas zu mir, hatte sich doch eine sonnenklare These in meinem Kopf eingenistet: Die einzig plausible Erklärung dafür, warum sie mich zu den sonntäglichen Treffen eingeladen hatte, warum sie mich so gnadenlos mit den anderen zusammenpferchte (entschlossen, die vakuumverpackte Clique aufzubrechen, wie eine durchgedrehte Hausfrau mit einem Dosenöffner), war für mich, dass sie Dad haben wollte. Ich konnte mich nicht geirrt haben, jedenfalls nicht bei Surely Shoos, weil ihre Augen da so nervös über sein Gesicht gehuscht waren, wie grüne Drachenschwänze über eine Blume (*Familia Papilionidae*). Es stimmte, bei Fat Kat Foods hatte sie mir zugelächelt, aber es war Dad, von dem sie bemerkt werden wollte, Dad, den sie beeindrucken wollte.

Aber ich lag falsch.

Ich warf mich im Bett hin und her, analysierte jeden Blick, den Hannah mir je zugeworfen hatte, jedes Wort, jedes Lächeln, jedes Glucksen, jedes Räuspern und jedes hörbare Schlucken, bis ich dermaßen verwirrt war, dass ich nur auf der linken Seite liegen und auf das Fenster schauen konnte, mit seinen bauschigen blauweißen Vorhängen, hinter denen die Nacht so langsam dahinschmolz, dass es wehtat. (Mendelshon Peet schrieb in *Auf Kriegsfuß* (1932): »Der wackelige kleine Verstand des Menschen ist nicht dafür ausgerüstet, die großen Unbekannten herumzuschleppen.«)

Endlich schlief ich ein.

»Nur wenige Menschen begreifen, dass es keinen Sinn hat, nach Antworten auf die großen Fragen des Lebens zu suchen«, sagte Dad einmal in einer Bourbon-Laune. »Die großen Fragen haben alle ihren eigenen Willen, sie sind unbeständig und ausgesprochen launisch. Aber trotzdem – wenn du geduldig bist, wenn du sie nicht zur Eile antreibst, dann stoßen sie irgendwann mit dir zusammen, wenn sie so weit sind. Und wundere dich nicht, wenn du hinterher sprachlos bist und in deinem Kopf kleine Comic-Piepvögelchen herumzwitschern.«

Wie recht er hatte.

Pygmalion

Der legendäre spanische Konquistador Hernando Núñez de Valvida (Die schwarze Schlange) schrieb in seinem Tagebucheintrag vom 20. April 1521 (einem Tag, an dem er angeblich zweihundert Azteken niedermetzelte): »*La gloria es un millón ojos asustados*«, was ungefähr so viel heißt wie »Ruhm ist eine Million erschrockener Augen.«

Dieser Satz hatte mir nicht viel gesagt, bis ich mit ihnen befreundet war.

So wie die Azteken Hernando und seine Gefolgsmänner voller Angst anschauten, betrachtete die gesamte Schülerschaft von St. Gallway (und nicht wenige Lehrer) Charles, Jade, Lu, Milton und Nigel mit Ehrfurcht und unverhüllter Panik.

Sie hatten auch einen speziellen Namen, wie alle auserwählten Gruppen. Bluebloods.

Und täglich, stündlich (vielleicht sogar minütlich) wurde in jedem Klassenzimmer und auf jedem Flur, in jedem Labor und in jeder Umkleidekabine dieses feine, kleine Wort geflüstert und gewinselt, neidisch und aufgeregt.

»Die Bluebloods sind heute Morgen ins Scratch marschiert«, sagte Donnamara Chase, ein Mädchen, das in Englisch zwei Plätze von mir weg saß. »Sie haben sich in einer Ecke aufgestellt und bei jedem, der vorbeikam, ›Uuuh‹ gemacht, ganz lange, bis schließlich Sam Christenson – du weißt schon, dieses Mädchen im zweiten High-School-Jahr, das aussieht wie ein Mann? Also, Sam ist dann in Chemie richtig zusammengeklappt. Sie musste ins Krankenzimmer, und da hat sie nur immer wieder gesagt, die Bluebloods hätten sich über ihre Schuhe lustig gemacht. Sie hatte pinkfarbene Wildledermokkassins, Größe 40–41. Was ja nicht *so übel* ist.«

Klar hatte es auch an der Coventry Academy oder in der Greenside Junior High die superpopulären Schüler gegeben, die VIPs, die sich durch die Gänge schlängelten wie eine Arkade von Limousinen und die ihre eigene Sprache erfanden, um alle anderen einzuschüchtern, ähnlich wie die grimmigen Zaxoto-Stammesfürsten an der Elfenbeinküste (in der Braden Country School nannte man mich »mondo nuglo«, was immer das heißen mochte), aber mit der Asthma auslösenden Mystik der Bluebloods konnte keiner mithalten. Ich glaube, teilweise lag das an ihrem extremen Divengehabe (Charles und Jade waren der Gary Cooper und die Grace Kelly unserer Zeit), an ihrer realen Fabelhaftigkeit (Nigel war so winzig, dass er Kult war, Milton so riesig, dass er einen Trend setzte), ihrem flippigen Selbstbewusstsein (da stolziert Lu über den Rasen und hat ihr Kleid verkehrt herum an!), aber es lag auch daran – und das war etwas ganz Besonderes –, dass es gewisse Gerüchte gab, dass dies und jenes über sie gemunkelt wurde. Und dann natürlich die Sache mit Hannah Schneider. Hannah verhielt sich erstaunlich unauffällig, sie unterrichtete nur den einen Kurs, Einführung in die Geschichte des Films, und zwar in dem niedrigen Gebäude am Rande des Campus, das Loomis hieß und berühmt dafür war, dass dort die Kurse abgehalten wurden, mit denen man gut Punkte sammeln konnte, beispielsweise die Einführung in das Mode-Business sowie Holzverarbeitung. Und wie Mae West in dem vergriffenen Buch *Freust du dich, dass du mich siehst?* (Paulson, 1962) sagt: »Du bist ein Niemand – wenn du nicht einen Sexskandal hattest.«

Zwei Wochen nach meinem ersten Essen bei Hannah hörte ich prompt, wie zwei Mädchen aus meinem Jahrgang mit Unmengen Schmutz um sich warfen. Es war während der Stillarbeit im zentralen Lesesaal der Donald E. Crush Bibliothek, unter der Aufsicht von Kreuzworträtselfan Mr Frank Fletcher, einem Mann mit Glatze, der Fahrunterricht erteilte. Die Mädchen waren zweieiige Zwillinge,

Eliaya und Georgia Hatchett, kompakt gebaut, mit kastanienbraunen Locken, Bäuchen so rund wie Shepherds Pie und einem Bierhaus-Teint. Sie erinnerten insgesamt an Ölporträts von König Heinrich VIII., jedes von einem anderen Maler gemalt (siehe *Die Gesichter der Tyrannei*, Clare, 1922, S. 322).

»Ich versteh nicht, wie sie überhaupt eine Stelle hier an der Schule kriegen konnte«, sagte Eliaya. »Zu 'nem richtigen Picknick fehlen ihr doch drei Sandwiches.«

»Von wem redest du?«, fragte Georgia etwas abgelenkt, weil sie gerade hingebungsvoll die Farbfotos im *VIP Weekly* studierte und dabei die Zunge seitlich zum Mund herausstreckte.

»Na, Hannah Schneider.« Eliaya kippelte mit ihrem Stuhl nach hinten und trommelte mit ihren fetten Fingern auf dem Buch in ihrem Schoß, *Eine illustrierte Geschichte des Kinos* (Jenoah, Hrsg., 2002). (Woraus ich schließen konnte, dass sie in Hannahs Kurs war.) »Sie war heute überhaupt nicht vorbereitet. Erst mal war sie 'ne Viertelstunde verschwunden, weil sie die DVD nicht gefunden hat, die wir uns ansehen wollten. Eigentlich war *The Tramp* geplant, aber sie kommt plötzlich mit diesem Scheißfilm *Apocalypse Now* daher, bei dem Mom und Dad durchdrehen würden – das ist nichts als drei Stunden Gemetzel. Aber Hannah war irgendwie *völlig* daneben – sie hat *nichts* kapiert. Sie legt den Film ein und *denkt* nicht mal an die Altersbegrenzung oder so was. Also fangen wir an, den Film zu gucken, und dann klingelt's auch schon, und dieser Typ, dieser Jamie Century, fragt sie, wann wir uns den Rest ansehen, und sie sagt, morgen, sie will den Unterrichtsplan ein bisschen umstellen. Ich wette, am Ende des Schuljahrs sehen wir uns den Pornofilm *Debbie Does Dallas* an. Es war ghettomäßig.«

»Worauf willst du raus?«

»Sie spinnt. Ich würde mich nicht wundern, wenn sie demnächst 'ne Klebold-Nummer abzieht, du weißt schon, das ist der eine vom Littleton-Massaker.«

Georgia seufzte. »Na ja, jeder und seine Großmutter weiß doch, dass sie nach all den Jahren immer noch Charles flachlegt –«

»Wie 'ne Gittertür beim Tornado. Klar.«

Georgia beugte sich näher zu ihrer Schwester. (Ich musste mucksmäuschenstill sein, um zu verstehen, was sie sagte.) »Meinst du wirklich, bei den Bluebloods geht's am Wochenende ab à la Caligula? Ich weiß nicht recht, ob ich Cindy Willard glauben soll.«

»Na, klar«, sagte Eliaya. »Mom sagt, Royals schlafen *nur* mit Royals.«

»Stimmt.« Georgia nickte und lachte zähnefletschend los, was so klang, als würde ein Holzstuhl über den Fußboden schrappen. »Sie passen auf, dass der Genpool nicht kontaminiert wird.«

Bedauerlicherweise enthält Klatsch häufig, wie Dad bemerkte, ein Körnchen Wahrheit (er selbst war auch nicht darüber erhaben, die Boulevardzeitschriften durchzublättern, wenn er im Supermarkt in der Schlange stand: »›Verpfuschte Schönheitsoperationen bei Stars‹ – so eine Schlagzeile hat doch wirklich etwas Faszinierendes.«), und ich gebe zu, dass ich, seit ich Hannah und Charles auf dem Innenhof beobachtet hatte, auch den Verdacht hegte, zwischen den beiden könnte irgendetwas laufen (allerdings beschloss ich nach ein paar Sonntagen, dass Charles zwar eindeutig in Hannah verliebt war, ihre Haltung ihm gegenüber jedoch freundlich platonisch schien). Und obwohl ich keine Ahnung hatte, was die Bluebloods am Wochenende so trieben (und ich sollte bis Mitte Oktober ahnungslos bleiben), wusste ich immerhin schon so viel, dass sie größten Wert darauf legten, die Überlegenheit ihrer Linie zu bewahren.

Ich war, versteht sich, diejenige, die sie kontaminierte.

* * *

Meine Aufnahme in ihren Magischen Zirkel verlief so schmerzlos wie die Invasion der Normandie. Klar, letztlich hatten wir *ein Gesicht,* aber während des ersten Monats oder so – September, Anfang Oktober – sah ich sie zwar die ganze Zeit auf dem Campus herumspazieren, und auf die Angst, die sie auslösten (»Wenn ich je mitkriege, dass Jade verletzt und mit dem Gesicht nach unten auf der Straße liegt, obdachlos, von Lepra zerfressen – dann werde ich der Menschheit einen Gefallen tun und sie überfahren«, schwor Beth Price in meinem Englischkurs), reagierte ich wie eine eingeschüchterte Journalistin, die zum Schweigen gebracht wurde, zusammen war ich aber mit ihnen nur bei Hannah zu Hause.

Und zweifellos war die Situation an diesen ersten Sonntagen für mich mehr als nur ein bisschen demütigend. Ich hatte immer das Gefühl, in einer Reality Show mit dem Titel *In-sta-love* die blöde alte Jungfer zu sein, mit der keiner etwas trinken gehen wollte – an eine Einladung zum Abendessen gar nicht zu denken. Ich saß mit einem der Hunde auf Hannahs schäbigem Sofa und tat so, als wäre ich in meine Geschichtshausaufgaben vertieft, während sich die fünf mit gedämpften Stimmen darüber unterhielten, wie »hardcore«, wie »zugedröhnt« sie am Freitag gewesen waren, an mysteriösen Orten mit Namen wie »The Purple« und »The Blind«, und wenn Hannah wieder aus der Küche kam, dann warfen sie mir immer gleich ölige kleine Sardinenlächeln zu. Milton blinzelte, schlug die Knie gegeneinander und sagte: »Und wie geht's denn so, Blue? Du sitzt so still in deiner Ecke.« »Sie ist schüchtern«, sagte Nigel dann mit ausdrucksloser Miene. Oder Jade, die immer angezogen war wie ein Promistar, der in Cannes über den roten Teppich tänzelt: »Ich finde deine Bluse *super*. So eine möchte ich auch. Du musst mir unbedingt sagen, wo du sie her hast.« Charles lächelte wie ein Talkmaster mit schlechten Einschaltquoten, und Lu sagte nie ein Wort. Immer, wenn mein Name fiel, glotzte sie auf ihre Füße.

Hannah musste gespürt haben, dass wir uns in eine Sackgasse bewegten, denn kurz darauf startete sie ihre nächste Offensive.

»Jade, nimm doch Blue mit, wenn du zu Conscience gehst. Das macht ihr sicher Spaß«, sagte sie. »Wann ist der nächste Termin?«

»Keine Ahnung«, antwortete Jade gelangweilt. Sie lag auf dem Bauch auf dem Wohnzimmerteppich und las *Die Norton-Gedichtanthologie* (Ferguson, Salter, Stallworthy, 1996 ed.).

»Ich dachte, du hättest gesagt, du willst diese Woche hin«, hakte Hannah nach. »Vielleicht können sie Blue ja irgendwo reinquetschen?«

»Vielleicht«, sagte sie, ohne aufzublicken.

Ich vergaß dieses Gespräch, bis zum Freitag, einem öden, grauen Nachmittag. Nach meiner letzten Unterrichtsstunde, Weltgeschichte bei Mr Carlos Sandborn (der so viel Gel benutzte, dass man immer dachte, er sei gerade im YMCA ein paar Bahnen geschwommen), ging ich in den zweiten Stock von Hanover Hall und sah Jade und Leulah bei meinem Schließfach stehen, Jade in einem schwarzen Golightly-Kleid, Leulah in einer weißen Bluse mit Rock. Leulah presste Hände und Füße zusammen, als müsste sie gleich zur Chorprobe, aber sonst wirkte sie eigentlich ganz nett, während Jade aussah wie ein Mädchen in einem Seniorenheim, das ungeduldig darauf wartet, dass der ihr zugeteilte Tattergreis im Rollstuhl herausgeschoben wird und sie ihm endlich mit monotoner Stimme *Unten am Fluss* (Adams, 1972) vorlesen kann, um so ihre Punkte für soziales Engagement zu bekommen und rechtzeitig die Schule abschließen zu können.

»Also – wir lassen uns jetzt Haare und Fingernägel und Augenbrauen machen, und du kommst mit.«

»Ah«, sagte ich und nickte, während ich die Kombination meines Vorhängeschlosses drehte, wobei ich garantiert nicht die Kombination eingab, sondern völlig beliebig erst in die eine, dann in die andere Richtung drehte.

»Gehen wir?«

»Jetzt gleich?«, fragte ich.

»Natürlich jetzt gleich.«

»Ich kann nicht«, sagte ich. »Ich habe zu tun.«

»Du *hast zu tun*? *Was* denn?«

»Mein Dad holt mich ab.« Vier Mädchen aus dem zweiten Jahr schlenderten an uns vorbei, blieben dann, wie Treibgut im Fluss, an dem schwarzen Brett des Fachbereichs Deutsch hängen und horchten hemmungslos.

»Oh, Gott«, sagte Jade. »Nicht schon wieder dein Superdad! Du musst uns mal sagen, wie er heißt, und ihn uns vorführen, ohne Maske und Umhang.« Letzten Sonntag hatte ich den kapitalen Fehler begangen, etwas über Dad zu sagen. Ich glaube, ich hatte sogar den

Ausdruck »ein genialer Mann« verwendet und gesagt, er sei »einer der besten Kommentatoren der amerikanischen Kultur unserer Zeit«, ein Satz, der wortwörtlich aus einem zweiseitigen Artikel über Dad in *TAP-SIM*, The American Political Science Institute's quarterly (siehe »Dr. Yes«, Frühjahr 1987, Bd. XXIV, Heft 9) stammte. Ich hatte es gesagt, weil Hannah mich gefragt hatte, wie er seinen Lebensunterhalt verdiene, wie er »sich beschäftige«, und irgendetwas an Dad lud einfach dazu ein, anzugeben, sich zu brüsten, hymnische Monologe anzustimmen.

»Das meint sie als Witz«, sagte Lu. »Komm schon. Es wird bestimmt lustig.«

Ich holte meine Bücher und ging mit den beiden nach unten, um Dad zu sagen, dass meine *Ulysses* (Joyce, 1922)-Arbeitsgruppe beschlossen habe, sich jetzt gleich für ein paar Stunden zu treffen. Zum Abendessen würde ich nach Hause kommen. Er runzelte die Stirn, als er Jade und Lu auf den Stufen von Hanover Hall stehen sah. »Diese beiden Törtchen denken, sie können Joyce lesen? *Hey*! Ich wünsche ihnen viel Glück – oder nein, ich muss mich korrigieren: Bete um ein Wunder!«

Ich wusste, dass er am liebsten Nein gesagt hätte, aber andererseits keine Szene machen wollte.

»Also, dann«, sagte er mit einem Seufzer und einem mitleidsvollen Blick. Er startete den Volvo. »*Halali*, meine Liebe.«

Auf dem Weg zum Schülerparkplatz bekam ich schwärmerische Kommentare zu hören.

»*Shit*«, sagte Jade und musterte mich voll Hochachtung. »Dein Dad ist ja *magnifico*. Du hast gesagt, er ist genial, aber ich hätte nicht erwartet, dass du clooneymäßig meinst! Wenn er nicht dein Dad wäre, würde ich dich fragen, ob du mich mit ihm bekannt machen kannst.«

»Er sieht aus wie – wie heißt er nochmal … der Vater in *Meine Lieder, meine Träume*«, sagte Lu.

Ehrlich gesagt, manchmal war es schon ein bisschen nervig, dass Dad es immer wieder schaffte, innerhalb von Minuten mit Ovationen aus aller Welt überschüttet zu werden. Klar – ich war die Erste, die aufsprang, ihm Rosen zuwarf und jubelte: »Bravo, junger Mann, bravo!« Aber manchmal konnte ich mich nicht gegen das Gefühl wehren, dass Dad ein Opernstar war, der rauschenden Applaus einheimste, auch wenn er zu faul war, die hohen Noten zu treffen, auch wenn er sein Kostüm vergaß und nach seiner eigenen Todesszene noch blinzelte; irgendetwas an ihm rief bei den Leuten Begeisterungsstürme hervor, ganz unabhängig von seiner tatsächlichen Leistung. Als ich beispielsweise einmal Ronin-Smith, der Kursberaterin, auf dem Flur von Hanover Hall begegnete, merkte ich, dass sie die paar Minuten, die Dad in ihrem Büro gewesen war, noch nicht verwunden hatte. Sie fragte mich nicht: »Wie läuft's mit deinen Kursen?«, sondern »Wie geht es deinem Vater?« Die einzige Frau, die ihn kennengelernt und sich nicht *ad nauseam* nach ihm erkundigte, war Hannah Schneider.

»Genau … Mr von Trapp«, antwortete Jade und nickte nachdenklich. »Den fand ich auch schon immer toll. Und wo ist bei all dem deine Mom?«

»Sie ist tot«, sagte ich mit dramatisch düsterer Stimme, und zum ersten Mal genoss ich ihr verdutztes Schweigen.

* * *

Sie gingen mit mir zum Conscience mit den violetten Wänden und den zebragemusterten Sofas. Es lag in Downtown Stockton, gegenüber von der Stadtbibliothek, und dort verpasste mir Jaire, der Mann mit den Krokodillederstiefeln, (sprich »Dscheiriiii«), kupferrote Strähnchen und einen neuen Haarschnitt, damit ich nicht mehr so aussah, »als würde sie sich die Haare mit der Nagelschere selbst schneiden«. Jade bestand darauf, dass meine neue Erscheinung auf Kosten ihrer Mutter Jefferson ging, die Jade »für den Notfall« ihre schwarze American Express Karte überlassen hatte, als sie mit ihrem neuen »Süßen«, einem Skilehrer »namens Tanner und mit ständig aufgeplatzten Lippen«, für sechs Wochen nach Aspen verschwand.

»Ich gebe dir tausend Dollar, wenn du etwas mit diesen Besenborsten machen kannst«, wies Jade meinen Friseur an.

Ebenfalls von Jefferson finanziert wurde während der nächsten beiden Wochen meine Sechs-Monats-Packung mit Wegwerfkontaktlinsen, angefertigt vom Ophthalmologen Dr. Stephen J. Henshaw, der Augen hatte wie ein Polarfuchs und außerdem einen schlimmen Schnupfen; dazu kamen Kleider, Schuhe und Unterwäsche, aber nicht von der Jungen Mode von Stickley's, sondern persönlich ausgewählt von Jade und Lu bei Vanity Fair Bodiwear in der Main Street, in der Rouge Boutique in der Elm Street, bei Natalia's in der Cherry Lane und sogar bei Frederick's of Hollywood (»Falls du dich je entschließen solltest, auf exaltiert zu machen, würde ich dir das hier empfehlen«, erklärte Jade und hielt mir etwas hin, das aussah wie die Gurte beim Skydiving, nur in Pink). Den endgültigen Gnadenstoß verpasste meinem bisher so drögen Äußeren das Make-up: Moisturizer, Lipgloss mit Thymian und Myrte, Lidschatten für den Tag (mit Glanz) und für den Abend (düster), speziell auf meinen Teint abgestimmt, aus Stickley's Kosmetikabteilung; dazu kam eine fünfzehnminütige Anleitung durch eine kaugummikauende Dame namens Millicent, die eine gepuderte Stirn hatte und einen makellosen Laborkittel trug. Sie brachte sehr kunstvoll das gesamte Regenbogenspektrum auf meinen Augenlidern unter.

»Du bist eine Göttin«, sagte Lu, als sie mir in Millicents Handspiegel zulächelte.

»Wer hätte das gedacht!«, lachte Jade.

Ich sah nicht mehr bedauernswert eulenmäßig aus, sondern wie verstocktes Feingebäck (Abbildung 9.0).

* * *

Angesichts dieser Verwandlung kam sich Dad vermutlich vor, wie van Gogh sich fühlen würde, wenn er an einem heißen Nachmittag in einen Sarasota Gift Shoppe wandern würde und neben den Baseballmützen und den Fun-in-the-Sun-Muschelfiguren seine geliebten Sonnenblumen auf zweihundert Strandbadetüchern sehen würde, als Sonderangebot für nur 9,99 Dollar.

»Deine Haare sehen aus, als würden sie *lodern*, Sweet. Aber Haare

Abbildung 9.0

sollen nicht lodern. Ein Feuer lodert, vielleicht auch noch der Hass und die Hölle. Aber menschliche Haare lodern nicht.«

Wunderbarerweise verflog sein Verdruss ziemlich rasch, bis auf ein gelegentliches Murren oder Knurren. Ich vermutete, dass es mit Kitty – oder, wie sie sich selbst auf dem Anrufbeantworter nannte, mit »Kitty Cat« – zu tun hatte. (Ich war ihr immer noch nicht persönlich begegnet, aber ich kannte die neuesten Schlagzeilen: »Kitty schmilzt in einem italienischen Restaurant dahin, dank Dads Betrachtungen zur menschlichen Natur«, »Kitty bittet Dad um Verzeihung, weil sie ihren White Russian auf seinen Ärmel aus Irish Tweed gekippt hat«, »Kitty plant ihren vierzigsten Geburtstag und hört schon die Hochzeitsglocken«.) Es war bizarr, aber Dad schien es zu akzeptieren, dass sein Kunstwerk so schamlos kommerzialisiert wurde. Allem Anschein nach hegte er keinen größeren Groll.

»Du bist zufrieden? Du bist dir deiner Verantwortung bewusst? Du respektierst die jungen Menschen aus deiner *Ulysses*-Gruppe, die – was mich nicht überrascht – mehr Zeit damit verbringen, im Shopping-Center herumzurennen und sich die Haare zu bleichen, als den Aufenthaltsort von Stephen Daedalus aufzuspüren?«

(Nein, ich redete Dad nie ganz den Gedanken aus, dass ich die Sonntagnachmittage damit verbrachte, dieses Himalaja-Werk zu erklimmen. Zum Glück hatte Dad keine spezielle Vorliebe für Joyce – exzessive Wortspiele langweilten ihn, genau wie Latein –, aber um peinlichen Fragen vorzubeugen, erzählte ich ihm in regelmäßigen Abständen, dass wir es wegen der schwachen Konstitution der anderen noch nicht geschafft hatten, über das Basislager, das erste Kapitel, »Telemachus«, hinauszukommen.)

»Die Leute sind eigentlich ziemlich klug«, sagte ich. »Erst neulich hat einer von ihnen in einem Gespräch das Wort ›Servilität‹ verwendet.«

»Sei nicht so vorlaut. Können sie denken?«

»Ja.«

»Keine Lemminge? Keine Stulpen? Keine Nullen, Nichtskönner, Neonazis? Keine Anarchisten oder Antichristen? Keine langweiligen

Jugendlichen, die glauben, sie sind die ersten Menschen auf der Welt, die *missvaaastanden* werden? Leider sind amerikanische Teenager im Verhältnis zu einem schwerelosen Vakuum wie Sitzkissen im Verhältnis zu Polyurethanschaum –«

»Dad. Es ist okay.«

»Meinst du wirklich? Verlass dich nie auf berauschende Oberflächen.«

»Ja.«

»Dann akzeptiere ich es.« Er runzelte die Stirn, und ich stellte mich auf die Zehenspitzen, um ihn auf die kratzige Wange zu küssen. Dann ging ich zur Haustür. Es war Sonntag, und Jade ließ ihren Ellbogen auf der Hupe ausruhen. »Amüsier dich gut mit deinen *Chicks* und *Charlies*«, sagte er und seufzte theatralisch, aber ich ignorierte ihn. »Wenn andere ihren Willen haben, hat Ann einen Weg.«

* * *

Es gab ein paar Anlässe, bei denen Jade, Lu und ich uns kaputtlachten, zum Beispiel, als sie mich zum »Shoppingcenter-Abhängen« einluden und eine Gruppe von Knallköpfen mit hervorlugenden Boxershorts und mit einem blöden Grinsen auf dem Gesicht durch die ganze Blue Crest Mall hinter uns herliefen (»Böse Versager – genau, wie ich vermutet habe«, sagte Jade, während sie die Typen durch ein Gestell mit Haarbändern im Earringz N' Thingz beobachtete), oder als Jade über die uns unbekannten Dimensionen von Nigels Kerzenständer reflektierte (»Weil Nigel so klein ist, könnte er gewaltig sein – oder ein Zwerg«; »Oh, Gott!«, stöhnte Lu und schlug sich die Hand vor den Mund), oder als wir zu Hannah fuhren und Jade und ich einem Köter (Jades Bezeichnung für »hässliche Männer über vierzig«) den Finger zeigten, der die Dreistigkeit besaß, wenig zielstrebig vor uns in seinem Volkswagen dahinzudümpeln. (Ihrem Beispiel folgend kurbelte ich das Fenster herunter, um meine Hand hinauszuhalten und meine Haare im Wind flattern zu lassen – die jetzt eine faszinierende Buntkupfererzfarbe hatten, Element Ordnungszahl 29.)

In solchen Augenblicken dachte ich, vielleicht sind sie meine

Freundinnen, vielleicht kann ich mich ihnen, in einem Diner bei einem Stück Rhabarberkuchen nachts um drei, in Sachen Sex anvertrauen, und später rufen wir uns dann immer gegenseitig an und reden über Tuskawalla Trails Retirement Community und über Rückenschmerzen und unsere schildkrötenkahlen Ehemänner. Aber dann fiel das Lächeln immer wieder irgendwie von ihren Gesichtern ab, wie Anschläge von einem schwarzen Brett, wenn der Reißnagel kaputt war, und sie schauten mich verärgert an, als hätte ich sie reingelegt.

Sie fuhren mich nach Hause. Ich saß auf dem Rücksitz und bemühte mich, ihre Lippen zu lesen, weil die Heavy-Metal-CD einen ohrenbetäubenden Krach machte (ich entschlüsselte verschwommene Fragmente wie »treffen uns später« und »heißes Date«). Ich wusste genau, dass sie mich, weil ich nichts Atemberaubendes gesagt hatte (und ungefähr so cool war wie Bermudashorts), wie einen Sack Wäsche abladen und dann davonrauschen würden, in die wispernde Nacht mit dem pflaumenblauen Himmel und den schwarzen Bergen über den gezackten Spitzen der Kiefern. An einem mir nicht bekannten Ort würden sie sich mit Charles, Nigel und Black (so nannten sie Milton) treffen, irgendwo parken und knutschen und dann mit den Autos über die Klippen fahren (in Lederjacken mit der Aufschrift T-BIRD oder PINK LADY).

»Astalavega«, sagte Jade in meine Richtung, während sie vor dem Rückspiegel roten Lippenstift auftrug. Ich knallte die Wagentür zu und hängte mir den Rucksack über die Schulter.

Leulah winkte. »Bis Sonntag«, rief sie freundlich.

Ich trottete ins Haus – der Veteran, der sich wünschte, der Krieg hätte länger gedauert.

»*Was, um Himmels willen, hat dich veranlasst, in einem Geschäft namens Bahama-Me-Tan einzukaufen*?«, rief Dad aus der Küche, als er von seiner Verabredung mit Kitty nach Hause kam. Er erschien in der Wohnzimmertür mit der orangefarbenen Plastiktüte, die ich im Foyer auf den Fußboden geworfen hatte, und hielt sie hoch wie einen toten Igel.

»Bali-Me Bronzer«, antwortete ich mürrisch, ohne von dem Buch hochzublicken, das ich mir aus dem Regal geholt hatte, *Die südamerikanische Joven-Meuterei* (Gonzalez, 1989).

Dad nickte nur und beschloss klugerweise, nicht weiter zu fragen.

Das war der Wendepunkt. Und ich bin mir sicher, es hatte viel mit Hannah zu tun, obwohl nie klar war, was sie zu den anderen gesagt hatte – ob sie ihnen ein Ultimatum gestellt oder sie bestochen oder einen ihrer Vorschläge gemacht hatte.

Es war die erste Oktoberwoche, Freitag, sechste Stunde. Ein herber, heller Herbsttag, auf Hochglanz poliert wie ein frisch gewaschenes Auto, und Mr Moats, mein Kunstlehrer, hatte alle Kursteilnehmer aufgefordert, mit ihren B-Bleistiften auszuschwärmen und im Freien zu zeichnen – »Findet eure zerfließenden Uhren!«, hatte er uns aufgetragen und die Tür aufgestoßen, als würde er eine Mustangherde freilassen. Er hatte dazu mit der Hand so *olé*-mäßig in der Luft herumgefuchtelt, dass er vier Sekunden lang wie ein Flamencotänzer in cadmiumgrünen eng anliegenden Hosen aussah. Träge schleppte sich der Kurs über den Campus, jeder Schüler mit einem riesigen Skizzenblock. Ich fand es schwierig zu entscheiden, was ich zeichnen könnte, und wanderte eine Viertelstunde lang herum, ehe ich mich für eine verblasste Packung M & M's entschied, die sich hinter Elton Hall in einem Bett aus Kiefernnadeln verbarg. Ich setzte mich auf die Betonmauer und zeichnete gerade meine ersten mutlosen Striche, als ich jemanden den Weg entlangkommen hörte. Statt an mir vorbeizugehen, blieb er stehen.

»Hallo«, sagte er.

Es war Milton. Die Hände hatte er in den Taschen vergraben, und die Haare hingen ihm wirr in die Stirn.

»Hi«, sagte ich, aber er antwortete nicht, ja, er lächelte nicht einmal. Er kam einfach nur näher und legte den Kopf schief, um die krakeligen Bleistiftstriche auf meinem Skizzenblock zu begutachten, wie ein Lehrer, der einem über die Schulter schaut und munter mitliest, während man in sein Aufsatzheft kritzelt.

»Warum bist du nicht im Unterricht?«, fragte ich ihn.

»Ach, ich bin krank«, erwiderte er. »Grippe. Ich gehe jetzt zur

Krankenstation, und dann gehe ich nach Hause und kuriere mich aus.«

Ich sollte auf etwas hinweisen: Während Charles eindeutig der Casanova von St. Gallway war, beliebt bei Chicks, Charlieboys und Cheerleadern, galt Milton irgendwie als Zuchthengst der Intelligenten und Verrückten. Ein Mädchen in meinem Englischkurs, Macon Campins, die sich mit nicht abwaschbarem Stift verschlungene Henna-Muster auf die Handflächen malte, behauptete, sie sei maßlos in ihn verliebt, und bevor es klingelte, bevor die verwirrte Ms Simpson in den Raum geschlurft kam und ihre sich langsam steigernden Flüsterklagen vorbrachte – kein Toner, nur Schreibpapier, keine Büroklammern, alles an der Schule hier, nein, in diesem Land, nein, auf der ganzen Welt, alles ging vor die Hunde –, konnte man hören, wie Macon mit ihrer besten Freundin, Engalla Grand, über Miltons rätselhaftes Tattoo debattierte: »Ich glaube, er hat es selbst gemacht. Also, ich hab doch in Biologie unter seinen hochgekrempelten Ärmel geguckt. Und ich bin mir ziemlich sicher, es ist ein Wahnsinnsölfleck, was er da auf dem Arm hat. Das ist sooo was von sexy.«

Ich spürte auch, dass Milton etwas geheimnisvoll Sexuelles hatte, weshalb ich mich immer, wenn ich allein mit ihm war, benahm, als wäre ich irgendwie betrunken. Einmal war ich gerade dabei, die Teller abzuspülen, bevor ich sie in Hannahs Spülmaschine stellte, da kam er in die Küche, mit sieben Gläsern in seinen riesigen Händen, und als er sich an mir vorbeibeugte, um sie in die Spüle zu stellen, berührte ich aus Versehen mit dem Kinn seine Schulter. Sie war feucht und klebrig wie ein Gewächshaus, und ich dachte, gleich falle ich um. »Entschuldige, Blue«, sagte er nur und ging wieder. Wenn er meinen Namen sagte, was er ziemlich oft tat (so oft, dass es manchmal schon so klang, als wollte er mich veräppeln), ließ er ihn immer in seinem Südstaatenakzent wie ein Jojo auf und ab hüpfen, oder er dehnte ihn wie ein Stück Gummiband, *Bluuuue*.

»Hast du heute Abend schon was vor?«, fragte er mich jetzt.

»Ja«, antwortete ich, aber meine Antwort schien nicht bei ihm anzukommen. (Ich glaube, die anderen hatten inzwischen kapiert, dass niemand je vorbeischaute – es sei denn, Hannah hätte aktiv für einen Verehrer gesorgt. Es war also keine besonders abwegige Schlussfolgerung.)

»Also, wir treffen uns heute Abend bei Jade – falls du Lust hast. Ich sag ihr, sie soll dich abholen. Wird sicher ziemlich irre. Wenn du das verkraftest.«

Er ging weiter.

»Ich dachte, du hast Grippe«, brummelte ich leise, aber er hörte mich, denn er drehte sich um und zwinkerte mir im Rückwärtsgang zu: »Mir geht's von Minute zu Minute besser.«

Er begann zu pfeifen, und während er seine grünblau karierte Krawatte festzurrte, als müsste er zu einem Vorstellungsgespräch, öffnete er schwungvoll die Hintertür von Elton und verschwand.

* * *

Jade wohnte in einer von Tara inspirierten (und von ihr als Hochzeitstorte bezeichneten) McMansion mit fünfunddreißig Zimmern, oben auf einem Hügel in einem kleinen Kaff, das »mit Trailerparks und Leuten ohne Backenzähne durchsetzt« war und das man unter dem Namen *Junk Spread* kannte (Einwohnerzahl: 109).

»Das Haus wirkt vulgär, wenn man es das erste Mal sieht«, erklärte sie fröhlich, als sie die massive Haustür öffnete. (Seit sie mich abgeholt hatte, näherte sich ihre Laune unaufhaltsam einer *gidget*-artigen Munterkeit an, was mich auf den Gedanken brachte, dass Hannah einen genialen Deal mit ihr ausgehandelt haben musste – garantiert war es etwas, was mit Unsterblichkeit zu tun hatte.)

»Jawohl«, sagte sie und zupfte die Vorderseite ihres schwarzweißen Seidenwickelkleides zurecht, damit ihr neongelber BH nicht mehr zu sehen war. »Ich habe Jefferson vorgeschlagen, sie soll ein paar Flugzeugkotztüten bereit legen, gleich beim Eingang. Aber sie ist noch nicht dazu gekommen. Ach, und keine Sorge, du halluzinierst nicht, das ist tatsächlich Kassiopeia. Der kleine Bär ist im Esszimmer, Herkules in der Küche. Hat sich Jefferson so ausgedacht. Sternbilder aus der Nördlichen Hemisphäre an allen Zimmerdecken. Sie hatte einen

Freund namens Timber, einen Astrologen und Traumdeuter, als sie das Haus entworfen haben, aber dann hat Timber sie abgestoßen, und sie hat sich mit einem gewissen Gibbs aus England zusammengetan, der diese scheiß Blinklichter nicht ausstehen konnte – ›Wie zum Teufel willst du die ganzen *Birnen* auswechseln?‹ –, aber da war's zu spät. Der Elektriker hatte schon die Corona Borealis und die Hälfte von Pegasus angebracht.«

Das Foyer war Weiß-in-Weiß-in-Weiß gehalten, mit einem glatten Marmorfußboden, auf dem man vermutlich ohne weiteres einen dreifachen Lutz und einen doppelten Toeloop machen konnte. Ich schaute nach oben, und es war tatsächlich Kassiopeia, die da auf uns herunterblinkte und außerdem so nervig brummte wie eine ganze Tiefkühlwarenabteilung. Und eiskalt war es auch noch.

»Nein, du wirst schon nicht krank. Wenn man in kühlen Temperaturen lebt, hält das den Alterungsprozess auf, ja, manchmal wird er sogar rückgängig gemacht. Deshalb erlaubt Jefferson nicht, dass der Thermostat hier im Haus über +5° gestellt wird.« Jade warf die Autoschlüssel auf die korinthische Säule bei der Tür, auf der schon ein paar Münzen und ein Zehennagelknipser lagen, sowie Broschüren für Meditationskurse an einer Institution namens The Suwanee Centre for Inner Life. »Ich weiß ja nicht, wie's dir geht, aber ich brauche jetzt dringend einen Cocktail. Noch keiner da – sie kommen zu spät, diese *Motherfucker*, also zeig ich dir erst mal das Haus.«

Jade mixte uns einen Mudslinger, das erste alkoholische Getränk, das ich je zu mir nahm; es schmeckte süß, brannte aber sehr interessant in der Kehle. Wir begaben uns auf die Große Tour. Das Haus war überladen und so schmutzig wie eine billige Absteige. Unter den pulsierenden Sternbildern (viele von ihnen mit erloschenen Sternen, Supernovas, White Dwarfs) wirkten alle Zimmer irgendwie verwirrt, obwohl Jade für jedes einen Namen hatte (Wrackzimmer, Museumszimmer, Salon). Im Kaiserzimmer etwa prangten eine reich verzierte persische Vase und ein riesiges Ölporträt von »irgendeinem Sir Ichweißnichtwie aus dem achtzehnten Jahrhundert«, aber außerdem lag eine fleckige Seidenbluse über der Sofalehne, ein umgedrehter Turnschuh unter einem Hocker, und auf einem vergoldeten Couchtisch befanden sich Wattebällchen, jämmerlich zusammengeknuddelt, nachdem sie von irgendwelchen Zehennägeln den blutroten Lack entfernt hatten.

Jade führte mich in das Fernsehzimmer (»dreitausend Programme, und nirgends kommt was«), in das Spielzimmer mit dem lebensgroßen, sich aufbäumenden Karussellpferd (»Das ist Snowpea«) und ins Shanghai-Zimmer, das leer war, bis auf eine große Buddha-Statue und zehn oder zwölf Kartons. »Hannah findet es gut, wenn wir möglichst viele materiellen Besitztümer abstoßen. Ich bringe dauernd Sachen zur Heilsarmee. Du musst das auch machen«, sagte sie. Im Keller, unter den Zwillingen, war das Jefferson-Zimmer (»wo meine Mutter ihre Jugend zelebriert«). Es hatte 150 Quadratmeter, einen Fernseher so groß wie eine Autokino-Leinwand, Teppichboden in der Farbe von Spareribs, und die Holzwände waren vollgepflastert mit dreißig Werbeplakaten für Marken wie »Ohh!«-Parfüm, Slinky-Silk-Strumpfhosen, Keep-Walkin'-Stiefel, Orange-Bliss-Lite und andere obskure Produkte. Auf allen Plakaten war dieselbe Frau mit Karottenhaaren und mit einem Bananengrinsen zu sehen. Das Grinsen war irgendwo an der Grenze zwischen ekstatisch und fanatisch anzusiedeln (siehe Kapitel 4, »Jim Jones«, *Don Juan de Mania*, [Lerner, 1983]). »Das ist meine Mom, Jefferson. Du kannst Jeff zu ihr sagen.«

Mit gerunzelter Stirn betrachtete Jade das Plakat für Vita Vitamins, auf dem Jeff, mit blauen Frotteearmbändern, einen gehechteten Kopfsprung über VITA VITAMIN – DER WEG ZUM BESSEREN LEBEN machte.

»1978 ist sie in New York groß rausgekommen, zwei Minuten lang. Siehst du, wie sich ihre Haare aufwärts drehen und dann direkt über dem rechten Auge wieder runterkommen? Den Look hat sie erfunden. Als sie die Frisur vorgeführt hat, sind die Leute durchgedreht vor Begeisterung. Sie hieß dann Crimson Marshmallow. Und mit Andy Warhol war Jeff auch befreundet. Ich glaube, sie durfte ihn sogar ohne seine ewige Perücke sehen. Oh, warte mal.«

Sie ging zu dem Tisch unter dem Plakat für Sir Albert's Spicy Sausages (»Was dem Adel gut genug ist, ist auch gut genug für Sie.«) und kam mit einem gerahmten Foto von Jefferson zurück, das offensichtlich neueren Datums war.

»Das ist sie, letztes Jahr, als sie für die Weihnachtskarten posiert hat.«

Die Frau war schon weit in den Vierzigern, wo sie, zu ihrem großen Entsetzen, festgestellt hatte, dass sie den Rückweg nicht mehr finden konnte. Sie praktizierte immer noch das strahlende Bananengrinsen, aber es war schon ziemlich ausgefranst an den Rändern, und ihre Haare besaßen nicht mehr genügend kinetische Energie, um sich zum Crimson Marshmallow aufzuschwingen, sondern staken steif von ihrem Kopf ab in einem Red Zinger Silo. (Wenn Dad sie zu Gesicht bekäme, würde er sie als »schlecht gealterte Barbarella« bezeichnen. Oder er würde eine seiner »Fade-Süßigkeiten«-Bemerkungen machen, die er sich für Frauen vorbehielt, welche den größten Teil der Woche damit verbrachten, die mittleren Jahre aufzuhalten, als wären diese eine Gruppe entlaufener Hengste: »ein geschmolzenes rotes M & M«, ein »altes Erdbeerbonbon«.)

Jade musterte mich unverwandt, die Arme verschränkt, die Augen zusammengekniffen.

»Sie sieht sehr nett aus«, sagte ich.

»So nett wie Hitler.«

Nach der Tour ließen wir uns im Purple Room nieder, »wo Jefferson ihren Freunden näherkommt, wenn du verstehst, was ich meine. Von der Paisley Couch beim Kamin solltest du dich lieber fernhalten.« Die anderen waren immer noch nicht da, und nachdem Jade noch zwei Mudslinger gemixt und die Louis-Armstrong-Platte auf dem uralten Plattenspieler umgedreht hatte, setzte sie sich endlich hin, aber ihre Augen flatterten durch den Raum wie Kanarienvögel. Sie schaute zum vierten Mal auf die Uhr. Und zum fünften Mal.

»Seit wann wohnst du hier?«, fragte ich sie, weil ich mir irgendwie wünschte, dass wir uns gut verstanden, damit wir, wenn die anderen kamen, ihnen unsere Lieblingsnummer vorführen konnten: »Just Two Little Girls from Little Rock«: Jade, à la Marilyn, nur dünner und wütender, und ich eine zweifellos flachbrüstigere Jane Russell. Aber zu meiner großen Enttäuschung standen unsere Chancen, Busenfreundinnen zu werden, nicht gut.

»Seit drei Jahren«, antwortete sie unkonzentriert. »Wo stecken die nur, verdammter Mist? Ich hasse es, wenn Leute zu spät kommen, und Black hat geschworen, er ist um sieben hier, der alte *Lügner*«, beklagte sie sich, aber nicht bei mir, sondern bei der Decke. »Ich werde ihn kastrieren.« (Orion, unter dem wir saßen, hatte keine neuen Glühbirnen bekommen, und deshalb Beine und Kopf verloren. Er bestand nur noch aus seinem Gürtel.)

Bald kamen die anderen mit sonderbaren Accessoires (Halsketten aus Plastikperlen, Fast-Food-Kronen; Charles trug ein altes Fechthemd, Milton einen Blazer aus dunkelblauem Kordsamt). Sie stürmten ins Zimmer, Nigel krabbelte über das Ledersofa und legte die Beine auf den Couchtisch, Leulah warf Jade zur Begrüßung lauter Luftküsse zu; mir schenkte sie nur ein Lächeln, dann schwebte sie mit glasigen, roten Augen zur Bar. Milton strebte zu der Holzkiste auf dem Schreibtisch in der Ecke, öffnete den Schnappriegel und nahm sich eine Zigarre.

»Jadey, wo ist der Knipser?«, fragte er und schnupperte an der Zigarre.

Jade nahm einen tiefen Zug aus ihrer Zigarette und warf ihm einen bösen Blick zu. »Du hast gesagt, du kommst pünktlich, und du bist viel zu spät. Ich werde dich hassen, bis ich sterbe. In der obersten Schublade.«

Er lachte in sich hinein, ein gedämpftes Geräusch, als würde er von einem Kissen erdrückt, und ich sehnte mich so danach, dass er etwas zu mir sagen würde – »Schön, dass du da bist«, »Hey, *Bluuuue*« –, aber er sagte nichts. Er sah mich nicht.

»Blue, wie wär's mit einem Dirty Martini?«, fragte Leulah.

»Oder mit irgendwas anderem«, sagte Jade.

»Mit 'nem Shirley Temple?«, schlug Nigel vor und grinste spöttisch.

»Einem Cosmo?«, fragte Leulah.

»Im Kühlschrank steht Milch«, sagte Nigel mit unbewegter Miene.

»Ein – einen Dirty Martini fände ich gut«, sagte ich. »Drei Oliven, bitte.« *»Drei Oliven, bitte«*: Das war es, was Eleanor Curd in *Die Rückkehr zu den Wasserfällen* (DeMurgh, 1990) verlangte, die Heldin mit den smaragdgrünen Augen, die alle Männer dazu brachte, vor Begehren zu erschaudern. Den Roman hatte ich aus der Goldledertasche von Junikäfer Rita Cleary geklaut, als ich zwölf war. (»Wo ist mein Buch?«, fragte sie Dad tagelang, immer wieder, wie eine Geisteskranke, die aus dem Sanatorium abgehauen ist. Sie suchte alles ab, unser Sofa, den Teppich, den Schrank, manchmal auf allen vieren, weil sie unbedingt erfahren wollte, ob Eleanor und Sir Damien sich am Schluss kriegten oder ob sie auseinandergingen, weil er glaubte, dass sie glaubte, dass er glaubte, er hätte einer fiesen Quasselstrippe ein uneheliches Kind angehängt.)

Sobald Leulah mir meinen Martini gereicht hatte, war ich vergessen, wie der Anruf auf Apparat 2 beim Switchboard eines großen Unternehmens.

»Hannah hat also heute Abend ein Date«, sagte Nigel.

»Stimmt nicht«, erwiderte Charles lächelnd und richtete sich unmerklich auf, als wäre in seinem Sitzkissen eine pieksende Nadel.

»Doch, es stimmt«, sagte Nigel. »Ich habe sie nach der Schule gesehen. Sie hatte was Rotes an.«

»Oh, Mann«, seufzte Jade und blies den Zigarettenrauch aus.

Sie redeten pausenlos über Hannah; Jade sagte wieder etwas über die Heilsarmee und die »bourgeoisen Schweine«, Wörter, die mich aufschreckten (ich hatte den Ausdruck nicht mehr gehört, seit Dad und ich, auf der Fahrt durch Illinois, Angus Hubbards Buch *LSD-Trips: Die Wahnvorstellung in der Gegenkultur der sechziger Jahre* [1989] gelesen hatten), aber ich kapierte nicht, wen oder was sie meinte, weil ich mich nicht auf das Gespräch konzentrieren konnte; es war wie diese grausame, unscharfe letzte Linie beim Augenarzt. Und ich fühlte mich nicht wie ich selbst. Ich war ein Wirbel aus intergalaktischem Staub, ein Hauch dunkler Materie, ein Beleg für die allgemeine Relativitätstheorie.

Ich stand auf und wollte zur Tür, aber meine Beine fühlten sich an, als würde ich von ihnen verlangen, das Universum zu durchmessen.

»*Jesus*«, rief Jade von irgendwoher. »Was ist denn mit *der* los?«

Vom Fußboden ging ein breites Spektrum unterschiedlicher Wellen aus.

»Was hast du ihr zu trinken gegeben?«, fragte Milton.

»Nichts. Einen Mudslinger.«

»Hab ich dir nicht gesagt, du sollst ihr Milch geben?«, sagte Nigel.

»Ich hab ihr 'nen Martini eingeschenkt«, fügte Leulah hinzu.

Plötzlich lag ich auf dem Boden und blickte zu den Sternen empor.

»Meinst du, sie stirbt?«, fragte Jade.

»Wir sollten sie lieber ins Krankenhaus bringen«, sagte Charles.

»Oder Hannah anrufen«, sagte Lu.

»Es geht ihr *gut.*« Milton beugte sich über mich. Mit seinen Rankenhaaren sah er aus wie ein Tintenfisch. »Sie muss es nur ausschlafen.«

Eine Übelkeitssturzflut überschwemmte meinen Magen, ich konnte nichts dagegen tun. Es war, als würden schwarze Meereswogen eine karmesinrote *Titanic*-Passagierkabine verschlingen, wie es in einer von Dads Lieblingsbiographien aller Zeiten beschrieben wurde, dem fesselnden Augenzeugenbericht *Schwarz in meinen Gedanken, absurd in meinem Bein* (1943) von Herbert J. D. Lascowitz, der schließlich, im siebenundneunzigsten Lebensjahr, sein machiavellistisches Verhalten auf dem legendären Ozeandampfer gestand und zugab, dass er eine nicht näher identifizierte Frau erwürgt, entkleidet und ihre Sachen angezogen hatte, um sich als Frau mit Kind auszugeben und so einen Platz in einem der beiden letzten Rettungsboote zu bekommen. Ich wollte mich auf die Seite drehen und aufstehen, aber der Teppich und das Sofa sausten nach oben, und während ein Blitz schockartig nur Zentimeter von meinen Schuhen entfernt in den Boden einschlug, übergab ich mich: Wie in einem Comic kotzte ich quer über den Tisch, den Teppich, das Paisley-Sofa beim Kamin, über Jades schwarze Ledersandalen von Dior, sogar über das Kaffeetischbuch, *Zum Glück gibt's das Teleobjektiv: Gartenfotos der Stars* (Miller, 2002). Sogar auf Nigels Hose war unten ein kleiner, aber deutlich sichtbarer Fleck.

Sie starrten mich alle an.

An diesem Punkt bricht meine Erinnerung abrupt ab, wie ich zu meiner Schande gestehen muss (siehe Figur 12, »*Kontinentalsockel*«, *Ozeanisches Terrain*, Boss, 1977). Ich kann mich nur noch an ein paar magere Sätze erinnern (»Was ist, wenn ihre Familie Anzeige erstattet?«), an Gesichter, die auf mich herunterschauten, als wäre ich in einen Brunnen gefallen.

Aber ich brauche hier eigentlich gar kein Erinnerungsvermögen, denn an dem Sonntag bei Hannah, als sie anfingen, mich *Kotz, Würg, Brech* und *Drei Oliven, bitte* zu nennen, wollten sie alle einen ausführlichen Augenzeugenbericht über die Ereignisse abliefern. Leulah zufolge wurde ich auf dem South Lawn ohnmächtig. Jade behauptete, ich hätte irgendetwas auf Spanisch gemurmelt, was ungefähr so klang wie »*El perro que no camina, no encuentra hueso*« oder »Der Hund, der nicht läuft, findet keinen Knochen«, und dann seien meine Augen nach hinten gekippt, und sie habe gedacht, ich bin tot. Milton sagte, ich sei »nackig« geworden. Nigel behauptete, ich hätte »einen drauf gemacht wie Tommy Lee während der *Theater-of-Pain*-Tour«. Charles verdrehte die Augen, als er diese Versionen hörte, diese »krassen Entstellungen der Wahrheit«. Er sagte, ich sei zu Jade gegangen und wir zwei hätten angefangen zu knutschen, eine fantastische Live-Version seines Lieblingsfilms, des Kultmeisterwerks des französischen Fetischregisseurs Luc Shallot de la Nuit, *Les Salopes Vampires et Lesbiennes de Cherbourg* (Petit Oiseau Prod., 1971).

»Manche Typen warten ihr ganzes Leben darauf, dass sie endlich mal so was zu sehen kriegen – also, vielen Dank, *Kotz*. Vielen Dank.«

»Klingt so, als hättet ihr euch blendend amüsiert«, sagte Hannah lächelnd, und ihre Augen leuchteten, während sie an ihrem Wein nippte. »Mehr solltet ihr aber lieber nicht erzählen. Eine Lehrerin darf so etwas nicht hören.«

Ich konnte mich nie entscheiden, welche Version ich glauben sollte.

* * *

Nachdem ich einen Spitznamen hatte, veränderte sich alles.

Dad sagte, meine Mutter, eine Frau, bei der die Leute »vor Respekt den Atem anhielten, wenn sie in den Raum kam«, verhielt sich immer gleich, egal, mit wem sie sich unterhielt oder wo sie war, und manchmal konnte Dad nicht sagen, mit wem sie redete, wenn sie das Telefon abnahm, ob mit »ihrer Kindheitsfreundin aus New York oder mit einem Telemarketer, weil sie sich bei beiden so freute.« »›Glauben Sie mir, ich wäre überglücklich, einen Termin für eine Teppichreinigung zu vereinbaren – Ihr Produkt ist bestimmt hervorragend –, aber, um ganz ehrlich zu sein, wir haben gar keine Teppiche.‹ Mit diesen Entschuldigungen konnte sie stundenlang weitermachen«, sagte Dad.

Ich musste eine Enttäuschung für sie sein. Ich gestehe, dass ich mich anders verhielt, weil ich jetzt mit ihnen befreundet war und weil Milton im Anschluss an die Morgenansprache »Würg!« rief und alle Schüler so aussahen, als würden sie sich gleich hinfallen lassen und sich auf dem Boden wälzen. Nicht, dass ich mich über Nacht in ein tyrannisches, blöd daherlaberndes Mädchen verwandelt hätte, das als Chorusgirl anfing und es geschafft hat, sich bis zur Hauptrolle hochzuarbeiten. Aber wenn ich mit Jade Whitestone zwischen der dritten und der vierten Unterrichtsstunde im ersten Stock von Hanover Hall über den Flur schlenderte (»Ich bin völlig fertig«, seufzte Jade gern und drapierte ihren Ellbogen um meinen Nacken, wie Gene Kelly um den Laternenpfahl in *Singin' in the Rain*), war das ein unglaublich paparazzi-mäßiger Moment; ich glaubte, definitiv zu verstehen, was Hammond Brown, der 1928 in dem Broadway Hit *Happy Streets* spielte (und in den Roaring Twenties nur als *Das Kinn* bekannt war), gemeint hatte, als er sagte, die »Augen einer Menschenmenge fühlen sich an wie Seide« (*Ovationen*, 1943, S. 269).

Und am Ende des Schultags, wenn Dad mich abholte und wir uns über irgendetwas stritten, zum Beispiel über meine »Lamettahaare« oder über mein letztes, etwas aggressives Referat über »Tupac: Porträt eines modernen romantischen Dichters«, für das ich ein lächerliches B bekommen hatte (»Dein letztes Schuljahr ist nicht der richtige

Zeitpunkt, um plötzlich alternativ, hip und cool zu werden.«), war es hinterher ganz komisch; vor meiner Freundschaft mit den Bluebloods hatte ich mich nach einer Auseinandersetzung mit Dad immer gefühlt wie ein kleiner Klecks, wenn ich mich in mein Zimmer zurückzog, und hätte nicht sagen können, wo ich anfing und wo ich aufhörte. Aber jetzt konnte ich mich noch deutlich sehen, meine Umrisse – eine dünne, aber durchaus respektable schwarze Linie.

Meine Physiklehrerin, Ms Gershon, bemerkte die Veränderung ebenfalls, wenn auch nur unbewusst. Am Anfang erkannte sie mich immer nicht, wenn ich mich meldete, um eine Frage zu stellen; ich verschmolz sozusagen mit den Labortischen, den Fenstern, den Postern von James Joule. Jetzt musste ich die Hand nur drei oder vier Sekunden in die Luft halten, und schon griffen ihre Augen zu: »Ja, Blue?« Genauso war es bei Mr Archer – alle Irrtümer, meinen Namen betreffend, waren ausgemerzt. »*Blue*«, sagte er, aber nicht unsicher oder verlegen, sondern mit Überzeugung (so ähnlich, wie er *da Vinci* sagte). Und wenn Mr Moats an meine Staffelei kam, um meine Zeichnung zu begutachten, schaute er immer ziemlich schnell von meinem Werk weg und zu meinem Kopf, als hätte dieser es eher verdient, genau inspiziert zu werden, als die wackeligen Linien auf dem Papier.

Auch Sal Mineo registrierte den Unterschied, und wenn es *ihm* auffiel, dann musste es schon beängstigend wahr sein.

»Pass lieber auf«, sagte er zu mir bei der Morgenansprache.

Ich musterte sein kompliziertes Gusseisenprofil, seine matschig braunen Augen.

»Ich freue mich für dich«, sagte er, schaute aber nicht mich an, sondern zum Podium, wo Havermeyer, Eva Brewster und Hilary Leech das neue Layout der *Gallway Gazette* präsentierten; »Eine bunte Seite eins mit Werbung«, erklärte Eva gerade. Sal schluckte, und sein Adamsapfel, der gegen seinen Hals presste wie eine Sprungfeder in einem alten Sofa, hob und senkte sich. »Sie tun anderen nur weh.«

»Wovon redest du?«, fragte ich ihn, verärgert darüber, dass er sich nicht klarer ausdrückte, aber er antwortete nicht, und als Eva die

Schüler in den Unterricht entließ, flatterte er schnell davon, wie ein Zaunkönig von einem Laternenpfahl.

* * *

Die Zwillinge in meiner Stillarbeit, die beiden großen gesellschaftlichen Kommentatorinnen unserer Zeit, Eliaya und Georgia Hatchett, (Nigel und Jade, die mit ihnen in Spanisch waren, nannten sie *Dee*, kurz für Tweedledee, und *Dum*, für Tweedledum) kippten natürlich allerhand Schmutz auf meine Verbindung mit den Bluebloods. Vorher hatten sie immer beliebig über Jade und die anderen getratscht, ihre Schlabberstimmen waren dabei klebrig über alles geschwappt, aber jetzt saßen sie ganz hinten, bei der Trinksäule und den Hambone'schen Lektüre-Empfehlungen, und brabbelten beständig vor sich hin, ein endlos knisterndes Bratkartoffelgeflüster.

Ich ignorierte sie größtenteils, auch wenn die Wörter *Blue* und *Psst, sonst hört sie dich* zu mir herüberzischten wie zwei Gabunvipern. Aber wenn ich keine Hausaufgaben zu machen hatte, fragte ich Mr Fletcher, ob ich auf die Toilette gehen könnte, und schlüpfte in die Reihe 500 und von da in den dichtesten Abschnitt von Reihe 900, den Biographien, wo ich ein paar große Bücher aus Reihe 600 in die Lücken in den Regalen stellte, um nicht entdeckt zu werden. (Frau Bibliothekarin Hambone, falls Sie das hier lesen – ich entschuldige mich, dass ich alle zwei Wochen H. Gibbons fettes Werk *Die Tierwelt Afrikas* (1989) von seinem angestammten Platz in den 650ern zu *Mommie Dearest* (Crawford, 1978) und *Berüchtigt: Meine Jahre mit Cary Grant* (Drake, 1989) gestellt habe. Sie wurden nicht verrückt.)

»Also, willst du's hören oder nicht, willst du die Glasur, den Zuckerguss, den Kuchen, den Doppelwhopper, die Kronjuwelen, den Juwel après Orthodontie, die Madonna après Hatha Yoga« – sie holte Luft, schluckte – »Ted Danson après Haarimplantate, J-Lo avant *Gigli*, Ben avant J-Lo, aber après seiner psychiatrischen Behandlung wegen Spielsucht, den Matt après –«

»Hältst du dich für 'nen blinden Barden, oder was?«, fragte Dum und blickte kurz von ihrem *Celebrastory Weekly* auf. »Ich nicht.«

»Okay, dann Elena Topolos.«

»Elena Topolos?«

»Erstes High School-Jahr, mediterran, müsste sich die Oberlippe wachsen. Sie hat mir gesagt, diese Blue ist ein autistisches Wahnsinnsgenie. Und nicht nur das, nein, wir haben auch einen Mann an sie verloren.«

»*Wie bitte*?«

»*Hard Body*. Er ist total neurotisch ihretwegen. Es ist schon Kult. Alle in der Fußballmannschaft nennen ihn Aphrodite, und ihm ist das ganz egal. Er und diese Blue machen einen Kurs zusammen, und jemand hat beobachtet, wie er im Papierkorb gewühlt hat, um einen Zettel rauszuholen, den sie weggeworfen hat, und nur, weil sie ihn *berührt* hatte.«

»Meinet*wegen*.«

»Er lädt sie zum *Christmas Formal* ein.«

»WAS? Zur Weihnachtsparty?«, kreischte Dee.

Mr Fletcher blickte von *Für den Kreuzworträtsel-Fanatiker – Die ultimative Herausforderung* (Albo, 2002) auf und feuerte einen missbilligenden Blick in Richtung Dee und Dum. Sie ließen sich nicht einschüchtern.

»Aber das *Christmas Formal* ist erst in drei Monaten«, sagte Dee und blinzelte. »Das ist ein heiliger Krieg an der High School. Die Leute werden schwanger und mit Gras erwischt, bekommen einen schlechten Haarschnitt verpasst, und man sieht, dass ihre Frisur bisher das einzig Gute an ihnen war und sie scheußliche Ohren haben. Es ist doch noch *viel* zu früh, um jemanden einzuladen. Hat er den *Verstand* verloren?«

Dee nickte. »Er ist *besessen*. Seine Ex, Lonny, ist stocksauer. Sie hat geschworen, ihr bis zum Jahresende den Arsch mit Dschihad zu überziehen.«

»Aua.«

* * *

Dad zitierte gern die Faustregel, dass »gelegentlich auch Idioten recht haben«, aber ich war trotzdem verdutzt, als ich einen Tag später meine Bücher aus dem Schließfach holte und merkte, dass ein Typ aus meinem Physikkurs nicht einmal, sondern dreimal an mir vorbeiging, den Blick immer pseudokonzentriert auf irgendein riesiges Buch gerichtet, das er aufgeschlagen in der Hand hielt – als er das zweite Mal vorbeikam, sah ich, es war unser Physikbuch, *Grundlagen der Physik* (Rarreh & Cherish, 2004). Ich nahm an, dass er auf Allison Vaughn wartete, eine ruhige, aber einigermaßen beliebte Schülerin unseres Jahrgangs, deren Schließfach ganz in der Nähe von meinem war und die immer mit einem lieben Lächeln und einer anständigen Frisur herumlief – aber als ich mein Schließfach zuknallte, stand er hinter mir.

»Hi«, sagte er. »Ich bin Zach.«

»Blue.« Ich schluckte krampfhaft.

Er war groß, braun gebrannt und sah super amerikanisch aus: kantiges Kinn, große, gerade Zähne, Augen absurd jacuzziblau. Ich wusste so halb – von dem Geplapper während der Praktikumsexperimente –, dass er schüchtern war und ein kleines bisschen witzig (meine Partnerin, Krista, passte bei unseren Experimenten immer wieder nicht richtig auf, weil sie über etwas kichern musste, was er gesagt hatte), außerdem Kapitän der Fußballmannschaft. Seine Praktikumspartnerin war seine angebliche Exfreundin, Lonny, Ko-Kapitänin von Gallway Spirit, ein Mädchen mit fitzeligen platinblonden Haaren, einer künstlichen Bräune und einer auffallenden Neigung, alle Geräte kaputtzumachen. Keine Nebelkammer, kein Voltmeter, keine Krokodilklemme waren vor ihr sicher. Montags, wenn der Kurs die Ergebnisse an das Whiteboard schrieb, warf unsere Lehrerin, Ms Gershon, die von Lonny und Zach jedes Mal raus, weil sie der modernen Wissenschaft krass widersprachen, weil sie Plancks Konstante diskreditierten, das Boyle Mariotte'sche Gesetz untergruben und die Spezielle Relativitätstheorie von $E = mc^2$ in $E = mc^5$ umdeuteten. Nach Aussage von Dee und Dum gingen Lonny und Zach seit der sechsten Klasse miteinander und hatten in den letzten Jahren etwas praktiziert, was sich »lion sex« nannte und jeden Samstagabend in der »Honeymooners' Suite«, Zimmer 222 im Dynasty Motel in der Pike Avenue, stattfand.

Er sah gut aus, das stimmte, aber wie Dad einmal sagte, es gab Leute, die nicht in ihr Jahrzehnt passten, weil sie in die falsche Zeit hineingeboren wurden – nicht im intellektuellen Sinn, sondern weil ihr Gesicht besser ins Viktorianische Zeitalter gepasst hätte als in, sagen wir mal, die Ich-Dekade. Also, dieser Knabe hier war gut zwanzig Jahre zu spät dran. Er war der Junge mit der dichten braunen Haartolle, die wie eine fliegende Untertasse über ein Auge sauste, er war der Junge, der die Mädchen dazu inspirierte, ihr Kleid für den Schulball selbst zu nähen, er war der Junge vom Country Club. Und vielleicht hatte er heimlich einen Diamantohrring, einen Paillettenhandschuh, vielleicht hatte er am Schluss sogar einen guten Song, mit drei Portionen Keyboard Synthesizer, aber niemand würde es je herausfinden, denn wenn man nicht in seiner eigenen Dekade lebte, schaffte man es nie bis ans Ziel, man drehte sich nur um sich selbst, unschlüssig, verwirrt und unbeachtet. (Schütte ein bisschen Zucker drauf und gib dem Regen die Schuld.)

»Ich hab irgendwie gedacht, du könntest mir vielleicht bei was helfen«, sagte er, den Blick auf seine Schuhe gerichtet. »Ich hab ein ernstes Problem.«

Ohne ersichtlichen Grund erschrak ich. »Was?«

»Da ist ein Mädchen ...« Er seufzte, schob seine Daumen durch die Gürtelschlaufen. »Ich finde sie nett. Ja. Echt nett.« Seine Kopfhaltung drückte nichts als Verlegenheit aus: Kinn nach unten, den Blick fest auf mich gerichtet. »Ich hab noch nie mit ihr geredet. Kein Wort. Und normalerweise verunsichert mich so was nicht – normalerweise würde ich einfach zu ihr hingehen und sie einladen, zu 'ner Pizza ... ins Kino ... so was. Aber *sie* – sie verunsichert mich.«

Er fuhr sich mit der rechten Hand durch die Haare, die absurd unverfilzt waren, wie bei einer Shampoowerbung. In der linken Hand hielt er immer noch unser Physikbuch. Seltsamerweise hatte er Seite 123 aufgeschlagen, mit dem großen Diagramm einer Plasmakugel.

Ich konnte verkehrt herum, um die Biegung seines Arms, den Satz lesen: »*Plasma ist der vierte Aggregatzustand.*«

»Also hab ich mir gesagt, *auch gut*«, sagte er mit einem Achselzucken. »Dann soll es eben nicht sein. Wenn man nämlich mit jemandem nicht richtig reden kann, wie soll man dann … na ja, man muss doch Vertrauen haben, stimmt's, sonst hat es keinen Sinn. Aber dann« – mit gerunzelter Stirn schaute er den Flur hinunter, zum AUSGANG – »jedes Mal, wenn ich sie sehe, fühle ich mich so … so …«

Ich erwartete nicht, dass er weiterreden würde, aber dann grinste er plötzlich. »So. Verdammt. Gut.«

Ein Grinsen heftete sich an sein Gesicht, so filigran wie ein kleiner Strauß an einem Ballkleid.

Jetzt war ich an der Reihe. In meiner Kehle stauten sich die Sätze – Ratschläge, Ermunterungen, ein paar Sprüche aus einer Screwball-Komödie –, aber sie schrappten aneinander und verschwanden wie Sellerie im Müllvertilger in der Spüle.

»Ich …«, begann ich.

Ich spürte seinen Minze-Atem auf der Stirn, er fixierte mich mit Augen, deren Farbe an ein Kinderplanschbecken erinnerte (blau, grün, an manchen Stellen verdächtig gelb). Er inspizierte mein Gesicht, als hielte er mich für ein verkrustetes Meisterwerk auf einem alten Speicher – wenn er den kunstvollen Farbauftrag, die Lichtschatteneffekte und die Führung meiner Pinselstriche nur richtig interpretierte, dann würde er herausfinden, wer der Maler war.

»*Würg?*«

Ich drehte mich um. Nigel kam mit langsamen Schritten auf uns zu, sichtlich amüsiert.

»Ich kann dir echt nicht helfen – und jetzt musst du mich leider entschuldigen«, murmelte ich und schoss an seiner Schulter und seinem Physikbuch vorbei. Ich drehte mich nicht um, nicht einmal, als ich schon bei Nigel und dem schwarzen Brett des Fachbereichs Deutsch war und zum AUSGANG weiterging. Ich vermutete, dass er immer noch im Gang stand und mir mit offenem Mund hinterherschaute, wie ein Nachrichtensprecher, dessen Teleprompter ausgerechnet in dem Augenblick ausfällt, in dem er eine aktuelle Meldung vorlesen soll.

»Was wollte denn unser Chippendale?«, fragte Nigel, als wir die Treppe hinuntergingen.

Ich zuckte die Achseln. »Keine Ahnung. Ich konnte seiner Logik nicht folgen.«

»Ach, du bist schrecklich.« Nigel lachte, ein rasches, rutschendes Geräusch, dann hakte er sich bei mir unter. Wir waren Dorothy und der mutlose Löwe aus dem *Zauberer von Oz*.

Klar, ein paar Monate vorher hätte ich gestaunt, hätte vielleicht sogar weiche Knie bekommen, wenn El Dorado zu mir geritten gekommen wäre und eine lange Rede über ein Mädchen gehalten hätte. (»Der Gang der Geschichte läuft letztlich immer auf ein Mädchen hinaus«, sagte Dad mit leisem Bedauern, als wir *Der Prinz der Dunkelheit* anschauten, eine mit zahlreichen Preisen ausgezeichnete Dokumentation über Hitlers Jugend.) In der Vergangenheit hatte ich schreckliche Sehnsuchtsmomente durchgemacht, wenn ich die El Dorados durch die stillen Korridore und über die leeren Footballfelder einer einsamen Schule hatte reiten sehen – wie zum Beispiel Howie Easton von der Clearwood Day mit dem Grübchen im Kinn und der Lücke zwischen den Zähnen, die ihn zu einem derart raffinierten Pfeifer machte, dass er Wagners gesamten *Ring des Nibelungen* (1848–74) hätte pfeifen können, wenn er gewollt hätte (er wollte nicht) – ich hatte mir sehnlichst gewünscht, dass ich einmal, nur *einmal*, mit ihnen in die Wildnis reiten könnte, dass ich, und nicht Kaytee Jones mit den Hawaii-Augen oder Priscilla Pastor Owensby mit Beinen so lang wie ein Highway, ihr Lieblings-Appaloosa wäre.

Aber jetzt war alles anders. Jetzt hatte ich Kupferhaare und schimmernde Myrtenlippen, und Jade sagte beim nächsten Sonntagsessen bei Hannah: »Die Zach Soderbergs dieser Welt sind niedlich, das stimmt, aber sie sind auch langweilig wie Salzstangen. Okay – man hofft, dass man Luke Wilson findet, wenn man an ihnen kratzt. Oder Johnny Depp mit seinen kleidungsmäßigen Ausrutschern bei allen größeren Preisverleihungen – mit dem wäre man auch nicht unzufrieden. Aber glaub mir, man bekommt nur Cracker ohne Geschmack.«

»Um wen geht es?«, wollte Hannah wissen.

»Um einen aus meinem Physikkurs«, sagte ich.

»Er ist ziemlich beliebt. Unser Jahrgang«, sagte Lu.

»Man muss sich nur seinen Pelz ansehen«, sagte Nigel. »Ich glaube, er hat Haarimplantate.«

»Tja, er kämpft leider auf verlorenem Posten«, sagte Jade. »Würg hat sich schon anderweitig verguckt.«

Sie schaute triumphierend zu Milton, aber zu meiner Erleichterung widmete er sich gerade intensiv seinem dänischen Brathähnchen mit Sonnenblumenwürze und gebratenen Süßkartoffeln und bemerkte ihren Blick nicht.

»Dann bricht Blue jetzt also die Herzen«, sagte Hannah und zwinkerte mir zu. »Wurde ja auch Zeit.«

* * *

Ich fragte mich, was mit Hannah los war.

Ich hatte ein schlechtes Gewissen deswegen, weil die anderen ihr auf so unkomplizierte Art vertrauten, so wie ein altes Pferd einen Reiter annimmt und wie ein Kind eine ausgestreckte Hand ergreift, um die Straße zu überqueren.

Aber nach meinem Versuch, sie mit Dad zu verkuppeln, ertappte ich mich manchmal dabei, wie ich bei ihr zu Hause aus den Tischgesprächen herausfiel. Ich schaute mich dann im Zimmer um, als wäre ich eine Fremde, die herumschnüffelte und draußen die Nase ans Fenster presste. Ich hätte gern gewusst, warum sie sich so für mein Leben, für mein Wohlergehen, meine Frisur interessierte (»*Sehr hübsch*«, sagte sie. »Du siehst aus wie ein heimatloser Flapper«, sagte Dad); und ich hätte, nebenbei bemerkt, auch gern gewusst, warum sie sich für einen von den anderen interessierte. Was war mit ihren erwachsenen Freunden, warum hatte sie nicht geheiratet oder irgendeins von den Dingen getan, die Dad als »domestizierte Abenteuer« bezeichnete (SUVs, Kinder), dieses »Sitcom-Drehbuch, an dem sich die Leute festhalten, weil sie hoffen, so ihrem Dosengelächter-Leben einen Sinn abgewinnen zu können.«

In ihrem Haus gab es keine Fotografien. In der Schule sah ich kein einziges Mal, dass sie sich mit anderen Lehrern unterhielt, ich sah sie nur mit Eva Brewster, der Sekretärin im Hauptbüro, und auch das nur einmal. So sehr ich sie mochte – vor allem in Momenten, wenn sie sich gestattete, albern zu sein, wenn im Radio eins ihrer Lieblingslieder kam und sie einen übermütigen Tanz vollführte, ihr Weinglas in der Hand, barfuß, mitten im Wohnzimmer, und wenn die Hunde sie anglotzten, wie die Fans Janis Joplin angeglotzt hatten, wenn sie »Bobby McGee« sang (»Ich war mal in einer Band«, erzählte Hannah schüchtern und biss sich auf die Unterlippe. »Frontfrau. Ich habe mir die Haare rot gefärbt.«) –, aber ich konnte doch ein bestimmtes Buch nicht vergessen, ein Werk des renommierten Neurophysikers und Kriminologen Dr. Donald McMather *Sozialverhalten und Nimbus* (1998).

»Ein Erwachsener mit einem speziellen Interesse an beträchtlich jüngeren Personen kann nicht vollkommen ehrlich oder rational sein«, schreibt er auf S. 424, Kapitel 22, »Die Anziehungskraft von Kindern«. »Hinter einer solchen Tendenz verbirgt sich oft etwas sehr Gefährliches.«

Das fehlende Glied in der Kette

Ich war schon drei, vier Wochen mit den Bluebloods befreundet, als Jade in mein nichtexistentes Sexualleben einmarschierte wie General Sherman in die Südstaaten.

Nicht, dass ich ihre Offensive allzu ernst genommen hätte. Ich wusste, wenn es zum Eigentlichen käme, würde ich ohne Vorwarnung fliehen, wie Hannibals Elefanten bei der Schlacht von Zama im Jahr 202 v. Chr. Ich war zwölf, als Dad mir wortlos mehrere Bücher zum Lesen und Verdauen gab, darunter C. Allens *Schamkultur und Schattenwelt* (1993), *Irgendwo zwischen Puritanern und Brasilien: Der Weg zu einer gesunden Sexualität* (Mier, 1990) sowie Paul D. Russells beklemmendes Werk *Was Sie nicht über die weiße Sklaverei wissen* (1996).

»Du bist noch nie mit einem im Bett gewesen, stimmt's, Würg?«, fragte Jade eines Abends vorwurfsvoll und aschte gezielt in die halbkaputte blaue Vase neben ihr ab, wie irgendeine Filmpsychiaterin mit springmesserartigen Fingernägeln. Ihre Augen wurden schmal, als hoffte sie, dass ich ein Gewaltverbrechen gestehen würde.

Die Frage hing in der Luft wie eine Nationalflagge ohne Wind. Es war nicht zu übersehen, dass für die Bluebloods, auch für Nigel und Lu, Sex etwas wie ein hübsches, kleines Städtchen war, durch das sie durchbrausen mussten, um auf ihrem Weg nach Irgendwo zügig voranzukommen (manchmal war ich mir nicht ganz sicher, ob sie ihr endgültiges Ziel kannten). Sofort erschien Andreo Verduga in meinem Kopf (ohne Hemd, beim Heckenschneiden), und ich überlegte kurz, ob ich mir im Schnellverfahren eine heiße Szene ausdenken sollte, in der die Ladefläche seines Pickups eine tragende Rolle spielte (an die Mulche gepresst, über Tulpenzwiebeln rollend, die Haare im Rasenmäher verheddert), entschied mich aber klugerweise dagegen. »Jungfrauen offenbaren ihren eklatanten Mangel an Wissen und Erfahrung mit der angeberischen Subtilität eines Bibelverkäufers«, schrieb der britische Komiker Brinkly Starnes in *Eine Harlekin-Romanze* (1989).

Jade nickte vielsagend, als ich schwieg. »Dann müssen wir etwas unternehmen«, sagte sie und atmete seufzend Zigarettenrauch aus.

Ausstaffiert mit Jeffersons Studio 54 Klamotten fuhren Jade, Leulah und ich nach diesem unangenehmen Bekenntnis freitagabends – nachdem ich von Dad die Erlaubnis eingeholt hatte, bei Jade zu übernachten (»Und diese Jade – sie ist eine von deinen Joyce-Freunden?«) – immer in eine Bar in Redville, gleich hinter der Grenze von North Carolina.

Die Bar hieß Blind Horse Saloon (oder *lin ors loon*, wie das Schild in ersterbendem Neonpink flüsterte), ein absolut trostloses Lokal. Jade behauptete, sie fünf kämen seit »Jahren« hierher. Von außen sah die Bar aus wie ein verbrannter Laib Früchtekuchen (rechteckig, schwarz, keine Fenster), der an einer mit krümeligen Keksen gepflasterten Straße gestrandet ist. Mit grotesk gefälschten Ausweisen (ich war die braunäugige Roxanne Kaye Loomis, zweiundzwanzig, einssiebzig, eine Virgo Organspenderin; ich besuchte die Clemson University, Hauptfach Ingenieurwesen: »Sag immer, du nimmst dein Studium superernst«, belehrte mich Jade. »Die Leute haben keine richtige Vorstellung, was es ist, also fragen sie bestimmt nicht nach, weil es sie erschlägt.«) drängten wir uns an dem Türsteher vorbei, einem großen schwarzen Mann, der uns angaffte, als kämen wir von Disney on Ice und hätten vergessen, unsere Kostüme auszuziehen. Der Raum quoll über vor Countrymusic und mittelalten Männern in karierten Hemden, die sich an ihren Biergläsern festhielten wie an einem Geländer. Die meisten von ihnen glotzten mit offenem Mund auf vier Fernsehgeräte, die von der Decke herunterhingen und auf denen irgendein Baseballspiel oder die Lokalnachrichten kamen. Die

Frauen standen in dichten Grüppchen zusammen und spielten beim Reden an ihren Haaren herum, als würden sie irgendwelche müden Blumenarrangements zurechtzupfen. Uns musterten sie immer böse, vor allem Jade (siehe »Knurrende Coon Dogs«, *Leben in den Appalachen*, [Hester, 1974, S. 32]).

»Jetzt suchen wir einen Glückspilz für Blue«, verkündete Jade, und ihre Augen schweiften über den ganzen Raum, vorbei an der Linebacker Jukebox, dem Barkeeper, der mit seltsam muskulöser Energie Schnaps eingoss, als wäre er ein GI, der gerade in Saigon eingetroffen war, vorbei an den Holzbänken ganz hinten an der Wand, wo Mädchen warteten, deren Stirn so heiß und ölig war, dass man darauf Spiegeleier hätte braten können.

»Ich sehe keine geschmolzenen Milk Duds«, sagte ich.

»Vielleicht solltest du auf die große Liebe warten«, sagte Leulah. »Oder auf Milton.«

Darüber machten sich Jade und Lu ständig lustig: Sie veräppelten mich, weil ich »ganz böse hinter Black her« sei, weil ich unbedingt »Schwarz und Blau« sein wolle und so weiter – Behauptungen, die ich nicht bestätigen wollte (obwohl sie stimmten).

»Hast du noch nie das Sprichwort gehört, dass man nicht da kacken soll, wo man isst?«, fragte Jade. »Lieber Gott, die Menschen haben einfach kein Vertrauen. Da. Der hübsche Junge ganz hinten am Tresen, der sich mit dieser Malariafliege unterhält. Er hat eine Schildpattbrille auf. Weißt du, was das heißt?«

»Nein«, sagte ich.

»Hör auf, dein Kleid dauernd runterzuziehen wie eine Fünfjährige. Es heißt, er ist ein Intellektueller. Solange jemand am Tresen mit Schildpattbrille steht, bist du noch nicht zu weit ins Hinterland vorgedrungen. Er ist perfekt für dich. Ich bin am Verdursten.«

»Ich auch«, sagte ich.

»Ich hol uns was«, sagte Leulah. »Was wollt ihr?«

»Wir sind doch nicht die ganze Strecke in dieses Kaff gefahren, um unsere Getränke selbst zu bezahlen«, sagte Jade. »Blue? Meine Zigaretten, bitte.«

Ich holte sie aus meiner Tasche und reichte sie ihr.

Jades Schachtel Marlboro Light waren das Instrument (*boleadoras*), das sie einsetzte, um ahnungslose Männer (*cimarron*) zu überfallen. (Jades bestes Fach – das einzige, in dem sie richtig gut war – war Spanisch.) Sie begann in der Bar (*estancias*) herumzuwandern und wählte dann einen attraktiven, knackigen Kerl aus, der ein bisschen abseits von den anderen stand (*vaca perdida* – oder verlorene Kuh). Ihm näherte sie sich langsam und tippte ihm dann ganz leicht auf die Schulter, ohne eine abrupte Kopf- oder Handbewegung.

»Hast du Feuer, *hombre*?«

Es gab zwei Szenarien, die dieser Satz zwingend nach sich zog:

1. Er kam ihrem Wunsch begeistert nach.
2. Wenn er kein Feuer hatte, suchte er hektisch danach.

»Steve, hast du Feuer? Du, Arnie? Henshaw? Feuer. Streichhölzer sind auch okay. McMundy, du vielleicht? Cig – weißt du, ob Marcie Feuer hat? Frag sie doch mal. Oder Jeff? Nein? Ich frag den Barkeeper.«

Falls Szenario Nummer zwei eintrat, drehte ihm Jade den Rücken und war, wenn der *cimarron* endlich mit Streichhölzern zurückkam, leider längst auf der Suche nach einem anderen verlorenen Rind. Er stand dann reglos neben ihrem Rücken, eine Minute lang, manchmal auch fünf oder sogar zehn Minuten, und tat nichts, kaute auf der Unterlippe, starrte geradeaus und muhte nur zwischendurch manchmal Jades Schultern oder Rücken an, indem er ein trauriges »Entschuldigung?« murmelte.

Nach einer Weile reagierte sie dann.

»Hmmm? Oh, *gracias, chiquito.*«

Wenn sie sich auf der Ranch zu Hause fühlte, stellte sie ihm zwei Fragen:

1. Wo siehst du dich selbst in, sagen wir mal, zwanzig Jahren, *cavron*?
2. Was ist deine Lieblingsposition?

Meistens war der Betreffende nicht imstande, auch nur eine der beiden Fragen aus dem Stegreif zu beantworten, aber selbst wenn er auf die zweite ohne Zögern einging, wenn er sagte: »Assistant Manager in der Abteilung Marketing und Vertrieb von Axel Corp, wo ich jetzt schon arbeite, und in zwei Monaten kriege ich eine Beförderung«, dann hatte Jade keine andere Wahl, als ihn zu schlachten und sofort über dem offenen Feuer (dem *asado*) zu braten.

»Leider haben wir uns nichts mehr zu sagen. Verschwinde, *muchacho*.«

In den meisten Fällen reagierte er nicht, sondern schaute sie nur mit roten Triefaugen an.

»*Vamos*!«, rief sie dann. Leulah und ich bissen uns auf die Unterlippe, um nicht herauszuplatzen, und rannten hinter ihr her, quer durch den Raum (*pampas*), zwischen Ellbogen, Schultern, vielen Haaren und Biergläsern hindurch, bis zu den MÄDCHEN. Jade boxte sich an einem Dutzend *muchachas* vorbei, die Schlange standen, und sagte dabei, ich sei schwanger und müsste mich gleich übergeben.

»Quatsch!«

»Wenn sie schwanger ist, wieso ist sie dann so dürr?«

»Und warum trinkt sie Alkohol? Kriegt man von Alkohol nicht 'ne Frühgeburt?«

»Ach, hört doch auf, euer Großhirn zu strapazieren, *putas*«, sagte Jade.

Wir kicherten und pinkelten nacheinander in der Behinderten-Kabine.

Manchmal, wenn Jades Zigarette in schneller Präzisionsarbeit angezündet wurde, fing sie tatsächlich ein Gespräch an, aber normalerweise war es in der Bar viel zu laut, und die Unterhaltung bestand größtenteils daraus, dass Jade eine Frage nach der anderen abfeuerte, während der Typ immer wieder »Was?« blökte, als wäre er in einem Stück von Beckett gelandet.

Gelegentlich hatte der Typ einen Freund dabei, der seinen Blick auf Leulah richtete, und einer, der offenbar farbenblind war und mehr Haare hatte als ein Old English Sheepdog, fixierte auch tatsächlich einmal *mich*. Jade nickte begeistert und zupfte sich am Ohrläppchen (ihr Zeichen für »Das ist er!«), aber als der Typ den Kopf senkte, um sich zu erkundigen, wie ich »Leisure City« finde, fiel mir aus irgendeinem Grund keine Antwort ein. (»›Gut‹ erschlägt alles. Sag nie ›gut‹, Würg. Und – noch was. Es stimmt ja, er ist heiß wie die Hölle, aber wenn du auch nur noch ein einziges Mal deinen *Dad* erwähnst, dann schneide ich dir die Zunge raus.«) Nach einer langen Pause sagte ich: »Nicht besonders.«

Ehrlich gesagt, war ich eingeschüchtert von der penetranten Art, wie er sich über mich beugte, so stolz auf seine Bierfahne und sein Kinn, das aus der Haarmasse herausragte wie ein Zuckerhut, und von seiner Art, meine Vorderseite zu inspizieren, als würde er am liebsten meine Kühlerhaube heben und meinen Vergaser überprüfen. »Nicht besonders« war allerdings nicht die Antwort, die er hören wollte. Er zwang sich zu einem Grinsen und pirschte sich dann an Leulahs Kühlerhaube ran.

Es kam auch vor, dass ich auf die Stelle bei der Tür starrte, wo Jade gerade noch ihren Angus-Stier durchleuchtet hatte, ob es sich lohnte, ihn zur Verbesserung ihrer Herde zu kaufen. Aber plötzlich war sie verschwunden. Sie war nirgends, weder bei der Jukebox noch bei dem Mädchen, das einem anderen Mädchen seine goldene Halskette zeigte – »Hat er mir geschenkt, ist das nicht süß?« (sah aus wie ein vergoldeter Daumennagel) –, auch nicht in dem stickigen Gang, der, an den Sofas und den Flipperautomaten vorbei, nach hinten führte, und auch nicht bei dem Mann, der schon ewig am Tresen stand, ein Fossil, gefesselt von den Nachrichten (»Eine Tragödie wird uns heute Abend aus Burns County gemeldet. Ein Raubüberfall, bei dem drei Menschen ums Leben kamen. Cherry Jeffries ist uns jetzt live vom Tatort zugeschaltet.«). Als es das erste Mal passierte, erschrak ich furchtbar (ich hatte *Das Mädchen, das verschwand* [1982] von Eileen Crown gelesen, als ich noch zu klein war, weshalb das Buch einen verstörenden Eindruck hinterlassen hatte) und scheuchte Leulah auf (die zwar proper und altmodisch aussah, sich aber trotzdem einigermaßen ludermäßig aufführen konnte, mit ihrem Parfümlächeln, wenn sie sich ihren dicken Zopf um die Hand wickelte und mit Kleinmädchenstimme redete, sodass sich die Männer zu ihr neigten wie große Strandschirme, die versuchen, die Sonne abzuhalten).

»Wo ist Jade?«, fragte ich sie. »Ich seh sie nirgends.«

»Irgendwo«, sagte Leulah leichthin, ohne den Blick von einem Typ namens Luke abzuwenden, der ein weißes T-Shirt trug, das so eng wie Plastikfolie anlag, und dessen Arme so gewaltig waren wie die Bleirohre im Keller. Er verwendete nur Wörter, die nicht mehr als zwei Silben hatten, während er ihr die faszinierende Geschichte erzählte, wie er wegen schlechten Benehmens aus West Point rausgeschmissen wurde.

»Aber ich seh sie nicht«, sagte ich nervös, während ich mit den Augen den Raum absuchte.

»Sie ist auf dem Klo.«

»Geht's ihr gut?«

»Klar.« Leulah wendete den Blick nicht von Lukes Gesicht ab, als wenn der Typ Dickens wäre oder der scheiß Samuel Clemmons.

Ich arbeitete mich bis zum MÄDCHEN-Klo vor.

»Jade?«

Auf der Toilette war alles so veschwiemelt und düster wie in einem schmutzigen Aquarium. Mädchen in Tanktops und hautengen Hosen drängten sich vor den Spiegeln, trugen Lippenstift auf, fuhren sich mit den Fingernägeln durch die Haare, die steif waren wie Trinkhalme. Abgerolltes Klopapier schlängelte sich auf dem Fußboden, und der Handtrockner kreischte, obwohl sich niemand die Hände trocknete.

»Jade? Jade? Hallo?«

Ich ging in die Hocke und sah ihre metallic grünen Sandalen in der Behindertenkabine.

»Jade? Ist alles in Ordnung?«

»*Ach, verdammte Scheiße, was ist denn jetzt kaputt? Was willst du*?«

Sie stieß die Tür auf, sodass sie gegen die Wand knallte, und kam herausmarschiert. Hinter ihr, eingequetscht zwischen Klositz und Toilettenpapierhalter, stand ein Mann, ungefähr fünfundvierzig, mit einem dichten braunen Bart, der sein Gesicht in grobe Flächen unterteilte, so ähnlich wie die Gesichter, die Erstklässler im Zeichenunterricht ans Fenster kleben. Er trug eine Jeansjacke mit zu kurzen Ärmeln und sah aus, als würde er gern auf gebrüllte Befehle reagieren, einschließlich »Komm schon her, Junge!« und »Zeig's ihnen!« Sein Gürtel war offen und hing herunter wie eine Klapperschlange.

»Ich – ich –«, stotterte ich. »Ich –«

»Stirbst du?« Ihr Gesicht war in der Beleuchtung blassgrün, robbenglatt. Feine goldene Härchen klebten an ihren Schläfen wie Frage- und Ausrufezeichen.

»Nein«, sagte ich.

»Hast du vor, demnächst zu sterben?«

»Nein –«

»Warum belästigst du mich dann? Bin ich etwa deine Scheißmutter?«

Sie drehte auf dem Absatz um, knallte die Tür zu und verriegelte sie.

»Blöde Schlampe«, sagte eine Latina, die am Waschbecken ihren flüssigen Eyeliner frisch auftrug, die Oberlippe fest über die Zähne gespannt, wie Plastikfolie über Essensreste. »Ist das deine Freundin?«

Ich nickte benommen.

»Der würde ich 'nen Tritt in ihren perversen Arsch geben.«

Es kam vor, dass, zu meinem maßlosen Entsetzen, auch Leulah in der Toilette verschwand, fünfzehn, zwanzig Minuten lang (Beatrice hatte es in siebenhundert Jahren weit gebracht, genau wie Annabel Lee). Anschließend trugen sie und Jade immer eine zufriedene, ja, arrogante Miene zur Schau, als hätten sie in der Behindertenkabine ganz von allein die letzte Zahl von Pi herausgefunden, als wüssten sie jetzt außerdem, wer Kennedy ermordet hat, und als hätten sie das fehlende Glied in der Kette gefunden. (Nach dem Aussehen mancher der Typen zu urteilen, die sie mitnahmen, stimmte das vielleicht sogar.)

»Blue sollte es auch versuchen«, sagte Leulah einmal auf der Heimfahrt.

»Auf keinen Fall«, entgegnete Jade. »Dafür muss man Profi sein.«

Natürlich hätte ich sie gern gefragt, was sie dachten, dass sie täten, aber ich spürte, dass sie nicht wissen wollten, was Robard Neverovich – ein Russe, der in mehr als 234 amerikanischen Notunterkünften ehrenamtlich gearbeitet hatte – in seinem Buch *Töte mich* (1999) geschrieben hatte oder in dem Bericht über seine Thailand-Reise, nachdem er Nachforschungen über die Kinderpornoindustrie angestellt hatte (*Ich will alles, alles auf einmal,* 2003). Klar, Jade und Leulah kamen bestens zurecht, vielen Dank, und sie brauchten mit Sicherheit nicht das Feedback eines Mädchens, das »wie bekloppt dasteht, wenn ihr irgendein Typ einen Hurricane spendieren möchte«, das »nicht wusste, was sie mit einem Kerl anfangen sollte, selbst wenn sie eine Gebrauchsanweisung mit Bildern und außerdem noch eine interaktive CD-ROM dazu hätte«. Obwohl ich immer solche Angst hatte, sobald eine der beiden verschwand, merkte ich doch hinterher etwas sehr Wichtiges: Wenn wir wieder im Mercedes saßen, wenn sie über irgendeinen Köter herzogen, den sie in die Behindertenkabine mitgenommen hatten und der anschließend völlig durchgedrcht war und, als wir rausgingen, hinter ihnen herrannte und »Cammie! Ashely!« schrie (die Namen auf ihren gefälschten Ausweisen), bis ihn der Türsteher umwarf wie einen Sack Kartoffeln, wenn Jade in einem Affentempo nach Hause fuhr und sich zwischen den Lastern durchwieselte und wenn Leulah grundlos schrie, den Kopf zurückgelehnt, die Haare wirr auf der Nackenstütze, die Arme zum Sonnendach gereckt, als wolle sie sich die winzigen Sterne vom Himmel holen, sie wie Fussel abzupfen – dann merkte ich, dass die beiden etwas ganz Unglaubliches, etwas Mutiges und Tapferes hatten, worüber noch nie jemand geschrieben hatte, soweit ich mich erinnern konnte, jedenfalls nicht richtig.

Ich hatte meine Zweifel, ob *ich* darüber schreiben könnte, weil ich ja »in jeder Bar, in jedem Club der platte Reifen war« und weil sie eine völlig andere Welt zu bewohnen schienen als ich – eine Welt, die lustig war, ohne Rückprall, ohne widerliche Neonlampen, ohne Schwüle, ohne Teppichverbrennungen, eine Welt, in der sie herrschten.

* * *

Es gab einen Abend, der anders war als die anderen.

»Jetzt ist es so weit, Würg«, sagte Jade. »Heute ist der Abend, der dein Leben verändert.«

Es war der erste Freitag im November, und Jade hatte ziemlich viel Zeit darauf verschwendet, mein Outfit auszuwählen: zehn Zentimeter hohe, aggressive Goldsandaletten, die mir zwei Nummern zu groß waren, und ein Goldlamé-Kleid, das in tausend Falten über mich plätscherte, sodass ich aussah wie ein Shar-pei (siehe »Die Tradition der gebundenen Füße«, *Geschichte Chinas*, Ming, 1961, S. 241; »Darcel«, *Erinnerungen an »Reines Gold«*, LaVitte, 1989, S. 29).

Es war einer der seltenen Abende, an denen mich im Blind Horse Saloon tatsächlich jemand ansprach – ein Typ namens Larry, Mitte dreißig, schwer wie ein Bierfass. Er war so attraktiv wie eine nur sehr rudimentär bearbeitete Skulptur von Michelangelo. An seiner feinen Nase, seinen vollen Lippen, ja, sogar an seinen großen, angenehm geformten Händen konnte man Spuren interessanter Details entdecken, aber der Rest – Schultern, Torso, Beine – war noch nicht adäquat aus dem rohen Marmorblock herausgemeißelt worden, und so wie es aussah, würde das auch nicht so bald geschehen. Er hatte mir ein Amstel Light bestellt und stand dicht neben mir, während er darüber redete, wie es war, mit dem Rauchen aufzuhören. Es war das Schwerste, was er in seinem Leben getan hatte. »Das mit dem Pflaster ist das Beste, was die Medizin je erfunden hat. Die Technik sollten sie echt auf andere Sachen anwenden. Ich weiß ja nicht, wie's bei dir ist, aber ich hätte mit dem Pflaster kein Problem beim Essen und Trinken. Wenn man viel zu tun hat – an den Tagen kann man sich statt Fastfood ein Pflaster draufpappen. 'ne halbe Stunde später bist du satt. Wir könnten alle auch Sex mit dem Pflaster haben. Da würde man 'ne Menge Zeit und Energie sparen. Wie heißt du eigentlich?«

»Roxanne Kay Loomis.«

»Und was machst du so, Roxy?«

»Ich gehe auf die Clemson University und studiere Ingenieurwesen. Ich komme aus Dukers, North Carolina. Außerdem bin ich Organspenderin.« Larry nickte, trank einen kräftigen Schluck Bier und drehte seinen schweren Körper zu mir, sodass mein Bein gegen sein stämmiges Bein drückte. Ich machte einen kleinen Schritt in die einzige Richtung, die mir blieb, und stieß gegen den Rücken eines Mädchens mit blonden Stachelhaaren.

»'tschuldigung«, sagte sie.

Ich versuchte es mit der anderen Richtung, aber da stand ja schon Denkmal-Larry. Ich war wie ein Bonbon, das einem im Hals stecken bleibt.

»Wo siehst du dich selber in, sagen wir mal, zwanzig Jahren?«, fragte ich ihn.

Er antwortete nicht. Irgendwie sah er aus, als könne er kein Englisch mehr. Er verlor an Höhe, blitzschnell. Es war wie an dem Nachmittag, als Dad und ich den Volvo Kombi ein paar Meter vom Ende der Flughafen-Startbahn in Luton, Texas, parkten und eine Stunde lang auf der Kühlerhaube saßen, Peperoni-Käse-Sandwiches aßen und den Flugzeugen bei der Landung zuschauten. Die Flugzeuge zu beobachten war, wie wenn man in der Tiefe des Ozeans schwamm und über sich einen dreißig Meter langen Blauwal dahinziehen sah, aber im Gegensatz zu den Privatjets, den Airbusmaschinen und den 747ern stürzte Larry tatsächlich ab. Seine Lippen knallten auf meine Zähne, seine Zunge schoss in meinen Mund, wie eine Kaulquappe, die aus einem Glas abhaut. Eine Hand landete auf meinem Busen, und er quetschte meine rechte Brust aus wie eine Zitrone über gegrillter Seezunge.

»Blue?«

Ich riss mich los. Leulah und Jade standen hinter mir.

»Wir hauen ab«, verkündete Jade.

Larry brüllte (ein auffallend unenthusiastisches »Warte doch, Roxy!«), aber ich drehte mich nicht um, sondern folgte Jade und Leulah nach draußen zum Auto.

»Wohin gehen wir?«

»Zu Hannah«, sagte Jade trocken. »Übrigens, Würg, was hast du eigentlich für einen Geschmack? Dieser Typ war ja gruselig.«

Lu starrte sie ängstlich an, ihr grünes Bellmondo-Ballkleid stand am Hals ab wie ein permanentes Gähnen. »Ich halte das für keine besonders gute Idee.«

Jade schnitt eine Grimasse. »Warum?«

»Ich will nicht, dass sie uns sieht«, entgegnete Lu.

Jade zerrte an ihrem Sicherheitsgurt. »Wir nehmen ein anderes Auto. Das von Jeffersons Freund. Sein hässlicher Toyota steht bei uns in der Einfahrt.«

»Was ist los?«, fragte ich.

»Vermutlich treffen wir Charles«, sagte Jade, ohne auf meine Frage einzugehen. Sie schaute Lu an, während sie den Schlüssel in das Zündschloss steckte und den Wagen startete. »Er trägt Tarnkleidung und hat so ein Nachtsichtding.«

Lu schüttelte den Kopf. »Er ist mit Black bei 'nem Doubledate. Mit zwei Mädchen vom zweiten Jahr.«

Jade drehte sich um, weil sie wissen wollte, ob ich das gehört hatte (mit triumphierend mitleidiger Miene), dann fuhr sie vom Parkplatz und fädelte sich in den Highway Richtung Stockton ein. Es war eine kalte Nacht. Dünne, schmierige Wolkenfetzen klebten am Himmel. Ich zog das Goldlamé-Kleid möglichst weit über die Knie, starrte auf die vorbeifahrenden Autos und auf Lus fantastisches Parenthesen-Profil, dessen Wangenknochen durch die Scheinwerfer akzentuiert wurden. Jade und Lu sagten beide kein Wort. Ihr Schweigen war ein erschöpftes, erwachsenes Schweigen, das Schweigen eines verheirateten Paares, das von einer Dinnerparty nach Hause fuhr und nicht darüber reden wollte, dass der Ehemann zu viel getrunken hatte oder dass sie insgeheim gar nicht gemeinsam nach Hause fahren wollten, sondern mit jemand Neuem, mit jemandem, dessen Sommersprossen sie noch nicht kannten.

Vierzig Minuten später waren wir bei Jade, und sie ging ins Haus, um die anderen Autoschlüssel zu holen – »dauert nur 'ne Sekunde«. Als sie zurückkam, immer noch in ihren wackeligen roten Sandalen und ihrem Feuervogelkleid (es sah aus, als hätte sie bei der Geburtstagsparty eines reichen Mädchens den Müll durchwühlt, die exotischsten Fetzen Geschenkpapier mitgenommen und an sich gepappt), hatte sie einen Sixpack Heineken dabei, zwei gigantische Tüten Kartoffelchips und eine Packung dünne Lakritzstangen, von denen eine bereits aus ihrem Mund baumelte. Über ihrer Schulter hing ein riesiges Fernglas.

»Wir fahren zu Hannah?«, fragte ich, immer noch verwirrt, aber Jade ignorierte mich wieder und warf die Esssachen auf den Rücksitz des ramponierten weißen Toyota, der neben der Garage parkte. Leulah machte ein wütendes Gesicht (die Lippen fest aufeinandergepresst, wie ein Geldbeutel aus Stoff), aber sie überquerte wortlos die Einfahrt, kletterte auf den Beifahrersitz und knallte die Tür zu.

»Scheiße.« Jade schaute mit zusammengekniffenen Augen auf ihre Uhr. »Wir haben nicht viel Zeit.«

Ein paar Minuten später bogen wir mit dem Toyota wieder in den Highway ein, aber diesmal fuhren wir Richtung Norden, die entgegengesetzte Richtung von Hannah. Ich wusste, es hatte keinen Zweck zu fragen, wohin wir fuhren; die beiden waren wieder in dieses Schützengrabenschweigen verfallen, das so tief war, dass man nur mühsam daraus hervorkrabbeln konnte. Leulah starrte auf die Straße, auf die vorbeizischenden weißen Streifen, die roten Schlusslichtpailletten der Autos. Jade war mehr oder weniger wie immer, aber während sie auf ihrer Lakritzschlange herumkaute (dieses Mädchen kaute Kette; »Gib mir noch eine«, verlangte sie dreimal, bis ich schließlich die Packung neben die Handbremse quetschte), drehte sie ständig am Radio herum.

Wir fuhren eine halbe Stunde, dann nahmen wir die Ausfahrt 42 – Cottonwood, stand auf dem Schild –, bretterten die verlassene Landstraße zu einem Truckstop entlang. Links von uns war eine Tankstelle, und vor den 18 großen Lastwagen, die den Platz okkupierten wie tote Wale, stand auf einem kahlen Hügel ein Restaurant mit einem Rahmen aus Holz, der wie ein A aussah. *Stucky's* verkündeten die gelben Buchstaben über dem Eingang. Jade schlängelte sich mit dem Toyota zwischen den Lastern durch.

»Siehst du ihr Auto?«, fragte sie.

Leulah schüttelte den Kopf. »Es ist schon halb drei. Vielleicht kommt sie gar nicht.«

»Sie kommt.«

Wir fuhren im Kreis, bis Leulah mit dem Fingernagel gegen die Scheibe tippte.

»Da!« Sie deutete auf Hannahs roten Subaru, eingezwängt zwischen einem weißen Pickup und einem Van.

Jade fuhr in die nächste Reihe und parkte rückwärts ein, vor einem Wall aus Kiefernnadeln und der Straße. Leulah schüttelte ihren Sicherheitsgurt ab und verschränkte die Arme vor der Brust, Jade steckte sich fröhlich noch einen schwarzen Schnürsenkel in den Mund, kaute am einen Ende und wickelte sich das andere schnell um die Fingerknöchel, wie ein Boxer, bevor er die Handschuhe anzieht. Hannahs Subaru war vor uns, zwei Reihen weiter. Am anderen Ende des Parkplatzes, auf dem Hügel, lag das Restaurant, gesetzlich blind (drei Fenster hinten waren verrammelt) und ernsthaft glatzengefährdet (lockere Dachziegel en masse). In den spärlich beleuchteten Fenstern konnte man nicht viel sehen – ein paar matte Farbtupfer, eine Reihe von grünen Lampen, die herunterhingen wie verschimmelte Duschköpfe –, aber man musste nicht hineingehen, um zu wissen, dass die Speisekarten klebten und die Tische mit Kuchenkrümeln gewürzt waren, die Kellnerinnen kiebig, die Gäste klobig. Garantiert musste man die Salzstreuer klopfen bis zum Gehtnichtmehr – madenartige Reiskörner innen drin –, um ihnen auch nur ein Körnchen Salz zu entlocken. (»Wenn sie das mit dem Salz schon nicht hinkriegen, dann frage ich mich, wie sie Chicken Cacciatore machen wollen«, sagte Dad immer in solchen Lokalen und hielt die Speisekarte weit weg von seinem Gesicht, für den Fall, dass sie plötzlich zum Leben erwachen sollte.)

Ich beugte mich vor und räusperte mich, ein Zeichen für Jade oder Lu, mir endlich zu erklären, was sie an diesem grauenhaften Wasserloch an der Straße vorhatten (einem Ort, um den Dad und ich immer einen großen Bogen machten; es war nichts Ungewöhnliches, dass wir einen Umweg von zwanzig Meilen fuhren, nur um nicht mit »Männern und Frauen, die, wenn man die Augen zusammenkniff, aussahen wie ein Stapel Autoreifen«, das Brot brechen zu müssen), aber als sie immer noch nichts sagten (Lu stopfte sich jetzt ebenfalls den Mund mit Lakritz voll und kaute ziegenmäßig), begriff ich, dass es sich um etwas handelte, was sie nicht in Worte fassen konnten: Wenn sie es in Worte fassten, wurde es real, und sie machten sich irgendwie schuldig.

Zehn Minuten lang war nichts zu hören als das gelegentliche Knallen einer Wagentür – irgendein Trucker, kommend, gehend, hungrig, voll – und das wütende Zischen des Freeways. Zwischen den dunklen Bäumen am Rand des Parkplatzes hindurch sah man eine Brücke mit dem endlosen Kugelhagel der Autos, rot-und-weiße Funken, die in die Nacht schossen.

»Was für einer ist es diesmal?«, fragte Jade tonlos, während sie durch das Fernglas schaute.

Lu zuckte die Achseln, ihre Lakritzstange wiederkäuend. »Keine Ahnung.«

»Dick oder dünn?«

»Dünn.«

»Also ich denke: Schwein.«

»Sie mag kein Schwein.«

»Doch. Sie sind ihr Beluga. Reserviert für besondere Anlässe. *Oh.*« Jade schoss nach vorn und knallte mit dem Fernglas gegen die Windschutzscheibe. »Oh, *fick ... mich.* Scheiße.«

»Was – ein Baby?«

Jades Mund stand offen, ihre Lippen bewegten sich, aber sie brachte kein Wort heraus. Sie seufzte schwer. »Schon mal *Frühstück bei Tiffany* gesehen?«

»Nein, nie«, antwortete Lu sarkastisch, legte die Hände auf das Armaturenbrett und beugte sich vor, um die beiden Menschen, die aus dem Restaurant kamen, besser sehen zu können.

»Tja« – ohne das Fernglas abzulegen, griff Jade mit der rechten Hand in die Chipstüte und stopfte sich den Mund voll – »es ist der ekelhafte *Doc.* In uralt. Normalerweise würde ich sagen, es ist wenigstens nicht Rusty Trawler, aber in diesem Fall bin ich mir da gar nicht so sicher.« Sie lehnte sich zurück, schluckte und reichte Lu mit grimmiger Miene das Fernglas. »Rusty hat wenigstens Zähne.«

Nach einem kurzen Blick (angewiderter Ekel schwappte über ihr ganzes Gesicht) gab Lu das Fernglas an mich weiter. Ich schluckte und schaute: Hannah Schneider hatte soeben das Restaurant verlassen. Mit einem Mann.

»Ich hasse Doc – schon immer«, murmelte Lu.

Hannah war so aufgemotzt, wie ich sie noch nie gesehen hatte (»angepinselt«, sagten sie an der Coventry Academy). Sie trug einen schwarzen Pelzmantel – vermutlich Kaninchen, denn er sah so teenymäßig aus (der Reißverschluss war mit einem Pompon verziert), goldene Armreifen, dunklen Lippenstift, der ihren Mund verkohlt aussehen ließ. Ihre Haare bogen sich auf den Schultern, und unter dem Saum ihrer engen Saran-Jeans schauten spitze weiße Stilettos hervor. Als ich einen leichten Schwenk mit dem Fernglas machte, um ihren Begleiter zu begutachten, wurde mir sofort übel, denn im Vergleich zu Hannah war er völlig verschrumpelt. Tiefe Falten waren in sein Gesicht eingraviert. Er war mindestens Ende sechzig, vielleicht sogar Anfang siebzig, kleiner als sie und dürr wie ein Bordstein. Oberkörper und Schultern waren muskellos, als wäre dicker karierter Flanellstoff über einen Bilderrahmen gezogen worden. Die Haare waren ziemlich dicht, ohne Geheimratsecken (wenigstens *eine* halbwegs attraktive Eigenschaft); sie saugten das Licht auf, wurden unter den Scheinwerfern grün, oxidierten dann zu Grau wie Fahrradspeichen. Als er hinter ihr die Stufen hinunterging – Hannah ging sehr rasch, öffnete den Reißverschluss ihrer komischen rosaroten Pelztasche, kramte anscheinend nach ihren Autoschlüsseln –, klappten seine knochigen Beine nach außen, wie ein ausziehbares Geschirrtrockengestell.

»Würg, lässt du auch mal die anderen gucken, oder was?«

Ich gab Jade das Fernglas. Sie schaute durch, kaute auf der Unterlippe.

»Hoffe, er hat Viagra dabei«, brummelte sie.

Lu kroch in ihren Sitz nach unten und rührte sich nicht, als die beiden in Hannahs Wagen stiegen.

»Ach, um Gottes willen, du dumme Kuh, sie können uns nicht sehen«, schimpfte Jade, aber auch sie saß mucksmäuschenstill und wartete, bis der Subaru losfuhr und hinter einen der Lastwagen schlich, bevor sie den Motor anließ.

»Wohin gehen sie?«, fragte ich, obwohl ich mir nicht ganz sicher war, ob ich es wirklich wissen wollte.

»Ins Floh-Motel«, antwortete Jade. »Sie bumst mit ihm eine halbe Stunde oder auch fünfundvierzig Minuten, dann wirft sie ihn raus. Ich bin immer überrascht, dass sie ihm nicht den Kopf abbeißt wie eine Gottesanbeterin.«

Wir folgten dem Subaru (einen gewissen Höflichkeitsabstand wahrend) drei oder vier Meilen und kamen dann in eine Ortschaft, von der ich annahm, dass es sich um Cottonwood handelte. Es war eine dieser abgemagerten Siedlungen, durch die Dad und ich hunderttausend Mal gefahren waren, blasse, unterernährte Städte; aber irgendwie schafften sie es zu überleben, mit Tankstellen, Motels und McDonald's. Große, schorfartige Parkplätze am Straßenrand.

Nach etwa fünfzehn Minuten setzte Hannah den Blinker und fuhr in ein Motel, die Country Style Motor Lodge, ein weißes flaches, u-förmig angelegtes Gebäude mitten auf einem Platz – es sah aus wie ein verlorenes Gebiss. Ein paar Ahornbäume standen schmollend an der Straße, andere krümmten sich suggestiv in Richtung Anmeldung, als wollten sie die Gäste veräppeln. Wir bogen dreißig Sekunden nach Hannah in den Parkplatz, schwenkten aber gleich nach rechts und hielten neben einem grauen Familienauto, während Hannah bei der Anmeldung hielt und im Haus verschwand. Als sie zwei oder drei Minuten später wieder auftauchte, wurde sie vom schummrigen Licht des Carports erfasst, und ihr Gesichtsausdruck erschreckte mich. Es waren nur ein paar Sekunden (und sie war ja nicht gerade nahe bei uns), aber für mich sah sie aus wie ein abgestellter Fernseher – keine siffige Seifenoper, kein Gerichtsdrama, nicht einmal die farblose Wiederholung eines Westerns – nur Leere. Sie stieg wieder in den Subaru, machte den Motor an und fuhr langsam an uns vorbei.

»Shit«, jaulte Lu und rutschte wieder nach unten.

»Also *bitte*!«, sagte Jade. »Du wärst echt eine beschissene Attentäterin.«

Der Wagen hielt vor einem der Zimmer ganz links. Doc stieg aus, die Hände in den Taschen. Hannah mit einem winzigen spitzen Grinsen, das ihr Gesicht durchbohrte. Sie schloss die Tür auf, und die beiden verschwanden. »Zimmer 22«, berichtete Jade, mit dem Fernglas. Hannah musste sofort die Vorhänge zugezogen haben, die orangerot waren wie Cheddar und so dicht schlossen, dass kein Lichtstrahl durchdrang.

»Kennt sie ihn?«, fragte ich. Es war eher eine weit hergeholte Hoffnung als eine Frage.

Jade schüttelte den Kopf. »Nein.« Sie drehte sich um und musterte mich. »Charles und Milton sind letztes Jahr dahintergekommen. Sie waren abends unterwegs und wollten bei Hannah vorbeischauen, aber dann sind sie unterwegs ihrem Wagen begegnet. Sie sind ihm bis hierher gefolgt. Sie fängt um 1.45 an. Isst. Sucht sich einen aus. Immer am ersten Freitag des Monats. Das ist die einzige Verabredung, die sie einhält.«

»Wie meinst du das?«

»Das weißt du doch. Sie ist total desorganisiert. Tja, aber nicht hier.«

»Und sie … sie weiß nicht, dass ihr es wisst?«

»Natürlich weiß sie es nicht.« Ihre Augen beschossen mein Gesicht. »Und komm jetzt bloß nicht auf die Idee, es ihr zu sagen.«

»Ich sag's ihr nicht«, sagte ich und schaute zu Lu, aber die schien gar nicht zuzuhören. Sie saß in ihrem Sitz wie auf den elektrischen Stuhl geschnallt.

»Und was passiert als Nächstes?«, fragte ich.

»Ein Taxi fährt vor. Der Typ taumelt aus dem Zimmer, nur halb angezogen, manchmal hat er das Hemd zerknüllt in der Hand. Oder ohne Socken. Und dann schleicht er mit dem Taxi davon. Wahrscheinlich wieder ins Stucky's, wo er in seinen Truck steigt und losfährt, wer weiß wohin. Hannah geht erst am Morgen.«

»Woher weißt du das?«

»Charles bleibt meistens die ganze Zeit.«

Ich wollte keine weiteren Fragen stellen, deshalb verfielen wir drei wieder in Schweigen, und wir schwiegen immer weiter, auch nachdem Jade ein Stück näher herangefahren war, sodass wir die 22 erkennen konnten, das Safari-Muster auf den zugezogenen Vorhängen und die Beule in Hannahs Auto. Es war komisch: der Parkplatz als Kriegsschauplatz. Wir waren irgendwo stationiert, Ozeane von zu Hause entfernt, und wir hatten Angst vor Dingen, die wir nicht sahen. Leulah hatte eine Schützengrabenneurose, ihr Rücken war steif wie ein Flaggenmast, ihre Augen waren magnetisch auf die Tür gerichtet. Jade war der Offizier, mies gelaunt, k.o. und sich sehr wohl bewusst, dass nichts, was sie sagte, uns trösten würde, also klappte sie nur den Sitz nach hinten, drehte das Radio an und stopfte sich Kartoffelchips in den Mund. Ich war auch vietnamisiert. Ich war der heimwehkranke Feigling, der schließlich an einer Wunde, die er sich aus Versehen selbst zugefügt hat und aus der das Blut quillt wie Caprisonne mit Traubengeschmack, völlig unheroisch stirbt. Ich hätte meine linke Hand gegeben, um hier wegzukommen. Ich wollte wieder bei Dad sein, in meinem Flanellschlafanzug, und ein paar seiner Seminararbeiten korrigieren, meinetwegen auch die schlechten, wie die von dem Mädchen, das eine riesige Schrifttype verwendete, um Dads Minimalforderung von zwanzig bis fünfundzwanzig Seiten zu erfüllen.

Ich dachte an das, was Dad zu mir gesagt hatte, als ich mit sieben beim Screamfest Fantasy Circus in Choke, Indiana, war. Wir waren Geisterbahn gefahren, und ich hatte solche Angst gehabt, dass ich mir die ganze Zeit die Finger in die Augen drückte – kein einziges Mal hatte ich gespickt, keine einzige Horrorerscheinung gesehen. Nachdem ich die Hände vom Gesicht genommen hatte, machte er mir wegen meiner Ängstlichkeit keine Vorwürfe, nein, er schaute auf mich herunter und nickte nachdenklich, als hätte ich gerade verblüffende neue Erkenntnisse für die Revolutionierung des Wohlfahrtsstaates gewonnen. »Ja«, sagte er. »Manchmal braucht es mehr Mut, nicht hinzusehen. Manchmal ist Wissen schädlich – nicht Aufklärung, sondern Verdunklung. Wenn man den Unterschied erkennt und sich entsprechend verhält – dann ist das ausgesprochen mutig. Denn bei bestimmten Formen des menschlichen Elends sollte der Asphalt der einzige Augenzeuge sein. Und höchstens noch die Bäume.«

»Versprich mir, dass ich so was nie mache«, sagte Lu plötzlich mit Piepsstimme.

»Was?«, sagte Jade tonlos, die Augen wie Papierschlitze.

»Wenn ich alt bin.« Ihre Stimme war so fragil, dass man sie in zwei Teile hätte brechen können. »Versprich mir, dass ich verheiratet bin und Kinder habe. Oder dass ich berühmt bin. Dass …«

Ihr Satz hatte kein Ende. Er hörte einfach nur auf, eine Granate, die geworfen wurde, aber nicht explodierte.

Danach schwiegen wir alle, und um 4.03 löschte jemand in Zimmer 22 das Licht. Wir sahen, wie der Mann herauskam, vollständig bekleidet (nur seine Fersen, das sah ich, waren nicht richtig in den Schuhen). Er fuhr mit dem rostigen Blue Bird Taxi weg (1-800-BLUBIRD), das schon schnurrend vor der Rezeption auf ihn wartete.

Es war genauso, wie Dad gesagt hatte (wäre er bei uns im Auto gewesen, hätte er das Kinn vorgestreckt, nur ein kleines bisschen, hätte eine Augenbraue hochgezogen, seine Geste für Verlassdichaufmich und Habichsdirnichtgesagt). Es hätte nur drei Augenzeugen geben dürfen: das Neonschild mit seiner Zitterbotschaft ZIMMER FREI, die dürren, asthmatischen Bäume, die verführerisch mit ihren Zweigen über das Rückgrat des Dachs strichen, und der Himmel, eine große, purpurrote Prellung, die viel zu langsam über unseren Köpfen verblasste.

Wir fuhren nach Hause.

Teil 2

Moby Dick

Zwei Wochen nachdem wir Hannah nachspioniert hatten (»Observiert«, klarifizierte Chefinspector Ranulph Curry in *Die Eitelkeit des Einhorns* [Lavelle, 1901]), fand Nigel eine Einladung. Sie lag im Papierkorb in ihrem Arbeitszimmer gleich neben dem Wohnzimmer, einem kleinen Raum voller Atlanten und halb toten Hängepflanzen, die nur mit knapper Not Hannahs Art der Blumenpflege überlebten (vierundzwanzig Stunden Pflanzenlicht, gelegentlich Miracle-Gro-Dünger).

Sie war vornehm, in Prägedruck auf festem, cremefarbenem Karton:

The Burns County Animal Shelter
cordially invites you to
our annual charity event
in support of all animals in need,
at 100 Willows Road,
on Saturday, November the 22nd,
at eight o'clock in the evening.

Price: $40 per person.
RSVP.
Costume Required. Musks Preferred.

»Ich finde, da sollten wir hin«, verkündete Nigel am Freitag bei Jade.

»Ich auch«, sagte Leulah.

»Auf keinen Fall«, sagte Charles. »Sie hat euch nicht eingeladen.«

»Das können wir hier vernachlässigen«, sagte Nigel.

Trotz Charles' Warnung zog Nigel am nächsten Sonntag, als das Essen halb vorbei war, die Einladung aus der Hosentasche und legte sie kühn, aber ohne ein Wort zu sagen, neben die Platte mit Kalbskotelett.

Augenblicklich wurde das Esszimmer unerträglich bis zum Nägelkauen (siehe *Show-down zur Mittagszeit in Sioux Falls: Ein Mohave Dan-Western*, Lone Star Publishers, Bendley, 1992). Die Mahlzeiten waren sowieso schon ein kleines bisschen unerträglich geworden – seit dem Ausflug nach Cottonwood. Ich fand es unmöglich, Hannah ins Gesicht zu sehen, fröhlich zu lächeln, unbefangen über Hausaufgaben, Referate oder Ms Moats Vorliebe für gemusterte Hemden zu plappern, ohne gleichzeitig Doc und seine Akkordeonbeine vor mir zu sehen, sein faltiges Gesicht, das ausgesehen hatte wie termitenzerfressenes Holz, ganz zu schweigen vom Horror des Hollywood-Kusses, der zugegebenermaßen nicht auf der Leinwand stattgefunden hatte, aber trotzdem schrecklich gewesen war. (Es waren zwei verschiedene Filme, die lieblos ineinander geschnitten worden waren – *Gilda* und *Cocoon*!)

Wenn ich an Jade, Lu und die Behindertenkabine dachte, wurde mir natürlich auch übel, aber bei Hannah war es schlimmer. Wie Dad sagte, der Unterschied zwischen einem dynamischen und einem vergeblichen Aufstand bestand darin, an welchem Punkt in der historischen Entwicklung eines Landes er stattfand (siehe van Meer, »Der Traum von der Industrialisierung«, *Federal Forum*, Bd. 23, Heft 9). Jade und Lu waren noch Schwellenländer. Da war es zwar nicht toll, aber andererseits auch nicht furchtbar, dass sie eine rückständige Infrastruktur hatten und einen schlechten Index der menschlichen Entwicklung. Aber Hannah – sie war schon viel weiter. Sie müsste eigentlich eine robuste Ökonomie haben, dazu Frieden, freien Handel – da diese Dinge nicht gesichert waren, sah es, ehrlich gesagt, auch mit ihrer Demokratie nicht allzu rosig aus. Es konnte also gut sein, dass sie immer weiter kämpfen musste, während »Korruption und Skandale permanent [ihre] Glaubwürdigkeit als sich selbst verwaltender Staat untergruben«.

Milton hatte ein Fenster geöffnet. Ein welpenartiger Windstoß wirbelte durchs Esszimmer, sodass mir die Papierserviette vom Schoß flog und die Flammen auf den Kerzen wie verrückt gewordene Ballerinen zu tanzen anfingen. Ich konnte es nicht fassen, was Nigel getan hatte – er benahm sich wie ein eifersüchtiger Ehemann, der seiner Frau einen entlarvenden Manschettenknopf unter die Nase hält.

Aber Hannah zeigte keine Reaktion.

Sie schien die Einladung gar nicht zu *sehen*, sondern konzentrierte sich ganz und gar auf ihr Kalbskotelett und schnitt es in zwei genau gleich große Stücke, ein feines Lächeln auf den Lippen. Ihre Bluse aus meergrünem Satin (eins der wenigen Kleidungsstücke, die sich nicht wie Flüchtlinge gerierten), umhüllte sie wie eine sinnlich schillernde Haut, die sich bewegte, wenn sie sich bewegte, und atmete, wenn sie atmete.

Die Spannung hielt noch eine ganze Weile an, etwa eine gefühlte Stunde. Ich spielte mit dem Gedanken, mein Kalbskotelett und den sautierten Spinat zu nehmen und heimlich unter meine Beine zu schieben, aber ich hatte, ehrlich gesagt, nicht die moralische Kraft eines Sir Thomas Morus oder einer Jeanne d'Arc, um so eine Nummer abzuziehen. Nigel saß auf seinem Stuhl und starrte Hannah an, und dadurch, dass seine Augen hinter der den Kerzenschein reflektierenden Brille verschwanden, bis er den Kopf drehte und sie, wie Käfer im Sand, einen Moment lang wieder auftauchten, dadurch, dass er so aufrecht dasaß, klein und doch so kompakt, erinnerte er an Napoleon, vor allem an das wenig attraktive Ölgemälde des winzigen französischen Herrschers auf dem Cover des Lehrbuchs, das Dad immer als Grundlage verwendete, *Der Herrscher der Menschheit* (Howard & Pathm, 1994). (Er sah aus, als könne er sogar im Schlaf einen Staatsstreich durchführen und als habe er keinerlei Bedenken, mit sämtlichen europäischen Großmächten Krieg anzufangen.)

»Ich habe euch nichts davon gesagt«, sagte Hannah unvermittelt. »Denn wenn ich euch etwas gesagt hätte, hättet ihr gesagt, ihr wollt kommen. Und das geht nicht. Ich lade Eva Brewster ein, also könnt ihr nicht dabei sein, wenn ich meinen Job behalten will.«

Ihre Reaktion war verblüffend (und auch ein bisschen enttäuschend; ich dachte, ich säße schon auf der Tribüne, tränke Anis del Toro und erwartete den Matador), aber dass sie die Einladung zwar gesehen und so getan hatte, als würde sie nichts merken, das war gekonnt und souverän gewesen.

»Warum hast du Eva Brewster eingeladen?«, fragte Leulah.

»Sie hat gehört, dass ich eine Benefizveranstaltung plane, und wollte wissen, ob sie kommen kann. Da konnte ich schlecht nein sagen. Nigel, ich mag es nicht, wenn ihr in meinen Sachen wühlt. Bitte, respektiert meine Privatsphäre.«

Niemand sagte etwas. Es war Nigels Stichwort, um etwas zu sagen, um sich zu entschuldigen, um sich mit irgendeinem steinalten Witz über seine klebrigen Finger aus der Affäre zu ziehen oder um auf Kapitel 21 von *Coole Eltern* zu verweisen, »Teenager und die Freuden der Kleptomanie«, und eine der überraschenden Statistiken zu zitieren, dass so etwas bei Jugendlichen häufig vorkam und viele eine Phase der »Aneignung« und der »Unterschlagung« durchmachen (Mill, 2000). In sechzig Prozent der Fälle war es etwas, »woraus die jungen Menschen nach einer Weile herauswuchsen, ähnlich wie aus Gothic und Skateboards« (S. 183).

Aber Nigel passte nicht auf. Er nahm sich gut gelaunt das letzte Kalbskotelett.

Bald war das Essen kalt. Wir räumten die Teller ab, holten unsere Bücher, murmelten ein mattes Good-bye und gingen hinaus in die monströse Nacht. Hannah lehnte im Türrahmen, wie immer – »Kommt gut nach Hause!« –, aber das Timbre ihrer Stimme hatte sich verändert, diese gewisse Lagerfeuerheiserkeit war weg. Als Jade und ich die Einfahrt hinunterfuhren, drehte ich mich noch einmal um und sah, wie sie auf der Veranda stand und uns nachschaute, ihre grüne Bluse bebte im goldenen Licht wie ein Swimmingpool.

»Mir ist ganz schlecht«, sagte ich.

Jade nickte. »Ja. Kotzübel.«

»Mal sehen, ob sie ihm verzeiht.«

»*Selbstverständlich* verzeiht sie ihm. Sie kennt ihn doch so gut wie ihren Handrücken. Nigel ist ohne das Emotionsgen auf die Welt gekommen. Andere Menschen haben keinen Blinddarm oder nicht genug weiße Blutkörperchen. Er hat nicht genug Gefühl. Ich glaube, als er noch klein war, haben sie ein Scan von seinem Gehirn gemacht, und da, wo bei anderen Leuten das Emotionszentrum sitzt, ist bei ihm nur ein Vakuum. Der arme Junge. Und außerdem ist er schwul. Klar, alle sind tolerant und akzeptieren es – die übliche Leier –, aber so ganz einfach kann es in der High School nicht sein.«

»Er ist schwul?«, fragte ich verdutzt.

»Erde an Würg? Hallo?« Sie schaute mich an, als wäre ich ein Schaf in Strumpfhosen. »Weißt du, manchmal frage ich mich, ob du überhaupt ganz *da* bist – wenn du weißt, was ich meine. Warst du schon mal beim Arzt und hast testen lassen, ob du alle Tassen im Schrank hast? Ich möchte da nämlich ernsthafte Zweifel anmelden, Kotz. Ganz ehrlich.«

* * *

Dinge wie Angst, Schmerz, Kummer, Schuld und überhaupt der allgemeine Jammer, das heißt, der Alltag im alten Russland, haben in diesen windschnittigen modernen Zeiten leider nicht allzu viel Stehvermögen.

Man braucht nur R. Stanburys Buch (Ausgabe von 2002) *Erhellende Statistiken und Vergleiche quer durch die Jahrhunderte* unter dem Stichwort Trauern zu konsultieren, und schon weiß man, dass die Vorstellung von einem gebrochenen Herzen, der Gedanke, unglücklich, elend und verzweifelt zu sein, im Grunde der Vergangenheit angehört und schon bald einen ähnlich amüsanten Status annehmen wird wie so archaische Dinge wie Oldtimer, Jitterbug und Jams. Der normale amerikanische Witwer wartete im Jahr 1802 durchschnittlich 18,9 Jahre, bis er wieder heiratete, während er 2001 im Durchschnitt nur 8,24 Monate wartet. (In der kurzen Auflistung nach Bundesstaaten erfährt man, dass er in Kalifornien sogar nur jämmerliche 3,6 Monate ausharrt.)

Natürlich machte es sich Dad zur Aufgabe, gegen diese »kulturelle Anästhesie« zu wettern, gegen dieses »Ausbügeln des tiefen menschlichen Empfindens, bis nur noch eine platte, faltenfreie Leere bleibt«, und so hatte er mich ganz bewusst zu einem klugen, sensiblen Wesen erzogen, das achtsam war und selbst unter der langweiligsten Oberfläche noch das Gute vom Bösen unterscheiden und die Grauschattierungen dazwischen erkennen konnte. Er sorgte dafür, dass ich mir auf der Strecke zwischen Muders, Ohio, und Paducah, Washington, nicht nur eine oder zwei, sondern sämtliche »Songs of Innocence and Experience« von Blake einprägte, und so konnte ich nicht zuschauen, wie eine Fliege um einen Hamburger herumschwirrte, ohne aufgeregt zu denken: »Bin nicht ich / Eine Fliege wie du? / Und bist du nicht / Ein Mensch wie ich?«

Aber wenn ich mit den Bluebloods zusammen war, fiel es mir leicht, so zu tun, als hätte ich nie etwas auswendig gelernt außer dem Text von ein paar sirupsüßen R&B Songs, als hätte ich noch nie von einem Mann namens Blake gehört, außer von diesem Schüler im ersten High-School-Jahr, der immer die Hände in den Taschen hatte und aussah, als würde er am liebsten gleich jemanden verprügeln, und als würde ich, wenn ich eine Fliege sah, nichts anderes denken und einfach nur schrille Mädchentöne (*Iiih*) von mir geben. Wenn Dad das gewusst hätte, dann hätte er das natürlich als »Konformismus, bei dem sich einem der Magen umdreht«, bezeichnet, vielleicht sogar als »Schande für die van Meers«. (Er dachte oft nicht daran, dass er ja eine Waise war.) Ich hingegen fand es spannend und romantisch, wenn ich mich von der Strömung zu den »weidengeschmückten Hügeln und Feldern« tragen lassen konnte oder wohin auch immer, ohne Rücksicht auf die Folgen (siehe »Die Lady von Shallott«, Tennyson, 1842).

Das war der Grund, weshalb ich an dem folgenden Gammelsamstag, dem 22. November, keine Einwände vorbrachte, als Jade mit schwarzer Perücke und wallendem weißen Hosenanzug in den Purple Room kam. Gewaltige Polster standen von ihren Schultern ab wie die weißen Klippen von Dover, und sie hatte sich Duomo-Augenbrauen gemalt, offenbar mit einem sienabraunen Wachskreidestift.

»Ratet mal, wer ich bin.«

Charles musterte sie ausführlich. »Dame Edna.«

»›Ich gehe nur aus dem Haus, wenn ich aussehe wie Joan Crawford, der Filmstar. Ihr wollt das Mädchen von nebenan? Dann geht nach nebenan.‹« Sie warf den Kopf zurück und gab ein Bösewichtlachen von sich, ließ sich auf das Ledersofa fallen und streckte ihre Füße mit den großen, dinghi-artigen schwarzen Pumps in die Luft. »Ratet mal, wohin ich gehe.«

»In die Hölle«, sagte Charles.

Sie drehte sich um und setzte sich auf. Eine Perückensträhne klebte an ihrem Lippenstift.

»›Das Burns County Tierheim lädt Sie sehr herzlich ein zu unserer alljährlichen –«

»Auf keinen Fall!«

»– Wohltätigkeitsveranstaltung –«

»Das können wir nicht machen.«

»– Rsvp –«

»Ohne mich!«

»Wilder Sex *durchaus* möglich.«

»Nein.«

»Ich gehe mit«, sagte Leulah.

* * *

Wir konnten uns nicht auf eine Gruppenkostümierung einigen, also war Charles Jack the Ripper (als Blut nahmen Leulah und ich A.1 Steak-Soße und schmierten ihn kräftig damit ein), Leulah war ein französisches Zimmermädchen (sie holte sich ein ganzes Sortiment Hermès-Seidenschals mit verschiedenen Reitermotiven, die sauber zusammengefaltet in Jeffersons Kommode lagen), Milton, der sich nicht verkleiden wollte, ging als Plan B (dieser ambivalente Humor, der immer nach oben blubberte, wenn er Pot rauchte), Nigel war Antonio Banderas als Zorro (er nahm Jeffersons Nagelschere, um in ihre schwarze Schlafmaske kleine Löcher zu schneiden, säuberlich um die Strass-Zzzzzzs herum). Jade war Anita Ekberg in *La Dolce Vita*, samt ausgestopftem Kätzchen (das sie sich mit Klebestreifen an ein Stirnband klebte). Ich war eine ziemlich unglaubwürdige Pussy Galore mit struppig roter Perücke und einem ausgebeulten tannengrünen Bodysuit aus Nylon (siehe »Marsmensch 14«. *Wie sehen die kleinen grünen Männchen aus? Skizzen von Aliens nach Augenzeugenberichten,* Diller, 1989, S. 115).

Wir waren betrunken. Draußen war die Luft geschmeidig und warm wie ein Barmädchen nach der ersten Tanznummer. Wir rannten in unseren Kostümen wild über den nächtlichen Rasen und lachten über alles und nichts.

Jade, in ihrem knautschigen Rüschenkleid mit den tausend Spitzen und Bändern, warf sich schreiend ins Gras und ließ sich den Abhang hinunterrollen.

»Wohin wollt ihr?«, brüllte Charles. »Es hat doch schon um acht angefangen! Jetzt ist es halb zehn.«

»Komm schon, Würg!«, schrie Jade.

Ich verschränkte die Arme vor der Brust und warf mich auf den Boden.

»Wo bist du?«

Ich rollte. Das Gras piekste, meine Perücke löste sich. Zwischendurch katapultierten sich Sterne nach oben, und unten angekommen, verblüffte mich die Stille. Jade lag ein paar Schritte von mir entfernt, ihr Gesicht ernst und blau. Wenn man zu den Sternen emporschaute, geschah es oft, dass das Gesicht ernst und blau wirkte, und Dad hatte verschiedene Theorien, um dieses Phänomen zu erklären, die größtenteils auf die menschliche Unsicherheit abhoben, auf die ernüchternde Erkenntnis, wie unglaublich klein wir waren angesichts so unvorstellbarer Dinge wie Spiralgalaxien, Balkengalaxien, elliptischen Galaxien und irregulären Galaxien.

Aber ich weiß genau, dass ich mich in dem Moment an keine von

Dads Theorien erinnern konnte. Der schwarze Himmel mit seinen Lichttupfern konnte nicht anders als angeben, wie Mozart mit fünf. Stimmen schrappten die Luft, Wörter, wackelig und sich ihrer selbst nicht sicher, und gleich darauf kam Milton durch die Dunkelheit gekullert, und Nigels Loafer schossen an meinem Kopf vorbei, und Leulah landete direkt neben mir (mit diesem typischen Teetassengeräusch »Ahh!«). Ein Seidenschal löste sich aus ihrem Haar, legte sich um meinen Hals und ließ sich auf meinem Kinn nieder. Wenn ich atmete, blubberte er wie ein Teich, in dem etwas versinkt.

»Ihr Blödärsche!«, schrie Charles. »Bis wir hinkommen, ist doch alles vorbei! Wir müssen sofort los!«

»Halt die Klappe, Nazi«, sagte Jade.

»Glaubt ihr, Hannah wird sauer?«, fragte Leulah.

»Wahrscheinlich schon.«

»Sie bringt uns um«, sagte Milton. Er war nur einen guten Meter von mir entfernt. Sein Atem war Drachenatem.

»Ach, Hannah-Schmannah«, sagte Jade.

Irgendwie standen wir auf und trotteten den Hügel hinauf zum Mercedes, wo Charles schlecht gelaunt wartete. Er hatte Jades durchsichtigen Plastikmantel aus der achten Klasse übergezogen, damit er die Steaksoße nicht über den ganzen Fahrersitz verschmierte. Ich war die Kleinste, und da Jade sagte, wir könnten nur einen Wagen nehmen, fungierte ich als Sicherheitsgurt und lag quer über Nigel, Jade und Leulah, die mit der Faust Babyfüße auf das beschlagene Fenster malte. Ich konzentrierte mich auf die Scheinwerfer, auf meine großen weißen Stilettos, die den Türgriff berührten, auf die Rauchwolke um Miltons Kopf, der auf dem Vordersitz einen Joint rauchte, der so dick war wie ein Lippenstift.

»Das wird übel«, sagte er, »wenn wir da ohne Vorankündigung auftauchen. Aber es ist noch nicht zu spät, um umzudenken, Freunde.«

»Sei nicht so bescheuert«, sagte Jade und nahm ihm den Joint aus der Hand. »Wir sehen Evita, wir verstecken uns. Das macht Spaß.«

»Perón ist nicht da«, behauptete Nigel.

»Warum nicht?«

»Hannah hat sie gar nicht eingeladen. Sie hat gelogen. Sie hat es nur gesagt, um eine überzeugende Begründung zu haben, warum wir nicht kommen können.«

»Du bist paranoid.«

Nigel zuckte die Achseln. »Sie hat die klassischen Lügensymptome an den Tag gelegt. Ich verwette mein Leben – Eva Brewster ist nicht auf der Party. Und wenn irgendjemand sie am Montag danach fragt, hat sie keine Ahnung, was die Frage soll.«

»Du bist ein Abkömmling des Satans«, verkündete Jade. Dann knallte sie aus Versehen mit dem Kopf gegen die Fensterscheibe. »Aua.«

»Möchtest du?«, fragte Leulah und reichte mir den Joint.

»Danke«, sagte ich.

Weil ich nicht immer Gefahr laufen wollte, zu viel zu protestieren, hatte ich gelernt, wie man mit dem seltsamen Verhalten von Decken und Fußböden (Zittern, Einstürze aus heiterem Himmel, sinkendes Schiff, trügerisches Erdbeben) unter dem Einfluss von Sprit, Fusel, Schnaps, Alk, Stoff, Brühe oder Gift geschickt umgeht. Oft, wenn ich mit ihnen zusammen war, tat ich nur so, als würde ich all diese übermenschlichen Schlucke aus Miltons silberner M. E. B. Flasche mit seinem Lieblingsgesöff, Wild Turkey, zu mir nehmen, wenn die Flasche im Purple Room wie eine indianische Friedenspfeife die Runde machte.

Die anderen wussten es nicht, aber ich war, wenn der Abend zur Hälfte vorüber war, nicht, wie es den Anschein hatte, damit beschäftigt, mir wie die anderen kräftig einen hinter die Binde zu gießen. »Seht mal, Würg ist tief in Gedanken versunken«, sagte Nigel einmal, als ich auf der Couch saß und vor mich hin starrte. Aber ich war keineswegs tief in Gedanken versunken, sondern versuchte, mir eine Methode einfallen zu lassen, wie ich Leulah neuestes Getränk mit dem schönen Namen »Kralle« unauffällig wieder loswerden konnte, weil man sich damit die Speiseröhre und das gesamte Verdauungssystem verbrannte. Eins meiner Lieblingsszenarien sah so aus, dass ich ohne Begleitung rausging, um ein bisschen »frische Luft zu schnappen«, und dann kippte ich, bei ausgeknipstem Verandalicht, das Gesöff, was immer es war, heimlich einem von Jeffs Bronze-Löwen ins offene Maul. Diese Löwen waren das letzte Geschenk von Andy Warhol, im Januar 1987, einen Monat bevor er an den Komplikationen nach einer Gallenoperation starb. Klar, ich hätte das Zeug auch einfach ins Gras schütten können, aber es verschaffte mir eine gewisse schwindelige Befriedigung, es den Löwen zu geben, die gehorsam ihre Riesenmäuler aufsperrten und mich anglotzten, als hofften sie, dass ich sie mit diesem Zeug um die Ecke bringen würde. Ich konnte nur hoffen und beten, dass Jeff nicht auf die Idee kam, die massigen Statuen würden neben der Haustür besser aussehen; wenn sie sie loslöste, käme ihr eine Flutwelle von Sprit, Fusel, Schnaps, Alk, Stoff, Brühe oder Gift entgegen.

Fast eine Stunde später bogen wir in Hannahs Zufahrt ein. Charles manövrierte den Mercedes mit viel Geschick durch den Korridor aus leeren Autos, die an der Straße geparkt waren. Ehrlich gesagt, ich war überrascht, dass er so gut fahren konnte, angesichts seines reduzierten Zustands (siehe Nicht identifizierte Flüssigkeit, Kap. 4, »Motor-Probleme und wie man sie beseitigt.« *Das Automobil,* Pont, 1997).

»Mach jetzt bloß keine Delle«, sagte Jade. »Wenn du 'ne Delle reinfährst, krieg ich Probleme.«

»Sie kennt mehr Leute, als wir dachten«, sagte Leulah.

»Shit«, sagte Milton.

»Das ist perfekt«, rief Jade und klatschte in die Hände. »Absolut ideal. Wir mischen uns unauffällig unter die Leute. Ich hoffe nur, wir sehen Hannah gar nicht.«

»Du hoffst, dass wir sie nicht sehen?«, brüllte Charles. »Dann gehen wir am besten gleich wieder, denn sonst muss ich euch leider auf etwas hinweisen, Kinder! Wir sehen sie bestimmt.«

»Schau auf die Straße. Ist schon gut«, entgegnete Jade gereizt. »Es ist nur so, dass ...«

»*Was?*« Charles trat auf die Bremse. Wir flogen alle nach vorn und wieder zurück, wie Kinder in einem Bus.

»Es ist doch nur eine Party. Und Hannah hat im Grunde nichts dagegen, wenn wir kommen. Wir tun ja nichts Böses. Stimmt's?«

Angst, Zweifel und Unsicherheit hatten sich unerwartet in Jades Stimme geschlichen, wanderten jetzt in ihr herum und machten sie nervös.

»Irgendwie schon«, sagte Leulah.

»Nein«, sagte Nigel.

»Kann so oder so laufen«, sagte Milton.

»Irgendjemand muss hier 'ne scheiß Entscheidung treffen, verdammt noch mal!«, brüllte Charles.

»Dann soll Würg entscheiden«, verkündete Jade. »Sie ist so verantwortungsbewusst.«

Bis zum heutigen Tag weiß ich nicht, wie oder warum ich gesagt habe, was ich gesagt habe. Vielleicht war es eine dieser unheimlichen Situationen, in denen man eigentlich nicht selbst spricht, sondern das Schicksal, das in regelmäßigen Abständen dafür sorgt, dass man nicht den leichten, soeben frisch gepflasterten Weg einschlägt, der mit Straßenschildern und Ahornbäumen deutlich markiert ist – nein, mit der Gnadenlosigkeit eines Schleifers, eines Diktators und eines Bürokraten, setzt es durch, dass man den dunklen, dornigen Pfad nimmt, den es bereits für einen vorbereitet hat.

»Wir gehen rein«, sagte ich.

* * *

Hannah war ein Schmuckreiher, Egretta Thula, und wenn es hieß, dass sie ein soziales Event plane, dann erwartete man automatisch eine Schmuckreiher-Party – Champagnerflöten, Zigarettenspitzen und ein Streichquartett, Leute, die einander zum Tanz aufforderten, zarte Wangen, auf Schultern geschmiegt, und nur wenige feuchte Handflächen, ehebrecherische Intrigen hinter Lorbeerhecken, großblütige Rosen – die Art von elegant wispernder Festivität, welche die Larrabees aus dem Ärmel schütteln konnten und die Sabrina von ihrem Baum aus bestaunte.

Als wir uns jedoch dem Haus näherten und die merkwürdige Ansammlung von Getier, Gemüse und Gestein über den Rasen vor dem Haus und über die Einfahrt watscheln und sabbern sahen, schlug

Milton vor, lieber weiterzufahren und uns dem Haus von der anderen Seite zu nähern, vielleicht über die Tür beim Patio, wo Hannahs nierenförmiger Pool war, den sie nie benutzte.

»Wir können immer noch gehen, wenn wir wollen«, sagte Jade.

Wir parkten hinter einem Van und saßen im Dunkeln bei den Kiefern, schauten ins flackernde Licht von vierzehn Tikifackeln, zu den fünfzig oder sechzig Gästen, die sich auf Hannahs Patio drängten. Sie trugen alle erstaunlich komplizierte Kostüme (Ghuls, Krokodile, Teufel, die gesamte Crew von *Raumschiff Enterprise*); die maskierten Gäste tranken mit Strohhalmen aus blauroten Plastikbechern, andere aßen Knabberbretzeln und Cracker, und alle versuchten, die Fleischhauermusik zu übertönen.

»Was sind das für Leute?«, fragte Charles mürrisch.

»Ich erkenne keinen«, sagte Jade.

»Ich nehme an, das sind alles Freunde von Hannah«, sagte Leulah.

»Siehst du sie?«

»Nein.«

»Selbst wenn sie da wäre, könntest du gar nicht sagen, wer sie ist«, sagte Milton. »Alle tragen Masken.«

»Ich friere«, sagte Jade.

»Wir bräuchten auch Masken«, sagte Milton. »Es stand auf der Einladung.«

»Wo sollen wir denn jetzt noch eine verschissene Maske herkriegen?«, fragte Charles.

»Da drüben ist Perón«, sagte Lu.

»Wo?«

»Da – die Frau mit dem funkelnden Heiligenscheinding.«

»Nein, das ist sie nicht.«

»Jetzt mal im Ernst«, sagte Jade unbehaglich. »Was tun wir hier eigentlich?«

»Meinetwegen könnt ihr die ganze Nacht hier sitzen«, sagte Nigel. »Aber ich möchte feiern.« Er trug seine Zorromaske *und* seine Brille und sah aus wie ein gelehrter Waschbär. »Wer hat sonst noch Lust?«

Aus irgendeinem Grund schaute er mich an.

»Was meinst du, Mädel? Wollen wir tanzen?«

Ich zupfte meine Perücke zurecht.

Wir ließen die anderen, wo sie waren, und rannten über den Rasen zu Hannahs Patio – ein versponnener Waschbär und eine umgedrehte Karotte.

Der Patio war rappelvoll. Vier als Ratten verkleidete Männer und eine Meerjungfrau-Schönheitskönigin mit einer Halbmaske aus blauen Pailletten schwammen sogar im Pool und warfen lachend einen Volleyball. Wir beschlossen, ins Haus zu gehen (siehe »Flussaufwärts auf dem Sambesi während einer Flut«, *Quests*, 1992, S. 212). Dort quetschten wir uns zwischen die karierte Couch und einen Piraten, der mit einem Teufel redete und nicht merkte, welche Auswirkungen sein massiver verschwitzter Rücken hatte, als er damit plötzlich und ohne Vorwarnung gegen zwei sehr viel kleinere Menschen stieß.

Zwanzig Minuten lang taten wir nichts anderes, als aus roten Plastikbechern Wodka zu trinken und die Gäste zu beobachten, von denen wir keinen einzigen erkannten. Sie krabbelten, rutschten und schlappten durch den Raum, in Kostümen, die von miniwinzig bis komplett unüberwindlich reichten.

»Besoffen wie die Schmetterlinge«, rief Nigel kopfschüttelnd.

Ich schüttelte ebenfalls den Kopf, und er wiederholte sich.

»Was für wunderliche Dinge!«

Ich nickte. Hannah, Eva Brewster und die Tiere waren nirgends zu sehen, nur ungraziöse Vögel, teigige Sumo-Ringer, Reptilien ohne Klettverschluss, eine Königin, die ihre Krone abgenommen hatte und gedankenverloren daran kaute, während ihre Augen durchs Zimmer wanderten, vermutlich auf der Suche nach einem König und einem Ass für einen Royal Flush.

Wenn Dad da gewesen wäre, hätte er ohne Zweifel gesagt, die meisten der anwesenden Erwachsenen seien »gefährlich nahe daran, ihre Würde preiszugeben«, was traurig und beunruhigend sei, denn »sie suchen alle etwas, was sie gar nicht erkennen würden, auch wenn sie es fänden«. Dad war immer sehr streng, wenn es darum ging, das

Verhalten anderer Leute zu kommentieren. Aber als ich sah, wie eine gut vierzigjährige Wonder Woman rückwärts in Hannahs ordentlich gestapelte *Traveler*-Exemplare stolperte, fragte ich mich, ob nicht schon die Idee des Erwachsenwerdens ein Betrug war, der Bus aus der Stadt heraus, auf den man so ungeduldig wartete, dass man gar nicht merkte, dass er nie kam.

»Was reden sie?«, brüllte mir Nigel ins Ohr.

Ich folgte seinem Blick zu dem Astronauten, der ein Stück entfernt von uns stand. Er hielt seinen Druckhelm in der Hand, ein untersetzter Mann mit einem seitlichen Sigma-Haaransatz (Σ), der heftig auf einen Gorilla einredete.

»Ich glaube, es ist Griechisch«; sagte ich überrascht (»Die Sprache der Titanen, der Orakel, ἡ γλῶσσα τῶν ἡρώων«, sagte Dad. [Das letzte Stück heißt so viel wie »die Sprache der Helden«.] Er führte überhaupt sehr gern seine bizarre Sprachbegabung vor [angeblich beherrschte er zwölf Sprachen fließend, aber *fließend* hieß oft nicht mehr als *ja* und *nein* plus ein paar sehr beeindruckender Phrasen] und wiederholte oft einen Scherz über die Amerikaner und ihre unterentwickelten Sprachfähigkeiten: »Amerikaner müssen *lingual* meistern, ehe sie *bi*lingual versuchen.«)

»Ich wüsste gern, wer das ist«, sagte ich zu Nigel. Der Gorilla nahm seinen Kopf ab, und eine kleine Chinesin wurde sichtbar. Sie nickte, antwortete aber in einer anderen gutturalen Sprache, bei der die Lippen eine Art Breakdance vollführten. Ich war mir gar nicht sicher, ob die beiden vorhin wirklich Griechisch gesprochen hatten. Ich beugte mich näher zu ihnen.

»Aye, Savannah«, sagte Nigel und drückte meinen Arm.

»Noch mal«, rief ich.

»Ich seh' Hannah.«

Er packte mich an der Hand und zerrte mich zwischen zwei Elvissen durch.

»Und woher kommst du?«, fragte *Elvis: Aloha from Hawaii*. »Aus Reno«, sagte ein sehr verschwitzter *Elvis on Tour*, der aus einem blauen Plastikbecher trank.

»Sie ist nach oben gegangen«, schrie mir Nigel ins Ohr und versuchte, an Sodom und Gomorrha vorbeizukommen, an Leopold und Loeb, an Tarzan und Jane, die es geschafft hatten, sich in diesem Dschungel zu finden und beim Reden sehr viel an ihren Klamotten herumfummelten. Ich wusste nicht, wieso Nigel Hannah sehen wollte. Auf halber Treppe sah ich nur einen Sechstonner Tyrannosaurus Ex, der den Reißverschluss seines Kostüms aufgemacht hatte und sich auf seinen Gummikopf setzte.

»*Fuck*.«

»Warum suchst du sie eigentlich?«, brüllte ich. »Ich dachte –« und gerade, als ich mich umdrehte, um über die hüpfenden Perücken und Masken zu blicken, sah ich sie.

Ihr Gesicht war überschattet von der Krempe eines Zylinders (nur eine weiße Scheibe des Kinns und ihr roter Mund waren zu sehen), aber ich wusste, dass sie es war, wegen der Essig-und-Öl-Reaktion, die ihre Gegenwart vor jedem Hintergrund, in jeder Atmosphäre und unter allen Bedingungen auslöste. Die Jungen, die Alten, die Hübschen und die Hässlichen taten sich zusammen, und es entstand ein normaler Raum aus redenden Menschen, aber Hannah blieb immer für sich und war anders, als wäre um sie herum eine unübersehbare, feine schwarze Linie oder als schwebte über ihr diskret ein Standort-Pfeil, auf dem SIE IST HIER stand. Oder vielleicht war es auch so, dass ihr Gesicht, weil sie ein ganz spezielles Verhältnis zu Helligkeit und Leuchtkraft hatte, eine derart starke Anziehung besaß, dass es fünfzig Prozent des Lichts in einem Raum auf sich zog.

Sie kam in unsere Richtung. Sie trug einen Frack und führte einen Mann die Treppe herauf. Sie hielt dabei seine linke Hand fest, als wäre diese sehr teuer, etwas, was sie auf keinen Fall verlieren durfte.

Nigel sah sie ebenfalls. »Als wer ist die verkleidet?«

»Marlene Dietrich, *Marokko*, 1930. Wir müssen uns verstecken.«

Aber Nigel schüttelte den Kopf und umschloss mein Handgelenk. Wir saßen in der Falle, zwischen einem Scheich, der vor der oberen Toilette wartete, dass jemand herauskam, und einer Gruppe von Männern, die als Touristen verkleidet waren (Polaroidkameras, Hawaiihemden). Deshalb blieb mir gar nichts anderes übrig, als mich für das zu wappnen, was jetzt kommen würde.

Ich war einigermaßen beruhigt, als ich den Mann sah. Im Vergleich zu Doc vor drei Wochen hatte sie jetzt wenigstens eine Kategorie höher gegriffen und kam Arm in Arm mit Big Daddy aus der *Katze auf dem heißen Blechdach* daher (siehe *Die großen Patriarchen des amerikanischen Theaters: 1821–1990*, Park, 1992). Er hatte zwar graue Haare und Übergewicht, à la Montgomery, Alabama, (da sieht der Bauch aus wie ein großer, dicker Sack mit Beute, und der Rest des Körpers ignoriert diesen aufdringlichen, uneleganten Teil und bleibt absolut fit und schlank), aber irgendetwas an ihm war überzeugend, eindrucksvoll. Er trug die Uniform der Roten Armee (vermutlich wollte er Mao Zedong sein) und hielt sich wie ein Kanzler. Sein Gesicht war nicht eigentlich schön, aber es war zumindest ungewöhnlich: kräftig, rosig schimmernd, wie ein Block gekochter Schinken bei einem Staatsbankett. Außerdem war nicht zu übersehen, dass er ein bisschen in sie verliebt war. Dad sagt, Verliebtsein habe nichts mit Worten, Taten oder mit dem Herzen (»das am meisten überschätzte aller Organe«) zu tun, sondern mit den Augen (»alles Wesentliche passiert über die Augen«), und die Augen dieses Mannes konnten nicht aufhören, über jede Rundung ihres Gesichts zu rutschen und zu glitschen.

Ich hätte gern gewusst, was sie zu ihm *sagte.* Ihr Gesicht fügte sich wie ein Puzzleteil zwischen seinen Kiefer und seine Schulter. Vielleicht beeindruckte sie ihn damit, dass sie Pi bis zur fünfundsechzigsten Stelle hinter dem Komma aufsagen konnte – ich hätte es insgeheim irgendwie spannend gefunden, wenn mir das jemand ins Ohr flüstern würde (»3,14159265 …«). Oder sie trug ein Shakespeare-Sonett vor, Nummer 116, Daddys Lieblingssonett. (»Wenn es in der englischen Sprache authentische Liebesworte gibt, dann sind es diese, und alle Menschen, die tiefe Zuneigung für jemanden empfinden, sollten sie aufsagen, lieber als das abgenutzte ›Ich liebe dich‹, was jeder halbgare Tom, Dick oder Moe stammeln kann«): »Sprecht nicht, wo treue Geister eng verschlungen, / Von Hindernissen, denn das ist nicht Liebe, / Die sich verändert durch Veränderungen …«

Aber egal, was sie sagte, der Mann war gefesselt. Er sah aus, als könnte er es nicht abwarten, dass sie ihn endlich mit frischen Lorbeerblättern garnierte, ihn aufschnitt und über und über mit Soße begoss.

Sie waren drei Stufen von uns entfernt, gingen vorbei an dem Cheerleader und der Liza Minnelli, die an der Wand lehnte und deren Augen so geschminkt waren, dass die Maskara ihre Augen verkleisterte wie modrige Blätter einen alten Gully.

Und dann sah sie uns.

Ihr Blick rutschte kurz weg, ein huschendes Lächeln, ein Atemzug, ein weicher Pulli, der sich in einem Zweig verheddert. Nigel und ich konnten nichts anderes machen, als da zu stehen und dümmlich zu grinsen, ein Grinsen, das mit einer Sicherheitsnadel am Gesicht festgemacht war, wie ein Namensschild, auf dem HALLO ICH HEISSE steht. Hannah sagte nichts, bis sie direkt bei uns war.

»Schämt euch«, zischte sie.

»Hi«, erwiderte Nigel munter, als würde er denken, sie hätte gesagt: »Ich freue mich ja so, dass ihr hier seid«, und zu meinem Entsetzen hielt er dem Mann die Hand hin. Dieser hatte sein großes, verschwommenes Gesicht neugierig in unsere Richtung gedreht. »Ich bin Nigel Creech.«

Der Mann hob eine weiße Augenbraue, legte den Kopf schief und lächelte gutmütig. »Smoke«, sagte er. Seine Augen waren blau, ein kühles Seersucker-Blau, und durchtrieben – erstaunlich durchtrieben. Dad sagte: Du kannst sehen, wie klug jemand ist, indem du genau aufpasst, wie schnell seine Augen auf deinem Gesicht sind, wenn ihr einander vorgestellt werdet. Wenn sie nur knapp den Boxstep machen oder sich dafür entscheiden, als Mauerblümchen irgendwo zwischen deinen Augenbrauen zu bleiben, dann haben sie »den IQ eines Karibu«, aber wenn sie von den Augen bis zu den Schuhen einen Walzer aufs Parkett legen, nicht nervös, sondern locker, unbekümmert, neugierig, dann besitzen sie »beträchtlichen Scharfsinn«. Smokes Augen vollführten einen Macumba von Nigel zu mir und wieder zurück zu Nigel, und ich hatte das Gefühl, dass er mit dieser simplen Aktion sämtliche Peinlichkeiten unseres Lebens erfasst hatte. Ob ich wollte oder nicht, ich mochte ihn. Lachfalten umrahmten seinen Mund.

»Sind Sie übers Wochenende zu Besuch hier?«, fragte Nigel.

Smoke warf einen Blick auf Hannah, ehe er antwortete: »Ja, Hannah ist so nett und zeigt mir die Gegend hier.«

»Woher kommen Sie?«

Nigels hartnäckige Fragen kamen bei Smoke gut an. »Aus West Virginia«, sagte er.

Und dann war es ganz schrecklich, weil Hannah *kein Wort* sagte. Ich sah, dass sie sich ärgerte: Röte überzog ihre Wangen, ihre Stirn. Sie lächelte, ein bisschen scheu (ich bemerkte es, weil ich einen Schritt vor Nigel stand und sie ganz sehen konnte, ihren zu langen Ärmel mit Manschette, den Stock in ihrer Hand) –, dann drückte sie ganz fest Smokes Bizeps. Das war anscheinend ein Signal, denn er lächelte wieder und sagte mit seiner Bärenstimme: »War nett, euch kennenzulernen. Bis die Tage.«

Sie gingen weiter, an dem Scheich und dem Touristen vorbei (»Nicht viele Menschen sehen, dass der elektrische Stuhl als Todesart gar nicht so übel ist«, rief jemand), vorbei an einer Privattänzerin, die in einem winzigen Silberfähnchen und weißen Go-go-Stiefeln für Geld tanzte.

Oben an der Treppe angekommen, gingen sie den Flur hinunter und verschwanden aus unserem Blickfeld.

»Shit«, sagte Nigel und grinste.

»Was ist denn mit dir los?«, fragte ich. Am liebsten hätte ich ihm das Grinsen aus dem Gesicht geschlagen.

»Wieso?«

»Wie kannst du nur!«

Er zuckte die Achseln. »Ich wollte wissen, wer ihr Freund ist. Es hätte ja Valerio sein können.«

Doc erschien in meinem Kopf. »Ich glaube nicht, dass Valerio existiert.«

»Tja, Püppi, du magst ja Atheistin sein, aber ich bin gläubig. Komm, wir gehen an die frische Luft.« Er nahm meine Hand und zerrte mich hinter sich her die Treppe hinunter, um Tarzan und Jane herum (Jane an die Wand gedrückt, Tarzan *sehr* dicht über sie gebeugt) und hinaus auf den Patio.

Jade und die anderen hatten sich inzwischen auch unter die Gäste gemischt. Es waren nicht weniger Leute als vorher, im Gegenteil, es summte und brummte auf der Veranda wie ein Wespennest, nachdem die Hausfrau mit dem Besen drin rumgestochert hat. Leulah und Jade teilten sich Liegestühle mit zwei Männern, die ihre dicken, fleischigen Masken als Hüte trugen. (Sie stellten Ronald Reagan, Donald Trump, Clark Gable oder irgendeinen anderen Mann über fünfzig mit gewaltigen Ohren dar.) Milton sah ich nirgends (Black konnte kommen und gehen wie ein Gewitter), aber Charles war beim Barbecue und flirtete mit einer Frau in einem Löwinnenkostüm, die sich die Mähne um den Hals gezogen hatte und immer, wenn Charles etwas sagte, darüber strich. Abraham Lincoln stürzte auf einen Eselhasen und knallte dabei gegen den Picknicktisch. Eine Platte mit schlappem Salat sauste wie Feuerwerk in die Luft. Rockmusik dröhnte aus den Lautsprechern bei den Hängepflanzen, und die elektrische Gitarre, das Röhren der Singstimme, das Gekreische und Gelächter, der Mond, der als Sichel die Kiefern von rechts attackierte – all das verschmolz zu einer seltsamen Atmosphäre unterschwelliger Gewalt. Vielleicht lag es daran, dass ich leicht betrunken war und meine Gedanken sich so langsam bewegten wie Blubber in einer Lavalampe, aber ich spürte, diese Menschenmenge war so geladen, sie könnte jederzeit zum Angriff übergehen, sie könnte plündern, vergewaltigen, einen Aufstand anzetteln, »der wie eine Bombe detonierte und einen Tag später mit dem Säuseln eines Seidenschals, der vom faltigen Hals einer alten Dame gezogen wird, endete – wie alle Rebellionen, die nur aus dem Gefühl heraus entstehen und nicht aufgrund konsequenter Planung« (siehe »Des Sommers letzter Seufzer: Eine Studie der Nowgorod-Rebellion, Russland, August 1965«, van Meer, *The SINE Review*, Frühjahr 1985).

Das schrille Licht der Fackeln zerschnitt die Masken und verwandelte selbst die süßen Kostüme, die niedlichen schwarzen Katzen und die Tutu-Engelchen, in Ghuls mit tief liegenden Augen und Dolchkinn.

Und dann stockte mein Herz.

An der Backsteinmauer stand ein Mann. Er ließ den Blick über die Menge schweifen, trug einen Umhang mit schwarzer Kapuze und eine Goldmaske mit Adlernase. Kein Millimeter Menschliches war zu sehen. Es war diese fürchterliche Brighella-Maske, die man in Venedig beim Karneval trug und beim Mardi Gras in New Orleans – Brighella, der lüsterne Bösewicht aus der Commedia dell'Arte –, aber das Grauenhafte an dieser Maske, das, was den Rest der Monster verschwinden ließ, war nicht, dass sie so dämonisch war und die Augen in Einschusslöcher verwandelte, sondern dass es *Dads* Maske war. In Eric, Louisiana, hatte ihn Junikäfer Karen Sawyer gezwungen, an ihrer Halloween-Modenschau für die Junior League teilzunehmen, sie hatte das Outfit von ihrer New Orleans-Reise extra für ihn mitgebracht. (»Bin das ich oder sehe ich durch und durch absurd aus?«, hatte Dad gefragt, als er den samtenen Überwurf das erste Mal anprobierte.) Der Mann auf der anderen Seite des Patio war genauso groß wie Dad, weshalb er aus der Menge herausragte wie ein Kruzifix, und was er trug, war identisch mit Dads Kostüm: die goldbronzefarbene Maske, die Nase mit der Warze, der Satinbesatz an der Kapuze, die winzigen Fischaugenknöpfe vorne am Umhang. Der Mann bewegte sich nicht. Er schien mich zu beobachten. Ich konnte Zigarettenglut in seinen Augen sehen.

»Würg?«

»Ich sehe – meinen Dad –«, stieß ich hervor. Mein Herz kullerte durch meine Brust, als ich mich durch die Menge schob, vorbei an der Familie Feuerstein, der rotgesichtigen Rapunzel, vorbei an Schultern und befransten Rücken und Ellbogen und ausgestopften Schwänzen, die mir in den Bauch stießen. Der Drahtrand eines Engelflügels schnitt mich in die Wange. »Ich – Entschuldigung.« Ich schubste eine Raupe. »Blödarsch!«, schrie sie, die blutunterlaufenen Augen entzündet von dem Glitzerzeug. Ich wurde übel gestoßen und knallte gegen den Backstein, verfing mich in Turnschuhen und Fischnetzstrümpfen und Plastikbechern.

Sekunden später kauerte Nigel neben mir. »Dieses Biiiiest. Ich wollte schon ›Zickenkrieg‹ rufen, aber ich glaube nicht, dass dir das gefallen hätte.«

»Der Mann!«, ächzte ich.

»Was?«

»Der da an der Wand steht. Ein großer Mann. Ich – ist er noch da?«

»Wer?«

»Er hat eine Maske mit langer Nase.«

Nigel musterte mich konsterniert, aber er stand auf und ich sah, wie seine roten Adidas-Turnschuhe einen Kreis beschrieben. Dann beugte er sich wieder zu mir. »Ich sehe niemanden.«

Mein Kopf fühlte sich an, als würde er sich von meinem Hals trennen wollen. Ich blinzelte, und Nigel half mir auf. »Komm schon, Mädel. Nur keine Panik.« Ich hielt mich an seiner Schulter fest und reckte den Kopf um die orangerote Perücke, den Heiligenschein, herum, um noch einmal das Gesicht zu sehen, um ganz *sicher* zu sein, um zu begreifen, dass ich nur betrunken war und mir unmögliche, hochdramatische Dinge einbildete – aber jetzt waren nur noch Kleopatras an der Mauer zu sehen, ihre breiten Gesichter verschwitzt und in allen Regenbogenfarben schillernd wie Ölpfützen auf einem Parkplatz: »Haaarveeeey!«, kreischte eine von ihnen schrill und deutete auf jemanden in der Menge.

»Wir müssen hier weg, sonst werden wir noch zertrampelt«, sagte Nigel und umklammerte mein Handgelenk noch fester. Ich dachte, er würde mich in den Garten führen, aber stattdessen zog er mich wieder ins Haus.

»Ich hab eine Idee«, sagte er mit einem Grinsen.

* * *

In der Regel blieb Hannahs Schlafzimmertür geschlossen.

Charles hatte mir einmal gesagt, da habe sie eine Macke – sie konnte es nicht ausstehen, wenn jemand in ihre »Privatsphäre« eindrang –, und so unglaublich es klang, aber in den drei Jahren, die sie Hannah kannten, hatte keiner von ihnen den Raum je betreten oder auch nur hineingeschaut, höchstens vielleicht kurz im Vorbeigehen.

Ich wäre nie hineingegangen, nicht in einer Million Ming-Dynastien, wenn ich nicht beschwipst und leicht katatonisch gewesen wäre, nachdem ich Dad als Brighella heraufbeschworen hatte, oder wenn mich nicht Nigel die Treppe hinaufgezogen hätte, vorbei an den Hippies und den Höhlenmenschen, und wenn er nicht dreimal an die geschlossene Tür am Ende des oberen Flurs geklopft hätte. Und obwohl ich natürlich genau wusste, dass es falsch war, in ihrem Schlafzimmer Zuflucht zu suchen, hatte ich trotzdem das Gefühl, als ich meine Schuhe auszog – »Wir wollen doch keine Fußspuren auf dem Teppich hinterlassen«, sagte Nigel, als er die Tür hinter uns schloss und verriegelte –, dass Hannah vielleicht gar nicht so viel dagegen hätte, wenn es nur dieses eine Mal war, und eigentlich war es sowieso *ihre* Schuld, dass alle Leute so neugierig und fasziniert von ihr waren. Wenn sie nicht diese *Air de mystère* kultivieren und selbst bei den läppischsten Fragen zögern würde, dann hätten wir uns vielleicht gar nicht in ihr Schlafzimmer geschlichen – vielleicht wären wir zurück zum Auto gegangen oder sogar nach Hause. (Dad sagte, Kriminelle hätten immer hochkomplexe Strategien, um ihr abwegiges Verhalten zu begründen. Diese verdrehte Logik war meine eigene.)

»Ich kümmere mich um dich«, sagte Nigel, setzte mich aufs Bett und knipste die Nachttischlampe an. Er verschwand im Bad und kam mit einem Glas Wasser zurück. Weg von der Musik und der grausamen Menge, war mein Kopf viel klarer, als ich gedacht hatte, und schon nach wenigen Schlucken und ein paar tiefen Atemzügen fing ich an, mich in der nüchternen Umgebung des Schlafzimmers umzusehen. Ich kam ziemlich schnell wieder zu mir, und plötzlich packte mich etwas, was in Paläontologen-Kreisen allgemein als *Schürffieber* bekannt ist, ein blinder, unstillbarer Drang, endlich die Entwicklungsgeschichte des Lebens zu enthüllen. (Angeblich überkam dieses Fieber sowohl Mary als auch Louis Leakey, als sie das erste Mal durch die Olduvai-Schlucht in der östlichen Serengeti im heutigen Tansania gingen, einen Ort, der sich als eine der wichtigsten paläoanthropologischen Fundstellen der Welt herausstellen sollte.)

Die Wände waren beige, ohne ein einziges Bild oder Gemälde. Der Teppich unter dem Bett war spießig grün. Verglichen mit dem Rest des Hauses, diesem Chaos aus Tieren, Katzenhaaren, orientalischen Wandteppichen, angeschlagenen Möbeln, sämtlichen Heften des *National Geographic*, seit 1982, wirkte die karge Möblierung hier seltsam. Sie musste ein Zeichen für irgendetwas sein, dachte ich (»Das Schlafzimmer eines Menschen vermittelt einen direkten Einblick in seinen Charakter«, schrieb Sir Montgomery Finkle 1953 in *Blutrünstige Details*). Die wenigen, bescheidenen Möbelstücke – eine Kommode, ein Quäker-Stuhl, ein Frisiertisch – waren, wie zur Strafe, in die Zimmerecken verbannt worden. Das Bett war Queensize, ordentlich gemacht (allerdings hinterließ ich da, wo ich saß, ziemliche Falten), und die Bettdecke (vielleicht war es auch nur ein Überwurf) war rau und sah aus wie brauner Reis. Auf dem Nachttisch stand eine Lampe, und auf dem untersten Brett lag ein einziges, zerlesenes Buch *I Ging oder Das Buch der Wandlungen*. (»Es gibt nichts Schlimmeres als Amerikaner, die ihr inneres Tao suchen«, sagte Dad.) Als ich aufstand, roch ich einen leichten, aber unverwechselbaren Geruch in der Luft, wie ein schicker Gast, der sich weigert, nach Hause zu gehen: das moschusartige Eau de Cologne eines Mannes, diese Art von hartnäckigem Sirup, den sich ein kräftiger Mann aus Miami auf seinen baumstammdicken Hals klatschte.

Nigel sah sich ebenfalls um. Seine Zorro-Maske hatte er in die Tasche gesteckt. Er machte ein zahmes, fast ehrfürchtiges Gesicht, als wären wir in ein Kloster eingedrungen und als wolle er die Nonnen nicht beim Gebet stören. Er schlich zu Hannahs großem, begehbarem Schrank und schob ganz langsam die Tür auf.

Ich wollte gerade zu ihm gehen – der Schrank war voller Kleider, und als Nigel an der Schnur zog, um das Licht anzumachen, fiel ein weißer Pumps von einem Brett, auf dem sich lauter Schuhkartons und Einkaufstüten stapelten –, aber dann fiel mein Blick auf etwas, was ich noch nie in diesem Haus gesehen hatte: drei gerahmte Fotos, aufgereiht auf der Kommode. Sie schauten alle geradeaus, wie die Verdächtigen bei einer polizeilichen Gegenüberstellung. Auf Zehenspitzen schlich ich mich hin, sah aber gleich, dass die Bilder weder der eindeutige Nachweis einer ausgestorbenen Spezies waren (Exfreund) noch auf die Jurazeit verwiesen (wilde Gothic-Phase), wie ich es insgeheim gehofft hatte.

Nein, auf jedem der Fotos (eins in Schwarzweiß, die anderen in den altmodischen Farben der siebziger Jahre, *Brady Bunch*-Braun, *M*A*S*H*-Braun) war ein Mädchen zu sehen, vermutlich Hannah im Alter von, sagen wir mal, neun Monaten bis sechs Jahren, aber das Baby (mit Haaren, die aussahen wie ein Spritzer Zuckerguss auf einem kahlen Cupcake-Kopf) und das Kleinkind (nur mit Windel bekleidet) sahen ihr überhaupt nicht ähnlich. Dieses Wesen hier war behäbig und rot wie ein Onkel, der Alkoholiker ist; wenn man die Augen zusammenkniff, hätte man denken können, es wäre von zu viel Scotch in seinem Bettchen umgekippt. Auch die Augen waren ganz anders: Hannah hatte Mandelaugen, die Augen hier hatten zwar die gleiche Farbe, Schwarzbraun, aber sie waren rund. Ich war schon bereit zu akzeptieren, dass die Fotos vermutlich gar nicht von Hannah waren, sondern von ihrer heiß geliebten Schwester –, aber dann trat ich noch näher und studierte die Fotos noch gründlicher. Da tauchte, vor allem beim Bild der Vierjährigen, die auf einem wilden, Whitman-zotteligen Pony saß, eine gewisse Ähnlichkeit auf: der perfekte Mund, bei dem Oberlippe und Unterlippe aufeinander passten wie ganz feine Puzzleteile, und auch der intensive, aber geheimnisvolle Gesichtsausdruck, mit dem sie auf die Zügel starrte, die sie fest in der Hand hielt.

Nigel war immer noch in Hannahs Schrank – ich glaube, er probierte ihre Schuhe an –, also schlüpfte ich ins Badezimmer nebenan und machte Licht. Es war nicht anders als das Schlafzimmer, nüchtern, kahl wie eine Büßerzelle, ein weiß gefliester Fußboden, ordentliche weiße Handtücher, Waschbecken und Spiegel makellos sauber, ohne einen einzigen Klecks oder Schmierfleck. Sätze aus einem bestimmten Buch leuchteten in meinem Kopf auf, aus dem Taschenbuch, das Junikäfer Amy Steinman bei uns zurückgelassen hatte, *Im Dunkeln gestrandet* von Dr. P. C. Mailey (1979). Das Buch beschrieb in hektischer, heiserer Prosa »die sicheren Anzeichen für Depressionen bei alleinstehenden Frauen«, und eins dieser Anzeichen war »ein kahler Lebensbereich als eine Form der Selbstfolter« (S. 87). »Eine stark depressive Frau lebt entweder in Schmutz und Chaos oder in einer streng minimalistischen Umgebung – es gibt nichts, was auf ihren eigenen Geschmack oder auf ihre Persönlichkeit verweisen würde. In anderen Räumen kann sie aber durchaus ›allen möglichen Krempel‹ haben, um auf ihre Freunde normal und glücklich zu wirken« (S. 88).

Ich fand das etwas entmutigend. Aber als ich mich niederkniete und das Schränkchen unter dem Waschbecken öffnete, war ich *wirklich* überrascht, und ich glaube nicht, dass es die freudige Fassungslosigkeit war, die Mary Leakey empfand, als sie 1959 auf *Zinjanthropus* oder »Zinj« stieß.

In dem Schränkchen war in einem rosaroten Plastikkorb eine Sammlung von verschreibungspflichtigen Medikamenten, die im Vergleich zu denen, die Judy Garland in ihren besten Zeiten schluckte, wie ein paar Rollen Smarties aussahen. Ich zählte neunzehn dieser kleinen orangefarbenen Döschen und dachte automatisch (Barbiturate, Amphetamine, murmelte ich vor mich hin, Seconal, Phenobarbital, Dexedrin; Marilyn und Elvis wären in Ekstase geraten), aber es war frustrierend, man konnte nicht sagen, was darin war; kein einziges Röhrchen hatte ein Etikett, und es gab noch nicht einmal Spuren, dass sie abgerissen worden waren. Auf jedem der NACH UNTEN DRÜCKEN UND DREHEN-Deckel klebte ein Stück Farbband, blau, rot, grün oder gelb.

Ich nahm einen der größeren Behälter und schüttelte die winzigen blauen Tabletten heraus, die alle mit einer winzigen 50 markiert waren. Ich war in Versuchung, sie zu stehlen, um zu Hause mit Hilfe des Internets oder mit Dads neun Kilo *Enzyklopädie der Medizin* (Baker & Ash, 2000) herauszufinden, worum es sich handelte, aber dann – was, wenn Hannah insgeheim eine tödliche Krankheit hatte und diese

Tabletten sie am Leben erhielten? Was, wenn ich eine dieser lebensnotwendigen Pillen entwendete und sie morgen nicht die vorgeschriebene Dosis nehmen konnte und ins Koma fiel, so wie Sunny von Bülow – hatte ich dann die fragwürdige Rolle von Claus? Was, wenn ich Alan Dershowitz als Anwalt nehmen musste, der dann pausenlos mit seinen blöden Collegestudenten über mich redete, die sich mit Spaghetti und Ingwer-Krabben vollstopften, während sie poetisch über verschiedene Unschuld- und Schuldmaße laberten, während mein Leben in ihren Händen tanzte wie eine Marionette, die mit Bindfäden mühsam zusammengehalten wurde?

Ich stellte das Röhrchen zurück.

»Blue! Komm mal her!«

Nigel war im Schrank hinter ein paar Einkaufstüten vergraben. Er gehörte zu diesen leidenschaftlichen, aber chaotischen Ausgräbern, die schamlos die Ausgrabungsstelle verhunzten; er hatte mindestens zehn Schuhschachteln vom obersten Brett heruntergeholt und sie einfach auf dem Boden stehen lassen. Verschossene Baumwollpullis lagen zwischen Seidenpapierknäueln, Plastiktüten, einem Strassgürtel, einem Schmuckkästchen und einem schweißdurchdrungenen burgunderroten Schuh. Nigel trug eine lange Kette aus falschen rosaroten Perlen um den Hals.

»Ich bin Hannah Schneider, und ich bin ein Rätsel«, sagte er mit Vampstimme, warf das Ende der Kette über die Schulter, als wäre er Isadora Duncan, die Mutter des modernen Tanzes (siehe *Das rot, ich auch*, Hillson, 1965).

»Was machst du eigentlich?«, fragte ich kichernd.

»Einen Schaufensterbummel.«

»Du musst die Sachen wieder an ihren Platz räumen. Sonst merkt sie doch gleich, dass wir hier waren. Sie kann jederzeit zurückkommen –«

»Mensch, sieh dir das mal an!«, rief er begeistert und gab mir einen schweren, kunstvoll geschnitzten Holzkasten. Er biss sich auf die Unterlippe, während er den Deckel öffnete. In dem Behälter schimmerte eine Silbermachete, etwa einen halben Meter lang, die Art von Horrorwaffe, mit der die Rebellen in Sierra Leone den Kindern die Arme abgehackt hatten (»Zurück in die Steinzeit«, van Meer, *The Foreign Quarterly*, Juni 2001). Ich war sprachlos. »Da oben ist 'ne ganze Messersammlung«, sagte Nigel. »Sie hat was mit S & M. Ach, und außerdem habe ich noch ein Bild gefunden.«

Fröhlich nahm er die Machete wieder an sich (als wäre er der enthusiastische Manager eines Pfandhauses), stellte den Kasten auf den Teppich, wühlte eine Weile in einem Schuhkarton und gab mir dann ein verblasstes, quadratisches Foto.

»Sie sah aus wie Liz, als sie jung war«, sagte er verträumt. »Liz in *Kleines Mädchen, großes Herz*.«

Es war ein Foto von Hannah mit elf oder zwölf. Es zeigte sie nur von der Taille aufwärts, man konnte nicht genau sehen, ob es draußen oder drinnen aufgenommen war, aber sie lächelte breit (ehrlich gesagt, so glücklich hatte ich sie noch nie gesehen). Sie hatte den Arm einem anderen Mädchen um die Schulter gelegt. Das andere Mädchen war vermutlich auch sehr hübsch, wandte sich aber mit einem schüchternen Lächeln von der Kamera ab und schloss genau in den Moment, als das Bild geknipst wurde, die Augen, sodass man nur den Vorraum ihres Gesichts sehen konnte (die Wangen, ein Stück der edlen Stirn, eine Andeutung der Wimpern) und vielleicht einen Teil des Salons (eine perfekte Skiabfahrtsnase). Die beiden trugen die gleiche Schuluniform (weiße Bluse, dunkelblaues Jackett – Hannah hatte auf der Brusttasche ein goldenes Löwen-Abzeichen). Es war einer dieser Schnappschüsse, bei dem man das Gefühl hatte, dass hier nicht nur ein Bild eingefangen wurde, sondern ein Stück Leben, eine körnige Wochenschau – die Pferdeschwänze der Mädchen waren statisch aufgeladen, die Haarsträhnen bildeten ein Spinnennetz im Wind. Man konnte fast hören, wie ihr Lachen sich vermischte und verwob.

Und doch – die beiden hatten etwas Unheimliches. Ich musste an Holloway Barnes und Eleanor Tilden denken, ob ich wollte oder nicht, an die beiden Mädchen, die 1964 in Honolulu gemeinsam den Plan fassten, ihre Eltern zu ermorden, worüber Arthur Lewis in seinem erschreckenden Tatsachenbericht *Kleine Mädchen* (1988) erzählt.

Holloway tötete Eleanors Eltern mit einer Spitzhacke, während sie schliefen, und Eleanor tötete Holloways Eltern mit einem Gewehr, schoss ihnen ins Gesicht, als wäre es ein Spiel, als hoffte sie, den großen Kuschel-Panda zu gewinnen. Im Fototeil in der Mitte des Buches war ein Bild der Mädchen, das diesem hier ganz ähnlich war, beide in einer katholischen Schuluniform, die Arme ineinander verflochten, ein brutales Lächeln, das sich in ihre Gesichter bohrte wie ein Angelhaken.

»Wer ist wohl das andere Mädchen?«, sagte Nigel und seufzte wehmütig. »Zwei so schöne Menschen sollten eigentlich sterben. Sofort.«

»Hat Hannah eine Schwester?«, fragte ich.

Er zuckte die Achseln. »Keine Ahnung.«

Ich ging zu den drei gerahmten Bildern auf der Kommode.

»Was ist das?«, fragte Nigel, der mir gefolgt war.

Ich hielt das Foto als Vergleich daneben.

»Hä?«

»Diese Fotos. Sie sind nicht von Hannah.«

»Das sind doch Babybilder!«

»Aber es ist nicht dasselbe Gesicht.«

Er beugte sich vor, nickte. »Vielleicht ist es eine fette Cousine.«

Ich drehte das Bild von Hannah und dem blonden Mädchen um. Unten in der Ecke hatte jemand mit blauem Kuli eine Jahreszahl geschrieben: 1973.

»Warte«, flüsterte Nigel plötzlich, eine Hand gegen die Perlen gepresst, die er immer noch um den Hals trug. »Scheiße. Sei mal still.«

Die Musik unten, die mit der Gleichmäßigkeit eines gesunden Herzens gewummert hatte, war verstummt. Es herrschte absolute Stille.

Ich schloss die Tür auf, linste in den Flur.

Er war menschenleer.

»Wir müssen hier weg«, sagte ich.

Nigel gab ein leises Quieken von sich und verschwand wieder im Schrank, versuchte wie ein Irrer, die Pullover richtig zu falten und die passenden Deckel auf die Schuhkartons zu geben. Ich überlegte, ob ich das Foto von Hannah und dem Mädchen einstecken sollte – aber andererseits, hatte Howard Carter die Schätze aus dem Grab von Tutanchamun einfach mitgenommen? Hatte Donald Johanson insgeheim ein Stück von Lucy, der 3,18 Millionen Jahre alten Hominidin, in die Tasche gesteckt? Zögernd gab ich Nigel das Foto, der es in die *Evan Picone*-Schuhschachtel legte und dann, auf Zehenspitzen stehend, den Karton wieder aufs oberste Regal bugsierte. Wir machten alle Lichter aus, nahmen unsere Schuhe, überprüften noch einmal den ganzen Raum, ob wir auch wirklich nichts auf dem Boden hatten liegen lassen. »Alle Diebe hinterlassen ihre Visitenkarte, weil das menschliche Ego unbedingt Anerkennung sucht, so wie Junkies Smack brauchen«, bemerkte Detective Clark Green in *Fingerabdrücke* (Stipple, 1979). Wir schlossen die Schlafzimmertür hinter uns und rannten den Flur hinunter.

Die Treppe war leer, und unten kreischte irgendeine verschwitzte Vogelfrau mit schiefem Federkopfschmuck, ein hysterisches »Oooooooo«, das immer weiterging und den allgemeinen Lärm durchschnitt wie das Schwert in einer sich zuspitzenden Kampfszene. Charlie Chaplin versuchte, sie zu beruhigen. »Tief durchatmen! Verdammt noch mal, Amy, du musst tief durchatmen!« Nigel und ich schauten uns verdutzt an, dann gingen wir die Treppe vollends hinunter. Unten ertranken wir in einem Meer aus Füßen, Plastikmasken, Zauberstäben, Perücken, die alle miteinander versuchten, zur Hintertür zu kommen, hinaus auf den Patio.

»*Hör auf zu schubsen*!«, schrie jemand. »*Hör doch auf zu schubsen, du Arsch*!«

»Ich hab's gesehen«, sagte ein Pinguin.

»Aber was ist mit der Polizei?«, jaulte eine Fee. »Ich meine – warum ist die Polizei nicht hier? Hat jemand 911 angerufen?«

»Hey«, sagte Nigel und packte den Neptun vor uns an der Schulter. »Was ist eigentlich los?«

»Jemand ist tot.«

Paris – ein Fest fürs Leben

Mit sieben wäre Dad fast im Brienzer See ertrunken. Er behauptete, dies sei für ihn die zweitwichtigste Erfahrung seines Lebens und komme in ihrer Bedeutung gleich hinter dem anderen großen Ereignis, dem Tag, an dem er Benno Ohnesorg sterben sah.

Wie so oft hatte Dad versucht, einen gewissen Hendrik Salzmann auszustechen, einen zwölfjährigen Jungen, der ebenfalls im Züricher Waisenhaus lebte. Zwar zeigte Dad »hartnäckige Entschlossenheit, Ausdauer und athletische Begabung«, als er an dem erschöpften Hendrik vorbeischwamm, aber dreißig oder vierzig Meter hinter der Abgrenzung des Schwimmbereichs merkte er, dass er zu k.o. war, um weiterzumachen.

Das leuchtend grüne Ufer winkte aus weiter Ferne. »Es war, als würde es sich verabschieden«, sagte Dad. Als er in die gurgelnde Dunkelheit sank, Arme und Beine schwer wie Steinsäcke, empfand er – nach anfänglicher Panik, die »eigentlich nichts anderes war als Überraschung: Das war's dann wohl, darauf läuft also alles hinaus« – etwas, was häufig als Sokrates-Syndrom bezeichnet wird: ein Gefühl tiefer Ruhe im Angesicht des Todes. Dad schloss die Augen, aber er sah keinen Tunnel, kein blendend helles Licht, keine Diashow seines kurzen, Dickens'schen Lebens, nicht einmal einen lächelnden bärtigen weißen Mann in einer Robe, sondern Süßigkeiten.

»Karamellbonbons, Marmelade«, sagte Dad. »Kekse, Marzipan.

Ich konnte die Sachen *riechen*. Ich habe wirklich geglaubt, dass ich nicht in mein feuchtes Grab sinke, sondern in eine Konditorei.«

Dad schwor außerdem, dass er irgendwo da unten in der Tiefe Beethovens Fünfte hörte, die eine geliebte Nonne namens Fräulein Uta (der erste Junikäfer der Geschichte) samstagabends immer in ihrem Zimmer spielte. Und aus diesem Zuckerrausch zerrte ihn kein anderer als Hendrik Salzmann heraus (dem neue Kräfte gewachsen waren). Dad sagte, sein erster bewusster Gedanke sei gewesen: Nichts wie zurück ins dunkle Wasser, zum Nachtisch und zum Allegro-Presto.

Dad über den Tod: »Wenn deine Zeit kommt – und natürlich weiß keiner von uns, wann wir an der Reihe sind –, hat es keinen Sinn, *bitte* zu winseln. Man sollte wie ein Krieger gehen, egal, ob die Revolution, für die du dich im Leben eingesetzt hast, die Biologie war oder die Neurologie, die Entstehung der Sonne, Käfer oder das Rote Kreuz, wie bei deiner Mutter. Darf ich dich daran erinnern, wie Che Guevara gegangen ist? Er war ein Mann mit vielen Schwachpunkten – seine pro-chinesischen, pro-kommunistischen Ansichten hatten Scheuklappen und waren bestenfalls naiv. Und trotzdem« – Dad richtete sich auf und beugte sich vor, seine haselnussbraunen Augen waren riesig hinter der Brille, er hob die Stimme und senkte sie wieder – »am 9. Oktober 1967, als ein Verräter die CIA-Agenten über den geheimen Ort des Guerilla-Lagers informiert hatte, als er so schwer verwundet war, dass er nicht mehr stehen konnte, als er sich der bolivianischen Armee ergab und René Barrientos seine Hinrichtung befahl, als ein feiger Offizier den kürzeren Strohhalm zog und so fürchterlich zu zittern anfing, dass Augenzeugen dachten, er hätte einen Anfall – da betrat also dieser Offizier das fensterlose kleine Schulhaus, um Guevara eine Kugel in den Kopf zu jagen. Er sollte ein für allemal den Mann ermorden, der für die Menschen in den Kampf zog, an die er glaubte, den Mann, der ohne eine Spur von Sarkasmus über ›Freiheit‹ und ›Gerechtigkeit‹ sprach. Guevara, der wusste, was ihn erwartete, wandte sich dem Offizier zu –« An dieser Stelle drehte sich Dad zu einem imaginären Offizier links von ihm. »Es heißt, er hatte keine

Angst, Sweet, kein Schweißtropfen stand ihm auf der Stirn, seine Stimme zitterte nicht – und er sagte: ›Schieß, du Feigling. Du tötest nur einen Menschen.‹«

Dad schaute mich an.

»Nach solcher Gewissheit sollten auch wir streben, du und ich.«

Nachdem Hannah uns von Smoke Harvey erzählt hatte, mit rauer Stimme und einem Grauschleier in den Augen (als wäre im Inneren ihres Kopfes irgendetwas ausgelaufen), und jede Einzelheit über ihn in einen rosaroten Backstein zur Wiedererschaffung der großen, lauten Plantage seines Lebens verwandelt hatte, dachte ich über Smokes Gewissheit nach. Ich fragte mich, was ihn umwarb, als er ertrank – wenn es nicht Dads Traum von Süßigkeiten und Beethoven war, dann vielleicht kubanische Zigarren oder die Puppenhände seiner ersten Frau (»Sie war so winzig, dass sie mit den Armen gar nicht ganz um ihn herumkam«, sagte Hannah) oder ein Glas Johnny Walker on the Rocks (Blue Label vermutlich, da Hannah sagte, er habe gern »die guten Dinge des Lebens« genossen) oder irgendetwas, was ihn sanft von der Tatsache wegstieß, dass die Krönung seines Lebens, dieser achtundsechzig Jahre, die er mit viel Kraft und Energie gelebt hatte (mit »Schwung« und »Genuss«, sagte Hannah), in Hannahs Swimmingpool stattfand, wo er, betrunken und gekleidet wie Mao Zedong, in zwei Meter Tiefe über einem Betonboden trieb und niemand ihn bemerkte.

Sein vollständiger Name lautete Smoke Wyannoch Harvey, 68. Nicht viele Leute wussten, wer er war, es sei denn, sie wohnten in Findley, West Virginia, oder sie nutzten ihn als Portfolio-Manager, als er bei der DBA LLC arbeitete, oder sie hatten in der Kiste mit den 80 %-runtergesetzten Sonderangeboten das Buch gefunden, das er geschrieben hatte, *Der Doloroso-Verrat* (1999), oder sie überflogen am 24. November und am 28. November im *Stockton Observer* die zwei Artikel über seinen Tod (siehe »Mann aus West Virginia ertrinkt in Pool«, »Tod durch Ertrinken am Wochenende – ein Unfall«, Lokalnachrichten im B-Teil der Zeitung, S. 2 bzw. S. 5).

Er war, natürlich, der interessante grauhaarige Mann, dem Nigel

Abbildung 12.0

und ich mit Hannah auf der Treppe begegnet waren und der mir gefallen hatte (Abbildung 12.0).

* * *

Nachdem wir gehört hatten, dass jemand gestorben war, drängten Nigel und ich uns zu einem der Fenster über dem Patio. Von dort aus konnten wir die Rücken der Leute sehen, die alle in dieselbe Richtung starrten, als würden sie eine fesselnde Straßenaufführung von *König Lear* verfolgen. Die meisten hatten sich ihrer Kostüme schon halb entledigt, sodass sie aussahen wie irgendwelche Zwischenwesen, auf dem Boden lagen lauter Pfeifenputzer-Antennen und Gestrandete-Quallen-Perücken.

Das Jaulen eines Krankenwagens zerriss die Nacht. Rotlicht wirbelte über dem Rasen. Die Leute wurden alle vom Patio ins Wohnzimmer geschickt.

»Wir kriegen das schnell geregelt, wenn alle mal endlich still sind«, sagte der blonde Polizeibeamte in der Tür. Er kaute Kaugummi. An der Art, wie er sich an den Türrahmen lehnte, wie er einen Fuß auf Hannahs Regenschirmständer stellte und ein paar Sekunden zu lang brauchte, um zu blinzeln, konnte man ablesen, dass er zwar körperlich präsent war, in Gedanken aber noch an irgendeinem Pooltisch mit rotem Filz stand, wo er einen Draw Shot verpasst hatte, oder aber bei seiner Frau im durchgelegenen Bett lag.

Ich stand unter Schock, mit offenem Mund – ich wollte wissen, wer es war, wollte sicher sein, dass es nicht Milton oder Jade war oder einer von ihnen (*wenn es schon jemand sein muss, dann könnte es doch die blöde Raupe sein*) –, aber Nigel benahm sich wie ein Pfadfinderführer. Er fasste mich wieder an der Hand, schob sich durchs Zimmer, trat auf die Hippies, die inzwischen auf dem Fußboden saßen und sich gegenseitig Bußmassagen gaben. Er warf die kotzende Jane aus dem Bad (sie hatte Tarzan verloren), verriegelte die Tür und befahl mir, Wasser zu trinken.

»Wir wollen nicht von einem Bullen aufgefordert werden, in ein Röhrchen zu pusten«, sagte er aufgeregt, während seine Augen durch den Raum rasten. Ich erschrak über seine Hochspannung. Dad sagte, Extremsituationen riefen bei allen Menschen eine Veränderung des Aggregatzustands hervor, und während die meisten Leute sich augenblicklich in Flüssigkeit auflösten, verwandelte sich Nigel in eine dichtere, irgendwie kompaktere Version seiner selbst. »Ich suche jetzt die anderen«, verkündete er mit der Heftigkeit eines Rockette-Kicks. »Wir müssen eine gute Geschichte anbieten, warum wir hier sind, denn die riegeln garantiert den Tatort ab und nehmen alle Namen und Adressen auf«, sagte er, als er die Tür öffnete. »Und ich will auf keinen Fall von der Schule fliegen, nur weil irgendein Versager nicht mit Alkohol umgehen konnte und nie schwimmen gelernt hat.«

* * *

Manche Menschen haben die Begabung, zwar nicht unbedingt der *Star* jedes Krimis, Pornos, Liebesfilms oder Italo-Westerns zu werden, aber doch zumindest immer eine Nebenrolle zu ergattern oder einen Kurzauftritt hinzulegen, für den sie lobende Kritiken einheimsen und mit dem sie einiges Aufsehen erregen.

Es ist nicht besonders überraschend, dass ausgerechnet Jade diejenige war, die die Rolle der ahnungslosen Augenzeugin bekam. Sie war draußen und unterhielt sich mit Ronald Reagan, der in seinem besoffenen Zustand unbedingt Eindruck schinden wollte und sich in den geheizten Swimmingpool fallen ließ. Während er in seinem blauen Anzug auf dem Rücken schwamm und dabei den vier Ratten ausweichen musste, die Marco Polo spielten, rief er der zuschauenden Jade verschiedene Namen zu, weil er raten wollte, als wer sie verkleidet war (»Pam Anderson! Ginger Lynn!«). Zufällig kickte er mit dem Fuß gegen den dunklen Körper unter Wasser.

»Was zum –?«, rief The Gipper Ronald.

»Jemand ist bewusstlos! Sie müssen sofort 911 anrufen! Kann hier jemand Erste Hilfe? *Wir brauchen einen Arzt, verdammte Scheiße*!« Den habe sie gerufen, behauptete Jade, aber Milton, der gerade zum Patio zurückgekommen war, nachdem er zwischen den Bäumen den Rest seines Joints geraucht hatte, sagte, sie habe nichts getan oder gesagt, bis der Große Kommunikator Ronald und eine der Ratten die große Walfisch-Leiche aus dem Wasser geangelt hatten, und dann habe sie sich in den Liegestuhl gesetzt und Nägel gekaut, während die Leute anfingen, im Gleichklang »Ach, du guter Gott« zu seufzen. Ein Zebra-Mann versuchte ihn wiederzubeleben.

Jade war immer noch auf dem Patio mit Dutch Ronald und den anderen Hauptdarstellern, die alle darauf warteten, von der Polizei befragt zu werden, während Nigel mit Charles, Milton und Lu wieder ins Badezimmer kam. Charles und Lu sahen aus, als hätten sie nur mit knapper Not den Krieg von 1812 überlebt, aber Milton wirkte wie immer, entspannt und unförmig, ein leichtes Lächeln auf dem Gesicht.

»Wer ist tot?«, fragte ich.

»Ein dicker, großer Mann«, sagte Leulah und setzte sich mit verschwommenem Blick auf den Badewannenrand. »Und er ist echt tot. Auf Hannahs Patio liegt eine Leiche. Der Mann ist völlig durchnässt. Und diese widerliche, schwabbelige Farbe.« Sie hielt sich den Bauch. »Ich glaube, ich muss kotzen.«

»Das Leben, der Tod«, seufzte Nigel. »Alles wie in Hollywood.«

»Hat irgendjemand Hannah gesehen?«, fragte Charles leise.

Es war ein grässlicher Gedanke. Selbst wenn es ein Unfall war – es war nie besonders angenehm, wenn jemand unerwartet starb, während man Gäste hatte, wenn jemand »diese wahnwitzige Welt verließ« (wie Dad gern sagte) und das ausgerechnet in dem nierenförmigen Swimmingpool, der einem selbst gehörte. Keiner von uns sagte etwas. Hinter der verschlossenen Tür lösten sich ab und zu ein paar Kaulquappen aus dem allgemeinen Stimmengewirr (»Au!«, »Sheila!«, »Hast du ihn gekannt?«, »Hey, was ist hier eigentlich los?«), und durchs offene Fenster über der Badewanne drang knisternd der Polizeifunk, pausenlos und undechiffrierbar.

»Also ich würde sagen – nichts wie weg hier«, sagte Nigel. Er versteckte sich hinter dem Duschvorhang, während er aus dem Fenster spähte, als könnte gleich jemand das Feuer eröffnen. »Ich vermute, sie haben nicht mal einen Polizeiwagen am Ende der Zufahrt postiert. Aber wir können Jade nicht allein lassen, das heißt, wir müssen das Risiko eingehen und uns an den Ermittlungen beteiligen.«

»Das ist doch völlig klar, dass wir nicht vom Tatort fliehen können«, sagte Charles verärgert. »Bist du jetzt komplett durchgedreht oder was?« Er war ganz rot im Gesicht. Offensichtlich machte er sich Sorgen um Hannah. Mir war schon aufgefallen, dass er immer, wenn Jade oder Nigel im Purple Room irgendwelche Vermutungen darüber anstellten, was sie am Wochenende machte (wenn sie auch nur »Cottonwood« flüsterten), hitzig und gereizt wurde wie ein lateinamerikanischer Diktator. Innerhalb von Sekunden konnte sein ganzer Körper – samt Gesicht und Händen – so rot anlaufen wie Tropical Punch.

Milton sagte nichts, wie immer, sondern lachte nur leise in sich hinein, an die burgunderroten Handtücher gelehnt.

»Es ist wahrscheinlich gar nicht so kompliziert«, sagte Nigel. »Tod durch Ertrinken ist immer eine klare Sache. Sie können an der Haut sehen, ob es ein Unfall oder Fremdeinwirkung im Spiel war. Und außerdem gibt es eine große Zahl von Todesfällen, die mit Alkohol zusammenhängen. Ein besoffener Typ fällt ins Wasser? Verliert das Bewusstsein? Stirbt? Was kann man da machen? Das hat er sich selbst zuzuschreiben. Und es passiert dauernd. Die Küstenwache findet ständig sternhagelvolle Hornochsen, die im Ozean treiben, weil sie zu viel Rum mit Cola intus hatten.«

»Woher weißt du das?«, fragte ich ihn, obwohl ich in *Mord in Le Havre* (Monalie, 1992) etwas Ähnliches gelesen hatte.

»Meine Mom ist eine große Krimifanatikerin«, verkündete er stolz. »Diana könnte ihre eigene Autopsie vornehmen.«

* * *

Als wir beschlossen, nicht sichtbar betrunken zu sein (der Tod hatte den gleichen Effekt wie sechs Tassen Kaffee und ein Sprung in die Beringsee), gingen wir zurück ins Wohnzimmer. Ein neuer Beamter hatte die Sache in die Hand genommen, Officer Donnie Lee, ein Mann mit einem kugeligen, schiefen Gesicht, das an eine missratene Vase auf einer Töpferscheibe erinnerte. Er ließ die Gäste antreten, »bitte geordnet, Leute«, mit der manischen Geduld eines Activities Director auf einem Kreuzfahrtschiff, der einen Landausflug organisiert. Nach und nach ringelte sich die Menge durch den Raum.

»Ich gehe als Erster«, sagte Nigel. »Und ihr sagt am besten gar nichts. Ich gebe euch den Rat, den mir meine Mutter gegeben hat. Egal, was passiert, tut so, als hättet ihr eine Christusvision.«

Officer Donnie Lee hatte sich üppig mit einem Eau de Cologne à la Paul Revere ausgestattet (der Duft eilte ihm weit voraus und kündigte seine bevorstehende Ankunft an). Als er zu Nigel kam, seinen Namen und Telefonnummer notierte und fragte: »Wie alt bist du, mein Junge?«, war Nigel schon auf das bevorstehende Massaker vorbereitet.

»Siebzehn, Sir.«

»O-oh.«

»Ich versichere Ihnen, Ms Schneider hatte keine Ahnung, dass wir heute Abend hier erscheinen würden. Meine Freunde und ich haben irrtümlicherweise geglaubt, es würde Spaß machen, bei einer Erwachsenenparty dabei zu sein. Wir wollten sehen, was sich da tut. Aber wir hatten nicht vor, wenn ich das gleich hinzufügen darf, uns am Konsum irgendwelcher illegalen Substanzen zu beteiligen. Ich bin Baptist, seit meiner Geburt, ich leite seit zwei Jahren meinen eigenen Gebetskreis, und es verstößt gegen meine religiöse Überzeugung, Alkohol in irgendeiner Form zu mir zu nehmen. Abstinenz heißt die Losung, Sir.«

Ich fand seinen Auftritt affektiert und übertrieben, aber zu meiner Überraschung kam er an wie Vanessa Redgrave in *Maria Stuart, Königin von Schottland*. Donnie Lee, mit den dicken Falten in der breiten Lehmstirn (die aussahen, als würden unsichtbare Hände anfangen, ihn in eine Vase oder einen Aschenbecher umzuformen), klopfte nur mit seinem angekauten blauen Kuli auf die Seite seines Notizblocks.

»Seid bitte vorsichtig, Kinder. Ich will euch nicht nochmal bei so einer Veranstaltung sehen. Habe ich mich deutlich genug ausgedrückt?«

Ohne auch nur unser »Jawohl, Sir, deutlich genug, Sir« abzuwarten, ging er dazu über, die Aussage der quengeligen Marilyn aufzunehmen, die in ihrem dünnen *Das verflixte-7.-Jahr*-Kleid, das vorn einen scheußlichen braunen Fleck hatte, neben uns herumzitterte.

»Wie lang dauert das alles? Ich habe einen Babysitter.«

»Ma'am, wenn Sie sich einfach einen Moment Zeit für uns nehmen könnten …«

Nigel grinste. »Nichts ist so wirkungsvoll wie ein gut platzierter Honigtopf, um die Fliegen anzulocken«, flüsterte er.

Vor 5 Uhr morgens ließ Officer Donnie Lee niemanden gehen. Als wir endlich raus durften, begrüßte uns ein bläulich tuberkulöser Morgen: der Himmel fahl, das Gras schweißnass, eine kalte Brise, die durch die Bäume wehte. Purpurrote Federn sausten über den Rasen, jagten sich gegenseitig unter dem Absperrband durch, POLICE

LINE DO NOT CROSS, und belästigten eine Hulk-Maske, die sich tot stellte.

Wir zogen mit der müden Prozession zu den geparkten Autos, vorbei an den Gästen, die bleiben wollten, um etwas zu sehen (eine Fee, ein Gorilla, ein blonder Golfer, der vom Blitz getroffen worden war), vorbei an den beiden Polizeiautos, dem leeren Krankenwagen, dem Sanitäter mit den dunklen, eingesunkenen Augen, der gerade eine Zigarette rauchte. Die goldverchromte Nofretete vor uns brabbelte pausenlos, während sie in silbernen Stilettos, die aussahen wie Eispickel, die Einfahrt entlangtorkelte: »Wenn man so 'nen Pool hat, bringt das doch auch 'ne gewisse Verantwortung mit sich«, sagte sie. »Ich hatte schon gleich beim Aufstehen so ein blödes Gefühl, ganz ehrlich.«

In benommenem Schweigen stiegen wir ein und warteten noch eine Viertelstunde auf Jade.

»Ich habe eine Aussage gemacht«, verkündete sie stolz, während sie auf den Rücksitz kletterte und mich gegen Nigel quetschte, als sie die Tür zuzog. »Es war wie im Fernsehen, nur dass der Cop weder besonders heiß noch braun gebrannt war.«

»Was war er dann?«, fragte Nigel.

Jade wartete, bis unsere Augen alle auf ihr herumkrabbelten.

»Lieutenant Arnold Trask war ein Schwein.«

»Hast du den Kerl gesehen, der gestorben ist?«, fragte Milton vom Vordersitz.

»Ich habe alles gesehen«, antwortete sie. »Was wollt ihr hören? Als Erstes muss ich euch etwas erzählen, was ich total komisch fand – er war blau. Kein Witz! Und die Arme und Beine baumelten irgendwie an ihm runter. Arme und Beine baumeln normalerweise nicht einfach so – versteht ihr, was ich meine? Er war aufgedunsen wie eine Luftmatratze. Irgendetwas hat ihn aufgeblasen –«

»Wenn du nicht sofort aufhörst, muss ich noch kotzen«, ächzte Leulah.

»Was?«

»Hast du Hannah gesehen?«, fragte Charles und startete den Wagen.

»Ja, klar.« Jade nickte. »Das war das Allerschlimmste. Sie haben sie rausgeführt, und da fing sie an zu schreien, wie so eine Geisteskranke. Einer der Polizisten musste sie wieder wegbringen. Ich habe gedacht, ich gucke so eine Fernsehsendung nach der Schule, über eine Mutter, der sie das Sorgerecht für ihre Kinder entzogen haben. Danach habe ich sie nicht mehr gesehen. Jemand hat gesagt, der Typ vom Krankenwagen hätte ihr ein Beruhigungsmittel gegeben und sie würde schlafen.«

In dem blassen bläulichen Morgenlicht drängten sich Hunderte von kahlen Bäumen an die Leitplanke und nickten uns zu, gaben ihrem Beileid Ausdruck. Ich sah, dass Charles die Zähne zusammenbiss, als er in den Highway einbog, um zu Jade zu fahren. Seine Wangen wirkten richtig hohl, als hätte sie jemand mit einem Messer attackiert. Ich dachte an Dad, an die schrecklichen Momente, wenn er in eine Bourbon-Laune verfiel, mit *Die große Notlüge* (1969) oder mit E. B. Carlsons *Schweigen* (1987) auf seinen Kordsamtknien. Es konnte passieren, dass er über etwas redete, worüber er sonst nie redete: Wie meine Mutter starb. »Es war meine Schuld«, sagte er dann, aber nicht zu mir, sondern zu meiner Schulter oder meinem Bein. »Ehrlich, mein Schatz. Es ist eine Schande. Ich hätte da sein müssen.« (Selbst Dad, der sich damit brüstete, dass er nie auswich, wandte sich lieber an einen Körperteil, wenn er betrunken oder deprimiert war.)

Und ich hasste diese Augenblicke, wenn Dads Gesicht zerfiel – dieses eine, das ich insgeheim für stark und dauerhaft hielt, für unveränderlich wie die Kopfskulpturen aus Vulkanfelsen auf der Osterinsel (wenn irgendjemand nach neunhundert Jahren noch stehen würde, dann war das Dad!). Eine Sekunde lang, in der Küche oder in irgendeiner Ecke im diffusen Dunkel seines Arbeitszimmers, sah ich ihn, zerbrechlich und irgendwie kleiner, auf jeden Fall menschlich; aber verloren, zart wie die hauchdünnen Seiten einer Motel-Bibel.

Natürlich erholte er sich immer sehr schnell. Er machte sich über sein Selbstmitleid lustig, zitierte irgendetwas, was besagte, der größte Feind des Menschen sei der Mensch selbst. Und obwohl er, wenn er aufstand, wieder Dad war, Dad, mein Mann für jeden Augenblick, mein *Der Mann, der König sein wollte*, hatte er mich doch angesteckt, weil ich danach stundenlang schlecht gelaunt war. Das war es, was ein Unfalltod den Menschen antat: Bei allen wurde der Meeresgrund aufgewühlt, wurde uneben, wodurch die Gezeiten aufeinanderprallten und nach oben stiegen, was zu kleinen, aber explosiven Strudeln führte, die bei allen unter der Oberfläche gurgelten. (In gefährlicheren Fällen entstand ein anhaltender Wirbel, in dem selbst die kräftigsten Schwimmer ertrinken konnten.)

* * *

Am Sonntag fand bei Hannah kein Essen statt.

Ich war das ganze Wochenende ziemlich matschig: Beklemmende Nachmittage mit Hausaufgaben, und die Gedanken über den Tod und Hannah saugten an meinem Kopf. Wenn ich etwas nicht ausstehen konnte, dann war es der »Sing-mit-Schmerz«, wie Dad es nannte (»Alle wollen unbedingt trauern, solang es nicht *ihr* Kind ist, dem bei einem Autounfall der Kopf abgerissen wurde, solang nicht *ihr* Ehemann von einem Penner, der verzweifelt auf der Suche nach Crack war, erstochen wurde.«); aber als ich im *Stockton Observer* den kurzen Artikel über Smoke Harvey gelesen und das Foto dazu studiert hatte (ein scheußlicher Weihnachtsschnappschuss: Frack, Grinsen, die Stirn glänzend wie Chrom), ging es mir nicht anders, ob ich wollte oder nicht – ich litt natürlich nicht unter dem Verlust und war auch eigentlich nicht traurig, aber ich hatte doch ein Gefühl von verpassten Gesprächen, so ähnlich, wie wenn man auf der Interstate einen interessanten Menschen gesehen hat, der in einem vorbeifahrenden Van auf dem Beifahrersitz döste, eine geheimnisvolle Zirruswolke am Fenster.

»Dann erzähl doch mal«, sagte Dad trocken, während er eine Ecke des *Wall Street Journal* herunterklappte, um mich zu mustern, »was machen deine Joyce'schen Hooligans? Du hast mich gar nicht auf den neuesten Stand gebracht, als du heimgekommen bist. Seid ihr schon bei Calypso?«

Ich lag zusammengerollt auf dem Sofa beim Fenster und versuchte, mich von der Kostümparty abzulenken, indem ich den britischen Chick-Lit-Klassiker *One Night Stand* (Zev, 2002) las, den ich Dad zuliebe in einem größeren Hardcover versteckte, in *Also sprach Zarathustra* (Nietzsche, 1891).

»Es geht ihnen gut«, sagte ich blasiert. »Wie geht's Kitty?«

Dad hatte am Freitag ein Date gehabt, und die Tatsache, dass die schmutzigen Weingläser immer noch in der Spüle standen, als ich am Samstagmorgen nach Hause kam (auf der Arbeitsfläche eine leere Flasche Cabernet), ließ mich vermuten, dass die betrunkenen Wahnvorstellungen, dass Dad plötzlich in dem Kostüm, in dem er, wie er selbst sagte, aussah »wie ein Kind von Marie Antoinette und Liberace«, bei Hannahs Party erschienen sein könnte, ebendas gewesen waren – nämlich Wahnvorstellungen. (Kitty verwendete kupferroten Lippenstift, und nach dem störrischen Haar zu urteilen, das ich auf dem Rücken des Sofas in der Bibliothek gefunden hatte, attackierte sie ihre Locken erbarmungslos mit Clorox. Das Haar war so gelb wie die Gelben Seiten.)

Dad machte bei dieser Frage ein verwirrtes Gesicht. »Was soll ich da antworten? Lass mich überlegen. Also, sie war lebhaft wie immer.«

Wenn *ich* mir schon vorkam wie in den Everglades, durch welchen riesigen, elenden Sumpf musste dann Hannah waten, wenn sie nachts in ihrem seltsam kahlen Schlafzimmer aufwachte und an Smoke Harvey dachte, den Mann, dessen Arm sie auf der Treppe gedrückt hatte wie ein zippeliger Teenager, den Mann, der jetzt tot war.

Am Montag wurde ich einigermaßen beruhigt, als Milton mich nach dem Unterricht bei meinem Schließfach traf. Er erzählte, Charles sei am Sonntag bei ihr gewesen.

»Wie geht es ihr?«, wollte ich wissen.

»Ganz okay. Charles sagt, sie steht immer noch unter Schock, aber sonst ist sie ganz munter.«

Er räusperte sich und vergrub mit seiner typischen Ochs-in-der-Sonne-Trägheit die Hände in den Taschen. Vermutlich hatte Jade ihn über meine Gefühle ins Bild gesetzt – »Würg ist völlig gaga deinetwegen«, hörte ich sie sagen, »gaga, durchgedreht, hin und weg« –, denn in letzter Zeit huschte immer, wenn er mich anschaute, ein schäbiges Lächeln über sein Gesicht. Seine Augen kreisten um mich wie alte Zimmerfliegen. Ich hegte keine Hoffnungen, ich gab mich nicht dem Tagtraum hin, er könnte etwas Ähnliches empfinden wie ich. Was ich empfand, war aber eigentlich weder Verlangen noch Liebe (»Julia und Romeo hin oder her – aber man kann jemanden nicht *lieben*, solange man sich nicht mindestens dreihundert Mal neben ihm die Zähne geputzt hat«, sagte Dad), sondern elektrische Spannung. Wenn ich ihn über den Rasen schlendern sah, hatte ich das Gefühl, mich hätte der Blitz getroffen; wenn ich ihn im Scratch traf und er »Howdy, Würg« sagte, war ich eine Glühbirne in einem Schaltkreis. Ich wäre nicht überrascht gewesen, wenn sich meine Nackenhaare aufgerichtet hätten, sobald er auf dem Weg zur Krankenschwester in Elton House an meinem Kunstgeschichtskurs vorbeitrottete (er war immer kurz davor, Mumps oder die Masern zu kriegen).

»Sie will heute Abend mit uns essen gehen«, sagte er. »Um über alles zu reden. Hast du um fünf Zeit?«

Ich nickte. »Ich muss mir was Gutes für meinen Dad einfallen lassen.«

Er kniff die Augen zusammen. »Bei welchem Kapitel sind wir gerade?«

»Proteus.«

Er lachte und ging. Sein Lachen war immer wie eine große Blase, die in einem Moor aufsteigt: Ein Gluckern, und dann war es vorbei.

* * *

Charles hatte recht gehabt. Hannah war munter.

Jedenfalls sah sie am Anfang munter aus, als Jade, Leulah und ich vom Kellner in den Speiseraum geführt wurden und sie allein an dem runden Tisch auf uns wartete.

Sie hatte die anderen schon öfter ins Hyacinth Terrace Restaurant eingeladen, vor allem bei besonderen Anlässen – an Geburtstagen, Festtagen, oder wenn jemand bei einem Test überdurchschnittlich gut abgeschnitten hatte. Das Restaurant versuchte wie ein hochmotivierter Notarzt, mit allen Mitteln das Viktorianische England wiederzubeleben, und offerierte »berauschende kulinarische Reisen, die kunstvoll das Alte mit dem Neuen verbinden« (siehe www.hyacinthterracewnc.net). Es befand sich in einer hübschen grün-rosaroten viktorianischen Villa am Hang des Marengo Mountain und glich einer deprimierten Gelbschulteramazone, die unbedingt in ihr natürliches Habitat zurückkehren möchte. Wenn man eintrat, hatte man von den riesigen fächerförmigen Fenstern keinen Ausblick auf ganz Stockton, sondern sah nur den berüchtigten Nebel, der aus den Kaminen der Horatio Mills aufstieg, Gallways alter Papierfabrik, die siebenundzwanzig Meilen entfernt lag (heute Parcel Supply Corp.), ein Dunst, der sich gern von dem wiederkehrenden Westwind mitnehmen ließ und das Tal, in dem Stockton lag, in seiner föhnigen Umarmung erstickte wie ein sentimentaler Geliebter.

Es war noch früh, etwa Viertel nach fünf, und Hannah war der einzige Gast im Speisesaal, bis auf ein älteres Paar am Fenster. Ein goldener, fünfstöckiger Kronleuchter hing in der Mitte des Raums wie eine Herzogin, die, mit dem Kopf nach unten, schamlos vor einem zahlenden Publikum ihre Halbstiefelchen und ihren raschelnden Petticoat zur Schau stellt.

»Hallo«, sagte Hannah, als wir an den Tisch kamen.

»Die Jungs müssten in zehn Minuten da sein«, sagte Jade und setzte sich. »Sie wollten warten, bis Charles mit dem Training fertig ist.«

Hannah nickte. Sie trug einen schwarzen Rollkragenpullover, einen grauen Wollrock und die gestärkt-und-gebügelte Miene einer Frau, die sich um ein politisches Amt bewirbt und gleich zu einer live übertragenen TV-Debatte aufs Podium muss, mitten im Wahlkampf: nervöse Gesten (Schnüffeln, Mit-der-Zunge-über-die-Zähne-lecken, Rock-glatt-Streichen) und ein matter Versuch, Konversation zu machen (»Wie war's in der Schule?«), ohne diese richtig weiterzuführen (»Das freut mich.«). Ich merkte, dass sie uns bei diesem besonderen Anlass etwas ganz Spezifisches mitteilen wollte, und ich machte mir Sorgen, während ich zuschaute, wie sie die Lippen zusammenkniff und ihrem Weinglas zulächelte, als würde sie ihre herzliche-aber-gehässige Begrüßung des Kandidaten der Gegenpartei in Gedanken noch einmal durchgehen.

Ich wusste nicht, was tun. Also tat ich so, als wäre ich begeistert von der riesigen Speisekarte, auf der die Gerichte in verschlungen filigraner Handschrift abwärts schwebten: *Pastinakenpüree, Birnensuppe mit Schwarzen Trüffeln und Mikrogrün.*

Mein Verdacht bestätigte sich, als Charles und die anderen kamen, aber sie wartete mit ihrer Rede, bis der dünne Kellner unsere Bestellungen entgegengenommen hatte und wieder davongesaust war, blitzschnell wie ein Reh, das Schüsse hört.

»Wenn unsere Freundschaft weitergehen soll«, sagte sie mit rigider Stimme, setzte sich übertrieben gerade hin, strich sich die Haare hinter die Schultern, »und es gab gestern Momente, in denen ich ernsthaft geglaubt habe, dass das nicht möglich ist –, dann muss ein für allemal gelten: Wenn ich euch sage, ihr sollt etwas nicht tun, *dann tut ihr das auch nicht.*«

Den Blick streng auf uns gerichtet, ließ sie diese Wörter über den ganzen Tisch marschieren, über die Kolibri-Teller, die hölzernen Serviettenringe, die Flasche Pinot noir und um die Glasvase mit Rosen herum, die ihre dünnen Hälse mit den gelben Köpfen über den Rand neigten wie frisch geschlüpfte Küken, die dringend gefüttert werden wollen.

»Ist das klar?«

Ich nickte.

»Ja«, sagte Charles.

»Ja«, sagte Leulah.

»Mmmm«, machte Nigel.

»Was ihr am Samstag getan habt, ist unentschuldbar. Es hat mich verletzt. Tief verletzt. Zu allem, allem anderen *Schrecklichen*, was passiert ist, kommt noch hinzu, dass ich immer noch nicht ganz fassen kann, was ihr mir angetan habt. Dass ihr mich in Gefahr gebracht habt, dass ihr mich so wenig respektiert – denn, das muss ich euch sagen, das einzig Positive an diesem Abend war, das Eva Brewster doch nicht gekommen ist, weil ihr Terrier krank war. Das heißt, wenn dieser verdammte scheiß *Terrier* nicht gewesen wäre, hätte ich jetzt keinen Job mehr. Kapiert ihr das endlich? Wir wären alle miteinander rausgeflogen! Wenn sie da gewesen wäre und einen von euch gesehen hätte, dann wärt ihr hochkant von der Schule geflogen. Das garantiere ich euch. Ich weiß genau, dass ihr keinen Fruchtpunsch getrunken habt, und ich hätte nichts machen können, um euch da rauszuholen. Nein. Alles, wofür ihr arbeitet, das College, alles, alles wäre futsch. Und wofür? Für einen albernen Streich, den ihr lustig findet? Aber er war nicht lustig. Er war zum Kotzen.«

Ihre Stimme war zu laut. Es passte auch nicht, dass sie »*scheiß* Terrier« sagte – sie benutzte nie solche Ausdrücke. Aber im Hyacinth Terrace gab es keine indignierten Blicke, keine hoch gezogenen Kellnerbrauen. Das Restaurant trottete mit, wie eine summende Großmutter, die sich weigerte zu akzeptieren, dass der Milchpreis seit ihrer Zeit um sechshundert Prozent gestiegen war. Die Kellner verneigten sich, ganz in das Decken des Tisches vertieft, und am anderen Ende des Raums ging ein junger Mann mit rübenweißen Haaren zum Flügel, nahm Platz und begann Cole Porter zu spielen.

Hannah holte tief Luft. »Weil ich jeden von euch kenne, habe ich euch immer wie Erwachsene behandelt. Als gleichberechtigt, als meine Freunde. Dass ihr unsere Freundschaft so gering achten würdet – da bleibt mir die Luft weg.«

»Es tut uns leid«, sagte Charles mit einer Fingerhutstimme, die ich noch nie gehört hatte.

Sie drehte sich zu ihm und schlang ihre langen, gepflegten Finger ineinander zu einer perfekten Das-ist-die-Kirche-das-ist-der-Turm-Architektur.

»Ich weiß, dass es euch leid tut, Charles. Das ist nicht der Punkt. Wenn ihr erwachsen seid – und so wie es aussieht, wird das noch eine ganze Weile dauern –, dann werdet ihr begreifen, dass nichts wieder normal wird, nur weil es allen leid tut. Bedauern ist albern. Ein guter Freund von mir ist tot. Und ich, ich bin außer mir …«

In diesem demoralisierenden Stil monologisierte Hannah während der ganzen Vorspeise und noch weit in den Hauptgang hinein. Als unser Antilopenkellner durch den Speisesaal gehüpft kam, um uns die Dessert-Karte vorzulegen, glichen wir einer Gruppe von sowjetischen Dissidenten in den dreißiger Jahren, die ein Jahr Zwangsarbeit in Sibirien und anderen brutalen arktischen Regionen hinter sich hatten. Leulahs Schultern hingen herunter. Sie schien einem Zusammenbruch bedenklich nah. Jade tat gar nichts, sie starrte nur auf ihren Kolibri-Teller. Charles sah verquollen und unglücklich aus. Wie ein Torpedo hatte Milton ein hoffnungsloser Gesichtsausdruck getroffen und drohte, seinen massiven Körper unter dem Tisch zu versenken. Bei Nigel konnte man zwar keine Betroffenheit erkennen, aber ich merkte, dass er nur die Hälfte seiner Lammhaxe aß und seine in Lauch getunkten Kartoffeln nicht einmal angerührt hatte.

Ich hörte natürlich jedes Wort, das Hannah sagte, und wenn sie mich anschaute, wurde ich immer doppelt traurig. Sie versuchte gar nicht, ihre große Enttäuschung und Desillusionierung zu kaschieren. Diese große Enttäuschung und Desillusionierung schienen nicht so schlimm, wenn sie die anderen anschaute, und ich war überzeugt, dass diese Beobachtung *kein* Beispiel für Dads Arroganz-Theorie war – dass nämlich jeder sich selbst immer für das Hauptobjekt der Begierde und/oder des Hasses im Broadway-Stück aller anderen hält.

Manchmal – wahrscheinlich, weil sie so kaputt war – ließ Hannah den Wortfaden plötzlich fallen und verstummte so komplett, dass ihr Schweigen sich endlos dehnte, alles dürr und unnachgiebig, so weit das Auge reichte. Das Restaurant mit seinem Geschirr und Geklirr, mit seinen gefächerten Servietten und den polierten Gabeln (in denen man kontrollieren konnte, ob sich irgendwelche mikroskopischen Dinge zwischen den Zähnen festgesetzt hatten), mit der von der Decke herunterhängenden Herzoginwitwe, die sich verzweifelt wünschte, endlich losgemacht zu werden, damit sie mit einem heiratsfähigen Herrn der oberen Zehntausend eine Quadrille tanzen konnte – das Restaurant fühlte sich so gleichgültig und schrecklich an, so aussichtslos wie eine Kurzgeschichte von Hemingway, die vor bösen Dialogen nur so strotzte, bei der die Hoffnung in den Stichworten verlorenging und die Stimmen so genüsslich waren wie Lineale. Vielleicht lag es daran, dass meine persönliche Geschichte ein kleines rotes Dreieck war, das nur zwischen den Jahren 1987 und 1992 aufleuchtete, diskret beschriftet mit NATASHA ALICIA BRIDGES VAN MEER, MUTTER; aber mir wurde jetzt klar, was ich eigentlich schon immer wusste – dass es bei allen Leuten ein erstes Mal gab, an dem man sie sah, und ein letztes Mal, an dem man sie sah. Ich war mir sicher, dass dies hier das letzte Mal war, an dem ich sie sah. Wir mussten uns voneinander verabschieden, dieses schimmernde Lokal war als Endstation auch nicht schlechter oder besser geeignet als jeder andere Ort.

Das Einzige, was mich daran hinderte, mit meiner Dessert-Karte zu verschmelzen, war Hannahs Schlafzimmer. Die Gegenstände in diesem Raum kommentierten sie schonungslos und verliehen mir, wie ich fand, geheime Einblicke in jedes Wort, das sie sagte, in jeden ihrer scharfen Blicke, in jede Knitterfalte ihrer Stimme. Ich wusste, es war eine furchtbar professionelle Attitüde – Hannah leerte ganz allein eine Flasche Wein, um zu demonstrieren, wie gestresst sie war; sogar ihre Haare waren erschöpft, legten sich um ihre Schultern und bewegten sich nicht mehr –, aber ich konnte nicht anders: Ich war Dads Tochter und hatte deshalb eine Neigung zur Bibliographie. Hannahs Augenhöhlen waren grau, als wären sie mit einem von Mr Moats' Zeichenstiften schraffiert worden.[1] Sie saß gerade, als hätte sie einen Stock verschluckt.[2] Wenn sie uns nicht beschimpfte, seufzte sie und rieb den Stiel ihres Weinglases zwischen Daumen und Zeigefinger, wie eine professionelle Hausfrau, die einen Fleck entdeckt.[3] Ich

1 Eine Blässe, die auf akute Schlaflosigkeit hinwies. Oder auf die unbekannte Krankheit, welche die kleine Apotheke in ihrem Badezimmerschränkchen notwendig machte.

2 Eine Haltung, die dem unbequemen Quäkerstuhl in ihrer Schlafzimmerecke nachempfunden war.

3 Der müde und gedankenvolle Ausdruck verlieh Hannahs Gesicht eine seltsame Art von Füllen-Sie-die-leeren-Stellen-Ausdruck, weshalb ich mich fragte, ob ich mit meiner ursprünglichen Einschätzung danebenlag und sie doch das kleine

spürte, irgendwo zwischen diesen befremdlichen Details, zwischen ihrer Messersammlung, den kahlen Wänden, den Schuhkartons und der rauen Überdecke – irgendwo dort steckte Hannahs Plot, samt Hauptdarstellern und vor allem ihren Urthemen. Vielleicht war sie einfach wie Faulkner: Man musste sie extrem aufmerksam lesen, Wort für Wort, quälend langsam (nichts überspringen, Pausen machen, kritische Randbemerkungen), einschließlich ihrer seltsamen Abschweifungen (Kostümparty) und trotz der Unvereinbarkeiten (Cottonwood). Irgendwann würde ich zu ihrer letzten Seite kommen und begreifen, um was es bei ihr ging. Vielleicht konnte ich dann sogar *Cliff Notes*, eine Ausgabe mit Anmerkungen für Schüler, über sie verfassen.

»Kannst du uns etwas über den Mann sagen, der gestorben ist?«, fragte Leulah unvermittelt, ohne Hannah in die Augen zu sehen. »Ich will ja nicht neugierig sein, und ich würde es auch verstehen, wenn du nicht über ihn sprechen möchtest. Aber ich glaube, ich kann besser schlafen, wenn ich irgendetwas über ihn weiß. Wie er war.«

Statt mit grollender Stimme zu antworten, das gehe uns angesichts

rundäugige Mädchen auf den drei gerahmten Kommodenfotos war. Aber andererseits – wieso sollte sie ausgerechnet *diese* Fotos aufstellen? Dass weder ihre Mutter noch ihr Vater zu sehen waren, schien darauf hinzuweisen, dass sie kein besonders inniges Verhältnis zu ihnen hatte. Aber Dad sagte, wenn jemand glückliche Fotos aufstelle, sei das nicht unbedingt ein Ausdruck tiefer Gefühle – diese Schlussfolgerung sei zu simpel. Er sagte, wenn ein Mensch so unsicher sei, dass er sich ständig die »gute alte Zeit« ins Gedächtnis rufen muss, dann waren »die Gefühle von vornherein nicht besonders tief«. Und um noch etwas festzuhalten: Bei uns standen keine gerahmten Fotos von mir herum, und das einzige Klassenfoto, das Dad je bestellte, war von der Sparta Elementary School: Ich saß mit zusammengepressten Knien vor einem Hintergrund à la Yosemite, in einem pinkfarbenen Overall und mit trägem Blick. »Das ist klassisch«, sagte Dad. »Dass sie mir schamlos ein Bestellformular schicken, damit ich 65,95 Dollar bezahle für große und kleine Abzüge einer Aufnahme, auf der meine Tochter aussieht, als hätte sie gerade einen Schlag auf den Kopf bekommen – das beweist doch wieder einmal, wir sind alle miteinander an ein Fließband gefesselt, das quer durch das ganze Land läuft. Wir sollen zahlen und die Klappe halten – oder wir werden als Abfall ausgemustert.«

unseres Verrats gar nichts an, trank Hannah – nach einem nachdenklichen Blick auf die Dessert-Karte (ihre Augen landeten irgendwo zwischen Passionsfrucht-Sorbet und den Petit Fours) – ihren Wein aus und setzte dann zu einem ziemlich interessanten Bericht an: *Smoke Wyannoch Harvey: Sein Leben.*

»Ich habe ihn in Chicago kennengelernt«, sagte sie und räusperte sich, als der Kellner angeschossen kam, um ihr Glas mit dem letzten Rest aus der Weinflasche zu füllen. »Bitte den Walhalla-Schokoladenkuchen mit dem …«

»Mit dem weißen Schokoladeneis und der Karamellcremesauce?«, flötete er.

»Für alle. Und könnte ich bitte Ihre Brandy-Karte sehen?«

»Selbstverständlich, Madam.« Er verbeugte sich und zog sich wieder in seine apricotfarbene Prärie aus runden Tischen und goldenen Stühlen zurück.

»Mein Gott. Es ist eine Ewigkeit her«, sagte Hannah. Sie nahm ihren Dessertlöffel und wirbelte ihn zwischen den Fingern, dass er Purzelbäume schlug. »Aber – ja. Er war ein außergewöhnlicher Mann. Unglaublich lustig. Großzügig bis zum Gehtnichtmehr. Ein wunderbarer Geschichtenerzähler. Jeder wollte mit ihm zusammen sein. Wenn Smoke – Dubs, meine ich, alle wichtigen Leute nannten ihn Dubs – wenn Dubs eine Geschichte zum Besten gab, taten einem vor Lachen die Bauchmuskeln weh. Man dachte, man würde sterben.«

»Leute, die gut erzählen können, sind toll«, sagte Leulah und richtete sich eifrig in ihrem Stuhl auf.

»Schon das Haus sah aus wie direkt aus *Vom Winde verweht*. Riesig. Weiße Säulen, ein langer weißer Zaun und ausladende Magnolien. Erbaut im Jahr achtzehnhundertichweißnichtwas. Im Süden von West Virginia, außerhalb von Findley. Er nannte es Moorgate. Ich – ich weiß nicht mehr, wieso.«

»Und – warst du mal in Moorgate?«, fragte Leulah atemlos.

Hannah nickte. »Hundertmal und öfter. Früher war es eine Tabakplantage, viertausend Acres, aber Smoke hatte nur noch hundertzwanzig. Und es ist ein Geisterhaus. Es gibt eine ganz fürchterliche Geschichte – aber worum es dabei ging, weiß ich nicht mehr genau. Irgendetwas mit der Sklaverei …«

Sie legte den Kopf schief, versuchte, sich zu erinnern, und wir beugten uns vor wie Erstklässler.

»Es war kurz vor dem Bürgerkrieg. Dubs hat mir das alles erzählt. Ich glaube, die Tochter des Plantagenbesitzers, ein hübsches Mädchen, die Schönste in der ganzen Gegend – sie verliebte sich in einen Sklaven und wurde schwanger. Als das Kind auf die Welt kam, zwang der Besitzer die Sklaven, es im Keller im Ofen zu verbrennen. Deshalb hört man immer wieder, bei einem Gewitter oder an einem Sommerabend, wenn die Grillen in der Küche sind – Smoke hat vor allem die Grillen erwähnt –, ein Kind weinen, tief, tief unten im Keller. In den Wänden. Außerdem steht vor dem Haus eine Weide, deren Zweige angeblich zum Prügeln verwendet wurden, und wenn man den Stamm hochklettert, sieht man die Initialen des jungen Mädchens und des Sklaven, die einander liebten, noch ganz schwach eingeritzt. Dorothy Ellen, Dubs' erste Frau, hasste diesen Baum, sie dachte, er ist böse. Sie war sehr fromm. Aber Smoke hat sich immer geweigert, die Weide zu fällen. Er sagte, man dürfe doch nicht so tun, als gäbe es all die schlimmen Dinge im Leben nicht. Man kann nicht alles ausmerzen. Man behält den ganzen Müll und die Narben. Auf diese Weise lernt man. Und versucht, es besser zu machen.«

»Das ist eine tolle alte Weide«, sagte Nigel.

»Smoke war ein Mensch mit Geschichtsbewusstsein. Versteht ihr, was ich meine?« Sie schaute mich an, sehr direkt, also nickte ich automatisch. Aber ich verstand wirklich, was sie meinte. Da Vinci, Martin Luther King Junior, Dschingis Khan, Abraham Lincoln, Bette Davis – wenn man ihre Biographien las, begriff man, dass sie, auch als sie erst einen Monat alt waren und irgendwo im Nichts in irgendeinem wackeligen Bettchen lagen, trotzdem schon eine historische Dimension hatten. So wie andere Kinder Baseball oder Bruchrechnen oder Gokarts oder Hula-Hoop-Reifen hatten, hatten diese Kinder die Geschichte – und deshalb die Tendenz, sich zu erkälten und unpopulär zu sein, und manchmal hatten sie auch körperliche Mängel (Lord Byrons Klumpfuß, Maughams starkes Stottern beispielsweise), was sie mental ins Exil trieb. Und dort fingen sie dann an, von der menschlichen Anatomie zu träumen, von Bürgerrechten, von der Eroberung Asiens, von der verlorenen Sprache und davon, *Jezebel*, eine *Marktfrau*, ein *kleiner Fuchs* und ein *altes Dienstmädchen* zu sein (in einem Zeitraum von nur vier Jahren).

»Er klingt traumhaft«, sagte Jade.

»Klang«, wandte Nigel ein, sehr leise.

»Und wart ihr zwei … äh …?«, fragte Charles. Er ließ den Satz allein weitergehen, bis in das berühmte Motelbett mit dem Sandpapierlaken und der sprichwörtlichen Quietschmatratze.

»Er war ein guter *Freund*«, erklärte Hannah. »Ich war zu groß für ihn. Er mochte kleine Puppenfrauen, Babypüppchen aus Porzellan. Alle seine Frauen, Dorothy Ellen, Clarissa, die arme Janice – sie waren alle unter einssechzig.« Sie kicherte mädchenhaft – ein angenehmes Geräusch –, seufzte und stützte das Kinn in die Hand, die Pose einer unbekannten Frau, auf die man in irgendeiner antiquarischen Biographie gestoßen war, auf einem Schwarzweißfoto mit der Unterschrift: »Bei einer Party in Cuernavaca, Ende der siebziger Jahre.« (Es war nicht *ihre* Biographie, sondern die des würdigen Nobelpreisträgers, neben dem sie saß; aber ihre dunklen Augen, die glatten Haare, die ernste Miene waren so faszinierend, dass man sich fragte, wer sie war, und eigentlich gar nicht weiterlesen wollte, wenn sie nicht mehr erwähnt wurde.)

Sie redete immer weiter über Smoke Harvey, während des warmen Walhalla-Schokoladenkuchens, während der reichlichen Auswahl von English Farmhouse Cheese, während der beiden Klavierversionen von »Ich hätt' getanzt heut Nacht«. Sie war wie Keats' griechische Urne, die, unter einem laufenden Wasserhahn stehend, überläuft, weil sie gar nichts dagegen machen kann.

Der Kellner kam mit ihrer Kreditkarte zurück, und sie hörte immer noch nicht auf zu reden. Ehrlich gesagt, inzwischen irritierte mich das ein bisschen. Sie war wie ein Plattenspieler, der die ersten fünf Noten von »Elvira Madigan« immer wieder spielt, bis sie nicht mehr ergreifend klingen, sondern nur noch nervig. Wie Dad nach seiner ersten Verabredung mit Junikäfer Betina Mendejo in Cocorro, Kalifornien, sagte (Betina schaffte es, im Tortilla Mexicana jedes einzelne Stück ihrer schmutzigen Wäsche auszubreiten, erzählte Dad, wie ihr Exmann Jake ihr alles gestohlen hatte, samt Stolz und Ego): »Komischerweise ist das Thema, vor dem man am meisten Angst hat, oft das, worüber man dann am ausführlichsten redet, ohne die geringste Provokation.«

»Will jemand das letzte Stück English Farmhouse Cheese?«, fragte Nigel und wartete nur eine halbe Sekunde, bis er selbst es nahm.

»Es war meine Schuld«, sagte Hannah.

»Nein, war es nicht«, sagte Charles.

Sie hörte ihn nicht. Klebrige Röte hatte sich auf ihrem Gesicht ausgebreitet. »Ich habe ihn eingeladen«, sagte sie. »Wir hatten einander seit Jahren nicht mehr gesehen – klar, wir haben gelegentlich telefoniert, aber, na ja, er hatte immer viel zu tun. Ich wollte, dass er zu der Party kommt. Richard, mit dem ich im Tierheim zusammenarbeite, hat Freunde aus aller Welt eingeladen – er war dreizehn Jahre beim Peace Corps und hat immer noch Kontakt zu vielen Leuten. Internationale Gäste. Ich wollte, dass es ein schönes Fest wird. Und ich habe gespürt, dass Smoke ein bisschen Abwechslung brauchte. Eine seiner Töchter, Ada, hat sich gerade scheiden lassen. Shirley, die andere Tochter, hat ihr zweites Kind bekommen und es Chrysanthemum genannt. Man stelle sich vor – ein Kind, das Chrysanthemum heißt! Er hat mich angerufen und sich darüber beklagt. Das war das Letzte, worüber wir uns unterhalten haben.«

»Was hat er gemacht?«, fragte Jade leise.

»Er war Banker«, sagte Nigel, »aber er hat auch einen Krimi geschrieben, stimmt's? *Der Verrat des Teufels* oder so ähnlich.«

Wieder schien Hannah nichts zu hören. »Das Letzte, worüber wir geredet haben, war der Name Chrysanthemum«, sagte sie zum Tischtuch.

Die Dunkelheit in den fächerförmigen Fenstern hatte den Raum beruhigt, und die goldenen Stühle, die Lilientapete, selbst der Witwenkronleuchter, alle entspannten sich ein wenig, wie eine Familie, die erleichtert aufatmet, wenn endlich der reiche Gast weg ist und sie endlich die Sitzkissen wieder zerdrücken, mit den Fingern essen, die harten, unbequemen Schuhe ausziehen können. Der Junge am Klavier spielte »Why Can't a Woman Be More Like a Man«, was zu Dads Lieblingssongs gehörte.

»Manche Menschen sind zerbrechlich wie, wie Schmetterlinge und sehr empfindlich, und man muss aufpassen, dass man sie nicht zerdrückt«, fuhr sie fort. »Einfach deswegen, weil man es *kann*.«

Wieder schaute sie *mich* an, und in ihren Augen tanzten kleine Lichtfunken, ich versuchte, bestätigend zu lächeln, aber das war schwer, weil ich sehen konnte, wie betrunken sie war. Ihre Augenlider hingen herunter wie alte Rollläden, sie versuchte so krampfhaft, ihre Worte zusammenzupferchen, dass die sich gegenseitig rempelten, schubsten, aufeinander herumtrampelten.

»Wenn man in einem reichen Land aufwächst«, sagte sie, »in einem Haus vo-voller Privilegien und mit endlosem Luxus, dann hält man sich für was Besseres als andere. Man denkt, man gehört zu so einem scheiß Country Club und kann deshalb den Leuten einen Tritt ins Gesicht verpassen, damit man noch mehr *Kram* kriegt.« Jetzt fixierte sie Jade, und sie sagte *Kram*, als würde sie ein Stück Schokoriegel abbeißen. »Es dauert Jahre, di-diese Konditionierung umzukrempeln. Ich hab's mein ganzes Leben lang versucht, und ich beute immer noch andere Menschen aus. Ich bin ein Schwein. Zeige mir, was ein Mensch hasst, und ich sage dir, was er ist. Ich kann mich nicht erinnern, wer das gesagt hat …«

Ihre Stimme stockte. Ihre feuchten Augen wanderten zur Mitte des Tischs und hüpften um die Rosenvase herum. Wir beäugten einander in Panik, hielten den Atem an, weil uns allen ganz komisch war – so wie man reagiert, wenn jemand sturzbetrunken in ein Restaurant kommt und anfängt, mit Nussknackerzähnen von Freiheit zu lallen. Es war, als hätte Hannah plötzlich ein Leck, einen Riss bekommen, und ihr Charakter, der normalerweise so peinlich genau und beherrscht war, schwappte überallhin. Ich hatte noch nie erlebt, dass sie so redete und sich so aufführte, und ich vermutete, dass auch die anderen sie so nicht kannten; sie beäugten sie angewidert, aber fasziniert, als würden sie im Fernsehen in einem Natursender zuschauen, wie Krokodile kopulierten.

Ihre Zähne nagten auf der Unterlippe, und zwischen ihren Augenbrauen waren kleine Falten zu sehen. Ich hatte Todesangst, sie könnte weiterreden und verkünden, sie müsse von jetzt an in einem Kibbuz leben oder nach Vietnam ziehen oder ein haschrauchender Beatnik werden (»Hanoi Hannah« müssten wir sie dann nennen), oder sie würde auf uns losgehen und uns vorwerfen, wir seien wie unsere Eltern, verachtenswert und spießig. Noch schlimmer war allerdings die Vorstellung, sie könne anfangen zu weinen. Ihre Augen waren feuchte, trübe Strudel, in denen ungesehene Dinge lebten und leuchteten. Für mich gab es kaum etwas auf dieser Welt, was schrecklicher war, als wenn Erwachsene weinten – nicht die Schurkenträne während einer Fernsehwerbung für Ferngespräche, nicht das gemäßigte Schluchzen bei einem Begräbnis, sondern das Geheul auf dem Badezimmerboden, im Büro, in der Doppelgarage, dieses Gejaule, bei dem man die Finger wie verrückt auf die Augenlider drückte, als wäre da irgendwo eine ESC-Taste, eine RETURN-Taste.

Aber Hannah weinte nicht. Sie hob den Kopf und schaute sich verwirrt im Speisesaal um, wie jemand, der gerade in einem Busbahnhof aufgewacht ist, die Nähte und Knöpfe des Jackenärmels in die Stirn gedrückt. Sie zog die Nase hoch.

»Nichts wie raus aus diesem Scheißladen hier«, sagte sie.

* * *

Den Rest der Woche und sogar noch etwas länger fiel mir auf, dass Smoke Wyannoch Harvey, 68, immer noch irgendwie lebendig war.

Durch die Flut von Details, durch ihr undichtes Gebrabbel hatte Hannah ihn wieder zum Leben erweckt, wie Frankenstein das Monster, und so kam es, dass in unseren Köpfen (sogar in dem des entsetzlich pragmatischen Nigel) Smoke nicht tot war, sondern nur irgendwie von der Bühne verschwunden, gekidnappt.

Jade, Leulah, Charles und Milton waren alle draußen auf dem Patio gewesen, als Smoke in den Tod stolperte. (Nigel und ich sagten einfach, wir hätten uns »im Haus amüsiert«, was technisch gesehen der Wahrheit entsprach.) Sie quälten sich mit den Wenn-nurs.

»Wenn ich nur aufgepasst hätte«, sagte Lu.

»Wenn *ich* nur nicht den Rest des Joints geraucht hätte«, sagte Milton.

»Wenn ich nur nicht Lacey Laurels aus Spartanburg getroffen hätte, die gerade am Spartan Community College ihren Abschluss in Fashion Merchandizing gemacht hat«, sagte Charles.

»Oh, *biiiitte*«, stöhnte Jade, verdrehte die Augen und wandte sich weg, um ein paar jüngere Schüler anzustarren, die für ihre Zwei-Dollar-Heiße-Schokolade Schlange standen. Sie schienen vor ihrem Blick zu erschrecken, wie manche winzigen Säugetiere schon beim Gedanken an den Goldadler zu zittern beginnen.

»*Ich* bin diejenige, die ganz in der Nähe war. Wie schwer kann es sein, einen grünen Polyestertyp zu sehen, der mit dem Gesicht nach unten in einem Swimmingpool treibt? Ich hätte reinspringen und ihn retten müssen, ich hätte die Chance gehabt, eine von diesen guten Taten zu vollbringen, die einem mehr oder weniger den Eintritt ins Himmelreich garantieren. Aber nein, jetzt leide ich stattdessen am posttraumatischen Stresssyndrom. Ich meine – es ist möglich, dass ich ewig nicht darüber hinwegkomme. Jahrelang. Und wenn ich dann dreißig bin, weist man mich in eine Institution mit grünen Wänden, und da geistere ich dann in einem wenig schmeichelhaften Nachthemd durch die Flure, mit haarigen Beinen, weil dort keine Rasierapparate erlaubt sind, falls man plötzlich den unwiderstehlichen Wunsch verspüren sollte, auf Zehenspitzen in den Gemeinschaftswaschraum zu schleichen und sich die Pulsadern aufzuschneiden.«

Am Sonntag stellte ich mit Erleichterung fest, dass Hannah wieder ganz sie selbst war und in einem Hauskleid mit rotweißem Blumenmuster herumlief.

»Blue!«, rief sie fröhlich, als Jade und ich zur Tür hereinkamen. »Schön, euch zu sehen! Wie geht's denn so?«

Hannah verlor kein Wort über ihren besoffenen Auftritt im Hyacinth Terrace und entschuldigte sich auch nicht dafür – was völlig in Ordnung war, weil ich auch nicht sicher war, ob sie sich entschuldigen *sollte*. Dad sagte, dass manche Menschen, um ihr inneres Gleichgewicht zu bewahren, sich gelegentlich »tschechowmäßig« aufführten, wie er es nannte: Hin und wieder *müssten* sie einfach einen über den Durst trinken, sodass ihnen die Stimme wegrutschte und ihr Mund erschlaffte und sie in ihrer eigenen Melancholie badeten, als wäre diese eine heiße Quelle. »Angeblich musste Einstein einmal im Jahr Dampf ablassen, indem er sich sinnlos mit Hefeweizen betrank, und dann schwamm er nachts um drei nackt im Carnegie Lake«, erzählte Dad. »Und das ist absolut verständlich. Man trägt das Gewicht der Welt auf den Schultern, das heißt, in seinem Fall, die Einheit von Raum und Zeit – man kann sich schon vorstellen, dass das ziemlich anstrengend ist.«

Smoke Harveys Tod – *jeder* Tod, nebenbei bemerkt – war ein durchaus respektabler Grund dafür, dass einem die Wörter aus dem Mund torkelten und die Augen zum Blinzeln so lang brauchten wie ein alter Mann, der am Stock die Treppe hinuntergeht – vor allem, wenn man nachher ganz besonders fit aussah, so wie Hannah. Sie deckte gemeinsam mit Milton den Tisch, verschwand in der Küche, um den pfeifenden Wasserkessel vom Herd zu nehmen, wehte wieder ins Esszimmer, und während sie flink die Servietten zu hübschen Geisha-Fächern faltete, hielt sie ein glorioses Lächeln hoch, wie ein Glas bei einem Hochzeitstoast.

Ich muss ganz versessen darauf gewesen sein, zu glauben, dass Hannah wieder ganz *Fidelfumfei* und *La di da* war, weil ich unbedingt wollte, dass unsere Mahlzeiten zu der Leichtigkeit der Sonntage vor Cottonwood, vor der Kostümparty zurückkehrten. Oder vielleicht war es genau umgekehrt. Vielleicht bemühte sich *Hannah* viel zu sehr, alles schön und positiv zu präsentieren, aber das war so, als wenn man seine Zelle verschönerte; gleichgültig, was für Vorhänge man aufhängte oder welchen Läufer man vor die Pritsche legte, es war und blieb eine Gefängniszelle.

Der *Stockton Observer* hatte an diesem Tag den zweiten und abschließenden Artikel über Smoke Harvey gebracht, in dem stand, was wir uns sowieso schon gedacht hatten, nämlich dass sein Tod ein Unfall gewesen war. Es gab keine Hinweise auf Gewalteinwirkung, er hatte einen Alkoholspiegel von 2,3 Promille, das heißt, fast dreimal so hoch wie die legale Höchstgrenze in North Carolina, die bei 0,8 lag. Allem Anschein nach war er gestolpert und in den Swimmingpool gefallen, und weil er zu besoffen war, um zu schwimmen oder Hilfe zu rufen, war er in weniger als zehn Minuten ertrunken. Da Hannah so darauf erpicht gewesen war, uns im Hyacinth Terrace von Smoke zu erzählen, und sie jetzt wieder so ausgeglichen wirkte, dachte sich Nigel wahrscheinlich nicht viel dabei, als er das Thema wieder zur Sprache brachte.

»Wisst ihr, wie viele Drinks Smoke sich genehmigt haben muss, um den Alkoholspiegel im Blut so hochzutreiben?«, fragte Nigel uns und klopfte sich mit dem Ende seines Bleistifts ans Kinn. »Wir reden hier von einem Mann mit – wie viel? Hundertzehn Kilo vielleicht? Dann müssen es schon zehn Drinks in der Stunde gewesen sein.«

»Vielleicht hat er ja Kurze gekippt«, sagte Jade.

»Ich fände es gut, wenn in dem Artikel mehr über die Autopsie stehen würde.«

Plötzlich drehte sich Hannah abrupt vom Couchtisch um, wo sie gerade das Tablett mit Oolong-Tee abgestellt hatte, und fauchte uns an.

»Himmelherrgott! Hört sofort damit auf!«

Betretenes Schweigen.

Es fällt mir schwer, angemessen zu beschreiben, wie komisch, wie beängstigend ihre Stimme in diesem Moment klang. Weder richtig wütend (obwohl Wut sicherlich dabei war) noch verärgert, weder erschöpft noch gelangweilt, sondern seltsam und fremd.

Ohne ein weiteres Wort und mit gesenktem Kopf – ihre Haare fielen seitlich herunter, so wie der Vorhang fällt, wenn ein Zaubertrick danebengeht – verschwand sie in der Küche.

Wir schauten uns an.

Nigel schüttelte fassungslos den Kopf. »Erst lässt sie sich im Hyacinth Terrace volllaufen. Und jetzt dreht sie völlig durch –?«

»Du bist ein gottverdammtes Arschloch«, presste Charles zwischen den Zähnen hervor.

»Nicht so laut«, sagte Milton.

»Moment mal!«, rief Nigel aufgeregt. »Genauso hat sie reagiert, als ich sie nach Valerio gefragt habe. Erinnert ihr euch?«

»Also wieder ein *Rosebud*«, sagte Jade. »Smoke Harvey ist noch ein *Rosebud*. Hannah hat also zwei *Rosenknospen*, könnte man sagen –«

»Wir wollen jetzt doch nicht *obszön* werden«, sagte Nigel.

»Haltet endlich eure scheißblöden Fressen«, schimpfte Charles. »Alle miteinander. Ich –«

Die Tür wurde aufgestoßen, und Hannah erschien mit einer Platte Rumpsteak.

»Entschuldige, Hannah«, sagte Nigel. »Ich hätte das nicht sagen sollen. Manchmal fasziniert mich ein Gedanke so, dass ich mir gar nicht überlege, wie er klingt, wenn ich ihn laut ausspreche. Und dass er jemandem wehtun könnte. Verzeih mir.« Ich fand, was er sagte, klang hohl und leer, aber es kam gut an.

»Ist schon okay«, sagte Hannah. Und dann erschien ein Lächeln auf ihrem Gesicht, eine viel versprechende kleine Treidelleine, an der wir uns alle festhalten konnten. (Wir hätten uns auch nicht im Geringsten gewundert, wenn sie gesagt hätte: »Wenn ich die Geduld verliere, findet sie keiner mehr« oder »*It's the kissiest business in the world*«, eine Hand lässig in der Luft, als würde sie einen imaginären Martini halten.) Sie strich Nigel die Haare aus der Stirn. »Du musst mal wieder zum Friseur.«

Wir redeten in ihrer Gegenwart nie wieder über Smoke Wyannoch Harvey, 68. Und so endete seine lazarushafte Auferstehung, die durch Hannahs alkoholisierten Hyacinth-Terrace-Monolog betrieben worden war. Auch unsere Wenn-nurs und Hätten-wir-dochs hörten auf.

Aus Mitleid mit Hannah (die, wie Jade sagte, »sich fühlen musste wie jemand, der bei einem Autounfall jemanden überfahren hat«) schickten wir den großen Mann wieder weg – diesen neuzeitlichen griechischen Helden, dachte ich gern, diesen Achilles oder Ajax, bevor er verrückt wurde »Dubs lebte die Leben von hundert Menschen, alle auf einmal«, hatte Hannah gesagt und dabei ihren Nachtischlöffel zwischen den Fingern gewirbelt wie einen Baton, eine Swingin' Door Suzie. Taktvoll schickten wir ihn zurück an jenen unbekannten Ort, an den die Menschen sich begeben, wenn sie sterben: Das Schweigen und die Ewigkeit, der Schriftzug *The End*, der auf einer schwarzweißen Straße auftaucht, dazu SeinGesicht und IhrGesicht hemmungslos glücklich aneinandergepresst, vor einem Soundtrack mit kratzigen Streichern.

Besser gesagt, wir schickten ihn *vorläufig* dorthin zurück.

Liebende Frauen

Ich möchte an Leo Tolstois so häufig zitierten Satz »Alle glücklichen Familien ähneln einander; jede unglückliche aber ist auf ihre eigene Art unglücklich« eine minimale Ergänzung anbringen: *Und wenn dann die Weihnachtszeit kommt, können glückliche Familien unglücklich werden, und unglückliche Familien können zu ihrem eigenen Erstaunen glücklich sein.*

Weihnachten war ausnahmslos jedes Mal eine besondere Zeit für die van Meers.

Seit ich klein war, bat mich Dad bei jeder Dezember-Mahlzeit, für die wir immer unsere berühmten Spaghetti mit Fleischsoße kochten (J. Chase Lambertons *Politische Wünsche* [1980] und L. L. MacCaulays 750-Seiten Wälzer *Intelligentia* [1991] waren häufig auch dabei), ihm in allen Einzelheiten zu erzählen, wie sich meine neueste Schule in Weihnachtsstimmung brachte. Es gab Mr Pike und seinen berüchtigten Julfest-Baum in Brimmsdale, Texas, »Santas kleines Lädchen« in der Cafeteria in Sluder, Florida, mit krummen Regenbogenkerzen und klobigen Schmuckkästchen, in Lamego, Ohio, die achtundvierzigstündige Nachschöpfung des Spielzeugherstellerdorfs, das von fiesen Schülern des letzten High-School-Jahrs jämmerlich zerdeppert wurde, sowie in Boatley, Illinois, eine grauenhafte Darbietung mit dem Titel »Die Geschichte vom Christkind: Ein Musical von Mrs Harding«. Aus irgendeinem Grund war ich bei diesem Thema so witzig wie Stan Laurel in einer zweispuligen Stummfilmkomödie, die er

1918 für Metro gedreht hatte. Innerhalb von wenigen Minuten bog sich Dad vor Lachen.

»Ich werde es im Leben nicht begreifen«, sagte er zwischen den Lachsalven, »warum noch kein Produzent das brachliegende Potenzial für einen Horrorfilm erkannt hat, *Der Albtraum der amerikanischen Weihnacht* und so weiter. Selbst für jede Menge von Nachfolgefilmen und für die Weiterverwertung im Fernsehen würde der kommerzielle Erfolg ausreichen. *St. Nicks Auferstehung, Teil 6: Die ultimative Jesusgeburt*. Oder vielleicht *Rudolph fährt zur Hölle*, mit einem unheilschwangeren Slogan wie ›Fahr an Weihnachten lieber *nicht* nach Hause!‹«

»Dad, man soll aber doch fröhlich sein.«

»Das heißt, ich muss jetzt inspiriert sein, fröhlich in die amerikanische Wirtschaft zu investieren und mir lauter Zeug zu kaufen, das ich nicht brauche und mir nicht leisten kann – die meisten Sachen haben lustige kleine Plastikteile, die schnell abbrechen, wodurch man sie schon nach ein paar Wochen nicht mehr verwenden kann – und auf diese Weise häufe ich einen Schuldenberg von elefantösen Ausmaßen an, was mir eine Riesenangst macht und mich nachts nicht schlafen lässt, was aber – und das ist viel wichtiger – dafür sorgt, dass eine ökonomische Wachstumsperiode beginnt, sehr sexy, wodurch die matten Zinssätze wieder hochgehen und Jobs entstehen, die aber größtenteils sinnlos sind und von einer in Taiwan hergestellten Central Processing Unit schneller, billiger und präziser ausgeführt werden könnten. Ja, Christabel, ich *weiß*, wie spät es ist.«

Ebenezer hatte allerdings wenig Kritik anzumelden und machte keine einzige Bemerkung in Richtung »der Pest des amerikanischen Konsumdenkens«, »raffgierigen Geiern in den Unternehmen und ihre Botswana-großen Bonusse« (nicht einmal eine beiläufige Anspielung auf seine soziologische Lieblingstheorie, die vom lamettaglitzernden amerikanischen Traum), als ich beschrieb, wie üppig St. Gallway die Festzeit beging. Jedes Geländer (sogar in Loomis Hall, Hannahs an den Rand des Campus verbanntem Gebäude) war mit Tannenzweigen umwickelt, dicht und pieksig wie ein Holzfällerbart. Massive Kränze waren, ganz im Stil der Reformation, an die großen Türen von Elton, Barrow und Vauxhall angeschlagen worden, garantiert mit Eisennägeln. Es gab einen Goliath-Weihnachtsbaum, um die Eisentore von Horatio Way waren weiße Lichterketten geschlungen, die blinkten wie durchgeknallte Glühwürmchen. Am Ende des zweiten Stocks von Barrow leuchtete eine Messing-Menora, standhaft und skelettartig, und wehrte tapfer, so gut sie konnte, die christlichen Anwürfe von St. Gallway ab (Mr Carlos Sandborn, der Geschichtslehrer, war für diese mutige Tat verantwortlich). Schlittenglöckchen, so groß wie Golfbälle, hingen an den Türgriffen der Haupttüren von Hanover Hall, und jedes Mal, wenn ein Schüler angerannt kam, weil er zu spät für den Unterricht dran war, ging ein seufzendes Gebimmel los.

Ich glaube, es war die geballte Wucht dieser Schuldekoration, die es mir ermöglichte, das Unbehagen der letzten Wochen beiseitezuschieben (wie einen Stapel ungeöffneter Briefe, die, wenn ich sie zu einem späteren Zeitpunkt dann doch anschaute, mir eröffneten, dass ich eine Bankrotterklärung machen musste) und so zu tun, als hätte es sie gar nicht gegeben. Wenn man Dad Glauben schenken wollte, war die amerikanische Weihnachtszeit ja sowieso eine Zeit »der komatösen Verdrängung«, ein Vorwand, um so zu tun, als »gäbe es keine Armut trotz Arbeit, keinen weitverbreiteten Hunger, keine Arbeitslosigkeit und kein AIDS, als wäre das alles nur eine exotische, saure Frucht, die zum Glück außer Mode ist«. Deshalb lag es nicht nur an mir, wenn ich zuließ, dass Cottonwood, die Kostümparty, Smoke und Hannahs komisches Benehmen ausgeblendet wurden – durch die vielen Klausuren, durch Peróns Secondhand-Kleider-Aktion (wer am meisten Säcke mit getragenen Klamotten mitbrachte, gewann ein Brewster-Goldticket, was zehn Punkte zusätzlich bei jeder Klausur bedeutete; »Haltbare Säcke, wie für Gartenabfälle«, dröhnte sie bei der Morgenansprache, »150 Liter Fassungsvermögen!«) und durch das Lieblingsprojekt von Schülersprecher Maxwell Stuart, das Christmas Formal, von ihm umgetauft in *Maxwell's Christmas Cabaret*.

Und Liebe hatte auch etwas damit zu tun.

Bedauerlicherweise war ich nur sehr partiell selbst betroffen.

* * *

Während der Stillarbeit kam irgendwann Anfang Dezember ein Schüler des ersten Jahres in die Bibliothek und ging zu dem Schreibtisch am Ende des Raums, wo Mr Fletcher saß und ein Kreuzworträtsel löste.

»Direktor Havermeyer muss Sie sofort sprechen«, sagte der Junge. »Es ist ein Notfall.«

Mr Fletcher, sichtlich verärgert, dass man ihn von seinem *Der Kreuzworträtsel-Experte und sein letzter Show-down* (Pullen, 2003) wegholte, wurde aus der Bibliothek und zu Hanover Hall geführt.

»Jetzt ist es so weit!«, kreischte Dee. »Fletchers Frau Linda hat endgültig einen Selbstmordversuch gemacht, weil Frank lieber Kreuzworträtsel löst, als dass er mit ihr schläft. Es ist nichts anderes als ein Hilferuf!«

»Stimmt«, gluckste Dum.

Gleich darauf kamen Floss Cameron-Crisp, Mario Gariazzo, Derek Pleats und ein Schüler des dritten Jahrs herein, den ich nicht namentlich kannte (aber mit seinem wachen Gesicht und seinem sabbernden Mund sah er aus wie der permanente Pawlow'sche Reflex), mit einem CD-Spieler, einem Mikrophon mit Verstärker und Ständer; einem Strauß roter Rosen und einem Trompetenkasten. Sie bauten alles für irgendeine Probe auf, stöpselten den CD-Spieler und das Mikrophon ein, schoben die Tische ganz nach vorne an die Seitenwand zur Hambone-Bestseller-Wunschliste. Dabei musste auch Sibley »Little Nose« Hemmings umgesiedelt werden.

»Vielleicht will ich aber nicht woandershin«, protestierte Sibley und kräuselte ihre freche, symmetrische Nase, die, so behaupteten Dee und Dum, für ihr Gesicht handgefertigt worden war, und zwar von einem Schönheitschirurgen in Atlanta, der schon eine ganze Reihe anderer, qualitativ hochwertiger Gesichter geschaffen hatte, darunter verschiedene CNN-Sprecher und eine Schauspielerin von

Guiding Light. »Vielleicht solltet *ihr* woanders hingehen. Ich lasse mir doch von euch nichts vorschreiben. Hey, fass das ja nicht an!«

Floss und Mario hoben ohne weitere Umstände Sibleys Tisch hoch, auf dem all ihre Sachen herumlagen – eine Wildledertasche, ein Exemplar von *Stolz und Vorurteil* (ungelesen), zwei Modezeitschriften (gelesen) –, und schleppten ihn zur Wand. Derek Pleats, ein Mitglied der Jelly Roll Jazz Band (ich war mit ihm in Physik), stand mit seiner Trompete an der Seite und spielte aufsteigende und absteigende Tonleitern, Floss fing an, den dreckigen senffarbenen Teppich aufzurollen, und Mario kauerte über dem CD-Spieler und regulierte die Lautstärke.

»Entschuldigt mal«, sagte Dee und trat vor Floss, die Arme vor der Brust verschränkt. »Aber was macht ihr hier eigentlich? Ist das ein Versuch, die Anarchie auszurufen? Wollt ihr die Schulherrschaft übernehmen?«

»Wir sagen euch nämlich gleich jetzt sofort«, fügte Dum hinzu und trat energisch neben ihre Schwester, die Arme ebenfalls verschränkt, »dass das nicht geht. Wenn ihr eine Bewegung starten möchtet, müsst ihr das besser planen, weil Hambone in ihrem Büro ist, und die alarmiert in null Komma nichts die entsprechenden Personen.«

»Wenn ihr eine persönliche Ansage machen wollt, dann würde ich vorschlagen, dass ihr euch das für die Morgenansprache aufspart, wenn die ganze Schule versammelt ist und alle zuhören müssen.«

»Genau. Dann könnt ihr eure Forderungsanträge stellen.«

»Die Verwaltung weiß dann, dass ihr ein Faktor seid, mit dem sie rechnen muss.«

»Dann kann niemand euch ignorieren.«

Floss und Mario gingen weder auf Dees noch auf Dums *Forderungsanträge* ein, während sie den aufgerollten Teppich mit ein paar extra Stühlen sicherten. Derek Pleats polierte mit einem weichen lila Tuch behutsam seine Trompete, und der Pawlow-Typ konzentrierte sich ganz darauf, Mikrophone und Verstärker zu testen: »Test, Test, eins, zwei, drei.« Zufrieden gab er den anderen ein Signal, dann steckten alle vier die Köpfe zusammen, flüsterten, nickten begeistert (Derek Pleats machte behände Dehnübungen mit den Fingern). Schließlich drehte sich Floss um, nahm den Blumenstrauß und überreichte ihn mir.

»Ach, du lieber Gott«, stöhnte Dee.

Ich hielt die Blumen dümmlich von mir weg, während Floss auf dem Absatz kehrtmachte und vor der Bibliothekstür um die Ecke verschwand.

»Willst du den Umschlag nicht aufmachen?«, fragte Dee.

Ich riss den kleinen, cremefarbenen Umschlag auf und holte einen Zettel heraus. In einer weiblichen Handschrift stand da:

LET'S GROOVE.

»Was steht da?«, fragte Dum und streckte den Kopf vor.

»Es ist so 'ne Art Drohung«, sagte Sibley.

Inzwischen schwärmten alle, die gerade Stillarbeit machten – Dee, Dum, Little Nose, der pferdegesichtige Jason Pledge, Mickey »Head Rush« Gibson, Point Richardson –, um meinen Tisch herum. Schnaubend schnappte sich Little Nose die Karte und inspizierte sie mit mitleidigem Blick, als wäre es mein Schuldspruch. Sie gab die Karte an Head Rush weiter, der mir zulächelte und sie Jason Pledge gab, der sie Dee und Dum gab, die begeistert die Köpfe zusammensteckten, als handele es sich um eine geheimdienstliche Mitteilung im Zweiten Weltkrieg, kodiert von der deutschen Enigma-Chiffriermaschine.

»Sehr seltsam«, sagte Dee.

»Absolut –«

Plötzlich verstummten sie. Ich blickte auf und sah Zach Soderberg vor mir, wie ein windgebeutelter Rhododendron. Seine Haare fielen ihm verwegen in die Stirn. Mir kam es vor, als hätte ich ihn seit *Jahren* nicht mehr gesehen, vermutlich deswegen, weil ich mich, seit er mit mir über Ein Mädchen gesprochen hatte, immer bemüht hatte, in Physik extrem beschäftigt zu wirken. Ich hatte außerdem Laura Elms gezwungen, bis Ende des Jahres meine Praktikumspartnerin zu sein, indem ich ihr anbot, nicht nur meine, sondern auch *ihre* Praktikumsprotokolle zu schreiben, ohne etwas zu kopieren oder identische Formulierungen zu benutzen, was ja nur dazu geführt hätte, dass ich wegen Betrugs suspendiert worden wäre, nein, ich versprach, treu und brav Lauras reduzierten Wortschatz zu verwenden, mich an ihr unlogisches Denken und ihre wabernde Schrift zu halten, wenn ich die Protokolle verfasste. Zach, der nicht mehr Lonnys Partner sein wollte, musste sich mit meiner alten Partnerin Krista Jibsen zusammentun, die nie ihre Hausaufgaben machte, weil sie Geld für eine Brustverkleinerung sparte. Krista hatte drei Jobs, einen bei Lucy's Silk and Other Fine Fabrics, einen bei Bagel World und einen dritten im Outdoors Department von Sears, eine Mindestlohnschufterei, die sie für das Studium von Energie und Materie durchaus relevant fand. Daher wussten wir alle, wenn einer ihrer Mitarbeiter zu spät kam, krank war, klaute, entlassen wurde, sich im Warenlager einen runterholte, sowie dass einer ihrer Manager (wenn ich mich recht entsinne, ein armer Abteilungsleiter bei Sears) in sie verliebt war und seine Frau verlassen wollte.

Floss drückte die Play-Taste des CD-Spielers. Roboterklänge aus irgendeiner Siebziger-Jahre-Disco explodierten aus den Lautsprechern. Zu meinem endlosen Entsetzen begann Zach zu tanzen, den Blick immer auf mich gerichtet (als könnte er in meinem Gesicht sein Spiegelbild sehen und so sein Tempo und die Höhe seiner Kicks kontrollieren), zwei Schritte vorwärts, zwei Schritte zurück, die Knie rhythmisch zusammenschlagend. Die anderen Jungs machten mit.

»›Let this groove. Get you to move. It's alright. Alright‹«, sangen Zach und die anderen im Falsett mit Earth Wind & Fire. »›Let this groove. Set in your shoes. So stand up, alright! Alright!‹«

Sie sangen »Let's Groove«. Floss und die Jungs schüttelten die Schultern, zuckten und foxtrotteten so hochkonzentriert, dass man fast sehen konnte, wie die Bewegungen durch ihr Gehirn tickerten wie die Papierstreifen an der Börse (*Kick links vorn, hinten links, Kick links, Schritt links, Kick vorne rechts, Knie rechts*). »›I'll be there, after a while, if you want my looove. We can boogie on down! On *down*! Boogie on *down*!‹« Derek spielte auf seiner Trompete eine rudimentäre Melodie. Zach sang solo, begleitet von gelegentlichen Seitenschritten und Schulterschütteln. Seine Stimme war ernst, aber schrecklich. Er drehte sich auf der Stelle. Dee quiekte wie eine Spielzeugente.

Zahlreiche Schüler drängten sich an der Tür zur Bibliothek und schauten mit offenen Mündern der Boy Group zu. Mr Fletcher kam mit Havermeyer zurück, und Ms Jessica Hambone, die Bibliothekarin, die schon viermal verheiratet gewesen war und eine gewisse Ähnlichkeit mit der älteren Joan Collins hatte, war aus ihrem Büro getreten und stand jetzt an dem Hambone Reserves Desk. Bestimmt hatte sie vorgehabt, die Störung zu beenden, denn das Beenden von Störungen – mit Ausnahme von Feueralarmübungen und Mittagessen – war der einzige Grund, weshalb Ms Hambone je aus ihrem Büro herauskam, wo sie angeblich den Tag damit verbrachte, bei www.QVC.com für Ostern Sammlerstücke – nur solange der Vorrat reicht – und Goddess-Glamour-Schmuck zu kaufen. Aber diesmal kam sie nicht mit erhobenen Armen angerannt und feuerte auch nicht ihren Lieblingssatz in die Gegend, »Das ist eine Bibliothek, Leute, keine Sporthalle«, der aus ihrem Mund geschossen kam wie ein Neonsalmler, wobei der metallicgrüne Lidschatten (der ihre Enchanted-Twilight-Leverback-Ohrringe und ihr Galaxy-Dreamworld-Armband perfekt ergänzte) auf die Neondeckenbeleuchtung reagierte und ihr so den unübertrefflichen Leguan-Look verlieh, für den sie berühmt war. Nein, Ms Hambone war sprachlos, sie presste die Hände auf die Brust, und ihr breiter Mund, den sie so intensiv mit Lipliner bearbeitet hatte, dass man an die Kreideumrisse einer Leiche an einem Tatort denken musste, kräuselte sich zu einem weichen Glyzinien-Sträußchen-Lächeln.

Die Jungs lindyhoppten eifrig hinter Zach herum, der sich wieder auf der Stelle drehte. Ms Hambones linke Hand zuckte.

Endlich verstummte die Musik, die Tänzer erstarrten.

Einen Moment lang war alles still, dann begannen alle – die Kids an der Tür, Ms Hambone, die anderen von der Stillarbeit (bis auf Little Nose) – wie verrückt zu applaudieren.

»Ach, du *lieber* Gott«, sagte Dee.

»Das *gibt's* doch nicht«, sagte Dum.

Ich klatschte und strahlte, während mich alle total erstaunt anglotzten, als wäre ich ein Kornkreis. Ich strahlte Ms Hambone an, die sich mit den rüschenbesetzten Manschetten ihrer Rokoko-Dichter-Bluse die Augenwinkel tupfte. Ich strahlte Mr Fletcher an, der so glücklich aussah, dass man denken konnte, er hätte gerade ein besonders grauenvolles Kreuzwort gelöst, wie zum Beispiel die Schlacht von Bunker Hill von letzter Woche, »nicht winken, aber ertrinken?«. Ich strahlte sogar Dee und Dum an, die mich ungläubig und irgendwie verängstigt musterten (siehe Rosemary am Ende von *Rosemarys Baby*, als die alten Leute »*Heil Satan*!« rufen).

»Blue van Meer«, sagte Zach. Dann räusperte er sich und trat an meinen Tisch. Die Neonbeleuchtung verlieh ihm einen säuerlichen Heiligenschein, sodass er aussah wie einer von diesen handgemalten Jesussen, die man an klammen Kirchenwänden findet, die nach Gruyère riechen. »Wie wär's? Gehst du mit mir zum Christmas Formal?«

Ich nickte. Mein Zögern und Entsetzen bemerkte Zach gar nicht. Ein Cadillac-Lächeln fuhr mit seinem Gesicht davon, als hätte ich mich gerade einverstanden erklärt, ihm »in Baharzahlung«, wie Dad sagen würde, einen Sedona-Beige-Metallic-Pontiac-Grand-Prix zu spendieren, vollgetankt, zwei Riesen über dem angegebenen Preis, mit dem er gleich losbrettern konnte. Er merkte auch nicht – niemand merkte es –, dass mich ein extremes Verlorenheitsgefühl à la *Unsere kleine Stadt* (Wilder, 1938) gepackt hatte, das noch schlimmer wurde, als Zach samt seinen Temptations die Bibliothek mit hochzufriedener Miene verließ. (Ganz ähnlich hatte Dad die Gesichter von Zwambee-Stammesangehörigen in Kamerun beschrieben, wenn sie ihre zehnte Braut geschwängert hatten.)

»Meinst du, sie hatten Sex?«, fragte Dum mit kleinen Augen. Sie saß mit ihrer Schwester ein paar Meter hinter mir.

»Wenn die Sex gehabt hätten – meinst du, dann würde er ihretwegen noch so ein Trara machen? Eins ist doch allgemein bekannt – von der Nanosekunde an, nachdem man mit einem Kerl Sex hat, bist du nicht mehr die Schlagzeile, sondern nur noch eine Randnotiz bei den Nachrufen. Der hat doch hier vor unseren Augen eine Timberlake-Nummer abgezogen.«

»Sie muss total irre sein im Bett. Garantiert ist sie die beste Freundin des Mannes.«

»Dafür braucht man sechs Vegas-Stripperinnen und eine Leine, um die beste Freundin zu sein.«

»Vielleicht arbeitet ja ihre Mom im Crazy Horse.« Sie begannen schrill zu kichern und hörten nicht einmal auf, als ich mich umdrehte und sie böse anfunkelte.

Dad und ich hatten *Unsere kleine Stadt* während eines Wolkenbruchs an der University of Oklahoma in Flitch gesehen (einer seiner Studenten trat das erste Mal auf der Bühne von Flitch auf, als Bühnenmanager). Obwohl das Stück einige Mängel hatte (zum Beispiel gab es eine große Konfusion bei der Adresse, denn »Im Auge Gottes« kam vor »New Hampshire«) und Dad die *Carpe diem*-These viel zu zuckrig fand (»Weck mich auf, wenn jemand erschossen wird«, sagte er und nickte ein), war ich doch ziemlich ergriffen, als Emily Webb – gespielt von einem winzigen Mädchen mit einer Haarfarbe wie die Funken, die von Bahngleisen sprühen – endgültig begriff, dass niemand sie sehen konnte und dass sie sich von Grover's Corners verabschieden musste. In meinem Fall war es allerdings genau umgekehrt: Ich fühlte mich unsichtbar, während alle anderen mich sehen konnten, und wenn Zach Soberberg mit seinen Kaminsims-Haaren Grover's Corners war, dann konnte ich mir nichts Schöneres vorstellen, als möglichst schnell von dort abzuhauen.

Meine grimmige Verzweiflung erreichte ihren rekordverdächtigen Höhepunkt, als ich noch am selben Tag auf dem Weg zu meinem Mathekurs Milton begegnete, Hand in Hand mit Joalie Stuart, einer Schülerin des zweiten High-School-Jahrs und überhaupt eins dieser extrem hübschen, zierlichen Mädchen, die man mühelos in sein Boardcase packen konnte und die auf einem Shetlandpony sehr angemessen aussahen. Sie hatte eine Lache wie eine Babyrassel: Ein

Jelly-Bean-Geräusch, das einen schon nervte, auch wenn man noch Lichtjahre entfernt war und nichts Böses ahnte. Jade hatte mir erst vor ein paar Tagen eröffnet, dass Joalie und Black ein wahnsinnig glückliches Paar waren, ganz in der Tradition von Paul Newman und Joanne Woodward. »Die beiden sind unzertrennlich«, sagte sie mit einem Seufzer.

»Hallo, Würg«, sagte Milton im Vorbeigehen.

Er lächelte, und Joalie lächelte. Joalie trug einen blauen Zuckerguss-Pulli und ein dickes braunes Samtstirnband, das aussah, als würde ein riesiger Wollwurm hinter ihren Ohren herumwühlen.

Ich hatte nie viel über Beziehungen nachgedacht (Dad sagte, sie seien widersinnig, solange ich unter einundzwanzig war, und als ich über einundzwanzig war, betrachtete Dad sie als Feinheiten, als Beigaben, so ähnlich wie die Transportmittel oder Geldautomaten in einer neuen Stadt: »Wir finden das schon raus, wenn wir erst mal da sind«, sagte er mit einer lässigen Handbewegung), und doch, als ich jetzt an Paul und Joanne vorbeiging und sie beide selbstbewusst lächelten, obwohl sie doch aus einer Entfernung von mehr als fünf Metern aussahen wie ein Gorilla, der einen Teetassen-Yorkie spazieren führt, war ich tief beeindruckt von der kaum vorstellbaren Möglichkeit, dass der Mensch, den man mag, einen ebenfalls und gleich stark mögen könnte. Dieses mathematische Problem begann in meinem Kopf mit halsbrecherischer Geschwindigkeit herumzuspuken, und als ich in meinem Mathekurs in der ersten Reihe vor dem Whiteboard saß und Ms Thermopolis begann, eine Funktion niederzuringen, die zu unseren Hausaufgaben gehört hatte, blieb ich mit einer beunruhigenden Zahl zurück.

Ich vermute, das war der Grund, weshalb manche Leute nach jahrelangem Glücksspiel ihre mickrigen Chips gegen einen Zach Soderberg eintauschten, gegen einen Jungen, der wie eine Cafeteria war, rechteckig und so hell erleuchtet, dass kein Millimeter Dunkelheit oder Geheimnis blieb (nicht einmal unter den Plastikstühlen oder hinter den Snackautomaten). Das einzig trübe, ansteckende Miasma, das man dort finden konnte, war vielleicht ein bisschen Schimmel auf dem orangeroten Wackelpudding. Aber eigentlich bestand der Junge aus Rahmspinat und altem Hot Dog.

Man konnte auf seine Wand keine Gruselschatten werfen, auch wenn man sich noch so bemühte.

* * *

Ich glaube, es war einfach einer dieser *Hundsnachmittage* im Dezember, an denen die Liebe und ihre manischen Cousins – Verlangen, Verliebtsein, Lust, Michhatserwischt (die allesamt an ADHS oder an Hyperaktivität leiden) – ungeniert und hemmungslos die Umgebung terrorisierten. Nachdem Dad mich gegen Abend zu Hause abgesetzt hatte, bevor er zu einer Fakultätssitzung zurück in die Universität fuhr, hatte ich gerade mit den Hausaufgaben angefangen, da klingelte das Telefon. Ich nahm ab, am anderen Ende war alles still. Als es eine halbe Stunde später wieder klingelte, stellte ich den Anrufbeantworter an.

»Gareth. Ich bin's, Kitty. Bitte, ich muss mit dir reden.« *Klick.*

Keine Dreiviertelstunde später rief sie schon wieder an. Ihre Stimme war wie der Mond, karg, kahl und voller Krater, genau wie die von Shelby Hollow damals und vor ihr die von Jessie Rose Rubiman und Berkley Sternberg, ach, die gute alte Berkley, die *Die Kunst, ohne Schuldgefühle zu leben* (Drew, 1999) und *Nimm dein Leben selbst in die Hand* (Nozzer, 2004) als Untersatz für eingetopfte Usambara-Veilchen verwendete.

»Ich – ich weiß, du magst es nicht, wenn ich anrufe, aber ich muss dringend mit dir sprechen, Gareth. Ich habe das Gefühl, du bist zu Hause und willst nicht abnehmen. Nimm bitte ab.«

Sie wartete.

Während die Junikäfer warteten, stellte ich mir immer vor, wie sie am anderen Ende in ihren gelblich gestrichenen Küchen standen und die Telefonschnur um den Zeigefinger wickelten, bis er rot anlief. Ich fragte mich, warum sie nie auf die Idee kamen, dass ich es war, die zuhörte, und nicht Dad. Ich glaube, wenn eine von ihnen meinen Namen gesagt hätte, dann hätte ich sofort abgenommen und mein Bestes getan, um sie zu trösten, ich hätte ihnen erklärt, dass Dad eine von diesen Theorien war, die man nie ganz genau nachvollziehen konnte, bei denen immer ein Restzweifel blieb. Und es gab zwar die Chance, dass man von dem Genieblitz getroffen wurde, den man brauchte, um den Mann zu knacken und ihm auf den Grund zu kommen, aber die Wahrscheinlichkeit war so minimal, dass man sich nur klein und unbedeutend fühlte, wenn man es versuchte (siehe Kapitel 53, »Superstrings und M-Theorie, die Weltformel oder ToE«, *Inkongruenzen*, V. Close, 1998).

»Okay. Ruf mich an. Ich bin zu Hause. Aber du kannst mich auch auf dem Handy erreichen, falls ich nochmal weggehe. Vielleicht gehe ich ja noch raus. Ich brauche Eier. Andererseits – vielleicht bleibe ich zu Hause und mache Tacos. Okay. Vergiss die Nachricht. Bis bald.«

Von Sokrates stammt der, wie mir scheint, kluge Satz: »Die heißeste Liebe hat das kälteste Ende.« Ich bin mir sicher, dass Dad die Frauen nie belogen hat, dass er nie so getan hat, als wäre seine Zuneigung etwas anderes als das, was mit Begriffen wie *lässig* und *lauwarm* perfekt erfasst wird. Also hätten alle seine Trennungen eine rosige Angelegenheit sein müssen. Sie hätten Polo-Spiele sein müssen. Lauter Picknicks.

Ich glaube, Dad hat es selbst nie ganz kapiert. Er behandelte diese Tränen mit einer Mischung aus Verlegenheit und Bedauern. Als er an diesem Abend nach Hause kam, tat er das Gleiche wie immer. Er hörte die Botschaften ab (drehte die Lautstärke herunter, als er merkte, wer es war) und löschte sie.

»Hast du schon gegessen, Christabel?«, fragte er.

Er wusste, dass ich die Nachricht gehört hatte, aber er verhielt sich wie Kaiser Claudius, als ihm im Jahr 54 aus Rom das Gerücht zu Ohren kam, seine liebe Frau Agrippina plane, ihn mit einem Pilzgericht zu vergiften, das ihm sein Lieblingseunuch servieren würde: Er beschloss aus irgendeinem unbekannten Grund, die Anzeichen einer drohenden Katastrophe zu ignorieren (siehe *De Vita Caesarum*, Suetonius, 121 n. Chr.).

Er lernte nichts dazu.

* * *

Zwei Wochen später, an dem Samstagabend, an dem Maxwell's Christmas Cabaret stattfand, wurde ich bei Zach Soderberg zu Hause rechtswidrig festgehalten. Ich trug Jefferson Whitestones altes schwarzes Cocktailkleid, von dem Jade behauptete, Valentino habe es speziell für sie entworfen, aber als die beiden im Studio 54 um die Zuneigung eines »hemdlosen Barkeepers namens Gibbs« konkurrierten, riss sie das Etikett wütend heraus, sodass das Kleid erinnerungslos zurückblieb. (»So gehen Imperien zugrunde«, hatte Jade gesagt und dramatisch geseufzt, während sie und Leulah die Armlöcher und die Taille enger hefteten, damit das Kleid nicht mehr aussah wie eine Schwimmweste. »Glaub mir. Man fängt an, Nimrods zu zeugen, und das ist das Ende der Zivilisation. Aber ich nehme an, du konntest gar nichts machen. Immerhin hat er dich vor der gesamten Schule eingeladen. Was hättest du sagen sollen, außer dass du dich sehr darauf freust, seine Salzstange zu sein? Ich habe Mitleid mit dir. Weil du den ganzen Abend mit Mr Coupon verbringen musst.« So nannten sie Zach seit neuestem, »Coupon«, und der Name passte. Er war wirklich ganz Barcode, ganz Sonderangebot, ganz Fünf-Dollar-zurück-bei-Vorlage-der-Kaufbestätigung.)

»Nimm dir was«, sagte Zachs Dad Roger und hielt mir eine Schale mit puderzuckrigen Pralinen hin.

»Zwing sie doch nicht«, sagte Zachs Mom Patsy und wehrte seine Hand ab.

»Magst du Pralinen? Ganz bestimmt. Alle Leute mögen Pralinen.«

»Roger«, protestierte Patsy. »Mädchen wollen vor einer Party nichts essen. Sie sind viel zu aufgeregt. *Später* kriegen sie dann Appetit. Zach, achte drauf, dass sie etwas isst.«

»Okay«, sagte Zach und wurde rot wie eine Nonne. Er zog die Augenbrauen hoch und warf mir ein bedauerndes Lächeln zu, während Patsy auf dem Schneesturmteppich im Wohnzimmer vor uns auf ein Knie ging und uns mit zusammengekniffenen Augen durch den Sucher ihrer Nikon fixierte.

Ohne dass Patsy es merkte, hatte sich Roger jetzt auf meine linke Seite geschlichen und hielt mir die Pralinenschale wieder hin.

»*Komm schon!*« Er formte die Wörter nur mit den Lippen und zwinkerte mir zu. Wahrscheinlich würde Roger in seinem gelben Baumwollpulli und den Khakihosen – mit einer Falte in jedem Hosenbein, so scharf und klar wie die internationale Datumsgrenze – einen sehr überzeugenden Vertreter für *Junk, White girl, Afghan black, Billy whiz* und *Joy powder* abgeben. Ich gab nach und nahm mir eine. Sie begann schon in meinen Fingern zu schmelzen.

»Roger!«, rief Patsy und machte streng *Tsstss* (zwei Grübchen erschienen in ihren Wangen), während sie das sechzehnte Foto von uns knipste, diesmal saßen wir auf der geblümten Couch, unsere Knie genau in einem Winkel von neunzig Grad.

Patsy war, wie sie selbst sagte, »fotoverrückt«, und überall um uns herum, auf jeder harten, glatten Oberfläche, standen gerahmte Fotos von Zach mit dem schiefen Lächeln, von Bethany Louise mit ihren Henkelohren, ein paar von Roger, als er noch Koteletten hatte, und von Patsy, als sie ihre damals noch rötlicheren Haare wie einen Amaretto-Napfkuchen auf dem Kopf trug, durchwirkt mit einem Stoffband. Auf der einzigen Oberfläche, auf der kein Foto stand – dem Couchtisch vor uns – befand sich ein unterbrochenes Parcheesi-Spiel.

»Ich hoffe, Zach hat dich mit seinem Tanz nicht in Verlegenheit gebracht«, sagte Patsy.

»Ach, überhaupt nicht«, sagte ich.

»Er hat die ganze Zeit geübt. Und war so nervös! Bethany Louise musste abends stundenlang mit ihm die Schritte üben.«

»Mom«, sagte Zach.

»Er wusste, es ist ein Risiko«, sagte Roger. »Aber ich habe ihm gesagt, man muss sich was trauen.«

»Ja, das ist typisch für unsere Familie«, sagte Patsy und nickte in Rogers Richtung. »Du hättest sehen sollen, wie er mir einen Antrag gemacht hat.«

»Manchmal kann man einfach nicht anders.«

»Zum Glück!«

»Mom, wir müssen jetzt los«, sagte Zach.

»In Ordnung! Noch eine Aufnahme hier beim Fenster.«

»Mom.«

»Nur ein Bild. Das Licht ist so phantastisch! Nur eins. Versprochen.«

Ich hatte noch nie eine Familie mit so vielen! und mit sogar noch mehr!!! kennengelernt. Ich hatte nicht mal gewusst, dass diese Nester des guten Willens, diese Schaumbäder des Drückens und Knuddelns überhaupt existierten, außer im eigenen Kopf, wenn man seine launenhafte Familie mit der glücklichen Familie auf der anderen Straßenseite verglich.

Als Zach und ich vor einer Stunde in die Einfahrt gefahren waren und ich das Holzhaus sah – von vorne sah es aus wie ein aufgeklapptes Sandwich, das dem Himmel auf dünnen Holzstelzen serviert wird –, kam Patsy in ihrer käfergrünen Bluse gleich die Verandatreppe heruntergetrappelt, um uns zu begrüßen, noch bevor Zach richtig parken konnte. (»Du hast gesagt, sie ist hübsch, aber dass sie *umwerfend* ist, das hast du uns verschwiegen! Zach erzählt uns nie was!«, rief sie aus. Und überhaupt war alles, was sie sagte, ein Ausruf, auch wenn sie einen nicht gerade in der Einfahrt begrüßte.)

Patsy war hübsch (allerdings gut zehn Kilo schwerer als zu ihren Napfkuchen-Zeiten), mit einem fröhlichen, runden Gesicht, das an frischen Vanillepudding erinnerte, der, mit einer Kirsche verziert, liebevoll im Schaufenster eines *Sweet Shoppe* ausgestellt war. Roger sah gut aus, aber völlig anders als Dad. Roger (Pass immer auf, dass du genug Benzin hast. Ich hab den Tank gerade gefüllt. Gut gemacht.) blitzte wie eine nagelneue Badezimmerarmatur mit den begehrten White-Heat-Kacheln. Er hatte blitzblaue Augen und eine so reine Haut, dass man, wenn man ihm ins Gesicht schaute, fast erwartete, in ihm das eigene Spiegelbild zu sehen, wie es einem zuzwinkerte.

Als sie Foto Nummer zweiundzwanzig geschossen hatte (Patsy beanspruchte das Wort ganz für sich, *Fooo-to*), erhielten Zach und ich die Erlaubnis zu gehen. Wir traten gerade vom Wohnzimmer in den ordentlichen beigefarbenen Flur, als Roger mir heimlich eine Stoffserviette mit Pralinen zusteckte. Offenbar hoffte er, dass ich sie aus dem Haus schmuggeln würde.

»Oh, Moment mal«, sagte Zach. »Ich wollte Blue noch den Turner zeigen. Ich glaube, der würde ihr gefallen.«

»Ja, natürlich!«, rief Patsy und klatschte in die Hände.

»Es dauert nur eine Sekunde«, sagte Zach zu mir.

Widerstrebend folgte ich ihm die Treppe hinauf.

Fürs Protokoll: Zach hielt sich bemerkenswert gut bei seinem ersten Zusammentreffen mit Dad. Er schüttelte Dad die Hand (so wie es aussah, war es kein »nasser Waschlappen«, Dads Lieblingsärgernis), nannte ihn Sir und fing, wie aus der Pistole geschossen, ein Gespräch darüber an, was für ein schöner Abend es werden würde und was Dad arbeite. Dad musterte ihn von oben bis unten, unerbittlich, und gab krasse Antworten, die selbst Mussolini Angst eingejagt hätten. »Ach, tatsächlich?« und »Ich unterrichte Bürgerkrieg.« Andere Väter hätten mit Zach Mitleid gehabt, hätten sich an ihre eigenen verwirrten Jugendtage erinnert, sie hätten sich barmherzig gezeigt und versucht, dem Jungen irgendwie zu helfen, damit er sich einigermaßen wohl fühlte. Leider beschloss Dad, dem Jungen stattdessen das Gefühl zu vermitteln, dass er klein war und noch lang kein Mann, einfach nur deswegen, weil er nicht instinktiv gewusst hatte, was Dad arbeitete. Obwohl Dad wusste, dass die Leserschaft des *Federal Forum* weniger als 0,3 Prozent der US-Bürger umfasste und deshalb nur eine Handvoll Individuen seine Essays gelesen oder sein romantisches (ein Junikäfer würde sagen »maskulin« oder »hinreißendes«) Schwarzweißfooo-to bei den »Mitarbeitern« gesehen hatten, konnte er es trotzdem nicht ausstehen, wenn man ihn daran erinnerte, dass er und seine erzieherischen Bemühungen nicht auf so breiter Basis anerkannt wurden wie, sagen wir mal, Sylvester Stallone und *Rocky*.

Aber Zach legte einen Comic-Optimismus an den Tag.

»*Mitternacht*«, erklärte Dad, als wir gingen. »Ich meine es *ernst*.«

»Ich gebe Ihnen mein Wort, Mr van Meer.«

Woraufhin Dad sich nicht die Mühe machte, sein Das-soll-doch-wohl-ein-Witz-sein Gesicht zu verbergen, was ich ignorierte, obwohl es schnell in sein Das-ist-der-Winter-meines-Missvergnügens überging und dann in Schieß-wenn-du-musst-auf-diesen-grauen-Kopf.

»Dein Dad ist nett«, sagte Zach, als er den Wagen startete. (Dad war vieles, aber dass er nett war, säuselnd und feuchthändig nett, konnte man beim besten Willen nicht behaupten.)

Jetzt trottete ich hinter ihm her, den miefigen Teppichbodenflur entlang, den er vermutlich mit seiner Schwester teilte, nach den Spuren im Flur und dem erschlagenden Geschwistergeruch zu urteilen (es war der Gestank von Sportsocken im Kampf gegen Pfirsichparfum, Eau de Cologne in Konkurrenz mit den Dämpfen eines schlaffen grauen Sweatshirts und der Drohung, Mom alles zu verpetzen). Wir gingen an einem Zimmer vorbei, das Bethany Louise gehören musste, kaugummipink gestrichen, ein Kleiderhaufen auf dem Fußboden (siehe »Mount McKinley«, *Almanach der großen landschaftlichen Marksteine*, 2000). Dann kam ein zweites Zimmer, und durch die nicht ganz geschlossene Tür sah ich blaue Wände, Pokale, ein Poster mit einer überquellenden Blondine im Bikini. (Ich brauchte nicht viel Phantasie, um mir die restlichen Einzelheiten vorzustellen: Unter der Matratze versteckt ein viel benutzter *Victoria's Secret* Katalog, bei dem die meisten Seiten zusammenklebten.)

Am Ende des Gangs blieb Zach stehen. Vor ihm hing ein kleines Gemälde, nicht größer als ein Bullauge, beleuchtet von einer schrägen goldenen Lampe an der Wand.

»Mein Vater ist nämlich Pfarrer in der Baptistengemeinde. Und letztes Jahr war ein Mann aus Washington, D.C., in der Kirche, als er über die ›Vierzehn Hoffnungen‹ gepredigt hat. Der Mann hieß Cecil Roloff. Also, dieser Mr Roloff war von der Predigt so angetan, dass er hinterher zu meinem Dad gesagt hat, er sei jetzt ein völlig anderer Mensch.« Zach deutete auf das Bild. »Und eine Woche später kam das hier in der Post. Es ist echt. Du kennst doch Turner, den Maler?«

Natürlich war mir der »König des Lichts«, auch bekannt als J. M. W. Turner (1775–1851), ein Begriff, zumal ich Alejandro Penzances achthundertseitige und nicht ganz jugendfreie Biographie gelesen hatte, die allerdings nur in Europa veröffentlicht worden war, *Armer und zerrütteter Künstler, geboren in England* (1974).

»Es heißt *Fischer auf hoher See*«, sagte Zach.

Vorsichtig ging ich um eine grüne Plastikturnhose herum, die mitten auf dem Flur lag, und beugte mich zu dem Bild, um es besser sehen zu können. Ich vermutete, dass es tatsächlich echt war, obwohl es keines jener »Licht-Feste« war, bei denen der Maler »auf alle Konventionen pfeift und die Malerei bei den Eiern packt«, wie Penzance das neblige, oft gänzlich abstrakte Werk des Künstlers beschrieb (S. VIII, Einleitung). Dieses Ölgemalde hier war dunkel und zeigte ein winziges Boot, das auf hoher See in einen Sturm geraten war, gemalt in diffusen Grau-, Braun- und Grüntönen. Wogende Wellen, ein Holzschiff, potent wie eine Streichholzschachtel, ein Mond, bleich und klein und ein wenig akrophob, wie er da gereizt hinter den Wolken hervorlugte.

»Warum hängt es hier?«, fragte ich.

Zach lachte schüchtern. »Ach, meine Mom möchte, dass es möglichst nah bei meiner Schwester und mir ist. Sie sagt, es ist gesund, wenn man in der Nähe von großer Kunst schläft.«

»Eine sehr interessante Verwendung des Lichts«, sagte ich. »Es erinnert entfernt an *Der Brand des Ober- und Unterhauses*. Vor allem der Himmel. Aber natürlich eine völlig andere Farbpalette.«

»Mir gefallen die Wolken am besten.« Zach schluckte. Bestimmt steckte in seinem Hals ein Suppenlöffel. »Weißt du was?«

»Was?«

»Irgendwie erinnerst du mich an das Boot.«

Ich schaute ihn an. Sein Gesicht war nicht grausamer als ein Erdnussbuttersandwich mit abgeschnittener Kruste (er war auch beim Friseur gewesen, weshalb seine Panamahuthaare nicht ganz so tief in die Stirn hingen), aber seine letzte Bemerkung hatte den Effekt, dass ich ihn – na ja, dass ich ihn plötzlich nicht mehr *ausstehen* konnte. Er hatte mich mit einem winzig kleinen Gefährt verglichen, gesteuert von gesichtslosen braunen und gelben Punkten – schlecht gesteuert noch dazu, denn in wenigen Sekunden (wenn man die ölgemalte Schwellung betrachtete, die sich krümmte, um gleich mit Macht zuzuschlagen) würde das Ding untergehen, und jener braune Fleck am Horizont, ein ahnungslos vorbeifahrendes Schiff, würde die Punkte bestimmt nicht so schnell retten.

Dad fand es auch immer empörend, wenn Leute sich anmaßten, für ihn das Orakel von Delphi zu spielen. Bei vielen seiner Universitätskollegen war das der Grund, weshalb sie sich von namenlosen, harmlosen Kollegen in Individuen verwandelten, die Dad als »verflucht« oder als »bêtes noires« bezeichnete: Sie hatten den Fehler gemacht, Dad zu reduzieren, Dad zu verkürzen, Dad in eine Schublade zu stecken, Dad zu verwässern, Dad sagen zu wollen, was Sache war (und dabei völlig danebengelegen).

Vor vier Jahren, am Dodson-Miner-College am ersten Tag des Weltsymposions, hatte Dad einen fünfundvierzigminütigen Vortrag über »Hassmodelle und Organhandel« gehalten, einen Vortrag, den er besonders mochte, weil er 1995 nach Houston gefahren war, um eine gewisse Sletnik Patrutzka mit Oberlippenbart zu interviewen, die ihre Niere für die Freiheit verkauft hatte. (Unter Tränen hatte uns Sletnik ihre Narben gezeigt; »Stahl tut weh«, hatte sie gesagt.) Gleich anschließend an Dads Vortrag war Rodney Byrd, der Rektor des Colleges, über das im Freien aufgebaute Podium gerannt wie eine aufgescheuchte Kakerlake, hatte sich den schlabberigen Mund mit dem Taschentuch abgewischt und gerufen: »Vielen Dank, Dr. van Meer, für Ihre erhellenden Einblicke in das postkommunistische Russland. Es kommt selten genug vor, dass wir einen wahrhaftigen russischen *Émigré* auf dem Campus haben« – er sagte das, als handelte es sich dabei um ein mysteriöses Individuum, das nicht zu sehen war, eine nicht greifbare Ms Emmie Gray – »und wir freuen uns sehr darauf, Sie dieses Semester bei uns zu haben. Wer Fragen zu *Krieg und Frieden* hat, ist hier an der richtigen Adresse, würde ich sagen.« (Selbstverständlich war das Thema von Dads Vortrag der grassierende Organhandel in *Westeuropa* gewesen, und er hatte noch nie russischen Boden betreten. Er beherrschte zwar mehrere Fremdsprachen, aber Russisch konnte er überhaupt nicht, außer, »На бога надейся, а сам не плошай«, was so viel bedeutete wie »Vertrau auf Gott, aber schließ dein Auto ab«, ein bekanntes russisches Sprichwort.)

»Als Person falsch gedeutet zu werden«, sagte Dad, »ins Gesicht gesagt zu bekommen, man sei nicht komplexer als ein paar Wörter, beliebig aneinandergereiht wie fleckige Unterhemden auf der Wäscheleine – also, das kann selbst den friedfertigsten Menschen in Rage bringen.«

In dem engen Gang war nichts zu hören außer Zachs Atemzügen, die wie das Innere einer Muschel rauschten. Ich spürte, wie seine Augen über mich waberten, wie sie über die Falten von Jeffersons krisseligem schwarzen Kleid wanderten, das einem umgekehrten Shiitakepilz glich, wenn man die Augen zusammenkniff. Der silbrig schwarze Stoff fühlte sich sehr dünn an, als könnte man ihn abpellen wie Alufolie von einem kalten Hähnchenschenkel.

»Blue?«

Ich beging den schweren Fehler, zu ihm hochzublicken. Sein Gesicht – der Kopf angestrahlt von dem Licht, das dem Turner galt, die Augenwimpern absurd lang, wie die einer Jersey-Kuh – kam direkt auf mich zu, wie Gondwanaland, diese riesige südliche Landmasse, die sich vor 120 Millionen Jahren über den Südpol bewegte.

Er wollte, dass unsere tektonischen Platten zusammenprallten und die eine sich über die andere schob, sodass glutflüssige Masse aus dem Erdinnern einen wilden, unberechenbaren Vulkan entstehen ließ. Nun, das war einer dieser feuchtschwülen Momente, die ich noch nie erlebt hatte, außer in meinen Träumen, wenn mein Kopf in der Sackgasse von Andreo Verdugas Arm steckte und meine Lippen das alkoholische Eau de Cologne an seinem Hals schmeckten. Und als ich in Zachs Gesicht schaute, das an der Kreuzung von Verlangen und Schüchternheit geduldig auf grünes Licht wartete (obwohl weit und breit keine Menschenseele in Sicht war), da hätte man denken sollen, ich würde fliehen, um mein Leben rennen, mich zurücklehnen und an Milton denken (den ganzen Abend schon hatte ich mich heimlich ins Neverland begeben, hatte mir ausgemalt, Milton wäre es gewesen, der Dad kennenlernte, sein Vater und seine Mutter wären im Wohnzimmer herumgetrippelt) – aber nein, in diesem Augenblick kam mir Hannah Schneider in den Sinn.

Ich hatte sie am Nachmittag in der Schule gesehen, gleich nach der sechsten Stunde. Sie hatte ein langärmeliges schwarzes Wollkleid getragen, darüber einen engen schwarzen Mantel; mit unsicheren Schritten war sie den Weg zu Hanover Hall entlanggegangen, in der Hand eine beigefarbene Stofftasche, den Kopf gesenkt. Hannah war schon *immer* dünn gewesen, aber jetzt wirkte sie extrem schmal und ganz schief (vor allem ihre Schultern), ja, richtig zerbeult, – als wäre sie gegen eine Tür geknallt worden.

Und als ich nun in dieser pappigen Situation mit diesem Jungen steckte und mir vorkam, als wäre ich noch in Kansas, erschien es mir extrem scheußlich, ja, unmöglich, dass Hannah Doc so nah an sich herangelassen hatte, bis sie die grauen Haare an seinem Kinn zählen konnte. Wie hatte sie seine Hände, seine Schaukelstuhlschultern ertragen können – und am nächsten Morgen den Himmel, steril wie ein Krankenhausfußboden? Was war nur mit ihr los? Irgendetwas stimmte nicht, irgendetwas war grundfalsch, aber ich war viel zu sehr mit mir selbst beschäftigt gewesen, ich hatte nur über Black nachgedacht und darüber, wie oft er nieste, über Jade, Lu, Nigel und über meine Haare. Ich hatte die Frage nach Hannah gar nicht an mich herangelassen. (»Das durchschnittliche amerikanische Mädchen ist besessen von seinen Haaren – Pony, Dauerwelle, Glätten, gespaltene Spitzen. Die Haare sind dermaßen wichtig, dass sie alles andere zurückdrängen, inklusive Scheidung, Mord und Atomkrieg«, schreibt Dr. Michael Epsiland in *Vor dem Eintreten immer klopfen* [1993].) Was war mit Hannah passiert, dass sie nach Cottonwood hinunterstieg, so wie Dante freiwillig in die Hölle hinuntergestiegen war? Warum verhielt sie sich seit dem Tod ihres Freundes so selbstzerstörerisch, warum wiederholten sich diese Ausfälle, das Trinken und das Fluchen, in so beunruhigendem Tempo, und warum war die Magerkeit so schlimm geworden, dass sie aussah wie eine verhungerte Krähe? Unglück multipliziert sich, wenn es nicht schnell genug behandelt wird. Das galt auch für Pech, wie Irma Stenpluck meinte, die Autorin von *Die Glaubwürdigkeits-Lücke* (1988). Auf S. 329 legte sie sehr detailliert dar, dass man nur ein einziges Mal ein klein wenig Pech haben musste, und schon versank »das ganze Schiff im Atlantik«. Vielleicht ging es uns ja nichts an – aber vielleicht hoffte sie schon die ganze Zeit darauf, dass einer von uns sich von der ewigen Selbstbespiegelung losriss und zur Abwechslung mal nach *ihrem* Befinden fragte, aber nicht, um zu schnüffeln und zu intrigieren, sondern weil sie unsere Freundin und offensichtlich aus dem Gleichgewicht gekommen war.

Ich hasste mich selbst, wie ich da auf dem Flur stand, neben dem Turner und neben Zach, der immer noch am Rand seines ausgetrockneten Kuss-Canyons hing.

»Dich beschäftigt irgendwas«, bemerkte er leise. Dieser Knabe war tatsächlich C. G. Jung, wenn nicht sogar der alte Freud.

»Komm, wir gehen«, sagte ich schroff und wich einen Schritt zurück.

Er lächelte. Es war unglaublich; sein Gesicht hatte keinen Ausdruck für Wut oder Ärger, so wie manche Native Americans, zum Beispiel die Mohawks und die Hupa, kein Wort für Violett hatten.

»Möchtest du gar nicht wissen, wieso du wie das Boot bist?«, fragte er.

Ich zuckte die Achseln, und mein Kleid seufzte.

»Also, es ist so, weil der Mond direkt darauf scheint, und sonst scheint er auf dem Bild nirgendwohin. Nur genau dahin. Seitlich. Das Boot ist das einzige, was leuchtet«, sagte er, aber vielleicht war es auch irgendeine andere passende Antwort, voll glühender Lava, mit Steinklumpen, Asche und heißem Gas, aber es war eine Antwort, die ich nicht mehr abwartete, denn ich ging schon zur Treppe. Unten begegnete ich Patsy und Roger, die immer noch da standen, wo wir sie verlassen hatten, wie zwei Einkaufswagen, die man im Gang mit den Keksen hat stehen lassen.

»Ist es nicht toll?«, rief Patsy.

Die beiden winkten uns nach, als Zach und ich in den Toyota kletterten. Ein breites Lächeln lag auf ihren Gesichtern, als ich zurückwinkte und aus dem offenen Fenster »Vielen Dank! Bis bald, hoffe ich!« rief. Wie merkwürdig, dass sich Leute wie Zach, Roger und Patsy auf der Welt herumtrieben. Sie waren die süßen Gänseblümchen und wirbelten an den Spiegel-Orchideen und den Mariendisteln wie die Hannah Schneiders und die Gareth van Meers vorbei, die in den Zweigen und im Matsch saßen. Sie gehörten zu diesen fröhlichen Menschen, die Dad hasste, die er *Fuzzies* und *Frizzies* nannte (oder sein vernichtendstes Urteil: *liebe Menschen*), wenn er an der Supermarktkasse hinter einem von ihnen in der Schlange stand und sich das quälend langweilige Gerede anhören musste.

Und doch – ich wusste nicht, was mit mir los war –, ich konnte es zwar kaum erwarten, Zach endlich loszuwerden, sobald wir bei dem Fest waren (Jade und die anderen würden da sein, außerdem Black und Joalie, aber Joalie würde hoffentlich an unvorhersagbaren Hautproblemen leiden, die sehr hartnäckig waren, auch wenn man sie konsequent mit irgendwelchen nicht verschreibungspflichtigen Medikamenten behandelte), aber ich staunte trotzdem über das Beharrungsvermögen dieses Knaben. Ich hatte auf seinen potenziellen Kuss so abwehrend reagiert wie auf eine Heuschreckenplage, die meine Ländereien heimsuchen wollte, und er lächelte mich an und fragte freundlich, ob ich im Auto genug Platz hätte für meine Beine.

Und noch etwas fand ich unglaublich: Als ich mich am Ende der Zufahrt, kurz bevor wir nach rechts abbogen, noch einmal umdrehte und den steilen Hügel zu seinem Haus zurückblickte, sah ich, dass Patsy und Roger *immer noch* da standen. Höchstwahrscheinlich hatten sie *immer noch* die Arme um die Taille des anderen geschlungen. Patsys grüne Bluse war noch zu erkennen, zerschnipselt von den Streichholzbäumen. Und obwohl ich es Dad nie gestand, fragte ich mich doch eine Sekunde lang, während Zach den Popsong lauter stellte, ob es wirklich dermaßen schauderhaft war, so eine Familie zu haben, einen Dad zu haben, der blitzte, und einen Jungen mit Augen, die so blau waren, dass man sich nicht wundern würde, wenn man Spatzen in ihnen herumfliegen sähe, und eine Mutter, die unablässig auf die Stelle starrte, wo sie ihren Sohn das letzte Mal gesehen hatte, wie ein Hund auf einem Supermarktparkplatz, der nie den Blick von den automatischen Türen abwandte.

»Freust du dich auf die Party?«, fragte Zach.

Ich nickte.

Marcie Flints Schwierigkeiten

Das *Christmas Cabaret* fand in der Harper Racey 05 Cafeteria statt, die sich unter Maxwells eiserner Faust in einen brodelnd heißen Nachtclub à la Versailles verwandelt hatte, mit Pseudo-Sèvres-Porzellan auf den Seitentischen, mit französischem Käse und französischem Gebäck, mit Goldlametta, mit riesigen, grob gemalten Postern von deformierten Frauen auf improvisierten Schaukeln, die an der »Für die Schule, für die Welt«-Wand (St. Gallway-Klassenfotos von 1910 bis heute) angebracht waren und an das flatternde Geflirre von Fragonards *Schaukel* (um 1767) erinnern sollten, aber leider aus Versehen den *Schrei* (Munch, um 1893) heraufbeschworen.

Mindestens die Hälfte des St.-Gallway-Lehrkörpers hatte sich versammelt, vor allem diejenigen, die gebeten worden waren, Aufsicht zu führen, und da standen sie nun, die *Mondo-Strangos*, in ihren Fräcken. Havermeyer stand neben seiner bleichen, grobknochigen Ehefrau Gloria, ganz in schwarzem Samt. (Gloria zeigte sich nur selten bei öffentlichen Veranstaltungen. Angeblich verließ sie kaum das Haus, lag lieber faul herum, aß Marshmallows und las Liebesromane von Circe Kensington, einer Autorin, die viele Junikäfer mochten, weshalb auch ich ihr populärstes Werk, *Die Kronjuwelen des Rochester de Wheeling* [1990], kannte.) Und da war der glupschäugige Mr Archer, der sich am Fensterbrett festhielt und in seinen dunkelblauen Anzug passte wie eine Einladung in einen Briefumschlag. Ms Thermopolis redete mit Mr Butters in flippig hawaiimäßigen Orange- und Rottönen. (Sie hatte irgendetwas mit ihren Haaren gemacht, eine Styling Mousse verwendet, die Locken in Flechten verwandelte.) Da war Hannahs Liebling, Mr Moats, fast so groß wie der Türrahmen, in einem preußisch blauen Jackett und karierten Hosen. (Er hatte ein schreckliches Gesicht; seine Nase, sein dicker Mund, sein Kinn, sogar der größte Teil seiner Wangen – alles drängte sich im unteren Teil, wie Passagiere auf einem sinkenden Schiff.)

Jade und die anderen hatten versprochen (geschworen, beim Grab verschiedener Großeltern), um neun zu kommen, aber inzwischen war es schon halb elf, und keiner von ihnen war zu sehen, nicht einmal Milton. Hannah hätte eigentlich auch da sein müssen – »Eva Brewster hat mich gebeten, doch mal vorbeizuschauen«, hatte sie zu mir gesagt –, aber auch von ihr keine Spur. Und so kam es, dass ich in Zachville festsaß, in der Heimat der klebrigen Handflächen, der halsbrecherischen Wingtip-Schuhe, des Schlabberarms, des Kalkutta-Atems, des kaum hörbaren falschen Summens, das so nervig war wie der Brummton der Leitungen in der Wand, die größte Stadt, Sommersprossen-Nester an seinem Hals, unterhalb des linken Ohrs, Flüsse, Schweiß an seinen Schläfen, in dieser kleinen Furche an seinem Hals.

Die Tanzfläche war gerammelt voll. Rechts von uns, keinen halben Meter entfernt, tanzte Lonny Felix, Zachs Exfreundin, mit ihrem Begleiter Clifford Wells, der sein Elfengesicht himmelwärts wandte und nicht so groß war wie sie. Er wog auch nicht so viel wie sie. Jedes Mal, wenn sie ihm befahl, er solle sie schwenken (»Schwenk mich«, rief sie), biss er die Zähne zusammen, weil er aufpassen musste, dass sie nicht auf dem Fußboden landete. Ansonsten schien sie ihre eigenwilligen Tornadodrehungen zu genießen und schleuderte dabei ihre Ellbogen und ihre dornig gebleichten Haare jedes Mal abenteuerlich nah an mein Gesicht, wenn Zach und ich gerade eine Umdrehung abgeschlossen hatten, ich mit Blick zum Buffet-Tisch (wo Perón Nutella-Crèpes machte, untypisch dezent in einer puffärmeligen *Rhapsody in Blue*), Zach mit Blick zum Fenster.

Der Präsident des Schülerrates, Maxwell, eine Art Phineas T. Barnum in knallrotem Samtjackett und mit Stock, ignorierte seine Begleiterin Kimmie Kaczynski konsequent (eine traurige, niedergeschlagene Meerjungfrau in grünem Satin, die es nicht schaffte, ihren Matrosen zu locken) und präsidierte stattdessen voller Lust über seiner Sideshow von Freaks, die glotzäugige, ausgepumpte Jelly Roll Jazz Band.

»Entschuldigung«, sagte eine Stimme hinter mir.

Es war Jade, mein Ritter in der funkelnden Rüstung. Ich merkte allerdings sofort, dass irgendetwas nicht stimmte. Donnamara Chase in ihrem gnadenlos pinkfarbenen Liberty Bell-Kleid und ihr Kavalier, der lippenleckende Trucker, sowie ein paar andere, wie zum Beispiel Sandy Quince-Wood, Joshua Cuthbert und Dinky, die als lebende, atmende Sprengladung ihre Arme eng um den Nacken des armen, zur Gefangenschaft verdammten Brett Carlson geschlungen hatte – sie alle hörten auf miteinander zu tanzen und starrten Jade an.

Ich sah, wieso.

Jade trug ein hauchdünnes Seidenkleid in Mandarin, dessen Ausschnitt wie ein Fallschirmspringer im freien Fall vorn nach unten sauste. Sie war betrunken und weder mit einem Büstenhalter noch mit Schuhen ausgerüstet. Sie musterte Zach und mich, eine Hand in der Hüfte, ihre typische Einschüchterungsgebärde, aber man hatte den Eindruck, dass sie voll und ganz damit beschäftigt war, sich irgendwie zu stabilisieren, um nicht vornüberzukippen. In der anderen Hand hielt sie ein Paar schwarze Stilettos.

»Wenn du nichts dagegen hast, Cou-Coupon« – sie taumelte nach vorn; erschrocken dachte ich schon, gleich fällt sie hin – »ich muss mir Würg mal einen Moment ausleihen.«

»Ist alles in Ordnung?«, fragte Zach.

Schnell ging ich zu Jade und fasste sie am Arm. Mit einem verkrampften Lächeln auf dem Gesicht, zog ich sie hinter mir her, *fest*, aber auch nicht zu fest, denn sonst hätte sie sich in eine Orangensaftpfütze auf dem Fußboden verwandelt.

»Mensch, tut mir so leid, dass ich zu spät komme. Was soll ich sagen? Ich bin im Verkehr steckengeblieben.«

Ich schaffte es, sie an den meisten der Aufsicht führenden Lehrer vorbeizuschmuggeln, und schubste sie direkt in eine Gruppe von jüngeren Schülern, die gerade den *Gâteaux au chocolat et aux noisettes* und die verschiedenen französischen Käsesorten probierten (»Der da schmeckt echt arschig«, sagte einer).

Mein Herz hämmerte. Es konnte nur noch Minuten, nein, Sekunden dauern, bis Evita sie sah. Evita würde sie augenblicklich festnehmen, das hieß, in der St. Gallway-Terminologie, sie würde an den runden Tisch gerufen, suspendiert, müsste samstagmorgens gemeinnützige Arbeit tun bei Männern, die sich die Lippen leckten, wenn sie ihnen lauwarme Gemüsesuppe servierte, vielleicht würde sie sogar von der Schule fliegen. Im Kopf begann ich schon mal, eine Entschuldigung zusammenzuschustern, etwas in der Richtung, dass irgendein Irrer heimlich eine Tablette in ihr 7-Up gegeben hatte; ich kannte genügend Artikel über dieses Thema, auf die ich verweisen konnte. Natürlich gab es auch die Möglichkeit, sich dumm zu stellen (»*Im Zweifelsfall muss man Ahnungslosigkeit vorschützen*«, sang Dad in meinem Kopf. »*Niemand kannn dir wegen eines niedrigen IQs Vorwürfe machen.*«). Aber ehe ich mich's versah, waren wir schon am Buffet-Tisch und an den Toiletten vorbei und zur Tür hinaus, unentdeckt. (Mr Moats, falls Sie das hier lesen sollten – ich bin mir sicher, Sie haben uns gesehen. Ich danke Ihnen, dass Sie Ihre gelangweilte Miene einfach gegen ein zynisches Grinsen ausgetauscht haben, dass Sie nur geseufzt und sonst nichts unternommen haben. Und falls Sie nicht verstehen, wovon ich rede, dann sollten Sie am besten gleich wieder vergessen, was ich gerade gesagt habe.)

Draußen zerrte ich sie über den gepflasterten Innenhof, mit den kleinen Bänken am Rand (»Aua. Das tut *weh*, Mensch!«), auf denen sich die ernsthaftesten Paare der Schule vergnügten.

Ich blickte über die Schulter, um mich zu versichern, dass uns niemand folgte, dann zog ich Jade über den Rasen, den Weg unter den orangefarbenen Scheinwerfern entlang, wo die dünnen Schatten hinter uns immer länger wurden. Ich ließ sie erst los, als wir vor Hanover Hall standen. Dort war alles dunkel und verlassen, alles lag im Dunkel der Nacht, in gleichmäßige Grau- und Blautöne gehüllt – die schwarzen Fenster, die Holztreppen, ein gefalteter Zettel mit Algebra-Aufgaben, der im Schlaf murmelte.

»*Bist du vollkommen übergeschnappt*?«, schrie ich sie an.

»Was?«

»Wie kannst du in dem Zustand auftauchen?«

»Ach, schrei doch nicht so, Würg. Würgilein.«

»Ich – willst du von der Schule fliegen?«

»Scheiß drauf«, kicherte sie. »Und auf deinen kleinen Hund.«

»Und wo sind überhaupt die anderen? Wo ist Hannah?«

Sie zog eine Grimasse. »Sie sind bei ihr. Sie backen Apfelkuchen und gucken *Zwischen Himmel und Erde*. Du hast es erraten. Sie haben dich versetzt. Sie haben gedacht, dieses Fest hier wird doof. Ich bin die *Einzige* mit einem Funken Loyalität. Du solltest dich bei mir bedanken. Bargeld, Scheck, MasterCard, Visa. Nicht American Express.«

»Jade!«

»Die anderen sind Verräter. In unserer Mitte. Kleine, kleine Brutusse. Und falls du's wissen möchtest – Black und die kleine Petunie sind unterwegs und treiben's in einem billigen Motelzimmer. Er ist so verliebt, dass ich ihn umbringen möchte. Das Mädchen ist eine Yoko Ono, und wir werden uns trennen –«

»Reiß dich zusammen.«

»Himmelherrgott, mir geht es *gut*.« Sie lächelte. »Komm, wir gehen noch irgendwohin. In eine Bar, in der die Männer Männer sind und die Frauen haarig. Und wo alle selig sind vom Bier.«

»Du musst nach Hause. S*ofort*.«

»Ich dachte ans Brazil. Würg?«

»Was?«

»Ich glaube, ich kotze gleich.«

Sie sah tatsächlich hundeelend aus. Ihre Lippen waren blass, und sie schaute mich mit großen Nachtaugen an, eine Hand an der Kehle.

Ich fasste sie am Arm und wollte sie zu einer kleinen Gruppe unseliger junger Kiefern rechts von uns führen, aber plötzlich stieß sie einen spitzen, hohen Schrei aus, wie ein Kind, das seinen letzten Bissen Blumenkohl nicht essen will oder nicht in den Autositz geschnallt werden möchte, und sie riss sich los, rannte die Stufen hinauf und durch die Vorhalle. Ich dachte, die Türen wären verschlossen, aber das stimmte nicht. Jade verschwand im Gebäude.

Ich fand sie in der Toilette neben Mirtha Grazeleys Büro, wo sie sich, vor der Kloschüssel kniend, übergab.

»Ich finde kotzen schrecklich. Ich würde lieber sterben. Töte mich, ja? Töte mich. Ich flehe dich an.«

Eine Viertelstunde lang hielt ich ihr den Kopf.

»Besser«, sagte sie und wischte sich Augen und Mund.

Nachdem sie sich das Gesicht am Waschbecken gewaschen hatte, ließ sie sich mit dem Gesicht nach unten auf eins der Sofas in Mirthas Begrüßungszimmer fallen.

»Wir sollten lieber nach Hause gehen.«

»Noch eine Sekunde.«

Während wir in dem stillen Zimmer saßen, ohne Licht, nur beleuchtet von den grünen Scheinwerfern des M.-Bella-Chancery-Rasens, die durchs Fenster schienen, hatte ich das Gefühl, als befänden wir uns auf dem Grund des Ozeans. Die dürren Schatten der kahlen Bäume zogen sich über den Holzfußboden wie Seegras und Beerentang, der Schmutz betupfte die Fenster, ein bisschen Zooplankton, die Bodenlampe in der Ecke, ein Glasschwamm. Stöhnend drehte Jade sich auf den Rücken. Die Haare klebten ihr an den Wangen.

»Wir sollten hier weg«, sagte ich.

»Du magst ihn«, sagte sie.

»Wen?«

»Coupon.«

»So wie ich Lärmbelästigung mag.«

»Du brennst mit ihm durch.«

»Garantiert.«

»Du wirst massenhaft Sex mit ihm haben und lauter Geschenkgutscheine von ihm bekommen. Ich weiß so was. Ich bin Hellseherin.«

»Halt die Klappe.«

»Brech?«

»Was?«

»Ich hasse die anderen.«

»Wen?«

»Leulah. Charles. Ich hasse sie. *Dich* mag ich. Du bist als *Einzige* anständig. Die anderen sind alle krank. Und am meisten hasse ich Hannah. Iiih.«

»Red keinen Quatsch.«

»Stimmt aber. Ich tu so, als würde ich sie nicht hassen, weil es Spaß macht, zu ihr zu gehen, und dann kocht sie und führt sich auf wie dieser scheiß Franz von Assisi. Echt. Blah, blah. Aber tief in meinem Inneren weiß ich, sie ist krank und widerlich.«

Ich wartete einen Moment, bis, sagen wir mal, ein Spinnerhai auf der Suche nach einem Sardinenschwarm vorbeischwimmen konnte, bis das Wort, das sie verwendet hatte, dieses *widerlich*, sich auflösen, verflüssigen konnte, wie die Tinte eines Kuttelfischs.

»Im Grund«, sagte ich, »ist es ein weitverbreitetes Phänomen, dass man den Personen, denen man nahesteht, zwischendurch Antipathie entgegenbringt. Das ist das Derwid-Loeverhastel-Prinzip. Darum geht es in *Unter den* –«

»Scheiß auf David Hasselhoff.« Sie stützte sich auf ihre Ellbogen und kniff die Augen zusammen. »Ich kann die Frau nicht ausstehen.« Sie runzelte die Stirn. »Kannst *du* sie leiden?«

»Klar«, sagte ich.

»Warum?«

»Sie ist ein guter Mensch.«

Jade knurrte. »So gut ist sie auch wieder nicht. Ich weiß ja nicht, ob dir das klar ist, aber sie hat den Kerl umgebracht.«

»Welchen?«

Selbstverständlich wusste ich, dass sie Smoke Harvey meinte, aber ich stellte mich lieber ahnungslos, sagte nur ein Wort, ein Fragewort, ganz im zurückhaltenden Stil des Ranulph (sprich »RALF«) Curry, des explosiven Chefinspektors in Roger Pope Lavelles drei meisterhaften Krimis, geschrieben von 1901 bis 1911 in einem zehnjährigen

Inspirationsrausch – allerdings wurden die Romane dann überschattet von den sonnigeren Geschichten des Sir Arthur Conan Doyle. Diese strategische Zurückhaltung setzte Curry sehr geschickt ein, wenn er Augenzeugen, Zuschauer, Informanten und Verdächtige verhörte. Und in der Mehrzahl der Fälle führte diese Methode dazu, dass irgendein wichtiges Detail aufgedeckt wurde, welches dann letztlich den Fall löste. »Tja, tja, Horace«, sagte Curry in dem 1017-seitigen *Die Eitelkeit des Einhorns* (1901), »es ist ein kapitaler Fehler, wenn man beim Verhör seine eigene Stimme in die planlosen Worte eines anderen mischt. Je mehr man spricht, desto weniger hört man.«

»Diesen Smoke«, sagte Jade. »*Dubs*. Sie hat ihn um die Ecke gebracht. Da bin ich mir so gut wie sicher.«

»Woher willst du das wissen?«

»Ich hab doch gesehen, wie sie informiert wurde, erinnerst du dich?« Sie schwieg und starrte mich an, ihre Augen schnappten zu, krallten sich das bisschen Licht im Raum. »Du warst nicht dabei, aber ich habe ihren Auftritt miterlebt. Völlig übersteigert. Sie ist echt die schlechteste Schauspielerin auf dem Planeten. Wenn sie Schauspielerin wäre, würde sie es nicht mal in einen B-Movie schaffen. Sie wäre in der Kategorie D oder E. Ich glaube, sie wäre nicht mal gut genug für einen Porno. Aber sie denkt natürlich, sie ist demnächst in der Talkshow *Inside the Actor's Studio*, wahrscheinlich schon gleich nächste Woche. Sie hat total dick aufgetragen, hat geschrien wie eine Geisteskranke, als sie die Leiche gesehen hat. Eine Sekunde lang habe ich gedacht, sie schreit ›Der Dingo hat mein Baby gefressen.‹«

Sie rollte vom Sofa herunter, ging zu der Kochnische hinter Mirthas Schreibtisch und öffnete die kleine Kühlschranktür. Als sie sich niederkauerte, wurde sie von einem Rechteck aus goldenem Licht angestrahlt und ihr Kleid durchsichtig, und bei diesen Röntgenstrahlen konnte man sehen, wie klapperdünn sie war und dass ihre Schultern nicht viel breiter waren als ein Kleiderbügel.

»Hier gibt's Eggnog«, sagte sie. »Möchtest du einen Schluck?«

»Nein.«

»Es gibt jede Menge. Drei volle Behälter.«

»Mirtha misst bestimmt ab, wie viel am Ende des Tages übrig ist. Wir kommen nur in Schwierigkeiten.«

Jade stand auf, einen Glaskrug in der Hand, und knallte die Kühlschranktür mit dem Fuß zu.

»Jeder weiß doch, dass Mirtha Grazeley der verrückte Hutmacher ist. Wer würde ihr denn glauben, wenn sie sich beschwert und sagt, es fehlt etwas? Außerdem sind die meisten Leute gar nicht so ordentlich. Hast du das nicht neulich auch gesagt, an jenem *soir*, ›keine Methode in diesem Wahnsinn‹ und so weiter?« Sie holte zwei Gläser aus einem der Schränke. »Ich sage nur eins – ich weiß, dass Hannah den Mann um die Ecke gebracht hat, so wie ich weiß, dass meine Mutter das Monster von Loch Ness ist. Oder Bigfoot. Ich habe noch nicht entschieden, welches Ungeheuer sie ist, aber ich bin mir sicher, sie ist eins von den ganz berühmten.«

»Was hätte sie für ein Motiv?«, fragte ich. (»Nun, meiner Meinung nach ist es sehr hilfreich«, sagte Curry, »wenn man sicherstellt, dass der Sprecher auf der richtigen Spur bleibt und nicht um das, was er weiß, herumläuft und nur über Schnappschlösser und Dampfkessel quasselt.«)

»Monster brauchen kein Motiv. Sie sind Monster und deshalb –«

»Ich rede von Hannah.«

Sie schaute mich verärgert an. »Du verstehst aber auch gar nichts, oder? Heutzutage braucht niemand ein Motiv. Die Leute suchen nur nach Motiven und solchen Sachen, weil sie sich vor dem totalen Chaos fürchten, sage ich. Aber Motive sind out, so wie Clogs. In Wirklichkeit bringen manche Leute einfach gern andere Leute um, so wie manche Leute eine Schwäche für Skilehrer mit so vielen Leberflecken haben, dass sie aussehen, als hätte Gott Pfefferkörner auf sie gekippt, oder für Halbkriminelle mit Tattoos auf dem ganzen Arm.«

»Aber warum ihn?«

»Wen?«

»Smoke Harvey«, sagte ich. »Warum ihn und nicht mich, zum Beispiel?«

Jade gab ein sarkastisches *Ha* von sich, dann reichte sie mir das Glas und setzte sich hin. »Ich weiß nicht, ob dir das klar ist, aber Hannah ist völlig besessen von dir. Als wärst du ihr scheiß verlorenes *Kind*. Ich meine – wir haben von dir gewusst, bevor du überhaupt diese beschissene Schule betreten hast. Das war schon scheißkomisch.«

Mein Herz blieb stehen. »Wovon redest du?«

Jade zog die Nase hoch. »Du bist ihr doch in diesem Schuhgeschäft begegnet, stimmt's?«

Ich nickte.

»Na ja, also gleich danach oder vielleicht sogar noch am selben Tag hat sie pausenlos von einer Blue geredet, von dieser wunderbar tollen Person, und dass wir ihre Freunde werden müssen oder sterben oder was. Als wärst du die beschissene Wiederkunft Christi. Sie führt sich immer noch so auf. Wenn du nicht da bist, heißt es immer nur: ›Wo ist Blue, hat irgendjemand Blue gesehen?‹ Blue, Blue, Blue, Herrgottnochmal. Aber das ist nicht nur bei dir so. Sie hat alle möglichen anormalen Fixierungen. Zum Beispiel die Tiere und die Möbel. Die ganzen Männer in Cottonwood. Sex ist für sie wie Händeschütteln. Und Charles. Sie hat ihn völlig fertiggemacht, aber sie merkt es nicht mal. Sie glaubt, sie tut uns allen einen Riesengefallen, weil sie mit uns befreundet ist und uns so viel beibringt oder was weiß ich –«

Ich schluckte. »War zwischen Charles und Hannah tatsächlich was?«

»Hallo? Na klar. Also, da bin ich mir so gut wie *neunzig* Prozent sicher. Charles sagt keinem auch nur ein Sterbenswörtchen, nicht mal Black, weil sie ihm das Gehirn gewaschen hat. Aber letztes Jahr, da haben Lu und ich ihn abgeholt, und er hat geweint, so was von geweint hat er, wie ich noch nie in meinem Leben jemand hab weinen sehen. Sein Gesicht war ganz entstellt.« Sie machte es vor. »Er hatte einen richtigen Anfall. Das ganze Haus war demoliert. Er hat Bilder durch die Gegend geworfen, die Tapete attackiert – riesige Fetzen hat er von den Wänden gerissen. Als wir kamen, kauerte er zu einer kleinen Kugel zusammengerollt vor der Glotze. Auf dem Fußboden lag ein Messer, und wir hatten schon Angst, er begeht womöglich auch noch Selbstmord oder was weiß ich –«

»Aber das hat er nicht getan, stimmt's?«, fragte ich schnell.

Sie schüttelte den Kopf. »Nein. Aber ich glaube, er ist so ausgerastet, weil Hannah ihm gesagt hat, sie macht Schluss. Oder, wer weiß, vielleicht war's ja auch nur ein einziges Mal. Ich meine, ein Ausrutscher. Ich glaube nicht, dass sie sich vorgenommen hat, ihn fertigzumachen, aber irgendwas hat sie jedenfalls getan, weil er seither nicht mehr er selbst ist. Du hättest ihn letztes Jahr sehen sollen oder im Jahr davor. Er war süß. Ein richtig glücklicher Mensch, den alle gern haben. Jetzt ist er dauernd nur schlechter Laune.«

Sie trank einen kräftigen Schluck Eggnog. Die Dunkelheit ließ ihr Profil härter erscheinen, sodass ihr Gesicht aussah wie eine dieser riesigen Jademasken, die Dad und ich im Olmeken-Raum im Garber Natural History Museum von Artesia, New Mexico, gesehen hatten. »Die Olmeken waren eine ungeheuer künstlerische Zivilisation, zutiefst fasziniert vom menschlichen Antlitz«, las Dad pathetisch die gedruckten Erläuterungen an der Wand vor. »Sie glaubten, dass die Stimme zwar lügen, das Gesicht jedoch niemals betrügen kann.«

»Wenn du wirklich so über Hannah denkst«, brachte ich heraus, »wie kannst du dann so oft mit ihr zusammen sein?«

»Ich weiß, es ist komisch.« Sie verzog nachdenklich den Mund nach links. »Ich glaube, sie ist wie Crack. Man wird süchtig.« Dann seufzte sie und umschlang ihre Knie. »Es ist ein typisches *Mint-Chocolate-Chip*-Phänomen.«

»Wie meinst du das?«, fragte ich, als sie nicht weiterredete.

»Ach.« Sie legte den Kopf schräg. »Hast du schon mal das Gefühl gehabt, dass du *Mint-Chocolate-Chip*-Eis sehr, sehr gern isst? Dass es seit Ewigkeiten deine allerliebste Eissorte auf der ganzen Welt ist? Aber dann hörst du eines Tages, wie Hannah stundenlang von *Butter Pecan* schwärmt. *Butter Pecan* hier, *Butter Pecan* da, und plötzlich bestellst du die ganze Zeit *Butter Pecan*. Und du merkst, dass dir *Butter Pecan* am allerbesten schmeckt. Dass du es wahrscheinlich schon immer am liebsten mochtest und es einfach nicht *gewusst* hast.« Sie schwieg einen Moment. »Du isst nie wieder *Mint Chocolate Chip*.«

Auf einmal hatte ich das Gefühl, als würde ich in den dunklen

Schatten, den Verschlüssen und den Blutsternen ertrinken, die an der Deckenlampe klebten, aber ich versuchte, tief durchzuatmen und daran zu denken, dass ich nicht alles glauben durfte, was sie sagte, oder gar nichts zu glauben – jedenfalls nicht unbedingt. Vieles, was Jade felsenfest behauptete, wenn sie betrunken *und* wenn sie nüchtern war, stellte sich als Falltür heraus, als Treibsand, als *Trompe l'oeil*, als Hokuspokus des Lichts, das bei verschiedenen Temperaturen durch die Luft saust.

Ich hatte das erste und das letzte Mal den Fehler gemacht, ihr zu glauben, als sie mir anvertraute, wie sehr sie ihre Mutter »hasste« und dass sie unbedingt bei ihrem Vater leben wollte, der als Richter in Atlanta arbeitete und ein »anständiger Mann« war (obwohl er vor gut vier Jahren abgehauen war, mit einer Frau, die Jade immer nur »Meathead« Marcy nannte und von der man wenig wusste, außer dass sie eine Halbkriminelle mit über und über tätowierten Armen war) – und dann, keine Viertelstunde später, griff sie zum Telefon, um ihre Mutter anzurufen, die noch in Colorado war und dort glücklich und zufrieden ihre Lawinen-Liebesaffäre mit dem Skilehrer auslebte.

»Wann kommst du endlich nach *Hause*? Ich kann es nicht ausstehen, wenn Morella sich um alles kümmert. Ich brauche dich, damit ich mich emotional weiterentwickeln kann«, klagte sie unter Tränen, und dann sah sie mich und schrie: »Was glotzt du denn so beschissen?« und knallte mir die Tür vor der Nase zu.

Jade war charmant (ihre charakteristische Marotte, sich gedankenverloren die Haare aus dem Gesicht zu pusten, wurde in puncto Charme nicht einmal von Audrey Hepburn übertroffen), und sie war mit den beneidenswerten Qualitäten eines Nerzmantels gesegnet – hübsch, unvernünftig und unpraktisch, egal, wo sie sich hindrapierte, auf Sofas oder Menschen (eine Eigenschaft, die nicht verschwand, auch wenn sie etwas aus dem Gleichgewicht war, so wie jetzt) –, aber sie gehörte zu den Leuten, deren Persönlichkeit für moderne Mathematiker das Ende bedeutete. Sie war weder zweidimensional noch ein Festkörper. Sie wies überhaupt keine Symmetrie auf. Weder mit Trigonometrie noch mit Analysis oder Stochastik konnte man sie beschreiben. Als Tortendiagramm war sie eine Ansammlung von beliebigen Kreissegmenten; als Kurve dargestellt sah sie aus wie ein Schattenriss der Alpen. Und wenn man sie gerade der Chaostheorie zugeteilt hatte, mit Schmetterlingseffekt, Wettervorhersagen, Fraktalen und Bifurkationsdiagrammen, zeigte sie sich als gleichseitiges Dreieck, manchmal sogar als Quadrat.

Jetzt saß sie auf dem Fußboden, die schmutzigen Füße über dem Kopf: Sie demonstrierte eine Pilatesübung, zu der sie bemerkte: »Dadurch fließt mehr Blut durch die Wirbelsäule.« (Irgendwie sollte das bewirken, dass man länger lebt.) Ich leerte mein Glas Eggnog.

»Ich finde, wir gehen jetzt in ihr Klassenzimmer«, flüsterte sie auf einmal aufgeregt. Sie schwang ihre dürren Beine wieder auf den Teppichboden, schnell und erbarmungslos wie eine Guillotine. »Wir können uns ein bisschen umsehen. Ich meine – es könnte ja sein, dass sie dort Beweismaterial aufbewahrt.«

»Beweismaterial *wofür*?«

»Hab ich dir doch schon gesagt. Für den Mord. Sie hat diesen Smoke umgebracht.«

Ich holte tief Luft.

»Verbrecher verstecken die Sachen da, wo man sie am wenigsten vermutet, stimmt's?«, fragte sie. »Also – wer kommt schon auf die Idee, in ihrem Klassenzimmer nachzusehen?«

»Wir.«

»Und wenn wir etwas finden, dann wissen wir Bescheid. Nicht, dass das viel zu bedeuten hätte. Ich meine – es gilt ja immer die Unschuldsvermutung, und vielleicht hatte Smoke es ja verdient. Vielleicht hat er Robben erschlagen.«

»Jade –«

»Wenn wir nichts finden – auch egal. Tut keinem weh.«

»Wir können unmöglich in ihr Klassenzimmer gehen.«

»Wieso nicht?«

»Aus verschiedenen Gründen. Erstens könnten wir erwischt werden und von der Schule fliegen. Zweitens ist es total unlogisch –«

»*Ach, verpiss dich*!«, schrie sie plötzlich. »*Kannst du nicht mal einen*

Moment deine viel versprechende College-Karriere vergessen und dich amüsieren? Du bist eine scheiß Spielverderberin!« Sie machte ein wütendes Gesicht, aber die Wut verschwand fast augenblicklich wieder. Sie setzte sich auf, mit einem Raupenlächeln. »*Überleg* doch mal, Olives«, wisperte sie. »Wir haben ein höheres Ziel. Verdeckte Ermittlungen. Spionage. Wir kommen womöglich in die *Nachrichten*! Und werden Amerikas Sweethearts.«

Ich starrte sie an. »›Noch einmal stürmt, noch einmal, liebe Freunde!‹«, sagte ich.

»Gut. Und jetzt hilf mir meine Schuhe finden.«

* * *

Zehn Minuten später huschten wir den Gang entlang. Hanover hatte einen alten Akkordeon-Flur, der bei jedem Schritt müde Töne keuchte. Wir stießen die Tür auf, liefen das hallende Treppenhaus hinunter, hinaus in die Kälte, überquerten den Weg, der vor dem Innenhof und Love dahintröpfelte. Um uns herum wuchsen Schatten-Stalaktiten, und instinktiv taten wir so, als wären wir Schulmädchen aus dem neunzehnten Jahrhundert, die von Graf Dracula verfolgt werden, wir zitterten und schmiegten uns eng aneinander und hakten uns unter. Wir rannten los, und Jades Arme flogen gegen meine nackten Schultern und in mein Gesicht.

Dad hatte einmal gesagt (etwas morbid, fand ich damals), dass amerikanische Institutionen bei der Vermittlung von Wissen unendlich erfolgreicher wären, wenn nachts unterrichtet würde statt tagsüber, das heißt, von 20 Uhr bis 4.00 oder 5.00 morgens. Als ich jetzt durch die Dunkelheit rannte, begriff ich, was er meinte. Normaler roter Backstein, sonnige Klassenzimmer, symmetrische Innenhöfe – das war ein Setting, das junge Menschen zu dem Glauben verführte, dass die Wissenschaft und auch das Leben selbst hell, klar und frisch gemäht waren. Dad sagte, ein Schüler oder Student wäre wesentlich besser bedient, wenn er oder sie beispielsweise die Tabelle des Periodensystems, *Madame Bovary* oder die sexuelle Reproduktion der Sonnenblume mit schrägen Schatten an den Klassenzimmerwänden lernen würde, wenn die Silhouetten der Finger und Stifte auf dem Fußboden erschienen, begleitet vom gastrischen Gluckern unsichtbarer Heizkörper, und wenn das Gesicht des Lehrers nicht flach und blass wäre, nicht von den zarten Pastellfarben eines goldenen Spätnachmittags modelliert würde, sondern schlangenhaft aussähe, wie ein Wasserspeier, wie ein Zyklop im tintenschwarzen Dunkel und dem schwachen Licht einer Kerze. Er/sie würde »alles und nichts« begreifen, sagte Dad, wenn in den Fenstern nichts anderes zu sehen war als ein Laternenpfahl, der von lichthungrigen Motten überfallen wird, und sonst nur Dunkelheit, schweigsam und gleichgültig, so wie die Dunkelheit eben war.

Zwei hohe Kiefern irgendwo links von uns knallten unabsichtlich mit den Zweigen aneinander. Es klang wie die Prothesen eines Wahnsinnigen.

»Es kommt jemand!«, flüsterte Jade.

Wir rasten die Hügel hinunter, vorbei an der stummen Graydon Hall und am Untergeschoss des Love Auditoriums, dann Hypocrite's Alley entlang, wo die Musikräume mit ihren hohen Fenstern uns leer und blind nachstarrten, wie Ödipus, nachdem er sich die Augen ausgestochen hatte.

»Ich hab Angst«. Jade umklammerte mein Handgelenk noch fester.

»Ich auch. Und ich friere.«

»Hast du *School of Hell* gesehen?«

»Nein!«

»Der Serienmörder ist die Hauswirtschaftslehrerin.«

»Oh.«

»Backen 203. Sie backt die Schüler in Soufflés. Ist das nicht krank?«

»Ich bin in irgendwas reingetreten. Es ist durch meinen Schuh duchgegangen, glaube ich.«

»Wir müssen uns beeilen, Würg. Die dürfen uns auf keinen Fall erwischen. Sonst sterben wir.«

Sie ließ mich los, hüpfte die Stufen von Loomis hinauf und rüttelte an den Türen, die mit dunklen Zetteln für Mr Crisps Inszenierung der *Kahlen Sängerin* (Ionesco, 1950) bedeckt waren. Die Türen waren verschlossen.

»Wir müssen einen anderen Eingang finden«, wisperte sie. »Durch ein Fenster. Oder übers Dach. Meinst du, es gibt einen Kamin? Wir spielen Santa, Würg. *Santa Claus.*«

Sie packte mich am Arm. Wir orientierten uns an Filmen mit Einbrechern und stummen Attentätern. Wir gingen um das Gebäude herum, zwängten uns durchs Gebüsch, ohne Rücksicht auf pieksende Nadeln und Äste, probierten die Fenster aus. Endlich fanden wir eins, das Jade aufdrücken konnte. Die Scheibe kippte leicht nach innen. Das Fenster gehörte zu Mr Fletchers Fahrunterrichtsraum. Jade zwängte sich problemlos durch die Öffnung und landete auf einem Fuß. Als ich es versuchte, schrappte ich mir am Fensterrahmen das linke Schienbein auf, meine Strümpfe zerrissen, und dann fiel ich auf den Teppich und schlug mit dem Kopf gegen einen Heizkörper. (An der Wand hing ein Plakat, das einen Jugendlichen mit Zahnspange und Sicherheitsgurt zeigte: Denk immer an den blinden Fleck, auf der Straße und im Leben!)

»Mach schon, du lahme Nuss«, schimpfte Jade leise und verschwand durch die Tür.

Hannahs Klassenzimmer, Raum 102, lag ganz am Ende des schmalen Flurs. An der Tür klebte ein *Casablanca*-Poster. Ich war noch nie in dem Raum gewesen. Als ich die Tür öffnete, wunderte ich mich, wie hell es dort war; gelblich weißes Licht strömte vom Weg draußen durch die Fensterfront, durchleuchtete die fünfundzwanzig oder dreißig Tische und Stühle und warf lange, skelettartige Schatten über den Fußboden. Jade saß bereits im Schneidersitz vorne auf dem Hocker beim Schreibtisch und hatte ein paar Schubladen herausgezogen. Mit konzentrierter Miene blätterte sie in einem Lehrbuch.

»Und – schon eine heiße Spur?«, fragte ich.

Sie reagierte nicht, also ging ich die erste Tischreihe entlang und schaute mir die gerahmten Filmplakate an den Wänden an (Abbildung 14.0).

Insgesamt waren es dreizehn, einschließlich der beiden hinten bei

Abbildung 14.0

den Bücherregalen. Vielleicht lag es am Eggnog, aber ich fand die Plakate irgendwie komisch – nicht, weil sie alle von ausländischen Filmen waren oder von amerikanischen Filmen auf Spanisch, Italienisch oder Französisch, auch nicht, weil sie alle etwa fünfzehn Zentimeter voneinander entfernt hingen, streng in Reih und Glied wie Soldaten, so exakt, wie man das bei Plakaten in Klassenzimmern eigentlich nicht erwartete, nicht einmal in Physik oder Mathematik. (Ich ging zu *Il Caso Thomas Crown*, verschob den Rahmen und sah die Bleistiftstriche um den Nagel herum, wo sie alles vermessen hatte, diese Zeichen der Pedanterie.)

Bis auf zwei Plakate (*Per un Pugno di Dollari, Fronte del Porto*) zeigten alle eine Umarmung oder einen Kuss. Rhett hielt Scarlett im Arm, klar; und Fred umklammerte Holly und Cat im Regen (*Collazione da Tiffany*); aber da war auch Ryan O'Neal in *Historia del Amore* mit Ali MacGraw; Charlton Heston, der Janet Leigh festhielt, sodass ihr Kopf in einem unbequemen Winkel nach hinten fiel, in *La Soif du Mal*; außerdem Burt Lancaster und Deborah Kerr, die jede Menge Sand in ihre Badesachen kriegten. Es war seltsam, aber ich fand – und ich glaube nicht, dass ich mir das einbildete –, dass die Frauen auf den Bildern so dargestellt waren, dass jede von ihnen *Hannah* sein könnte, umarmt *in alle Ewigkeit*. Hannah hatte ein genauso feines Porzellangesicht wie sie, genau solche Haarspangen, so ein Küstenstraßenprofil, solche Haare, die tänzelten und ihnen über die Schultern fielen.

Das überraschte mich, weil ich eigentlich nie den Eindruck gehabt hatte, dass sie zu diesen albernen Frauen gehörte, die sich mit so einem Feuerwerk unausgelebter Leidenschaften umgaben (wie Dad es ausdrückte, mit einem »großen Geht-leider-nicht«). Dass sie diese Filmplakate so gewissenhaft gesammelt hatte, machte mich ein bisschen traurig.

»Im Zimmer einer Frau ist immer irgendwo ein Gegenstand, ein Detail, ein Etwas, das sie zeigt, wie sie ist, ganz und unverstellt«, sagte Dad. »Bei deiner Mutter waren es natürlich die Schmetterlinge. An der extremen Sorgfalt, mit der sie die Schmetterlinge präparierte und ausstellte, merkt man nicht nur, wie viel sie ihr bedeutet haben, nein, jeder von ihnen wirft ein kleines, aber beharrliches Licht darauf, was für eine komplexe Frau sie war. Nimm nur die prächtige Forest Queen. Sie spiegelt die königliche Haltung deiner Mutter wider, ihren entschiedenen Respekt vor der Welt der Natur. Die Clouded Mother of Pearl zeigt ihren mütterlichen Instinkt, ihr Verständnis für moralischen Relativismus. Natasha hat die Welt nicht in Schwarzweiß gesehen, sondern so, wie sie ist – eine unbestreitbar trübe Gegend. Und die schöne Motte mit dem Namen Mechanitis Mimic? Sie konnte alle Großen nachahmen, von Norma Shearer bis Howard Keel. Die Falter waren in vielerlei Hinsicht wie sie – glorios, herzzerreißend zerbrechlich. Und wenn wir jedes dieser Spezimen nehmen, dann bekommen wir – zwar nicht genau deine Mutter, aber immerhin eine gute Annäherung an ihre Seele.«

Ich war mir nicht sicher, weshalb ich in diesem Moment an die Schmetterlinge dachte, außer weil die Plakate das Etwas zu sein schienen, das Hannah war, »ganz und unverstellt«. Burt Lancaster und Deborah Kerr mit dem Sand im Schwimmzeug waren vielleicht ihr Lebenshunger und ihre Liebe zum Meer, zum Ursprung allen Lebens, und *Bella di giorno* mit Catherine Deneuve, den Mund verdeckt, war ihr Bedürfnis nach Dekadenz, nach Geheimnissen, nach Cottonwood.

»Ach, du lieber Gott«, sagte Jade hinter mir. Sie warf ein dickes Taschenbuch durch die Luft, sodass es flatternd gegen die Fensterscheibe flog.

»Was?«

»Hilfe«, rief sie. »Ich muss gleich kotzen.«

»Was ist denn los?«

Sie sagte nichts, sondern deutete nur auf das Buch auf dem Boden und atmete übertrieben. Ich ging zum Fenster und hob es auf.

Es war ein Buch mit dem Foto eines Mannes auf dem Cover, der Titel, in orangeroten Buchstaben, lautete: *Blackbird Singing in the Dead of Night: Das Leben des Charles Milles Manson* (Ivys, 1985). Der Umschlag und die Seiten waren ganz zerfleddert.

»Und?«, fragte ich.

»Weißt du etwa nicht, wer Charles Manson ist?«
»Doch, natürlich.«
»Warum hat sie so ein Buch?«
»Das Buch haben viele Leute. Es ist die definitive Biographie.«
Ich hatte keine Lust darauf einzugehen, dass ich das Buch ebenfalls besaß und dass es Dad in die Leseliste für einen Kurs aufgenommen hatte, den er zuletzt an der University of Utah in Rockwell gehalten hatte, ein Seminar über die Charakteristika des politischen Rebellen. Der Autor, Jay Burne Ivys, ein Engländer, hatte Hunderte von Stunden damit verbracht, Mitglieder der Manson Family, die in ihren besten Zeiten aus mindestens hundertzwanzig Menschen bestanden hatte, ausführlich zu befragen. Daher war das Buch wirklich sehr umfassend, in Teil II und III wurden die Ursprünge und die Codes von Mansons Ideologie erklärt, die täglichen Aktivitäten der Sekte, die Hierarchie (Teil I war eine psychoanalytische Auseinandersetzung mit Mansons schwerer Kindheit, was Dad, der nicht gerade ein Freud-Jünger war, weniger überzeugend fand). Dad behandelte dieses Buch, neben Miguel Nelsons *Zapata* (1989), in zwei oder manchmal auch drei Sitzungen zum Thema Freiheitskämpfer oder Fanatiker? »Neunundfünfzig Menschen, die Charles Manson kennenlernten, als er in der Haight-Ashbury in San Francisco wohnte, sagten aus, er habe von allen Menschen, denen sie je begegnet seien, die magnetischsten Augen und die faszinierendste Stimme gehabt«, dröhnte Dad ins Mikrophon an seinem Lesepult. »Neunundfünfzig *verschiedene* Quellen. Was war es also? Das gewisse Etwas. Charisma. Er hatte es. Genau wie Zapata. Guevara. Wer sonst noch? Luzifer. Man wird damit geboren, oder? Dieses gewisse *Je ne sais quoi*, und wie die Geschichte zeigt, kann man mit relativ wenig Anstrengung eine Gruppe von völlig normalen Menschen dazu bringen, zu den Waffen zu greifen und für eine Sache zu kämpfen, gleichgültig, um welche Sache es sich handelt; der Inhalt spielt nur eine geringe Rolle. Wenn du es sagst – wenn du ihnen etwas hinwirfst, woran sie glauben können, dann werden sie dafür morden, sie werden dafür ihr Leben hingeben, sie nennen dich Jesus. Klar, Sie lachen jetzt – aber bis zum heu-

tigen Tag erhält Charles Manson mehr Fanpost als jeder andere Gefangene im gesamten US-amerikanischen Strafsystem, etwa sechzigtausend Briefe im Jahr. Seine CD, *Lie*, ist bei Amazon.com nach wie vor Spitzenreiter. Was sagt uns das? Oder, lassen Sie mich die Frage anders formulieren. Was sagt uns das über *uns selbst*?«

»Sonst ist hier kein einziges Buch, Würg«, sagte Jade nervös. »Sieh selbst nach.«

Ich ging zu ihr. In der offenen Schublade war ein Stapel DVDs, *Der Mann, der herrschen wollte, Die durch die Hölle gehen, Die offizielle Geschichte* und noch ein paar andere, aber keine Bücher.

»Es war ganz hinten«, sagte sie. »Versteckt.«

Ich schlug es auf, blätterte darin. Vielleicht war es die krasse Beleuchtung, die alles zerschnitt und von den Knochen löste, auch Jade (ihr magerer Schatten fiel auf den Boden, kroch zur Tür), aber mir lief es eiskalt den Rücken hinunter, als ich den verblassten Namen sah, der, mit Bleistift geschrieben, in der oberen Ecke der Titelseite stand. *Hannah Schneider.*

»Das hat gar nichts zu bedeuten«, sagte ich und merkte zu meiner Verblüffung, dass ich eigentlich versuchte, mich selbst zu überzeugen.

Jade riss die Augen auf. »Meinst du, sie will uns umbringen?«, hauchte sie.

»Oh, *bitte*!«

»Nein, im Ernst. Wir sind ihre Zielscheiben, weil wir bourgeois sind.«

Ich runzelte verärgert die Stirn. »Was hast du eigentlich mit diesem Wort?«

»Es ist Hannahs Wort. Ist dir schon mal aufgefallen, wenn sie betrunken ist, dann ist jeder ein Schwein?«

»Das meint sie doch nicht ernst«, sagte ich. »Mein Vater macht auch manchmal solche Witze.« Aber Jade, die Zähne zu einer kleinen Mauer zusammengebissen, schnappte mir das Buch aus der Hand und begann, hektisch darin zu blättern, bis sie bei dem Schwarzweißfoto in der Mitte hängenblieb. Sie drehte das Buch so, dass das Licht auf die Bilder fiel. »›Charles nannte Susan Atkins *Sexy Sadie*‹«, las sie langsam.

»Iiih. Sieh doch nur, wie verrückt diese Frau aussieht. Diese Augen. Ehrlich gesagt, sie sehen irgendwie aus wie *Hannahs* Augen –«

»Hör auf«, sagte ich und nahm ihr das Buch wieder weg. »Was ist eigentlich mit dir los?«

»Was ist mit *dir* los?« Sie kniff die Augen zu kleinen Schlitzen zusammen. Manchmal konnte Jade einen extrem streng mustern, dass man das Gefühl bekam, sie sei der Besitzer einer Zuckerrohrplantage aus dem Jahr 1780 und man selbst stünde am Auktionsblock auf Antigua, der Sklave mit dem eingebrannten Zeichen, der seine Mutter und seinen Vater seit einem Jahr nicht mehr gesehen hatte und voraussichtlich nie wieder sehen würde. »Du vermisst deinen Coupon, stimmt's? Du willst ein paar kleine Essensmarken auf die Welt bringen?«

An diesem Punkt hätten wir angefangen zu streiten, ich wäre dann aus dem Gebäude gerannt, vermutlich in Tränen aufgelöst, während sie mir lachend alle möglichen Beschimpfungen hinterhergerufen hätte. Aber weil sie ein furchtbar erschrockenes Gesicht machte, folgte ich stattdessen ihrem Blick aus dem Fenster.

Draußen kam jemand auf Loomis zu, eine gedrungene Gestalt in einem überquellenden blaulila Kleid.

»Es ist Charles Manson«, flüsterte Jade. »In Frauenkleidern.«

»Nein«, sagte ich. »Es ist der Diktator.«

Voll Entsetzen beobachteten wir, wie Eva Brewster zur Eingangstür von Loomis ging, am Knauf rüttelte, wieder umdrehte und auf den Rasen mit der riesigen Kiefer trat. Dort blieb sie stehen, überschattete die Augen und schaute zu den Fenstern der Klassenzimmer.

»Ach, du *meine* Scheiße«, sagte Jade.

Wir hechteten quer durchs Zimmer zu der Ecke beim Bücherregal, wo es stockdunkel war (unter Cary und Grace in *Caccia di Ladro*).

»Blue!«, rief Eva.

Beim Klang von Evita Peróns Stimme konnte jedem das Herz stehen bleiben, aber natürlich besonders dann, wenn sie den eigenen Namen rief. Mein Herz schlug um sich wie ein Tintenfisch, der auf Deck geworfen wurde.

»*Blue!* Wo bist du?«

Wir sahen, dass sie ans Fenster kam. Evita war nicht gerade die attraktivste Frau auf der Welt: Sie hatte eine Figur wie ein Hydrant, ihre Haare waren flaumig wie Isoliermaterial und scheußlich orangegelb gefärbt, aber ihre Augen waren, wie ich einmal im Hauptbüro in Hanover Hall bemerkt hatte, schockierend schön, wie ein plötzliches Niesen in der drögen Stille ihres Gesichts – groß, weit auseinander stehend, ein blasses Blau, das ganz leicht ins Violette trippelte. Jetzt verzog sie das Gesicht und presste die Stirn gegen die Scheibe, sodass sie sich in eine dieser Ramshell-Schnecken verwandelte, die an den Wänden von Aquarien kleben. Ich war wie erstarrt und hielt die Luft an, Jade krallte die Fingernägel in mein rechtes Knie – aber das aufgedunsene, leicht bläuliche Gesicht der Frau, flankiert von den großen, kitschigen Tannenzapfen-Ohrringen, sah eigentlich weder besonders wütend noch pervers aus. Ehrlich gesagt, sie wirkte eher enttäuscht – als wäre sie an das Fenster getreten in der Hoffnung, den seltenen Barkudia-Skink zu sehen, die gliederlose Echse, die in der Reptilien-Elite als eine Art Salinger galt, der sich empörenderweise seit siebenundachtzig Jahren versteckte, und nun hatte dieser Skink beschlossen, sich unter einem feuchten Stein zu verkriechen und sie zu ignorieren, gleichgültig, wie oft sie rief, an die Scheibe klopfte, mit schimmernden Gegenständen winkte oder Blitzlichtfotos machte.

»Blue!«, rief sie wieder, ein bisschen drängender, drehte den Hals, um über die Schulter zu blicken. »*Blue*!«

Sie brummelte irgendetwas vor sich hin und lief dann um die Ecke des Gebäudes, vermutlich zur anderen Seite. Jade und ich konnten uns nicht rühren, uns beiden war das Kinn an den Knien angewachsen, wir horchten und warteten auf die Schritte, wie sie in den fürchterlichsten Träumen über die Linoleumflure einer Anstalt hallten.

Die Minuten vergingen, aber da war nichts als Stille. Und das gelegentliche Husten, Schnüffeln und Räuspern eines Raums. Nach fünf Minuten krabbelte ich an Jade vorbei (die in ihrer Embryonalhaltung erstarrt war) und ging zum Fenster. Da sah ich sie wieder, diesmal stand sie auf den Eingangsstufen von Loomis.

Es wäre ein ergreifender Anblick gewesen, ganz im Stil von Thomas Hardy, wenn sie jemand anderes gewesen wäre – jemand mit guter Haltung, so wie Hannah. Ihr wurden die Wattehaare aus der Stirn geblasen, der hartnäckige Wind erfasste ihr Kleid und wehte es weit nach hinten, wodurch sie aussah wie eine Witwe, die aufs Meer hinausblickt, oder wie ein großer Geist, der einen Moment innehält, bevor er in den Sümpfen seine traurige Suche fortsetzt, seine Suche nach den Überresten toter Liebe. Eine ruinierte Magd, die Tragödie einer Vagabundin. Doch da stand Eva Brewster: kompakt und ernüchternd, mit Flaschenhals, Kannenarmen und Korkbeinen. Sie zerrte an ihrem Kleid, blickte grimmig in die Dunkelheit, warf einen letzten Blick auf die Fenster (eine schreckliche Sekunde lang glaubte ich, sie würde mich sehen). Dann machte sie kehrt, ging rasch den Weg entlang und verschwand.

»Sie ist weg«, sagte ich.

»Bist du sicher?«

»Ja.«

Jade hob den Kopf und drückte eine Hand auf die Brust.

»Ich krieg noch einen Herzinfarkt«, stöhnte sie.

»Nein, kriegst du nicht.«

»Aber es könnte sein. In meiner Familie gibt's öfter so was wie Herzversagen. Es kommt einfach so, aus heiterem Himmel.«

»Dir geht's gut.«

»Ich spüre so einen Druck. Genau *hier.* Das hat man bei einer Lungenembolie.«

Ich starrte aus dem Fenster. Dort, wo der Weg aus unserem Gesichtsfeld verschwand, beim Love Auditorium, stand ein einsamer Baum Wache, mit einem dicken schwarzen Stamm und bebenden, dünnen Zweigen, deren Enden sich rückwärts bogen und kleine Handgelenke und Hände bildeten, als müsste er den Himmel hochstemmen.

»Das war echt eigenartig, was?« Jade zog eine Grimasse. »Dass sie da draußen steht und deinen Namen ruft – ich wüsste gern, warum sie nicht nach *mir* gerufen hat.«

Ich zuckte die Achseln und versuchte, unbeeindruckt zu wirken, obwohl mir kotzelend war. Vielleicht hatte ich die empfindsame Konstitution einer viktorianischen Dame, die in Ohnmacht fiel, weil sie das Wort *Bein* hörte, oder vielleicht hatte ich *L'Idiot* (Petrand, 1920) zu genau gelesen, dieses Buch mit dem geisteskranken Helden, dem kränklichen, unzurechnungsfähigen Byron Berintaux, der in jedem Polstersessel seinen bevorstehenden Tod sah und diesem enthusiastisch zuwinkte. Vielleicht hatte ich aber auch für eine Nacht einfach zu viel Dunkelheit gesehen. »Die Nacht ist nicht gut für das Gehirn oder das Nervensystem«, behauptet Carl Brocanda in *Logische Effekte* (1999). »Untersuchungen zeigen, dass bei Personen, die in Räumen mit wenig Tageslicht leben, die Neuronen zu achtunddreißig Prozent eingeschnürt sind und dass bei Gefängnisinsassen, die achtundvierzig Stunden kein Tageslicht sehen, die Nervenimpulse siebenundvierzig Prozent langsamer sind.«

Aber egal, was es war – erst als Jade und ich nach draußen ins Freie schlichen und an der Cafeteria vorbeihuschten, in der zwar immer noch Licht brannte, aber sonst alles schon still war (ein paar Lehrer standen noch auf dem Patio herum, auch Ms Thermopolis, ein verglühendes Schwelfeuer bei der Holztür), als wir mit dem Mercedes über das Schulgelände rasten, ohne Eva Brewster zu begegnen, als wir die Pike Avenue entlangbretterten, vorbei an Jiffy's Eatery, Dollar Depot, Dippity's, Le Salon Esthetique – erst da fiel mir auf, dass ich vergessen hatte, das *Blackbird*-Buch wieder in die Schreibtischschublade zurückzulegen. Ich hielt es immer noch in der Hand, und in der Hektik, Verwirrung und Dunkelheit hatte ich es gar nicht gemerkt.

»Wieso hast du das Buch noch?«, fragte Jade, als wir in ein Burger-King-Drive-thru einbogen. »Sie merkt doch bestimmt, dass es weg ist. Hoffentlich lässt sie keine Fingerabdrücke machen – hey, was willst du essen? Entscheide dich schnell. Ich komme fast um vor Hunger«.

Wir aßen Whopper, getränkt vom ätzenden Licht des Parkplatzes, und redeten so gut wie gar nichts. Ich nehme an, Jade gehörte zu den Menschen, die alle möglichen wilden Anschuldigungen in die Luft schleuderten und grinsten, wenn sie den Leuten auf die Köpfe regneten. Und dann waren die Festivitäten vorüber, und sie ging nach Hause. Sie wirkte zufrieden, ja, erfrischt, während sie sich die Fritten in den Mund stopfte, winkte einem Köter zu, der mit einem Tablett voller Colabecher zu seinem Pickup strebte, und doch, tief in meiner Brust (so unvermeidlich wie das Herzklopfen, das man hört, wenn man darauf achtet) fühlte ich mich so, wie es der übermüdete Detektiv Peter Ackman (der eine Schwäche für das Puderröhrchen und für Schneeflöten hatte) am Ende von *Falsche Wendung* (Chide, 1954) beschrieb: »als wäre der Bohnenrüssel ganz weit in mein Dingsbums reingerammt und würde gleich Metall niesen.« Ich starrte auf den zerknitterten Einband, von dem einem trotz der verblassten Farben und der Eselsohren die schwarzen Augen des Mannes entgegensprangen.

»Das sind also die Augen des Teufels«, hatte Dad einmal gesagt, als er sein eigenes Exemplar des Buchs nachdenklich musterte. »Er schaut dich an und sieht dich – stimmt's?«

Süßer Vogel Jugend

Es gab eine Anekdote, die Dad immer wie ein aufgezogenes Uhrwerk zum Besten gab, wenn er einen Kollegen zum Abendessen einlud. Dass wir Gäste hatten, war eine Seltenheit, es passierte nur in jeder zweiten oder dritten Stadt. Für gewöhnlich fiel es Dad schwer, das Gejaule seiner Mitarbeiter am Hattiesburg College of Arts and Science zu ertragen oder die sich auf die Brust klopfende Ausgelassenheit seiner Kollegen vom Cheswick College oder sich mit den Professoren an der University of Oklahoma anzufreunden, die so damit beschäftigt waren, zu essen, sich zu pflegen und ihr Territorium zu bewachen, dass ihnen für nichts anderes mehr Zeit blieb. (Die Silberrücken – Professoren über fünfundsechzig, die unkündbare Positionen, Schuppen und Schuhe mit Gummisohlen hatten und außerdem viereckige Brillen trugen, die ihre Augen verzerrten – betrachtete Dad mit besonderer Verachtung.)

Hin und wieder begegnete ihm allerdings unter den wilden Eichen ein Mensch, der ihm ähnlich war (wenn schon nicht die exakt gleiche Spezies oder Subspezies, dann doch wenigstens die gleiche Familie), ein Landsmann, der von den Bäumen herabgestiegen war und den aufrechten Gang gelernt hatte.

Natürlich war dieser Mensch nie ein so versierter Akademiker wie Dad. Und er sah auch nicht so gut aus. (Fast immer hatte er ein flaches Gesicht, eine breite, fliehende Stirn und buschige Brauen.) Aber Dad sprach frohgemut eine Einladung zu einem Van-Meer-Essen aus. Sie galt immer einem ungewöhnlich fortschrittlichen Dozenten; an einem ruhigen Samstag- oder Sonntagabend erschien dann der große Mark Hill mit den Feigenaugen, Professor für Linguistik, die Hände stur in den aufgenähten Taschen seines zerbeulten Dinnerjacketts, oder der Assistenzprofessor für Englisch, Lee Sanjay Song, mit seinem Quitten-Sahne-Teint und den Zähnen in einem Verkehrsstau, und irgendwann zwischen Spaghetti und Tiramisu servierte ihnen Dad die Geschichte von Tobias Jones, dem Armen.

Es war die Geschichte von einem nervösen, bleichen jungen Mann, den Dad kennengelernt hatte, als er während des heißen, rumgetränkten Sommers 1983 in Havanna für die OPAI arbeitete (*Organización Panamaricana de la Ayuda Internacional*). Jones war ein Brite aus Yorkshire, der innerhalb einer einzigen glücklosen Woche im August seinen Pass, seine Brieftasche, seine Frau, sein rechtes Bein und seine Würde verlor – in dieser Reihenfolge. (Hin und wieder, um seiner Zuhörerschaft noch größeres Staunen zu entlocken, reduzierte Dad die Tragödie auf den überschaubaren Zeitraum von genau vierundzwanzig Stunden.)

Weil er auf körperliche Details nie besonders achtete, blieb Dad enttäuschend vage, was das Gesicht des Unglücksraben betraf, aber ich konnte in Dads schlecht ausgeleuchtetem verbalen Porträt einen groß gewachsenen, blassen Mann sehen, mit staksigen Beinen (nachdem er von dem Packard überfahren worden war, mit seinem staksigen Bein), maisblonden Haaren, einer beschlagenen goldenen Taschenuhr, die er immer wieder aus seiner Brusttasche holte, um dann ungläubig darauf zu starren, ein Mann, der viel seufzte, der Manschettenknöpfe mochte, der immer sehr lang vor dem Chromventilator stand (dem einzigen im Raum) und der am liebsten *Café con leche* trank, den er sich dann auf die Hose kleckerte.

Der Gast lauschte gebannt, wenn Dad erzählte: vom Beginn der Unglückswoche, als Tobias seinen Mitarbeitern bei der OPAI sein neues Fiesta-Leinenhemd vorführte, während eine Bande von *Gente de Guarandabia* seinen Bungalow in Comodoro Neptuno ausräumte, bis zum jammervollen Schluss der Geschichte, als Tobias keine sieben

Tage später in seinem unbequemen Bett in *el Hospital Julio Trigo* lag, nachdem er sein rechtes Bein verloren und außerdem noch einen Selbstmordversuch hinter sich hatte (zum Glück besaß die Dienst habende Krankenschwester die Geistesgegenwart, ihn vom Fenstersims zurückzuholen).

»Wir wussten nicht, was passiert war«, sagte Dad abschließend und nippte nachdenklich an seinem Wein. Psychologieprofessor Alfonso Rigollo starrte betrübt auf die Tischkante. Und nachdem er »Mist« oder »So ein Pech aber auch« gemurmelt hatte, diskutierten Dad und er über Vorbestimmung, die trügerische Liebe der Frauen oder darüber, ob Tobias eine Chance gehabt hätte, heiliggesprochen zu werden, wenn er nicht versucht hätte, Selbstmord zu begehen, und wenn er sich für irgendeine Sache richtig eingesetzt hätte. (Nach Dads Aussage hatte Tobias unbestreitbar eins der drei für die Heiligsprechung erforderlichen Wunder vollbracht: 1979 hatte er die ozeanäugige Adalia überredet, ihn zu heiraten.)

Innerhalb von zwanzig Minuten lenkte Dad das Gespräch auf den wahren Grund, weshalb er Tobias Jones überhaupt erwähnt hatte, und begann eine seiner Lieblingstheorien zu erläutern, »die Theorie der Determination«; seine abschließende Position (vorgetragen mit der Intensität eines Christopher Plummer, der murmelt: »Der Rest ist Schweigen.«) zum Thema Tobias war nämlich, dass er nicht, wie es den Anschein haben mochte, ein Opfer des Schicksals war, sondern ein Opfer seiner selbst, seines eigenen »blassen Kopfes«.

»Wir stehen deshalb vor der elementaren Frage«, sagte Dad. »Wird der Mensch vom Schicksal oder vom freien Willen determiniert? Ich behaupte, es ist der freie Wille, denn was wir denken, was wir in unserem Kopf hin und her drehen, seien es Ängste oder Träume, hat eine direkte Auswirkung auf die reale Welt. Je mehr man über den eigenen Sturz, den eigenen Untergang nachdenkt, desto wahrscheinlicher ist es, dass er eintritt. Und umgekehrt gilt, je mehr man an Sieg denkt, desto wahrscheinlicher wird man ihn erringen.«

Hier schwieg Dad jedes Mal theatralisch, schaute quer durchs Zimmer zu der albernen kleinen Gänseblümchenlandschaft an der

Wand oder auf die Pferdeköpfe und die kurzen Reitpeitschen, die auf der verblassten Esszimmertapete rauf und runter liefen. Dad war ein großer Fan von Spannung und Pausen: Er wollte spüren, wie die Augen der anderen über sein Gesicht rannten, so aufgeregt wie die mongolische Armee 1215 bei der Plünderung von Peking.

»Offensichtlich ist dies ein Konzept, das in letzter Zeit in der westlichen Kultur schlechtgemacht worden ist«, fuhr er mit einem langsamen Lächeln fort, »in Verbindung mit den weinerlichen Warum-nichts und den Wieso-dochs von Selbsthilfegruppen und PBS Spenden-Marathonsendungen, bei denen man bis in die frühen Morgenstunden angefleht wird, Geld zu geben, wofür man dann zweiundvierzig Stunden Meditationskassetten bekommt, zu denen man »chanten« kann, wenn man im Stau steht. Aber Visualisierung ist ein Konzept, das man früher nicht so leichtfertig abgetan hat und das bis zur Gründung der buddhistisch-mauryanischen Dynastie, um 320 vor Christus, zurückgeht. Die großen Lenker der Geschichte verstanden dieses Konzept. Niccolò Machiavelli wies Lorenzo de' Medici darauf hin, allerdings nannte er es ›Kühnheit‹ und ›Voraussicht‹. Julius Caesar verstand es – schon Jahrzehnte, bevor er den Plan in die Tat umsetzte, sah er sich selbst als Eroberer Galliens. Wer sonst noch? Hadrian. Da Vinci, natürlich, auch ein großer Mann, Ernest Shackleton – ach, und Miyamoto Musashi. Sehen Sie sich doch nur sein *Buch der fünf Ringe* an, die Mitglieder von den *Nächtlichen*, die Nightwatchmen, hielten sich selbstverständlich auch daran. Selbst Amerikas elegantester Hauptdarsteller, der im Zirkus ausgebildete Archibald Leach, verstand es. Er wird in diesem lustigen kleinen Buch, das wir hier irgendwo haben, zitiert, wie heißt es gleich –«

»*Darüber wird geredet: Hollywood-Helden und ihre großen Momente*«, zwitscherte ich.

»Genau. Er hat gesagt: ›Ich habe so getan, als wäre ich jemand, der ich gern sein wollte, bis ich dieser Jemand wurde. Oder bis er ich wurde.‹ Am Schluss wird ein Mensch zu dem, der er denkt zu sein, egal, wie groß oder klein. Das ist der Grund, weshalb manche Menschen zu Erkältungen und zu Katastrophen neigen. Und warum andere übers Wasser tanzen können.«

Dad hielt sich selbst natürlich für jemanden, der übers Wasser tanzen konnte, denn während der nächsten Stunde erörterte er seine These in allen Einzelheiten – die Notwendigkeit von Disziplin und Ansehen, die Beherrschung von Emotion und Gefühl, die Methoden, unauffällig Veränderungen durchzusetzen. (Ich saß bei so vielen dieser Vorstellungen in den Kulissen, dass ich jederzeit für ihn hätte einspringen können, aber Dad verpasste keine einzige Aufführung.) Dads Konzert war zwar anrührend und voller Licht, aber keine seiner Melodien war wirklich bahnbrechend. Im Grunde fasste er ein französisches, von einem Ghostwriter verfasstes Werk mit dem Titel *La Grimace* zusammen, ein lustiges kleines Buch über die Macht, veröffentlicht 1824. Seine anderen Ideen waren individuell ausgewählt aus H. H. Hills *Napoleons Vorgehen* (1908), *Jenseits von Gut und Böse* (Nietzsche, 1909-1913), *Der Fürst* (Machiavelli, 1515), *Geschichte ist Macht* (Hermin Lewishon, 1990), aus obskuren Veröffentlichungen wie Aashir Alhayeds *Die Verführungen einer Dystopie* (1973) und *Der große Betrug* (1989) von Hank Powers. Außerdem bezog er sich auf die Fabeln von Äsop und La Fontaine.

Unser Gast war schließlich nur noch eine Höhle ehrfürchtigen Schweigens, wenn ich den Kaffee servierte. Sein Mund stand offen. Seine Augen glichen Herbstmonden. (Wenn es das Jahr 1400 v. Chr. gewesen wäre, hätte es passieren können, dass er Dad zum Führer der Israeliten erkoren und ihn gebeten hätte, sein Volk ins Gelobte Land zu führen.)

»Vielen Dank, Dr. van Meer«, sagte er beim Gehen und schüttelte Dad lange die Hand. »Es war ein-ein Vergnügen. Alles, worüber Sie gesprochen haben – es-es war höchst informativ. Ich fühle mich geehrt.« Er drehte sich zu mir und blinzelte erstaunt, als würde er mich das erste Mal sehen. »Es war mir auch eine Ehre, dich kennenzulernen. Ich hoffe, wir sehen uns bald wieder.«

Ich sah ihn nie wieder, so wenig wie die anderen. Für diese Kollegen war die Van-Meer-Einladung wie die Geburt, der Tod und der

Schlussball – ein Erlebnis, das es im Leben nur einmal gab, und es wurden zwar enthusiastische Versprechen, man müsse sich unbedingt demnächst wieder verabreden, in die grillenzirpende Nacht hinausgerufen, während der wissenschaftliche Assistent mit Spezialgebiet Poetik und narrative Form zu seinem Auto torkelte, aber Dads Spezies verkroch sich in den Betonfluren der University of Oklahoma in Flitch oder Petal oder Jesulah oder Roane zurück und ward nicht mehr gesehen.

Einmal fragte ich Dad, warum.

»Ich fand die Anwesenheit dieses Mannes nicht anregend genug, um mir eine Wiederholung des Auftritts zuzumuten. Er hatte einfach nichts auf der Pfanne«, sagte er, ohne von Christopher Hares *Gesellschaftliche Instabilität und Drogenhandel* (2001) aufzublicken.

Ich musste oft an die Geschichte von Tobias dem Armen denken. Auch jetzt, während Jade mich nach dem Christmas Cabaret nach Hause fuhr. Immer, wenn etwas Seltsames passierte, und sei es auch noch so trivial, fiel er mir ein, weil ich insgeheim Angst hatte, mit ein bisschen Pech könnte ich mich in ihn verwandeln – weil ich so ängstlich und nervös war. Ich hatte Angst, eine schreckliche Spirale aus Pech und Unglück auszulösen und dadurch Dad bitter zu enttäuschen. Es würde sich herausstellen, dass ich die Prinzipien seiner geliebten Determinations-Theorie nicht verstanden hatte, kein einziges, und schon gar nicht den ausführlichen Teil über den Umgang mit Notfällen. (»Es gibt nicht viele Männer, die den Scharfsinn besitzen, über die Erschütterungen des Augenblicks hinaus zu denken und zu fühlen. *Versuch's*«, befahl er, in Anlehnung an Carl von Clausewitz.)

* * *

Als ich den erleuchteten Weg zu unserer Veranda hinaufging, hatte ich nur einen Wunsch: Ich wollte Eva Brewster, Charles Manson und alles, was Jade über Hannah gesagt hatte, vergessen, mich einfach im Bett verstecken und mich vielleicht morgen früh mit *Die Chronik des Kollektivismus* neben Dad zusammenrollen. Vielleicht könnte ich ihm sogar helfen, sich durch seine Studentenreferate über die zukünftigen

Methoden der Kriegsführung zu ackern, oder ihn laut *Das wüste Land* (Eliot, 1922) vorlesen lassen. Normalerweise konnte ich das nicht ausstehen – er tat dann immer so pompös. Als wäre er John Barrymore (siehe »Baron Felix von Geigern«, *Grand Hotel*). Aber jetzt kam es mir vor wie das perfekte Gegenmittel für meine bedrückte Stimmung.

Als ich die Haustür öffnete und in den Vorraum trat, sah ich, dass in der Bibliothek Licht brannte. Ich stopfte das *Blackbird*-Buch schnell in meinen Rucksack, der noch neben der Treppe lag, wo ich ihn am Freitagnachmittag hatte fallen lassen, und ging den Gang hinunter zu Dad. Er saß in seinem roten Ledersessel, neben sich auf dem Tisch eine Tasse Earl Grey, den Kopf über einen Schreibblock gebeugt – zweifellos konzipierte er einen neuen Vortrag oder einen Aufsatz für das *Federal Forum*. Seine unleserliche Handschrift krakelte über die Seite.

»Hi«, sagte ich.

Er blickte auf. »Weißt du, wie spät es ist?«, fragte er freundlich.

Ich schüttelte den Kopf, und er schaute auf seine Armbanduhr.

»Ein Uhr zweiundzwanzig«, sagte er.

»Oh – tut mir leid. Ich –«

»Wer hat dich nach Hause gebracht?«

»Jade.«

»Und wo ist Joe Public?«

»Er ist – ich weiß es nicht.«

»Und wo ist dein Mantel?«

»Ach, je. Den hab ich liegen lassen. Ich hab ihn vergessen, als ich –«

»Und was, in Gottes Namen, hast du mit deinem *Bein* gemacht?«

Ich schaute an mir hinunter. Blut hatte sich über der Schürfwunde an meinem Schienbein verkrustet, meine Strümpfe hatten die Gelegenheit, nach Westen aufzubrechen, beim Schopf ergriffen: Sie waren bis oben hin zerrissen und hatten das Territorium um meinen Schuh herum für sich beansprucht.

»Ich habe es mir aufgeschürft.«

Betont langsam nahm Dad seine Lesebrille ab und legte sie vorsichtig auf den Tisch.

»Das war's«, sagte er.

»Was?«

»Schluss. Basta. Finito. Es reicht mir mit diesen Täuschungsmanövern. Ich werde sie nicht länger dulden.«

»Was meinst du?«

Er schaute mich an, sein Gesicht so ruhig wie das Tote Meer.

»Diese erfundene Studiengruppe«, sagte er. »Deine dreiste Verlogenheit ist in ihrer konkreten Erscheinungsform ziemlich dilettantisch. Meine Liebe, *Ulysses* ist eine unplausible Wahl für eine Lerngruppe an einer weiterführenden Schule, gleichgültig, wie anspruchsvoll die Institution sein mag. Ich denke, mit Dickens wärst du besser gefahren.« Er zuckte die Achseln. »Oder auch mit Austen. Und solange du nur verdattert dastehst und schweigst, werde ich fortfahren. Die Tatsache, dass du zu den unmöglichsten Zeiten nach Hause kommst. Dass du in der Stadt herumrennst wie ein streunender Hund. Die Alkoholexzesse, für die ich zugegebenermaßen keine Beweise habe, die ich aber mit nur geringen Schwierigkeiten aus den unzähligen Berichten über Amerikas haltlose Jugend ableiten kann, die überall zu hören sind, sowie aus den wenig attraktiven Ringen unter deinen Augen. Ich habe immer wenig gesagt, wenn du zur Tür hinausgerannt bist, so eifrig wie ein Cocoa Puff und gekleidet in etwas, was die freidenkende Welt einstimmig als ein Stück Kleenex identifizieren würde. Ich habe wenig gesagt, weil ich davon ausgegangen bin – unklugerweise, wie sich herausgestellt hat –, dass du angesichts deiner fortgeschrittenen Bildung schließlich am Ende dieses Hutschiputschi-Schmusespiels von allein zu der Erkenntnis kommen würdest, dass diese Freunde, diese dicken, kleinen Welpen, mit denen du dich herumwälzt, nichts als Zeitverschwendung sind und ihre Gedanken über sich selbst und die Welt olle Kamellen. Stattdessen scheinst du aber an einem hartnäckigen Anfall von Blindheit zu leiden. Und an mangelndem Urteilsvermögen. Ich muss jetzt einschreiten, dir zuliebe.«

»Dad –«

Er schüttelte den Kopf. »Ich habe für das nächste Quartal einen

Lehrauftrag an der University of Wyoming angenommen. In einer Stadt namens Port Peck. Die Bezahlung ist die beste seit Jahren. Wenn deine Abschlussklausuren nächste Woche abgehakt sind, orchestrieren wir den Umzug. Du kannst am Montag die Zulassungsstelle von Harvard anrufen und ihnen die Adressänderung mitteilen.«

»*Wie bitte?*«

»Du hast mich genau verstanden.«

»Da-das kannst du nicht machen.« Was aus mir herauskam, war ein schrilles, zitterndes Klagen. Und ich gebe es nur ungern zu, aber ich musste mich zusammenreißen, um nicht zu weinen.

»Genau das ist mein Punkt. Wenn wir dieses Gespräch vor drei oder vier Monaten geführt hätten, dann hättest du sofort die Chance ergriffen, *Hamlet* zu zitieren: ›O schmölze doch dies allzu feste Fleisch, zerging' und löst' in einen Tau sich auf!‹ Nein, diese Stadt hat sich auf dich anscheinend so ausgewirkt wie das Fernsehen auf die amerikanische Bevölkerung. Sie hat aus dir eine Sauerkrautbeilage gemacht.«

»Ich gehe nicht von hier weg.«

Nachdenklich drehte er die Kappe seines Füllers hin und her. »Meine Liebe, ich sehe das Melodram vor mir, das sich nun entfalten wird. Nachdem du mir mitgeteilt hast, dass du weglaufen und im Dairy Queen wohnen wirst, gehst du in dein Zimmer, schluchzt in dein Kopfkissen, weil das Leben nicht fair ist, wirfst mit Gegenständen um dich – ich würde Socken empfehlen, wir sind Mieter –, und morgen weigerst du dich dann, mit mir zu reden, eine Woche später wirst du dir angewöhnt haben, mir immer nur einsilbig zu antworten, und bei deinen Peter-Pan-Spielgefährten bezeichnest du mich als die Rote Mafia, als einen Menschen, dessen einziges Ziel im Leben es ist, dir jede Chance, glücklich zu werden, zu zerstören. Dieses Verhaltensmuster wird sich ohne Zweifel halten, bis wir von hier weg sind, und nach drei Tagen in Fort Peck redest du wieder, wenn auch nur zwischen Augenrollen und Grimassen. Und in einem Jahr wirst du mir danken. Du wirst sagen, dass es das Beste war, was ich je getan habe. Ich dachte, indem ich dir *Die Annalen der Zeit* zu lesen gebe, könnten wir solchen Quatsch umgehen. *Scio me nihil scire.* (Ich weiß, dass ich nichts weiß.) Aber wenn du trotzdem darauf bestehst, uns beide mit solchem Unsinn zu belästigen, dann würde ich vorschlagen, dass du am besten gleich loslegst. Ich muss einen Vortrag über den Kalten Krieg schreiben und außerdem vier Referate korrigieren, alle von Studenten, die keinerlei Sinn für Ironie haben.«

Er saß da, sein Gesicht im goldenen Lampenlicht braun gebrannt und brutal, extrem arrogant und ohne Pardon (siehe »Picasso genießt das schöne Wetter in Südfrankreich«, *Respekt vor dem Teufel*, Hearst, 1984, S. 210). Er wartete darauf, dass ich ging, dass ich mich zurückzog, als wäre ich eine seiner zahnlosen Studentinnen, die zu ihm in die Sprechstunde kamen und ihn mit irgendeiner läppischen Frage über Richtig und Falsch bei seinen Recherchen störten.

Ich hätte ihn am liebsten umgebracht. Ich wollte den Schürhaken in seine viel, viel zu kompakte Haut rammen (irgendetwas Hartes und Spitzes hätte gereicht), damit sein verbissenes Gesicht sich vor Angst verzerrte und aus seinem Mund nicht mehr diese perfekte Klaviersonate aus Wörtern kam, sondern ein ersticktes, gequältes *Ahhhhhhhh*!, ein Schrei, wie man ihn durch die klammfeuchten Berichte über mittelalterliche Folter und durch das Alte Testament heulen hörte. Heiße Tränen hatten den Weg in die Freiheit gefunden und liefen langsam und blöd über mein Gesicht.

»Ich – ich gehe nicht von hier weg«, sagte ich noch einmal. »Du kannst ja gehen. Geh doch wieder in den Kongo.«

Er ließ sich nicht anmerken, ob er mich überhaupt gehört hatte, sondern vertiefte sich schon wieder in seinen Vortrag über die Grundlagen des Reaganismus. Er hielt den Kopf gesenkt, die Lesebrille saß wieder vorn auf seiner Nase, dazu ein unversöhnliches Lächeln. Ich überlegte, was ich sagen könnte, etwas Riesiges, Spannendes – irgendeine Hypothese, ein obskures Zitat, das ihn aus dem Sessel werfen und seine Augen in Vierteldollarmünzen verwandeln würde. Aber wie so oft, wenn man nur in der Erschütterung des Augenblicks dachte und fühlte, fiel mir beim besten Willen nichts ein. Ich konnte nur dastehen, mit herunterhängenden Armen, Arme, die sich anfühlten wie Hähnchenflügel.

Die nächsten Minuten verwehten in distanziertem Nebel. Ich hatte ein Gefühl, wie es verurteilte Mörder, in Gefängnisorange gekleidet, beschreiben, wenn ein eifriger Nachrichtenreporter mit schlechtem bronzefarbenen Make-up sie fragt, was ihn / sie, eine allem Anschein nach doch völlig durchschnittliche, normale Person, dazu gebracht habe, einem anderen Menschen das Leben zu nehmen. Diese Verbrecher sprechen, manchmal ein wenig wirr, von der einsamen Klarheit, die an dem Schicksalstag über sie gekommen ist, leicht wie ein flatterndes Baumwolllaken, eine wache Anästhesie, die ihnen das erste Mal in ihrem ruhigen Leben erlaubte, alle Klugheit und Diskretion zu ignorieren, dem gesunden Menschenverstand die kalte Schulter zu zeigen, den Selbsterhaltungstrieb wegzuschubsen und alle Bedenken einfach über Bord zu werfen.

Ich verließ die Bibliothek, ging den Gang hinunter. Ich ging nach draußen, schloss die Tür hinter mir, so leise ich konnte, damit der Prinz der Dunkelheit es nicht hörte. Ein paar Minuten blieb ich auf der Treppe stehen und starrte auf die kahlen Bäume, auf das strenge Licht, das aus den Fenstern nach draußen schien und den von Blättern erdrückten Rasen in einen Quilt verwandelte.

Ich lief los. In Jeffersons hohen Schuhen war das mühsam. Also zog ich sie aus und warf sie mir über die Schulter. Ich rannte die Auffahrt hinunter, die Straße entlang, vorbei an den leeren Autos und an den Beeten mit den Kiefernzapfen und den verwelkten Blumenstängeln, vorbei an den Schlaglöchern und Briefkästen und den heruntergefallenen Zweigen, die nach der Straße grapschten, immer weiter durch die grünen Lichtpfützen, die von den Straßenlaternen tropften.

* * *

Unser Haus, 24 Armor Street, lag ganz versteckt in einem baumreichen Stadtteil von Stockton, bekannt als Maple Grove. Maple Grove war zwar keine dieser eingezäunten Siedlungen à la Orwell, so wie Pearl Estates (wo wir in Flitch gewohnt hatten), in denen identische weiße Häuser wie Zähne nach einer kieferorthopädischen Behandlung aufgereiht waren und das Eingangstor einer alternden Schauspielerin ähnelte (schrill, rostig, launisch), aber Maple Grove hatte sein eigenes Rathaus, seine eigene Polizei, eine Postleitzahl und ein unfreundliches Willkommensschild (»Sie betreten jetzt die Siedlung Maple Grove mit ihren kultivierten Privatwohnanlagen«).

Der schnellste Weg aus Maple Grove heraus war, direkt südlich von unserer Armor Street abzubiegen, zwischen den Bäumen durchzurennen und dann durch gut zweiundzwanzig kultivierte Privatgärten zu wieseln. Ich arbeitete mich vorsichtig voran und gluckste und schluchzte dabei. Die Häuser wirkten geräuschlos und gedämpft, an die glatten Rasenflächen gelehnt wie dösende Elefanten auf der Eisbahn. Ich krabbelte durch eine Barrikade aus blauen Stechfichten, kämpfte mich durch ein Riff aus Kiefern, rutschte einen Abhang hinunter, bis ich ohne großes Zeremoniell auf die Orlando Avenue (Stocktons Antwort auf den Sunset Strip) ausgespuckt wurde, wie Wasser aus einem Gully.

Ich hatte keinen Plan, null Idee, kein Ziel vor Augen. Schon fünfzehn Minuten, nachdem man von zu Hause weggelaufen war und sich von seinem Vater losgerissen hatte, war man betroffen vom enormen Ausmaß der Dinge, von den Taifunwirbeln der Welt, von der Fragilität des eigenen Bootes. Ohne lange zu überlegen, ging ich zur BP-Tankstelle auf der anderen Straßenseite und stieß die Tür zum Food Mart auf. Die Tür klimperte nett zur Begrüßung. Der Junge, der immer dort arbeitete, Larson, war vorn in seine kugelsichere Zelle eingesperrt und unterhielt sich mit einer seiner Freundinnen, die vor seinem Fenster baumelte wie ein Luftreiniger. Ich duckte mich in den nächsten Gang.

Und wie das manchmal so passiert: *Hallo, mein Name ist Larson* war ein Typ, von dem Dad so begeistert war wie eine Gewächshausschabe von Fledermausexkrementen. Larson war einer dieser nicht unterzukriegenden Achtzehnjährigen mit einem Gesicht wie die Hardy Boys, was es eigentlich gar nicht mehr gab: lauter Sommersprossen und ein freches Grinsen, dichte braune Haare, die um sein Gesicht herumwucherten wie eine Lanzenrosette, und einem schlaksigen Körper, der nie ruhig hielt, als würde er von einem Bauchredner auf Speed betätigt (siehe Kapitel 2, »Charlie McCarthy«, *Die Puppen, die unser Leben veränderten*, Mesh, 1958). Dad fand Larson *erstaunlich*. Das war die Sache bei Dad: Er konnte tausend ihm unerträglichen John Dorys die Methoden der Mediation beibringen, und dann gab er einem Jungen das Geld für Tums mit Brombeergeschmack, war hin und weg und bezeichnete ihn als einen wahrhaftigen Delphin, der durch die Luft hüpfte, wenn man pfiff. »Also *das* ist aber mal ein vielversprechender junger Mann«, sagte Dad. »Ich würde Happy, Sleepy und Doc sofort eintauschen und *ihn* unterrichten. Er hat Pep. Er hat Energie. So was findet man nicht oft.«

»Na, hallo – da ist ja das Mädchen mit dem Dad!«, verkündete die Sprechanlage im Laden. »Müsstest du nicht längst im Bett sein?«

Im leblosen Licht des Food Mart fühlte ich mich endgültig absurd. Meine Füße taten weh, ich trug ein verwaschenes Marshmallow-Kleid, und mein Gesicht (ich konnte es in den spiegelnden Regalen deutlich sehen) verfiel von Minute zu Minute immer mehr zu einer instabilen Masse aus getrockneten Tränen und schlechtem Make-up (siehe »Radon-221«, *Fragen der Radioaktivität*, Johnson, 1981, S. 120). Außerdem war ich mit einer Milliarde Kiefernnadeln behängt.

»Komm doch mal her und sag hallo! Was machst du hier um diese Zeit?«

Zögernd begab ich mich zum Kassenfenster. Larson trug Jeans und ein T-Shirt mit der Aufschrift MEAN REDS, und er grinste. Das war die Sache mit Larson: Er gehörte zu den Leuten, die permanent grinsen. Er hatte auch kitzelige Augen, was die Erklärung dafür sein musste, warum jeden Abend so viele verrücktäugige Erdnussbutter-Parfaits überall in seinem Food Mart dahinschmolzen. Selbst wenn man vor seinem Fenster stand und ganz unschuldig das Benzin bezahlte, begannen seine Augen über einen zu kleckern, mit ihrer unfehlbaren Milchschokoladen- oder Matschfarbe, sodass man, ob man wollte oder nicht, das Gefühl bekam, er würde irgendetwas Indiskretes sehen – man dachte, dass er einen splitternackt sah, zum Beispiel, oder herausfand, dass man im Traum peinliche Sachen sagte, oder das Allerschlimmste, dass er einen bei den blödesten Tagträumen erwischte, wie man über den roten Teppich schritt, in einem langen, perlenbesetzten Gewand, bei dem jeder wahnsinnig aufpassen musste, dass er nicht drauftrat.

»Soll ich raten?«, sagte er. »Ärger mit deinem Freund.«

»Ach, ich, äh, ich hab mich mit meinem Dad gestritten.« Ich klang wie zusammengeknüllte Alufolie.

»Echt? Ich hab ihn neulich gesehen. Da war er mit seiner Freundin hier.«

»Sie haben sich getrennt.«

Er nickte. »Hey, Diamanta, hol ihr doch ein Slurpee.«

»Was?« Diamanta machte ein muffiges Gesicht.

»Ein großes. Irgendein Geschmack. Geht auf meine Rechnung.«

Diamanta, in ihrem pinkfarbenen Glitzer-T-Shirt und dem schimmernden Jeans-Minirock, war superdünn und hatte diese fahle Pergamenthaut, durch die man bei greller Beleuchtung feine blaue Venen durch Arme und Beine schwimmen sah. Sie musterte mich grimmig, holte ihre schwarzen Plateaustiefel, die unter dem Ständer mit den Grußkarten standen, drehte sich um und funkelte den Gang hinunter.

»Ja, klar«, sagte Larson kopfschüttelnd. »Alte Männer. Die können ganz schön stressig sein. Als ich vierzehn war, ist mein Dad verduftet. Hat nichts für mich dagelassen außer einem Paar Arbeitsstiefel und sein *People*-Abo, kein Witz. Zwei Jahre hab ich nichts anderes getan als über die Schulter geschielt und ihn überall gesucht. Hab gedacht, da ist er, auf der anderen Straßenseite. In 'nem Bus. Und dann bin ich hinter dem Bus her, von einem Ende der Stadt zum anderen, und hab immer gedacht, er ist es, hab gewartet und gewartet wie ein Irrer, dass er an der Haltestelle aussteigt. Aber wenn er dann ausgestiegen ist, dann war's immer der Alte von 'nem anderen. Nicht meiner. Aber irgendwie ging's dann, und das, was er gemacht hat, war das Beste, was mir je passiert ist. Willste wissen, wieso?«

Ich nickte.

Er beugte sich herunter, die Ellbogen auf den Schalter gestützt. »Seinetwegen kann ich König Lii-hier spielen.«

»Welchen Geschmack?«, rief Diamanta von der Slurpee-Maschine.

»Welchen Geschmack?«, fragte Larson. Und in Nullkommanix zählte er die Möglichkeiten auf, wie ein Auktionär bei einem Viehverkauf. »Rootbeer, Blue Bubbagum, Seven-Up, Seven-Up Tropicale, Grapemelon, Crystallat, Banana Split, Code Red, Live-War –«

»Rootbeer ist gut. Danke.«

»Die Dame ohne Schuhe hätte gern Rootbeer«, sagte er in die Sprechanlage.

»König was hast du gesagt?«, fragte ich.

Er grinste, wodurch zwei bedenklich schiefe Schneidezähne sichtbar wurden, von denen der eine hinter dem anderen vorlugte, als hätte er Lampenfieber.

»Lii-hier. Shakespeare. Anders als allgemein vermutet, braucht der Mensch Schmerz und Betrug. Sonst entwickelst du kein Durchhaltevermögen. Und kannst nicht fünf Akte lang die Hauptrolle spielen. Hältst keine zwei Vorstellungen am Tag durch. Kannst keinen Charakter darstellen, wie er sich von Punkt A zu Punkt G biegt. Kannst nichts Neues schaffen, keine überzeugende Linie ziehen – das ganze Zeug. Verstehst du, was ich sage? Der Mensch *muss* eins über die Rübe kriegen. Muss gebeutelt werden, durchgemangelt. Damit er was hat, was er verwenden kann. Tut verdammt weh. Klar. Fühlt sich scheiße an. Man weiß nicht, ob man weitermachen soll. Aber daraus kommt dann das, was man allgemein als Re-so-nanz bezeichnet. Eine emotionale Resonanz, da können die Leute die Augen gar nicht mehr von einem nehmen, wenn man auf der Bühne ist. Hast du dich im Kino schon mal umgedreht und dir die Gesichter angeschaut? Ziemlich krass. Diamanta?«

»Das Zeug kommt nicht richtig raus«, schrie sie.

»Stell die Maschine ab, mach sie wieder an und versuch's nochmal.«

»Wo ist der Schalter?«

»An der Seite. Der rote.«

»Sieht beschissen aus«, sagte sie.

Ich starrte Larson an. Dad hatte recht. Er hatte etwas, was einen fesselte. Es war sein altmodischer Ernst, die Art, wie seine Augenbrauen Polka tanzten, wenn er redete, und dieser Akzent, der die Wörter hervortreten ließ wie spitze, glitschige Felsen, an denen er sich verletzen könnte. Es waren auch die hunderttausend kupferroten Sommersprossen, die ihn von Kopf bis Fuß bedeckten, als hätte ihn jemand in Kleister getunkt und dann mit feinem Konfetti beworfen, er schimmerte wie Pennymünzen.

»Verstehst du«, sagte er, beugte sich noch weiter vor und riss die Augen weit auf, »wenn du noch nie gelitten hast, kannste nur dich selbst spielen. Und das ergreift die Leute nicht. Vielleicht biste gut für 'ne Zahnpasta- oder 'ne Hämorrhoiden-Werbung oder so was. Aber das war's dann auch, du wirst nie 'ne Legende zu Lebzeiten. Willst du das nicht werden?«

Diamanta drückte mir ein riesiges Slurpee in die Hand und hängte sich wieder an den Kartenständer.

»So, und jetzt«, sagte Larson und klatschte in die Hände, »jetzt musste uns sagen, wie de heißt.«

»Blue.«

»Du musst uns alles erzählen. Blue. Du hast an meine Tür geklopft in deiner Stunde der Not. Was machen wir jetzt?«

Ich schaute von Larson zu Diamanta und wieder zu Larson.

»Wie meinst du das?«, fragte ich.

Er zuckte die Achseln. »Du bist hierher gekommen, in 'ner dunklen, stürmischen Nacht. Um« – er schaute auf seine Uhr – »2 Uhr 06.« Sein Blick fiel auf meine Füße, und er nickte. »Keine Schuhe. So was kann man schon mal als dramatische Handlung bezeichnen. So was passiert am Anfang von 'ner Szene.«

Er musterte mich, und sein Gesicht war so ernst wie ein Foto von Sun Yat-sen.

»Du musst uns sagen, ob wir in 'ner Komödie oder in 'nem Melodram oder in 'nem Krimi sind oder in dem, was so allgemein das Absurde Theater heißt. Du kannst uns nicht einfach hier auf der Bühne rumstehen lassen ohne Dialog.«

Ich spürte, wie mich eine gewisse Supermarkt-Ruhe überkam, beständig und öde wie das Brummen des Bierkühlschranks. Wo ich hingehen wollte, mit wem ich reden musste, war auf einmal so klar wie die spiegelnden Fenster, wie die Regale mit Kaugummi und Batterien, wie Diamantas Kreolen.

»Es ist ein Krimi«, sagte ich. »Ich wollte dich fragen, ob ich dein Auto leihen kann.«

Gelächter im Dunkel

Hannah trug ein schmirgelpapierfarbenes Hauskleid, das unten einfach mit der Schere abgeschnitten war, sodass kleine Fäden um ihre Schienbeine tanzten, als sie die Tür öffnete. Ihr Gesicht war so leer wie eine nicht gestrichene Wand, aber sie hatte sichtlich nicht geschlafen. Ihre Haare hingen heiter bei den Wangenknochen, und ihre glänzenden schwarzen Augen hummelten fix von meinem Gesicht zu meinem Kleid, zu meinen Füßen, zu Larsons Truck, zurück zu meinen Füßen und zu meinem Gesicht – alles in Sekundenschnelle.

»Meine Güte«, murmelte sie heiser. »Blue.«

»Tut mir leid, dass ich dich geweckt habe«, sagte ich. So etwas musste man schon sagen, wenn man um 2.45 bei jemandem vor der Tür stand.

»Nein, nein – ich war noch wach.« Sie lächelte, aber es war kein richtiges Lächeln, eher ein ausgeschnittenes Stück Pappe, und ich fragte mich sofort, ob es nicht doch ein Fehler gewesen war, hierher zu kommen, aber dann legte sie den Arm um meine Schulter. »Komm rein. Es ist ja eiskalt.«

Ich war bisher immer nur zusammen mit Jade und den anderen bei ihr gewesen, begleitet von Louis Armstrong, der wie eine Kröte gluckerte, die Luft voller Karottenduft, und jetzt empfand ich alles als beklemmend, einsam und trostlos wie das Cockpit eines alten abgestürzten Flugzeugs. Die Hunde beäugten mich und lugten hinter Hannahs nackten Beinen vor: Ihre verhärmte Schattenarmee näherte sich ganz langsam meinen Füßen. Ein Licht brannte, die Schwanenhalslampe im Wohnzimmer, und beschien Papiere auf dem Schreibtisch. Rechnungen, ein paar Zeitschriften.

»Möchtest du eine Tasse Tee?«, fragte sie.

Ich nickte, und nachdem sie mir noch einmal die Schulter gedrückt hatte, verschwand sie in der Küche. Ich setzte mich auf den alten karierten Sessel neben der Stereoanlage. Einer der Hunde, Brody mit den drei Beinen und dem Gesicht wie ein seniler Seekapitän, wuffte verächtlich und kam dann zu mir gehoppelt, drückte seine feuchtkalte Nase in meine Hand, als schmuggelte er ein Geheimnis. Töpfe husteten hinter der Küchentür, ein Wasserhahn jaulte, ein paar Schubladen-Seufzer – ich versuchte, mich auf diese Alltagsgeräusche zu konzentrieren, denn ich fühlte mich, ehrlich gesagt, nicht besonders wohl damit, jetzt hier zu sein. Als Hannah die Tür aufmachte, hatte ich einen Frotteebademantel erwartet, ihre Haare zu einem Dutt hochgesteckt, ein mit schweren Augen vorgebrachtes »Sweet, du lieber Himmel, was ist passiert?« Oder sie hätte mich, als sie die Klingel hörte, für einen Landstreicher halten sollen, hungrig, auf der Suche nach einer Mehlsuppe und einer warmen Lady. Oder für einen empörten Exfreund, mit Tattoos auf seinen Fingerknöcheln (»V-A-L-ER-IO« stand da).

Aber das hatte ich mir nicht vorgestellt: Diese steifen Pappmanieren, mit denen sie mich empfangen hatte, die nüchterne Begrüßung, die Andeutung einer gerunzelten Stirn – als wäre ich den ganzen Abend abgehört worden, als hätte sie alles mitgehört, jede gehässige Bemerkung, die ganzen Sticheleien, einschließlich der Unterhaltung mit Jade, als die ihr eine Verbindung zur Manson-Familie unterstellte, und das Gespräch in meinem Kopf, als die Wirklichkeit von Cottonwood mit der Wirklichkeit von Zach Soderberg zusammenprallte und ich vorübergehend außer Gefecht gesetzt war. Ich war zu ihr gefahren (mit 60 kmh, kaum fähig, mich einzufädeln, völlig außer mir, wenn ich einen Lastwagen überholen musste oder an etwas vorbeikam, was aussah wie eine Wand aus Tulpenbäumen), weil ich Dad hasste, und mir war kein passenderer Ort eingefallen, aber ich hatte auch irgendwie gehofft, wenn ich Hannah sehen würde, würden die anderen Gespräche verstummen, sie würden läppisch und bedeutungslos erscheinen, so wie man nach einer einzigen offiziellen Sichtung den Mysterious Starling (*Aplonis marvornata*) sofort von der Liste der ausgestorbenen Vogelarten strich und stattdessen auf die ebenfalls schreckliche, aber doch entschieden ermutigendere Liste der vom Aussterben bedrohten Arten setzte.

Aber dadurch, dass ich sie gesehen hatte, war alles nur noch schlimmer geworden.

Dad warnte immer, es sei irreführend, wenn man sich Leute vorstellt und sie vor seinem inneren Auge sieht, weil man sie nie so in Erinnerung behält, wie sie wirklich sind, mit so vielen Widersprüchen wie man Haare auf dem Kopf hat (100000 bis 200000). Das Gehirn verwendet eine faule Kurzschrift, glättet eine Person, lässt das dominante Charaktermerkmal alles beherrschen – ihr Pessimismus oder ihre Unsicherheit (manchmal, wenn der Kopf besonders faul ist, macht er sie entweder nett oder blöd) –, und man begeht den Fehler, sie nur auf dieser Grundlage zu beurteilen, wodurch man Gefahr läuft, bei der nächsten Begegnung böse überrascht zu werden.

Ein Japsen der Küchentür, und sie kam wieder herein und trug ein Tablett mit einem eingesunkenen Stück Apfelkuchen, einer Flasche Wein, einem Glas, einer Kanne Tee.

»Ich glaube, wir brauchen ein bisschen mehr Licht«, sagte sie und schob mit dem nackten Fuß einen *National Geographic*, einen *TV Guide* und ein paar Briefe vom Couchtisch, bevor sie das Tablett abstellte. Sie knipste die gelbe Lampe an, die neben einem überquellenden Aschenbecher stand, lauter Zigarettenkippen, die aussahen wie tote Würmer. Kräftiges Licht schwappte über mich und die Möbel.

»Entschuldige, dass ich dich so überfalle«, sagte ich.

»Blue. *Bitte.* Ich bin immer für dich da. Das weißt du doch.« Sie sagte diesen Satz, und – na ja, sie war schon irgendwie da, aber sie schnappte sich auch ihre Koffer und strebte zur Tür. »Tut mir leid, wenn ich ein bisschen ... daneben bin. Aber es war ein langer Abend.« Sie seufzte und musterte mich aufmerksam, dann beugte sie sich vor und drückte meine Hand. »Wirklich, ich bin froh, dass du gekommen bist. Ich kann ein bisschen Gesellschaft brauchen. Du kannst im Gästezimmer schlafen, wenn du willst, also denk gar nicht dran, heute Nacht noch heimzufahren. So, und jetzt erzähl mir alles.«

Ich schluckte unsicher. Womit sollte ich anfangen? »Ich hatte Streit mit meinem Dad«, sagte ich, aber in dem Moment – gerade als sie die Papierserviette nahm und sie, auf der Unterlippe kauend, in ein gleichschenkliges Dreieck faltete –, klingelte das Telefon. Es klang wie ein menschlicher Schrei – Hannah hatte eins dieser blökenden Telefone aus den sechziger Jahren, das sie vermutlich auf einem Flohmarkt für einen Dollar erstanden hatte. Das Geräusch brachte mein Herz dazu, sich melodramatisch gegen meine Rippen zu werfen (siehe Gloria Swanson, *Treibsand).*

»Oh, Gott«, flüsterte sie, sichtlich verärgert. »Moment bitte.«

Sie verschwand in der Küche. Das Klingeln verstummte.

Ich spitzte die Ohren, um etwas zu hören, aber es gab nichts zu belauschen, nur Stille und das Klicken der Hundehalsbänder, weil die Tiere nervös die Köpfe vom Boden hoben.

Sie war fast sofort wieder da, wieder mit diesem Minilächeln, das sich auf ihr Gesicht schob wie ein winziges Kind, das man auf die Bühne schiebt.

»Das war Jade«, sagte sie und ging wieder zum Sofa. Mit sekretärinnenmäßiger Konzentration widmete sie sich der Teekanne, hob den Deckel, begutachtete die schwimmenden Teebeutel und drückte sie mit dem Finger, wie tote Fische.

»Offenbar hattet ihr einen aufregenden Abend?«, sagte sie. Den Blick auf mich gerichtet, goss sie den Tee ein, reichte mir den I-♥-SLUGS-Kaffeebecher (und reagierte nicht, als ein bisschen heißes Wasser seitlich herunterlief und ihr aufs Knie tropfte), und dann – als hätte ich sie den ganzen Abend angefleht, für ein Ölporträt Modell zu sitzen – streckte sie sich auf der Couch aus, ein Glas Rotwein in der Hand, die nackten Füße unter den Kissen. (Abbildung 16.0)

»Weißt du, wir haben uns furchtbar gestritten«, sagte sie. »Jade und ich. Sie war sehr böse auf mich, als sie gegangen ist.« Hannah redete mit dieser komischen Lehrerinnenstimme, als würde sie das Phänomen der Fotosynthese erklären. »Ich weiß gar nicht mehr richtig, worum es eigentlich ging. Irgendetwas Banales.« Sie blickte zur Decke. »Ich glaube, es waren die College-Bewerbungen. Ich habe ihr gesagt, sie muss sich anstrengen, sonst schafft sie es womöglich gar nicht. Da ist sie ausgerastet.«

Hannah trank einen Schluck Wein, ich nippte an meinem Oolong-Tee und hatte ein schlechtes Gewissen. Es war klar, dass Hannah wusste, was Jade über sie sagte – entweder wusste sie es wirklich, weil Jade sie angerufen und ihr alles gestanden hatte (Jade könnte nie eine Betrügerin, ein Miethai oder eine Winkeladvokatin sein, weil sie immer das überwältigende Bedürfnis haben würde, ihrem Opfer alles zu erklären), oder sie vermutete es nur, wegen des Streits. Das Spektakulärste war allerdings, dass es sie sichtlich ärgerte. Dad sagte, die Leute

Abbildung 16.0

tun komische Dinge, wenn sie sich in der Defensive fühlen, und Hannah runzelte jetzt die Stirn, während sie mit dem Daumen über den Rand des Weinglases fuhr. Ihre Augen wanderten unruhig hin und her zwischen meinem Gesicht, dem Weinglas und dem Apfelkuchen (der aussah, als wäre jemand draufgetreten).

Ich konnte nicht anders – ich starrte sie unverwandt an (ihr linker Arm lag wie eine Boa constrictor auf ihrer Hüfte), wie ein Ermittler, der die Fingerabdrücke auf einem Bettpfosten inspiziert, verzweifelt auf der Suche nach der Wahrheit, und sei es auch nur ein kleiner Fleck. Ich wusste, es war absurd – Wahnsinn, Schuld und Liebe konnten nicht zusammengestückelt werden, indem man Sommersprossen miteinander verband oder mit einer winzigen Lampe in die Kuhle vom Schlüsselbein leuchtete –, aber andererseits hatte ich keine Ahnung, was ich sonst tun sollte. Ein paar Sachen, die Jade gesagt hatte, waren bei mir hängen geblieben. War es *möglich*, dass Hannah den Mann absichtlich ertränkt hatte? Hatte sie tatsächlich mit Charles geschlafen? Gab es eine verlorene Liebe irgendwo in ihren Randbezirken, ihrer Peripherie – Valerio? Selbst wenn sie mürrisch und unkonzentriert war, so wie jetzt, beherrschte sie *trotzdem* die Schlagzeilen und verdrängte die weniger fesselnden Meldungen (Dad, Fort Peck) auf Seite 10. AUSBLENDE: Dad, Fort Peck (mein Traum, er würde in der Demokratischen Republik Kongo Che spielen). AUFBLENDE: Hannah Schneider auf der Couch, ausgestreckt wie ein Stück schimmerndes Treibholz, das ans Ufer gespült wurde, ihr Gesicht bedeckt mit Schweißtropfen, ihre Finger nervös die Naht ihres Kleides abtastend.

»Du bist also gar nicht zu dem Fest gekommen?«, fragte ich kraftlos.

Die Frage weckte sie auf; es war offensichtlich, dass sie vergessen hatte, warum ich eigentlich hier war, warum ich mit einem viertürigen Chevy Colorado Truck in Sunburst Orange einfach bei ihr aufgekreuzt war, unangemeldet, ohne Schuhe. Nicht, dass es mich störte; Dad war jemand, der immer davon ausging, dass er das Hauptthema jedes Gesprächs war, und wenn Hannah, nachdem ich meinen Streit mit ihm erwähnt hatte, ihn einfach ignorierte, machte ihn das zu einer Art Nichtereignis – das war irgendwie phantastisch.

»Wir waren spät dran«, sagte sie nüchtern. »Wir haben Kuchen gebacken.« Sie schaute mich an. »Jade ist noch gekommen, stimmt's? Sie ist davongestürmt und hat gesagt, sie würde nach dir suchen.«

Ich nickte.

»Sie ist manchmal schon sehr seltsam. *Jade*. Dann sagt sie Sachen, die … wie soll ich mich ausdrücken … na ja, sie sagt einfach *entsetzliche* Sachen.«

»Ich glaube, sie meint es nicht so«, schlug ich leise vor.

Hannah legte den Kopf schräg. »Ach, nein?«

»Manchmal sagen die Leute etwas, einfach nur, um die Stille auszufüllen. Oder um die anderen zu schockieren und zu provozieren. Oder als Training. Verbale Aerobics. Sprachliche Herzkreislaufgymnastik. Es gibt ganz verschiedene Gründe. Sehr selten werden Wörter nur wegen ihrer denotativen Bedeutung verwendet«, sagte ich, aber Dads Thesen aus »Arten des Sprechens und die Kraft der Sprache« machten nicht den geringsten Eindruck auf Hannah. Sie hörte gar nicht richtig zu. Ihr Blick saß irgendwie in der dunklen Ecke beim Klavier fest. Und dann griff sie mit verdrossener Miene über die Sofalehne (Falten, die ich vorher noch nie bemerkt hatte, schossen über ihre Stirn), riss die kleine Schublade in dem Tischchen neben dem Sofa auf und holte eine halb leere Schachtel Camel heraus. Sie schüttelte eine Zigarette heraus, wirbelte sie unruhig zwischen den Fingern wie eine Windmühle und musterte mich mit nervöser Spannung, als wäre ich ein Kleid im Schlussverkauf, das letzte in ihrer Größe.

»Dir ist das sicher alles klar«, sagte sie. »Du besitzt eine gute Auffassungsgabe, dir entgeht nichts« – sie unterbrach sich – »oder vielleicht ist ja auch alles anders. Nein – sie hat's dir nicht gesagt. Ich glaube, sie ist eifersüchtig – du sprichst so liebevoll von deinem Vater. Das ist bestimmt schwer für sie.«

»Was hat sie mir nicht gesagt?«, fragte ich.

»Weißt du irgendetwas über Jade? Kennst du ihre Geschichte?«

Ich schüttelte den Kopf.

Hannah nickte, seufzte wieder. Dann fischte sie noch eine Streichholzschachtel aus der Schublade und zündete sich hastig die Zigarette an. »Na ja, wenn ich es dir erzählen soll, musst du mir versprechen, dass du es gegenüber keinem von den anderen erwähnst. Aber ich glaube, es ist wichtig, dass du Bescheid weißt. Denn sonst, wenn sie an einem Abend wie heute so wütend zu dir kommt ... sie war betrunken, oder?«

Ich nickte.

»Also, bei solchen Anlässen – wie heute Abend etwa – kann ich es verstehen, dass du das Gefühl hast« – Hannah überlegte krampfhaft, was ich fühlen könnte, biss sich auf die Unterlippe, als müsste sie entscheiden, was sie von der Speisekarte auswählen sollte – »dass du verwirrt bist. Oder sogar verstört. Ich weiß, dass es *mir* so gehen würde. Wenn man die Wahrheit weiß, kann man alles in einen Kontext einordnen. Vielleicht nicht sofort. Nein – man versteht etwas nicht, wenn man zu nah dran ist. Das ist so ähnlich, wie wenn man auf ein riesiges Plakat schaut und nur zwei Zentimeter davon entfernt ist. Wir sind alle ... wie heißt es ... weitsichtig ... oder ist es kurzsichtig? Aber später, nein, das heißt, wenn« – sie besprach das alles mit sich selbst – »ja, dann wird alles klar. Hinterher.«

Sie redete nicht gleich weiter, sondern betrachtete mit zusammengekniffenen Augen das qualmende Ende ihrer Zigarette, die zerzausten Ohren von Old Bastard, der sich an sie herangepirscht hatte, über ihre Kniescheibe leckte und sich dann auf den Boden sinken ließ, müde wie eine Sommerliebe.

»Wie meinst du das?«, fragte ich fast unhörbar.

Ein schüchternes, aber auch irgendwie freches Lächeln schlich sich auf ihr Gesicht – obwohl ich es nicht mit letzter Sicherheit sagen konnte; jedes Mal, wenn sie den Kopf drehte, sauste das Licht der gelben Lampe über ihre Wangenknochen und ihren Mund, aber wenn sie mich richtig anschaute, zog es sich zurück.

»Du darfst niemandem sagen, was ich dir jetzt sage«, erklärte sie streng. »Nicht einmal deinem Vater. Versprochen?«

Ich spürte einen nervösen Messerstich in der Brust. »Wieso?«

»Na ja, er ist ziemlich überbehütend, oder?«

Ja, wahrscheinlich war Dad überbehütend. Ich nickte.

»Auf jeden Fall würde es ihn traumatisieren, da bin ich mir sicher«, sagte sie angewidert. »Und was würde das bringen?«

Angst stieg in mir hoch. Mir wurde richtig mulmig, als hätte mir jemand die Angst in den Arm gespritzt. In Gedanken ließ ich die letzten Minuten noch einmal an mir vorüberziehen, weil ich herausfinden wollte, wie wir auf diesem bizarren Umweg gelandet waren. Ich war gekommen, weil ich eine ruhige, unchoreographierte Routineszene über Dad aufführen wollte, aber ich war in die Kulissen geschubst worden, und nun war sie plötzlich dran, die erfahrene Künstlerin übernahm die Bühne und würde demnächst ihren Monolog beginnen – einen schrecklichen Monolog, so wie es aussah. Dad sagte, man sollte unbedingt verhindern, dass Leute zu glühenden Bekenntnissen und Beichten ausholen. »Sag, dass du aus dem Zimmer gehen musst«, riet er mir, »sag, dass du etwas gegessen hast, dass dir übel ist, dass dein Vater Scharlach hat, dass du glaubst, der Weltuntergang steht kurz bevor und du musst deine Vorräte an Wasserflaschen und Gasmasken aufstocken. Oder tu einfach so, als hättest du einen Anfall. Irgendetwas, Sweet, egal was, damit du dieser Intimität entrinnen kannst, die sie auf dich packen wollen wie einen Zementblock.«

»Du wirst nichts weitererzählen?« Ihre Stimme klang jetzt ganz freundlich und harmlos.

Um eine Sache klarzustellen: Ich überlegte mir tatsächlich, ob ich ihr sagen sollte, mein Dad habe Pocken und ich müsse schnell wieder nach Hause, um seine demütigen und von Herzen kommenden letzten Worte zu hören. Aber dann nickte ich begeistert – die automatische menschliche Reaktion, wenn jemand fragt, ob man ein Geheimnis hören möchte.

»Als Jade dreizehn war, ist sie von zu Hause weggelaufen«, begann Hannah und wartete einen Moment, um die Worte irgendwo in der Dunkelheit auf der anderen Seite des Zimmers landen zu lassen, ehe sie fortfuhr:

»Nach dem, was sie mir erzählt hat, war sie ein reiches, verwöhntes

Mädchen. Ihr Vater hat ihr jeden Wunsch erfüllt. Aber er war ein schlimmer Heuchler – es war Ölgeld, also hatte er das Blut und das Leid Tausender Menschen an den Händen, und ihre Mutter« – Hannah hob die Schultern und schüttelte sich theatralisch – »nun, ich weiß nicht, ob du je das Vergnügen hattest, ihr zu begegnen, aber sie gehört zu den Frauen, die sich nicht die Mühe machen, sich anzukleiden. Sie trägt noch um die Mittagszeit einen Bademantel. Aber egal – Jade hatte eine beste Freundin, als sie klein war – das hat sie mir erzählt –, ein hübsches Mädchen, zart und zerbrechlich. Die beiden waren wie Schwestern. Jade konnte sich ihr anvertrauen, ihr alles unter der Sonne erzählen – du weißt schon, die Art von Freundin, die sich alle wünschen, aber nie finden –, aber mir will beim besten Willen ihr Name nicht einfallen. Wie hieß sie noch? Irgendetwas Elegantes. Aber egal« – sie schnippte die Asche von ihrer Zigarette –, »Jade galt als problematisch. Wurde das dritte oder vierte Mal beim Klauen erwischt. Sie sollte in eine Jugendstrafanstalt eingewiesen werden. Also ist sie abgehauen. Bis San Francisco hat sie es geschafft. Kannst du dir das vorstellen? *Jade?* Von Atlanta nach San Francisco – sie hat damals in Atlanta gewohnt, bevor ihre Eltern sich scheiden ließen. Das sind viertausendachthundert Kilometer. Sie ließ sich von Lastwagenfahrern mitnehmen oder von Familien, die sie an Raststätten kennenlernte, und schließlich ist sie in einem Drugstore von der Polizei aufgegriffen worden. In Lord's Drugstore, glaube ich. Ausgerechnet Lord's Drugstore, was für ein Name.« Sie lächelte und atmete den Rauch so aus, dass er über sich selbst stolperte. »Sie sagt, es habe den Lauf ihres Lebens verändert. Diese sechs Tage.«

Hannah schwieg einen Augenblick. Das Wohnzimmer schien ein paar Zentimeter tiefer in den Boden gesunken zu sein, von dieser Geschichte nach unten gedrückt.

Als sie zu reden begonnen hatte und mit dieser seltsam unnachgiebigen Stimme durch die Wörter stapfte, da hatte mein Kopf sofort die Lichter abgedreht und auf Film gestellt. Ich sah Jade im körnigen Zwielicht (enge Jeans, dünn wie ein Regenschirm), wie sie entschlossen durch den Unkrautmüll am Highway marschierte – in Texas oder

New Mexico –, ihre goldenen Haare erleuchtet von den Scheinwerfern, ihr Gesicht gerötet von den niemals blinzelnden Augen der Autos. Aber dann, als ich in meinem mentalen Riesenlaster an ihr vorbeidonnerte, schaute ich mich um und sah zu meiner Überraschung, dass es gar nicht Jade war: Es war nur ein Mädchen, das so aussah wie sie. Denn »sie ließ sich von Lastwagenfahrern mitnehmen«, das klang nicht nach Jade, genauso wenig wie die »zarte und zerbrechliche« Freundin. Dad sagte, man brauche einen seltenen revolutionären Impetus, um »Heim und Familie zu verlassen und sich ins Unbekannte zu stürzen, gleichgültig, wie grauenvoll die Umstände sind.« Klar, hin und wieder verschwand Jade mit irgendwelchen *Hombres,* die ihre Modevorstellungen von Fahndungsplakaten übernommen hatten, auf der Behindertentoilette, und sie betrank sich dermaßen, dass ihr der Kopf von den Schultern herunterhing wie ein Tropfen Kleber, aber dass sie so ein Risiko eingehen, dass sie einen solchen Sprung in die Luft machen würde, ohne zu wissen, wo sie landete, wenn sie es überhaupt bis zur anderen Seite schaffte – das kam mir unglaubwürdig vor. Natürlich konnte kein Detail aus der Lebensgeschichte eines Menschen einfach verlacht oder abgetan werden. »Bilde dir nie ein, du wüsstest, wozu ein Mensch fähig ist, war oder sein wird«, sagte Dad.

»Leulah war in einer ähnlichen Situation«, fuhr Hannah fort. »Sie ist, auch mit dreizehn, mit ihrem Mathematiklehrer durchgebrannt. Sie sagte, er sah toll aus und war sehr leidenschaftlich. Ende zwanzig. Aus dem Mittelmeerraum. Ich würde denken, ein Türke. Sie hat gedacht, sie liebt ihn. Sie kamen bis – wo war es gleich noch … bis Florida, glaube ich, dann wurde er verhaftet.« Hannah zog ausführlich an ihrer Zigarette und ließ den Rauch aus ihrem Mund quellen, während sie weiterredete. »Das war an der Schule, auf der sie vor St. Gallway war, irgendwo in South Carolina. Ja, und Charles hat den größten Teil seines Lebens in staatlicher Fürsorge verbracht. Seine Mom war Prostituierte, drogensüchtig – das Übliche. Kein Dad. Schließlich wurde er adoptiert. Nigel ebenfalls. Seine Eltern sitzen beide in Texas im Gefängnis, weil sie einen Polizeibeamten umgebracht haben. An die genauen Umstände kann ich mich nicht erinnern. Aber jedenfalls haben sie ihn erschossen.«

Sie hob das Kinn und starrte auf den Zigarettenrauch, der über der Lampe lauerte. Er schien sich vor Hannah zu fürchten – genau wie ich in diesem Moment. Mich erschreckte der Tonfall, in dem sie diese Geheimnisse ungeduldig herausschleuderte, als wäre sie gezwungen worden, eine langweilige Runde Hufeisenwerfen zu spielen.

»Es ist schon irgendwie lustig«, fuhr sie fort (und sie musste meine Beunruhigung gespürt haben, denn ihre Stimme war jetzt pastellfarben, die härteren Ränder mit den Fingerspitzen verwischt), »diese Momente, an denen das Leben sich festmacht. Ich glaube, solange man jung ist, stellt man sich immer vor, das Leben – und der Erfolg – hängt von der Familie ab, davon, wie viel Geld die Eltern haben, wo man aufs College geht, was für einen Job man ergattert, mit welchem Anfangsgehalt.« Ihre Lippen kräuselten sich zu einem Lachen, bevor man den Ton hörte. (Sie war schlecht synchronisiert.) »Aber das stimmt nicht. Du willst das wahrscheinlich nicht glauben, aber das Leben macht sich an ein paar Sekunden fest, die du überhaupt nicht kommen siehst. Und das, was du in diesen paar Sekunden entscheidest, bestimmt von da an alles andere. Manche Leute drücken ab, drücken den Auslöser, und alles vor ihnen explodiert. Andere laufen weg. Und du hast keine Ahnung, was du tun wirst – bis es so weit ist. Wenn dein Augenblick kommt, Blue, dann hab keine Angst. Tu, was du tun musst.«

Sie richtete sich auf, schwang ihre bloßen Füße auf den Teppich, starrte auf ihre Hände. Sie lagen auf den Oberschenkeln, zerknüllt und nutzlos wie Dads weggeworfene Vortragsanfänge. Eine Haarsträhne war ihr übers linke Auge gefallen, wodurch sie aussah wie ein Pirat, und sie machte sich nicht die Mühe, die Haare wieder hinters Ohr zu streichen.

In der Zwischenzeit hatte mein Herz versucht, in meinen Mund zu kriechen. Ich wusste nicht, ob es angemessen war, dass ich hier so passiv herumsaß und mir diese grässlich dürren Geständnisse anhörte, oder ob ich lieber wegrennen sollte, die Tür aufreißen, mit der Kraft eines Scipio Africanus, als er Karthago erbarmungslos dem Erdboden gleichmachte, ob ich zum Truck rennen sollte, hinaus in die geplünderte Nacht, mit spritzendem Kies und mit quietschenden Reifen, die wie Gefangene ächzten. Aber wohin sollte ich mich wenden? Zurück zu Dad, wie der Mittelname eines Präsidenten, an den niemand sich erinnern konnte, wie irgendein Tag in der Geschichte, an dem sich nichts Bahnbrechendes ereignete, außer dass die katholischen Missionare am Amazonas eintrafen und im Osten ein kleiner Eingeborenenaufstand ausbrach.

»Und dann Milton«, sagte Hannah, und ihre Stimme streichelte seinen Namen irgendwie. »Er war in so einer Straßengang – ich weiß nicht mehr, wie sie hieß, irgendetwas mit ›Nacht‹ –«

»Milton?«, wiederholte ich. Ich sah ihn sofort vor mir: Schrottplatz, an einen Maschendraht gelehnt (er lehnte sich immer irgendwo an), Springerstiefel, eins von diesen furchtbaren Nylontüchern in Rot oder Schwarz um den Kopf gebunden, seine Augen hart, die Haut leicht gewehrfarben.

»Ja, *Milton*«, äffte sie mich nach. »Er ist älter, als alle denken. Einundzwanzig. Mein Gott – lass dir nicht anmerken, dass du das weißt. Er hat ein paar Jahre verloren, Blackouts, Monate, an die er sich nicht erinnert, er weiß nicht mehr, was er getan hat. Er hat auf der Straße gelebt … ziemlichen Mist gebaut. Aber klar, ich verstehe das. Wenn man nicht weiß, was man glauben soll, hat man das Gefühl, man geht unter, also greift man nach allen möglichen Ideen. Auch nach verrückten. Und eine trägt einen dann schließlich.«

»War das, als er in Alabama gewohnt hat?«, fragte ich.

Sie nickte.

»Dann hat er deswegen das Tattoo«, sagte ich.

Ich hatte es inzwischen gesehen – das Tattoo –, und der atemberaubende Moment, als er es mir zeigte, war ein zeitloser Filmclip geworden, den ich ständig im Kopf abspielte. Wir waren allein im Purple Room gewesen – Jade und die anderen waren in der Küche, um Hasch-Brownies zu machen –, und Milton mixte sich an der Bar einen Drink, ließ die Eiswürfel ins Glas ploppen, lässig, als würde er Dukaten zählen. Er hatte die langen Ärmel seines Nine-Inch-Nails-T-Shirts hochgeschoben, sodass ich auf seinem rechten Bizeps gerade noch die schwarzen Zehen von irgendetwas sehen konnte. »Willst du's sehen?«, fragte er unvermittelt und kam dann zu mir, den Whiskey in der Hand, setzte sich unsanft hin, sodass sein Rücken gegen mein linkes Knie stieß und das Sofa zuckte. Seine braunen Augen in meine verkrallt, schob er den Ärmel noch weiter nach oben, laaaangsam – offensichtlich angetan von meiner verzückten, ungeteilten Aufmerksamkeit – und enthüllte nicht den kunstlosen schwarzen Fleck, über den man in St. Gallway munkelte, sondern einen frechen Zeichentrick-Engel, so groß wie eine Bierdose. Der Engel zwinkerte wie ein frivoler Opa, ein knubbeliges Knie in der Luft, das andere Bein ausgestreckt nach unten, wie erstarrt bei einem gehechteten Kopfsprung vom Fünf-Meter-Brett. »Das ist sie«, sagte Milton mit seiner bröckelnden Stimme, »Miss America.« Ehe ich etwas sagen konnte, ehe ich es schaffte, ein paar Wörter zu jagen und zu sammeln, war er schon wieder aufgestanden, hatte den Ärmel heruntergezogen und den Raum verlassen.

»Ja«, sagte Hannah abrupt. »Na, jedenfalls« – sie schüttelte noch eine Zigarette aus der Packung – »sie haben alle viel durchgemacht, Erdbeben, als sie zwölf, dreizehn waren, Dinge, von denen die meisten Leute sich nie erholen, weil sie nicht genug Mumm haben.« Sie zündete sich mit einer schnellen Bewegung die Zigarette an, warf die Streichhölzer auf den Couchtisch. »Weißt du etwas über The Gone?«

Hannah wäre fast der Sprit ausgegangen, als sie über Milton redete, das hatte ich gemerkt. Wenn sie bei der Jade-Geschichte in einem schicken, selbstbewussten Monte-Carlo-Sportwagen losgedüst war, war sie, als sie das Milton-Garn spann, in einer dieser Rostlauben unterwegs gewesen, die am Rand des Highways müde dahinkeuchten, immer die Warnblinker an. Ich spürte, dass sie das, was sie getan hatte, irgendwie bereute, weil sie mich mit diesen Geständnissen erdrückte; ihr Gesicht sah aus wie eine Pause zwischen zwei Sätzen, während ihr Gehirn noch einmal die gerade gesagten Wörter durchging, sie anstupste, ihren Puls fühlte, in der Hoffnung, dass sie nicht tödlich gewesen waren.

Aber jetzt, mit dieser neuen Frage, schien sie das Tempo wieder zu beschleunigen. Sie schaute mich an, mit wild entschlossener Miene (ihre Augen packten meine Augen, ließen sie nicht mehr los), ein Blick, der mich an Dad erinnerte, wenn er ergänzende Lehrbücher zum Thema Rebellion und Außenpolitik durchging, um die strahlende Blume des Beweises zu finden, die, in seine Vorlesung eingebaut, die Kraft hatte, die Zuhörer zu verblüffen, einzuschüchtern, dafür zu sorgen, dass »die kleinen Scheißer in ihren Sitzen schmelzen, bis nur noch Flecken auf dem Teppich übrig sind«, dann machte er oft dieses militante Gesicht, wodurch seine Züge so hart wirkten, dass ich dachte, wenn ich blind wäre und mit der Hand über sein Gesicht tasten müsste, um ihn zu erkennen, dann würde er sich anfühlen wie eine Steinmauer.

»*The Gone* sind Menschen, die verschwinden – vermisste Personen«, sagte Hannah. »Sie fallen durch die Ritzen, die es überall gibt, in der Decke, im Fußboden. Ausreißer, Waisen, sie werden gekidnappt, getötet – sie verschwinden aus den öffentlichen Datenbanken. Nach einem Jahr hört die Polizei auf, nach ihnen zu suchen. Sie lassen nichts zurück außer einem Namen, und selbst der wird schließlich vergessen. ›Zuletzt gesehen in den Abendstunden des 8. November 1982, als sie ihre Schicht im Arby's in Richmond, Virginia, beendete. Sie fuhr in einem blauen Mazda 626, Baujahr 1980, davon, der später verlassen am Straßenrand gefunden wurde, nach einem möglicherweise vorgetäuschten Unfall.‹«

Sie schwieg, in Erinnerungen versunken. Bestimmte Erinnerungen waren so – Sümpfe, Torfmoore, Kiesgruben –, und während die meisten Menschen diese feuchten, nicht erschlossenen, völlig unbewohnten Gegenden meiden (in der klugen Erkenntnis, dass sie unter Umständen für immer in ihnen verschwinden könnten), wollte Hannah offenbar das Risiko eingehen und auf Zehenspitzen hindurchtrippeln. Ihr Blick fiel jetzt leblos zu Boden. Ihr gesenkter Kopf verdeckte die Lampe, und ein feiner Lichtstreifen zeichnete ihr Profil nach.

»Von wem redest du?«, fragte ich so vorsichtig, wie ich nur konnte. Dr. Noah Fishpost erwähnte in seinem mitreißenden Buch über die

Abenteuer der modernen Psychiatrie, *Meditationen über Andromeda* (2001), dass man möglichst unaufdringlich vorgehen müsse, wenn man einen Patienten befrage, weil Wahrheit und Geheimnisse wie Kraniche seien, beeindruckend in ihrer Größe, aber ungeheuer scheu und misstrauisch; wenn man zu viel Lärm mache, entschwänden sie gen Himmel und seien nicht mehr zu sehen.

Hannah schüttelte den Kopf. »Nein – als Mädchen habe ich sie immer gesammelt. Ich habe die Listen auswendig gelernt. Hunderte konnte ich aufzählen. ›Das vierzehnjährige Mädchen verschwand am 19. Oktober 1994, auf dem Heimweg von der Schule. Sie wurde zuletzt in einer Telefonzelle gesehen, zwischen 14.39 und 14.45, an der Ecke Lennox und Hill. Zuletzt gesehen von der Familie zu Hause in Cedar Springs, Colorado. Etwa um 3.00 nachts stellte ein Familienmitglied fest, dass der Fernsehapparat in ihrem Zimmer noch lief, aber sie selbst war nicht mehr da.‹«

Ich hatte eine Gänsehaut auf den Armen.

»Ich glaube, deswegen habe ich sie ausgesucht«, sagte sie. »Oder sie haben mich ausgesucht – ich kann mich nicht mehr erinnern. Ich hatte Angst, sie könnten durch die Ritzen fallen.«

Endlich löste sich ihr Blick wieder vom Boden, und ich stellte entsetzt fest, dass ihr Gesicht ganz rot war. In ihren Augen schimmerten riesige Tränen.

»Und dann gibt es noch dich.«

Ich bekam keine Luft mehr. *Renn los zu Larsons Truck*, sagte ich mir. *Renn zum Highway, nach Mexiko*, denn alle Leute, die fliehen wollten, gingen nach Mexiko (obwohl niemand je dort ankam; alle wurden auf tragische Weise getötet, nur ein paar Meter vor der Grenze), und wenn nicht Mexiko, dann Hollywood, weil alle Leute, die sich neu erfinden wollten, nach Hollywood gingen und Filmstars wurden (siehe *Die Rache der Stella Verslanken*, Botando, 2001).

»Als ich dich damals im September in dem Supermarkt gesehen habe, da habe ich ein einsames Mädchen gesehen.« Eine ganze Weile schwieg sie, ließ nur diesen Satz sich ausruhen, wie Arbeiter am Straßenrand. »Ich dachte, ich könnte dir helfen.«

Ich fühlte mich wie ein Keuchen. Nein – ich war ein Husten, ein knarzendes Bett, etwas Demütigendes, die zerfusselten Rüschen an verfärbten Pantalons. Aber als ich gerade dabei war, irgendeine kindische Entschuldigung zusammenzubasteln, um aus dem Haus zu laufen und nie wieder zurückzukommen (»Das Allerschlimmste, was einem Mann, einer Frau oder einem Kind widerfahren kann, ist erniedrigendes Mitleid«, schrieb Carol Mahler in ihrem Buch *Bunte Tauben* [1987], für das sie den Plum-Preis erhielt), schaute ich noch einmal zu Hannah und war wie gelähmt vor Schreck.

Ihre Wut, ihr Ärger, ihre Frustration – oder wie auch immer man die Stimmung nennen wollte, in der sie sich befand, seit ich gekommen war, seit das Telefon geklingelt hatte, seit sie mich zur Verschwiegenheit verpflichtet hatte, selbst die offensichtliche Melancholie von gerade eben –, alles war wie weggeblasen. Sie war jetzt verblüffend friedlich (siehe »Der Vierwaldstätter See«, *Eine Schweizer Frage*, Porter, 2000, S. 159).

Es stimmt, sie hatte sich noch eine Zigarette angezündet. Der Rauch fädelte sich durch ihre Finger. Sie hatte außerdem ihre Haare aufgelockert, sie fielen ihr bald so herum, bald andersherum in die Stirn, als wären sie seekrank. Aber ihr Gesicht wirkte erleichtert und zufrieden: Die Miene eines Menschen, der gerade etwas vollendet hat, ein schreckliches Meisterwerk; es war ein Gesicht wie zugeklappte Lehrbücher, wie verriegelte Türen, wie gelöschte Lichter, oder aber, wie nach einer Verbeugung, mitten im schwirrenden Applaus, wenn die schweren roten Vorhänge sich schlossen.

Jades Worte schossen mir durch den Kopf: »*Sie ist echt die schlechteste Schauspielerin auf dem Planeten. Wenn sie Schauspielerin wäre, würde sie es nicht mal in einen B-Movie schaffen. Sie wäre in der Kategorie D oder E.*«

»Aber egal«, fuhr Hannah fort. »Wen interessiert das jetzt – die Gründe für die Dinge. Denk gar nicht drüber nach. In zehn Jahren – dann entscheidest *du*. Nachdem du die Welt im Sturm erobert hast. Bist du müde?« Sie fragte das ganz schnell und interessierte sich offensichtlich nicht für meine Antwort, denn sie gähnte in die Faust, stand auf und streckte sich so faul und königlich wie ihre weiße Perserkatze – Lana oder Turner, ich war nicht sicher, welche –, die mit einem unüberhörbaren Schwanzschlag aus der Dunkelheit unter der Klavierbank hervortrat und miaute.

Dornröschen und andere Märchen

Ich konnte nicht schlafen.

Ach, nein – jetzt, da ich allein in einem fremden, unbequemen Bett lag und das fahle Morgenlicht durch die Vorhänge drang und die Deckenlampe wie ein Riesenauge auf mich herunterblickte, da begannen die Geschichten der Bluebloods aus dem Unterholz zu kriechen, wie exotische nachtaktive Tiere beim Einbruch der Dunkelheit (siehe Zorilla, Spitzmaus, kleine Wüstenspringmaus, Kinkajou, Kurzohrfuchs, *Enzyklopädie der Lebewesen*, 4. Auflage). Ich hatte wenig Erfahrung mit dunklen Vergangenheiten, außer vielleicht durch meine Lektüre von *Jane Eyre* (Brontë, 1847) und *Rebecca* (Du Maurier, 1938), und auch wenn ich insgeheim immer etwas Glorioses im melancholischen Frösteln, in aschgrauen Ringen unter den Augen, in müdem Schweigen gesehen hatte, machte mir das Wissen, dass sie alle so viel gelitten hatten (falls man Hannah glauben konnte), jetzt doch Kummer.

Denn schließlich gab es Wilson Gnut, den stillen, hübschen Jungen, den ich an der Luton Middle School in Luton, Texas, gekannt und dessen Vater sich an Heiligabend aufgehängt hatte. Wilsons eigene Tragödie hatte aber nicht direkt mit dem Vater zu tun, sondern damit, wie er danach in der Schule behandelt wurde. Die anderen waren nicht gemein zu ihm – im Gegenteil, sie waren süß wie Butterkuchen. Sie hielten ihm die Tür auf, boten an, er könne die Hausaufgaben abschreiben, erlaubten ihm, bei allen Trinksäulen, Snackautomaten und bei der Sportkleidungsausgabe gleich ganz vorne in die Schlange zu gehen. Aber hinter dieser Nettigkeit lauerte immer der allgemeine Gedanke, dass sich für Wilson wegen seines Vaters eine geheime Tür geöffnet hatte, und aus dieser Tür konnte allerhand Finsteres und Perverses geflogen kommen – Selbstmord, klar, aber noch andere üble Sachen, wie zum Beispiel Nekrophilie, Polyorphantie, Menazoranghie und vielleicht sogar Zootosis.

Mit der ruhigen Präzision einer Jane Goodall, die allein auf ihrem Beobachtungsposten im tropischen Regenwald in Tansania ausharrte, registrierte und dokumentierte ich das Spektrum an Blicken, die Wilsons Gegenwart bei Schülern, Eltern und Lehrern gleichermaßen auslöste. Es gab den erleichterten Blick, den Zum-Glück-bin-ich-nicht-du-Blick (heimlich einer dritten Person zugeworfen, nachdem der Betreffende ihm erst sehr nett zugelächelt hatte), den Mitleids-Blick: Das-überwindet-er-nie (dem Fußboden und/oder der unmittelbaren Umgebung von Wilson zugewandt), den vielsagenden Blick: Der-Junge-wird-so-krumm-werden-wie-das-Hinterbein-eines-Hundes (tief in Wilsons braune Augen gerichtet) und das schlichte Glotzen des Ungläubigen (Mund offen, Augen diffus, Gesamthaltung fast vegetativ, ausgeführt hinter Wilsons Rücken, während er sich gerade still an seinen Platz setzte).

Es gab auch Gesten wie zum Beispiel das Ich-pfeif-gerade-einen-Dixie-Winken (ausgeführt nach der Schule in Autofenstern, wenn die Schüler mit ihren Eltern wegfuhren und Wilson stehen sahen, wie er auf seine Mutter wartete, die strähnige Haare und ein Ziegenlachen hatte und Perlen trug. Diese Geste wurde immer von einer von drei Bemerkungen begleitet: »Was passiert ist, ist so traurig«, »Ich kann mir gar nicht vorstellen, was er durchmachen muss« oder die unverstellt paranoide Frage »Dad bringt sich aber nicht bald um, oder?«). Es gab auch das Das-ist-er-Deuten, das Das-ist-er-Deuten in die andere Richtung (ein texanischer Versuch, subtil zu sein) und, am schlimmsten, den schnellen hysterischen Anfall (ausgeführt von Schülern, wenn Wilsons Hand zufällig ihre berührte, auf einem Türknauf beispielsweise oder wenn die Tests verteilt wurden, als wäre

Wilson Gnuts Unglück eine Krankheit, die durch Hände, Ellbogen oder Fingerspitzen übertragen wurde).

Am Schluss – und das war die Tragödie – war es so weit, dass Wilson Gnut allen zustimmte. Er glaubte ebenfalls, dass sich ganz speziell für ihn eine geheime Tür geöffnet hatte und jeden Moment etwas Dunkles und Perverses herausfliegen konnte. Es war natürlich nicht seine Schuld; aber wenn die ganze Welt unterstellt, man sei ein Hund-der-nicht-jagt oder ein Cowboy-ohne-Stiefel-und-ohne-Kohle, dann neigt man dazu, es selbst zu glauben. Wilson hörte auf, in den Pausen Basketball zu spielen, er machte bei der »Olympiade des Wissens« nicht mehr mit. Und trotzdem hörte ich immer wieder, wie ein paar nette Mitschüler ihn fragten, ob er nach der Schule ins KFC mitkommen wolle. Wilson vermied jeden Blickkontakt, murmelte »Nein, danke« und verschwand den Gang hinunter.

Ich schloss daraus, mit derselben Ehrfurcht wie Jane Goodall, als sie entdeckte, wie geschickt die Schimpansen Werkzeuge einsetzten, um Termiten zu fangen, dass es eigentlich gar nicht das tragische Ereignis selbst war, was den Genesungsprozess behinderte, sondern die Tatsache, dass die anderen Bescheid wussten. Individuen können fast alles überstehen (siehe *Das unglaubliche Leben des Wolfgang Becker*, Becker, 1953). Selbst Dad hatte Ehrfurcht vor dem menschlichen Körper, und eigentlich hatte Dad vor nichts Ehrfurcht. »Es ist wirklich erschütternd, was der Körper alles aushält.«

Nach dieser Bemerkung, wenn er in einer Bourbon-Laune war und sich theatralisch fühlte, gab Dad Brando als Colonel Kurtz.

»›Dazu gehören Männer, die Überzeugungen haben‹«, tönte er, drehte langsam den Kopf zu mir und riss die Augen auf, um Genie und Wahnsinn gleichzeitig darzustellen, »›und die dennoch imstande sind, ohne Hemmungen ihre ursprünglichen Instinkte einzusetzen, um zu töten, ohne Gefühle, ohne Leidenschaft, vor allem ohne Strafgericht …‹« (da hob er immer die Augenbrauen und schaute mich bei dem Wort »Strafgericht« ganz direkt an). »›Denn es ist das Strafgericht, das uns besiegt.‹«

Natürlich musste ich hinterfragen, wie verlässlich das war, was

Hannah mir erzählt hatte, wie verlässlich Hannah selbst war. Was sie gesagt hatte, war eindeutig eine große Inszenierung gewesen, mit falschen Palmen (nur sehr vagen Angaben zu den Örtlichkeiten), einer Lagerhauskulisse (Weinglas, eine Zigarette nach der anderen), Windmaschinen (Tendenz zum Romantisieren), Standfotos für PR-Kampagnen (tiefe Blicke zur Decke, zum Fußboden) – theatralisches Flair, das an die sich vor Liebe verzehrenden Plakate in ihrem Klassenzimmer erinnerte. Außerdem waren bekanntlich viele Schwindler fähig, unter Druck die grausamsten Märchen zu erfinden, samt Hintergrund, kunstvollen Querverweisen, ironischen Einschüben und schicksalhaften Wendungen, ohne auch nur ein einziges Mal zu blinzeln. Und trotzdem – auch wenn solche hinterhältigen Machenschaften irgendwie plausibel erschienen, passten sie nicht zu Hannah Schneider. Lügner und Gauner brauten alle möglichen komplexen Geschichten zusammen, um dem Knast zu entkommen; aber was wäre Hannahs Motiv, für jedes Mitglied der Bluebloods so eine jammervolle Vergangenheit zu erfinden, sie brutal hinauszustoßen, die Tür zu verriegeln und sie dann im Regen stehen zu lassen? Ich war mir sicher, dass das, was sie mir erzählt hatte, eine elementare Wahrheit enthielt, auch wenn es mit hannahmäßigen Studioscheinwerfern vorgetragen worden war und mit weißen Schauspielern, die dick geschminkt die Wilden spielten.

Mit diesen Gedanken – der Morgen kroch ans Fenster, die dünnen Vorhänge wisperten in der Zugluft – schlief ich ein.

* * *

Es gibt nichts Besseres als einen hellen, heiteren Morgen, um die Dämonen der Nacht zu vertreiben. (Auch wenn die meisten Leute es anders sehen, sind Unbehagen, innere Dämonen und Schuldkomplexe sehr unstete Gesellen und fliehen meistens ganz schnell, wenn Wohlbefinden und ein reines Gewissen auftreten.)

Ich wachte in Hannahs winzigem Gästezimmer auf – die Wände waren glockenblumenblau gestrichen – und wälzte mich aus dem Bett. Ich zog den dünnen weißen Vorhang auf. Der Rasen vor dem

Haus bebte begeistert. Ein blauer Ballonhimmel wölbte sich über uns. Raschelnde braune Blätter, *en pointe*, waren damit beschäftigt, unten auf dem Gehweg *Glissades* und *Grand Jetés* zu üben. Auf Hannahs modrigem Vogelhaus (normalerweise verlassen, wie ein Gebäude mit Asbestisolierung und Bleifarbe) speisten zwei fette Kardinalvögel mit einer Meise.

Ich ging nach unten. Hannah saß da, angekleidet, und las die Zeitung.

»Da bist du ja«, sagte sie munter. »Gut geschlafen?«

Sie gab mir Klamotten, eine alte graue Kordsamthose, die, wie sie sagte, bei der Wäsche eingegangen war, schwarze Schuhe und eine blassrosa Strickjacke mit winzigen Perlen um den Halsausschnitt.

»Kannst du behalten«, verkündete sie mit einem Lächeln. »Steht dir wunderbar.«

Zwanzig Minuten später fuhr sie mit ihrem Subaru hinter mir her zur BP-Tankstelle, wo ich Larsons Truck abstellte und die Schlüssel Big Red übergab, der karottenrote Finger hatte und immer die Morgenschicht machte.

Hannah schlug vor, wir könnten doch noch irgendwo einen Happen essen, bevor sie mich nach Hause brachte, also gingen wir ins Pancake Haven in der Orlando Avenue. Eine Kellnerin nahm unsere Bestellung entgegen. Das Restaurant wirkte offen und unkompliziert: quadratische Fenster, ein abgetretener brauner Teppich, der bis zur Toilette unermüdlich *Pancake Haven Pancake Haven* stotterte, Leute, die still vor ihren Tellern saßen. Falls es auf der Welt Finsternis und Verderben gab, dann benahmen sie sich ausgesucht höflich und warteten, bis alle mit dem Frühstück fertig waren.

»Ist Charles … in dich verliebt?«, fragte ich sie unvermittelt. Es schockierte mich, wie leicht es war, diese Frage zu stellen.

Sie reagierte nicht verärgert, sondern amüsiert. »Wer hat dir das erzählt – Jade? Ich dachte, ich hätte das gestern Nacht klargemacht – sie muss ständig übertreiben, sie muss die Leute gegeneinander ausspielen und alles viel exotischer erscheinen lassen, als es ist. Das ist bei den anderen genauso. Ich habe keine Ahnung, warum.« Sie seufzte. »Sie haben sich auch ausgedacht, dass ich so einem Kerl nachtrauere – Mist, wie hieß er gleich … *Victor*. Oder Venezia, irgendwas aus *Braveheart*. Der Name beginnt mit V –«

»Valerio?«, schlug ich leise vor.

»Heißt er so?« Sie lachte, ein lautes, kokettes Lachen. Ein Mann in einem orangeroten Flanellhemd am Tisch neben uns drehte sich zu ihr um, hoffnungsfroh. »Glaub mir, wenn mein Märchenprinz da draußen rumlaufen würde – Valerio, stimmt's? –, dann würde ich mich sofort auf den Weg machen. Und wenn ich ihn finden würde, dann würde ich ihm mit meinem Golfschläger einen überziehen, ihn über die Schulter werfen, in meine Höhle schleppen und ihn mir gefügig machen.« Während sie immer noch vor sich hin kicherte, machte sie den Reißverschluss an ihrer Ledertasche auf und gab mir drei Vierteldollarmünzen. »So, und jetzt rufst du deinen Vater an.«

* * *

Ich ging zum Münzfernsprecher beim Zigarettenautomaten. Dad nahm nach dem ersten Klingeln ab.

»Hi –«

»*Wo, um Himmels willen, steckst du*?«

»In einem Diner mit Hannah Schneider.«

»Ist alles okay?«

(Ich muss zugeben, es war toll, die wahnsinnige Angst in Dads Stimme zu hören.)

»Ja, klar. Ich esse gerade Arme Ritter.«

»Ach, ja? Bei mir gibt's eine Vermisstenmeldung zum Frühstück. Zuletzt gesehen. Ungefähr um zwei Uhr dreißig. Kleidung. Weiß ich nicht genau. Ich bin froh, dass du anrufst. Hast du gestern Abend ein Kleid getragen oder einen besonders strapazierfähigen Müllsack?«

»Ich komme in einer Stunde.«

»Ich bin entzückt, dass du beschlossen hast, mir wieder die Ehre deiner Anwesenheit zuteil werden zu lassen.«

»Ja, aber ich gehe nicht nach Fort Peck.«

»Äh – darüber können wir reden.«

Und dann kam mir ein Gedanke, so wie Alfred Nobel die Idee mit der Waffe kam, die alle Kriege beenden sollte (siehe Kapitel 1, »Dynamit«, *Historische Fehltritte*, Juni 1992).

»›Wer Angst hat, flieht‹«, sagte ich.

Er zögerte, aber nur eine Sekunde. »Gutes Argument. Wir werden sehen. Andererseits brauche ich dringendst deine Unterstützung bei diesen grauenhaften Referaten. Wenn du bereit bist, Fort Peck gegen, sagen wir mal, drei oder vier Stunden deiner wertvollen Zeit einzutauschen, dann wäre ich vermutlich einverstanden.«

»Dad?«

»Ja?«

Ich weiß nicht, warum, aber ich brachte kein Wort über die Lippen.

»Sag bitte nicht, du hast dir ein Tattoo quer über die Brust machen lassen mit ›Raised in Hell‹«, sagte er.

»Nein.«

»Du hast ein Piercing.«

»Nein.«

»Du möchtest dich einem Kult anschließen. Einer Gruppe von Extremisten, die Polygamie praktizieren und sich ›Man's Agony‹ nennen.«

»Nein.«

»Du bist eine Lesbe und möchtest meinen Segen, bevor du dich mit einer Hockeytrainerin verabredest.«

»Nein, Dad.«

»Gott sei Dank. Die sapphische Liebe ist zwar etwas völlig Natürliches und so alt wie das Meer, aber in der amerikanischen Provinz gilt sie immer noch als eine vorübergehende Mode, wie die Melonendiät oder Hosenanzüge. Es wäre kein leichtes Leben. Und wie wir beide wissen, ist es auch kein Zuckerschlecken, mich als Vater zu haben. Es wäre sehr anstrengend, glaube ich, beide Päckchen tragen zu müssen.«

»Ich liebe dich, Dad.«

Schweigen.

Ich kam mir natürlich blöd vor, nicht nur, weil man, wenn man diesen speziellen Satz sagt, eine Bumerangantwort braucht, ohne Verzögerung, auch nicht, weil ich merkte, dass der vergangene Abend mich in eine Kitschmaus verwandelt hatte, in eine Irre, eine wandelnde *Benji in Gefahr* und ein lebendiges *Lassies Heimweh*, sondern weil ich ganz genau wusste, Dad konnte diese Wörter nicht ertragen, so wenig wie er amerikanische Politiker ertragen konnte oder Konzernmanager, die im *Wall Street Journal* zitiert wurden, wie sie »Synergie« oder »Talsohle« sagten, oder die Armut in der Dritten Welt, Völkermord, Game Shows, Filmstars, E. T. oder, nebenbei bemerkt, Reese's Pieces.

»Ich liebe dich auch, mein Kind«, sagte er schließlich. »Aber ich dachte, das wüsstest du inzwischen. Tja, damit muss man wohl rechnen. Die klarsten, greifbarsten Dinge im Leben, die Elefanten und die weißen Nashörner sozusagen, die ganz offen an ihren Wasserlöchern stehen und Blätter und Zweige mampfen, werden oft nicht wahrgenommen. Und warum ist das so?«

Es war eine rhetorische Frage à la van Meer, gefolgt von einer bedeutungsschwangeren Pause à la van Meer, also wartete ich einfach ab und drückte den Hörer unten ans Kinn. Ich hatte schon früher gehört, wie er solche oratorischen Mittel einsetzte, die wenigen Male, die ich dabei war, wenn er in einem der großen Auditorien mit Teppichwänden und sirrenden Neonröhren einen Vortrag hielt. Das letzte Mal, dass ich ihn sprechen hörte, am Cheswick College über Bürgerkrieg, war ich hinterher völlig fertig gewesen, daran erinnere ich mich noch ganz genau. Während Dad mit gerunzelter Stirn auf der Bühne stand (gelegentlich in theatralische Gesten ausbrechend, als wäre er ein verzweifelter Mark Anton oder ein manischer König Heinrich VIII.), dachte ich, dass bestimmt jeder Dads peinliche Wahrheit sehen konnte: Er wollte eigentlich Richard Burton sein. Aber dann schaute ich mich um und stellte fest, dass sämtliche Studenten (sogar der Typ in der dritten Reihe, der sich ein Anarchie-Symbol in den Hinterkopf rasiert hatte) sich wie benommene weiße Motten verhielten, die durch Dads Licht torkelten.

»Amerika schläft«, donnerte Dad. »Sie hören das nicht zum ersten Mal – vielleicht haben Sie es von einem Obdachlosen gehört, an dem Sie vorbeigegangen sind und der gestunken hat wie ein Mobilklo, sodass Sie die Luft angehalten und so getan haben, als wäre er ein Briefkasten. Also – ist es *wahr*? Befindet sich Amerika im Winterschlaf? Macht es ein Nickerchen, schließt es nur mal kurz die Augen? Wir sind das Land der unbegrenzten Möglichkeiten. Oder? Ich weiß, die Antwort lautet ›ja‹, wenn man ein Spitzenmanager ist. Letztes Jahr sind die Gehälter von Spitzenmanagern um 26 Prozent gestiegen, während das Einkommen von Arbeitern und Angestellten höchstens um magere drei Prozent gestiegen ist. Und wer hat das fetteste Gehalt von allen? Mr Stuart Burnes, Spitzenmanager bei Remco Integrated Technologies. Sagen Sie ihm, was er gewonnen hat, Bob! Einhundertsechzehn-komma-vier Millionen Dollar für die Arbeit eines Jahres.«

Hier verschränkte Dad die Arme und machte ein fasziniertes Gesicht.

»Was macht der gute Stu, dass so ein Goldregen über ihm niedergeht, ein Einkommen, das den gesamten Sudan ernähren würde? Integrated Technologies hat im vierten Quartal nichts eingenommen. Die Aktien sind um neunzehn Prozent gefallen. Aber die Vorstandsmitglieder haben trotzdem das Geld für die Crew auf Stuarts 120-Meter-Yacht bezahlt, sie haben dem Kurator von Christie's die Gebühren für seine aus vierzehnhundert Werken bestehende Impressionisten-Sammlung bezahlt.«

Hier neigte Dad den Kopf, als würde er in der Ferne leise Musik hören.

»Das ist blanke Raffgier. Und ist das gut? Sollen wir auf einen Mann mit Hosenträgern hören? Bei vielen von Ihnen spüre ich, wenn Sie in meiner Sprechstunde in mein Büro kommen und mit mir reden, dass Sie glauben, es gibt kein Entrinnen – kein Gefühl von Niederlage, sondern Resignation, die Überzeugung, dass diese Art von Ungleichheit einfach dazugehört und man nichts daran ändern kann. Wir sind hier in Amerika, und da schnappt man sich so viel Kohle wie nur irgend möglich, bevor wir alle an einem Herzinfarkt sterben. Aber möchten wir wirklich, dass unser Leben nichts anderes ist als eine Bonusrunde, die pausenlose Jagd nach Geld? Man mag mich einen Optimisten nennen, aber ich glaube das nicht. Ich glaube, wir hoffen auf etwas Bedeutungsvolleres, Sinnvolleres. Aber was sollen wir tun? Eine Revolution beginnen?«

Dad richtete diese Frage an ein kleines braunhaariges Mädchen in einem pinkfarbenen T-Shirt in der ersten Reihe. Sie nickte ängstlich.

»Haben Sie den Verstand verloren?«

Sofort lief sie mindestens sechsmal so rosa an wie ihr T-Shirt.

»Sie haben sicher von verschiedenen Idioten gehört, die in den sechziger und siebziger Jahren die amerikanische Regierung bekämpft haben. Die neue kommunistische Linke. Die Leute vom Weather Underground. Die Studenten für Blablabla, und keiner nimmt sie ernst. Ich glaube, sie waren im Grunde noch schlimmer als Stu, weil sie nicht die Monogamie kaputt geschlagen haben, sondern die Hoffnung auf produktive Formen des Protests und des Widerstands in diesem Land. Mit ihrer größenwahnsinnigen Selbstüberschätzung und mit ihrer spontanen Gewalt haben sie dafür gesorgt, dass jeder, der seiner Unzufriedenheit mit den herrschenden Bedingungen Ausdruck gibt, als ausgeflipptes Blumenkind abgetan wird.

Nein. Ich behaupte, dass wir von einer der großartigsten amerikanischen Bewegungen unserer Zeit eine Anregung aufgreifen sollten – es handelt sich eigentlich auch um eine Art Revolution, könnte man sagen, die selbstlos gegen Vergänglichkeit und Schwerkraft ankämpft und außerdem verantwortlich ist für die Verbreitung eigenartig aussehender Lebensformen auf der Erde. Die plastische Chirurgie. Sie haben richtig gehört, meine Damen und Herren. Amerika braucht dringend ein bisschen *Nip/Tuck*. Keine Massenaufstände, keine große Revolution. Nein, eine Augenkorrektur hier. Eine Busenvergrößerung da. Aufgespritzte Lippen, gut platziert. Ein Mikroschnitt hinter den Ohren, anziehen, festtackern – Vertraulichkeit ist garantiert – und *voilà*, schon sagen alle, wir sehen phaaantastisch aus. Größere Elastizität. Nichts Schlaffes mehr. Für diejenigen unter Ihnen, die jetzt lachen – Sie werden verstehen, was ich meine, wenn Sie den angegebenen Text für Dienstag lesen, die Abhandlung über Littletons *Anatomie des Materialismus*. ›Die Nightwatchmen und die mythischen

Prinzipien praktischer Veränderungen‹. Und Eidelsteins' ›Repressionen durch imperialistische Mächte‹. Und meinen eigenen bescheidenen Beitrag ›Blind Dates: Vorzüge eines stummen Bürgerkriegs‹. Nicht vergessen! Sie werden darüber geprüft.«

Erst als Dad mit einem kleinen, selbstzufriedenen Grinsen seinen abgeschabten Lederordner mit den Krakelnotizen zuklappte (die er aus reiner Effekthascherei aufs Podium mitnahm, denn er warf nie einen Blick hinein), das Stofftaschentuch aus seiner Jacketttasche holte und sich damit vornehm die Stirn tupfte (wir waren Mitte Juli durch die Andamo Wüste in Nevada gefahren, und er musste sich kein einziges Mal die Stirn trocknen), erst da kam Bewegung in die Zuhörer. Manche Studenten grinsten ungläubig, andere verließen mit konsternierten Mienen den Saal. Ein paar begannen schon, in dem Buch von Littleton zu blättern.

Jetzt beantwortete Dad seine eigene Frage, seine Stimme leise und kratzig im Telefonhörer.

»Wir sind mit unüberwindlicher Blindheit geschlagen, was die wahre Natur der Dinge betrifft«, sagte er.

Zimmer mit Aussicht

Der große Horace Lloyd Swithin (1844–1917), britischer Essayist, Dozent, Satiriker und Gesellschaftskritiker, schrieb in seinen autobiographischen *Verabredungen, 1890–1901* (1902): »Wenn man ins Ausland reist, entdeckt man weniger die Wunder der Welt, sondern vielmehr die verborgenen Wunder der Individuen, mit denen man reist. Sie können sich als aufregende Aussicht zeigen, als langweilige Landschaft oder als derart tückisches Terrain, dass man die ganze Sache am besten abbläst und wieder nach Hause fährt.«

Ich sah Hannah in der Woche der Abschlussklausuren gar nicht und traf Jade und die anderen nur ein- oder zweimal vor einer Prüfung. »Bis nächstes Jahr, Olives«, sagte Milton, als wir uns vor dem Scratch zufällig über den Weg liefen. (Ich glaubte, in seiner Stirn, als er mir zublinzelte, Falten zu entdecken, die auf sein vorgerücktes Alter hinwiesen, aber ich wollte nicht zu lange hinschauen.) Charles, das wusste ich, war zehn Tage in Florida. Jade fuhr nach Atlanta, Lu nach Colorado, Nigel zu seinen Großeltern – Missouri, glaube ich –, und ich stellte mich resigniert auf ereignislose Weihnachtsferien mit Dad und Rikeland Gestaults jüngster Kritik am amerikanischen Rechtssystem, *Der Blitzritt* (2004) ein. Aber nach meiner letzten Klausur (in Kunstgeschichte) verkündete Dad, er habe eine Überraschung.

»Eine Art vorgezogenes Graduations-Geschenk. Ein letztes Abenteuer – das heißt, eigentlich sollte ich *aventure* sagen –, bevor du mich los bist. Es ist ja nur eine Frage der Zeit, dann bezeichnest du mich nur noch als – wie sagen sie nochmal in diesem rührseligen Film mit den knurrigen alten Leutchen? Als alten Pups.«

Wie sich herausstellte, hatte ein alter Freund von Dad aus Harvard, Dr. Michael Servo Kouropoulos (Dad nannte ihn liebevoll Baba au Rhum, weshalb ich annahm, dass er Ähnlichkeit mit rumgetränktem Biskuit hatte), schon seit einiger Zeit versucht, Dad zu überreden, ihn in Paris zu besuchen, wo er seit acht Jahren an der Sorbonne altgriechische Literatur unterrichtete.

»Er hat uns eingeladen und gesagt, wir können bei ihm wohnen. Was wir selbstverständlich tun werden. Wenn ich es richtig verstehe, hat er eine palastartige Wohnung irgendwo an der Seine. Er kommt aus einer Familie, die im Geld ertrinkt. Import-Export. Aber ich dachte, zuerst steigen wir ein paar Nächte in einem Hotel ab – das fände ich angemessen, um ein Gefühl für *la vie parisienne* zu bekommen. Ich habe uns etwas im Ritz gebucht.«

»Im *Ritz*?«

»Eine Suite *au sixième étage*. Klingt hinreißend.«

»Dad –«

»Ich wollte die Coco Suite, aber die war schon belegt. Bestimmt will jeder die Coco Suite.«

»Aber –«

»Kein Wort zu den Kosten. Ich habe dir doch schon gesagt, dass ich für ein paar Extravaganzen gespart habe.«

Die Reisepläne überraschten mich, der geplante Luxus, klar, aber noch mehr wunderte ich mich über die kindliche Begeisterung, die Dad gepackt hatte, ein Gene Kelly-Effekt, den ich nicht mehr an ihm beobachtet hatte, seit Junikäfer Tamara Sotto in Pritchard, Georgia, ihn zu einem »Monster Mash« eingeladen hatte, einer Art Volksfest mit Tractorpulling, für das kein Mensch Karten bekam, es sei denn, er hatte Trucker-Beziehungen. (»Meinst du, wenn ich einem von diesen zahnlosen Krachern einen Fünfziger zustecke, lässt er mich mal ans Lenkrad?«, fragte Dad.) Ich hatte außerdem vor Kurzem entdeckt (ein zerknülltes Blatt Papier, das traurig aus den Küchenabfällen herausschaute), dass das *Federal Forum* sich geweigert hatte, Dads neuesten Aufsatz, »Das vierte Reich«, zu drucken, eine Kränkung, die Dad unter normalen Umständen veranlasst hätte, tagelang vor sich hin zu schimpfen und vielleicht in spontane Belehrungen auszubrechen über den Mangel an kritischen Stimmen in den amerikanischen Medien, sowohl in den populären als auch in den obskuren.

Aber nein, Dad war ganz »Singin' in the Rain«, ganz »Gotta Dance«, ganz »Good Mornin'«. Zwei Tage vor unserer geplanten Abreise kam er schwer beladen nach Hause: mehrere Reiseführer (wichtig: *Paris, Pour Le Voyageur Distingué* [Bertraux, 2000]), Stadtpläne mit Shopping-Tipps, Swiss-Army-Koffer, Kulturbeutel, Mini-Leselampen, aufblasbare Nackenkissen, Bug-Snuggle-Flugzeugsocken, zwei merkwürdige Sorten von Ohrstöpseln (Ear-Plane und Air-Silence), Seidenschals (»Alle Pariserinnen tragen Schals, weil sie die Illusion wecken wollen, sie wären auf einem Foto von Doisneau«, sagte Dad), Sprachführer und den phantastischen hundertstündigen La Salle Conversation Classroom (»Werden Sie zweisprachig – in fünf Tagen«, lautete die Anordnung seitlich auf der Box. »So sind Sie der Star bei jeder Dinnerparty.«).

Mit der nervösen Vorfreude, »die man nur empfindet, wenn man sich von seinem persönlichen Gepäck trennen muss und sich an die dürre Hoffnung klammert, dass man nach einer Reise von zweitausend Meilen wieder mit ihm zusammenkommen wird«, gingen Dad und ich am Abend des 20. Dezember auf dem Hartsfield Airport in Atlanta an Bord der Air-France-Maschine und landeten an einem kalten, nieseligen Nachmittag des 21. Dezember auf dem Flughafen Charles de Gaulle in Paris (siehe *Orientierung, 1890–1897*, Swithin, 1898, S. 11).

Wir waren erst für den Sechsundzwanzigsten mit Baba au Rhum verabredet (Baba besuchte angeblich seine Familie in Südfrankreich), deshalb verbrachten wir die ersten fünf Tage allein in Paris, ähnlich wie in den alten Volvo-Tagen, redeten mit keinem, nur miteinander, und merkten es nicht einmal.

Wir aßen Crêpes und Coq au vin. Abends speisten wir in teuren Restaurants, von denen aus man lauter Sehenswürdigkeiten und

Männer mit leuchtenden Augen sah, die hinter Frauen herflatterten wie in Käfige eingesperrte Vögel, die irgendwo ein winziges Loch zu entdecken hofften, durch das sie fliehen könnten. Nach dem Essen vergruben Dad und ich uns in einem Jazzclub, etwa im *Au Caveau de le Huchette*, einem verrauchten Kellergewölbe, in dem man sich mucksmäuschenstill verhalten und gleichzeitig wie ein Coonhound aufpassen musste, während das Jazztrio (die Gesichter so schweißnass, dass sie mit Crisco-Pflanzenfett eingerieben sein mussten) mit geschlossenen Augen Rips und Riffs und Warps spielte und die Finger wie Spinnen über Tasten und Saiten eilten, mehr als dreieinhalb Stunden lang. Nach Aussage unserer Kellnerin war dieses Lokal Jim Morrisons Lieblingsclub gewesen, und genau in der dunklen Ecke, in der Dad und ich jetzt saßen, hatte er sich Heroin in die Adern gejagt.

»Wir würden gern an den Tisch da drüben umziehen, *s'il vous plaît*«, sagte Dad.

Trotz der spannenden Umgebung dachte ich die ganze Zeit an zu Hause, an die Nacht bei Hannah, an die seltsamen Geschichten, die sie mir erzählt hatte. Wie Swithin in *Der Stand der Dinge: 1901–1903* (1902) schrieb: »Während ein Mensch an einem Ort ist, denkt er an einen anderen. Er tanzt mit einer Frau und sehnt sich automatisch danach, die ruhige Rundung einer anderen nackten Schulter zu sehen; niemals zufrieden zu sein, niemals mit Körper und Geist heiter und gelassen an *einem* einzigen Ort angekommen zu sein – das ist der Fluch der menschlichen Rasse!« (S. 513).

Es stimmte. Ich war zwar ganz zufrieden (vor allem in den Momenten, wenn Dad nicht merkte, dass ein Stückchen Éclair in seinem Mundwinkel hing, oder wenn er einen Satz in »perfektem« Französisch vortrug und dafür nur verwirrte Blicke erntete), aber nachts lag ich oft wach und machte mir Sorgen um die anderen. Und – das gebe ich nur ungern zu, weil es besser gewesen wäre, wenn das, was Hannah mir erzählt hatte, einfach an mir abgeprallt wäre – ich konnte nicht anders, als sie in einem neuen Licht zu sehen, einer grellen Deckenbeleuchtung, in der sie erschreckend viel Ähnlichkeit mit den verwahrlosten Straßenkindern hatten, die den Chor »Consider Yourself!« in *Oliver!* sangen, einem Film, den Dad und ich uns an einem lahmen Abend in Wyoming mit salzigem Popcorn angeschaut hatten.

Nach solchen Nächten drückte ich Dads Arm ein bisschen fester, wenn wir vor den Autos quer über die Champs Élysées rannten, lachte ein bisschen lauter über seine Kommentare zu fetten Amerikanern in Khakihosen, wenn ein fetter Amerikaner in Khakihosen die Bedienung in der Pâtisserie fragte, wo die Toilette sei. Ich begann, mich so zu benehmen wie jemand, der eine schlechte Prognose hat, ich musterte Dads Gesicht immer ganz genau, war den Tränen nah, wenn ich die vielen feinen Fältchen um seine Augen sah oder den schwarzen Punkt in seiner linken Iris oder die abgewetzten Ärmel seiner Kordsamtjacke – ein direktes Resultat meiner Kindheit, weil ich ihn immer am Ärmel gezupft hatte. Ich dankte Gott für diese staubigen Details, diese Dinge, die sonst niemand bemerkte, weil sie, zart wie Spinnweben und Bindfäden, das Einzige waren, was mich von *denen* trennte.

Ich musste mehr an die anderen gedacht haben, als mir bewusst war, denn sie hatten immer wieder kurze Auftritte à la Hitchcock. Jade sah ich bei unzähligen Gelegenheiten. Da ging sie, direkt vor uns, mit hoheitsvollen Schritten die Rue Danton entlang – weizenblondierte Haare, grellroter Lippenstift, Kaugummi und Jeans –, perfekte jademäßige Arroganz. Und da war Charles, der schmale, missmutige blonde Junge, der im Café Ciseaux mit dem Tresen verschmolz, während er seinen Kaffee trank, und der arme Milton, wie er mit Rucksack und Blockflöte vor der Metrostation Odéon gestrandet war. Mit krummen Fingern spielte er ein wehmütiges Weihnachtslied – irgendeine traurige Melodie, die aus vier Tönen bestand –, seine Füße wund, seine Haut schwer wie eine nasse Jeans.

Auch Hannah hatte einen kurzen Auftritt, und zwar bei dem einzigen Ereignis während unseres Aufenthalts, das Dad nicht geplant hatte (jedenfalls meines Wissens nicht). Am 26. Dezember gab es ganz frühmorgens einen Bombenalarm. Sirenen heulten, in den Fluren blinkten alle Lichter, sämtliche Hotelgäste und auch die Angestellten – in Morgenmänteln, mit kahlen Köpfen und nacktem Oberkörper – wurden auf die Place Vendôme gekippt wie Sahne in eine

Kartoffelsuppe aus der Dose. Die reibungslose Effizienz, die unfehlbare Zuverlässigkeit, die das gesamte Personal des Ritz sonst kennzeichnete, stellte sich als fadenscheinige Zauberformel heraus, die nur galt, wenn die Leute *im* Hotel waren. Wenn man sie ins nächtliche Dunkel schickte, verwandelten sie sich in zitternde kleine Menschen mit roten Augen, schnupfigen Nasen und zerzausten Haaren.

Natürlich fand Dad dieses dramatische Zwischenspiel sehr aufregend, und während wir auf das Eintreffen des Löschzugs warteten (»Bestimmt kommen wir in France 2«, spekulierte Dad strahlend), sah ich vor einem wachsbleichen Pagen, der in einen erbsengrünen Schlabber-Seidenpyjama gehüllt war, Hannah Schneider. Sie war viel älter, immer noch schlank, aber ihre Schönheit war größtenteils verblasst. Die Ärmel ihres Schlafanzugs hatte sie aufgerollt wie ein Lastwagenfahrer.

»Was ist eigentlich los?«, fragte sie.

»Äh«, sagte der verängstigte Page. »*Je ne sais pas, Madame.*«

»Was soll das heißen, *tu ne sais pas*?«

»*Je ne sais pas.*«

»Weiß irgendjemand hier irgendetwas? Oder seid ihr alle nur ein paar *Frogs* auf einem Seerosenteich?«

(Die Bombendrohung war, wie sich zu Dads Verdruss herausstellte, nichts anderes als eine Art Kurzschluss, also schliefen wir anschließend noch eine Weile, und als wir dann aufwachten, das letzte Mal im Hotel, erwartete uns ein kostenloses Frühstück in unserer Suite und eine Karte mit Goldaufdruck, eine höfliche Entschuldigung für *le dérangement*.)

* * *

An dem windigen grauen Nachmittag des Sechsundzwanzigsten verabschiedeten wir uns vom Ritz und schleppten unsere Koffer quer durch die Stadt zu Baba au Rhums Sieben-Zimmer-Wohnung, welche die beiden obersten Stockwerke eines Gebäudes aus dem siebzehnten Jahrhundert auf der Île St. Louis belegte.

»Nicht übel, was?«, fragte Servo. »Ja, die Mädchen fanden es toll, in dieser alten *Hütte* aufzuwachsen. Ihre französischen Freunde wollten jedes Wochenende herkommen, man ist sie gar nicht mehr *los*geworden. Wie gefällt euch Paris, mmmm?«

»Es ist un–«

»Elektra mag Paris gar nicht. Sie findet Monte Carlo besser. Und ich stimme ihr zu. Uns Parisern machen die Touristen das Leben schwer, und Monte ist ein Vergnügungspark, in den man nur reinkommt, wenn man – na, sagen wir mal, eine Million hat oder besser noch zwei. Ich habe den ganzen Vormittag mit Elektra telefoniert. Sie ruft mich an. ›Daddy‹, sagt sie, ›Daddy, sie wollen mich an der Botschaft.‹ Bei dem Gehalt, das sie ihr anbieten, falle ich vom Stuhl! Gerade mal neunzehn, hat drei Klassen übersprungen. In Yale liebt man sie ohne Ende. Psyche ebenfalls. Sie hat gerade angefangen. Und sie wollen sie für all diese Modelsachen, im Sommer modelt sie immer Topjobs. Hat schon genug Geld gemacht, um sich eins dieser kleinen Länder im Pazifik zu kaufen, und wie heißt er gleich noch, der Typ mit der Unterwäsche, Calvin Klein, hat sich wahnsinnig in sie verliebt. Mit neun hat sie geschrieben wie Balzac. Ihre Lehrer haben immer geweint, wenn sie ihre Texte gelesen haben, sie haben uns gesagt, dieses Mädchen ist eine *Dichterin*. Und als Dichterin wirst du geboren, du wirst nicht dazu gemacht. Nur eine pro, wie heißt es immer? Mmmm? Pro Jahrhundert.«

Dr. Michael Servo Kouropoulos war ein extrem gebräunter Grieche mit vielen Meinungen, Geschichten und Doppelkinnen. Er hatte Übergewicht, war Mitte bis Ende sechzig, mit weißen Schafshaaren und stumpfen braunen Augen, die nie aufhörten, im Zimmer herumzukullern. Er schwitzte, litt an dem seltsamen Tic, sich erst auf die Brust zu schlagen und sich dann mit kreisenden Bewegungen die Brust zu reiben, verband seine Sätze gern mit einem tiefen »Mmmm« und behandelte normale Gespräche, bei denen es nicht um seine Familie ging, wie termitenverseuchte Häuser, die unter allen Umständen durch eine neue Geschichte von Elektra oder Psyche von den kleinen Tierchen befreit werden mussten. Er bewegte sich hektisch, obwohl er humpelte und einen Holzstock verwendete, der, nachdem er ihn gegen irgendeine Theke gelehnt hatte, während er ein *Pain au chocolat* bestellte, mit schöner Regelmäßigkeit auf den Boden knallte und dabei gelegentlich Leute am Schienbein oder am Fuß traf. (»Mmmm? Oh, Gott – *excusez-moi*.«)

»Er humpelt seit jeher«, sagte Dad. »Schon als wir in Harvard waren.«

Wie sich zeigte, konnte Servo es überhaupt nicht ausstehen, wenn man ihn fotografierte. Als ich meine Einwegkamera das erste Mal aus dem Rucksack holte, hielt er sich die Hand vors Gesicht und weigerte sich, sie wegzunehmen. »Mmmmm, nein. Ich bin nicht fotogen.« Das zweite Mal verschwand er zehn Minuten lang auf der Toilette. »Entschuldige, ich will dich nicht beim Fotografieren stören, aber ich muss einem Ruf der Natur folgen.« Beim dritten Mal brachte er die abgedroschene Information vor, die alle Leute so gern über die Massai verbreiten, um ihre Sensibilität zu zeigen und um zu beweisen, wie gut sie sich in primitive Kulturen einfühlen können: »Sie sagen, es stiehlt die Seele. Ich möchte lieber kein Risiko eingehen.« (Dieser Kenntnisstand war längst überholt. Dad hatte eine Weile im Great Rift Valley gelebt und sagte, für fünf Dollar kann man den meisten Massai unter fünfundsiebzig die Seele stehlen, so oft man will.)

Ich fragte Dad, was Servos Problem sei.

»Ich bin mir nicht sicher. Aber ich würde mich nicht wundern, wenn er wegen Steuerhinterziehung gesucht würde.«

Warum Dad sich bewusst dafür entschieden hatte, fünf Minuten mit diesem Mann zu verbringen, überstieg meine Vorstellungskraft. Ganz zu schweigen von *sechs Tagen!* Die beiden waren nicht befreundet. Im Gegenteil, sie schienen einander zu hassen.

Die Mahlzeiten mit Baba au Rhum waren alles andere als erfreulich. Sie waren ausgedehnte Folterveranstaltungen. Nachdem er seinen Rinderschmorbraten oder seine Lammkeule zerlegt hatte, war er immer über und über verschmiert. Ich wünschte mir oft, er hätte die etwas unfeine, aber doch sehr praktische Vorsichtsmaßnahme ergriffen und sich die Serviette umgebunden. Seine Hände führten sich auf wie fette, erschrockene Tigerkatzen. Ohne Vorwarnung sprangen sie einen Meter über den Tisch, um sich den Salzstreuer oder die Weinflasche zu krallen. (Er goss immer zuerst sich selbst ein und dann, in einem müden zweiten Schritt, Dad.)

Am schlimmsten fand ich bei diesen Mahlzeiten allerdings nicht seine Tischmanieren, sondern den ständigen verbalen Schlagabtausch. Während der Vorspeise, manchmal sogar schon davor, verwickelten sich Dad und Servo in einen seltsamen Hörnerkampf, eine männliche Auseinandersetzung um die Vorherrschaft, verbreitet unter brünstigen Elchbullen und den Hirschkäfern mit ihrem Mandibelgeweih.

Aus meiner Sicht entsprang diese Konkurrenz Servos subtilen Anspielungen, es sei zwar schön und gut, dass Dad ein Genie erzogen habe (»Wenn wir nach Hause kommen, erwarten uns gute Nachrichten aus Harvard, hat mir ein kleines Vögelchen ins Ohr gezwitschert«, verkündete Dad beim Nachtisch im Lapérouse), aber er, Dr. Michael Servo Kouropoulos, berühmter Professor für *littérature archaïque*, habe *zwei Genies* großgezogen (»Psyche wurde von der NASA für die Apollo V Mission 2014 angeworben. Ich würde dir gern mehr davon erzählen, aber diese Dinge sind alle unter Verschluss. Ich muss schweigen wegen Psyche und auch der im Abstieg begriffenen Supermacht zuliebe, mmmm ...«).

Nach einer längeren Wörterschlacht zeigte Dad Ermüdungserscheinungen – das heißt, bis er Servos Achillesferse entdeckte, einen enttäuschenden jüngeren Sohn, der den Namen Atlas trug, ein Name, der aber leider gar nicht zu ihm passte, weil er nicht nur unfähig war, die Welt zu tragen – nein, er schaffte es nicht einmal, die Anfängerkurse an der Río Grande Universidad in Cuervo, Mexiko, zu schultern. Dad zwang Servo zuzugeben, dass der arme Junge sich jetzt irgendwo in Südamerika herumtrieb.

Ich bemühte mich, diese Gefechte, so gut ich nur konnte, zu ignorieren, und meine Zeit damit zu verbringen, möglichst adrett zu essen und weiße Flaggen zu hissen, indem ich apologetische Blicke an die genervten Kellner und die genervten Gäste in unserem näheren Umfeld schickte. Erst als es nach einem Patt aussah, besänftigte ich Dad.

»›Wir lieben die Kunst mit maßvoller Zucht, wir lieben den Geist ohne schlaffe Trägheit; Reichtum dient uns der rechten Tat, nicht dem prunkenden Wort, und seine Armut einzugestehen ist für niemanden schmählich‹«, sagte ich so getragen, wie ich nur konnte, nach Servos fünfundvierzigminütiger Ansprache über den berühmten Sohn eines Milliardärs (Servo konnte keine Namen nennen), der sich 1996 in Cannes unsterblich in die braun gebrannte zwölfjährige Elektra verliebt hatte, als diese am Strand saß und Sandburgen baute, mit einem ungewöhnlichen Gespür für modernes Design und einem Blick für dessen Umsetzung, der an Mies van der Rohe denken ließ. Der begehrteste Junggeselle der Welt war so überwältigt, dass Servo schon fürchtete, er müsste eine einstweilige Verfügung erwirken, damit der junge Mann und seine 120-Meter-Yacht (die er *Elektra* umtaufen wollte, so drohte er, samt Pilates-Raum und Hubschrauberlandeplatz) fünfhundert Meter Abstand von dem bezaubernden Mädchen einhalten mussten.

Die Hände im Schoß gefaltet, neigte ich den Kopf und schickte den machtvollen Blick der Allwissenheit durch den Raum, einen Blick, der an die Tauben erinnerte, die Noah aus der Arche schickte und an die, die mit dem Ölzweig zurückkehrte.

»Schreibt Thukydides in Buch 2«, wisperte ich.

Baba au Rhum fielen fast die Augen aus dem Kopf.

Nach drei Tagen mit solchen Horrormahlzeiten schloss ich aus dem besiegten Ausdruck in Dads Augen, dass er zum selben Schluss gekommen war wie ich, nämlich dass wir uns eine andere Unterkunft suchen sollten, denn es war ja okay, dass die beiden in Harvard Schlaghosen und Koteletten getragen hatten, aber dies war die Ära der Ohs, die Epoche der ernsthaften Frisuren und der Zigarettenhosen. Gute Freunde in Harvard Ende der siebziger Jahre, mit Hemden aus indischer Baumwolle und einer allgemeinen Vorliebe für Clogs und Clip-on-Hosenträger, waren jedenfalls nicht besser als oder so gut wie Freunde *jetzt*, mit knapp sitzenden Hemden aus einer Baumwollmischung und mit einer allgemeinen Vorliebe für Collagen und Clip-on-Headsets, damit man die Hände frei hatte, wenn man Befehle erteilte.

Ich hatte mich allerdings geirrt. Dad war einer effizienten Gehirnwäsche unterzogen worden (siehe »Hearst, Patty«, *Almanach der Rebellen und Aufständischen*, Skye, 1987). Er verkündete gut gelaunt, er werde den *ganzen Tag* mit Servo an der Sorbonne verbringen. Dort war eine Professorenstelle ausgeschrieben, die wie auf Dad zugeschnitten schien, wenn ich dann in Harvard festsaß, und da ich es ja sicher blöd finden würde, einen ganzen Tag mit irgendwelchen Dozenten zu plaudern, wurde mir nahegelegt, mich allein zu beschäftigen. Dad gab mir dreihundert Euro, seine Mastercard, einen Schlüssel zu Servos Wohnung, schrieb Servos Telefon- und Handynummer auf ein Stück Millimeterpapier. Um halb acht wollten wir uns im Le Georges, dem Restaurant oben im Centre Pompidou, wiedertreffen.

»Das ist ein Abenteuer«, sagte Dad mit falschem Enthusiasmus. »Schreibt nicht Balzac in *Verlorene Illusionen*, dass man Paris nur auf *eine* Art richtig erkunden kann, nämlich allein?« (Balzac hat nie etwas Derartiges geschrieben.)

Anfangs war ich erleichtert, dass ich die beiden los war. Dad und Baba au Rhum konnten sich gegenseitig unterhalten. Aber nachdem ich sechs Stunden durch die Straßen und durch das Musée d'Orsay gelaufen war, mich mit Croissants und Tartes vollgestopft und mir zwischendurch ausgemalt hatte, eine junge Herzogin inkognito zu sein (»Der begabte Reisende kann nicht umhin, sich eine Reise-Persona zuzulegen«, schreibt Swithin in *Besitztümer, 1910* [1911]. »Während er zu Hause ein absolut durchschnittlicher Ehemann sein kann, wie Krethi und Plethi, einer von hunderttausend langweiligen Finanziers im Anzug, kann er im Ausland so majestätisch sein, wie er es sich wünscht.«), hatte ich Blasen an den Füßen. Ich hatte ein Zuckertief, ich fühlte mich ausgelaugt und war überhaupt irgendwie sauer. Ich beschloss, in Servos Wohnung zu gehen, um (mit mehr als nur ein bisschen Genugtuung) die Gelegenheit zu nutzen und mir ein paar von Baba au Rhums privaten Besitztümern näher anzusehen. Vor allem wollte ich irgendein verstecktes Fooo-to auftreiben, hinten in einer Sockenschublade, das bewies, dass seine Töchter nicht die makellosen Olympierinnen waren, als die ihr Vater sie ausgab, sondern lasche, pickelige Sterbliche, mit glanzlosen, tief in den Höhlen liegenden Augen und mit langen, schiefen Mündern, die aussahen wie Lakritzstangen.

Irgendwie hatte ich es geschafft, den ganzen Weg bis Pigalle zu Fuß zurückzulegen, aber jetzt nahm ich die erstbeste Metrostation, stieg an der Place de la Concorde um und ging bei St. Paul wieder nach oben. Auf der Treppe kam ich an einem Mann und einer Frau vorbei, die rasch die Treppe hinuntergingen. Ich blieb abrupt stehen und schaute ihnen nach. Die Frau gehörte zu diesen kleinen, dunklen, sehr ernst aussehenden weiblichen Wesen, die nicht *gingen*, sondern *mähten*, mit kinnlangen braunen Haaren und einem eckigen grünen Mantel. Der Mann war ein ganzes Stück größer als sie, Jeans, Bomberjacke aus Wildleder, und während sie auf ihn einredete – Französisch, wie es schien –, lachte er, ein lautes, aber unglaublich lethargisches Geräusch, das Lachen eines Menschen, der in einer Hängematte in der Sonne liegt. Er griff in seine Hintertasche nach seinem Ticket.

Andreo Verduga.

Ich muss den Namen geflüstert haben, denn eine ältere Französin mit einem geblümten Schal um das verwelkte Gesicht warf mir einen verächtlichen Blick zu, als sie sich an mir vorbeidrängte. Mit angehaltenem Atem rannte ich die Treppe wieder hinunter, ihnen nach, stieß gegen einen Mann, der einen leeren Kinderwagen zum Ausgang schob. Andreo und die Frau waren schon durch die Schranke, und ich wäre ihnen gefolgt, aber ich hatte nur eine einfache Fahrkarte gelöst, und am Schalter warteten vier Personen. Ich konnte das Brausen des herannahenden Zuges hören. Die beiden blieben stehen, ein Stück rechts, Andreo mit dem Rücken zu mir, Frau Grünmantel ihm gegenüber, sie hörte ihm zu, wahrscheinlich sagte er so etwas wie JA STOP VERSTEHE WAS DU MEINST STOP (OUI ARRETTE JE COMPRENDS ARRETTE), und dann raste der Zug herein, ächzend öffneten sich die Türen, und Andreo wandte sich um, ließ als Kavalier Grünmantel zuerst einsteigen, und als er selbst den Wagen betrat, erhaschte ich einen Splitter seines Profils.

Klatschende Türen, der Zug rülpste und fuhr aus der Métrostation.

Benommen wanderte ich zu Servos Wohnung. Er konnte es nicht gewesen sein, nein, wirklich nicht. Ich war wie Jade und machte die Dinge exotischer, als sie waren. Außerdem dachte ich, ich hätte eine schwere silberne Uhr locker an seinem Handgelenk hängen sehen, als er seine Jacke öffnete, während er die Stufen hinuntereilte, und Andreo, der Gärtner, Andreo-mit-der-Schusswunde-und-dem-gebrochenen-Englisch, konnte unmöglich so eine Uhr besitzen, es sei denn, er wäre in den drei Jahren, in denen ich ihn nicht gesehen hatte (die Wal-Mart-Begegnung nicht mitgerechnet) ein erfolgreicher Unternehmer geworden oder er hätte ein kleines Vermögen von einem entfernten Verwandten in Lima geerbt. Und doch – der Gesichtsausschnitt, den ich gesehen hatte, die vorbeieilende Gestalt auf der Treppe, das Muskel-Eau-de-Cologne, das hinter ihm hergeschlendert war wie aufgeblasene gebräunte Männer auf einer Yacht – all das ergab, wenn man es addierte, etwas Reales. Vielleicht hatte ich gerade seinen Doppelgänger gesichtet. Schließlich hatte ich ja auch Jade und die anderen überall in der Stadt gesehen, und Allison Smithson-Caldona vertrat in ihrer unerbittlichen Studie über Doppelphänomene, *Das Zwillingsparadox und die Atomuhren* (1999), die etwas mystische Theorie, dass jeder einen Zwilling habe, der irgendwo auf der Erde herumspaziere, und versuchte, diese wissenschaftlich zu unterfüttern. Sie konnte bei dreien von fünfundzwanzig untersuchten Individuen einen Doppelgänger nachweisen, unabhängig von Nationalität oder ethnischer Zugehörigkeit (S. 250).

Als ich Servos Wohnungstür öffnete, hörte ich zu meiner Überraschung Dad und Servo im Salon gleich neben dem dunklen Vorraum. *Die Blüte war endlich von der Rose abgefallen*, dachte ich befriedigt. Sie stritten sich wie Punch und Judy.

»Absolut hysterisch wegen –« Das war Dad (Judy).

»Du kannst überhaupt nicht verstehen, was das eigentlich bedeutet –« Das war Servo (Punch).

»Ach, komm mir nicht mit – Du bist so hitzköpfig wie – lass schon, *lass* –«

»– *immer* zufrieden damit, dich hinter einem Rednerpult zu verstecken, nicht wahr?«

»– *du* benimmst dich wie ein hormongebeutelter Knabe in der Pubertät! Nimm mal lieber eine kalte Dusche, sonst –«

Sie mussten die Wohnungstür gehört haben (obwohl ich mich bemühte, sie leise zu schließen), denn ihre Stimmen verstummten, als hätte eine große Axt ihre Wörter abgehackt. Eine Sekunde später erschien Dads Kopf im Türrahmen.

»Sweet«, sagte er lächelnd. »Wie war das Sightseeing?«

»Schön.«

Servos weißer Rundschädel tauchte neben Dads linkem Ellbogen auf. Sein Gesicht glänzte wie ein gebuttertes Backblech, und seine schimmernden Roulette-Augen tippelten unablässig über mein Gesicht. Er sagte kein Wort, aber seine Lippen zuckten sichtlich irritiert, als seien unsichtbare Fäden an seine Mundwinkel geknüpft, an deren Ende ein kleines Kind zupft.

»Ich will mich ein bisschen hinlegen«, sagte ich strahlend. »Ich bin erschöpft.«

Ich zog den Mantel aus, ließ meinen Rucksack auf den Boden fallen und ging mit einem unbeteiligten Lächeln die Treppe hinauf. Ich hatte vor, die Schuhe auszuziehen, vorsichtig wieder ins Untergeschoss zu schleichen, ihre hitzige Diskussion zu belauschen, die mit erbostem Gezische wieder aufgegriffen wurde (hoffentlich nicht auf Griechisch oder in irgendeiner anderen unverständlichen Sprache) –, aber als ich nach unten kam und in Socken stocksteif auf der untersten Stufe stehen blieb, hörte ich, wie sie in der Küche herumwirtschafteten und sich über nichts Schlimmeres angifteten als über den Unterschied zwischen Absinth und Anisette.

* * *

Abends beschlossen wir, doch nicht ins Le Georges zu gehen. Es regnete, also blieben wir zu Hause, guckten Canal Plus, aßen Hühnchenreste und spielten Scrabble. Dad platzte vor Stolz, weil ich zwei Spiele nacheinander gewann, Hologramm und Monokel als Gnadenstöße, was Servo (der behauptete, das Cambridge Dictionary irre sich – in Großbritannien schreibe man tatsächlich »lisence« und nicht »license«, da sei er sich ganz sicher) purpurrot anlaufen ließ und ihn dazu brachte zu behaupten, Elektra sei die Präsidentin des Debattierclubs in Yale und er selbst habe sich noch nicht ganz von der Grippe erholt.

Ich hatte es noch nicht geschafft, Dad allein zu sprechen, und obwohl es schon Mitternacht war, wirkte keiner der beiden irgendwie abgeschlafft. Und bedauerlicherweise waren auch keine Spuren von Verbitterung mehr festzustellen. Baba saß zufrieden in seinem großen roten Sessel, *sans* Schuhe und Socken, seine plumpen roten Füße auf einem großen Samtkissen (Kalbskoteletts für einen König). Ich musste mich also auf meinen Ein-bisschen-Brot-ein-bisschen-Kruste-ein-Krümel-Blick verlegen, den Dad allerdings nicht bemerkte, weil er mit gerunzelter Stirn auf seine Buchstabenreihe schaute, also griff ich zu meinem Ein-sterbender-Tiger-bettelt-stöhnend-um-etwas-Wasser-Blick, und als der ebenfalls wirkungslos verpuffte, kam Ein-Tag!-Hilfe!-Hilfe!-Ein-neuer-Tag!

Endlich verkündete Dad, er werde mich zu Bett bringen.

»Worüber habt ihr euch gestritten, als ich gekommen bin?«, fragte ich ihn, als wir oben waren, allein in meinem Zimmer.

»Es wäre mir lieber, du hättest das nicht gehört.« Dad vergrub die Hände in den Taschen und schaute aus dem Fenster, wo der Regen mit seinen Fingernägeln aufs Dach zu trommeln schien. »Zwischen Servo und mir gibt es viele verlorene Koffer – Sachen, die am falschen Ort gelandet sind, sozusagen. Wir denken beide, der andere ist daran schuld.«

»Warum hast du zu ihm gesagt, er benimmt sich wie ein hormongebeutelter Knabe in der Pubertät?«

Dad fühlte sich sichtlich unwohl. »Habe ich das gesagt?«

Ich nickte.

»Was habe ich sonst noch gesagt?«

»Das ist eigentlich alles, was ich gehört habe.«

Dad seufzte. »Das Ding mit Servo ist – jeder hat ein Ding, aber trotzdem, das Ding mit Servo ist – alles wird zu einem olympischen

Wettstreit. Er genießt es, Leute in eine Falle zu locken, sie in extrem unangenehme Situationen zu bringen und dann zuzusehen, wie sie scheitern. Er ist ein Idiot. Und jetzt hat er diese absurde Idee, dass ich wieder heiraten soll. Natürlich habe ich ihm gesagt, er ist albern, es geht ihn nichts an, die Welt dreht sich nicht um solche gesellschaftlichen –«

»Ist *er* verheiratet?«

Dad schüttelte den Kopf. »Seit Jahren nicht mehr. Und weißt du was? Ich kann mich nicht einmal daran erinnern, was mit Sophie passierte.«

»Sie ist im Irrenhaus.«

»Nein, nein.« Dad grinste. »Wenn er unter Kontrolle ist und die Parameter feststehen, ist er harmlos. Gelegentlich sogar nett.«

»Also, ich kann ihn nicht leiden«, erklärte ich.

Ich verwendete selten, eigentlich so gut wie nie solche nöligen Einzeiler. Man brauchte ein starkes, erfahrenes, ein Es-geht-einfach-nicht-anders-Gesicht, um sie mit Autorität vorzutragen (siehe Charlton Heston *Die zehn Gebote*). Manchmal aber, wenn man keinen vernünftigen Grund hatte für das, was man sagen wollte – wenn man einfach nur ein *Gefühl* hatte, dann *musste* man sie einsetzen, egal, was für ein Gesicht man machte.

Dad setzte sich auf die Bettkante. »Ich nehme an, da kann ich nicht widersprechen. Man kann nur ein gewisses Maß an eitler Selbstüberschätzung ertragen, bevor einem schlecht wird. Und ich bin ja auch ein bisschen sauer. Als wir heute Morgen in der Sorbonne waren, ich mit meiner Aktentasche voller Notizen und Essays und mit meinem Lebenslauf – wie ein Trottel –, da stellte sich heraus, dass es überhaupt keine freie Stelle gab, obwohl er es behauptet hatte. Nein, ein Lateinprofessor hatte einen Antrag gestellt, im Herbst drei Monate freigestellt zu werden, mehr nicht. Aber dann kam der eigentliche Grund, weshalb wir zur Uni gegangen waren – er versuchte eine geschlagene Stunde lang, mich zu überreden, Florence mit-dem-gutturalen-R zum Essen einzuladen, irgendeine *femme*, die als die führende Expertin für Simone de Beauvoir gilt – von allen höllischen Dingen ausgerechnet Expertin *dafür* – eine Frau mit mehr Eyeliner als Rudolph Valentino. Ich war stundenlang in ihrem kryptamäßigen Büro gefangen. Als ich gegangen bin, war ich nicht verliebt, sondern hatte Lungenkrebs. Die Frau hat eine Zigarette nach der anderen gepafft wie nichts Gutes.«

»Ich glaube nicht, dass er Kinder hat«, sagte ich mit gedämpfter Stimme. »Höchstens vielleicht den Sohn im kolumbianischen Regenwald. Aber die anderen erfindet er, glaube ich.«

Dad legte die Stirn in Falten. »Servo hat Kinder.«

»Kennst du sie?«

Er überlegte. »Nein.«

»Hast du je Bilder gesehen?«

Er legte den Kopf schief. »Nein.«

»Sie sind Phantasieprodukte.«

Dad lachte.

Und dann wollte ich ihm schon von dem anderen unwahrscheinlichen Vorfall des heutigen Tages erzählen. Von Andreo Verduga in der Wildlederjacke und der Silberuhr, auf dem Weg zur Métro. Aber ich bremste mich. Ich merkte, wie abwegig es war, was für ein Zufall, und bei dem Gedanken, ganz ernsthaft davon zu berichten, kam ich mir blöd vor – fast tragisch. »Es ist liebenswert und auf gesunde Weise kindlich, insgeheim an Märchen zu glauben, aber in dem Moment, in dem man solche Gedanken anderen Menschen mitteilt, wird man vom Darling zum Dumbo, von kindlich zu befremdlich, weit weg von der Wirklichkeit«, schrieb Albert Pooley in *Der Prinzgemahl der Dairy Queen* (S. 233, 1981).

»Können wir nach Hause fahren?«, fragte ich leise.

Zu meiner Verblüffung nickte Dad. »Ich habe mir heute Nachmittag, nach meinem Disput mit Servo, auch schon überlegt, ob ich dir diese Frage stellen soll. Ich finde, wir haben genug la vie en rose gehabt, was meinst du? Ich persönlich ziehe es vor, das Leben so zu sehen, wie es ist.« Er lächelte. »*En noir.*«

* * *

Dad und ich verabschiedeten uns von Servo, von Paris. Zwei Tage vor unserer geplanten Abreise. Vielleicht war es gar nicht so unglaublich, dass Dad die Luftfahrtgesellschaft anrief und den Flug umbuchte. Er sah erschöpft aus, hatte blutunterlaufene Augen, in seiner Stimme schwang immer ein Seufzen mit. Und zum ersten Mal, seit ich denken konnte, hatte Dad sehr wenig zu sagen, als er Baba au Rhum auf Wiedersehen sagte. Er brachte nur ein flaches Dankeschön und ein Bis bald heraus, bevor er ins wartende Taxi stieg.

Ich nahm mir jedoch ein bisschen mehr Zeit.

»Ich freue mich schon darauf, beim nächsten Mal Psyche und Elektra persönlich kennenzulernen«, sagte ich und schaute dem Mann unverwandt in die löchrigen Augen. Ich hatte fast schon Mitleid mit ihm: Die borstigen weißen Haare standen von seinem Kopf ab wie eine Pflanze, die nicht einmal annähernd genug Wasser und Licht bekommt. Um seine Nase herum breiteten sich feine rote Äderchen aus. Wenn Servo in einem Pulitzerpreis-Theaterstück auftreten würde, hätte er die tragische Rolle: Der Mann in den bronzefarbenen Anzügen und den Schuhen aus Krokodilleder, der immer das Falsche will und deshalb vom Leben in die Knie gezwungen werden muss.

»›Unser wirkliches Leben ist so oft das Leben, das wir nicht führen‹«, fügte ich noch hinzu, als ich mich zum Taxi wandte, aber er blinzelte nur kurz, und das nervöse, hinterhältige Lächeln zuckte wieder über sein Gesicht.

»Bis dann, meine Liebe, mmmm, guten Flug.«

Auf der Fahrt zum Flughafen sagte Dad kaum ein Wort. Er lehnte den Kopf ans Taxifenster und schaute traurig hinaus auf die vorbeisausenden Straßen – eine derart ungewöhnliche Pose für ihn, dass ich heimlich die Einwegkamera aus meiner Tasche holte, und als der Taxifahrer irgendwelche Passanten anblaffte, die an einer Kreuzung vor uns über die Straße rannten, fotografierte ich ihn, das letzte Bild auf dem Film.

Es heißt, wenn Leute nicht merken, dass man sie knipst, dann sehen sie so aus wie in Wirklichkeit. Dad wusste nicht, dass ich ihn

Abbildung 18.0

fotografierte, aber er sah so aus wie sonst nie – still, einsam, irgendwie verloren (Abbildung 18.0).

»So weit man auch reist, so viel man auch sieht, von den Minaretten des Tadsch Mahal bis zur sibirischen Steppe, man kommt schließlich doch zu einer bedauerlichen Schlussfolgerung – meistens, während man im Bett liegt und zum strohgedeckten Dach einer bescheidenen Unterkunft in Indochina hinaufblickt«, schreibt Swithin in seinem letzten Buch, dem posthum veröffentlichten *Aufenthaltsorte, 1917* (1918). »Es ist unmöglich, das erbarmungslose, hartnäckige Fieber loszuwerden, das man allgemein unter dem Namen Heimat kennt. Nach dreiundsiebzig Jahren der Qual habe ich jedoch eine Kur gefunden. Man muss wieder nach Hause gehen, die Zähne zusammenbeißen und, auch wenn es noch so mühselig ist, zu Hause ohne jede Beschönigung seine exakten Koordinaten determinieren, die Längen- und die Breitengrade. Erst dann hört man auf, zurückzublicken, und sieht die spektakuläre Aussicht, die vor einem liegt.«

Teil 3

Das Geheul und andere Gedichte

Bei meiner Rückkehr nach St. Gallway zu Beginn des Winterquartals fiel mir an Hannah als Erstes auf – das heißt, es fiel der ganzen Schule auf (»Ich glaube, die Frau ist während der Ferien in eine Anstalt eingewiesen worden«, vermutete Dee während der Stillarbeit) –, dass sie sich die Haare ganz kurz geschnitten hatte.

Nein, es war nicht eine dieser niedlichen Frisuren aus den fünfziger Jahren, die in Modezeitschriften als *chic* oder *knabenhaft* bezeichnet wurden (siehe Jean Seberg, *Bonjour Tristesse*). Ihre Frisur war streng und struppig. Und, wie Jade bemerkte, als wir bei Hannah zum Essen waren: Hinter dem rechten Ohr hatte sie sogar eine kahle Stelle.

»Was ist *das* denn?«, sagte Jade.

»Was?«, fragte Hannah und drehte sich blitzschnell um.

»Da ist ein – ein Loch in den Haaren! Man kann die Kopfhaut sehen!«

»Ehrlich?«

»Hast du dir die Haare selbst geschnitten?«, fragte Lu.

Hannah schaute uns unverwandt an, dann nickte sie, sichtlich verlegen. »Ja. Ich weiß, es ist verrückt, und es sieht – na ja – anders aus.« Sie fasste sich an den Nacken. »Aber es war spätabends. Ich wollte etwas ausprobieren.«

Der akute Masochismus und Selbsthass, der dahintersteckt, wenn eine Frau absichtlich ihr Aussehen entstellt, war ein Konzept, das eine zentrale Rolle spielte in dem wütenden Buch der Protofeministin Dr.

Susan Shorts, *Die Beelzebub-Verschwörung* (1992), das ich entdeckt hatte, weil es bei meiner Physiklehrerin in der sechsten Klasse, Mrs Joanna Perry von der Wheaton Hill Middle School, aus der L. L. Bean-Stofftasche herauslugte. Um Mrs Perry und ihre Launen besser verstehen zu können, beschaffte ich mir mein eigenes Exemplar. In Kapitel 5 vertritt Shorts die These, dass seit 1010 v. Chr. viele Frauen, die ein selbstbestimmtes Leben führen wollten und dabei scheiterten, gezwungen waren, sich selbst zu entstellen, weil ihr Äußeres das einzige Terrain war, auf dem sie unmittelbar »Macht ausüben« konnten. Der Grund war die »kolossale maskuline Verschwörung, die es seit Urbeginn gibt, seit der Mann auf zwei stämmigen, behaarten Beinen zu gehen begann und merkte, dass er größer war als die arme Frau«, schimpft Shorts (S. 41). Viele Frauen, darunter auch die heilige Johanna und Gräfin Alexandra di Whippa, »schnitten sich einfach die Haare ab« und verletzten sich selbst mit »Scheren und Messern« (S. 42–43). Die Radikaleren brannten sich mit einem heißen Eisen ein Zeichen in den Bauch, sehr zum »Ärger und Entsetzen ihrer Ehemänner« (S. 44). Und auf Seite 69 schreibt Shorts dann: »Eine Frau verunstaltet ihr Äußeres, weil sie glaubt, sie ist in etwas Größeres verwickelt, in eine Verschwörung, die sie nicht kontrollieren kann.«

Natürlich denkt man nie daran, feministische Texte in dem Alter zu verdammen, und selbst wenn man es tut, dann deswegen, weil man dramatisch und verrückt sein will. Also dachte ich einfach, dass es im Leben einer erwachsenen Frau einen Punkt gab, an dem sie ihr Äußeres radikal verändern musste, um herauszufinden, wie sie wirklich aussah, ohne den ganzen Firlefanz.

Dad zu dem Thema Verstehen, warum Frauen tun, was sie tun: »Man hat bessere Chancen, das Universum unter einen Daumennagel zu pressen.«

Und trotzdem – als ich beim Essen neben Hannah saß und zuschaute, wie sie mit graziösen Bewegungen ihr Hühnchen zerlegte (die Frisur saß kühn auf ihrem Kopf, wie ein scheußlicher Hut, den man in der Kirche trägt), hatte ich auf einmal das nervende Gefühl, dass ich sie schon einmal irgendwo gesehen hatte. Der Haarschnitt hatte den gleichen Effekt wie eine Leibesvisitation: Er legte sie auf eine Art bloß, dass ich instinktiv die Schultern hochzog, und die geschwungenen Wangenknochen, der Nacken – komischerweise war das alles jetzt vage vertraut. Ich kannte sie, nicht von einer realen Begegnung (nein, sie war nicht einer von Dads verflossenen Junikäfern; um *deren* Sorte Affengesichter zu kaschieren, war ein bisschen mehr nötig als eine glamouröse Frisur); das Gefühl war nebliger, weiter weg. Ich spürte vielmehr, dass ich sie irgendwo auf einem Foto gesehen hatte oder vielleicht auf einem Schnappschuss in einer Billig-Biographie, die Dad und ich uns gegenseitig laut vorgelesen hatten.

Sie merkte gleich, dass ich sie anschaute (Hannah gehörte zu den Leuten, die alle Augen im Zimmer unter Kontrolle hatten), und während sie sich vornehm einen Bissen in den Mund schob, drehte sie langsam den Kopf zu mir und lächelte. Charles redete ohne Punkt und Komma über Fort Lauderdale – mein Gott, war es da heiß, und dann saßen sie sechs Stunden auf dem Flughafen fest (wie immer erzählte er seine Endlosgeschichte so, als wäre Hannah der einzige Mensch am Tisch) –, und die Frisur lenkte die Aufmerksamkeit noch stärker auf ihr Lächeln, sie vergrößerte es enorm, so wie Brillen mit Colaflaschengläsern die Augen (auffallend, »RIIIIESIG«). Ich lächelte zurück und schaute für den Rest der Mahlzeit nur noch stur auf meinen Teller und warnte mich selbst mit Diktatorenstimme (Augusto Pinochet, der die Folterung eines politischen Gegners befiehlt), Hannah ja nicht mehr anzusehen.

Es war unhöflich.

* * *

»Hannah hat bestimmt demnächst einen Nervenzusammenbruch«, verkündete Jade tonlos am Freitagabend. Sie trug ein flirriges Zwanziger-Jahre-Kleid mit schwarzen Perlen und saß hinter einer riesengroßen Goldharfe, zupfte mit der einen Hand die Saiten, während sie in der anderen einen Martini hielt. Das Instrument war mit einer dicken Staubschicht bedeckt, wie der Fettfilm in einer Pfanne, nachdem man Speck gebraten hat. »Ich sag's euch!«

»Das sagst du schon das ganze scheiß Schuljahr«, sagte Milton.

»Gähn«, sagte Nigel.

»Ehrlich gesagt, ich glaube das irgendwie auch«, erklärte Leulah feierlich. »Die Frisur macht einem ja richtig Angst.«

»Endlich!«, rief Jade. »Ich habe eine Konvertitin! Ich habe eine, höre ich zwei, zwei, weiter, weiter, *verkauft* für den jämmerlichen Preis von *einer.*«

»Nein, im Ernst«, sagte Lu. »Ich glaube, sie ist depressiv, im pathologischen Sinn.«

»Halt die Klappe«, fuhr Charles sie an.

Es war elf Uhr nachts. Wir lagen auf den Ledersofas im Purple Room herum und tranken Leulahs neueste Kreation, ein Getränk, das sie *Kakerlake* nannte, eine Mischung aus Zucker, Orangen und Jack Daniels. Ich glaube, ich hatte den ganzen Abend keine zwanzig Wörter gesagt. Natürlich freute ich mich, die anderen wiederzusehen (und war dankbar, dass Dad, als Jade mich mit dem Mercedes abholte, nichts sagte außer »Bis später, meine Liebe«, begleitet von einem seiner Platzhalterlächeln, die meinen Platz freihielten, bis ich zurückkam), aber irgendetwas am Purple Room fühlte sich fade an.

Ich hatte mich an solchen Abenden sonst doch immer gut amüsiert, oder? Hatte ich nicht immer gelacht und ein bisschen *Kralle* oder *Kakerlake* auf meine Knie verschüttet und geistreiche Bemerkungen gemacht, die flott durch den Raum segelten? Oder wenn ich keine geistreichen Bemerkungen gemacht hatte (die van Meers waren nicht unbedingt für ihre Stand-up-Comedy bekannt), dann hatte ich mir doch erlaubt, mit teilnahmsloser Miene und Sonnenbrille auf einer Luftmatratze zu liegen und auf einem Pool zu treiben, während Simon und Garfunkel »Woo woo woo« jodelten, oder? Oder wenn ich mir nicht erlaubt hatte, mich teilnahmslos treiben zu lassen (die van Meers waren keine großen Pokerspieler), hatte ich mich dann nicht, wenigstens solange ich im Purple Room war, in einen Motorradrocker mit fettigen Haaren verwandelt, unterwegs nach New Orleans und auf der Suche nach dem wahren Amerika, begleitet von Ranchern, Nutten, Rednecks und Mimen? Oder wenn ich mich nicht in einen Motorradrocker verwandelt hatte (nein, die van Meers waren keine Hedonisten von Natur aus), hatte ich dann nicht ein gestreiftes T-Shirt getragen, mit einem dicken amerikanischen Akzent »*New York Herald Tribune*!« gerufen, die Augen rasant dick mit Eyeliner geschminkt, und mich dann mit einem kleinen Ganoven aus dem Staub gemacht?

Wenn man in Amerika jung und verwirrt war, musste man irgendetwas finden, wo man hingehörte. Dieses Irgendetwas musste entweder schockierend oder rowdyhaft sein, denn nur in diesem Chaos konnte man sich selbst finden, die eigene Identität lokalisieren, so wie Dad und ich immer winzige, kaum auffindbare Städte wie Howard, Louisiana, und Roane, New Jersey, auf unserer U.S.-Rand-McNally-Landkarte aufgespürt hatten. (Wenn man diese Identität nicht fand, dann endete das Leben bedauerlicherweise in Plastik.)

Hannah hat mich ruiniert, dachte ich jetzt, während ich meinen Hinterkopf in das Ledersofa presste. Ich hatte beschlossen, mitten im Nichts ein unmarkiertes Grab zu buddeln und alles, was sie mir gesagt hatte, darin zu verscharren (es in einen Schuhkarton packen, für Notzeiten aufbewahren, wie sie ihre Messersammlung), aber es war natürlich so: Wenn man etwas überstürzt unter die Erde brachte, stand es unweigerlich wieder von den Toten auf. Und während ich nun also zuschaute, wie Jade die Harfensaiten so hingebungsvoll zupfte wie Härchen aus den Augenbrauen, stellte ich mir vor, ob ich wollte oder nicht, wie sie ihre dünnen Ärmchen um die massigen Oberkörper verschiedener Lastwagenfahrer schlang (drei pro Staat, also betrug die Endsumme für ihre Fahrt von Georgia nach Kalifornien siebenundzwanzig ölverschmierte Gangschaltungskönige, grob gerechnet alle 107,41 Meilen einer). Als Leulah einen Schluck von ihrem Kakerlake trank und ihr ein paar Tropfen über das Kinn liefen, sah ich den türkischen Mathematiklehrer hinter ihr stehen, diesen Mittzwanziger, der sich ausschweifend zu anatolischer Rockmusik wiegte. Ich sah Charles als eins dieser goldenen Babys, die neben einer Frau herumgurgeln, die sich splitternackt auf dem Teppich zusammenrollt wie eine verkochte Krabbe, die Augen verdreht und wie verrückt irgendetwas angrinst. Und dann *Milton* (der gerade von seinem Filmdate mit Joalie zurückgekommen war, mit Joalie, die in den Weihnachtsferien mit ihrer Familie in St. Anton Ski gefahren war und leider nicht auf einem unausgeschilderten Weg in eine tiefe Schlucht gestürzt war) – als er in seiner Tasche nach einem Stück Trident kramte, dachte ich für den Bruchteil einer Sekunde, er würde ein Klappmesser herausholen, so ähnlich wie diese Dinger, mit denen die Sharks in der *West Side Story* tanzten, während sie sangen –.

»Kotz, was ist eigentlich mit dir los?«, wollte Jade wissen und musterte mich misstrauisch. »Du glotzt alle mit abgedrehten Augen an – *schon den ganzen Abend.* Du hast dich in den Ferien doch nicht mit diesem Zach getroffen, oder etwa doch? Es kann nämlich gut sein, dass er dich in eine der Frauen von Stepford verwandelt hat.«

»Entschuldige. Ich habe an Hannah gedacht«, log ich.

»Ja, stimmt, vielleicht sollten wir was unternehmen, statt die ganze Zeit nur rumzusitzen und zu denken. Zumindest müssen wir verhindern, dass sie nach Cottonwood fährt, denn – was ist, wenn etwas passiert? Wenn sie irgendwas Krasses tut? Dann denken wir immer an diesen Moment zurück und verachten uns selbst. Es wird Jahre und Jahre dauern, bis wir es überwinden, und dann sterben wir allein, mit hunderttausend Katzen, oder wir werden von einem Auto überfahren und enden als Straßenpizza –«

»Halt endlich deine blöde Fresse!«, schrie Charles. »Ich – ich hab es satt, mir jedes beschissene Wochenende diesen Scheiß anzuhören! Ihr seid Scheißidioten! Alle miteinander!«

Er knallte sein Glas auf den Tresen und rannte aus dem Zimmer, mit geröteten Wangen, und seine Haare hatten eine Farbe wie ganz blasses, nacktes Holz, dieses weiche Holz, in das man mit dem Daumennagel Rillen machen kann, und dann, Sekunden später – keiner von uns sagte ein Wort –, hörten wir die Haustür ins Schloss fallen, den Motor seines Autos aufheulen – er raste die Einfahrt hinunter.

»Bin das nur ich – oder ist es offensichtlich, dass nichts hier ein Happy End hat?«, sagte Jade.

* * *

Um drei oder vier Uhr morgens klappte ich auf dem Ledersofa zusammen. Eine Stunde später schüttelte mich jemand.

»Willst du ein bisschen rumlaufen, Mädel?«

Nigel lächelte auf mich herunter, seine Brille ganz vorn auf der Nasenspitze.

Ich blinzelte und richtete mich auf. »Ja, klar.«

Blaues Licht machte den Raum samtweich. Jade war oben, Milton war nach Hause gegangen (»nach Hause« hieß in diesem Fall: ein Hotel-Rendezvous mit Joalie, vermutete ich), und Lu schlief tief und fest auf dem Paisley-Sofa, ihre langen Haare wie Efeuranken auf der Armlehne. Ich rieb mir die Augen, stand auf und trottete halbblind hinter Nigel her, der schon im Foyer war. Ich fand ihn im Salon, wo man vom Pink der Wände erschlagen wurde. Ein gähnender Konzertflügel, mickrige Palmen und niedrige Sofas, die aussahen wie große, schwimmende Cracker, auf denen man nicht sitzen wollte, aus Angst, sie könnten zerbrechen, und dann wäre man voller Krümel.

»Zieh das hier an, wenn du frierst«, sagte Nigel und nahm den langen schwarzen Pelzmantel, der einfach so auf der Klavierbank lag, wie eine schimmernde, dankbare Sekretärin, die gerade in Ohnmacht gefallen war.

»Kein Problem«, sagte ich.

Er zuckte die Achseln und zog ihn selbst über (siehe Feuerwiesel, Mustela Sibirica, *Enzyklopädie der Lebewesen*, 4. Auflage). Mit ernster Miene nahm er den großen, blauäugigen Kristallschwan in die Hand, der auf dem Beistelltischchen zu einem großen silbernen Bilderrahmen schwamm. Es war keine Aufnahme von Jade, Jefferson oder sonst irgendeinem strahlenden Familienmitglied, sondern das Schwarzweißfoto, das offenbar beim Kauf in dem Rahmen gewesen war (FIRENZE, stand darauf, 7" × 9½").

»Der arme, dicke ertrunkene Kerl«, sagte Nigel. »Kein Mensch denkt mehr an ihn, stimmt's?«

»An wen?«

»An Smoke Harvey.«

»Ach so.«

»So ist das, wenn man stirbt. Alle machen ein Riesentamtam. Und dann vergessen sie dich.«

»Es sei denn, du ermordest einen Staatsbeamten. Einen Senator oder – oder einen Polizisten. Dann erinnert sich jeder.«

»Meinst du?«, er musterte mich interessiert und nickte. »Ja – wahrscheinlich hast du recht«, sagte er gut gelaunt.

Wenn man Nigel betrachtete – sein Gesicht, glatt wie eine Pennymünze, seine gnadenlos abgekauten Fingernägel, seine dünne Nickelbrille, die immer an ein Insekt erinnerte, das seine müden, durchsichtigen Flügel frech auf seiner Nase ausruhte –, fiel es einem normalerweise schwer, sich vorzustellen, was er genau dachte, weshalb seine Augen blitzten, woher das winzige Lächeln kam, das an die niedlichen roten Stifte erinnerte, mit denen die Leute früher ihren Wahlzettel ausgefüllt haben. Jetzt konnte ich nicht anders, als an seine richtigen Eltern zu denken, an Mimi und George, Alice und John, Joan und Herman, oder wie immer sie hießen, die in einem Hochsicherheitsgefängnis untergebracht waren. Nicht, dass Nigel je besonders verdrossen oder düster ausgesehen hätte; wenn Dad lebenslänglich eingesperrt wäre (wenn eine Hand voll Junikäfer ihren Willen bekämen, würde er das), dann wäre ich wahrscheinlich eins dieser Mädchen, die permanent die Lippen zusammenpressen und mit den Zähnen knirschen und sich ausmalen, wie sie ihre Mitschüler mit den Cafeteria-Tabletts oder Kugelschreibern umbringen können. Nigel war immer ganz positiv.

»Was hältst du eigentlich von Charles?«, flüsterte ich.

»Hübsch, aber nicht mein Typ.«

»Nein, ich meine« – ich wusste nicht, wie ich mich ausdrücken sollte. »Was ist zwischen ihm und Hannah?«

»Ach – hast du mit Jade geredet?«

Ich nickte.

»Ich glaube, da ist gar nichts passiert, außer dass er sich einbildet, er sei wahnsinnig in sie verliebt. Schon *immer*. Ich weiß nicht, warum er seine Zeit verplempert – hey, denkst du, ich könnte als Liz Taylor durchgehen?« Er stellte den Glasschwan wieder ab und wirbelte im

Kreis. Pflichtbewusst verwandelte sich der Nerz um ihn herum in einen Weihnachtsbaum.

»Klar«, sagte ich. Wenn er Liz war, dann war ich Bo Derek in *Zehn – Die Traumfrau.*

Grinsend schob er seine Brille hoch. »Also müssen wir die Beute finden. Die Prämie. Die große Belohnung.« Er machte auf dem Absatz kehrt und raste zur Tür hinaus, durch das Foyer, die weißen Marmorstufen hinauf.

Oben auf dem Treppenabsatz blieb er stehen, um auf mich zu warten. »Eigentlich wollte ich dir was erzählen.«

»Was?«, fragte ich.

Er presste den Finger auf die Lippen. Wir standen vor Jades Zimmer. Es war dunkel und still, aber die Tür stand halb offen. Er winkte mir, ich solle ihm folgen. Wir schlichen den mit Teppich ausgelegten Gang hinunter und in eins der Gästezimmer am anderen Ende.

Er machte die Lampe bei der Tür an. Trotz des roséfarbenen Teppichs und der geblümten Vorhänge fühlte man sich sofort eingesperrt, wie in einem Lungenflügel. Der muffige, gottverlassene Geruch war bestimmt so ähnlich wie der, den der *National-Geographic*-Korrespondent Carlson Quay Meade beschrieb, als er in *Die Enthüllung Tutanchamuns* über die Ausgrabungen im Tal der Könige im Jahr 1923 mit Howard Carter berichtete: »Ich muss sagen, ich machte mir große Sorgen, was wir in diesem unheimlichen Grab finden würden, und obwohl wir alle freudig erregt waren, sah ich mich wegen des widerlichen Gestanks gezwungen, mein Leinentaschentuch hervorzuholen, es über Nase und Mund zu legen und so in die dunkle Gruft vorzustoßen« (Meade, 1924).

Nigel schloss die Tür hinter mir.

»Milton und ich sind nämlich letzten Sonntag ganz früh zu Hannah gegangen, bevor du gekommen bist«, sagte er, ans Bett gelehnt, mit leiser, ernster Stimme. »Und Hannah musste nochmal kurz in den Supermarkt. Während Milton Hausaufgaben machte, bin ich rausgegangen und habe mich in der Garage umgeschaut.« Seine Augen wurden größer, und er grinste. »Du *glaubst* nicht, was ich da alles gefunden habe. Zum Beispiel steht da dieses ganz alte Campingzeug rum – aber dann habe ich in ein paar Kartons gewühlt. In den meisten war nur Müll, Becher, Lampen, Zeug, das sie gesammelt hat, ein Foto – ich glaube, sie hat eine echte Punkphase durchgemacht –, aber in einem riesigen Karton war nichts anderes als Wanderkarten, mindestens *tausend*. Sie hat ein paar Wege rot markiert.«

»Hannah ist doch dauernd zelten gegangen. Sie hat uns mal von diesem Unfall erzählt, als sie dem Mann das Leben gerettet hat. Erinnerst du dich?«

Er hob die Hand und nickte. »Ja, das stimmt, aber dann habe ich in den Ordner geschaut, der ganz oben lag. Er war voll mit Zeitungsartikeln. Fotokopien. Ein paar aus dem *Stockton Observer*. Und in allen Artikeln ging es um irgendjemanden, der verschwunden ist.«

»Um vermisste Personen?«

Er nickte.

Ich wunderte mich, dass das Wiederauftauchen von zwei schlichten Wörtern, *vermisste Personen*, mich sofort dermaßen, wie soll ich sagen, *durcheinanderbrachte*. Klar, wenn Hannah nicht diese haarsträubende Rede über *The Gone* gehalten hätte, wenn ich nicht erlebt hätte, wie versteinert sie diese *Zuletzt gesehen* vorgetragen hatte, eins nach dem andern, als wäre sie völlig außer sich, dann hätte mich das, was Nigel erzählte, nicht im *Geringsten* berührt. Wir wussten, dass Hannah in einer Phase ihres Lebens eine erfahrene Bergsteigerin gewesen war, und für sich betrachtet hatte der Ordner nicht viel zu bedeuten. Dad war beispielweise auch ein Mensch mit einer impulsiven Intellektualität, er interessierte sich immer wieder geradezu explosiv für beliebige Themen, von Einsteins frühen Versionen der Atombombe und der Anatomie eines Sanddollars bis hin zu grauenhaften Museumsinstallationen und zu Rappern, die neunmal angeschossen wurden. Aber Dad war von keinem Thema je *besessen*, keines wurde zur Obsession – eine Leidenschaft, ja, das schon, man brauchte nur Che oder Benno Ohnesorg zu erwähnen, und schon verschleierte sich sein Blick –, aber Dad prägte sich nicht irgendwelche beliebigen Fakten ein und trug sie mit unbarmherziger Bette-Davis-Stimme vor, während er eine Zigarette nach der anderen rauchte und seine Augen durchs Zimmer sausten wie Ballons, bei denen die Luft rausging. Dad warf sich nicht in Pose und schnitt sich nicht die Haare ab, sodass ein kahler Fleck so groß wie ein Tennisball entstand. (»Das Leben hält ein paar uneingeschränkte Genüsse bereit, und dazu gehört, dass man im Friseurstuhl sitzt und sich von einer Frau mit begnadeten Händen die Haare schneiden lässt«, sagte Dad.) Und Dad macht mir nicht ohne Vorwarnung *Angst*, eine Angst, die ich nicht richtig zu fassen bekam, weil sie mir, sobald ich sie spürte, wieder entglitt und sich in Luft auflöste.

»Ich hab einen der Artikel hier, falls du ihn lesen willst«, sagte Nigel.

»Du hast ihn *mitgenommen*?«

»Nur ein Blatt.«

»Na, *toll*.«

»Wieso?«

»Dann merkt sie doch, dass wir herumschnüffeln.«

»Nein, völlig unmöglich, das waren mindestens fünfzig Blätter. Sie kann das gar nicht merken. Ich hole den Zettel mal schnell. Er ist unten in meiner Tasche.«

Nigel verließ das Zimmer (bevor er aus der Tür ging, ließ er seine Augen entzückt hervorquellen – ein typisches Dracula-Mienenspiel im Stummfilm). Eine Minute später kam er mit dem Artikel zurück. Es war nur eine Seite. Das heißt, eigentlich war es gar kein Artikel, sondern ein Exzerpt aus einem Taschenbuch, 1992 herausgegeben von der Foothill Press in Tupock, Tennessee: *Verloren und nicht gefunden: Menschen, die spurlos verschwinden, und andere verblüffende Vorkommnisse* von J. Finley und E. Diggs. Nigel setzte sich aufs Bett und zog den Nerz fest um sich, während er wartete, bis ich den Text gelesen hatte.

Kapitel 4

Violet May Martinez

Fürchte dich nicht, ich bin mit dir,
weiche nicht, denn ich bin dein Gott.
Jesaja 41, 10

Am 29. August 1985 verschwand Violet May Martinez, 15, spurlos. Sie wurde zuletzt im Great Smoky Mountains National Park gesehen, zwischen Blindmans Bald und dem Parkplatz bei Burnt Creek.

Bis heute bleibt ihr Verschwinden ein Rätsel.

* * *

Es war ein sonniger Morgen am 29. August 1985, als Violet Martinez mit ihrem Bibelkreis der Baptistengemeinde von Bester, North Carolina, aufbrach, um im Great Smoky Mountains National Park eine Wanderung auf dem Naturlehrpfad zu machen. Violet war im zweiten High-School-Jahr. Sie galt bei ihren Mitschülern als fröhlich und aufgeschlossen und war im vergangenen Schuljahr zum bestangezogenen Mädchen gewählt worden.

Violets Vater, Roy Jr., setzte sie in aller Frühe vor der Kirche ab. Violet hatte blonde Haare und war einszweiundsiebzig groß. Sie trug einen pinkfarbenen Pulli, Blue Jeans, eine Goldkette mit einem »V«-Anhänger und weiße Reeboks.

Der Kirchenausflug wurde geleitet von Mr Mike Higgis, einem beliebten Kirchenvorstand und Vietnamveteranen, der seit siebzehn Jahren aktiv in der Gemeinde mitgearbeitet hatte.

Violet saß hinten im Bus, neben Polly Elms, ihrer besten Freundin. Der Bus kam um 12.30 am Parkplatz Burnt Creek an. Mike Higgis erklärte, sie würden nun gemeinsam den Weg zum Blindmans Bald entlangwandern und um 15.30 zum Bus zurückkehren.

»›Haltet inne‹«, sagte er, das Buch Hiob zitierend, »›und betrachtet die wunderbaren Werke Gottes.‹«

Violet wanderte mit Polly Elms und Joel Hinley bis zum Gipfel. Sie hatte ein Päckchen Virginia Slims eingesteckt und rauchte oben auf dem Gipfel, bis Mike Higgis sie aufforderte, die

Zigarette auszumachen. Violet posierte für verschiedene Fotos und aß Studentenfutter. Dann wurde sie ungeduldig und wollte wieder zurück. Deshalb brach sie gemeinsam mit Joel und zwei Freundinnen auf. Als sie noch eine Meile vom Parkplatz entfernt waren, begann sie schneller zu gehen als die anderen. Die Gruppe musste das Tempo drosseln, weil Barbee Stuart einen Krampf hatte. Violet blieb nicht stehen.

»Sie nannte uns lahme Enten und hüpfte davon«, sagte Joel. »Als sie die letzte sichtbare Stelle des Weges erreichte, zündete sie sich noch eine Zigarette an und winkte uns zu. Sie bog um die Kurve und war außer Sichtweite.«

Joel und die anderen gingen weiter. Sie nahmen an, dass Violet am Bus wartete. Aber als Mike Higgis um 15.35 durchzählte,

»Wo ist der Rest?«, fragte ich.

»Mehr habe ich nicht mitgenommen.«

»Geht es in allen Artikeln um solche Leute, die verschwunden sind?«

»Komisch, was?«

Ich zuckte nur die Achseln. Ich konnte mich nicht entsinnen, ob meine Schweigepflicht sich nur auf die Geschichten der Bluebloods bezog oder auf alles, was Hannah an jenem Abend gesagt hatte, also sagte ich nur: »Ich glaube, das Thema hat Hannah schon immer interessiert. Das Verschwinden.«

»Ach, ehrlich?«

Ich tat so, als würde ich gähnen, und gab ihm die Seite zurück. »Ich würde mir deswegen keine großen Gedanken machen.«

Er zuckte jetzt auch die Achseln, enttäuscht über meine Reaktion, und faltete die Seite zusammen.

Ich betete – um meiner seelischen Gesundheit willen –, dass nicht noch mehr Dinge dieser Art kommen würden. Aber in der nächsten Dreiviertelstunde, während wir durch die Whitestone-Zimmer wanderten, mit ihren staubbedeckten Tischen, den nie benutzten Stühlen, hörte er leider nicht auf, über diese Artikel zu faseln, egal, was ich sagte, um ihn zu beruhigen (arme Violet, warum bewahrte Hannah diese Artikel auf, warum war ihr das wichtig). Ich nahm an, dass er nur den Vamp spielte, Liz in *Damals in Paris*, bis sein kleines Gesicht ins Flirrlicht eines Sternbildes geriet – Herkules –, das an der Küchendecke angebracht war, und ich ihn richtig sehen konnte: Er spielte nicht, sondern war ehrlich besorgt (überraschend gewichtig wirkte diese Sorge – eine Ernsthaftigkeit, die normalerweise nur bei enzyklopädischen Wörterbüchern und bei alten Gorillas anzutreffen war).

Wenig später gingen wir zurück in den Purple Room. Nigel nahm seine Brille ab und schlief sofort vor dem Kamin ein, drückte aber den Nerz fest an sich, als hätte er Angst, dass er sich davonschleichen könnte, bevor er aufwachte. Ich ging zu meinem Ledersofa zurück. Ein orangeroter Morgenstreifen breitete sich am Horizont aus, den man durch die Glastür hinter den Bäumen sehen konnte. Ich war nicht müde. Nein, dank Nigel (der jetzt schnarchte) kreisten meine Gedanken wie ein Hund, der seinen eigenen Schwanz schnappen will. Was war der Grund dafür, dass Hannah so süchtig war nach den Verschwundenen – nach Lebensgeschichten, die brutal abgeschnitten wurden, sodass sie nur aus Anfang und Mitte bestanden, aber nie ein Ende fanden? (»Eine Lebensgeschichte ohne richtigen Schluss ist leider überhaupt keine Geschichte«, sagte Dad.) Hannah selbst konnte keine vermisste Person sein, aber vielleicht ihr Bruder oder ihre Schwester oder eines der Mädchen auf den Fotos, die Nigel und ich in ihrem Schlafzimmer gesehen hatten, oder vielleicht dieser verlorene Geliebte, dessen Existenz sie nicht bestätigen wollte – Valerio. Es musste irgendeine Verbindung zwischen diesen vermissten Personen und ihrem Leben geben, auch wenn sie noch so weit hergeholt und verschwommen war. »Die Menschen entwickeln nur sehr, sehr selten Fixierungen, die in keinerlei Zusammenhang mit ihrem eigenen Leben stehen«, schrieb Dr. Josephson Wilheljen in *Weiter als der Himmel* (1989).

Und was war mit diesem extrem irritierenden Gefühl, dass ich sie schon einmal irgendwo *gesehen* hatte, als sie eine ähnliche Eierschalenfrisur hatte? Das Gefühl war so beharrlich, dass ich, als Leulah mich am nächsten Tag nach Hause brachte (es war ein sonniger, kalter Tag), sofort anfing, in verschiedenen zeitgenössischen Biographien in Dads Bibliothek herumzusuchen: *Fuzzy Man: Das Leben des Andy Warhol* (Benson, 1990), *Margaret Thatcher: Die Frau, der Mythos* (Scott, 1999), *Michael Gorbatschow: Der verlorene Prinz von Moskau* (Vadivarich, 1999), vor allem wegen des Fototeils in der Mitte. Es war ein fruchtloses Unterfangen, das wusste ich, aber ehrlich gesagt, das Gefühl war zwar zäh, aber auch irgendwie diffus; ich konnte nicht die Hand dafür ins Feuer legen, dass es authentisch war und dass ich Hannah nicht einfach mit einem der verlorenen Kinder in einer *Peter-Pan*-Aufführung verwechselte, die Dad und ich an der University of Kentucky in Walnut Ridge gesehen hatten. Einmal dachte ich schon, ich hätte sie gefunden – mein Herz sauste nach unten, als ich ein Schwarzweißfoto von einer Frau sah, die Hannah Schneider sein musste: im Liegestuhl am Strand, in einem schicken altmodischen Badeanzug und einer riesigen Sonnenbrille – bis ich die Bildunterschrift las: »St. Tropez, Sommer 1955, Gene Tierney.« (Ich hatte, dumm wie ich war, *Fugitives from a Chain Gang* in der Hand [De Winter, 1979], eine alte Biographie von Darryl Zanuck.)

Mein nächster Vorstoß als Privatdetektivin führte mich hinunter in Dads Arbeitszimmer, wo ich im Internet unter »Schneider« und »vermisste Person« suchte. Es waren fast fünftausend Treffer. Bei »Valerio« und »Vermisste Person« waren es 103.

»Bist du da unten?«, rief Dad ins Treppenhaus.

»Ja, ich recherchiere«, rief ich zurück.

»Hast du schon zu Mittag gegessen?«

»Nein.«

»Gut, dann zieh mal deine Skates an – wir haben mit der Post gerade zwölf Coupons für das Lone Steer Steakhouse bekommen – zehn Prozent Ermäßigung bei All-You-Can-Eat Spareribs, Buffalo Wings, Molten Onions und bei etwas, was sich beunruhigenderweise *Volcanic-Bacon-Bit-Potato* nennt!«

Schnell überflog ich ein paar Seiten, fand nichts, was auch nur im Entferntesten interessant oder relevant aussah – gerichtliche Dokumente über die Entscheidungen von Richter Howie Valerio von Shelburn County, Unterlagen über Loggias Valerio, geboren 1789 in Massachusetts –, und machte Dads Laptop wieder aus.

»Sweet?«

»Ich komme!«, rief ich.

* * *

Ich hatte keine Zeit gehabt, um weitere Nachforschungen zu Hannah oder zu den vermissten Personen anzustellen, als Jade mich am Sonntag abholte, und als wir bei Hannah ankamen, dachte ich – ziemlich erleichtert –, dass ich vielleicht nie wieder Grund dazu haben würde; Hannah rannte nämlich, vergnügt wie schon lang nicht mehr, im Haus herum, barfuß und in einem schwarzen Hauskleid. Sie lächelte, machte sechs Sachen auf einmal und fabrizierte tolle Sätze, die jede Zeichensetzung mit Verachtung straften: »Blue, hast du Ono schon gesehen – ist das die Küchenuhr, die klingelt – ach, du lieber Gott, der Spargel.« (Ono war ein winziges grünes Minivögelchen mit nur einem Auge und hatte offensichtlich keinerlei Zuneigung zu Lennon gefasst; sie hielt so viel Distanz zu ihm, wie es in einem Vogelkäfig nur möglich war.) Hannah hatte sich auch die Mühe gemacht, ihre neue Frisur ein bisschen schicker zu gestalten, indem sie ein paar störrischere Strähnen seitlich von der Stirn gezwungen hatte, sich hinzulegen und sich zu entspannen. Alles war in Ordnung – eigentlich sogar perfekt, als wir uns dann zu siebt am Tisch niederließen und Steaks, Spargel und Maiskolben aßen (sogar Charles lächelte, und als er eine seiner Geschichten zum Besten gab, erzählte er sie tatsächlich uns *allen*, nicht nur Hannah) –, aber dann machte Hannah den Mund auf.

»Am sechsundzwanzigsten März«, sagte sie. »Zu Beginn der Frühjahrsferien. Das ist unser großes Wochenende. Tragt es schon mal in eure Kalender ein.«

»Unser großes Wochenende inwiefern?«, fragte Charles.

»Unser Campingwochenende.«

»Wer hat was von Camping gesagt?«, wollte Jade wissen.

»Ich.«

»Wo?«

»In den Great Smokies. Man fährt mit dem Auto nur knapp eine Stunde.«

Ich erstickte fast an meinem Steak. Nigel und ich schauten uns erschrocken an.

»Ihr wisst schon«, fuhr Hannah fröhlich fort. »Lagerfeuer, Gruselgeschichten, tolle Landschaften, frische Luft –«

»Ramen-Nudeln«, brummelte Jade.

»Wir müssen nicht unbedingt Ramen-Nudeln essen. Wir können essen, was wir wollen.«

»Klingt *trotzdem* grässlich.«

»Sei nicht so.«

»Meine Generation kann die freie Natur nicht leiden. Wir gehen lieber in ein Shoppingcenter.«

»Tja, vielleicht solltest du mal etwas ins Auge fassen, was deine Generation transzendiert.«

»Ist es ungefährlich?«, erkundigte sich Nigel, so beiläufig er konnte.

»Ja, klar.« Hannah grinste. »Solange ihr euch nicht blöd anstellt. Aber ich war da schon hunderttausend Mal. Ich kenne die Wanderwege. Erst neulich war ich wieder dort.«

»Mit wem?«, fragte Charles.

Sie lächelte ihm zu. »Allein.«

Wir starrten sie fassungslos an. Immerhin hatten wir Januar.

»Wann?«, fragte Milton.

»In den Ferien.«

»Hast du nicht *gefroren*?«

»Vergiss die Kälte«, sagte Jade. »Hast du dich nicht maßlos *gelangweilt*? Da oben gibt's doch nichts zu tun.«

»Nein, ich habe mich nicht gelangweilt.«

»Und was ist mit den Bären?«, fügte Jade hinzu. »Oder noch schlimmer, mit den Mücken? Ich bin die totale Anti-Insekten-Person. Aber diese Tiere lieben mich. Jedes Krabbelding ist hinter mir her. Sie lauern mir auf. Sie sind durchgedrehte Fans.«

»Wenn wir im März gehen, gibt es keine Mücken. Und wenn es

doch welche gibt, ertränke ich dich in Off«, sagte Hannah ganz streng (siehe: »Standfoto für *Tropische Zone*, 1940«, *Bulldogge im Hühnerhaus: Das Leben des James Cagney*, Taylor, 1982, S. 239).

Jade sagte nichts und planierte ihren Spinat mit der Gabel wie mit einem Bulldozer.

»Du meine Güte!« Hannah musterte uns verdrossen. »Was – was ist denn mit euch los? Ich versuche etwas zu planen, was Spaß macht und Abwechslung bringt – habt ihr denn nicht Thoreau gelesen, *Walden*, hat euch das nicht inspiriert? Habt ihr das nicht in Englisch durchgenommen? Oder steht es gar nicht mehr auf dem Lehrplan?«

Sie schaute *mich* an. Ich schaffte es kaum, ihren Blick zu erwidern. Trotz ihrer Frisierbemühungen störte der Haarschnitt immer noch. Er sah aus wie eine von diesen komischen Frisuren, die Regisseure in den Filmen der fünfziger Jahre einsetzten, um zu signalisieren, dass die Heldin erst vor kurzem in einer Anstalt gewesen oder von bigotten Dorfbewohnern als Hure gebrandmarkt worden war. Und je länger man sie anschaute, desto mehr schien sich ihr geschorener Kopf vom Körper zu lösen und allein durch die Gegend zu schweben, wie bei James Stewart in *Vertigo*, als er durchdreht und lauter psychedelische Farben um ihn herum wirbeln, die Pink- und Grüntöne des Wahnsinns. Durch die Frisur wirkten ihre Augen unnatürlich groß, ihr Hals bleich, ihre Ohren verletzlich wie Schnecken, die kein Haus mehr haben. Vielleicht hatte Jade ja recht; vielleicht drohte wirklich ein Nervenzusammenbruch. Vielleicht hatte sie »es satt, die Lebenslüge des Menschen mitzumachen« (siehe *Beelzebub*, Shorts, 1992, S. 212). Oder noch schlimmer: Vielleicht hatte sie zu viel in dem *Blackbird*-Buch über Charles Manson gelesen. Sogar Dad sagte – Dad, der überhaupt nicht abergläubisch oder ängstlich war –, dass eine so intensive Beschäftigung mit den Phänomenen des Bösen für die »Beeindruckbaren, die Verwirrten und die Verlorenen« wahrhaftig nicht ungefährlich sei. Aus diesem Grund hatte er das Buch von seiner Leseliste gestrichen.

»*Du* weißt doch, wovon ich rede, oder?«

Ihre Augen hafteten an meinem Gesicht wie Autoaufkleber.

»›Ich bin in die Wälder gegangen, weil ich bewusst leben wollte‹«, begann sie zu rezitieren. »›Ich wollte das Mark des Lebens aufsaugen, und, und danach erfahren, dass ich, wenn ich nicht gelebt hätte, dann‹, wie heißt es nochmal, irgendwas mit bewusst …«

Ihre Worte landeten auf dem Fußboden und bewegten sich nicht mehr. Niemand sagte etwas. Sie kicherte, aber es war ein trauriges, sterbendes Geräusch.

»Ich muss es auch nochmal lesen.«

Der Widerspenstigen Zähmung

Leontyne Bennett analysierte in *Das Commonwealth verlorener Eitelkeiten* (1969) sehr gekonnt Vergils berühmtes Zitat »Die Liebe besiegt alles«.

»Jahrhundert für Jahrhundert«, schreibt er auf Seite 559, »haben wir dieses berühmte Wörtertrio falsch interpretiert. Die ahnungslosen Massen sehen in dieser zwergenhaften Phrase eine Rechtfertigung dafür, dass man auf öffentlichen Plätzen herumknutscht, dass man seine Ehefrau verlässt und dem Ehemann Hörner aufsetzt, eine Rechtfertigung für die steigende Scheidungsrate, für Horden von unehelichen Kindern, die an den U-Bahnhöfen Whitechapel oder Aldgate um Almosen betteln – während diese viel zitierte Formulierung doch eigentlich gar nichts Aufmunterndes oder Fröhliches hat. Der römische Dichter schrieb ›*Omnia vincit amor*‹ oder ›die Liebe besiegt alles‹. Er schrieb nicht ›die Liebe befreit alles‹ oder ›die Liebe macht alles möglich‹, und darin liegt die erste Stufe unserer eklatanten Missdeutung. Besiegen: bezwingen, unterwerfen, massakrieren, abmetzeln, zu Hackfleisch machen. Natürlich kann das nicht positiv sein. Und außerdem schrieb er ›besiegt *alles*‹ – *nicht* nur die unangenehmen Dinge wie Armut, Mord, Raub, sondern *alles*, auch Freude, Frieden, gesunden Menschenverstand, Freiheit und Selbstbestimmung. Und so begreifen wir vielleicht, dass Vergils Worte keine Ermutigung sind, sondern eher eine Warnung, ein Hinweis, dass man diesem Gefühl auf alle Fälle ausweichen sollte, es meiden, vor ihm fliehen, denn sonst riskieren wir ein Massaker an den Dingen, die wir am höchsten schätzen – einschließlich unserem Selbstgefühl.«

Dad und ich kicherten immer über Bennetts umständlichen Protest (er heiratete nie und starb 1984 an einer Leberzirrhose; niemand war auf seinem Begräbnis außer der Haushälterin und einem Lektor von der Tyrolian Press), aber im Februar erkannte ich, dass das, worüber er sich auf achthundert Seiten so wortreich ausließ, eine gewisse Berechtigung hatte. Die Liebe war nämlich der Grund, weshalb Charles immer verdrossener und unberechenbarer wurde, weshalb er auf dem Campus mit zerzausten Haaren und einem verstörten Gesicht herumlief (irgendetwas sagte mir, dass er nicht über das ewige Warum grübelte). Während der Morgenansprache rutschte er nervös auf seinem Stuhl herum (und trat dauernd von hinten gegen meine Rückenlehne), und wenn ich mich umdrehte und ihn anlächelte, sah er mich gar nicht; er schaute auf die Bühne wie vermutlich Matrosenwitwen aufs Meer starren. (»Ich habe genug von ihm«, verkündete Jade.)

Mich konnte die Liebe ebenfalls hochheben und in eine miese Laune schleudern, so mühelos wie ein Tornado ein Farmhaus mitnimmt. Milton musste nur »Old Jo« sagen (so nannte er Joalie inzwischen – ein Spitzname war für eine High-School-Beziehung die schlimmste aller möglichen Entwicklungen; wie Superkleber konnte er jedes Paar monatelang zusammenhalten), und schon hatte ich das Gefühl, innerlich zu sterben – als würden mein Herz, meine Lunge und mein Magen ihre Stechkarte stecken, den Laden zumachen, nach Hause gehen, weil es überhaupt keinen Sinn mehr hatte, tagein, tagaus zu schlafen, zu atmen, zu verdauen, wenn das Leben so eine Qual war.

Dann war da ja auch noch Zach Soderberg.

Ich hatte ihn völlig vergessen, außer während der dreißig Sekunden auf dem Rückflug von Paris, als eine unkonzentrierte Stewardess aus Versehen eine Bloody Mary über den älteren Herrn auf der anderen Seite des Ganges kippte und dieser, statt zu schimpfen, das Gesicht zu einem Lächeln verzog, während er sein ziemlich versautes Jackett mit einer Papierserviette abtupfte, und ohne jede Spur von Sarkasmus sagte: »Ist nicht schlimm, meine Liebe. Das kann jedem passieren.« In Physik hatte ich Zach hin und wieder ein zerknirschtes kleines Lächeln zugeworfen (aber nie abgewartet, um zu sehen, ob er es auffing oder es auf den Boden fallen ließ). Ich hielt mich an Dads Rat: »Das poetischste Ende einer Liebesgeschichte ist nicht, sich zu entschuldigen und ausführlich nachzuforschen, was schiefgegangen ist – der Bernhardiner der Möglichkeiten, triefäugig und sabbernd –, sondern würdevolles Schweigen.« Eines Tages jedoch, gleich nach dem Mittagessen, als ich gerade meine Schließfachtür zuknallte, stand plötzlich Zach direkt hinter mir und lächelte eins dieser Zeltlächeln: eine Seite hochgezurrt, die andere schlaff.

»Hallo, Blue«, sagte er. Seine Stimme war steif wie neue Schuhe.

Mein Herz begann überraschenderweise, seilzuhüpfen. »Hi.«

»Wie geht's dir?«

»Gut.« Ich musste mir etwas Anständiges einfallen lassen, eine Ausrede, eine Entschuldigung, den Grund, weshalb ich ihn beim Christmas Cabaret vergessen hatte wie einen Winterhandschuh. »Zach, es tut mir leid, da –«

»Ich hab etwas für dich«, unterbrach er mich. Er klang nicht wütend, sondern nett und offiziell, als wäre er der Vizemanager von Dies-und-das, der aus seinem Büro tritt, um mir mitzuteilen, dass ich etwas gewonnen habe. Er griff in seine Gesäßtasche und reichte mir einen dicken blauen Briefumschlag. Er war sehr konsequent zugeklebt, sogar ganz, ganz außen an den Ecken, und vorne drauf stand in kitschiger Schrift mein Name.

»Du kannst damit machen, was du willst«, sagte er. »Ich habe gerade einen Teilzeitjob bei Kinko's bekommen, deshalb habe ich gedacht, ich könnte dich über die verschiedenen Druck-Optionen informieren. Du kannst sie vergrößern lassen, in Postergröße, und dann das Ganze laminieren. Oder du kannst dich für Grußpostkarten entscheiden. Oder einen Kalender machen für die Wand oder für den Schreibtisch. Und dann gibt es noch die T-Shirt-Option. Die ist ziemlich populär. Wir haben neulich auch verschiedene Babygrößen reingekriegt. Und außerdem haben wir noch den – wie nennen sie das? – ach ja, den Leinwandkunstdruck. Das sieht sehr schön aus. Die Qualität ist besser, als man denkt. Außerdem bieten wir Schilder und Banner in verschiedenen Größen an, auch in Vinyl.«

Er nickte vor sich hin und schien noch etwas sagen zu wollen – seine Lippen waren einen Spalt geöffnet, kaum, wie ein Fenster, aber dann legte er die Stirn in Falten und überlegte es sich offensichtlich anders.

»Bis nachher in Physik«, sagte er, machte auf dem Absatz kehrt und ging den Gang hinunter. Sofort wurde er von einem Mädchen begrüßt, das kurz vorher an uns vorbeigegangen war – sie hatte uns aus dem Winkel ihrer Münzeinwurfaugen beobachtet, war dann bei der Trinksäule stehen geblieben und hatte einen Schluck getrunken. (Bestimmt war sie soeben von einer Trekkingtour durch die Wüste Gobi zurückgekehrt.) Es war Rebecca mit den Kamelzähnen, erstes High-School-Jahr.

»Predigt dein Dad diesen Sonntag?«, fragte sie ihn.

Ich wurde plötzlich ganz sauer (die beiden setzten ihre heilige Konversation fort, während sie den Gang hinuntergingen) und riss den großen Umschlag auf. Darin waren Hochglanzfoooo-tos von Zach und mir an verschiedenen Stellen bei ihm zu Hause im Wohnzimmer, unsere Schultern starr, schiefe Lächelversuche tief in unsere Gesichter gepresst.

Auf sechs Bildern war zu meinem Entsetzen mein rechter BH-Träger zu sehen (so weiß, dass er schon fast Neonviolett wirkte, und wenn man zuerst auf den BH-Träger schaute und dann auf etwas anderes, erschien er wieder im Blickfeld), aber auf dem letzten Fooo-to, auf dem, das Patsy vor dem hellen Fenster gemacht hatte (Zachs rechter Arm ungelenk um meine Taille geschlungen; er war ein Metallständer, ich eine Sammlerpuppe), war das Licht geschmolzen wie Butter, hatte die Linse bekleckert und die Ränder von Zachs linker Seite und meiner rechten Seite aufgelöst, sodass wir ineinander übergingen und unser Lächeln dieselbe Farbe hatte wie der weiße Himmel zwischen den kahlen Bäumen hinter uns.

Ehrlich gesagt, ich erkannte mich kaum. Normalerweise war ich auf Fotos entweder stocksteif oder hasenängstlich, aber auf diesem hier sah ich ungewohnt bezaubernd aus (buchstäblich: Meine Haut war golden, in meinen Augen leuchtete ein paranormaler grüner Punkt). Außerdem wirkte ich entspannt, wie ein Mädchen, das vor Vergnügen quiekt, während es an einem Pina-Colada-Strand den Sand kickt. Ich sah aus wie eine Frau, die sich völlig vergessen, die alle Hemmungen von sich werfen kann, die entschweben kann wie hundert Heliumballons, und jeder, jeder, der an die Erde gebunden ist, schaut ihr neiderfüllt nach. (»Eine Frau, für die Reflexion so selten ist wie ein Riesenpanda«, sagte Dad.)

Ohne zu überlegen drehte ich mich nach Zach um – vielleicht wollte ich mich bei ihm bedanken, vielleicht wollte ich auch noch mehr sagen –, aber er war ja längst weg, also schaute ich auf das AUSGANG-Schild und auf die Schülerhorden, die in Strümpfen und schäbigen Schuhen zur Treppe rannten, unterwegs zum Unterricht.

* * *

Eine oder zwei Wochen später, an einem Dienstagabend, lag ich auf meinem Bett und trottete für meinen Englischkurs über die Schlachtfelder von *Heinrich V.*, als ich draußen ein Auto hörte. Sofort ging ich ans Fenster und linste zwischen den Vorhängen durch. Ein weißer Kompaktwagen kam die Einfahrt entlanggekrochen wie ein bestraftes Tier und hielt schüchtern vor der Haustür.

Dad war nicht zu Hause. Er war vor einer Stunde gegangen, um im Tijuana, einem mexikanischen Restaurant, mit Professor Arnie Sanderson, der die Einführung in das Drama und die Geschichte des Welttheaters lehrte, zu essen. »Ein trauriger junger Mann«, sagte Dad, »mit komischen kleinen Muttermalen überall im Gesicht, als hätte er ständig Pocken.« Dad hatte angekündigt, er werde nicht vor elf nach Hause kommen.

Die Scheinwerfer gingen aus. Der Motor verstummte mit einem ruppigen Rülpser. Nach einem kurzen Moment der Stille ging die Fahrertür auf und ein säulenartiges weißes Bein fiel aus dem Wagen, dann ein zweites. (Dieser Auftritt schien auf den ersten Blick ein Versuch, eine Szene für den roten Teppich vorführen zu wollen, aber als dann die ganze Frau sichtbar wurde, begriff ich, es lag nur daran, dass sie sich in ihren Klamotten gar nicht anders bewegen konnte: Eine eng anliegende Jacke umkrallte ihre Taille, ein weißer Rock umschlang sie, wie Plastikfolie einen Strauß kurzstielige Blumen, dazu weiße Strümpfe, extrem hohe weiße High Heels. Sie war ein riesiger Keks, den jemand in Zuckerguss getunkt hatte.)

Die Frau machte die Wagentür zu und versuchte dann etwas ungeschickt, sie zu verriegeln – erst fand sie in der Dunkelheit das Türschloss nicht, dann hatte sie den falschen Schlüssel. Anschließend zupfte sie ihren Rock zurecht (eine Bewegung, wie wenn man einen Kissenbezug über ein Kissen zieht), drehte sich um und hievte sich möglichst geräuschlos auf die Veranda. Die aufgeblasene Frisur – orangegelb – wackelte auf ihrem Kopf wie ein lockerer Lampenschirm. Sie klingelte nicht, sondern blieb an der Tür stehen, den Zeigefinger an den Schneidezähnen (die Schauspielerin muss gleich auftreten, weiß aber plötzlich ihren ersten Satz nicht mehr). Sie legte die Hand über die Augen, neigte sich nach rechts und spähte in unser Esszimmerfenster.

Ich wusste, wer sie war, versteht sich. Kurz vor unserer Parisreise hatte es mehrere anonyme Anrufe gegeben (auf mein »Hallo?« folgte immer tiefes Schweigen und dann Hörerklappern), und vor einer knappen Woche war wieder einer. Ganze Schwärme von Junikäfern vor ihr hatten ähnliche Auftritte gehabt, aus heiterem Himmel, in so vielen verschiedenen Stimmungen, Zuständen und Farben wie Crayola-Wachsstifte in einer Schachtel (Gebrochene-Herzen-Umbra, Supersaures Hellblau usw.).

Sie alle mussten Dad noch einmal sehen, wollten ihn festnageln, in die Ecke treiben, ihn überreden (in Zula Pierces' Fall zum Krüppel schlagen), einen letzten Versuch starten. Sie näherten sich dieser von vornherein zum Scheitern verurteilten Konfrontation mit einer aufgeplusterten Ernsthaftigkeit, als müssten sie vor dem Bundesgerichtshof erscheinen: Sie strichen sich die Haare hinters Ohr, trugen seriöse Kostüme, Pumps, Parfüm und konservative Messingohrringe. Junikäfer Jenna Parks schleppte zu *ihrem* endgültigen Show-down sogar eine sperrige Lederaktentasche mit, die proper auf ihren Knien ruhte, bis Jenna sie mit dem Klischeeklick aller Aktentaschen öffnete und Dad eine Serviette aus einer Bar überreichte, auf die er in glücklicheren Tagen geschrieben hatte: »Ein Mädchenantlitz gab dir die Natur / Du Herr und Herrin meiner Leidenschaft«. Alle sorgten bei diesen durchgeplanten Auftritten für irgendwelche erotischen Tupfer (karmesinrote Lippen, komplizierte Dessous unter einer durchsichtigen Bluse), um Dad in Versuchung zu führen, um ihn auf das hinzuweisen, was er sich entgehen ließ.

Wenn er zu Hause war, führte er sie in sein Arbeitszimmer, ganz wie ein Kardiologe, der einer Herzpatientin schlechte Nachrichten überbringen muss. Bevor er die Tür hinter sich schloss, bat er mich (Dad, der allwissende Arzt, ich, die flippige Krankenschwester), ein Tablett mit Earl Gray vorzubereiten.

»Milch und Zucker«, fügte er mit einem Augenzwinkern hinzu – eine Anweisung, die auf dem düsteren Gesicht des Junikäfers ein unerwartetes Lächeln aufblühen ließ.

Nachdem ich Wasser aufgesetzt hatte, ging ich zur geschlossenen Tür, um der Entthronung zu lauschen. Nein, sie konnte nicht essen, konnte nicht schlafen, konnte keinen anderen Mann berühren oder auch nur anschauen (»Nicht mal Pierce Brosnan, und den fand ich immer so toll«, gestand Connie Madison Parker). Dad sagte etwas – gebrummelt, unverständlich –, dann öffnete sich die Tür, und der Junikäfer kam aus dem Gerichtssaal. Ihre Bluse war herausgerutscht, ihre Haare waren elektrisch aufgeladen, und ihr vorher so makellos geschminktes Gesicht war jetzt ein Rorschach-Test – der schlimmste Teil dieser Metamorphose.

Sie floh zu ihrem Wagen, eine kleine Falte zwischen den Augenbrauen, wie frisch hineingebügelt, und dann fuhr sie in ihrem Acura oder Dodge Neon davon, während sich Dad mit resignierten, erschöpften Seufzern und mit dem von mir zubereiteten Tee bequem in seinem Lesesessel niederließ, (so wie er es die ganze Zeit geplant hatte), um eine neue Vorlesung über Vermittlungsmöglichkeiten in der Dritten Welt vorzubereiten, ein neues Werk über die Prinzipien der Revolte.

Es war jedes Mal eine winzige Kleinigkeit, die mir dann doch ein schlechtes Gewissen machte: Die schmutzige Schleife aus geripptem Seidenband, die sich mit knapper Not noch an Lorraine Connellys linken Stöckelschuh klammerte, oder Willa Johnsons rubinroter Polyesterblazer, der sich in der Wagentür verfing, sodass ein rotes Stoffdreieck erschrocken flatterte, als sie die Einfahrt hinunterbretterte und links in den Sandpiper Circle einbog, ohne sich vorher zu versichern, ob auch kein Auto kam. Nicht, dass ich mir je gewünscht hätte, Dad möge eine von ihnen für immer behalten. Es war ein unangenehmer Gedanke, *Die Faust im Nacken* gemeinsam mit einer Frau anzuschauen, die nach dem Apricot-Potpourri aus einer Restauranttoilette roch (Dad und ich spulten unsere Lieblingsszene, die mit dem Handschuh, zehnmal, manchmal zwölfmal zurück, während der Junikäfer die Beine empört überkreuzte und wieder entkreuzte), oder zuzuhören, wie Dad das Konzept seines nächsten Vortrags (Transformationismus, Starbuckisierung) einer Frau erklärte, die wie eine Fernsehjournalistin immer »Ahäm, ahäm« machte, obwohl sie kein Wort verstand. Trotzdem schämte ich mich zwangsläufig, wenn sie weinten (ob sie mein Mitgefühl wirklich verdienten, wusste ich nicht so genau; außer ein paar langweiligen Fragen zum Thema Jungs oder zu meiner Mutter redete keine von ihnen richtig mit mir, und sie musterten mich alle, als wäre ich ein paar Gramm Plutonium und als könnten sie nicht entscheiden, ob ich radioaktiv oder harmlos war).

Klar, was Dad machte, war nicht gerade edel – er brachte absolut realistische Frauen dazu, sich aufzuführen als – naja, als wollten sie unbedingt alte Folgen von *Die Springfield Story* aufwärmen –, aber ich fragte mich oft, ob das eigentlich ganz allein seine Schuld war. Dad log nie, er sagte immer, dass er seine große Liebe schon erlebt hatte. Und alle wussten, dass ein Mensch im Lauf seines Lebens *maximal* über *eine* große Liebe stolpern konnte, obwohl es natürlich ein paar unersättliche Personen gab, die das nicht akzeptieren wollten und die irrtümlicherweise irgendetwas von der zweiten oder dritten Liebe brummelten. Alle waren schnell dazu bereit, den Herzensbrecher zu hassen, den Casanova, den Lüstling, den Draufgänger, und übersahen dabei vollkommen, dass *manche* Draufgänger ehrlich zugaben, worauf sie es anlegten (Abwechslung zwischen Vorlesungen), und wenn das so schlimm war, weshalb kamen sie dann alle auf seine Veranda geflogen? Warum flatterten sie nicht einfach davon in die Sommernacht und hauchten in Frieden und Würde im sanften Schatten der Tulpenbäume ihr Leben aus?

Falls Dad nicht da war, wenn die Junikäfer auftauchten, hatte ich ganz genaue Anweisungen: Unter keinen Umständen durfte ich sie ins Haus lassen. »Lächle freundlich und sag ihr, sie soll diese wunderbare menschliche Eigenschaft in sich mobilisieren, für die leider fast niemand mehr ein Gespür hat – den *Stolz*. Nein, bei Mr Darcy hat immer alles gestimmt. Du kannst sie auch darauf hinweisen, dass die Redensart, dass morgen alles besser ist, zutrifft. Und wenn sie trotzdem nicht lockerlässt, was anzunehmen ist – manche von ihnen sind wie Pitbulls mit einem Knochen –, dann musst du das Wort *Polizei* fallenlassen. Mehr musst du gar nicht sagen, nur *Polizeiii*, und mit ein bisschen Glück verschwindet sie aus dem Haus – und wenn meine Gebete erhört werden, aus unserem Leben –, wie eine keusche Seele aus der Hölle flieht.«

Jetzt ging ich auf Zehenspitzen nach unten, mehr als nur ein *bisschen* nervös (es war nicht einfach, Dads menschlicher Schutzschild zu sein), und als ich gerade an der Haustür war, klingelte sie. Ich schaute durch den Spion, aber sie hatte sich weggedreht und blickte über die Schulter zum Garten. Ich holte tief Luft, knipste das Verandalicht an und öffnete die Tür.

»Hallo«, sagte sie.

Ich erstarrte. Vor mir stand Eva Brewster, Evita Perón.

»Schön, dich zu sehen«, sagte sie. »Wo ist er?«

Ich brachte kein Wort heraus. Sie zog eine Grimasse, stieß ein »Ha!« aus, schob mich und die Tür beiseite und kam herein.

»*Gareth, mein Schatz, ich bin zu Hause*!«, brüllte sie, das Gesicht nach oben gewandt, als erwartete sie, dass Dad von der Decke herunterstieg.

Ich war so schockiert, dass ich nur stehen und starren konnte. »Kitty«, das begriff ich jetzt, war nur ein Kosename gewesen, mit dem Eva Brewster an irgendeinem Punkt in ihrem Leben zweifellos gerufen wurde und den sie jetzt wiederbelebt hatte, damit die beiden alles geheim halten konnten. Ich hätte es wissen müssen – zumindest hätte ich auf die *Idee* kommen müssen. Kosenamen hatte es schon früher gegeben. Sherry Piths war *Fussel* gewesen, Cassie Bermondsey hieß sowohl *Lil'* als auch *Spritze. Mitternachtsmaus* für Zula Pierce. Dad fand es lustig, wenn die Frauen so griffige Namen hatten, die einem von der Zunge tropften, und sein Lächeln, wenn er den Namen aussprach, interpretierten sie wahrscheinlich als Liebe, und wenn nicht als Liebe, dann als den Samen echten Interesses, aus dem mit der Zeit der große Weinstock der Zuneigung entspringen würde. Vielleicht war es der Kosename, den sie mit sechs von ihrem Vater bekommen hatte, oder ihr heimlicher Hollywoodname (der Name, den sie eigentlich haben *müsste*, der auf ihrem Pass zum Paramount-Gelände gestanden hätte).

»Machst du mal bitte den Mund auf? Wo ist er?«

»Er ist essen gegangen«, sagte ich und schluckte. »Mit einem-einem Kollegen.«

»Aha. Mit welchem?«

»Professor Arnie Sanderson.«

»Ja, klar. Ganz *bestimmt.*«

Sie gab noch ein beleidigtes Geräusch von sich, verschränkte die Arme, sodass ihre Jacke zusammenzuckte, und ging den Flur hinunter in Richtung Bibliothek. Ich folgte ihr benommen. Sie stolzierte zu Dads Schreibblöcken, die sauber gestapelt auf dem Tisch bei den Bücherregalen lagen, nahm sich einen, blätterte darin.

»Ms Brewster –?«

»Eva.«

»Eva.« Ich kam ein paar Schritte näher. Sie war etwa fünfzehn Zentimeter größer als ich und robust wie ein Silo. »Ich-ich – es tut mir leid, aber ich glaube, Sie können nicht hier bleiben. Ich muss Hausaufgaben machen.«

Sie warf den Kopf in den Nacken und lachte (siehe »Des Haifischs Todesschrei«, *Vögel und wilde Tiere*, Barde, 1973, S. 244).

»Ach, komm schon!« Ohne mich aus den Augen zu lassen, schleuderte sie den Block auf den Boden. »Eines Tages musst du aufwachen. Tja, mit *ihm* kriege ich auch dich – das ist ein bisschen viel verlangt. Ich bin mir sicher, dass ich nicht die Einzige bin, die er beständig in Angst und Schrecken versetzt.« Sie ging an mir vorbei und verließ die Bibliothek wie eine Immobilien-Agentin, die alles inspizierte, Tapete, Teppichboden, Türrahmen und Lüftung, um den Marktpreis zu bestimmen. Jetzt begriff ich: Sie war betrunken. Allerdings gehörte sie nicht zu den Leuten, die es sich anmerken ließen, sondern zu denen, die es kaschierten. Sie hatte ihr Betrunkensein so gut im Griff, dass man ihr fast nichts anmerkte, außer an ihren Augen, die nicht gerötet, sondern geschwollen waren (und ein bisschen langsam, wenn sie blinzelten), und an ihrem Gang: Sie ging bedächtig und verkrampft, als müsste sie jeden Schritt genau organisieren, oder sie würde umfallen wie ein ZUM VERKAUF-Schild. Hin und wieder blieb ihr auch ein Wort im Hals stecken und rutschte wieder die Kehle hinunter, bis sie etwas anderes sagte und es mit heraushustete.

»Ich seh mich nur ein klitzekleines bisschen um«, brabbelte sie und strich mit ihrer plumpen, gepflegten Hand über die Küchentheke. Sie drückte die PLAY-Taste des Anrufbeantworters (»Sie haben keine neue Nachricht.«) und betrachtete mit zusammengekniffenen Augen die hässlichen Kreuzstichsprüche, die Junikäfer Dorthea Driser gestickt hatte und die aufgereiht an der Wand beim Telefon hingen (»Liebe deinen Nächsten«, »Bleib dir selbst stets treu«).

»Du hast von mir gewusst, stimmt's?«, fragte sie.

Ich nickte.

»Er war da nämlich sehr komisch. Nichts als Lügen und Geheimnisse. Nimm einen kleinen Balken aus der Decke, und das ganze Ding stürzt über dir zusammen. Das bringt einen fast um. Er lügt die ganze Zeit – sogar bei ›schön, dich zu sehen‹ und ›pass gut auf dich auf‹.« Sie legte den Kopf schräg, überlegte. »Hast du eine Ahnung, wie es kommt, dass ein Mann so wird? Was ist mit ihm los? Hat seine Mutter ihn auf den Kopf fallen lassen? War er der Trottel mit der hässlichen Schiene am Bein, den alle in der Mittagspause verprügelt haben –?«

Sie öffnete die Tür, die zu Dads Arbeitszimmer hinunterführte.

»– Wenn du was Erhellendes dazu beitragen könntest, das wäre super, denn ich für mein Teil bin ziemlich durcheinander –«

»Ms Brewster –?«

»– kann die ganze Nacht nicht schlafen –«

Sie polterte die Treppe hinunter.

»Ich-ich glaube, meinem Dad wäre es lieber, wenn Sie hier oben warten.«

Sie ging ungerührt weiter. Ich hörte sie unten am Schalter für die Deckenlampe herumfummeln, dann zog sie die Kette an Dads grüner Schreibtischlampe. Ich lief hinter ihr her.

Als ich ins Arbeitszimmer kam, war sie schon dabei, die sechs Schmetterlingskästen zu studieren, genau wie ich befürchtet hatte. Ihre Nase berührte fast die Scheibe des dritten Kastens vom Fenster, und über der weiblichen *Tinostoma smaragditis*, der Grünen Sphinxmotte, hatte sich schon eine kleine Wolke gebildet. Es war nicht ihre Schuld, dass sie sich zu ihnen hingezogen fühlte; sie waren das Faszinierendste im Zimmer. Nicht, dass in Riker-Kästen ausgestellte Lepidoptera so etwas Ungewöhnliches wären (»Let's Make a Deal« – Lupine sagte Dad und mir, dass man sie bei jeder besseren Haushaltsauflösung kriegen oder in den Straßen von New York City für »vierzig Riesen« kaufen konnte), aber viele der Spezimen waren exotisch und kaum zu finden, außer in Lehrbüchern. Abgesehen von den drei Cassius Blue (die ziemlich langweilig aussahen im Vergleich zum Paris-Pfau gleich neben ihnen – drei blasse Waisenkinder neben Rita Hayworth) hatte meine Mutter die anderen von Schmetterlingsfarmen in Südamerika, Afrika und Asien gekauft (die alle angeblich sehr human vorgingen und den Insekten ihre volle Lebensspanne und einen natürlichen Tod gönnten, ehe sie präpariert wurden; »Du hättest hören sollen, wie sie die Leute am Telefon wegen der Lebensbedingungen verhört hat«, sagte Dad. »Man hätte denken können, wir wollen ein Kind adoptieren.«). Der Priamos Vogelflügler (12,2 cm) und der Madagaskar Nachtschmetterling (8,7 cm) leuchteten so, dass sie gar nicht echt aussahen, sondern wie Spielzeug, hergestellt von Nikolaus' und Alexandras legendärem Spielzeugmacher Sascha Lurin Kusnetzow, der über die erlesensten Materialien verfügte – Samt, Seide, Pelz – und im Schlaf Teddybären aus Chinchilla oder ein 24-karätiges Puppenhaus zaubern konnte (siehe *Luxus am Zarenhof*, Lipnokov, 1965).

»Was ist das für ein Zeug?«, fragte Eva, die inzwischen mit vorgestrecktem Kinn den vierten Kasten studierte.

»Nur ein paar Falter.« Ich stand *direkt* hinter ihr. Gräuliche Fussel verpickelten seitlich ihre weiße Wolljacke. Eine Strähne ihrer schwefelgelben Haare bildete auf ihrer linken Schulter ein ?. Wären wir in einem Film Noir, dann wäre jetzt der Moment gekommen, in dem ich ihr eine hübsche Pistole in den Rücken rammen müsste, durch die Tasche in meinem Trenchcoat, um dann zwischen den Zähnen hervorzupressen: »Eine falsche Bewegung, und ich puste dich von hier bis nächsten Dienstag.«

»So was gefällt mir nicht«, sagte sie. »Mich gruselt's da.«

»Wie haben Sie meinen Dad eigentlich kennengelernt?«, fragte ich so unbeschwert, wie ich nur konnte.

Sie drehte sich um, ihre Augen schmal. Sie hatten wirklich eine Wahnsinnsfarbe: das weichste Veilchenblau auf der ganzen Welt, so tief und klar, dass es einem grausam erschien, dass es diese Szene sehen musste.

»Hat er dir das nicht erzählt?«, fragte sie misstrauisch.

»Ich glaube schon. Aber ich hab's vergessen.«

Sie trat von den Kästen zurück und beugte sich über Dads Schreibtisch, um seinen Schreibtischkalender zu inspizieren (Stand: Mai 1998), der mit seiner unleserlichen Schrift vollgekritzelt war.

»Ich bin eine Frau, die sich immer professionell verhält«, erklärte sie. »Bei vielen Lehrerinnen ist das anders. Irgend so ein Vater schaut vorbei, behauptet, dass ihm deine Art zu unterrichten gefällt, und schon stecken sie mitten in einer billigen Affäre. Und ich sage ihnen immer wieder, du triffst ihn in der Mittagspause, du fährst mitten in der Nacht bei ihm vorbei – glaubst du wirklich, da wird was draus? Dann kommt dein Dad daher. Er konnte mir nichts vormachen. Der typischen Frau, ja, vielleicht. Aber mir? Ich hab *gewusst*, dass er lügt. Das ist ja das Komische, ich hab's *gewusst*, aber ich hab es nicht gewusst – weißt du, was ich meine? Weil er auch so viel *Herz* hat. Ich war noch nie besonders romantisch veranlagt. Aber plötzlich habe ich mir eingebildet, ich kann ihn retten. Nur dass man Lügner nicht retten kann. Die sind schon tot und schmoren in der Hölle.«

Mit ihren langen Fingernägeln (pink lackiert, wie Katzenschnäuzchen) wühlte sie in Dads Becher mit Stiften. Sie wählte einen aus – seinen Lieblingsstift – einen Montblanc, 18 Karat Gold, ein Abschiedsgeschenk von Amy Pinto, eines der wenigen Junikäfergeschenke, das ihm gefiel. Eva drehte den Stift zwischen den Fingern und schnupperte daran wie an einer Zigarre. Dann steckte sie ihn in ihre Handtasche.

»Sie können den Stift nicht mitnehmen!«, protestierte ich entsetzt.

»Wenn man bei *Hollywood Squares* nicht gewinnt, kriegt man einen Trostpreis.«

Ich bekam keine Luft mehr. »Vielleicht wollen Sie sich's im Wohnzimmer bequem machen«, schlug ich vor. »Er kommt in« – ich schaute auf die Uhr, und zu meinem großen Schrecken war es erst halb zehn – »in ein paar Minuten. Ich kann Ihnen eine Tasse Tee machen. Ich glaube, wir haben auch noch ein paar Whitman's Chocolates –«.

»Tee, na, so was? Wie zivilisiert. Genau das würde *er* auch sagen.« Sie warf mir einen Blick zu. »Du musst aufpassen, ist dir das klar? Früher oder später verwandeln wir uns nämlich alle in unsere Eltern. *Puff*!«

Sie ließ sich auf Dads Schreibtischstuhl fallen, zog eine Schublade auf und ging die Schreibblöcke durch.

»Man weiß ja nie, was ... ›Verhältnis zwischen Innen- und Außenpolitik aus griechischer Sicht – von der Polis bis heute.‹« Sie runzelte die Stirn. »Kapierst du diesen Quatsch? Ich hab mich gut amüsiert mit diesem Kerl, aber meistens habe ich gedacht, was der da labert, ist ein Haufen Dung. ›Quantitative Methoden.‹ ›Die Rolle anderer Staaten beim Friedensprozess –‹«

»Ms Brewster?«

»Ja.«

»Was … wie sehen Ihre Pläne aus?«

»Ich mach das so nach Lust und Laune. Von wo kommt ihr eigentlich? Er hat sich nie genau festgelegt. Überhaupt, bei vielen Sachen –«

»Ich möchte ja nicht unhöflich sein, aber ich glaube, ich muss die Polizei rufen.«

Sie warf die Aufzeichnungen zurück in die Schublade, grob und rücksichtslos, und schaute mich an. Wenn ihre Augen Autobusse gewesen wären, hätten sie mich überfahren. Wenn sie Pistolen gewesen wären, hätten sie mich erschossen. Ich überlegte mir – völlig lächerlich –, ob sie womöglich eine Waffe dabei hatte, die sie ohne Bedenken benutzen würde. »Meinst du tatsächlich, das ist eine gute Idee?«

»Nein«, gab ich zu.

Sie räusperte sich. »Die arme Mirtha Grazeley, weißt du, verrückt wie ein Hund, den der Blitz getroffen hat, aber ziemlich gut organisiert, was die Schulbewerbungen betrifft. Die arme Mirtha ist am Montag in die Schule gekommen. Letztes Quartal. Und ihr Raum sah anders aus, als sie ihn verlassen hatte, ein paar Stühle verrückt, ein Kissen fleckig, ein Liter Eggnog verschwunden. Und es sah auch so aus, als hätte jemand auf der Toilette nicht mehr an sich halten können. Nicht sehr hübsch. Ich weiß, es waren keine Profis, weil der Einbrecher seine Schuhe vergessen hat. Schwarz. Größe 43 Dolce & Gabbana. Nicht viele Schüler können sich solche Schickimicki-Sachen leisen. Also kann man den Kreis auf die Töchter der großen Wohltäter beschränken, Atlanta-Typen, die ihre Kinder im Mercedes rumfahren lassen. Ich überprüfe also, wer von denen bei dem Fest war, und habe schließlich eine Liste mit Verdächtigen, die erstaunlicherweise gar nicht so lang ist. Aber ich bin ein Mensch mit Gewissen, verstehst du? Ich gehöre nicht zu den Leuten, die sich daran hochziehen, dass sie einem jungen Menschen die Zukunft vermasseln können. Nein, das wäre doch viel zu schade. Nach allem, was ich höre, hat die kleine Whitestone sowieso schon genug Probleme. Schafft vielleicht die Abschlussprüfung nicht.«

Einen Moment lang war ich sprachlos. Das Summen des Hauses war deutlich zu hören. Als Kind fand ich, manche unserer Wohnungen summten so laut, dass es nur eine Erklärung geben konnte: In der Wand hatte sich ein unsichtbarer Gesangsverein eingenistet, alle Mitglieder in burgunderroten Roben, die Münder zu einem feierlichen O geformt, und so sangen sie die ganze Nacht und den ganzen Tag.

»Wieso haben Sie meinen Namen gerufen?«, stieß ich schließlich hervor. »Bei dem Fest –«

Sie war erstaunt. »Du hast mich gehört?«

Ich nickte.

»Ich dachte mir doch, ich hätte dich in Richtung Loomis rennen sehen!« Sie gab ein eigenartiges »Umpff«-Geräusch von sich und zuckte die Achseln. »Ich wollte alles mal richtig besprechen. Über deinen Vater reden. So ähnlich wie jetzt. Wobei es ja nicht mehr viel zu sagen gibt. Der Spaß ist vorbei. Ich *weiß*, wer er ist. Hält sich für Gott, aber in Wirklichkeit ist er ein kleiner …«

Ich dachte, sie würde es dabei belassen, bei dieser verglühenden Aussage »Er ist ein kleiner …«, aber dann beendete sie den Satz.

»Er ist ein kleiner, winziger Mann.«

Sie schwieg, verschränkte die Arme, kippelte mit Dads Schreibtischstuhl nach hinten. Obwohl Dad mich gewarnt und gesagt hatte, man dürfe den Worten, die jemand im Zorn sagt, nicht allzu viel Beachtung schenken, fand ich das, was sie sagte, unausstehlich. Es war das Grausamste überhaupt, was man über Menschen sagen konnte – dass sie klein seien. Mich tröstete nur eins: dass, angesichts der Ewigkeit, angesichts des Universums, alle Menschen klein waren. Sogar Shakespeare war klein. Und van Gogh. Leonard Bernstein auch.

»Wer ist sie?«, fragte Eva plötzlich. Sie hätte eigentlich triumphieren müssen, nachdem sie dieses Urteil über Dad gefällt hatte und ich kein anständiges Gegenargument zustande brachte, also hatte sie doch gewonnen, wenn auch nur deswegen, weil kein Widerstand geleistet wurde. Aber in ihrer Stimme schwang immer noch eine unüberhörbare Verstimmung mit.

Ich wartete, ob sie weiterreden würde, aber sie schwieg. »Ich weiß nicht, was Sie meinen.«

Sie schüttelte den Kopf. »Du musst mir nicht sagen, wer's ist, aber ich fände's trotzdem gut.«

Offensichtlich meinte sie Dads neue Freundin, aber er hatte keine – jedenfalls meines Wissens nicht.

»Ich glaube nicht, dass er mit jemandem ausgeht, aber ich kann ihn für Sie fragen.«

»Schön«, sagte sie und nickte. »Schön. Ich glaube dir. Er macht das erstklassig. Ich wüsste es nicht, ja, ich wäre nicht mal auf die Idee gekommen, wenn ich nicht seit der zweiten Klasse mit Alice Steady befreundet wäre, die den Blumenladen Green Orchid in der Orlando Avenue hat. ›Wie heißt nochmal der Typ, mit dem du ausgehst?‹ ›Gareth.‹ ›Ach je‹, sagt sie. Tja, er kam in den Laden, blauer Volvo, kaufte mit seiner Kreditkarte Blumen für hundert Dollar. Lehnte Alices Angebot, sie kostenlos zu liefern, ab. Und das war raffiniert, verstehst du – keine Adresse, kein Beweis, kapiert? Und ich weiß, die Blumen waren nicht für ihn selbst, weil Alice gesagt hat, er hat sie um so ein kleines Grußkärtchen gebeten. Und nach deinem Gesichtsausdruck zu urteilen, waren die Blumen auch nicht für dich. Alice gehört zu diesen romantischen Frauen, und sie sagt, kein Mann kauft Barbaresco-Lilien für hundert Dollar, wenn er nicht über beide Ohren verliebt ist. Rosen, klar. Jedes billige Flittchen kriegt Rosen. Aber keine Barbaresco-Lilien. Ich gebe sofort zu, dass ich mich aufgeregt habe – ich bin keine von den Frauen, die so tun, als wäre ihnen alles egal, aber dann hat er angefangen, nicht zurückzurufen, wenn ich ihn angerufen habe – er hat mich einfach unter den Teppich gefegt, wie ein paar Krümel oder was. Aber jetzt ist mir das egal. Ich hab schon einen anderen. Einen Optiker. Geschieden. Seine Frau war ein echtes Miststvieh, glaube ich. Gareth kann tun und lassen, was er will.«

Eva verstummte, nicht aus Erschöpfung oder um nachzudenken, sondern weil ihr Blick wieder von den Schmetterlingen gefesselt wurde.

»Er ist wirklich vernarrt in diese Dinger.«

Ich folgte ihren Augen. »Nein, eigentlich nicht.«

»Nein?«

»Er beachtet sie kaum.«

Ich sah den Gedanken, sah, wie die Glühbirne über ihrem Kopf aufleuchtete, wie bei einer Comic-Figur.

Sie handelte sehr rasch. Ich auch. Ich stellte mich vor die Kästen und versicherte ihr hastig, dass *ich* die Blumen bekommen hatte (»Dad redet die ganze Zeit von Ihnen!«, rief ich kläglich), aber sie hörte mir nicht zu.

Flammende Röte kroch ihren Hals hoch, während sie Dads Schreibtischschubladen aufriss und die gelben Schreibblöcke (er ordnete sie nach Universität und Datum) durch die Luft schleuderte. Sie flatterten durchs Zimmer wie ein aufgeschreckter Schwarm riesiger Kanarienvögel.

Dann fand sie, was sie suchte – ein Lineal aus Metall, das Dad bei seinen Vorlesungsnotizen für säuberliche Querverweis-Diagramme verwendete –, und schon stieß sie mich herrisch beiseite und versuchte, die Glasscheibe vor einem der Riker-Kästen zu zertrümmern. Das Lineal war aber aus Aluminiumsilber und völlig ungeeignet für diese Aktion, also pfefferte sie es mit einem erbosten »Verdammte Scheiße!«, auf den Boden und probierte es erst mit der Faust, dann mit dem Ellbogen, und als das alles nicht funktionierte, schrappte sie mit den Fingernägeln über das Glas wie eine Wahnsinnige, die die Silberbeschichtung von einem Lottoschein kratzt.

Frustriert ließ sie die Augen um Dads Schreibtischstuhl herumrasen, bis sie an der grünen Lampe hängen blieben (ein Abschiedsgeschenk des freundlichen Dekans der University of Arkansas in Wilsonville). Sie packte die Lampe, riss den Stecker aus der Wand und hob sie über den Kopf. Mit dem Messingfuß zerschmetterte sie die Scheibe des ersten Kastens.

Jetzt ging ich auf sie los, packte sie an der Schulter, schrie ganz laut »Bitte!« –, aber ich war zu schwach und vermutlich auch zu konsterniert, um irgendetwas zu bewirken. Sie schubste mich wieder und verpasste mir mit dem Ellbogen einen Kinnhaken, sodass mein Kopf zur Seite kippte und ich umfiel.

Glasscherben regneten über Dads Schreibtisch, den Teppich, meine Füße und Hände und auch über Eva. Winzige Splitter funkelten in ihren orangegelben Haaren und blieben an den dicken weißen Strumpfhosen hängen, zitternd wie Wassertröpfchen. Sie konnte die Kästen nicht von der Wand nehmen (Dad verwendete zum Aufhängen Spezialschrauben), aber sie zerfetzte den Steckkarton und riss die braune Stützpappe aus dem Rahmen und jeden Schmetterling von seiner Nadel, sie zerquetschte die Flügel zu buntem Konfetti, das sie – mit weit aufgerissenen Augen, ihr Gesicht so zerknittert wie eine glatt gestrichene Papierkugel – durchs ganze Zimmer schleuderte, eine Art sakrale Handlung, wie ein verrückt gewordener Priester mit Weihwasser.

Einmal biss sie sogar in einen Schmetterling und knurrte leise dazu, und einen kurzen, grässlichen und irgendwie surrealen Moment lang sah sie aus wie eine dicke rotweiß-gestreifte Katze, die eine Amsel frisst. (In extrem seltsamen Augenblicken überfallen einen extrem seltsame Gedanken, und in diesem Fall, als Eva in die Flügel des Echo Satyrs, *Taygetis Echo*, biss, fiel mir ein, wie Dad und ich von Louisiana nach Arkansas fuhren, bei fast 35° Grad; die Klimaanlage war kaputt, und wir lernten dieses Gedicht von Wallace Stevens auswendig, eins von Dads Lieblingsgedichten: »Dreizehn Arten, eine Amsel zu betrachten« »Zwischen zwanzig Schneebergen / war das Einzige, was sich bewegte / das Auge der Amsel«, erklärte Dad dem Highway.)

Als sie aufhörte, als sie *endlich* innehielt, selbst fassungslos angesichts dessen, was sie gerade getan hatte, herrschte das tiefste aller tiefen Schweigen, ein Schweigen, das, so dachte ich, den Nachwehen von Massakern und Unwettern vorbehalten war. Wenn man sich konzentrierte, konnte man vermutlich das Rauschen des Mondes hören. Und die Erde, wie sie mit 18,5 Meilen in der Sekunde um die Sonne wirbelte. Dann begann Eva, mit zitteriger Stimme eine Entschuldigung herauszuhecheln. Es klang, als würde jemand sie kitzeln. Sie weinte auch ein bisschen, ein irritierendes, tiefes Sickergeräusch.

Das mit dem Weinen kann ich eigentlich nicht genau sagen, weil ich selbst auch völlig desorientiert war und nur immer wieder vor mich hin murmeln konnte: *Das ist nicht wahr*, während ich das Chaos um mich herum betrachtete, vor allem meine rechte Fußspitze, meine gelbe Socke, auf welcher der Hinterleib eines Falters lag, der Hinterleib der Geistermotte vielleicht, ein wenig schief, als wäre er ein Stückchen Pfeifenreiniger.

Eva stellte die Lampe auf Dads Schreibtisch zurück, ganz behutsam, wie ein Baby, und ging dann, ohne mich anzusehen, an mir vorbei und die Treppe hinauf. Gleich darauf hörte ich die Haustür ins Schloss fallen, das Schnurren eines Automotors: Eva war weg.

* * *

Mit samurai-artiger Präzision und mit der gedanklichen Klarheit, die einen unmittelbar nach besonders merkwürdigen Episoden im Leben überkommt, beschloss ich, alles aufzuräumen, bevor Dad nach Hause kam.

Ich holte einen Schraubenzieher aus der Garage und nahm die kaputten Kästen von der Wand, einen nach dem anderen. Ich fegte das Glas und die Flügel zusammen, saugte unter Dads Schreibtisch, in den Ecken, an den Bücherregalen entlang und auf der Treppe. Die Schreibblöcke packte ich wieder in die richtigen Schubladen, nach Universität und nach Datum geordnet, dann schleppte ich den Umzugskarton (SCHMETTERLINGE – ZERBRECHLICH) mit allem, was noch zu retten war, nach oben in mein Zimmer. Es war nicht viel – nur zerrissenes weißes Papier, eine Hand voll brauner Flügel, die noch intakt waren, und der einzige Falter, der wie durch ein Wunder das Gemetzel heil überstanden hatte, der Kleine Postbote, *Heliconius erato*, der sich hinter Dads Aktenschrank verkrochen hatte. Ich versuchte, noch ein bisschen *Heinrich V.* zu lesen, während ich darauf wartete, dass der Prinz der Dunkelheit nach Hause kam, aber die Wörter sträubten sich, ich starrte immer nur auf dieselbe Stelle.

Obwohl meine rechte Wange klopfte, machte ich mir keine Illusionen darüber, dass Dad in dem Irrendrama des heutigen Abends irgendetwas anderes sein könnte als der mitleidslose Bösewicht. Klar, ich hasste sie, aber ihn hasste ich auch. Dad hatte endlich bekommen, was er verdiente, nur war er leider anderweitig beschäftigt gewesen, und deshalb hatte *ich*, sein schuldloser Nachkömmling, bekommen, was er verdiente. Es klang melodramatisch, aber ich wünschte mir, Kitty hätte mich *umgebracht* (oder mich wenigstens einigermaßen bewusstlos geschlagen), damit Dad mich, wenn er heimkam, auf dem Fußboden in seinem Arbeitszimmer vorgefunden hätte, mein Körper schlaff und grau wie ein hundertjähriges Sofa, mein Hals in einem komischen Winkel verdreht, der bedeutete, dass das Leben dabei war, mit dem Bus die Stadt zu verlassen. Nachdem Dad auf die Knie gefallen wäre und Klagerufe à la King Lear ausgestoßen hätte (»Nein! Neeeeiin! Nimm sie mir nicht weg, lieber Gott! Ich mache alles, was du von mir verlangst!«), würde ich die Augen aufschlagen, laut aufstöhnen und dann eine mitreißende Rede halten: über Menschlichkeit und Mitgefühl, über die feine Grenze zwischen Güte und Mitleid, die Notwendigkeit der Liebe (ein Thema, das dank der unermüdlichen Unterstützung durch die Russen aus dem Bereich des Banalen und Sentimentalen gerettet worden war [»Alles, was ich verstehe, verstehe ich nur aus Liebe.«], dazwischen ein bisschen Irving Berlin, um das Ganze etwas aufzulockern [»Es heißt, sich verlieben, ist wunderbar, es ist wunderbar, so heißt es.«]). Am Schluss würde ich verkünden, dass Jack Nicholson, Dads üblicher Modus Operandi, von nun an ersetzt werde durch Paul Newman, und Dad würde nicken – mit niedergeschlagenen Augen und gequälter Miene. Seine Haare würden grau werden, ein gleichmäßiges Stahlgrau, wie die Haare der Hekuba, dem Abbild reinsten Leides.

Was war mit den anderen? Hatte er den anderen genauso wehgetan wie Eva Brewster? Was war mit Shelby Hollows und ihrem gebleichten Oberlippenbart? Oder mit Janice Elmeros und den stacheligen

Beinen unter ihrem Sommerkleid? Und mit den anderen, wie Rachel Groom und Isabelle Franks, die immer ein Geschenk mitbrachten, wenn sie Dad besuchten, wie die modernen Heiligen Drei Könige (Dad irrtümlicherweise in der Rolle des Jesuskindes), Maisbrot, Muffins und Strohpuppen mit Zwinkergesichtern (als hätten sie alle gerade ein weiches saures Bonbon gegessen) als ihr Gold, Weihrauch und Myrrhe? Wie viele Stunden hatte Natalie Simms sich damit abgemüht, das Vogelhäuschen aus Lutscherstielen zu basteln?

Der blaue Volvo bog um Viertel vor zwölf in unsere Einfahrt ein. Ich hörte, wie Dad die Haustür aufschloss.

»Sweet, du musst sofort runterkommen! Du lachst dir die Augen aus!«

(Sich die Augen auslachen war ein besonders nerviger Dadismus, so wie sich kringelig weinen und jemandes Augbirne sein.)

»Stell dir vor, der kleine Arnie Sanderson verträgt keinen Alkohol! Er ist hingefallen, ich schwör's, im Restaurant ist er hingefallen, auf dem Weg zur Toilette. Ich musste den armen Kerl nach Hause fahren, zu seiner kalkuttamäßigen Universitätswohnung. Eine fürchterliche Unterkunft – kaputter Teppichboden, alles stinkt nach saurer Milch, Kollegen wandern durch die Flure mit Füßen, die aussehen, als würden sie exotischere Lebensformen tragen, als man auf den Galapagos Inseln antrifft. Ich musste ihn die Treppe hinaufschleifen. Drei Stockwerke! Erinnerst du dich an *»Reporter der Liebe«*, diesen entzückenden Film mit Gable und Doris, den wir gesehen haben – wo war das nochmal? In Missouri? Na, egal, jedenfalls habe ich diesen Film heute Abend live erlebt, nur ohne die kesse kleine Blondine. Ich glaube, ich habe mir einen Drink verdient.«

Er schwieg.

»Bist du schon im Bett?«

Er kam die Treppe hoch gerannt, klopfte leise, öffnete die Tür. Er hatte den Mantel noch an. Ich saß auf der Bettkante und schaute mit verschränkten Armen zur Wand.

»Was ist los?«, fragte er.

Als ich es ihm erzählte (ich bemühte mich, wie ein Stahlträger zu wirken, der sich gelockert hat: Gefährlich und erbarmungslos), verwandelte sich Dad in einen dieser gestreiften Pfosten vor dem Friseurgeschäft: Er wurde rot, als er den roten Fleck in meinem Gesicht sah, weiß, als ich ihn nach unten begleitete und ihm gekonnt die ganze Szene vorspielte (mit Sätzen aus dem realen Dialog, samt Evas Enthüllung, dass Dad »ein Kleiner« sei), und oben dann wieder rot, als ich ihm den Karton mit den Schmetterlingsüberresten zeigte.

»Wenn ich gewusst hätte, dass so was möglich ist«, begann er, »wenn ich gewusst hätte, dass sie sich in eine Skylla verwandeln kann – die meiner Meinung nach schlimmer ist als Charybdis –, dann hätte ich diese Schreckschraube *ermordet.*« Er drückte den Waschlappen mit Eiswürfeln an meine Wange. »Ich muss mir eine Strategie überlegen.«

»Wie hast du sie kennengelernt?«, fragte ich düster, ohne ihn anzusehen.

»Ich habe solche Geschichten natürlich schon öfter von Kollegen gehört oder in Filmen gesehen, am Drastischsten in *Eine verhängnisvolle Affäre* –«

»*Wie*, Dad?«, schrie ich.

Er erschrak vor meiner Stimme, wurde aber nicht böse, sondern nahm nur das Eis weg und berührte dann meine Wange mit dem Fingerrücken, sein Gesicht tief besorgt (seine Darstellung der Krankenschwester in *Wem die Stunde schlägt*).

»Wie ich sie – lass mal sehen, ob – wann war das gleich – Ende September«, sagte er und räusperte sich. »Ich bin nochmal zu deiner Schule gefahren, um dein *Ranking* in der Klasse zu besprechen. Erinnerst du dich? Ich habe mich verlaufen. Die zuständige Dame, diese fürchterliche Ronin-Smith – sie hatte mir gesagt, ich muss in einen anderen Raum kommen, weil ihr Büro frisch gestrichen wurde. Aber sie hat mir eine falsche Adresse gegeben, und deshalb habe ich mich zum Trottel gemacht, als ich bei Raum 316 in Hanover Hall klopfte und dort einen unangenehm bärtigen Geschichtslehrer kennengelernt habe, der gerade das Wie und Warum der Industrialisierung erklärte – ziemlich erfolglos, wie man an den betäubten Gesichtern seiner Schüler sehen konnte. Ich ging also zum Hauptbüro, um mich dort nach dem richtigen Raum zu erkundigen, und da traf ich die manische Miss Brewster.«

»Und es war Liebe auf den ersten Blick?«

Dad schaute auf den Karton mit den Schmetterlingsüberresten auf dem Fußboden. »Man stelle sich vor – das hätte alles nicht passieren müssen, wenn diese Ziege mir gesagt hätte: *Barrow 316*.«

»Das ist nicht lustig.«

Dad schüttelte den Kopf. »Es war ein Fehler, dass ich dir nichts gesagt habe. Aber mir war nicht wohl dabei, dass ich eine« – er hielt die Luft an, weil es ihm dermaßen unangenehm war – »dass ich eine Beziehung mit jemandem von deiner Schule habe. Ich wollte natürlich nicht, dass es so eskaliert. Am Anfang war alles ziemlich harmlos.«

»Das haben die Deutschen auch gesagt, als sie den Zweiten Weltkrieg verloren haben.«

»Ich übernehme die volle Verantwortung. Ich war ein Arsch.«

»Ein Lügner. Ein Betrüger. Sie hat dich als Lügner bezeichnet. Und sie hatte recht –.«

»Ja.«

»– du hast gelogen, die ganze Zeit. Auch bei ›schön, dich zu sehen‹.«

Darauf antwortete er nicht, sondern seufzte nur.

Ich verschränkte die Arme und starrte böse auf die Wand. Er presste das Eis wieder auf meine Wange.

»So wie ich das sehe«, sagte er, »muss ich die Polizei rufen. Entweder das – oder die verlockendere Möglichkeit: mit einer illegal beschafften Waffe zu ihrem Haus fahren.«

»Du kannst die Polizei nicht rufen. Du kannst gar nichts tun.«

Er schaute mich entsetzt an. »Aber ich dachte, du willst auch, dass sie hinter Gitter kommt.«

»Sie ist eine ganz normale Frau, Dad. Und du hast sie nicht mit Respekt behandelt. Warum hast du sie nie zurückgerufen?«

»Ich hatte vermutlich keine Lust, mich mit ihr zu unterhalten.«

»Wenn man jemanden nicht zurückruft, ist das in der zivilisierten

Welt eine extreme Form der Folter. Hast du denn nicht *Immer auf der Flucht: Die Krise unter Amerikas Singles* gelesen?«

»Ich glaube nicht –«

»Das Mindeste, was du jetzt tun kannst, ist, sie in Ruhe zu lassen.«

Er wollte etwas sagen, schwieg dann aber.

»Und für wen waren die Blumen?«, fragte ich.

»Hmmm?«

»Die Blumen, von denen sie geredet hat.«

»Für Janet Finnsbroke. Eine Frau aus der Verwaltung an unserem Institut, die noch aus dem Paläozoikum stammt. Für ihre goldene Hochzeit. Ich dachte, es wäre doch nett –« Dad begegnete meinem Blick. »– nein, ich bin *wirklich nicht* in sie verliebt. Um Himmels willen.«

Ich tat so, als würde ich es nicht merken, aber Dad sah ziemlich k.o. aus, wie er da auf meiner Bettkante saß. Ein verlorener, gedemütigter Ausdruck wanderte über sein Gesicht (etwas überrascht, sich dort wiederzufinden). Als ich ihn so sah, so un-dadmäßig, bekam ich Mitleid mit ihm – aber ich ließ mir nichts anmerken. Sein verwirrtes Gesicht erinnerte mich an diese wenig schmeichelhaften Fotos von Präsidenten, die in der *New York Times* und in anderen Zeitungen mit Vorliebe auf Seite eins abgedruckt wurden, um der Welt zu demonstrieren, wie die großen Politiker zwischen den inszenierten Momenten aussahen, zwischen den aufgeschriebenen Soundbites, den einstudierten Handschlägen – nicht etwa standhaft und stattlich, nicht einmal stabil, sondern nur zerbrechlich und blöd. Diese Fotos waren amüsant, aber wenn man darüber nachdachte, begriff man, dass die Implikationen einem Angst machen mussten, weil die Bilder zeigten, wie empfindlich das Gleichgewicht in unserem Leben ist, wie zerbrechlich unsere ruhige kleine Existenz, wenn *das* der Mann war, der das Sagen hatte.

Flussfahrt

Jetzt komme ich also zum gefährlichen Teil meiner Geschichte.

Wenn es sich um eine Tag-für-Tag-Darstellung der Geschichte Russlands handeln würde, wäre dieses Kapitel der Bericht des Proletariats über die große sozialistische Oktoberrevolution 1917, bei einer Geschichte Frankreichs wäre es die Enthauptung von Marie Antoinette, bei einer amerikanischen Chronik das Attentat auf Abraham Lincoln durch John Wilkes Booth.

»Alle lohnenden Geschichten enthalten ein gewisses Maß an Gewalt«, sagte Dad. »Wenn du mir nicht glaubst, dann denk mal einen Moment daran, wie fürchterlich es ist, wenn etwas Böses draußen vor deiner Haustür lauert und du es keuchen und pusten hörst – und schließlich *bläst es grausam und unerbittlich dein Haus weg*. Die Geschichte vom Wolf und den drei kleinen Schweinchen ist so furchtbar wie die Nachrichten auf CNN. Aber was wäre sie ohne die Brutalität? Niemand hätte je etwas von den drei Schweinchen gehört, weil man sich am Kaminfeuer keine Geschichten vom stillen Glück erzählt. Keine Nachrichtensprecherin mit drei Pfund Schminke im Gesicht und mehr Glitzer auf den Augenlidern als der Federschmuck eines Pfaus würde darüber berichten.«

Ich will natürlich nicht behaupten, dass meine Geschichte es mit den großen Ereignissen der Weltgeschichte aufnehmen kann (jedes der oben genannten verdient tausend Seiten eng gedruckt) oder mit dreihundertjährigen Märchen. Aber ob man will oder nicht, man muss zugeben, dass Gewalt, die zwar von der westlichen wie auch von der östlichen Kultur offiziell abgelehnt wird (nur offiziell, denn keine Kultur, ob modern oder nicht, zögert, bei der Verfolgung ihrer eigenen Interessen Gewalt anzuwenden), offenbar unvermeidlich ist, wenn sich etwas verändern soll.

Ohne den schrecklichen Vorfall in diesem Kapitel hätte ich nie angefangen, die Geschichte zu schreiben. Ich hätte nichts gehabt, worüber ich schreiben könnte. Das Leben in Stockton wäre genauso weitergegangen wie vorher, ruhig und selbstgenügsam wie die Schweiz, und die merkwürdigen Ereignisse – Cottonwood, Smoke Harveys Tod, das befremdliche Gespräch mit Hannah kurz vor den Weihnachtsferien – hätte man zwar nach wie vor irritierend gefunden, klar, aber letzten Endes gab es nichts, was man im Nachhinein nicht irgendwie banal finden und erklären konnte, da man ja hinterher immer klüger ist.

Ich muss ein bisschen vorwegnehmen, muss ein Stückchen vorlaufen (so ähnlich wie Violet Martinez in den Great Smoky Mountains), und weil mir die Geduld fehlt, hüpfe ich durch die zwei Monate zwischen dem Abend, an dem Eva die Schmetterlinge meiner Mutter zerstörte, und dem Campingausflug, an dem Hannah trotz unseres offensichtlichen Mangels an Begeisterung (»Ich geh nicht, nicht mal für Geld«, versicherte Jade) nach wie vor für das Wochenende des 26. März festhielt, den Anfang der Frühjahrsferien.

»Und vergesst eure Wanderschuhe nicht«, ermahnte sie uns.

St. Gallway marschierte verbissen weiter (siehe Kapitel 9, »Die Schlacht von Stalingrad«, *Der große vaterländische Krieg*, Stepnovich, 1989). Außer Hannah waren die meisten Lehrer vergnügt und unverändert aus den Weihnachtsferien zurückgekehrt, höchstens mit kleinen Verbesserungen ihres Äußeren: mit einem roten Navajo-Pullover (Mr Archer), glänzenden neuen Schuhen (Mr Moats), einer neuen Brombeerspülung, durch die sich die Haare in etwas verwandelten, was man bei der Auswahl der Kleidung berücksichtigen musste, zum Beispiel bei Paisley (Ms Gershon). Die ablenkenden Details sorgten dafür, dass man im Unterricht darüber grübelte, wer wohl Mr Archer den Pullover geschenkt hatte oder weshalb Mr Moats in Bezug auf seine Körpergröße so unsicher war, dass er immer Schuhe trug, deren Sohlen so dick waren wie ein Stück Butter, oder was Ms Gershon für ein Gesicht gemacht hatte, als der Friseur das Handtuch wegnahm und sie beruhigte: »Keine Sorge, diese Pflaumennuance sieht nur jetzt so extrem aus, weil die Haare noch nass sind.«

Die Schüler von St. Gallway waren auch noch dieselben, und wie kleine Nagetiere übten sie sich in ihrer Fähigkeit, Futter zu beschaffen, Vorräte anzulegen, Erdlöcher zu buddeln und massenhaft Pflanzen zu futtern, trotz demütigender nationaler Skandale und quälender weltpolitischer Ereignisse. (»Das ist eine kritische Zeit in der Geschichte unserer Nation«, teilte uns Ms Sturds immer bei der Morgenansprache mit, »wir müssen dafür sorgen, dass wir in zwanzig Jahren voller Stolz zurückblicken können. Lest Zeitung. Seht die Nachrichten. Ergreift Partei. Habt eine Meinung.«) Maxwell Stuart, der Präsident des Student Councils, enthüllte komplexe Pläne für ein Frühjahrsgrillfest mitsamt Squaredancing, einer Bluegrass-Band und einem Vogelscheuchen-Wettbewerb für die Lehrer; Mr Carlos Sandborn von Weltgeschichte schmierte sich kein Gel mehr in die Haare (sie sahen jetzt nicht mehr nass aus, als käme er gerade vom Schwimmen, sondern windzerzaust, als hätte er in einem Propellerflugzeug Achten geflogen); und Mr Frank Fletcher, der Kreuzworträtsel-Maharishi und Aufseher bei der Stillarbeit, steckte mitten in einer scheußlichen Scheidung; seine Frau Evelyn hatte ihn offenbar gezwungen auszuziehen (allerdings wusste keiner, ob die dunklen Ringe unter seinen Augen von der Scheidung oder von den Kreuzworträtseln kamen) und als Begründung unvereinbare Gegensätze angeführt.

»Ich nehme an, sie haben die große Szene an Heiligabend aufgeführt. Mr Fletcher hat gerufen: ›Oh, elf waagrecht!‹ und nicht ›Evy hat recht!‹ Und da hat sie sich bestätigt gefühlt«, sagte Dee.

Ich sah Zach immer in Physik, aber bis auf eine Hand voll Hallos redeten wir eigentlich nicht miteinander. Er tauchte nie mehr bei meinem Schließfach auf. Einmal, im Dynamik-Praktikum, waren wir beide zusammen im hinteren Teil des Raums, und gerade, als ich von meinem Notizblock aufblickte, um ihm zuzulächeln, stieß er gegen die Ecke eines Labortischs und ließ alles, was er in der Hand hielt, fallen, eine Federwaage und einen Satz Referenzmassen. Aber auch als er die Sachen aufgehoben hatte, sagte er nichts, sondern ging schnell wieder nach vorne (zu seiner Praktikumspartnerin Krista Jibsen) und machte ein Gesicht wie ein Regierungssprecher. Ich hatte nicht die geringste Ahnung, was er dachte.

Verkrampft waren auch die Gelegenheiten, bei denen ich Eva Brewster auf dem Flur begegnete. Wir taten beide so, als gehörten wir zu den Menschen, die nichts mehr wahrnehmen, wenn sie irgendwo herumlaufen und gleichzeitig komplizierte Gedanken denken (Einstein hatte dieses Problem, Darwin und de Sade ebenfalls): Das Phänomen war so etwas wie ein vorübergehendes Blackout oder ein vollständiger Bewusstseinsverlust (aber wenn wir aneinander vorbeigingen, schlossen wir die Augen, so wie sich die Vorhänge schließen, wenn eine Nutte auf der Suche nach einer Unterkunft durch eine Präriestadt schlendert). Ich kannte ein dunkles, unerfreuliches Geheimnis über Eva (unter gewissen Bedingungen verwandelte sie sich in einen Werwolf), und sie war sauer, dass ich Bescheid wusste, dachte ich. Trotzdem – wenn sie gedankenversunken den Gang entlangging, begleitet von einer zitrusfruchtigen Parfümwolke, als hätte sie sich mit Küchenreiniger angespritzt, dann sah ich – ich schwör's! – an der Wölbung ihres beigefarbenen Pullis, an der Biegung ihres fleischigen Halses, dass es ihr leidtat und sie alles rückgängig machen würde, wenn sie könnte. Auch wenn sie nicht den Mumm hatte, es mir direkt zu sagen (so wenige Leute haben den Mumm, etwas direkt zu sagen!), war ich weniger angespannt, als würde ich sie ein bisschen verstehen.

Ms Brewsters Tobsuchtsanfall hatte auch ein paar konstruktive Nebenwirkungen, wie alle Katastrophen und Tragödien (siehe *Was folgt aus Dresden?*, Trask, 2002). Dad, der wegen Kitty immer noch ein schlechtes Gewissen hatte, war permanent zerknirscht, was ich angenehm erfrischend fand. An dem Tag, an dem wir aus Paris zurückgekommen waren, hatte ich erfahren, dass ich eine Zulassung für Harvard hatte, und an einem windigen Freitag Anfang März feierten wir diesen Meilenstein endlich. Dad zog sein Frackhemd von Brooks Brothers mit den französischen Manschetten an, dazu seine goldenen GUM-Manschettenknöpfe; ich ein gummigrünes Kleid von *Au Printemps*. Dad wählte ein Vier-Sterne-Restaurant aus, einfach nur wegen seines Namens: Quixote.

Das Essen war aus mehreren Gründen unvergesslich. Ein Grund war, dass Dad, in einem untypischen Anfall von Selbstbeherrschung, unsere wunderschöne Kellnerin mit der üppigen Schwanenhalsflaschenfigur und dem interessanten Kinngrübchen, überhaupt nicht beachtete. Ihre kaffeebraunen Augen fielen regelrecht über Dad her, als sie unsere Bestellungen entgegennahm, und auch wieder, als sie Dad fragte, ob er frischen Pfeffer wolle (»*Hatten Sie genug* [Pfeffer]?«, hauchte sie). Aber Dad blieb neutral, reagierte nicht auf die Invasion, und ihre Augen zogen sich wieder dahin zurück, woher sie gekommen waren (»Die Dessertkarte«, verkündete sie verdrossen am Ende der Mahlzeit).

»Auf meine Tochter«, sagte Dad würdevoll und stieß mit mir an, mit seinem Weinglas gegen den Rand meines Colaglases. Eine ältere Frau am Nachbartisch, mit schwerem Metallschmuck und mit einem untersetzten Ehemann ausgestattet (den sie unbedingt loswerden wollte, so schien es, wie einen Arm voll Einkaufstüten), verdrehte den Hals und strahlte uns zum dreißigsten Mal an (Dad, das leuchtende Beispiel eines Vaters: gut aussehend, aufopferungsvoll, in Tweed). »Mögen deine Studien bis ans Ende deiner Tage dauern. Mögest du für die Wahrheit kämpfen –, für deine eigene Wahrheit, nicht für die Wahrheit anderer – und mögest du vor allem verstehen, dass du das wichtigste Konzept, die wichtigste Theorie und Philosophie bist, die ich kenne.«

Die Frau war so beeindruckt von Dads Eloquenz, dass sie quasi vom Stuhl fiel. Ich dachte, er hätte einen irischen Trinkspruch paraphrasiert, aber als ich später in Killings Buch *Jenseits der Worte* (1999) nachschlug, fand ich ihn nicht. Es war Dad.

* * *

Mit der gleichen Unschuld, mit der sich die Trojaner um das eigenartige hölzerne Pferd scharten, das vor den Toren ihrer Stadt stand, und dieses Wunderwerk der Handwerkskunst bestaunten, fuhr Hannah am Freitag, dem 26. März, unseren gelben Mietwagen auf den ungepflasterten Parkplatz des Sunset Views Encampment und parkte auf Nummer 52. Der Parkplatz war leer, bis auf einen alten blauen Pontiac, der vor dem Schuppen stand (über dessen Tür ein Holz schild hing, schief wie ein Wundpflaster: MAIN stand darauf), und einen rostigen Anhänger (»Lonesome Dreams«) unter einer Evangelisten-Eiche. (Der Baum hatte gerade eine gewaltige Erleuchtung und reckte die Zweige himmelwärts, als wollte er Seine Füße packen.) Ein weißer Himmel, gestärkt, gebügelt und gefaltet, erstreckte sich säuberlich hinter den Bergen. Müll wehte über den Platz, kryptische Flaschenpostbotschaften: Kartoffelchips Marke Santa Fe Ranch, Thomas'-English-Muffins, ein zerfetztes violettfarbenes Band. Irgendwann letzte Woche oder so hatte es Zigarettenkippen gehagelt.

Keiner von uns wusste, wie wir hierher gekommen waren. Wir waren von dem Vorschlag, einen Campingausflug zu machen, von Anfang an wenig begeistert gewesen (Leulah eingeschlossen, obwohl sie sonst immer die Erste war, die alles mitmachte). Und jetzt waren wir hier, in alten Jeans und unbequemen Wanderschuhen. Unsere voluminösen Campingrucksäcke, die wir bei Into the Blue Bergsteigerbedarf geliehen hatten, lehnten am Rückfenster des Vans, wie vor sich hin dösende fette Männer. Eine leere, nervöse Feldflasche, ein müdes Halstuch, das Schmerzmittel Special K und klappernde Ramen-Nudeln, das plötzliche Auslaufen einer ganzen Flasche Kontaktlinsenflüssigkeit, immer wieder Klagerufe wie »Halt mal, wer hat meine regendichte Windjacke?« – all das bewies, wie stark Hannahs Einfluss war, wie gut sie auf ihre verblüffende, aber subtile Art andere dazu bringen konnte, etwas zu tun, was sie nicht tun wollten – selbst wenn sie allen Leuten, auch sich selbst, *geschworen* hatten, es nie zu tun.

Aus irgendwelchen Gründen, über die wir nie redeten, hatten Nigel und ich den anderen nie von den Artikeln erzählt, die er gefunden hatte. Auch nicht von Violet May Martinez. Wenn wir allein waren, redete er allerdings pausenlos darüber. Wahre Geschichten von Menschen, die auf unerklärliche Weise verschwunden und nie wieder aufgetaucht waren, blieben noch lange, nachdem man sie gelesen hatte, in den dunkelsten Ecken des Gehirns hängen – zweifellos war das der Grund dafür, weshalb Conrad Hillers schlecht geschriebener und miserabel recherchierter Bericht über zwei gekidnappte Teenager in Massachusetts aus dem Jahr 2002, *Die Wunderschönen*, zweiundsechzig Wochen auf der Bestsellerliste der *New York Times* herumhing. Solche Geschichten kommen überallhin, wie Fledermäuse – sie fliegen bei der leisesten Provokation los, umschwirren den Kopf, und selbst wenn man weiß, dass sie nichts mit einem zu tun haben und man voraussichtlich dieses Schicksal nicht teilen wird, empfindet man trotzdem eine Mischung aus Angst und Faszination.

»Hat jeder, was er braucht?«, sang Hannah, während sie die knallroten Schnürsenkel ihrer Lederboots neu band. »Wir können nicht zum Van zurückkommen, also überprüft bitte nochmal, ob ihr eure Rucksäcke und Wanderkarten habt – und vergesst auf keinen Fall die Karten, die ich euch gegeben habe. Es ist wichtig, dass ihr beim Wandern immer wisst, wo wir sind. Wir folgen dem Bald Creek Trail, vorbei am Abram's Peak bis hoch zum Sugartop Summit. Die Grundrichtung ist Nordosten, und der Campingplatz ist vier Meilen von der Newfound Gap Road entfernt, der dicken roten Linie. Seht ihr sie auf der Karte?«

»Ja«, sagte Lu.

»Das Erste-Hilfe-Set. Wer hat es?«

»Ich«, antwortete Jade.

»Fantastisch.« Hannah lächelte, die Hände in den Hüften. Sie war zünftig gekleidet: Khakihosen, ein langärmeliges schwarzes T-Shirt, eine dicke grüne Weste, dazu eine verspiegelte Sonnenbrille. In ihrer Stimme schwang ein Enthusiasmus mit, den ich seit dem Herbstquartal nicht mehr gehört hatte. In letzter Zeit hatten wir alle bei den Sonntagsmahlzeiten das Gefühl gehabt, dass sie nicht ganz sie selbst war. Irgendetwas hatte sich verändert, nur minimal, man konnte nicht richtig den Finger darauf legen; es war, als hätte jemand ein Bild an der Wand heimlich ein paar Zentimeter nach rechts gehängt, das schon jahrelang an derselben Stelle hing. Sie hörte uns zu wie immer, sie interessierte sich genauso intensiv für unser Leben, redete über ihre ehrenamtliche Tätigkeit für das Tierheim, über den Papagei, den sie adoptieren wollte – aber sie lachte nicht mehr, das mädchenhafte Gekicher, das klang, als würde man Kieselsteine kicken, war verschwunden. (Wie Nigel sagte: Mit der Frisur war bei ihr »für immer der Lack ab«.) Sie nickte oft stumm und starrte abwesend vor sich hin, und ich konnte nicht sagen, ob sie gegen diese neue Schweigsamkeit machtlos war, ob sie auf einem unerklärlichen Schmerz beruhte, der in ihr Wurzeln geschlagen hatte und sich ausbreitete wie Lebermoos, oder ob sie absichtlich schwieg, damit wir uns Sorgen um sie machten und uns fragten, was sie bedrückte. Manche Junikäfer, das wusste ich, steigerten sich in unnormale Stimmungen hinein, die von mürrisch bis zerbrechlich gingen, nur damit Dad sie in gequältem Ton fragte, ob er irgendetwas auf der Welt für sie tun könne. (Dads Reaktion auf diese manipulativen Methoden sah allerdings anders aus: Er sagte zu dem entsprechenden Junikäfer, sie sehe müde aus und ob sie nicht lieber nach Hause gehen wolle.)

Nach dem Essen legte Hannah nicht mehr Billie Holidays »No Regrets« auf, um mit ihrer tiefen, schüchternen, unmusikalischen Stimme mitzusingen, sondern saß nachdenklich auf dem Sofa, streichelte Lana und Turner und sagte kein Wort, während wir über das College redeten oder über Havermeyers Frau Gloria, die Zwillinge erwartete und ihren dicken Bauch mit demselben Vergnügen über den Campus schob wie Sisyphus seinen Felsen, oder über die sagenhafte Geschichte, die Anfang März bekannt geworden war, dass nämlich Ms Sturds seit Weihnachten insgeheim mit Mr Butters verlobt war (eine Paarung, die so zweifelhaft war, wie wenn sich ein amerikanischer Bison mit einer Grasschlange zusammentäte).

Alle Versuche, Hannah in unser Gespräch einzubeziehen, die versteckten wie die offenen, waren so frustrierend, als wolle man mit einer Kugelstoßkugel Beachvolleyball spielen. Sie aß kaum etwas von den Sachen, die sie so sorgfältig zubereitet hatte. Sie schob das Essen nur auf dem Teller hin und her, wie ein uninspirierter Maler mit einer tristen Ölpalette.

Jetzt war sie, zum ersten Mal seit Monaten, strahlender Laune. Sie bewegte sich so munter und fix wie ein kleiner Spatz.

»Kann's losgehen?«, fragte sie.

»Was?«, fragte Charles.

»Achtundvierzig Stunden Hölle«, sagte Jade.

»Im Einklang mit der Natur. Haben alle ihre Karten?«

»Zum zwanzigsten Mal – ja, wir haben die gottverdammten Karten!«, maulte Charles und knallte die Hintertüren des Vans zu.

»Perfekt«, verkündete Hannah, kontrollierte, ob alle Türen verriegelt waren, setzte den Rucksack auf die Schultern und ging los. Mit energischen Schritten strebte sie zu dem Wald am anderen Ende des Parkplatzes. »Auf geht's!«, rief sie über die Schulter. »Die alte Schneider kommt als Erste um die Kurve und übernimmt die Führung. Milton Black auf der Außenbahn, Leulah Maloney prescht vom fünften Platz nach vorn. Als Letzte kämpften sich Jade und Blue zur Ziellinie.« Sie lachte.

»Was faselt sie da?«, fragte Nigel, der ihr fassungslos nachschaute.

»Weiß der Teufel«, sagte Jade.

»Setzt euch endlich in Trab, ihr Vollblutpferde! In vier Stunden müssen wir dort sein, sonst wandern wir im Dunkeln.«

»Na, toll«, stöhnte Jade und verdrehte die Augen. »Jetzt hat sie endgültig den Verstand verloren. Und den konnte sie nicht verlieren, solange wir uns im hellen Licht der Zivilisation befanden, nein – das muss ausgerechnet hier passieren, mitten im Nichts, wo um uns herum nur Schlangen und Bäume sind und uns keiner retten kann, höchstens ein Bataillon blöder Karnickel.«

Nigel und ich schauten uns an. Er zuckte die Achseln.

»Was soll's?«, sagte er. Ein kleines Lächeln blitzte über sein Gesicht, wie ein von einem Lichtstrahl getroffener Taschenspiegel. Dann zuckte er noch einmal die Achseln und stapfte los.

Ich blieb zurück und schaute den anderen nach. Irgendwie hatte ich keine Lust. Ich hatte keine Angst, keine Vorahnung, ich wusste nur, dass mir etwas Schreckliches bevorstand, etwas, das so riesig war, dass ich es gar nicht ganz sehen konnte, und ich war mir nicht sicher, ob ich genug Kraft hatte, um damit umzugehen (siehe *Nur mit Kompass und Elektrometer: Die Geschichte von Captain Scott und dem großen Wettlauf zur Antarktis*, Walsh, 1972).

Ich straffte die Gurte an meinem Rucksack und ging hinter den anderen her.

Ein paar Schritte vor mir, gleich am Anfang des eigentlichen Wanderwegs, stolperte Jade über eine Wurzel. »Ach, wie herrlich. Einfach herrlich«, stöhnte sie.

Die Nordwestroute des Bald Creek Trail (eine gepunktete Linie auf Hannahs Karte) begann relativ angenehm, breitschultrig wie Mrs Rowley, meine Lehrerin in der zweiten Klasse an der Wadsworth Elementary School, mit Laub gepolstert und freundlich in der Nachmittagssonne, und feinen dünnen Kiefernzweigen, wie die Haarsträhnen, die sich am Ende des Tages immer aus ihrem Pferdeschwanz gelöst hatten. (Mrs Rowley besaß die beneidenswerte Fähigkeit, »Sorgenfalten zu vertreiben« und »Tränen in ein Lächeln zu verwandeln«.)

»Vielleicht wird's ja gar nicht so übel«, sagte Jade und drehte sich grinsend um, während sie vor mir dahinstapfte. »Ich meine, irgendwie macht es ja auch Spaß.«

Eine Stunde später jedoch, nachdem Hannah uns zugerufen hatte, wir sollten uns »an der Gabelung rechts halten«, enthüllte der Weg seinen wahren Charakter: Er glich nicht mehr Mrs Rowley, sondern der pieksigen Ms Dewelhearst von der Howard Country Dayschool, die immer schmutzige Brauntöne trug und eine Haltung hatte wie ein altmodischer Schirmgriff und ein so verhutzeltes Gesicht, dass sie eher wie eine Walnuss als wie ein Mensch aussah. Der Weg schrumpfte zusammen, zwang uns, im Gänsemarsch und relativ stumm weiterzugehen, vorbei an kratzigen Sträuchern und Büschen, die weit in den Pfad ragten. (»Während der Klassenarbeiten möchte ich keinen Pieps hören, oder ich ziehe euch eine Note ab, dann ist eure Zukunft für immer ruiniert«, krächzte Ms Dewelhearst.)

»Das tut verdammt weh!«, sagte Jade. »Ich brauche ein Lokalanästhetikum für meine Beine.«

»Hör auf zu jammern«, knurrte Charles.

»Wie geht es euch da hinten?«, rief Hannah und ging den Hügel rückwärts hinauf.

»Super, super. Das ist das verdammte Kackschlaraffenland.«

»Nur noch eine halbe Stunde bis zum ersten Aussichtspunkt.«

»Da stürze ich mich runter«, sagte Jade.

Wir trotteten weiter. Im Wald, mit seiner endlosen Prozession schlecht ernährter Kiefern, schlappohriger Rhododendren und farblos grauer Steine, schien sich die Zeit ohne jeden Grund mal zu verlangsamen, mal zu beschleunigen. Ich verfiel in eine seltsame Trance, während ich als Nachhut dahinstolperte und minutenlang nur auf Jades rote Kniestrümpfe starrte (die sie über die Jeans gezogen hatte; eine Vorsichtsmaßnahme gegen Klapperschlangen) oder auf die dicken braunen Wurzeln, die sich wie Raupen über den Pfad schlängelten, oder die verblassenden goldenen Lichtkleckse auf dem Boden. Wir sieben schienen die einzigen Lebewesen weit und breit zu sein (bis auf ein paar unsichtbare Vögel und ein graues Eichhörnchen, das einen Baumstamm hinaufflitzte). Man fragte sich unwillkürlich, ob Hannah recht hatte und ob diese Erfahrung, die sie uns aufzwang, in Wirklichkeit eine Pforte zu etwas anderem war, zu einer schönen neuen Wahrnehmung der Welt. Die Kiefern rauschten und ahmten den Ozean nach. Ein Vogel flatterte auf und schwang sich schnell wie eine Luftblase in den Himmel.

Seltsamerweise schien Hannah die Einzige zu sein, die nicht in den Bann des Dahintrottens geriet. Immer, wenn der Weg sich zu seiner geraden Linie straffte, konnte ich sehen, dass sie sich zurückfallen ließ, um neben Leulah herzugehen; sie redete lebhaft – ein bisschen *zu* lebhaft – auf sie ein, nickte immer wieder und schaute Lu an, als wolle sie sich ihren Gesichtsausdruck genau einprägen. Zwischendurch lachte sie, ein abruptes, hartes Geräusch, das den allgemeinen Frieden durchbrach.

»Was die beiden wohl zu quatschen haben?«, sagte Jade.

Ich zuckte die Achseln.

* * *

Wir kamen etwa um 18.15 zum ersten Aussichtspunkt, zu Abram's Peak. Es war ein großer Felsvorsprung rechts vom Weg: Wie eine Bühne öffnete sich der Blick, und vor uns breitete sich eine grandiose Bergkette aus.

»Das ist Tennessee«, sagte Hannah und überschattete die Augen.

Wir standen hinter ihr und schauten nach Tennessee. Das einzige Geräusch kam von Nigel, der eine Heidelbeerwaffel auswickelte, die er aus seinem Rucksack geholt hatte. (So wie Fische unfähig sind zu ertrinken, war Nigel unfähig, mit absoluter Ruhe umzugehen.) Die kalte Luft verfing sich in meiner Kehle, meiner Lunge. Die Berge umarmten einander ernst, so wie Männer andere Männer umarmten – ohne dass sich ihre Brust berührte. Dünne Wolken hingen ihnen um den Hals, und die am weitesten entfernten Gipfel, diejenigen, die gegen den Himmel kippten, waren so blass, dass man nicht erkennen konnte, wo der Bergrücken endete und der Himmel begann.

Der Ausblick machte mich traurig, aber vermutlich wurde jeder traurig, der vor sich eine weite Landschaft sah, ganz Licht und Nebel, ganz Atemlosigkeit und Unendlichkeit – »die stetige Schwermut des Menschen«, nannte Dad dieses Gefühl. Man konnte nicht anders, man dachte automatisch nicht nur an Nahrungsmangel, an gesichertes Wasser, an die in vielen Entwicklungsländern so schockierende Zahl von Analphabeten, die geringe Lebenserwartung, sondern man dachte auch den abgedroschenen Gedanken, wie viele Menschen jetzt, genau in diesem Moment, geboren wurden, wie viele gerade jetzt starben, und dass man selbst, genauso wie 6,2 Milliarden anderer Menschen, sich zwischen diesen beiden banalen Polen befand, diesen Polen, die sich welterschütternd anfühlten, wenn sie einen selbst betrafen, die aber im Kontext von Hichrakers *Handbuch der geographi-*

schen Fakten (Ausgabe 2003) oder M. C. *Der Kosmos in einem Sandkorn: Die Geburtsstunde des Universums* (2004) ganz alltäglich waren, ja, trivial. Das eigene Leben schien nicht wichtiger als eine Kiefernnadel.

»*Fuck you*!«, schrie Hannah.

Es gab kein Echo wie bei einem Looney Tune. Ihr Ruf wurde sofort verschluckt, wie ein Fingerhut, den man ins Meer wirft. Charles drehte sich um und starrte sie an. Man sah, dass er dachte, sie sei durchgeknallt. Wir anderen trappelten nervös, wie Rinder in einem Viehwaggon.

»*F-Fuck you*!«, rief sie wieder, mit heiserer Stimme.

Dann wandte sie sich uns zu. »Ihr müsst alle etwas rufen.« Sie holte noch einmal tief Luft, legte den Kopf in den Nacken und schloss die Augen, wie jemand, der im Liegestuhl liegt und ein Sonnenbad nehmen will. Ihre Augenlider zitterten, ihre Lippen auch.

»*Sprecht nicht, wo treue Geister eng verschlungen/von Hindernissen*!«, schrie sie.

»Geht's dir gut?«, fragte Milton lachend.

»Das ist nicht komisch«, sagte sie ganz ernst. »Ihr müsst es mit viel Elan machen. Tut so, als wärt ihr ein Fagott. Und dann ruft etwas. Etwas, das aus eurer Seele kommt.« Sie atmete ein. »*Henry David Thoreau*!«

»*Hab keine Angst, Angst zu haben*!«, japste Leulah ziemlich abrupt und streckte das Kinn vor, wie ein Kind beim Weitspucken.

»Schön«, lobte Hannah.

Jade ächzte. »Ach, Gott, ich glaube, durch diese Erfahrung werden wir wiedergeboren.«

»Ich kann dich nicht hören«, sagte Hannah.

»Das ist doch *scheißalbern*!«, rief Jade.

»Schon besser.«

»Shit«, sagte Milton.

»Mickrig.«

»*Shit*!«

»Jenna Jameson?«, rief Charles.

»Ist das eine Frage oder eine Antwort?«, sagte Hannah.

»*Janet Jacme*!«

»*Holt mich hier raus, verdammte Scheiße*!«, brüllte Jade.

»*Setze Grenzen und Ziele mit größter Sorgfalt*!«

»*Ich will nach Hause*!«

»*Sag hallo zu meinem kleinen Freund*!«, schrie Nigel mit rotem Gesicht.

»*Sir William Shakespeare*!«, rief Milton.

»Er war kein Sir«, sagte Charles.

»Doch.«

»Er wurde nie zum Ritter geschlagen.«

»Kommt, wir gehen weiter«, sagte Hannah.

»*Jenna Jameson*!«

»Blue?«, fragte Hannah.

Ich hatte keine Ahnung, wieso ich noch nichts gerufen hatte. Ich kam mir vor wie jemand, der sein Stottern nicht überwinden konnte. Ich glaube, ich versuchte, mir jemanden mit einem anständigen Nachnamen einfallen zu lassen, jemanden, der es verdient hatte, dass sein Name in den Wind gerufen wurde. Tschechow. Ich wollte schon »Tschechow« rufen, aber dann fand ich das doch zu affig, selbst wenn ich den Vornamen mitgerufen hätte. Dostojewski war zu lang. Plato war blöd – als wollte ich alle anderen ausstechen, indem ich die Wiege der westlichen Zivilisation oder des westlichen Denkens rief. Nabokov. Damit wäre Dad einverstanden gewesen, aber niemand, nicht einmal Dad, schien genau zu wissen, wie der Name betont wurde. (»NA-bo-kov« war nicht korrekt – so sagten nur die Amateure, die Lolita kauften, weil sie den Roman für einen Softporno hielten; aber »Na-BO-kov« klang wie eine kaputte Pistole.) Bei Goethe war es noch schlimmer. Molière wäre eine gute Wahl gewesen (bisher hatte noch niemand einen Franzosen genannt), aber da war das Problem mit dem R am Schluss. Racine war zu obskur, Hemingway zu macho, Fitzgerald war okay, aber was er mit Zelda gemacht hatte, war letzten Endes doch unverzeihlich. Homer wäre eine gute Wahl gewesen, auch wenn Dad meinte, die *Simpsons* hätten seinen Ruf ruiniert.

»*Bleib-bleib dir selbst treu*!«, rief Leulah.

»*Scorcese*!«

»*Benimm dich*!«, sagte Milton.

»Das ist nicht gut«, sagte Hannah. »Man soll sich nie benehmen.«

»*Benimm dich nie*!«

»*Tu's einfach*!«

»*Sei alles, was du sein kannst*!«

»Verlasst euch nicht auf die Soundbites der amerikanischen Werbung, um rauszufinden, was ihr fühlt«, sagte Hannah. »Verwendet eure eigenen Worte. Das, was ihr zu sagen habt, was in eurem Herzen ist, hat mehr Kraft.«

»Ganzarm-Tattoos!«, rief Jade. Ihr Gesicht war jetzt komplett zusammengepresst vor Erregung, wie ein ausgewrungener Waschlappen.

»Blue, du denkst zu viel«, sagte Hannah zu mir.

»Ich – äh –«, stammelte ich.

»*Canterbury Tales*!«

»*Mrs Eugenia Sturds! Mögen sie und Mr Mark Butters glücklich und zufrieden leben, aber sich nicht fortpflanzen und die Welt bitte nicht mit ihren Nachkommen terrorisieren*!«

»Ruf einfach das Erste, was dir einfällt –«

»*Blue van Meer*!«, schrie ich.

Es rutschte heraus, wie ein großer Katfisch. Ich erstarrte. Ich betete, dass niemand es gehört hatte, dass die Wörter einfach in die Luft geschwommen waren, weit weg von den Ohren der anderen.

»*Hannah Schneider*!«, rief Hannah.

»*Nigel Creech*!«

»*Jade Churchill Whitestone*!«

»*Milton Black*!«

»*Leulah Jane Maloney*!«

»*Doris Richards, meine Grundschullehrerin mit den tollen Titten*!«

»*Jawoll*!«

»Man muss nicht obszön daherreden, um leidenschaftlich zu sein. Traut euch, echt zu sein. Ernst.«

»*Hör nicht auf die schrecklichen Sachen, die die Leute über dich sagen, weil sie neidisch sind auf dein Talent und deine Schönheit*!« Leulah strich sich die Haare aus ihrem winzigen, spröden Gesicht. Sie hatte Tränen in den Augen. »*Man muss durchhalten, auch wenn's schwerfällt! Man darf nie aufgeben!*«

»Seid nicht nur hier so«, sagte Hannah zu uns. Sie zeigte auf die Berge. »Seid auch da unten so.«

* * *

Die restliche Strecke zum Sugartop Summit (auch eine irritierend gepunktete Linie auf unserer maßstabslosen Karte) dauerte noch einmal zwei Stunden, und Hannah sagte, wir müssten einen Schritt zulegen, wenn wir vor Einbruch der Dunkelheit dorthin kommen wollten.

Während wir weitergingen, im schwächer werdenden Licht, immer dichter bedrängt von dürren Kiefern, verwickelte sich Hannah wieder in ein Privatgespräch, diesmal mit Milton. Sie ging ganz dicht neben ihm (so nah, dass die beiden manchmal an den Schultern zusammenstießen wie Boxautos, sie mit ihrem großen blauen Rucksack und er mit seinem roten). Er nickte manchmal, wenn sie etwas sagte, und seine große Gestalt neigte sich zu der Seite, auf der sie ging, als würde sie ihn erodieren.

Ich wusste, wie schmeichelhaft es sich anfühlen konnte, wenn Hannah mit einem redete, wenn man von ihr auserkoren wurde – wenn sie deinen bescheidenen Deckel aufschlug, kühn den Rücken knickte, auf deine Seiten schaute, um die Stelle zu finden, an der sie das letzte Mal zu lesen aufgehört hatte, versessen darauf herauszufinden, was als Nächstes passierte. (Sie las immer sehr konzentriert, sodass man dachte, man sei ihr Lieblingstaschenbuch, bis sie einen Knall auf Fall weglegte und ein anderes Buch mit derselben Intensität zu lesen begann.)

Zwanzig Minuten später redete Hannah mit Charles. Sie brachen in schrilles Möwengelächter aus; sie berührte seine Schulter, zog ihn an sich, und einen Moment lang waren ihre Arme und Hände ineinander verschlungen.

»Sind die beiden nicht ein glückliches Paar?«, sagte Jade.

Keine Viertelstunde später ging Hannah neben Nigel (an seinem gesenkten Kopf und seinen Seitenblicken konnte ich ablesen, dass er sich nicht ganz wohlfühlte, während er ihr zuhörte), und bald darauf war sie vor mir und redete mit Jade.

Natürlich erwartete ich, dass sie schließlich auch mit *mir* reden würde, dass dies eine Hannah-Schülerkonferenz war und ich, weil ich die Nachhut bildete, eben als Letzte drankam. Aber als sie ihr Gespräch beendet hatten – Hannah redete Jade gut zu, sie solle im Sommer ein Praktikum bei der *Washington Post* machen (»Denk dran – du musst nett zu dir sein«, hörte ich sie sagen) –, flüsterte sie noch irgendetwas, drückte ihr einen kleinen Kuss auf die Wange und ging dann wieder zurück an die Spitze unserer Prozession, ohne auch nur einen Blick in meine Richtung zu werfen.

»Okay! Keine Sorge, Kinder!«, rief sie. »Wir sind gleich da!«

Ich war halb verärgert, halb melancholisch, als wir zum Sugartop Summit kamen. Man versucht, eklatantes Günstlingswesen gar nicht zu beachten (»Nicht jeder kann ein Mitglied des Van-Meer-Clubs sein«, bemerkte Dad), aber wenn es einem so krass vorgeführt wird, ist man zwangsläufig verletzt, ob man will oder nicht – alle dürfen eine Kiefernnadel sein, man selbst ist nur das Harz. Zum Glück merkten die anderen gar nicht, dass Hannah nicht mit mir geredet hatte, und als Jade ihren Rucksack abwarf, die Arme über den Kopf streckte und mit einem breiten Sonnenuntergangslächeln auf dem Gesicht verkündete: »Sie kann wirklich wunderbar reden, *stimmt's*? Fantastisch«, da log ich, das muss ich gestehen: Ich stimmte ihr mit einem begeisterten Nicken zu und sagte: »Ja, das kann sie wirklich.«

»Als Erstes müssen wir die Zelte aufbauen«, sagte Hannah. »Ich helfe euch beim Ersten. Aber vorher müsst ihr die Aussicht genießen! Sie macht euch sprachlos!«

Hannah konnte noch so schwärmen – den Campingplatz fand ich trist und enttäuschend, vor allem nach der Majestät von Abram's Peak. Sugartop Summit bestand aus einer runden, staubigen Lichtung, umgeben von mageren Kiefern. Es gab eine schwarze Feuerstelle, auf der vor kurzem ein paar Holzstücke verbrannt worden waren, die jetzt, weich und grau an den Rändern, aussahen wie die Schnauzen alter Hunde. Rechts, hinter einem Haufen fetter Steine, war ein blanker Felsvorsprung, schmal wie eine fast geschlossene Tür. Dort konnte man sitzen und einer nackten lilafarbenen Bergkette lauschen, die unter einer schäbigen Nebeldecke schlummerte. Inzwischen war allerdings die Sonne untergegangen, und die Orange- und Gelbtöne flossen ineinander und verstopften den Horizont.

»Hier war jemand – vor fünf Minuten«, sagte Leulah.

Ich drehte mich vom Aussichtspunkt weg. Leulah stand mitten auf der Lichtung und deutete auf den Boden.

»Was?«, fragte Jade neben ihr.

Ich ging zu den beiden.

»Schau mal, hier.«

Vor ihrer Stiefelspitze lag eine Zigarettenkippe.

»Die hat vor drei Sekunden noch gebrannt.«

Jade kauerte sich hin und hob die Kippe auf wie einen toten Goldfisch. Misstrauisch schnupperte sie daran.

»Du hast recht«, sagte sie und warf sie wieder weg. »Ich kann es riechen. Super. Das hat uns gerade noch gefehlt. Irgend so ein Bergköter, der nur wartet, bis es dunkel ist, und dann kommt er und fickt uns alle in den Arsch.«

»*Hannah*!«, schrie Lu. »Wir müssen hier weg!«

»Was ist los?«, fragte Hannah.

Jade zeigte auf die Zigarette. Hannah bückte sich.

»Das ist auf Campingplätzen gang und gäbe«, sagte sie.

»Aber sie hat noch gebrannt«, sagte Leula mit Augen so groß wie Untertassen. »Ich hab's gesehen. Sie war rot. Hier ist jemand. Jemand beobachtet uns.«

»Alles in Ordnung«, sagte Hannah.

»Aber von uns hat keiner geraucht«, wandte Jade ein.

»Ich sag's euch – alles in völliger Ordnung. Wahrscheinlich war es ein Wanderer, der hier kurz Halt gemacht hat, bevor der den Weg zum Gipfel weitergegangen ist. Macht euch keine Gedanken.« Hannah stand auf und ging wieder zu Milton, Charles und Nigel, die dabei waren, die Zelte aufzubauen.

»Für sie ist alles immer nur ein Witz«, sagte Jade.

»Wir müssen hier weg«, sagte Leulah.

»Das sage ich doch schon die ganze Zeit«, brummte Jade und ging weg. »Aber hat mir einer zugehört? Nein, ich war der Spielverderber. Der Waschlappen.«

»Hey«, sagte ich lächelnd zu Leulah. »Bestimmt ist alles okay.«

»Ehrlich?«, fragte sie ungläubig.

Obwohl ich keinerlei Beweise hatte, um meine Behauptung zu stützen, nickte ich.

* * *

Eine halbe Stunde später machte Hannah ein Lagerfeuer. Wir anderen saßen auf dem kahlen Felsen und aßen Rigatoni mit Newman's Own Fra Diavolo Tomatensoße, die wir auf einem Minikocher erhitzt hatten, dazu Baguette, so hart wie magmatisches Gestein. Wir schauten zur Aussicht, obwohl nichts mehr zu sehen war als ein großer Kessel Dunkelheit, ein dunkelblauer Himmel. Der Himmel war ein wenig nostalgisch: Er wollte den letzten blassen Lichtstreifen nicht loslassen.

»Was passiert, wenn man von diesem Felsen runterstürzt?«, fragte Charles.

»Du bist tot«, sagte Jade mit Rigatoni im Mund.

»Hier ist oder war nirgends ein Schild. Kein ›Bitte Vorsicht‹. Kein ›Schlechte Stelle, um sich volllaufen zu lassen.‹ Alles ist einfach nur so. Du fällst runter? Tja, Pech gehabt.«

»Ist noch Parmesan da?«

»Ich wüsste gern, warum das hier Sugartop Summit heißt«, sagte Milton.

»Ja, wer lässt sich so einen lahmen Namen einfallen?«, fragte Jade kauend.

»Die Landbevölkerung«, sagte Charles.

»Das Beste hier ist die Ruhe«, sagte Nigel. »Man merkt gar nicht, wie laut es sonst ist, bis man hier hoch kommt.«

»Mir tun die Indianer leid«, sagte Milton.

»Lies *Enteignet* von Redfoot«, sagte ich.

»Ich hab immer noch Hunger«, sagte Jade.

»Wie kann das sein, dass du immer noch Hunger hast?«, fragte Charles. »Du hast mehr gegessen als alle anderen. Du hast den ganzen Topf an dich gerissen.«

»Ich habe gar nichts an mich gerissen.«

»Zum Glück wollte ich keinen Nachschlag. Wahrscheinlich hättest du mir die Hand abgebissen.«

»Wenn man nicht genug isst, stellt der Körper auf Hungermodus um, und wenn man dann ein Stück Sandkuchen isst, reagiert der Körper wie auf Penne à la Wodka. Innerhalb von vierundzwanzig Stunden geht man auf wie ein Ballon.«

»Mir gefällt es überhaupt nicht, dass jemand hier war«, sagte Leulah unvermittelt.

Alle sahen sie an, erschrocken über ihren Tonfall.

»Die Zigarettenkippe«, flüsterte sie.

»Mach dir keine Sorgen«, sagte Milton. »Hannah macht sich auch keine Sorgen. Sie geht ja öfter campen.«

»Außerdem können wir jetzt sowieso nicht mehr hier weg, selbst wenn wir wollten«, sagte Charles. »Es ist mitten in der Nacht. Wir würden uns verlaufen. Wahrscheinlich würden wir genau über das stolpern, was hier rumwandert –«

»Bigfoot«, sagte Jade und nickte. »Gefängnisinsassen.«

»Dieser Typ, der die Abtreibungskliniken in die Luft gejagt hat.«

»Den haben sie gefasst«, sagte ich.

»Aber ihr habt Hannahs Gesicht nicht gesehen«, sagte Leulah.

»Warum? Was war mit ihrem Gesicht?«, wollte Nigel wissen.

Lu wirkte verloren in ihrer blauen Windjacke, die Arme um die Knie geschlungen, den Rapunzelzopf über der linken Schulter, von wo er bis auf den Boden hing.

»Man hat ihr angesehen, dass sie genauso erschrocken ist wie ich. Aber sie wollte es nicht zugeben, weil sie denkt, sie muss die Erwachsene spielen und ist verantwortlich und alles.«

»Hat jemand 'ne Waffe dabei?«, fragte Charles.

»Nein«, antwortete Nigel.

»Ach, ich hätte Jeffersons Pistole mitbringen sollen«, sagte Jade. »Sie ist *so klein.* Richtig süß. Jeff versteckt sie in ihrer Schublade mit der Unterwäsche.«

»Wir brauchen doch keine Knarren«, sagte Milton, lehnte sich zurück und schaute hinauf zum Himmel. »Wenn ich gehen müsste – ich meine, wenn *wirklich* mein scheiß letztes Stündchen gekommen wäre –, dann hätte ich nichts dagegen, wenn es hier passiert. Unter den Sternen.«

»Na ja, du gehörst zu diesen zufriedenen morbiden Menschen«, sagte Jade. »Ich meinerseits werde tun, was ich kann, damit meine Nummer noch nicht aufgerufen wird – noch mindestens fünfundsiebzig Jahre nicht. Wenn das bedeutet, dass ich jemandem in den Kopf schießen muss oder irgendeinem Obdachlosen seinen Dingdong abbeißen – meinetwegen.« Sie schaute hinüber zu den Zelten. »Wo ist sie eigentlich? Hannah, meine ich. Ich sehe sie gar nicht.«

Wir trugen die Teller und den Topf zurück zur Lichtung. Hannah saß am Feuer und aß einen Müsliriegel. Sie hatte sich umgezogen und trug jetzt ein grünschwarz kariertes Buttondown-Hemd. Sie wollte wissen, ob wir noch Hunger hätten, und als Jade diese Frage bejahte, schlug sie vor, wir könnten doch Marshmallows rösten.

Während wir das taten und Charles eine Gruselgeschichte erzählte (Taxifahrer, gespensterhafter Fahrgast), merkte ich, dass Hannah, die auf der anderen Seite des Feuers saß, mich fixierte. Die Flammen machten alle Gesichter zu Kürbiskopflaternen, färbten sie orange, schnitzten Stücke der Gesichter weg, und die Höhlen um Hannahs im Feuerschein funkelnde dunkle Augen schienen noch tiefer als sonst, als wären sie mit einem Teelöffel noch zusätzlich ausgekratzt worden. Ich lächelte so unbefangen wie möglich und tat dann so, als wäre ich ganz von der Kunst des Marshmallow-Röstens beansprucht. Aber als ich eine Minute später wieder zu ihr hinüberschaute, hatte sie den Blick immer noch nicht abgewandt. Sie hielt meine Augen fest, dann deutete sie, fast unmerklich, nach links, zum Wald. Sie berührte ihre Armbanduhr. Ihre rechte Hand zeigte *fünf.*

»Und dann drehte sich der Taxifahrer um«, sagte Charles gerade. »Die Frau war verschwunden. Und auf dem Sitz – nur noch ein weißer Chiffonschal.«

»Das war's?«

»Ja«, sagte Charles und grinste.

»Die mieseste Gruselgeschichte, die ich je gehört habe.«

»Mies wie Scheiße.«

»Wenn ich 'ne Tomate hätte, würde ich sie dir an den Kopf werfen.«

»Wer kennt die Geschichte von dem Hund ohne Schwanz?«, fragte Nigel. »Der Hund läuft in der Gegend rum und sucht danach. Und terrorisiert die Leute.«

»Du denkst an die ›Affenpfote‹«, sagte Jade. »Diese schauerliche Kurzgeschichte, die man in der vierten Klasse liest und aus unbekannten Gründen bis an sein Lebensende nicht vergisst. Die und ›Das gefährlichste Spiel‹, stimmt's, Würg?«

Ich nickte und lächelte schwach.

»Aber es gibt auch eine über einen Hund – ich kann mich nur nicht mehr genau erinnern.«

»Hannah kennt 'ne gute Geschichte«, sagte Charles.

»Stimmt gar nicht«, sagte Hannah.

»Ach, komm schon.«

»Nein. Ich bin eine fürchterliche Geschichtenerzählerin. War ich schon immer.« Sie gähnte. »Wie spät ist es?«

Milton schaute auf die Uhr. »Kurz nach zehn.«

»Wir sollten heute Abend nicht zu lang aufbleiben«, sagte sie. »Morgen müssen wir ausgeruht sein. Wir brechen schon sehr früh auf.«

»Klasse.«

Ich brauche kaum zu erwähnen, dass Angst und Unruhe durch mich hindurchsausten. Von den anderen schien keiner Hannahs Signal bemerkt zu haben, nicht einmal Leulah, die gar nicht mehr an die komische Zigarettenkippe zu denken schien. Jetzt aß sie mit seliger

Miene ihre gebratenen Marshmallows (ein geschmolzener Zuckerfleck klebte an ihrer Unterlippe), lächelte über irgendetwas, was Milton ihr gerade erzählte, und die kleinen Grübchen spalteten ihr Kinn. Ich kauerte auf den Knien und starrte ins Feuer. Sollte ich Hannah ignorieren? (»*Im Zweifelsfall tut man so, als hätte man nichts gemerkt.*«) Aber fünf Minuten später spürte ich entsetzt, dass Hannah mich wieder anschaute, diesmal erwartungsvoll, als würde ich Ophelia spielen und hätte mich dermaßen in die Rolle hineingesteigert, in ihre Geisteskrankheit, dass ich alle meine Stichwörter verpasste, weshalb Laertes und Gertrude improvisieren mussten. Ihr Blick war so zwingend, dass ich aufstand und meine Klamotten ausklopfte.

»Ich – ich bin gleich wieder da«, sagte ich.

»Wo gehst du hin?«, wollte Nigel wissen.

Alle schauten mich neugierig an.

»Aufs Klo«, sagte ich.

Jade kicherte. »Davor graust mir schon.«

»Wenn es die Indianer konnten«, sagte Charles, »dann kannst du es auch.«

»Na ja, die Indianer haben auch Leute skalpiert.«

»Darf ich trockene Blätter empfehlen? Ein bisschen Moos?«, sagte Nigel grinsend.

»Wir haben Toilettenpapier«, sagte Hannah. »Es ist in meinem Zelt.«

»Danke«, murmelte ich.

»In meiner Tasche«, sagte sie.

»Ist noch Schokolade da?«, fragte Jade.

Ich ging um die Zelte herum, auf die dunkle Seite, und wartete, bis sich meine Augen gewöhnt hatten. Als ich sicher war, dass mir niemand gefolgt war, und hörte, wie ihre Stimmen mit dem Feuer knisterten, machte ich ein paar Schritte in den Wald. Zweige schrappten an meinen Beinen. Ich schaute mich um und stellte zu meiner Überraschung fest, dass sich die Kiefern hinter mir geschlossen hatten wie diese Hippie-Perlenschnüre in einer Tür. Langsam ging ich die Biegung unseres Campingplatzes entlang, zwischen den Bäumen hindurch, damit niemand mich sehen konnte, und blieb irgendwo links stehen, da, wohin Hannah meiner Meinung nach gedeutet hatte.

Das Lagerfeuer war ganz nah, nur zehn Meter vor mir, und ich sah, dass Hannah immer noch bei den anderen saß. Sie stützte den Kopf in die Hand, ihr Gesicht wirkte müde und zufrieden. Eine Sekunde lang fragte ich mich, ob ich mir alles nur eingebildet hatte. Wenn sie in drei Minuten nicht da war, würde ich zurückgehen und nie wieder mit dieser übergeschnappten Frau reden – oder besser, in zwei Minuten, denn es dauerte nur zwei Minuten, bis fast die Hälfte der Nuclei einer Aluminium 28-Probe zerfiel, bis man starb, wenn man VX (sprich »Vieks«) einatmete, bis bei der Schlacht am Wounded Knee dreihundert Sioux Männer, Frauen und Kinder erschossen wurden, bis eine Norwegerin namens Gudrid Vaaler 1866 einem Sohn das Leben schenkte, den sie Johan nannte und der später die Büroklammer erfand.

Zwei Minuten genügten Hannah.

Herz der Finsternis

Ich sah, dass sie aufstand und irgendetwas zu den anderen sagte. Ich hörte meinen Namen, also vermutete ich, dass sie nach mir sehen wollte. Sie ging zu den Zelten und verschwand aus meinem Gesichtsfeld.

Ich wartete noch eine Minute, beobachtete die anderen – Jade äffte gerade Ms Sturds bei der Morgenansprache nach, wie sie dastand, die Füße weit auseinander, und bizarr hin und her schaukelte, als wäre sie eine Fähre, die den Ärmelkanal überquerte (»Das ist eine sehr kritische Zeit für unser Land!«, quäkte Jade, klatschte in die Hände und riss die Augen auf) –, und dann hörte ich Zweige knacken, Blätter rascheln und sah Hannah auf mich zukommen, ihr Gesicht fleckig in der Dunkelheit. Als sie mich sah, lächelte sie, legte den Finger an die Lippen und gab mir mit einer Handbewegung zu verstehen, ich solle ihr folgen.

Das überraschte mich natürlich. Ich zögerte. Ich hatte meine Taschenlampe nicht dabei, und der Wind wurde stärker; ich war nicht warm genug angezogen, trug nur Jeans, ein T-Shirt, das Sweatshirt der University of Colorado, das Dad mir in Picayune geschenkt hatte, und eine Windjacke. Aber sie entfernte sich schnell, schlängelte sich zwischen den Bäumen durch. Ich warf noch einen kurzen Blick auf die anderen – sie lachten, und ihre Stimmen waren dicht ineinander verwoben –, dann ging ich hinter Hannah her.

Sobald wir außer Hörweite waren, wollte ich sie fragen, was wir eigentlich machten, aber dann sah ich ihren konzentrierten Gesichtsausdruck, und der ließ mich verstummen. Sie holte ihre Taschenlampe heraus – ich merkte erst jetzt, dass sie einen dieser Hip-Bags in Schwarz oder Dunkelblau trug, der mir vorher gar nicht aufgefallen war –, aber der kleine weiße Lichtkreis konnte die Dunkelheit kaum vertreiben und beleuchtete nur ein paar dürre Baumstämme.

Wir gingen keinen Pfad entlang. Zuerst bemühte ich mich, im Kopf eine Spur aus Brotkrümeln zu streuen à la Hänsel und Gretel, indem ich mir alles einprägte, was irgendwie auffiel – Verfärbungen an der Rinde, okay, riesige krötenartige Steine neben einem abgestorbenen Baum, Skelettzweige, die zu einer umgekehrten Kreuzigung ausgebreitet waren, das war alles viel versprechend – aber solche Merkmale waren selten und letztlich sinnlos, und nach fünf Minuten hörte ich damit auf und ging blind neben ihr her wie jemand, der aufhörte zu paddeln und zuließ, dass er ertrank.

»Die kommen kurz allein zurecht«, sagte sie. »Aber wir haben nicht viel Zeit.«

Ich weiß nicht, wie lange wir so gingen. (Ich hatte blöderweise keine Uhr dabei, was sich später als sehr unpraktisch herausstellen sollte.) Nach ungefähr zehn Minuten blieb Hannah abrupt stehen. Sie machte den Reißverschluss an ihrer Hüfttasche auf, holte eine Karte heraus – eine andere als die, die sie uns gegeben hatte, bunt, mit vielen Details – sowie einen kleinen Kompass und studierte beides.

»Noch ein kleines Stück«, sagte sie.

Wir gingen weiter, etwa noch einmal fünf bis zehn Minuten.

Es war komisch, dass ich ihr so blindlings folgte, und ich kann bis heute nicht richtig erklären, weshalb ich mitgegangen war, ohne zu protestieren, ohne Fragen zu stellen, ja, ohne Angst. In Situationen, bei denen man vorher annimmt, man wäre gelähmt vor Angst, ist man es gar nicht. Ich schwebte dahin, als würde ich nichts anderes tun als in dem mechanischen braunen Kanu bei der Amazonasfahrt in *Walter's Wonderworld* in Alpaca, Maryland, dahintreiben. Mir fielen komische Einzelheiten auf: Wie Hannah auf der Innenseite ihrer Unterlippe kaute (so wie Dad, wenn er eine überraschend gute Klausur korrigierte), wie die Spitze meines Lederstiefels das Licht der Taschenlampe kickte, wie die Kiefern unruhig ächzten und wehten, als könnten sie nicht schlafen, wie Hannah alle zwei Minuten die rechte Hand auf die Tasche legte, die sie um die Taille trug, wie eine Schwangere, die ihren dicken Bauch betastet.

Sie blieb stehen und schaute auf die Uhr.

»Das ist gut«, sagte sie und knipste die Taschenlampe aus.

Allmählich fanden sich meine Augen in der Dunkelheit zurecht. Wir standen, so kam es mir jedenfalls vor, an einer Stelle, an der wir vor fünf Minuten schon einmal vorbeigekommen waren. Ich konnte die feine Kordsamtstruktur der Bäume um uns herum sehen und Hannahs verzücktes Gesicht, das schimmerte wie bläuliches Perlmutt.

»Ich muss dir etwas sagen«, begann sie und schaute mich an, holte tief Luft, atmete aus, sagte aber nichts. Ich merkte, dass sie nervös oder sogar verängstigt war. Sie schluckte, holte noch einmal Luft, drückte mit einer Hand auf ihr Schlüsselbein und ließ sie da, eine weiße, schlaffe Handkorsage. »Ich kann das so schlecht. Andere Sachen fallen mir leicht. Mathe. Sprachen. Befehle. Dafür sorgen, dass die Leute sich wohl fühlen. Aber das hier kann ich nicht.«

»Was meinst du?«, fragte ich.

»Die Wahrheit.« Sie lachte, ein merkwürdig ersticktes Lachen. Sie zog die Schultern hoch und schaute zum Himmel. Ich schaute auch nach oben, weil es ansteckend ist, wenn jemand zum Himmel blickt, ähnlich ansteckend wie Gähnen. Da war er, wie immer: Von den Bäumen hochgehalten, ein schwerer, schwarzer Teppich, und die Sterne, kleine Glitzersteine wie an den Cowboystiefeln von Junikäfer Rachel Groom.

»Ich kann niemandem Vorwürfe machen«, sagte Hannah. »Nur mir selbst. Jeder Mensch trifft Entscheidungen. Mein Gott – ich brauche eine Zigarette.«

»Ist alles okay?«, fragte ich.

»Nein. *Ja.*« Sie schaute mich an. »Tut mir leid.«

»Sollen wir nicht lieber zurückgehen.«

»Nein, ich – ich verstehe es ja, wenn du denkst, ich spinne.«

»Ich denke nicht, dass du spinnst«, sagte ich, aber nachdem ich das gesagt hatte, dachte ich natürlich gleich, dass sie vielleicht doch verrückt war.

»Das, was ich dir sagen will, ist gar nicht so schlimm. Nur für *mich*. Für mich ist es *schrecklich*. Glaub nicht, dass ich nicht weiß, *wie* schrecklich. Wie krank. So zu leben – ach, nein, du hast Angst. Entschuldige. Ich wollte nicht, dass es so ist, mitten im Zauberwald. Ich weiß, es ist ein bisschen mittelalterlich. Aber es ist einfach nicht möglich, richtig zu reden, wenn die andern dabei sind, weil dauernd einer kommt, Hannah dies, Hannah jenes. Oh, *Gott*! Es ist unmöglich.«

»Was ist unmöglich?«, fragte ich, aber sie schien mich gar nicht zu hören. Irgendwie redete sie nur mit sich selbst.

»Als ich mir überlegt habe, wie ich es sagen soll – meine Güte, ich bin ja so feige. Verwirrt. Krank. Krank.« Sie schüttelte den Kopf, berührte ihre Augen mit den Händen. »Weißt du – es gibt Menschen. Zerbrechliche Menschen, die du liebst und denen du wehtust, und ich – ich bin schrecklich, stimmt's? Krank. Ich kann mich nicht ausstehen, ganz ehrlich. Ich …«

In vieler Hinsicht gibt es nichts Schlimmeres als einen Erwachsenen, der zugibt, dass er oder sie nicht erwachsen ist und auch sonst nichts von dem, was das Wort impliziert – nicht verlässlich, sondern löcherig, nicht beständig, sondern haltlos. Es war wieder wie in der ersten Klasse, wenn man eine wunderschöne Handpuppe sieht und sie höher kommt und man merkt, dass eine monströse Menschenhand dazugehört. Hannahs Kinn zitterte vor seltsamen, unbekannten Gefühlen. Sie weinte nicht, aber ihr dunkler Mund zuckte in den Winkeln.

»Hörst du dir an, was ich zu sagen habe?« Ihre Stimme war leise, brüchig, wie bei einer alten Frau, aber bettelnd, wie bei einem Kind. Sie machte einen Schritt auf mich zu, kam mir ein bisschen zu nahe, und ihre schwarzen Augen wanderten über mein Gesicht.

»Hannah –?«

»Versprich mir.«

Ich erwiderte ihren Blick. »Okay.«

Das schien sie etwas zu beruhigen.

»Danke.«

Wieder holte sie tief Luft – und sagte nichts.

»Geht es um meinen Vater?«, fragte ich.

Ich weiß nicht, warum ausgerechnet diese Frage aus meinem Mund kam. Ich hatte nicht darüber nachgedacht. Vielleicht hatte ich die Sache mit Kitty noch nicht überwunden: Wenn Dad in ihrem Fall wie geschmiert gelogen hatte, warum sollte er dann nicht auch in Bezug auf andere blöde Techtelmechtel mit St. Gallway-Personal lügen? Aber vielleicht war es auch ein Reflex. In meinem ganzen Leben hatten mich Lehrerinnen ohne Erklärung beiseite genommen, auf dem Flur oder im Speisesaal, in gemütlichen Ecken und beim Klettergerüst, und während ich hyperventilierte und dachte, jetzt würde ich gleich erfahren, dass ich sehr böse war und streng bestraft werden sollte, dass ich eine Klassenarbeit verhauen hatte und ein Jahr wiederholen musste, überraschten sie mich immer damit, dass sie sich vorbeugten, mit grauen Augen und Kaffeeatem, und mir belanglose Fragen über Dad stellten (Rauchte er? War er alleinstehend? Wann konnte man am besten mal vorbeikommen?). Ehrlich gesagt, wenn ich über diese Situationen, in denen ich auf bizarre Weise von den anderen abgesondert wurde, eine Theorie aufstellen sollte, dann würde sie lauten: Es hatte immer etwas mit Dad zu tun. (Sogar er selbst sah das so; wenn der Kassierer im Supermarkt muffig war, dachte Dad, schuld daran sei er, weil er den Mann aus Versehen herablassend angeschaut hatte, während er die Sachen auf das Fließband legte. Wenn es regnete, fühlte sich Dad zweifellos auch dafür verantwortlich.)

Hannahs Reaktion konnte ich allerdings nicht einschätzen. Sie schaute, mit leicht geöffnetem Mund, auf den Boden, als stünde sie unter Schock. Oder sie hatte mich gar nicht gehört und überlegte sich, was sie sagen sollte. Während wir da im ewigen Rauschen der Wälder standen und ich darauf wartete, dass sie »Ja« oder »Nein« oder »So ein Quatsch« sagen würde –, hörten wir plötzlich ein paar Meter hinter uns ein leises, aber deutliches Geräusch.

Mein Herz stolperte. Hannah machte die Taschenlampe an und leuchtete in die Richtung. Und tatsächlich – der Lichtschein verfing sich tatsächlich in etwas, irgendetwas reflektierte ihn, vielleicht eine Brille –, und dann rannte das Etwas weg, rannte durch Zweige und Büsche und Kiefernnadeln und Blätter, und zwar eindeutig auf zwei Füßen. Ich war zu erschrocken, um mich zu bewegen oder um zu schreien, aber Hannah hielt mir den Mund zu und ließ ihre Hand da, bis wir nichts mehr hören konnten, bis um uns nur noch das Dunkel der Nacht war und der Windhauch in den Bäumen.

Sie machte die Taschenlampe aus und drückte sie mir in die Hand.

»Mach sie nicht an – außer wenn du unbedingt musst.«

Ich verstand sie kaum, so leise redete sie.

»Nimm das hier auch.« Sie gab mir ein festes Stück Papier – die Karte. »Eine Vorsichtsmaßnahme. Verlier sie nicht. Ich habe die andere Karte, aber die hier brauche ich, wenn ich zurückkomme. Rühr dich nicht vom Fleck. Und sei ganz still.«

Es ging alles so schnell. Sie drückte meinen Arm, ließ ihn wieder los und entfernte sich dann in dieselbe Richtung wie dieses *Etwas*, von dem ich glauben wollte, dass es sich um einen Bären oder einen wilden Eber handelte – dieses am weitesten verbreitete Landtier, das bekanntlich mehr als sechzig Stundenkilometer rennen und einem Menschen das Fleisch schneller von den Knochen reißen konnte, als ein Lastwagenfahrer einen Chicken Wing verdrückte –, aber tief in meinem Herzen wusste ich, dass es nicht stimmte; kein Nachschlagewerk der Welt konnte die Wahrheit finden, wenn es zu spät war: Es war ein Mensch gewesen, der sich uns genähert hatte – der Mensch, dieses, wie der Zoologe Bart Stuart in *Wilde Tiere* (1998) schreibt, »bösartigste Lebewesen überhaupt«.

»Warte.« Mein Herz fühlte sich an, als würde es in meinen Hals gequetscht, wie Zahncreme aus der Tube. Ich ging hinter ihr her. »Wohin gehst du?«

»Ich habe dir gesagt, du sollst dich nicht vom Fleck rühren.«

Ihre Stimme war so schroff, dass ich augenblicklich stehen blieb.

»Ich wette, es war Charles«, fügte sie etwas sanfter hinzu. »Du kennst ihn doch – er ist so eifersüchtig. Hab keine Angst.« Ihr Gesicht war groß und ernst, und obwohl sie lächelte, ein kleines Lächeln, das durch die Dunkelheit schwebte wie ein Weißer Bärenspinner, wusste ich, dass sie selbst nicht glaubte, was sie da sagte.

Sie beugte sich vor, küsste mich auf die Wange. »Gib mir fünf Minuten.«

Die Wörter verhedderten sich in meinem Mund, in meinem Kopf. Am Schluss stand ich einfach nur da und ließ sie gehen.

»Hannah?«

Nach einer Minute oder so fing ich an, ihren Namen zu schniefen, als ich zwar ihre Schritte noch hörte, aber plötzlich begriff, dass ich tatsächlich ganz allein in diesem wilden Dschungel stand, als die Gleichgültigkeit des Waldes anzudeuten schien, dass ich voraussichtlich hier sterben würde, zitternd, einsam, verloren, eine Statistik, die auf der Polizeiwache ans Anschlagbrett geheftet wurde, mein Klassenfoto mit dem verkrampften Lächeln (hoffentlich nahmen sie nicht das von Lamego High) vorne auf der ersten Seite einer Regionalzeitung, dazu irgendein Artikel über mich, einmal, nochmal, dann recycelt zu Klopapier oder beim Sauberkeitstraining für ein neues Haustier.

Ich rief ihren Namen mindestens drei oder vier Mal, aber sie antwortete nicht, und bald, bald hörte ich sie nicht mehr.

* * *

Ich weiß nicht, wie lang ich gewartet habe.

Es fühlte sich an wie Stunden, aber die Nacht schwirrte ohne Unterbrechung davon, also waren es vielleicht auch fünfzehn Minuten. Das war, seltsamerweise, das Allerschlimmste: Dass ich nicht wusste, wie spät es war. Ich verstand jetzt voll und ganz, warum der des Mordes überführte Sharp Zulett in seiner erstaunlich gewandt geschriebenen Autobiographie *Aus Liebe zum Bunker* (1980) (ein Buch, das ich vorher, fälschlicherweise, übersteigert und extrem melodramatisch gefunden hatte) erklärte, dass man »im Flohbunker« – der »Flohbunker« war die fensterlose Einszwanzig-mal-drei-Meter-Zelle in Lumgate, dem Hochsicherheitsgefängnis am Rand von Hartford – »das Seil der Zeit loslassen muss – man muss sich in der Dunkelheit treibenlassen und darin leben. Sonst wird man verrückt. Man fängt an, Teufel zu sehen. Ein Typ kam nach zwei Tagen aus dem Flohbunker, und er hatte sich das Auge ausgerissen.« (S. 131).

Ich tat mein Bestes, um in der Dunkelheit zu leben. Das Alleinsein lastete schwer auf mir, wie dieses Ding, mit dem sie einen beim Röntgen immer abdecken. Ich setzte mich auf den pieksigen Waldboden und merkte, dass ich mich nicht mehr rühren konnte. Manchmal dachte ich, ich könnte sie hören, das süße Knacken ihrer Schritte, aber es waren nur die Bäume, die ihre Zweige gegeneinander krachen ließen, als würden sie vorgeben, in dem sich langsam steigernden Wind die Zimbeln zu spielen.

Wenn ich ein schreckliches Geräusch hörte, das ich nicht identifizieren konnte, sagte ich mir immer, dass alles durch die Chaostheorie zu erklären war, durch den Doppler-Effekt oder die Heisenberg'sche Unschärferelation, angewandt auf Leute, die sich im Dunkeln verlaufen hatten. Ich muss die Heisenberg'sche Unschärferelation im Kopf mindestens tausendmal wiederholt haben: Das Produkt der Unsicherheiten von Ort und Impuls auf einer gegebenen Achse kann, bei gleichzeitiger Messung, nie kleiner sein als das Planck'sche Wirkungsquant h geteilt durch 4π. Das bedeutete (und das machte mir Mut), dass mein unbekannter Ort und mein nicht vorhandener Impuls und der unbekannte Ort und der unbekannte Impuls des für das Geräusch verantwortlichen Tiers sich irgendwie gegenseitig aufheben mussten, wobei ich dann in einem Zustand der, wie es in den Naturwissenschaften gemeinhin heißt, »ausgedehnten Perplexität« verbliebe.

Wenn ein Mensch länger als eine Stunde (wieder nur eine Annäherung) ohne Hilfe und völlig verängstigt ist, dann wird die Angst ein Teil von ihm, ein dritter Arm. Man spürt sie nicht mehr. Man fragt sich, was andere Menschen – Menschen, die nie zulassen, dass andere sie »schwitzen sehen«, um eine Redensart zu verwenden – in so einer Situation tun würden. Man versucht, sich davon leiten zu lassen.

Dad sagte am Ende seines Seminars an der University of Oklahoma in Flitch zum Thema »Wie überlebe ich: Die Quintessenz von Zwangslagen«, dass in Krisenzeiten ein oder zwei Individuen sich als Helden bewähren, dass eine Hand voll zu Verbrechern wird, während der große Rest sich als Idioten herausstellt. »Versuchen Sie, kein Einfaltspinsel zu sein, versuchen Sie, nicht in die Kategorie der Idioten zu fallen, in der man nur noch lächelt wie ein Affe und wie gelähmt ist von dem Wunsch, einfach nur zu sterben, möglichst schnell, ohne Schmerzen. Die Idioten wollen sich umdrehen wie Opossums. Nun – *entscheiden* Sie. Sind Sie ein Mensch oder sind Sie ein nachtaktives Tier? Haben Sie Mut? Verstehen Sie die Bedeutung von ›do not go gentle into that good night‹? Wenn Sie ein wertvolles menschliches Wesen sind und nicht nur Füllmaterial, Styropor, Füllung für den Thanksgiving-Truthahn, Gartenmulche – dann müssen Sie kämpfen. *Kämpfen*. Kämpfen für das, woran Sie glauben.« (Als Dad das zweite Mal »kämpfen« sagte, schlug er mit der Faust aufs Podium.)

Ich stand auf, mit steifen Knien. Ich knipste die Taschenlampe an. Ich hasste das matte Zwielicht, das sie verbreitete. Ich hatte das Gefühl, als würde ich eine Baumorgie beleuchten: Magere, nackte Körper, die sich aneinanderdrängten, um sich zu verstecken. Schritt für Schritt bewegte ich mich in die Richtung, in die Hannah, meiner Meinung nach, gegangen war. Ich folgte der Taschenlampe und spielte dabei ein kleines Spiel mit mir selbst: Ich tat so, als würde nicht ich die Taschenlampe dirigieren, sondern Gott (mit Hilfe von ein paar gelangweilten Engeln), nicht weil er mich lieber hatte als alle anderen Menschen auf der Welt, die in irgendwelchen Zwangslagen steckten, sondern weil es eine Nacht war, in der nicht viel los war und auf seinem Radarschirm eigentlich nichts erschien, was nach Massenpanik oder Genozid aussah.

Zwischendurch blieb ich immer wieder stehen, horchte, versuchte, auf Zehenspitzen um alle blöden Gedanken herumzutrippeln, Gedanken wie: dass jemand mir folgte, dass ich von einem derangierten Obdachlosen mit spitzen Zähnen und Sandsack-Oberkörper vergewaltigt und ermordet würde, dass mein Leben mit einem quälenden ?

enden würde, nicht anders als bei Violet Martinez. Ich konzentrierte mich stattdessen auf die Karte, die Hannah mir gegeben hatte, diese laminierte Atlaskarte, auf der oben stand »Great Smoky Mountain National Park« (unter dieser Überschrift, ziemlich mickrig: »Ein Geschenk der Freunde der Smokies«). Da gab es hilfreiche Bezeichnungen und Flecken für die Berge, bei denen die Farbe der Höhe entsprach – »Cedar Gorge«, las ich, »Gatlinburg Welcome Center«, »Hatcher Mountain«, »Pretty Hollow Gap«, »2009 m über dem Meeresspiegel«. Da ich null Ahnung hatte, wo ich war, hätte ich genauso gut eine Seite von *Wo ist Walter* (Handford, 1987) anschauen können. Trotzdem beleuchtete ich die Karte mit der Taschenlampe, studierte sie, die krakeligen Linien, die hübsche Times-New-Roman-Schrift, den schönen Zeichenschlüssel, kleine Versprechen, die mir versicherten, dass in der Dunkelheit trotz allem Ordnung herrschte, dass es einen Masterplan gab, dass selbst der armlose, kopflose Baum vor mir *irgendwo* auf dieser Karte verzeichnet war, ein kleiner Klecks, und ich musste nur den Punkt finden, der die beiden Elemente miteinander verband, und plötzlich (mit einer kleinen Stichflamme) würde die Nacht verblassen und sich in spargelgrüne Quadrate aufteilen, denen ich folgen konnte, bis nach Hause, von A3 zu B12 zu D2, zurück zu Dad.

Ich musste immer an die Blaupause einer Geschichte denken, die Hannah irgendwann im Herbst erzählt hatte (keine Einzelheiten, nur das nackte Ereignisgerüst), – dass sie damals in den Adirondacks einem Mann mit Hüftverletzung das Leben gerettet hatte. Sie hatte gesagt, sie sei immer weiter gerannt, bis sie ein paar Camper mit Funkgerät traf. Deshalb versuchte ich jetzt, mich mental zu einem Cheerleader aufzubauen: Vielleicht traf ich ja auch Camper mit Funkgeräten, vielleicht waren die Camper mit ihren Funkgeräten gleich um die Ecke. Aber je länger ich ging und die Bäume um mich herumschwärmten wie Gefangene, die Essen haben wollten, desto klarer wurde mir, dass die Chancen, Camper mit Funkgeräten zu treffen, genauso groß waren wie die Wahrscheinlichkeit, einen nagelneuen Ford Wrangler zu finden, der in einer Lichtung parkte, samt

Zündschlüssel und vollem Tank. Hier war nichts, nichts außer mir, den Zweigen, dem Treibsanddunkel. Ich fragte mich, worüber diese komischen Umweltschützer eigentlich dauernd jammerten, warum sie behaupteten, die Umwelt würde immer mehr zerstört – hier war ein Übermaß an Natur, ein totaler Überschuss an Umwelt, es war an der Zeit, dass endlich jemand kam und ein bisschen rodete und Dunkin' Donuts baute und einen riesigen Parkplatz anlegte, so weit das Auge reichte, der um Mitternacht so hell erleuchtet war wie ein Nachmittag im August. An so einem wunderbaren Ort wurde der eigene Schatten nicht verschluckt, sondern lief klar und lang neben einem her. Man konnte einen Winkelmesser anlegen und exakt den Winkel der Füße bestimmen: dreißig Grad.

Ich war schon eine ganze Weile gegangen, eine Stunde oder so, und musste dabei die ganze Zeit meinen Kopf zwingen, auf dem wackeligen Floß des Denkens zu bleiben, um nicht unterzugehen – als ich das erste Mal das Geräusch hörte.

Es war so prägnant, so rhythmisch und klar, dass die teerschwarze Nacht zu verstummen schien, wie Sünder in der Kirche. Es klang wie – ich stand reglos da, versuchte, meinen Atem zu kontrollieren –, es klang wie ein Kind, das schaukelt. (»Ein Kind, das schaukelt« klingt bedrohlich, ziemlich horrorfilmmäßig, aber ich fand das Geräusch zuerst gar nicht schlimm.) Und obwohl es völlig unvernünftig und absurd schien, folgte ich dem Geräusch, ohne lange zu überlegen.

Manchmal verschwand es. Ich fragte mich schon, ob ich es mir nur einbildete. Dann setzte es wieder ein. Schüchtern. Ich ging weiter, die Taschenlampe vertrieb die Bäume, ich versuchte zu denken, versuchte herauszufinden, was es war, versuchte, keine Angst zu haben, sondern pragmatisch und stark zu sein wie Dad, versuchte, mich an seine Determinationstheorie zu halten. Ich dachte an Ms Gershon, meine Physiklehrerin, denn immer, wenn es im Unterricht eine Frage gab, beantwortete sie diese nicht direkt, sondern drehte sich zum Whiteboard und schrieb wortlos fünf bis sieben Stichpunkte an. Sie stand immer in einem fünfundvierzig Grad-Winkel zum Whiteboard, weil sie sich wegen ihres Rückens genierte. Und doch teilte Ms Pamela »PMS«

Gershons Rücken sehr viel mit; an ihrem Hinterkopf war eine Stelle, wo ihr Haar schon schütter war, ihre Hosen, immer in Hellbraun und Graubraun, hingen wie eine ausgeleierte zweite Haut an ihr, ihr Hintern war zusammengequetscht wie ein Sonntagshut, auf den sich jemand gesetzt hat. Wenn Ms Gershon hier wäre, dachte ich, dann würde sie versuchen, alles in Erfahrung zu bringen, was es über dieses Geräusch zu erfahren gab, über dieses Kind auf der Schaukel; ganz oben auf das Whiteboard würde sie schreiben (sie stellte sich auf die Zehenspitzen, den Arm hoch über dem Kopf, wie beim Bergsteigen): »Phänomen eines Kindes auf Schaukel in einer dicht bewaldeten Gegend: Das Sieben-Punkte-Spektrum der Physik im Alltag.« Der erste Punkt wäre dann: »*Atome*: Das Kind auf der Schaukel und die Schaukel selbst bestehen aus kleinen, bewegten Teilchen«, und der letzte Stichpunkt wäre: »*Einsteins spezielle Relativitätstheorie*: Wenn das Kind auf der Schaukel einen Zwilling hat, der in ein Raumschiff steigt und mit annähernder Lichtgeschwindigkeit reist, wäre der Zwilling bei seiner Rückkehr zur Erde jünger als das Kind auf der Schaukel.«

Noch ein Schritt. Das Geräusch war jetzt lauter. Ich befand mich auf einer kleinen Lichtung, überall Kiefernnadeln, fragile, zitternde Büsche. Ich drehte mich um, mein gelber Lichtstrahl schlurfte, kullerte über die Baumstämme wie eine Roulettekugel, und dann hielt er inne.

Sie war verblüffend nah, wie sie da an einem orangeroten Strick um den Hals einen Meter über dem Boden hing. Meine Taschenlampe elektrisierte ihre riesigen Augen und die grünen Quadrate auf ihrem karierten Hemd. Die Zunge quoll aus dem Mund. Und ihr aufgedunsenes Gesicht, der Ausdruck, der Schaum um den Mund – es war alles so unmenschlich, so ekelhaft. Ich weiß immer noch nicht, wieso ich gleich wusste, dass sie es war. Denn das *war nicht* Hannah, das war etwas Unwirkliches, Monströses, etwas, worauf einen kein Lehrbuch und keine Enzyklopädie vorbereiten konnte.

Und doch war sie's.

* * *

Die unmittelbaren Auswirkungen dieses Anblicks sind in eine unzugängliche Gefängniszelle im Gedächtnis eingesperrt. (»Zeugentraumatisierung«, erklärte Sergeant Detective Fayonette Harper später.) Obwohl ich so viele Nächte wach lag und alle möglichen Strategien ausprobiert habe, kann ich mich nicht an meine Schreie erinnern, ich kann mich nicht erinnern, wie ich hingefallen und so schnell weggerannt bin, dass ich irgendetwas streifte und mir das linke Knie verletzte, was später mit drei Stichen genäht werden musste, oder wie ich die Karte fallen ließ, obwohl Hannah mir gesagt hatte, ich solle sie festhalten, in diesem Flüsterton, der wie ein Blatt Papier meine Wange berührt hatte.

Ich wurde am nächsten Morgen gefunden, ungefähr um 6.45, von einem gewissen John Richards, 41, der mit seinem Sohn Ritchie, 16, Forellen angeln wollte. Meine Stimme war völlig kaputt. Mein Gesicht war voller Kratzer, voller Dreck und Blut, dass die beiden zu Dad sagten, als sie mich sahen – (nicht weit vom Forkridge Trail, der fünfzehn Kilometer vom Sugartop Summit entfernt war) an einen Baum gelehnt, mit glanzlos starrem Blick, die sterbende Taschenlampe immer noch krampfhaft festhaltend –, da hätten sie gedacht, ich sei der große Waldschrat.

Einer flog über das Kuckucksnest

Ich schlug die Augen auf und merkte, dass ich in einem mit Vorhängen abgetrennten kleinen Raum im Bett lag. Ich versuchte zu sprechen, brachte aber nur ein Krächzen heraus. Ein weißes Flanelllaken bedeckte mich vom Kinn bis zu den grünen Wollsocken. Ich schien ein hellblaues Krankenhausnachthemd mit einem verblassten Segelbootmuster zu tragen, eine elastische Binde ums linke Knie. Pausenlos und überall klackerten die Krankenhaus-Morsesignale: Es piepte, tutete, klingelte, klickte, Dr. Bullard wurde per Sprechanlage gebeten, bitte an Apparat 2 zu gehen. Jemand redete über eine Floridareise, die er neulich mit seiner Frau gemacht hatte. Ein viereckiges Stück Gaze und eine kleine hypodermische Nadel waren an meiner linken Hand angebracht (Moskito), die über einen dünnen Schlauch mit einem durchsichtigen Beutel über mir verbunden war (Mistel). Mein Kopf fühlte sich an wie mit Helium aufgeblasen. Eigentlich fühlte sich mein ganzer Körper so an. Ich schaute auf die Falten des minzegrünen Vorhangs links von mir.

Der Vorhang wehte. Eine Schwester kam herein. Sie wehte den Vorhang wieder zu und glitt zu mir, als hätte sie keine Füße, sondern Laufrollen mit Buchstabenschlössern.

»Du bist wach«, rief sie frohgemut. »Wie fühlst du dich? Hast du Hunger? Du solltest nicht sprechen. Bleib ganz ruhig liegen, ich tausche noch schnell den Tropf aus, dann hole ich den Arzt.«

Sie ersetzte den Beutel und rollte wieder davon.

Ich roch Latex und Franzbranntwein. Ich starrte zur Decke, auf die weißen Rechtecke mit den kleinen braunen Flecken, wie Vanilleeis. Jemand fragte, wo Johnsons Krücken seien. »Sie hatten einen Aufkleber, als er gekommen ist.« Eine Frau lachte. »Fünf Jahre verheiratet. Der Schlüssel zum Erfolg ist, dass man jeden Tag so tut, als wär's das erste Date.« »Haben Sie Kinder?« »Wir arbeiten dran.«

Wieder wehte der Vorhang, und ein kleiner, braunhäutiger Arzt mit mädchenhaft zartem Knochenbau und rabenschwarzen Haaren erschien. Um den Hals trug er einen mit Plastik überzogenen Backstage-Pass mit einem Pixelfoto von ihm selbst (Hautfarbe wie eine Peperoni), darunter ein Barcode und sein Name: THOMAS C. SMART, OBERARZT, NOTAUFNAHME. Als er auf mich zukam, flatterte sein superweißer Arztkittel hinter ihm her.

»Wie geht's uns denn?«, fragte er. Ich versuchte, etwas zu sagen – mein *Okay* kam heraus wie ein Messer, mit dem man Gelee auf eine verbrannte Scheibe Toast streicht –, und er nickte verständnisvoll, als spräche er dieselbe Sprache, kritzelte etwas auf sein Klemmbrett und sagte dann, ich solle mich aufsetzen und tief ein- und ausatmen, während er sein eisiges Stethoskop auf meinen Rücken drückte.

»Sieht gut aus«, sagte er mit einem müden Pseudolächeln.

In einem Wirbel aus Weiß und wehendem Vorhang verschwand er. Wieder schaute ich auf den traurigen Minzevorhang. Er bebte jedes Mal, wenn auf der anderen Seite jemand vorbeiging – als hätte er Angst. Ein Telefon klingelte. Eine Trage wurde den Gang entlanggerollt: Kükengequietsche wackliger Räder.

»Ich verstehe, Sir. Erschöpfung, Kälte, keine Hypothermie, aber dehydriert, Schnittwunde am Knie, weitere kleine Schnittwunden und Kratzer. Zudem ein offensichtlicher Schock. Ich würde sie gern noch ein paar Stunden hier behalten, bis sie etwas gegessen hat. Dann werden wir weitersehen. Wir geben ihr ein Rezept für die Knieschmerzen. Und ein leichtes Beruhigungsmittel. Die Fäden werden in einer Woche gezogen.«

»Sie haben mir nicht zugehört. Ich rede nicht von den Fäden. Ich will wissen, was passiert ist.«

»Das wissen wir nicht. Wir haben den Park informiert. Dort ist Rettungspersonal –«

»Ich scheiße auf das Rettungspersonal –«

»Sir, ich –«

»Ihren ›Sir‹ können Sie sich sonst wohin schmieren! Ich will meine Tochter sehen. Ich möchte, dass Sie ihr etwas zu essen geben. Ich möchte, dass Sie eine anständige Krankenschwester für sie finden, keine von diesen Anfängerinnen, die aus Versehen alle Kinder mit einer Mittelohrentzündung umbringen. Sie muss nach Hause und sich *ausruhen*, und nicht das, was sie durchgemacht hat, mit irgendeinem Schafskopf nochmal durchgehen, mit irgendeinem *Clown*, der es nicht mal geschafft hat, die High School abzuschließen, der ein Motiv nicht erkennt, selbst wenn es ihn in den *Arsch* beißen würde, alles nur, weil so ein paar Polizisten mit Stroh im Kopf nicht fähig sind, selbst dahinterzukommen.«

»Das ist das Standardverfahren, Sir, wenn so eine dumme Sache passiert –«

»So eine *dumme Sache*?«

»Ich wollte sagen –«

»Es ist eine *dumme Sache*, wenn man Kool-Aid auf einen weißen Teppich schüttet. Oder wenn man irgendeinen scheiß Ohrring verliert.«

»Sie – sie muss nur mit ihm sprechen, wenn sie dazu imstande ist. Ich gebe Ihnen mein Wort.«

»Da müssen Sie schon ein bisschen mehr bieten als Ihr Wort, Herr Doktor – was steht da auf dem Ding? Herr Doktor Thomas, Tom *Smarts*.«

»Ohne s am Schluss.«

»Was ist das – Ihr *Künstler*name?«

Ich wälzte mich aus dem Bett, passte aber gut auf, dass der Schlauch an meinem Arm und die anderen Plastikkabel, die an meiner Brust angebracht waren, sich nicht von den Geräten lösten, mit denen ich verbunden war, und ging die paar Schritte bis zum Vorhang. Das Bett folgte mir zögernd. Ich schaute nach draußen.

Neben dem großen weißen Sechseck in der Mitte der Notaufnahme stand Dad, in Kordsamt. Seine graublonden Haare fielen ihm in die Stirn – was bei seinen Vorträgen auch immer passierte –, sein Gesicht war rot. Vor ihm stand der Weißkittel, krampfte die Hände ineinander und nickte. Links von ihm, hinter dem Schalter, saß Wirrhaar und, treu neben ihr, Mars Orangeroter Lippenstift. Beide schauten Dad an, die eine presste den Telefonhörer an ihren rosaroten Hals, die andere tat so, als würde sie ein Klemmbrett durchlesen, aber in Wirklichkeit horchten sie ganz unverfroren.

»Dad«, krächzte ich.

Er hörte mich gleich. Seine Augen weiteten sich.

»Du lieber Himmel«, sagte er.

* * *

Wie sich herausstellte – obwohl ich mich beim besten Willen nicht erinnern konnte –, hatte ich John Richards und seinem Sohn einiges erzählt, als sie mich, ihre schlaffe Braut, die halbe Meile bis zu ihrem Pickup-Truck trugen. (Was der Weißkittel sagte, war sehr informativ: Er erklärte, in Bezug auf das Gedächtnis könne man »nichts und alles« erwarten – als hätte ich mir nur den Kopf angeschlagen, als hätte ich nur einen kleinen Frontalzusammenstoß gehabt.)

Ich stelle mir vor, dass ich mit der lebhaften, aber verkohlten Stimme eines soeben vom Blitz getroffenen Menschen redete (über hundert Millionen Volt Direktstrom), als ich mich mit erweiterten Pupillen und bruchstückhaften Sätzen den beiden mitteilte: meinen Namen, meine Adresse und Telefonnummer, dass ich einen Campingausflug in die Great Smoky Mountains gemacht hatte und dass etwas *Schlimmes* passiert war. (Ich verwendete tatsächlich das Wort *schlimm*.) Ich antwortete nicht auf ihre direkten Fragen – ich konnte ihnen nicht genau sagen, was ich gesehen hatte –, aber offenbar wiederholte ich während der dreiviertelstündigen Fahrt zum Sluder County Hospital immer wieder den Satz »Sie ist fort jetzt.«

Das war komisch. »Sie ist fort jetzt« war eine Zeile aus einem schrecklichen Kinderlied, das Dad und ich immer auf den Highways gesungen hatten, als ich fünf war. Ich hatte es in Oxford, Mississippi, bei Ms Jetty im Kindergarten gelernt. Der Text passte zur Melodie von »Oh, My Darling Clementine«: *»Sie ist fort jetzt, sie ist nirgends, meine Freundin ist nicht da / Ist ertrunken in dem Flusse, wo sie keiner mehr dann sah.*«

(Dad erfuhr das meiste, als er im Warteraum der Notaufnahme mit meinen Rettern Freundschaft schloss, und obwohl die beiden gingen, bevor ich aufwachte, schickten Dad und ich ihnen später eine Dankeskarte und eine neue Ausrüstung fürs Fliegenfischen, im Wert von dreihundert Dollar, blind gekauft bei Bull's Eye Bait and Tack.)

Weil ich so seltsam luzide war, konnte das Sluder County Hospital Dad sofort kontaktieren, ebenso den diensthabenden Parkranger, einen Mann namens Roy Withers, der augenblicklich eine Suchaktion einleitete. Und die Polizei von Burns County schickte einen Beamten, Officer Gerard Coxley, ins Krankenhaus, der mich befragen sollte.

»Ich habe schon alles geregelt«, erklärte Dad. »Du redest mit niemandem.«

Wieder war ich hinter dem Minzevorhang in meinem weichen Bett, mumifiziert mit warmen Flanelllaken, und versuchte, mit einem Pfeifenreiniger-Arm das Truthahnsandwich und einen Chocolate-Chip-Cookie zu essen. Mein Kopf fühlte sich an wie der bunte Ballon in dem Filmklassiker *In 80 Tagen um die Welt.* Ich konnte nur auf den Vorhang glotzen, kauen und schlucken und vorsichtig den Kaffee trinken, den Wirrhaar mir nach Dads Anweisungen gemacht hatte (»Blue mag ihren Kaffee mit fettarmer Milch, ohne Zucker. Ich trinke meinen schwarz.«): glotzen, kauen, schlucken, glotzen, kauen, schlucken. Dad war links von meinem Bett.

»Das wird schon wieder«, sagte er. »Meine Tochter ist eine Kämpferin. Sie hat vor nichts Angst. In einer Stunde bist du wieder zu Hause. Und ruhst dich aus. Alles kommt wieder ins Lot.«

Mir war klar, dass Dad mit Trumans Stimme und Kennedys Grinsen diese Cheerleader-Parolen vortrug, um den Mannschaftsgeist in sich selbst zu wecken, nicht in mir. Es störte mich nicht. Über den Tropf hatte ich ein Beruhigungsmittel bekommen und fühlte mich deswegen zu entspannt, um seine Angst richtig nachzuvollziehen. Zur Erklärung: Ich hatte Dad nie richtig von dem Campingausflug erzählt. Ich hatte gesagt, ich würde das Wochenende bei Jade verbringen. Ich wollte ihn nicht belügen, vor allem nicht angesichts seines neuen McDonald's-Erziehungsansatzes (immer offen, immer bereit), aber Dad konnte solche Unternehmungen wie Camping, Skifahren, Mountainbiking, Parasailing, Hanggliding und Basejumping nicht ausstehen und erst recht nicht die »dümmlichen Drohnen«, die sie praktizierten. Dad hatte nicht das geringste Bedürfnis, den Wald, den Ozean, das Gebirge oder die dünne Luft in Angriff zu nehmen, wie er in »Menschliche Hybris und der Nationalstaat« ausführlich darstellte, veröffentlicht 1982 bei der inzwischen nicht mehr existenten *Sound Opinion Press*.

Ich zitiere hier Abschnitt 14 mit dem Titel »Zeus-Komplex«: »Der egozentrische Mensch versucht, die Unsterblichkeit zu erahnen, indem er sich auf anstrengende körperliche Herausforderungen einlässt und sich bewusst an die Schwelle des Todes begibt, um das egoistische Gefühl von *Leistung*, von *Sieg* zu erfahren. Solche Gefühle sind falsch und nur von kurzer Dauer, denn die Herrschaft der Natur über den Menschen ist absolut. Der Mensch gehört nicht in Extrembedingungen, diese Bedingungen, unter denen er, das können wir nicht leugnen, schwach ist wie ein Floh, nein, er gehört zur *Arbeit*. Sein Platz ist beim Bauen und Regieren, beim Aufstellen von Regeln und Geschützen. In der Arbeit findet der Mensch den Sinn des Lebens, nicht im selbstsüchtigen, heldenhaften Rausch beim Besteigen des Mount Everests ohne Sauerstoff, wo er dann fast stirbt und von dem armen Sherpa getragen werden muss.«

Wegen dieses Abschnitts hatte ich Dad nichts erzählt. Er hätte mich nie gehen lassen, und obwohl ich ja eigentlich nicht wandern wollte, hätte es mir auch nicht gepasst, wenn die anderen ohne mich gegangen wären und unglaubliche Sachen erlebt hätten. (Ich hatte natürlich keine Ahnung gehabt, wie unglaublich diese Erfahrungen tatsächlich sein würden.)

»Ich bin stolz auf dich«, sagte Dad.

»Dad«, war alles, was ich krächzen konnte. Ich schaffte es immerhin, seine Hand zu berühren, und er reagierte wie eine dieser Mimosenblüten, nur andersherum, er öffnete sich.

»Es wird alles wieder gut, Wölkchen. Du wirst wieder gesund. Fit wie ein Turnschuh.«

»Fit«, krächzte ich.

»Fit wie ein Turnschuh.«

»Versprochen?«

»Ja, natürlich, versprochen.«

* * *

Eine Stunde später kam meine Stimme langsam zurück. Eine neue Krankenschwester, Strenge Stirn (Weißkittel hatte sie unerlaubterweise von einer anderen Station entführt, um Dad zu besänftigen), überprüfte Puls und Blutdruck (»Alles bestens«, murmelte sie, bevor sie davontrabte).

Ich fühlte mich pudelwohl unter den Sonnenscheinlampen, umgeben von dem Krankenhausgesumme, dem Piepen, Klicken und Tuten, beruhigend wie die Fischgeräusche, die man beim Schnorcheln im Ozean hört, aber allmählich merkte ich, dass meine Erinnerungen an die vergangene Nacht wieder lebendig wurden. Während ich meinen Kaffee trank und dabei dem bekümmerten Gebrummel eines quakenden Gentleman zuhörte, der sich auf der anderen Seite des Vorhangs von einem Asthmaanfall erholte (»Na, jetzt aber! Ich muss nach Hause und meinen Hund füttern.« »Nur noch eine halbe Stunde, Mr Elphinstone.«), meldete sich plötzlich Hannah in meinem Kopf: aber nicht so, wie ich sie gesehen hatte – mein *Gott, nein* –, sondern wie sie an ihrem Esstisch saß und irgendeinem von uns zuhörte, den Kopf schräg gelegt, eine Zigarette rauchend, die sie dann rücksichtslos auf ihrem Brotteller ausdrückte. Das hatte sie zweimal gemacht. Ich dachte auch an ihre Fersen, etwas, was nicht viele Leute an ihr bemerkt hatten: Die Haut dort war manchmal so schwarz und trocken, dass sie aussah wie Asphalt.

»Sweet? Was ist los?«

Ich eröffnete Dad, dass ich den Polizisten sehen wollte. Widerwillig erklärte er sich einverstanden, und zwanzig Minuten später erzählte ich Officer Coxley alles, woran ich mich erinnern konnte.

Dad sagte, dass Officer Gerard Coxley seit über drei Stunden geduldig im Warteraum der Notaufnahme saß, sich angeregt mit der zuständigen Krankenschwester und mit den Patienten, die nicht so dringend waren, unterhielt und Pepsi trank. »Und er liest mit so versunkener Miene diese Motorradzeitschrift, dass ich gleich wusste, das ist insgeheim sein Leitfaden«, berichtete Dad angewidert. Aber Geduld, ganz nach Art eines Stilllebens, schien eine von Gerard Coxleys herausragendsten Charaktereigenschaften zu sein (siehe *Falsche Früchte, Steinfrüchte und Dörrobst*, Swollum, 1982).

Die langen, dünnen Beine übereinandergeschlagen wie eine Lady, saß er auf dem niedrigen blauen Plastikstuhl, den Strenge Stirn extra aus diesem Anlass hereingebracht hatte. Auf seinen Oberschenkeln balancierte er einen schon etwas zerfledderten grünen Block und machte sich Notizen, linkshändig, in GROSSBUCHSTABEN und mit der Schnelligkeit eines Apfelkerns, der zu einem drei Meter hohen Baum heranwächst.

Officer Coxley – Mitte vierzig, mit verwuschelten rotbraunen Haaren und schläfrig zusammengekniffenen Augen, wie ein Strandwärter Ende August – war ein Mann der Reduktion, der Destillation, der Einzeiler. Mir hatte man ein paar Kissen in den Rücken gestopft (Dad überschattete Coxley am Fuß des Bettes), und ich bemühte mich, ihm wirklich *alles* zu erzählen, aber wenn ich einen Satz vollendet hatte – einen komplexen Satz, mit unschätzbaren Details, sorgfältig aus der Dunkelheit hervorgeholt –, erschien mir verwirrenderweise plötzlich nichts mehr real; jede Erinnerung kam mir vor wie von Mr DeMille ausgeleuchtet, überall nur Suchscheinwerfer und Spezialeffekte und gespenstisches Bühnen-Make-up, Pyrotechnik, Hintergrundton. Und nachdem ich ganz viel gesagt hatte, notierte Officer Coxley nur ein Wort. Oder vielleicht auch zwei.

ST. GALLWAY 6 JUGENDLICHE HANA SCHNEDER LEHRERIN TOT? SUGARTOP VIOLET MARTINEZ.

Er hätte jede Dickens-Handlung zu einem Haiku schrumpfen können.

»Nur noch ein paar Fragen«, sagte er, während er mit seinen Kneifaugen das e.e.-cummings-Gedicht begutachtete.

»Und als sie dann hinter mir hergekommen ist«, sagte ich, »hatte sie so eine Tasche dabei, die sie vorher nicht gehabt hatte. Haben Sie das notiert?«

»Ja, klar.« TASCHE.

»Und diese Person, die uns gefolgt ist – ich würde denken, es war ein Mann, aber ich weiß es nicht genau. Er hatte eine große Brille auf. Nigel – einer von unserer Gruppe – Nigel hat eine Brille, aber er war's nicht. Da bin ich mir sicher. Er ist sehr klein und hat eine winzige Brille. Der Typ war aber groß, und die Brille war auch groß. Wie Colaflaschen.«

»Aha.« COLAFLASCHEN.

»Um es noch einmal zu wiederholen –«, sagte ich. »Hannah wollte mir etwas sagen.«

Coxley nickte.

»Deshalb hat sie mich vom Campingplatz weggeholt. Aber sie ist gar nicht dazu gekommen, mir zu sagen, was sie sagen wollte. Wir haben vorher jemanden gehört, und sie wollte nachsehen.«

Inzwischen war meine Stimme nur noch ein Windhauch, im besten Fall eine Strahlströmung, aber ich hechelte immer weiter, trotz Dads besorgter Miene.

»Okay, okay, verstanden.« CAMPINGPLATZ. Officer Coxley schaute mich an, zog die Zwillingspflaumen-Augenbrauen hoch und lächelte, als hätte er noch nie eine Augenzeugin wie mich gehabt. Was vermutlich stimmte. Ich hatte das beunruhigende Gefühl, dass Officer Coxleys Erfahrungen mit Augenzeugen nicht unbedingt Morde und auch nicht Raubüberfälle betrafen, sondern Autounfälle. Die fünfte Runde seiner Fragen (mit so neutraler Stimme gestellt, dass man fast den Zettel mit der Überschrift AUGENZEUGEN-BEFRAGUNG vor sich sah, der auf der Wache ans Schwarze Brett geheftet war, zwischen der Liste, in die man sich für die 52. Wochenendkonferenz über Autodiebstahl eintragen musste, und der Ecke mit den »Persönlichen Mitteilungen«, wo die Singles des Polizeireviers ihre Wünsche in achtundzwanzig oder weniger Wörtern mitteilen durften) war extrem entmutigend gewesen. »Haben Sie am Ort des Zwischenfalls irgendwelche Probleme festgestellt?« Ich glaube, dass er hoffte, ich würde sagen: »Ja, eine Ampel funktionierte nicht« oder »Das dichte Laub hat das Stoppschild verdeckt.«

»Wurde schon jemand gefunden?«, fragte ich.

»Wir arbeiten daran«, sagte Coxley.

»Was ist mit Hannah?«

»Wie gesagt – jeder tut seine Pflicht.« Er fuhr mit einem dicken, schotenartigen Finger über seinen grünen Notizblock. »Können Sie mir noch etwas sagen über Ihre Beziehung zu –?«

»Sie war Lehrerin an unserer Schule«, antwortete ich. »St. Gallway. Aber sie war mehr als das. Sie war eine Freundin.« Ich holte tief Luft.

»Sie sprechen von –«

»Hannah Schneider. In ihrem Nachnamen ist ein ›i‹.«

»Ah, richtig.«

»Um das noch einmal ganz klarzumachen – ich bin überzeugt, dass sie es war, die ich gesehen habe …«

»Okay«, sagte er und nickte beim Schreiben. »Okay.« FREUNDIN.

An dem Punkt muss Dad beschlossen haben, dass es jetzt reichte. Er schaute Coxley einen Moment lang sehr scharf an, dann stand er vom Fußende des Bettes auf, als hätte er einen Entschluss gefasst (siehe »Picasso amüsiert sich im Lapin Agile, Paris«, *Respekt vor dem Teufel,* Hearst, 1984, S. 148*)*.

»Ich glaube, Sie haben alles gefragt, Poirot«, sagte Dad. »Sehr methodisches Vorgehen. Ich bin beeindruckt.«

»Was ist los?«, fragte Coxley irritiert.

»Sie haben mir neuen Respekt vor dem Arm des Gesetzes eingeflößt. Wie viele Jahre machen Sie den Job jetzt schon, Holmes? Zehn, zwölf?«

»Ach so – äh, fast achtzehn.«

Dad nickte lächelnd. »Sehr beeindruckend. Ich liebe den Jargon, die Abkürzungen – DOA, DT, OC, Weißhemden, Spurensicherung – stimmt's? Sie müssen mir verzeihen. Ich habe zu oft *Columbo* gesehen. Ich bedaure es, dass ich diesen Beruf nicht ergriffen habe. Darf ich Sie fragen, wie Sie dazu gekommen sind?«

»Mein Vater.«

»Wie schön.«

»Sein Vater auch. Seit Generationen.«

»Wenn Sie mich fragen – es gibt nicht annähernd genug junge Menschen, die zur Polizei gehen. Die intelligenten Jugendlichen streben alle nach hochtrabenden Jobs – aber macht sie das glücklich? Ich bezweifle es. Wir brauchen gesunde, vernünftige Menschen, *kluge* Menschen. Menschen, die wissen, wo ihr Kopf ist und wo ihr Ellbogen.«

»Genau das sage ich auch.«

»Tatsächlich?«

»Der Sohn von 'nem guten Freund ist nach Bryson City gezogen. Hat da als Banker gearbeitet. Hat's gehasst. Ist wieder hierher gekommen, ich hab ihn eingestellt. Sagt, ihm ging's noch nie so gut. Aber man muss schon dafür geeignet sein. Nicht jeder kann –«

»Aber natürlich – nicht jeder!«, sagte Dad und schüttelte den Kopf.

»Mein Cousin. Der konnte's nicht. Der hatte nicht die Nerven.«

»Ich kann's mir vorstellen.«

»Ich seh das immer gleich, ob einer es kann.«

»Tatsächlich?«

»Auf jeden Fall. Da wurde ein Kerl von Sluder County eingestellt. Das ganze Revier hat gedacht, der bringt's. Außer mir. Ich hab's ihm an den Augen angesehen. Der hatte's einfach nicht drauf. Zwei Monate später ist er mit der Frau von 'nem patenten Kerl aus unserer Ermittlungsstelle durchgebrannt.«

»Man kann nie wissen«, seufzte Dad mit einem Blick auf seine Uhr. »Ich würde sehr gern noch länger plaudern, aber –«

»Oh –«

»Der Arzt da draußen, ich glaube, er ist sehr gut, und er hat vorgeschlagen, dass Blue nach Hause geht, um sich auszuruhen und um ihre Stimme zu schonen, damit sie bald wieder richtig sprechen kann. Ich glaube, wir warten noch damit, bis wir etwas über die anderen erfahren.« Er streckte ihm die Hand hin. »Ich weiß, wir sind in guten Händen.«

»Danke«, sagte Coxley, erhob sich und reichte Dad die Hand.

»Ich danke *Ihnen*. Ich verlasse mich darauf, dass Sie uns zu Hause anrufen, falls es noch weitere Fragen geben sollte. Haben Sie unsere Nummer?«

»Äh – ja, die hab ich.«

»Hervorragend«, sagte Dad. »Bitte, melden Sie sich, falls wir Ihnen irgendwie behilflich sein können.«

»Klar. Viel Glück.«

»Ihnen auch, Marlowe.«

Und dann, ehe Officer Coxley recht wusste, wie ihm geschah, ehe *ich* wusste, wie ihm geschah, war er wieder draußen.

Hundert Jahre Einsamkeit

In extremen Situationen, wenn man zum Beispiel ohne Vorwarnung einen toten Menschen sieht, gerät irgendetwas in einem aus dem Lot – für immer. Irgendwo (im Gehirn und im Nervensystem, würde ich denken) gibt es einen Haken, eine Verzögerung, eine Stolperfalle, ein kleines technisches Problem.

Für all diejenigen, die noch nie das Pech hatten: Stellen Sie sich den schnellsten Vogel der Welt vor, den Wanderfalken, *Falco peregrinus*, wie er mit mehr als 402 km/h hochelegant auf seine Beute (eine arglose Taube) hinunterstürzt – und dann plötzlich, Sekunden, bevor seine Krallen zum tödlichen Schlag ausholen, überfällt ihn ein eigenartiges Gefühl, ihm wird schwindelig, er verliert den Überblick, kommt ins Trudeln, *Two bogies, three o'clock high, break, break, Zorro got your wingman,* er schafft es kaum, wieder aufzusteigen, höher, höher, sich zu korrigieren, und dann, erschrocken, zum nächsten Baum zu fliegen, wo er die Orientierung wiederzufinden versucht. Der Vogel hat es gut überstanden – und doch ist er danach, für den Rest seines Lebens, das zwölf bis fünfzehn Jahre dauert, nie wieder fähig, mit derselben Geschwindigkeit und Konzentration im Sturzflug nach unten zu sausen wie die anderen Falken. Er ist immer ein bisschen daneben, immer ein bisschen *verkehrt.*

Biologisch gesprochen hat diese minimale, aber irreparable Veränderung eigentlich keine Berechtigung. Man denke an die Holzameise: Sie gesteht einer Mitameise, die bei der Arbeit tot umfällt, insgesamt fünfzehn bis dreißig Sekunden zu, bevor der leblose Körper gepackt, aus dem Nest getragen und zum Müll geworfen wird, der aus Sand und Staub besteht (siehe *Alle meine Kinder: Leidenschaftliche Bekenntnisse einer Ameisenkönigin*, Strong, 1989, S. 21). Säugetiere nehmen Tod und Verlust ähnlich unbeteiligt hin. Eine Tigerin verteidigt ihre Jungen gegen ein aggressives Männchen, aber wenn sie abgemetzelt wurden, »dreht sie sich um und paart sich ohne Zögern mit dem Männchen« (siehe *Stolz*, Stevens-Hart, 1992, S. 112). Primaten trauern – »kein Schmerz ist so tief wie der eines Schimpansen«, erklärt Jim Harry in *Die Werkzeugbauer* (1980) –, aber ihr Schmerz beschränkt sich auf den engsten Familienkreis. Schimpansenmännchen bringen bekanntlich nicht nur ihre Rivalen um, sondern auch die Jungen und die Behinderten, sowohl innerhalb des Clans als auch außerhalb, und manche fressen sie sogar auf, ohne jeden ersichtlichen Grund.

So sehr ich mich bemühte, ich war nicht imstande, in mir die *c'est-la-vie*-Kaltblütigkeit des Tierreichs zu aktivieren. Ich litt während der nächsten drei Monate an totaler Insomnie. Ich rede hier nicht von der romantischen Schlaflosigkeit, die einen umtreibt, wenn man verliebt ist und aufgeregt den Morgen herbeisehnt, damit man sich mit seinem Liebsten in einem versteckten Pavillon treffen kann. Nein, es war die qualvolle, klamme Form des Nicht-schlafen-Könnens, wenn sich das Kopfkissen immer mehr wie ein Holzklotz und das Bettlaken wie die Everglades anfühlen.

Als ich aus dem Krankenhaus kam und die erste Nacht zu Hause verbrachte, hatte man noch niemanden gefunden, weder Hannah noch Jade und die anderen. Der Regen trommelte pausenlos gegen die Fensterscheiben, während ich zur Zimmerdecke starrte und ein ganz neues Gefühl in meiner Brust hatte: als würde sie sich nach innen wölben wie ein alter Gehweg. Mein Kopf war von Gedanken belagert, die allesamt in Sackgassen endeten, der lästigste war dieser typische Filmproduzentenwunsch: das gewaltige und absolut unproduktive Verlangen, die letzten achtundvierzig Stunden aus dem Leben zu streichen, den bisherigen Regisseur in die Wüste zu schicken (der ganz offensichtlich nicht wusste, was er machte) und alles nochmal zu drehen, mit umfassenden Drehbuchänderungen und einer Neubesetzung der Hauptrollen. Ich konnte mich irgendwie nicht *ausstehen*, wie ich da so sicher und geborgen im Bett lag, in meinen Wollsocken und dem dunkelblauen Flanellschlafanzug aus der Erwachsenenabteilung von Stickley's. Ich hatte sogar etwas gegen die Tasse mit Orange-Blossom-Tee, die Dad auf die Südwestecke meines Nachttischs gestellt hatte. (Auf der Tasse stand: »Ein Griff zur rechten Zeit spart viel Müh und Leid«, sie erinnerte mich an eine noch nicht aufgeplatzte Blase.) Ich kam mir vor, als wäre meine glückliche Rettung durch die Richards so etwas wie ein zahnloser Vetter ersten Grades, der immer spuckt, wenn er redet – einfach nur peinlich. Ich hatte nicht die geringste Lust, Otto Frank, Anastasia, Curly, Trevor Rees-Jones zu spielen. Ich wollte bei den anderen sein, ich wollte leiden, was sie litten.

Angesichts meines Zustands ist es nicht weiter verwunderlich, dass ich in den zehn Tagen nach dem Campingausflug, also während der Frühjahrsferien, eine säuerliche, irritierende und ganz und gar unbefriedigende Liebesaffäre einging.

Sie war eine fade, unberechenbare Geliebte, dieses zweiköpfige Mannfrauwesen, auch bekannt als die Regionalnachrichten, WQOX News 13. Am Anfang sah ich sie dreimal am Tag (*First News* um 17.00, *News 13* um 17.30, *Late Night News* um 23.00). Nach vierundzwanzig Stunden hatte sie es geschafft, sich mit ihrer direkten Art zu reden, mit den Schulterpolstern, den Improvisationen und den Werbeunterbrechungen (ganz zu schweigen von dem Hintergrund, auf dem permanent eine Pseudosonne unterging) in meinen derangierten Kopf zu schleichen. Ich konnte nicht essen, konnte nicht einmal *versuchen* zu schlafen, ohne meinen Tag mit ihren halbstündigen Sendungen um 6.30, 9.00, 12 Uhr mittags und 12.30 aufzufüllen.

Wie alle Liebesgeschichten begann auch unsere mit großen Erwartungen.

»Als Nächstes bringen wir Ihnen die Regionalnachrichten«, sagte Cherry Jeffries. Sie trug Hustensaft-Pink, hatte haselnussbraune Augen, ein verkniffenes Lächeln, das aussah, als hätte man ein winziges Gummiband quer über ihr Gesicht gespannt. Ihre Frisur – dichte, kinnlange blonde Haare – saß auf dem Kopf wie eine Füllfederkappe. »Der Kindergarten heißt *Sunrise Nursery School*, aber das Jugendamt möchte, dass dort die Sonne nicht mehr auf-, sondern untergeht, nachdem es mehrere Hinweise auf Missbrauch gegeben hat.«

»Restaurantbesitzer protestieren gegen eine neue Steuererhöhung durch das Bürgermeisteramt«, zirpte Norvel Owen. Das einzig Auffallende an Norvel war seine Glatze mit dem männlichen Muster, das an die Nähte eines Baseballs erinnerte. Erwähnenswert war vielleicht noch seine Krawatte, auf der lauter Muscheln, Schnecken und andere wirbellose Tiere abgebildet waren. »Wir werden darüber sprechen, was das für Sie und Ihren Samstagabend bedeutet, wenn Sie ausgehen wollen. Diese Themen bringen wir Ihnen jetzt gleich.«

Ein grünes Quadrat tauchte über Cherrys linker Schulter wie eine gute Idee auf: SUCHE.

»Aber zuerst unsere wichtigste Meldung«, sagte Cherry. »Heute Abend wird die intensive Suche nach fünf High-School-Schülern und ihrer Lehrerin fortgesetzt, die, wie wir bereits berichteten, im Smoky Mountain National Park vermisst werden. Die Parkbehörde wurde heute in den frühen Morgenstunden durch einen Einwohner von Yancey County informiert, der eine sechste Schülerin in der Nähe der Route 441 gefunden hatte. Die Schülerin wurde wegen Unterkühlung in ein lokales Krankenhaus eingeliefert, konnte aber schon heute Abend wieder entlassen werden: Ihr Zustand ist stabil. Der Sheriff von Sluder County sagt, die Gruppe begab sich am Freitagnachmittag in den Park, um übers Wochenende dort zu zelten. Aber später verirrten sie sich. Regen, Wind und dichte Bewölkung erschweren die Arbeit der Rettungsmannschaften ganz erheblich. Aber da sich die Temperaturen noch nicht dem Nullpunkt annähern, sind die Park-Ranger und die Polizei von Sluder County durchaus optimistisch, dass auch die anderen Beteiligten unverletzt geborgen werden können. Unsere Anteilnahme gilt den Familien und allen, die bei der Suche helfen.«

Cherry schaute auf den leeren Zettel auf dem plastikblauen Schreibtisch. Dann blickte sie wieder hoch.

»Besucher des Western North Carolina Farm Centers freuen sich über die Ankunft eines nagelneuen Ponys.«

»Aber es handelt sich natürlich nicht um ein normales Pferd«, meldete sich Norvel zu Wort. »Mackenzie ist ein Falabella-Zwergpferd und nur wenig größer als sechzig Zentimeter. Die Tierpfleger sagen, dass dieses Pony aus Argentinien stammt und zu den seltensten Rassen der Welt gehört. Sie können die kleine Mac im Streichelzoo besuchen.«

»Es passiert jedes Jahr«, sagte Cherry, »und der Erfolg hängt ganz von *Ihnen* ab.«

»Später«, sagte Norvel, »berichten wir ausführlich über die *Operation Blutspende*.«

Am nächsten Morgen, Sonntag, hatte sich meine unverantwortliche Verliebtheit bereits zu einer regelrechten Besessenheit ausgewachsen. Diese Besessenheit kam nicht nur daher, dass ich ungeduldig auf eine ganz bestimmte Nachricht wartete – dass die Rettungsmannschaft sie endlich gefunden hatte, dass Hannah lebte und okay war und dass alles, was ich gehört und gesehen hatte, nur durch die Angst (die ja bekannt war für ihre halluzinogenen Auswirkungen) heraufbeschworen worden war. Niemand konnte bestreiten, dass Cherry und Norvel (Tscher-no-byl nannte ich sie) etwas Faszinierendes hatten, eine Eigenschaft, die mich dazu brachte, sechs Stunden Talkshow auszuhalten (eine zu dem bedeutenden Thema »Vom Frosch zum Prinzen: Extremveränderungen bei Männern«) sowie Putzmittelwerbung, bei der Hausfrauen mit zu vielen Flecken, zu vielen Kindern und zu wenig Zeit auftraten, nur um ihren zweiten gemeinsamen Auftritt nicht zu verpassen, *Your Stockton Power Lunch*, um 12.30 Uhr. Ein triumphierendes Lächeln machte sich auf Cherrys Gesicht breit, als sie verkündete, sie sei heute Nachmittag allein.

»Wir bringen Ihnen um die Mittagszeit die wichtigsten Nachrichten«, verkündete sie. Sie sortierte mit gerunzelter Stirn die leeren Blätter, war aber sichtlich begeistert, dass sie den blauen Schreibtisch ganz für sich hatte und nicht nur die rechte Seite. Der weiße Litzenbesatz an ihrem dunkelblauen Kostüm, der Schultern, Taschen und

Manschetten zierte, umschrieb ihre zierliche Erscheinung wie die weißen Linien, die auf einer schlecht beleuchteten Straße eine plötzliche Biegung markieren. Sie blinzelte kurz und machte dann ein sehr ernstes Gesicht. »Eine Frau aus Carlton County wurde heute von Rettungsleuten im Smoky Mountain National Park tot aufgefunden. Das ist die neueste Entwicklung bei der Suche nach den fünf Schülern und ihrer Lehrerin, die schon gestern begonnen hat. Stan Stitwell von News 13 ist für uns im Rettungszentrum. Stan, was sagt die Polizei?«

Stan Stitwell erschien. Er stand auf einem Parkplatz vor einem Rettungswagen. Wenn Stan Stitwell eine Weinsorte gewesen wäre, hätte man ihn nicht als vollmundig oder körperreich bezeichnet. Stan war fruchtig, säuerlich, mit einer Spur Kirscharoma. Schlaffe braune Haare hingen ihm in die Stirn wie nasse Schnürsenkel.

»Cherry, die Polizei von Sluder County hat noch kein offizielles Statement abgegeben, aber wir haben gehört, dass die Leiche eindeutig identifiziert wurde und dass es sich um Hannah Louise Schneider handelt, eine vierundvierzigjährige Lehrerin an der St. Gallway School, der berühmten Privatschule in West Stockton. Parkpersonal hatte seit über vierundzwanzig Stunden nach ihr und den fünf vermissten Schülern gesucht. Die Behörden haben uns noch nicht mitgeteilt, in welchem Zustand sich die Leiche befand, aber vor wenigen Minuten sind Vertreter der Staatsanwaltschaft am Tatort eingetroffen, um festzustellen, ob Gewalteinwirkung im Spiel war.«

»Und die fünf Schüler, Stan? Gibt es irgendetwas Neues von ihnen?«

»Nun ja, trotz der schlechten Wetterbedingungen hier draußen – wir haben Regen, Wind, dichten Nebel – wird die Suche fortgesetzt. Vor einer Stunde gelang es den Rettungsteams, einen Hubschrauber der Nationalgarde einzusetzen, doch wegen der außerordentlich schlechten Sichtverhältnisse musste er wieder landen. Aber in den letzten beiden Stunden haben sich noch mindestens fünfundzwanzig Mitbürger der Suche angeschlossen. Und wie man hinter mir sehen kann, sind das Rote Kreuz und ein Ärzteteam der University of Tennessee eingetroffen, um die Verpflegung zu übernehmen und eventuelle Verletzungen zu behandeln. Es werden alle nur denkbaren Anstrengungen unternommen, um die Jugendlichen wohlbehalten nach Hause zu bringen.«

»Vielen Dank, Stan«, sagte Cherry. »Wir von News 13 werden Sie selbstverständlich über die Entwicklungen in diesem Fall auf dem Laufenden halten.«

Sie schaute auf ihren leeren Zettel auf dem Schreibtisch. Dann blickte sie wieder hoch.

»Als Nächstes beschäftigen wir uns mit den kleinen Dingen des Lebens, die man gern als selbstverständlich hinnimmt. Wir zeigen Ihnen heute in unserer Wellness-Serie, wie viel Zeit und Geld in dieses winzige Borstending investiert werden, das Sie zweimal am Tag benutzen sollten, wie Ihr Zahnarzt empfiehlt. Mary Grubb von News 13 hat sich für uns die Geschichte der Zahnbürste angeschaut.«

Ich sah mir die restlichen Nachrichten an, aber über den Campingausflug kam nichts mehr. Mir fielen an Cherry alle möglichen Kleinigkeiten auf: wie ihre Augen über den Teleprompter huschten, wie sich ihr Gesichtsausdruck veränderte: zurückhaltender Tadel (Einbruch), tiefer Schmerz (Kind stirbt bei Wohnungsbrand), ruhiges Gemeinschaftsbewusstsein (Streit zwischen Motocrossfahrern und den Wohnwagen-Besitzern in Marengo wird heftiger). Diese Wechsel schaffte sie absolut mühelos, als würde sie in einer Umkleidekabine Unterröcke anprobieren. (Der Blick auf die leeren Blätter vor ihr schien der Schalter zu sein, der diesen mechanischen Ausdruckswechsel bewirkte, ähnlich wie wenn man ein Etch-a-Sketch schüttelt.)

Und als ich mich am nächsten Morgen, Montag, aus dem Bett schleppte, weil ich die 6.30 Nachrichten (»Wir machen Sie munter!«) erwischen wollte, fiel mir auf, dass Cherry alles unternahm, um die Aufmerksamkeit von Norvel abzuziehen und ihn zu einem Blinddarm zu machen, zu einer Radkappe, einem extra Päckchen Salz, das man unten in einer Tüte Fastfood übersieht. Stellte man sich Norvel mit dichten rotblonden Haaren vor, merkte man, dass er als Nachrichtensprecher einmal sehr kompetent und vielleicht sogar zwingend gewesen war, aber wie eine Dresdner Kirche mit byzantinischer Architektur am Abend des 13. Februar 1945 war auch er zur falschen Zeit am falschen Ort gewesen. In der Paarkonstellation mit Cherry wurde er zum Opfer ihrer Strategie, sich mit ihren riesigen Plastikohrringen in den Vordergrund zu spielen und ihm die Show zu stehlen, indem sie mehr Make-up auftrug als eine Drag Queen, ganz zu schweigen von ihrer Kunst der indirekten Kastration (zum Beispiel: »Apropos Kleinkinder – Norvel hat für Sie die Geschichte einer neuen Montessori-Kindertagesstätte, die in Yancey County eröffnet wird«) – all das hatte ihn ruiniert. Er las brav den ihm zugewiesenen Teil der Nachrichten vor (überflüssige Meldungen über Auftritte von Bürgermeistern und über Farmtiere), aber mit der unsicher wackeligen Stimme einer Frau, die gerade eine Ananas-Hüttenkäse-Diät macht und deren Wirbelsäule wie ein Geländer aus ihrem Rücken heraustritt, wenn sie sich vorbeugt.

Ich wusste, Cherry tat niemandem gut, aber es war ja insgesamt keine besonders gesunde Beziehung.

Ich konnte einfach nicht anders.

* * *

»Fünf Schüler aus unserer Gegend wurden heute in den Morgenstunden von Rettungsteams in den Great Smoky Mountains lebendig aufgefunden, – nach einer unermüdlichen zweitägigen Suche«, sagte Cherry. »Das ist der neueste Stand der Dinge, nachdem gestern die Leiche ihrer Lehrerin Hannah Louise Schneider entdeckt worden war. Wir sind live vor dem Sluder County Hospital mit Stan Stitwell von News 13. Stan, was können Sie uns mitteilen?«

»Cherry, es gab Jubel und Tränen, als die Rettungsmannschaft die fünf Schüler, die seit Samstag vermisst wurden, wohlbehalten bergen konnte. Der dichte Nebel und der Regen ließen in den frühen Morgenstunden nach, die K-9-Rettungshunde konnten die Schüler aufspüren. Sie waren von einem beliebten Campingplatz, bekannt als Sugartop Summit, zu einem anderen Teil des Parks, der mehr als zwölf Meilen entfernt ist, geirrt. Die Polizei teilt uns mit, dass die Jugendlichen von Hannah Schneider und der sechsten Schülerin, die man bereits am Samstag gefunden hatte, getrennt worden waren. Sie versuchten, einen Weg aus dem Park heraus zu finden, aber vergeblich. Einer der Schüler hat sich offenbar das Bein gebrochen. Ansonsten ist der Gesundheitszustand bei allen stabil. Vor einer halben Stunde wurden sie in die Notaufnahme eingeliefert, die Sie hier hinter mir sehen können. Dort werden sie wegen Schnittwunden, Kratzern und kleineren Verletzungen behandelt.«

»Das sind ja wunderbare Nachrichten, Stan. Gibt es irgendwelche neuen Informationen über die Lehrerin? Weiß die Polizei inzwischen etwas über die Todesursache?«

»Cherry, die Polizei von Sluder County hat noch keine offiziellen Mitteilungen über die Leiche der Frau veröffentlicht. Um den Gang der Ermittlungen nicht zu behindern, werden alle Einzelheiten zurückgehalten. Wir müssen auf die Ergebnisse der gerichtsmedizinischen Untersuchung warten, mit denen erst nächste Woche gerechnet werden kann. Aber jetzt sind wir zunächst einmal alle sehr erleichtert, dass die Jugendlichen in Sicherheit sind. Voraussichtlich werden sie schon im Lauf des heutigen Tages aus dem Krankenhaus entlassen.«

»Großartig, Stan. Und News 13 informiert Sie selbstverständlich ganz aktuell über die neuesten Entwicklungen in dieser Camping-Tragödie.«

Cherry schaute auf ihren Zettel und blickte wieder hoch.

»Es ist klein. Es ist schwarz. Es ist etwas, ohne das Sie nie aus dem Haus gehen sollten.«

»Gleich werden Sie erfahren, worum es hier geht«, sagte Norvel und blinzelte in die Kamera, »in unserer Serie ›Die Technik und wir‹. Bleiben Sie dran.«

Ich schaute die Sendung bis zum Schluss, als Cherry zwitscherte: »Ich hoffe, Sie haben einen wunderschönen Morgen!« und die Kamera von ihr und Norvel wegzoomte wie eine Fliege, die durchs Studio surrt. An Cherrys siegessicherem Grinsen merkte man, dass sie hoffte, die Camping-Tragödie könnte ihre Trittleiter zum Ruhm sein, ihre fünfzehn Minuten (aus denen potenziell eine halbe Stunde werden konnte), ihr Erste-Klasse-Ticket (mit Liegesitzen und mit Champagner vor dem Abflug). Cherry schien alles schon vor sich zu sehen wie einen vierspurigen Highway: »Die Cherry Jeffries Talkshow: Schütten Sie mir Ihr Herz aus«, CHAY-JEY, eine konservative Modekollektion für die seriöse berufstätige Blondine (»kein Oxymoron mehr«), die Cherry-Jeffries-Akademie für Journalismus an der University of Tennessee, »Cherry Bird«, die Cherry- Jeffries-Duftnote für die Frau in Bewegung, der Zeitungsartikel in *USA Today*: »Weg hier, Oprah, jetzt kommt Cherry«. Eine Autowerbung raste auf den Bildschirm. Ich merkte, dass Dad hinter mir stand. Seine abgeschrappte Ledertasche, vollgepackt mit Schreibblöcken und Zeitschriften, hing schwer über seiner Schulter. Er war auf dem Weg zur Universität. Sein erstes Seminar, Konfliktlösung in der Dritten Welt, begann um 9.00.

»Vielleicht wäre es klug, nicht mehr fernzusehen«, sagte er.

»Und stattdessen?«, fragte ich tonlos.

»Ausruhen. Lesen. Ich habe eine neue kommentierte Ausgabe von *De Profundis* –«

»Ich habe keine Lust, *De Profundis* zu lesen.«

»Verständlich.« Er schwieg einen Moment. »Weißt du was? Ich könnte Dekan Randall anrufen. Wir könnten heute einfach irgendwo hinfahren. An einen –«

»Wohin?«

»Vielleicht irgendwo ein Picknick machen, an einem dieser Seen, die alle Leute immer in den Himmel loben. An einen See hier in der Nähe, mit Enten und so.«

»Mit Enten.«

»Du weißt schon. Ruderboote. Und Gänse.«

Dad trat ans Sofa, offensichtlich, um meinen Blick vom Fernseher abzulenken.

»Auf dem Highway«, sagte er. »Das erinnert uns vielleicht daran, dass eine Tragödie noch so schlimm sein kann – es gibt immer noch eine Welt da draußen. ›Wohin gehst du, Amerika, in deinem schimmernden Wagen in der Nacht?‹«

Ich starrte unverwandt auf den Bildschirm, meine Augen müde, mein dünner zungenfarbener Bademantel lasch um meine Beine.

»Hattest du eine Affäre mit Hannah Schneider?«, fragte ich.

Dad war so schockiert, dass er nicht gleich antwortete. »Hatte ich – *was?*«

Ich wiederholte die Frage.

»Wie kannst du so etwas fragen?«

»Du hattest eine Affäre mit Eva Brewster, also hattest du womöglich auch eine Affäre mit Hannah Schneider. Vielleicht hattest du mit der ganzen *Schule* eine Affäre und hast mich darüber im Dunkeln gelassen –«

»Natürlich nicht«, wehrte Dad ärgerlich ab, dann atmete er tief durch und sagte sehr leise: »Ich hatte *keine* Affäre mit Hannah Schneider, Sweet, und du solltest aufhören mit dieser … *Grübelei* – das ist nicht gut. Was kann ich tun? Sag's mir. Wir können umziehen. Nach Kalifornien. Du wolltest doch schon immer nach Kalifornien, stimmt's? In irgendeinen Bundesstaat, der dir gefällt …«

Dad griff nach den Wörtern, wie Ertrinkende nach Treibholz grapschen. Ich sagte nichts.

»Na gut«, sagte er nach einer Weile. »Du hast die Nummer von meinem Büro. Ich komme gegen zwei nach Hause, um nach dir zu sehen.«

»Du musst nicht nach mir sehen.«

»Sweet.«

»Was?«

»Es sind noch Makkaroni –«

»Im Kühlschrank, die ich mir zum Mittagessen aufwärmen kann – ja, ich *weiß*.«

Er seufzte, und ich musterte ihn verstohlen. Er sah aus, als hätte ich ihm einen Kinnhaken verpasst, als hätte ich SCHWEIN auf seine Stirn gesprayt, als hätte ich zu ihm gesagt, dass ich mir wünsche, er wäre tot.

»Du rufst mich an, wenn du etwas brauchst?«, fragte er.

Ich nickte.

»Wenn du willst, kann ich auf dem Heimweg ein paar Videos holen, beim – wie heißt der Laden nochmal?«

»Videomekka.«

»Genau. Irgendwelche Vorschläge?«

»*Vom scheiß Winde scheiß verweht*«, sagte ich.

Dad küsste mich auf die Wange und ging zur Haustür. Es war einer dieser Augenblicke, in denen man das Gefühl hat, als wäre die Haut plötzlich so dünn wie eine Schicht Strudelteig auf einem Baklava-Dreieck – man möchte auf keinen Fall, dass der andere geht, aber man sagt nichts, weil man die Isolation in ihrer reinsten Form erleben will, wie ein Periodensystem mit nur einem Element, ein Edelgas, Iso.

Die Tür fiel ins Schloss. Ich hörte das Brummen des sich entfernenden blauen Volvos, und da legte es sich über mich, wie ein Laken über die Sommermöbel, dieses Elendsgefühl, dieses Totseingefühl.

* * *

Ich nehme an, es war Schock, die körperliche Abwehr gegen den Schmerz, das, was Jemma Sloane auf Seite 95 in ihrem Buch über »aufsässige Kinder«, *Die Erziehung Goliaths* (1999), etwas spröde als »Überlebensmechanismen bei Kindern« bezeichnet. Egal, was die psychologischen Gründe waren – während der vier Tage nach der Rettung der anderen (die, nach dem Bericht meiner geliebten Tschernobyl in den *First News at Five*, zu Hause abgeliefert wurden wie beschädigte Pakete) nahm ich den Charakter und die Haltung einer bösartigen neunzigjährigen Witwe an.

Dad musste arbeiten, also verbrachte ich den Rest der Frühjahrsferien allein. Wenn ich redete, dann nur mit mir selbst oder mit meinem bunten Gefährten, dem Fernseher (Tschernobyl war wesentlich unterhaltsamer als jedes aufgedrehte Enkelkind). Dad war der extrem unterbezahlte, aber loyale Hausverwalter und Helfer, der in regelmäßigen Abständen erschien, um sich zu versichern, dass ich das Haus nicht abgefackelt hatte, dass ich die für mich zubereiteten Mahlzeiten aß und nicht in verkrampften Positionen einschlief, die zu Verletzungen oder sogar zum Tod führen konnten. Er war der Pfleger, der sich auf die Zunge biss, wenn ich giftig wurde, weil es ja sonst hätte passieren können, dass ich den Löffel abgab.

Wenn ich mich einigermaßen in Form fühlte, ging ich nach draußen. Das trübselige Wochenendwetter war von eitel Sonnenschein abgelöst worden. Es war zu viel – dieses Strahlen, das Gras wie Heu. Die Sonne belästigte den Rasen mit einer Schamlosigkeit, die ich vorher noch nicht bemerkt hatte, sie überflutete die Blätter, verbrühte den Gehweg. Genauso widerlich waren die Regenwürmer, diese Vagabunden, sichtlich noch verkatert von dem Landregen und so angeschlagen, dass sie sich gar nicht rühren konnten und überall in der Einfahrt zu orangeroten Pommes gebraten wurden.

Ich grollte, ließ den Rollladen in meinem Zimmer unten, hasste alle Leute, knurrte vor mich hin. Sobald Dad morgens wegfuhr, wühlte ich die Küchenabfälle durch, um den neuesten *Stockton Observer* zu suchen, den Dad gleich morgens weggeworfen hatte, damit ich die Schlagzeilen nicht zu sehen bekam und nicht über die Geschehnisse brüten konnte. (Er wusste nicht, dass ich sowieso ein hoffnungsloser Fall war; ich hatte kaum Appetit, und der Schlaf war immer noch so rar wie Phönix-Eier.)

Gegen fünf, kurz bevor Dad nach Hause kam, versenkte ich die Zeitung wieder im Müll, verstaute sie sorgfältig unter den Rigatoni mit Tomatensoße vom vergangenen Abend (die Sekretärin am Institut für Politikwissenschaft der UNCS, Barbara, hatte Dad ein paar Rezepte für »Trost-Gerichte« empfohlen; angeblich hatte sie ihren Stiefsohn, der vom rechten Weg abgekommen war, mit Hilfe dieser Speisen durch die Entziehungskur gebracht). Es war ein Vertuschungsmanöver, so als würde man seine Tabletten unter dem Gummiband eines Spannbetttuchs verstecken, sie, mit einem Suppenlöffel zerdrücken, als Dünger für die Geranien nehmen.

»Lehrerin tot – Schule schockiert« »Tote war beliebte Lehrerin und engagierte Bürgerin« »Ermittler halten Details über Tod zurück« – das waren die aufgeregten Artikel über das, was geschehen war, über uns, über *sie*. Ausführlich wurde über die Rettungsaktion berichtet, über das »Entsetzen«, die »Fassungslosigkeit« und die »Trauer über den Verlust« in Stockton. Jade, Charles, Milton, Nigel und Lu – ihre Namen und ihre grinsenden Jahrbuchbilder wurden in der Zeitung abgedruckt. (Mein Bild fehlte – noch so ein Schlag ins Gesicht, weil ich als Erste gefunden worden war.) Eva Brewster wurde zitiert: »Wir können es nicht glauben.« Und Alice Kline, die mit Hannah im Tierheim zusammengearbeitet hatte: »Es ist so traurig. Sie war der fröhlichste, freundlichste Mensch auf der Welt. Aber das Schlimmste ist, dass all die Hunde und Katzen jetzt vergeblich auf sie warten.« (Wenn Leute verfrüht sterben, werden sie routinemäßig zu den fröhlichsten, freundlichsten Menschen.)

Abgesehen davon, dass unter der Überschrift »Ermittlungen zum Tod im Nationalpark gehen weiter« berichtet wurde, man habe ihre Leiche drei Kilometer vom Sugartop Summit gefunden, an einem elektrischen Kabel hängend, stand in keinem der Artikel etwas Neues (siehe *The Stockton Observer*, 1. April 2004). Nach einer Weile drehte sich mir schon beim ersten Satz der Magen um, vor allem bei dem Leitartikel »WNC-Morde, Hinweise auf Voodoo« von R. Levenstein, einem »lokalen Kritiker, Naturschützer und Web-Blogger«, der darüber spekulierte, ob Hannahs Tod mit okkulten Machenschaften zusammenhängen könnte. »Die Tatsache, dass die Polizei mit den Einzelheiten über Hannah Schneiders Tod immer noch nicht herausrücken will, bringt den aufmerksamen Beobachter zu der Schlussfolgerung, die unsere regionalen Behörden seit Jahren leugnen: *Es gibt eine wachsende Population von Hexen in Yancey, Sluder und Burns County.*«

Nein, es war nicht wie in der guten, alten Zeit.

Weil ich ja neuerdings gern im Abfall wühlte, fand ich noch etwas anderes, was Dad meiner geistigen Gesundheit zuliebe sofort weggeworfen hatte, nämlich das St. Gallway-Trauerpaket. Aus dem Datum auf dem großen Umschlag, in dem es gekommen war, zu schließen, hatte man dieses Paket mit der Schnelligkeit eines Tomahawk-Marschflugkörpers losgeschickt, gleich als die Nachricht von der Katastrophe das Radarsystem der Schule erreicht hatte.

Zu dem Paket gehörte ein Brief von Direktor Havermeyer (»Liebe Eltern, wir haben diese Woche die traurige Nachricht vom Tod einer unserer beliebtesten Lehrerinnen erhalten: Hannah Schneider …«), ein nerviger Artikel von 1991 aus der Zeitschrift *Parenting* zum

Thema »Wie Kinder trauern«, ein Terminplan mit Beratungszeiten und Zimmernummern, die Namen des Krisenteams, zwei kostenlose 800-Nummern, die man rund um die Uhr anrufen konnte, wenn man psychologischen Beistand brauchte (1–800-FEEL-SAD und noch eine andere, die ich mir nicht so gut merken konnte, 1–800-U-BE-WAIL, glaube ich) und eine lauwarme Bemerkung über das Begräbnis (»ein Termin für die Trauerfeier muss noch bestimmt werden.«).

Man kann sich vorstellen, wie eigenartig es für mich war, diese sorgfältig vorbereiteten Sachen zu lesen und zu begreifen, dass es dabei um Hannah ging, um *unsere* Hannah, diese Ava Gardner unter den Frauen, mit der ich am Tisch gesessen und Schweineschnitzel gegessen hatte – wie beängstigend abrupt der Wechsel von *Lebendig* zu *Tot* doch war! Besonders schlimm fand ich, dass in dem Paket nirgends erwähnt wurde, wie sie gestorben war. Klar, es war zusammengestellt und verschickt worden, ehe der Rechtsmediziner von Sluder County seinen Obduktionsbericht veröffentlicht hatte. Trotzdem war es bizarr – als wäre sie nicht ermordet worden (ein sensationelles Wort; wenn es nach mir ginge, gäbe es an der Kreuzung von Tod, Mord und Totschlag noch etwas, was noch ein bisschen ernster war – Zermalmung vielleicht). Aber nach dem Paket war Hannah einfach nur »von uns gegangen«, sie hatte Poker gespielt und beschlossen, eine andere Karte zu nehmen. Und wenn man Havermeyers schwammiges Gequake las, hatte man das Gefühl, sie sei gepackt worden (»sie wurde von uns genommen«), kingkong-mäßig (»ohne Vorwarnung«), von der riesengroßen, weichen Hand Gottes (»sie ist in guten Händen«), und obwohl das ziemlich schrecklich war (»eine der schwersten Erfahrungen im Leben«), sollten doch alle tapfer lächeln und wie Roboter weitermachen (»das Leben geht weiter, wir sollten jeden Tag freudig begrüßen – so hätte Hannah es sich von uns gewünscht.«).

* * *

Die Trauerarbeit an der Schule begann mit dem Trauerpaket, aber sie endete keineswegs damit. Am Tag nachdem ich das Ding gefunden hatte, am Samstag, dem 2. April, bekam Dad einen Anruf von Mark Butters, dem Leiter des Krisenteams.

Ich hörte das Gespräch über den Anschluss in meinem Zimmer mit, was Dad stillschweigend billigte. Bevor Butters zum Krisenteam stieß, war er nicht unbedingt jemand gewesen, dem die Schüler viel Vertrauen entgegenbrachten. Er hatte die Hautfarbe eines Auberginendips, seine schlaffe Gestalt erinnerte selbst an schönen Sonnentagen bestenfalls an häufig benutztes Bordgepäck. Sein hervorstechendes Persönlichkeitsmerkmal war sein misstrauischer Charakter: Er war felsenfest davon überzeugt, dass er, Mr Mark Butters, die heimliche Zielscheibe aller Schülerwitze, aller gehässigen Bemerkungen und sonstigen Boshaftigkeiten war. Beim Mittagessen saß er an seinem Tisch, ließ den Blick über die Schüler schweifen, wachsam wie ein Drogenhund auf dem Flughafen, und suchte die Gesichter nach verräterischen Spottspuren ab. Aber wie nun seine sonore, mit neuem Selbstbewusstsein ausgestattete Stimme bewies, war Mr Butters schlicht und ergreifend ein Mann mit ungeahnten Fähigkeiten, ein Mann, der nur eine winzige Katastrophe gebraucht hatte, um zu großer Form aufzulaufen. Er hatte mit überraschender Leichtigkeit alles Zögern und Zweifeln über Bord geworfen, so wie man mitten in der Nacht anonym irgendwelche Erotikfilme in den RÜCKGABE-Schlitz der Videothek schiebt, und hatte diese Eigenschaften kurzerhand durch Autorität und Kühnheit ersetzt.

»Falls es Ihr Terminkalender gestattet«, sagte Mr Butters, »würden wir gern einen halbstündigen Termin für Sie und Blue ansetzen, um über alles zu sprechen, was passiert ist. Sie werden mit mir, mit Havermeyer und mit einem unserer Schulpsychologen reden.«

»Mit einem Ihrer *was*?«

(Dad, das sollte ich hier erwähnen, glaubte an niemandes Rat, außer an seinen eigenen. Seiner Meinung nach war Psychotherapie nicht viel mehr als Händchenhalten und Schulternmassieren. Er verachtete Freud, Jung, Frasier und überhaupt jeden Menschen, der es faszinierend fand, eine ausführliche Diskussion über seine/ihre Träume anzuzetteln.)

»Mit einem unserer Schulpsychologen. Damit Sie Ihre Probleme und die Probleme Ihrer Tochter verarbeiten können. Wir haben eine sehr kompetente hauptberufliche Kinderpsychologin an der Hand, Deb Cromwell. Sie ist von der Derds School in Raleigh zu uns gekommen.«

»Verstehe. Nun, ich habe nur *ein einziges* Problem.«

»Ach, ja?«

»Ja.«

»Sehr gut. Schießen Sie los.«

»Das Problem sind *Sie*.«

Butters schwieg. Dann: »Verstehe.«

»Mein Problem ist, dass Ihre Schule eine ganze Woche lang stumm geblieben ist – vor lauter Schreck, vermute ich –, und jetzt bringt endlich einer von Ihnen den Mut auf, sich zu melden, um – wie viel Uhr haben wir? – um *fünfzehn Uhr fünfundvierzig*, an einem Samstagnachmittag. Und alles, was Sie zu sagen haben, ist, dass Sie einen Termin vereinbaren und uns psychoanalysieren wollen. Sehe ich das richtig?«

»Es ist nur eine vorbereitende Sitzung, in der verschiedene Fragen abgeklärt werden. Bob und Deb möchten sich gern mit Ihnen unter vier Augen zusammensetzen –«

»Die eigentliche Intention Ihres Anrufs ist doch, dass Sie herausfinden wollen, ob ich vorhabe, die Schule und den Erziehungsausschuss wegen Vernachlässigung ihrer Aufsichtspflicht anzuzeigen. Richtig?«

»Mr van Meer, ich will mich nicht mit Ihnen streiten –«

»Gut.«

»Aber ich *möchte* doch sagen, wir wollen gern –«

»Wenn ich Sie wäre, würde ich lieber gar nichts sagen und auch nichts gern wollen. Diese Person, diese leichtsinnige – nein, ich muss mich korrigieren –, diese *unzurechnungsfähige* Vertreterin Ihres Lehrkörpers hat mein Kind, meine minderjährige Tochter, zu einem Ausflug mitgenommen, *ohne* dafür vorher die Genehmigung der Eltern einzuholen –«

»Wir sind uns dessen sehr wohl be–«

»Sie hat das Leben meiner Tochter aufs Spiel gesetzt und auch das Leben von fünf weiteren Minderjährigen, *und* – wenn ich Sie daran erinnern darf – sie ist dabei selbst ums Leben gekommen, und zwar auf eine höchst unfeine Art. Ich bin kurz davor, mir einen Anwalt zu nehmen und es von nun an zu meinem Hauptanliegen zu machen, dafür zu sorgen, dass Sie und dieser Schuldirektor Oscar Meyers und jede Person, die mit Ihrer drittklassigen Anstalt zu tun hat, während der nächsten vierzig Jahre gestreifte Kleidung und Fußketten tragen. Außerdem, falls meine Tochter tatsächlich den Wunsch haben sollte, ihre Probleme mit jemandem zu besprechen, was ich für sehr unwahrscheinlich halte, dann wäre der letzte Mensch, mit dem sie das tun würde, eine Privatschulpsychologin namens Deb. Wenn ich Sie wäre, dann würde ich hier nicht mehr anrufen, es sei denn, Sie wollten um Gnade flehen.«

Dad legte auf.

Und obwohl ich nicht bei ihm in der Küche war, wusste ich, dass er den Hörer nicht hinknallte, sondern vorsichtig in die Gabel hängte, so als würde er eine Maraschinokirsche auf einen Eisbecher legen.

Na ja, ich *hatte* Probleme. Aber Dad hatte recht; ich hatte nicht die geringste Lust, über diese Probleme mit Deb zu reden. Ich musste sie mit Jade, Charles, Milton, Nigel und Lu besprechen. Das Bedürfnis, jedem von ihnen zu erklären, was zwischen dem Moment, als ich vom Campingplatz wegging, und den Sekunden, als ich sie tot vor mir sah, passiert war, schien so überwältigend, dass ich gar nicht daran denken konnte – ich konnte nicht einmal *versuchen*, es mit Worten zu umreißen und es auf Karteikarten oder einem Block Punkt für Punkt darzustellen, ohne dass mir ganz komisch schwindelig wurde, als müsste ich mich gleichzeitig mit Quarks, Quasaren und der Quantenmechanik beschäftigen (siehe *Inkongruenzen*, Kapitel 13, 35, 46, V. Close, 1998).

Als Dad später nochmal wegging, um ein paar Sachen einzukaufen, rief ich endlich Jade an. Ich fand, dass ich ihr genug Zeit gelassen hatte, um sich von dem Schock zu erholen (vielleicht hatte sie ja auch beschlossen, dass das Leben weiterging, und begrüßte jeden Tag freudig, wie Hannah es sich gewünscht hätte).

»Mit wem spreche ich?«

Es war Jefferson.

»Hier ist Blue.«

»Tut mir leid, mein Schatz. Sie nimmt keine Anrufe entgegen.«

Jefferson legte auf, bevor ich etwas sagen konnte. Ich rief Nigel an.

»Creech Keramik und Holz.«

»Äh, hallo. Ist Nigel da? Hier ist Blue.«

»Oh, hallo, Blue!«

Es war Diana Creech, seine Mutter – oder besser, seine Adoptivmutter. Ich hatte sie noch nie gesehen, aber schon sehr oft mit ihr telefoniert. Wegen ihrer lauten, lustigen Stimme, die alles und jedes, was man sagte, niederpflügte, egal, ob es ein einzelnes Wort oder die Unabhängigkeitserklärung war, stellte ich sie mir als große, gut gelaunte Frau vor, die lehmverschmierte Männeroveralls trug, und an deren gigantischen Fingern, die vermutlich so breit waren wie eine leere Klopapierrolle, ebenfalls Lehm klebte. Beim Reden biss sie aus manchen Wörtern ganze Stücke heraus, als wären die Wörter hellgrüne, saftige Granny-Smith-Äpfel.

»Ich werd mal nachsehen, ob er wach ist. Als ich das letzte Mal nach ihm geschaut habe, hat er geschlafen wie ein Baby. Eigentlich tut er seit zwei Tagen nichts anderes. Wie geht es *dir*?«

»Ganz gut, danke. Wie geht es Nigel?«

»Okay. Ich meine – wir stehen noch unter Schock. Alle! Die ganze Schule. Haben sie dich schon angerufen? Man *merkt* richtig, wie nervös sie sind, weil sie Angst haben vor einer Anzeige. Wir *warten* natürlich ab, was die Polizei sagt. Ich habe zu Ed gesagt, eigentlich hätten sie schon jemanden verhaften oder wenigstens irgendetwas sagen müssen. Dieses Schweigen ist unentschuldbar. Ed sagt, dass keiner weiß, was ihr passiert ist, und deshalb hüllen sie sich in Schweigen. Aber ich sage Folgendes: Wenn jemand es getan hat – weil ich an die andere Möglichkeit gar nicht denken will, jedenfalls *noch* nicht –, dann ist derjenige doch bestimmt schon längst mit einem falschen Pass und einem Ticket erster Klasse unterwegs nach Timbuktu.« (Mir war aufgefallen, dass Diana Creech jedes Mal, wenn ich mit ihr am Telefon redete, es irgendwie schaffte, das Wort *Timbuktu* unterzubringen, so wie viele Jugendliche immer ein *Irgendwie* oder *Sozusagen* einbauten.) »Sie kommen nicht voran.« Sie seufzte. »Was da passiert ist, macht mich furchtbar traurig, aber ich bin froh, dass ihr alle wohlbehalten nach Hause gekommen seid. Du bist schon am Samstag heimgekommen, stimmt's? Nigel sagt, du warst gar nicht bei den anderen. Ah, da ist er ja. Moment mal, Kindchen.«

Sie legte den Hörer weg und ging irgendwohin – es klang wie ein Kaltblutpferd auf Kopfsteinpflaster. (Sie trug Clogs.) Ich hörte Stimmen, dann wieder Getrappel.

»Kann er dich zurückrufen? Er will erst noch etwas essen.«

»Ja, klar«, sagte ich.

»Pass gut auf dich auf. Alles Gute!«

Niemand nahm ab, als ich Charles anrief.

Bei Milton ging der Anrufbeantworter an, eine schluchzende Violine begleitete eine neckische Frauenstimme: »Sie haben Joanna, John und Milton angerufen – aber wir sind leider nicht zu Hause …«

Ich wählte Leulahs Nummer. Ich vermutete, dass sie von uns allen am stärksten aus dem Gleichgewicht geraten war, deswegen zögerte ich, aber ich musste mit jemandem reden. Sie nahm nach dem ersten Klingeln ab.

»Hallo, Jade«, sagte sie. »Tut mir leid.«

»Ich bin's, Blue.« Ich war so erleichtert, dass ich übersprudelte. »Ich bin froh, dass du abgenommen hast. Wie geht's dir? Ich – ich drehe fast durch. Ich kann nicht schlafen. Wie geht es dir?«

»Oh«, sagte Leulah. »Ich bin nicht Leulah.«

»Wie bitte?«

»Leulah schläft noch«, sagte sie mit komischer Stimme. Ich konnte am anderen Ende einen Fernseher hören. Er erzählte enthusiastisch von Malerfarbe, eine einzige Schicht genüge schon, Herman's Paints gab außerdem fünf Jahre Garantie, auch bei Regen und Sturm.

»Soll ich ihr etwas ausrichten?«

»Was ist denn los?«

Sie legte auf.

Ich setzte mich auf die Bettkante. Im Fenster drängte sich das Abendlicht, weich, gelb, birnenfarben. Die Bilder an der Wand, Öllandschaften mit ländlichen Motiven und Kornfeldern, glänzten, als wären sie noch feucht. Ich hätte mit dem Daumen darüberstreichen können und eine Fingerspur hinterlassen. Ich begann zu weinen, stumme, lethargische Tränen, als hätte ich in einen runzeligen alten Gummibaum geschnitten, aus dem der Saft nicht so recht fließen wollte.

Das war, in meiner Erinnerung, der schlimmste Moment – nicht die Schlaflosigkeit, nicht meine blöde Liebesaffäre mit dem Fernsehen, nicht der sich ständig in meinem Kopf wiederholende hysterische Satz, der immer weniger lebendig wurde, je öfter ich ihn wiederholte – *jemand hat Hannah umgebracht, jemand hat Hannah umgebracht* –, sondern dieses fürchterliche Gefühl der Verlassenheit. Einsame-Insel-Verlassenheit. Und das Allerschlimmste war: Ich wusste, es ist erst der Anfang, nicht die Mitte, nicht der Schluss.

Bleakhaus

Im Jahr 44 v. Chr., zehn Tage nachdem er Cäsar den Dolch in den Rücken gerammt hatte, fühlte sich Brutus wahrscheinlich so ähnlich wie ich, als zu Beginn des Frühjahrsquartals die Schüler wieder nach St. Gallway zurückkehrten. Wenn Brutus die staubigen Straßen des Forums entlangging, sah er sich zweifellos mit der harten Realität der »Ächtung auf Korridor und Landstraße« konfrontiert, mit den zentralen Lehrsätzen: »Halten Sie sich fern!« und »Beim Näherkommen sollten Sie Ihren Blick auf einen Punkt gleich nördlich vom Kopf des Aussätzigen richten, damit dieser eine Sekunde lang glaubt, Sie würden seine jämmerliche Existenz zur Kenntnis nehmen.« Brutus lernte vermutlich auch die verschiedenen »Formen des Übersehens« gründlich kennen; die übelsten waren »Tun Sie so, als wäre Brutus ein durchsichtiger Schal« und »Tun Sie so, als wäre Brutus ein Fenster zum Hof«. Er hatte zwar mit den Menschen, die diese unausgesprochenen Grausamkeiten begingen, früher gepantschten Wein getrunken, neben ihnen im Circus Maximus gesessen und mit ihnen gejubelt, wenn ein Wagen umkippte, er hatte mit ihnen in den öffentlichen Badeanstalten nackt im heißen und im kalten Wasserbecken gebadet, aber das bedeutete jetzt alles nichts mehr. Wegen seiner Tat war er in Ungnade gefallen, und so würde es auch bleiben.

Wenigstens hatte Brutus etwas Produktives getan, auch wenn man sich darüber streiten konnte; er hatte einen sorgfältig ausgetüftelten Plan in die Tat umgesetzt, um die Macht zu übernehmen und auf diese Weise, wie er glaubte, dem Wohl des Römischen Reiches zu dienen.

Ich hingegen hatte überhaupt nichts getan.

»Also, wenn du dich erinnerst – alle haben doch *gedacht*, sie ist echt toll, aber ich finde ja schon immer, sie hat so was an sich, dass sich einem die Haare sträuben«, sagte Lucille Hunter in meinem Englischkurs. »Hast du schon mal beobachtet, wie sie sich Notizen macht?«

»Hm–m.«

»Sie guckt eigentlich nie von der Seite hoch. Und wenn sie einen Aufsatz schreiben muss, formt sie dauernd mit den Lippen die Wörter, die sie schreibt. Meine Großmutter in Florida, die langsam total senil wird, sagt meine Mutter – also die macht das auch, wenn sie fernsieht oder einen Scheck ausstellt.«

»Ja, und Cindy Willard«, sagte Donnamara Chase und beugte sich auf ihrem Stuhl nach vorn, »also, Cindy hat mir heute Morgen erzählt, dass Leulah vor ihrem *ganzen* Spanischkurs gesagt hat, dass …«

Aus irgendeinem Grund dachten Lucille und Donnamara in ihren beschränkten Köpfen nie daran, dass ich in Ms Simpsons Englischkurs schon immer direkt hinter Donnamara saß. Sie gab mir die Blätter für *Die Brüder Karamasow*, noch warm vom Kopiergerät im Lehrerzimmer, und als sie mich ansah, entblößte sie nervös ihre langen, spitzen Zähne (siehe Venusfliegenfalle, *Die Flora Nordamerikas*, Starnes, 1989).

»Meinst du, sie geht von der Schule?«, fragte Angel Ospfrey.

»Kann sehr gut sein«, sagte Beth Price und nickte. »Du kannst dich schon mal darauf gefasst machen, dass nächste Woche bekannt gegeben wird, ihr Dad, der als Finanzmanager für irgend so 'nen Konzern arbeitet, hätte gerade eine tolle Stelle als Bezirksmanager des Betriebs in Charlotte bekommen.«

»Was waren wohl ihre letzten Worte?«, sagte Angel. »Ich meine, die letzten Worte von Hannah.«

»So wie ich das sehe, bleibt Blue nicht mehr allzu viel Zeit, um sich irgendwelche letzten Worte zu überlegen«, sagte Macon Campins.

»Milton *verachtet* sie. Er hat gesagt, und ich zitiere wörtlich, wenn er ihr mal irgendwo im Dunkeln begegnet, dann ›jack-the-rippert er ihr den Arsch‹.«

»Kennt ihr dieses Sprichwort, oder was«, sagte Krista Jibsen in Physik, »dass es völlig okay ist, wenn man nicht reich oder berühmt oder was weiß ich ist, weil man es dann ja auch nicht vermisst, wenn man es nie war? Tja, ich denke, so geht es Blue jetzt – wenn man mal erlebt hat, was Ruhm ist, und ihn dann wieder verliert, also, das ist schon so eine Art Superfolter. Man rennt dann immer hinterher und will es wiederhaben. Und später dreht man Vampirfilme, die direkt in die Videotheken gehen.«

»Das hast du von der *True Hollywood Story* über Corey Feldman«, sagte Luke »Trucker« Bass.

»Ich hab gehört, dass Radleys Mom im siebten Himmel ist«, sagte Peter »Nostradamus« Clark. »Sie gibt für Radley eine ›Zurück-zur-Macht‹-Party, weil dieses Mädchen nach dem ganzen Theater bestimmt nicht die Abschlussrede hält.«

»Und ich habe aus zuverlässiger Quelle erfahren – ach, nein, ich will es lieber nicht rumerzählen, das ist nicht nett.«

»Was denn?«

»Sie ist die totale Lesbe«, sang Lonny Felix beim Physikpraktikum 23, Symmetrie und physikalische Gesetze: Ist deine rechte Hand wirklich deine rechte Hand?, das an diesem Mittwoch stattfand. »Aber à la *Ellen* und nicht wie Anne Heche, bei der's in beide Richtungen geht.« Lonny warf die Haare zurück (lang, blond, im Wheaties-Stil) wie ein Pony und schaute nach vorn, wo ich mit Laura Elms, meiner Praktikumspartnerin, stand. Sie beugte sich zu Sandy Quince-Wood. »Wahrscheinlich war die Schneider auch eine. Deshalb sind die beiden mitten in der Nacht zusammen verschwunden. Wie's zwei Frauen miteinander treiben können, ist mir ja völlig unbegreiflich, aber eins weiß ich – dass dann beim Sex irgendwas schiefgelaufen ist. Das muss die Polizei jetzt rausfinden. Deshalb dauert es so ewig, bis die mit den Ermittlungsergebnissen rausrücken.«

»Genauso wie gestern Abend bei *CSI: Miami*«, sagte Sandy abgelenkt, während sie etwas in ihren Praktikumsordner schrieb.

»Und wir hatten keine Ahnung, dass das, was in *CSI: Miami* kommt, auch hier im Physikkurs passiert.«

»Himmelherrgott«, rief Zach Soderberg und drehte sich zu ihnen um. »Könnt ihr euch vielleicht ein bisschen leiser unterhalten? Manche Leute versuchen gerade, die Reflektionseigenschaften von diesem Ding zu bestimmen!«

»Entschuldige, Romeo«, sagte Lonny mit einem spöttischen Grinsen.

»Ja, wir sollten alle versuchen, leise zu sein, nicht wahr?«, sagte unser Vertretungslehrer, ein Glatzkopf namens Mr Pine. Pine lächelte, gähnte und streckte die Arme über den Kopf, wodurch Schweißflecken so groß wie Pfannkuchen sichtbar wurden. Er setzte seine Lektüre der Zeitschrift *Country Life Wall & Windows* fort.

»Jade will dafür sorgen, dass diese Blue von der Schule fliegt«, flüsterte Dee während der Stillarbeit.

Dum verzog das Gesicht. »Mit welcher Begründung?«

»Nicht Mord, aber, na ja, so was wie Nötigung oder Gewaltanwendung oder irgendwas. Ich habe gehört, dass sie in Spanisch ihre Argumente vorgetragen hat. Hannah ging es total *bueno*. Dann verschwindet sie mit dieser Blue, und fünf Minuten später ist sie *muerto*. Vor Gericht kommt das alles nicht durch. Es gibt 'nen Prozess ohne Ergebnis. Und niemand kann mit der Rassismuskeule kommen und sie rausholen.«

»Hör endlich auf, dich wie Greta van Susteren mit gelifteten Augen aufzuführen, denn ich muss dir leider etwas Trauriges mitteilen: Du *bist* nicht Greta van Susteren. Und auch nicht Wolf Blitzer.«

»Was willst du damit sagen?«

Dum zuckte die Achseln und warf ihr zerknittertes *Startainment* auf den Bibliothekstisch. »Das ist doch alles so was von offensichtlich. Die Schneider hat so 'ne Sylvia-Plath-Nummer abgezogen.«

Dee nickte. »Gar nicht so übel, muss ich sagen. Denk nur an meinen letzten Filmkurs.«

»Wieso?«

»Ich hab's dir doch *erzählt.* Diese Frau hat gesagt, wir müssen eine Klausur über die Italiener schreiben, *Scheidung auf Italiano, L'Avventura, Achtein-blödes-Halb* –«

»Ach, ja –«

»Aber als wir dann bestens vorbereitet und alle zum Klausurtermin gekommen sind, da war es wieder das totale Durcheinander. Sie hat den Termin total verpennt und tut so, als wäre es Absicht. Sie hat gesagt, sie wollte uns damit überraschen, dass wir keine Klausur schreiben, aber alle waren sauer – es war doch sonnenklar, dass sie sich diese Entschuldigung einfach mal so, schwupp, ausgedacht hat. Sie hat die Klausur vergessen, ganz altmodisch. Also hat sie schnell *Reds* eingelegt, was ja noch nicht mal italienisch ist. Außerdem haben wir den Film schon neunmal gesehen, weil sie dieses scheiß *La dolce vita* drei Tage nacheinander nicht mitgebracht hat. Diese Frau hätte gar nicht unterrichten dürfen, die war doch völlig durch den Wind, hatte mindestens drei Räder ab und einen Sprung in der Schüssel. Welche Lehrerin vergisst schon ihre eigene Klausur?«

»Eine, die völlig abgedreht ist«, flüsterte Dum. »Und mental instabil.«

»Ganz genau.«

Bedauerlicherweise waren meine Reaktionen auf das hier beschriebene allgemeine Schulgequake nicht à la Pacino (patenmäßige Rache), à la Pesci (der Drang, jemandem einen Kuli in die Kehle zu rammen), à la Costner (leicht pioniermäßige Belustigung), à la Spacey (bissige verbale Gegenangriffe, mit ausdrucksloser Miene) und nicht mal à la Penn (proletarisches Knurren und Ächzen).

Ich kann meinen inneren Gefühlszustand nur mit folgender Situation vergleichen: Man sieht sich in einer unfreundlichen Boutique um, und die ganze Zeit folgt einem die Verkäuferin, weil sie aufpassen will, dass man nichts klaut. Auch wenn man überhaupt nicht die *Absicht* hat, etwas mitgehen zu lassen, auch wenn man in seinem ganzen Leben noch nie auch nur daran gedacht hat, etwas zu stehlen – allein dadurch, dass man weiß, man wird als potenzielle Ladendiebin betrachtet, wird man schon zur potenziellen Ladendiebin. Man bemüht sich, nicht misstrauisch über die Schulter zu blicken. Und schon blickt man misstrauisch über die Schulter. Man versucht, die Leute nicht von der Seite zu mustern, nicht künstlich zu seufzen, zu pfeifen oder die Leute nervös anzulächeln. Man mustert sie von der Seite, seufzt, pfeift, lächelt nervös und steckt die extrem feuchten Hände in die Taschen, zieht sie wieder raus, steckt sie wieder rein, immer wieder.

* * *

Ich will mich nicht beschweren und behaupten, dass ganz St. Gallway so über mich herzog. Und ich will erst recht nicht jammern, weil ich schlecht behandelt wurde, und mich in Selbstmitleid baden. Es gab in diesen ersten Tagen nach den Ferien auch unglaublich positive Erfahrungen. Zum Beispiel mit Laura Elms, meiner alten Praktikumspartnerin (mit ihren einsfünfundvierzig und etwa achtundvierzig Kilo war sie eine Art Reis-Persönlichkeit – weiß, leicht verdaulich, passte gut zu allen Schülern): Sie nahm meine linke Hand, als ich gerade die Formel $\mathbf{F} = q\mathbf{v} \times \mathbf{B}$ vom Whiteboard abschrieb, und sagte: »Ich verstehe genau, was du durchmachst. Eine meiner besten Freundinnen hat letztes Jahr ihren Vater tot aufgefunden. Er war draußen in der Einfahrt und hat den Lexus gewaschen. Und dann ist er einfach so zusammengeklappt. Sie ist rausgerannt, aber sie hat ihn gar nicht mehr richtig erkannt. Er war ganz blau, wie 'ne Heidelbeere. Meine Freundin war eine Weile völlig verrückt. Also, ich will eigentlich nur sagen: Wenn du mit jemandem reden möchtest – ich bin für dich da.« (Laura, ich bin nie auf dein Angebot zurückgekommen, aber bitte, nimm meinen Dank an. Für die Reis-Bemerkung entschuldige ich mich.)

Und dann war da Zach. Wenn Geschwindigkeit die Masse eines Gegenstandes beeinflusst, galt das nicht für Zach Soderberg. Zach war die Verbesserung, die Korrektur, der Kniff. Er war eine Lektion in haltbarem Material, eine Erfolgsgeschichte der nachhaltig guten Laune. Er war c, die Konstante.

Als ich am Donnerstag von der Toilette in den Physikkurs zurückkam, fand ich auf meinem Stuhl einen geheimnisvoll zusammengefalteten Zettel, der aus einem Heft herausgerissen war. Ich las ihn nicht, bis der Unterricht vorbei war. Dann stand ich ganz still, mitten auf dem Flur, während all die Schüler mit ihren Rucksäcken, ihren strähnigen Haaren und den dicken Jacken an mir vorbeidrängten, und starrte auf die Wörter, auf seine Mädchenhandschrift. Ich war Treibgut in einem Fluss.

WIE GEHT ES DIR
ICH BIN DA
WENN DU REDEN MÖCHTEST

ZACH

Ich faltete den Zettel wieder zusammen und trug ihn den ganzen Tag in meinem Rucksack spazieren. Ich wunderte mich selbst, als ich beschloss, tatsächlich mit ihm zu reden. (Dad sagte, es schadet nie, alle nur möglichen Perspektiven und Meinungen abzuklopfen, auch die, bei denen man befürchtet, dass sie sich als trivial und kalibanesk herausstellen.) Während des Geschichtsunterrichts malte ich mir aus, ich würde nicht zu Dad nach Hause gehen, sondern zu Patsy und Roger, würde zum Abendessen nicht Spaghetti, Vorlesungsnotizen und eine einseitige Debatte über J. Hutchinsons Buch *Die ästhetische Emanzipation der Menschheit* (1924) serviert bekommen, sondern knusprige Brathähnchen, Kartoffelbrei, eine Diskussion über Bethany Louises Softball-Bewerbung oder über Zachs Referat zum Amerikanischen Traum (das banalste aller Referatsthemen, aber ich hätte mir hungrig was davon genommen). Und Patsy würde lächeln und meine Hand drücken, während Roger zu einer improvisierten Predigt ansetzte – wenn ich Glück hatte, über die »Vierzehn Hoffnungen«.

Als es klingelte, rannte ich von Hanover Hall zu Barrow, die Treppe hinauf zum ersten Stock, wo angeblich Zachs Schließfach war. Ich stand in der Tür und sah ihn, wie er, in Khakihosen und einem blauweiß gestreiften Hemd, mit dieser Rebecca redete, dem Mädchen mit den Raubtiereckzähnen. Sie war groß und presste einen Stapel mit Spiralheften gegen die vorgeschobene Hüfte, während sie den anderen knochigen Arm oben um die Schließfächer legte, sodass sie aussah wie eine eckige ägyptische Hieroglyphe, die jemand auf einen Papyrus gekrakelt hat. An der Art, wie Zach ihr seine uneingeschränkte Aufmerksamkeit widmete (und niemanden sonst auf dem Gang bemerkte), an der Art, wie er lächelte und sich mit seiner Riesenpratze durch die Haare fuhr, merkte ich, dass er in sie verliebt war: Zweifellos arbeiteten sie beide bei Kinko's und waren Schulter an Schulter mit Tonnen von Farbkopien beschäftigt, und jetzt wollte ich versuchen, mit ihm über den Tod zu sprechen, während mir diese Hieroglyphe in den Nacken atmete, ihre Augen an meinem Gesicht klebten wie zerquetschte Feigen und ihre dichten schwarzen Haare ihre Schultern überschwemmten wie der Nil – nein, das konnte ich nicht. Ich drehte auf dem Absatz um, lief zurück ins Treppenhaus, stieß die Tür auf und rannte nach draußen.

* * *

Ich kann auch die samariterartige Freundlichkeit bei einem anderen Anlass nicht übergehen, am Freitag im Zeichenunterricht, als ich, erschöpft von den schlaflosen Nächten, mitten im Unterricht einschlief und ganz vergaß, dass ich Tim »Raging« Waters zeichnen sollte, der diese Woche als Sujet für unseren Zeichenkreis ausgewählt worden war.

»Was ist denn nur mit Miss van Meer los?«, röhrte Mr Victor Moats und funkelte auf mich herunter. »Sie ist ja so grün wie El Grecos Geist! Sag uns, was du zum Frühstück gegessen hast, damit wir unsererseits es vermeiden können.«

Mr Victor Moats war, meistens jedenfalls, ein netter Mann, aber gelegentlich machte es ihm, ohne jeden ersichtlichen Grund (vielleicht lag es an den Mondphasen) einfach Spaß, einen Schüler zu demütigen. Er nahm meinen Strathmore-Zeichenblock von der Staffelei und hielt ihn hoch über seinen robbenglatten Kopf. Sofort sah ich die Minikatastrophe: Da war nichts, aber auch gar nichts auf dem Pazifischen Ozean der weißen Seite, nur ganz unten, in der rechten Ecke, hatte ich Raging gezeichnet, so groß wie Guam. Ich hatte außerdem sein Bein so gezeichnet, dass es sein verwirrtes Gesicht verdeckte, was ja okay gewesen wäre, wenn uns nicht Mr Moats am Anfang der Stunde einen zehnminütigen Vortrag über die zentralen Punkte beim Zeichnen nach einem lebenden Modell und über die Bedeutung der Proportionen gehalten hätte.

»Sie konzentriert sich nicht! Garantiert träumt sie von Will Smith oder Brad Pitt oder von allen möglichen anderen Herzensbrechern, während sie eigentlich – ja, *was sollte sie eigentlich? Kann mir bitte jemand sagen, was Miss van Meer eigentlich tun sollte, statt unsere Zeit zu vergeuden?*«

Ich blickte zu ihm hoch. Wäre es der Freitag vor Hannahs Tod gewesen, dann wäre ich feuerrot angelaufen und hätte mich entschuldigt, wäre vielleicht sogar aufs Klo gewetzt, hätte mich in der Behindertenkabine verbarrikadiert und, über den Klositz gebeugt, geschluchzt, aber jetzt empfand ich nichts. Ich war so teilnahmslos wie ein leeres Blatt Zeichenpapier. Ich starrte Mr Moats an, als würde er nicht über mich reden, sondern über irgendeine abgedriftete Jugendliche namens Blue van Meer. Ich war so verlegen wie ein Wüstenkaktus.

Ich registrierte allerdings, dass alle in meinem Kurs nervöse Blicke tauschten und ein beeindruckendes Warnmanöver veranstalteten, wie die in Bäumen lebenden Meerkatzen, die sich gegenseitig auf die Anwesenheit eines Kronenadlers hinweisen. Fran »Juicy« Smithson riss die Augen auf für Henderson Shoal. Und Henderson Shoal riss, als Reaktion, die Augen auf für Howard »Beirut« Stevens. Amy Hempshaw biss sich auf die Unterlippe, zupfte ihre karamellbraunen Haare hinter den Ohren hervor und senkte dann den Kopf so schnell, dass die Haare ihr halbes Gesicht verdeckten wie eine Falltür.

Was sie einander signalisierten war natürlich, dass Mr Moats – der berüchtigt dafür war, dass er die Werke von Velázquez, Ribera, El Greco und Herrera dem Älteren der Gesellschaft seiner wenig mitteilsamen Gallway-Kollegen (die weder davon träumten noch besonders scharf darauf waren, über die geniale Begabung der spanischen Meister zu labern) vorzog – offenbar alle schulinterne Post, die in seinem Fach im Lehrerzimmer gelandet war, ungelesen weggeworfen hatte.

Daher war er weder mit Havermeyers »Notfall-Memorandum« vertraut noch mit dem Artikel, den die Nationale Lehrerliga verfasst hatte, »Schüler auf Trauerfälle vorbereiten«, er kannte auch nicht die von Butters zusammengestellte »vertrauliche Liste« mit der Überschrift »Bitte besonders aufmerksam beobachten!«, auf der auch mein Name stand und natürlich auch der von Jade und allen anderen: *»Diese Schüler sind von dem Verlust besonders betroffen. Achten Sie genau auf ihr Verhalten und informieren Sie mich oder unsere neue Psychologin, Deb Cromwell, falls Ihnen irgendetwas Ungewöhnliches auffällt. Die Situation erfordert sehr viel Taktgefühl.«* (Diese vertraulichen Dokumente waren gestohlen und fotokopiert worden und zirkulierten heimlich unter den Schülern. Wer sie entwendet hatte, wusste niemand. Manche sagten, es sei Maxwell Stuart gewesen, andere meinten, es handle sich um Dee und Dum.)

»Eigentlich«, rief Jessica Rothstein quer durch den Raum, die Arme vor der Brust verschränkt, »eigentlich finde ich, es ist okay, Blue heute zu entschuldigen.« Ihre grisseligen braunen Locken, die aus einer Entfernung von mehr als fünf Metern aussahen wie tausend nasse Weinkorken, zitterten perfekt synchron.

»*Ach, tatsächlich*?« Mr Moats drehte sich zu ihr. »*Und warum, wenn ich fragen darf?*«

»Sie hat etwas Schlimmes erlebt«, verkündete Jessica laut und zeigte die tolle Stärke einer jungen Frau, die weiß, dass sie recht hat und der alte Mann vor ihr (der, theoretisch jedenfalls, Reife und Erfahrung auf seiner Seite haben sollte) absolut unrecht.

»Sie hat etwas Schlimmes erlebt«, wiederholte Moats.

»Ja. Etwas Schlimmes.«

»Und was meinst du damit? Ich bin gespannt.«

Jessica machte ein wütendes Gesicht. »Sie hat eine *schreckliche* Woche hinter sich.« Jetzt blickte sie sich verzweifelt im Raum um, ob nicht jemand anderes übernehmen könnte. Jessica wollte lieber der Kapitän dieser Rettungsaktion sein, der den Telefonanruf erledigt und die Befehle erteilt. Aber sie hatte keine Lust, als normaler Gefreiter mit dem HH-43F Helikopter vom Bin-Ty-Ho-Luftstützpunkt zu starten und auf feindlichem Territorium eine Notlandung zu machen, durch Reisfelder, Elefantengras und Landminen zu robben, mit mehr als dreißig Kilo Munition und C-Rationen, und den verwundeten Soldaten sieben Meilen weit zu schleppen und die Nacht am moskitoverseuchten Ufer des Cay Ni zu verbringen, ehe sie um 5.00 in einen Rettungsflieger steigen konnte.

»Miss Rothstein beliebt um den heißen Brei herumzureden«, sagte Mr Moats.

»Ich sage nur, sie hat was Schlimmes erlebt, okay? Mehr nicht.«

»*Na ja, das Leben ist kein Honigschlecken, stimmt's*?«, entgegnete Mr Moats. »Achtundneunzig Prozent der wertvollsten Kunstwerke wurden von Menschen geschaffen, die in rattenverseuchten Wohnungen hausten. Glaubst du denn, Velázquez hat Adidas getragen? *Glaubst du, er hatte den Luxus einer Zentralheizung und eines Vierundzwanzig-Stunden- Pizzalieferservice*?«

»Niemand redet von Velázquez«, sagte Tim »Raging« Waters, der immer noch in der Mitte des Kreises saß. »Wir reden von Hannah Schneider und wie sie letztes Wochenende *gestorben* ist.«

Normalerweise beachtete niemand Raging, ich auch nicht, seine nölige Stimme und die Aufkleber auf seinem Kofferraum, ICH LIEBE SCHMERZEN, BLUT SCHMECKT GUT, und die Wörter, die er mit schwarzem, nicht abwaschbarem Stift überall auf seinen Rucksack gekrakelt hatte, WUT, ANARCHIE, F*CK DICH. Der Geruch von kaltem Zigarettenrauch folgte ihm wie einem *Frisch-vermählt*-Cabrio die leeren Dosen. Aber er sprach ihren Namen aus, und der Name trieb mitten in den Raum wie ein leeres Ruderboot, und ich – ich weiß auch nicht, warum, aber in dem Moment wäre ich mit diesem bleichen wütenden Jungen durchgebrannt, wenn er mich gefragt hätte. Ich liebte ihn verzweifelt, eine quälende, überwältigende Liebe, drei, vielleicht vier Sekunden lang. (So war das nach Hannahs Tod. Man bemerkte jemanden ewig lange nicht, und wenn man ihn dann bemerkte, war man hin und weg von ihm/ihr, wollte ein Kind mit ihm/ihr, und dann war der Moment wieder vorbei, so schnell, wie er gekommen war.)

Mr Moats rührte sich nicht. Er legte die Hand auf seine grünkarierte Weste und ließ sie da, als müsste er sich gleich übergeben oder als würde er versuchen, sich an den Text eines Liedes zu erinnern, das er früher kannte.

»Verstehe«, sagte er. Vorsichtig stellte er meinen Strathmore-Block zurück auf die Staffelei. »Zeichnet weiter.«

Er stand neben mir. Als ich wieder anfing zu zeichnen – ich begann mitten auf der Seite mit Raging Waters Lederschuh (einem braunen Schuh, auf dem seitlich das Wort *Chaos* stand) –, kauerte sich Mr Moats ganz komisch neben mir nieder, sodass sein Gesicht nur ein paar Zentimeter von dem weißen Papier entfernt war. Ich schaute ihn nur halb an, weil es ja nie eine gute Idee war, einem Lehrer direkt ins Gesicht zu sehen, ähnlich wie bei der Sonne. Man entdeckte unvermeidlich irgendwelche Dinge, die man lieber nicht gesehen hätte – Schlafkörner, Warzen, Haare, Falten, einen verhärteten oder verfärbten Hautfleck. Man wusste, dass diese körperlichen Details eine säuerliche, essigartige Wahrheit enthielten, aber man wollte nicht wissen, was dahintersteckte, noch nicht, weil es einen hindern würde, im Unterricht aufzupassen und sich die vielen Fortpflanzungsstadien von Bärlappgewächsen oder das exakte Jahr und den exakten Monat der Schlacht von Gettysburg zu notieren (Juli 1863).

Moats hatte immer noch nichts gesagt. Sein Blick wanderte über mein leeres Blatt und machte bei Raging Halt, unten in der Ecke, mit dem Bein über dem Gesicht, und ich musterte ihn, wie gebannt starrte ich jetzt auf sein zerklüftetes Profil, ein Profil, das eine verblüffende Ähnlichkeit mit der Südostküste Englands hatte. Und dann schloss er die Augen, und ich konnte sehen, wie betroffen er war, und ich fragte mich, ob er Hannah vielleicht geliebt hatte und diesen Moment für den Rest seines Lebens nicht vergessen würde, als er von einem Schüler in seinem Zeichenkurs von ihrem Tod erfahren hatte und sich eine Weile hinter der Staffelei eines Mädchens verstecken musste. Mir war auch klar, dass Erwachsene sehr seltsam waren, dass ihr Leben riesiger und unübersichtlicher war, als sie zugeben wollten, dass es sich endlos dehnte, wie die Wüste, trocken und leer, mit einem unberechenbaren, sich ständig verändernden Meer aus Sanddünen.

»Vielleicht nehme ich lieber ein neues Blatt und fange nochmal an«, sagte ich. Ich wollte ihn etwas sagen hören. Wenn er etwas sagte, hieß das, dass er zwar extreme Hitze und nächtliche Temperaturen unter dem Nullpunkt und hin und wieder einen Sandsturm ertragen musste, aber dass er es schon schaffen würde.

Er nickte und stand wieder auf. »Zeichne weiter.«

* * *

Nach Schulschluss ging ich in Hannahs Klassenzimmer. Ich hoffte, dass niemand dort wäre, aber als ich Loomis Hall betrat, sah ich, dass zwei Mädchen aus dem ersten High-School-Jahr etwas an Hannahs Tür klebten. Es waren Gute-Besserungskarten. Rechts von ihnen stand auf dem Fußboden ein riesiges Foto von Hannah mit vielen Blumensträußen – vor allem Nelken, in Pink, Weiß und Rot. Perón hatte dies bei den Nachmittagsankündigungen erwähnt: »Die zahlreichen Blumen und Karten sind ein Zeichen dafür, dass wir alle, trotz ganz unterschiedlicher Herkunft, zusammenhalten und uns beistehen, nicht als Schüler, Eltern, Lehrer und Schulverwaltung, sondern als Menschen. Hannah wäre überglücklich.« Ich wollte wieder verschwinden, aber die Mädchen hatten mich schon gesehen, also blieb mir nichts anderes übrig als weiterzugehen.

»Ich würde gern die Kerzen anzünden.«

»Komm, lass *mich* das machen. Du ruinierst alles, Kara –«

»Lass uns sie einfach anzünden. Für *sie*, verstehst du?«

»Das *geht nicht*. Hast du nicht gehört, was Ms Brewster gesagt hat? Wegen der Brandgefahr.«

Das größere, blasse Mädchen klebte eine große Karte an die Tür, auf der eine gigantische goldene Sonne abgebildet war, mit der Aufschrift: »Ein Stern ist verblasst …« Die andere – o-beinig, mit schwarzen Haaren – schaute ihr skeptisch zu, in der Hand eine noch größere, selbst gebastelte Karte mit groben orangeroten Buchstaben: IN DANKBARER ERINNERUNG. Um die Blumen herum standen noch mindestens fünfzig Karten. Ich bückte mich, um ein paar zu lesen.

»Ruhe in Frieden. Alles Liebe, Friggs«, schrieb Friggs. »Bis wir uns wiedersehen«, schrieb ein Anonymus. »In dieser Welt voll bitterem religiösem Hass und grausamer Gewalt gegen unsere Mitmenschen waren Sie ein leuchtender Stern«, schrieb Rachid Foxglove. »Sie fehlen uns«, schrieben Amy Hempshaw und Bill Chews. »Ich hoffe, Sie werden als Säugetier wiedergeboren und unsere Wege kreuzen sich wieder, lieber früher als später, denn wenn ich Medizin studiere, habe ich nicht viel Zeit«, schrieb Lin X-Pen. Manche Karten waren introspektiv (»Wie konnte das geschehen?«) oder auf harmlose Art respektlos (»Es wäre cool, wenn Sie mir ein Zeichen geben könnten, das beweist, dass es ein Leben nach dem Tod gibt, nicht nur Ewigkeit in der Kiste, denn wenn's nur das gibt, will ich es eigentlich nicht.«). Auf anderen standen Bemerkungen, die man auf gelbe Zettel schreiben oder zum Autofenster hinausrufen würde: (»Sie waren eine tolle Lehrerin!«).

»Möchtest du unsere Beileidskarte unterschreiben?«, fragte mich das dunkelhaarige Mädchen.

»Ja, gern«, sagte ich.

Innen auf der Karte waren schon ganz viele Unterschriften, und der Text lautete: »Wir finden Trost und Frieden in dem Wissen, dass Sie an einem perfekten Ort sind.« Ich zögerte kurz, aber das Mädchen beobachtete mich, also quetschte ich meinen Namen zwischen Charlie Lin und Millicent Newman.

»Vielen Dank«, sagte das Mädchen, als hätte ich ihr gerade Bargeld gegeben, damit sie sich eine Limo kaufen konnte. Sie befestigte die Karte mit Klebeband an der Tür.

Ich ging wieder nach draußen und stellte mich unter eine der Kiefern vor dem Gebäude, bis ich die beiden weggehen sah, dann ging ich wieder rein. Jemand (das dunkelhaarige Mädchen, die selbst ernannte

Verwalterin der Hannah-Schneider-Gedenkstätte) hatte grüne Plastikfolie unter die Blumen gelegt (alle Stiele zeigten in dieselbe Richtung) und ein Klemmbrett neben die Tür gehängt, auf dem stand: »Bitte hier unterschreiben und eine Summe für den Hannah-Schneider-Kolibrigarten spenden (Minimum 5 Dollar).«

Ehrlich gesagt, ich war nicht besonders angetan von der ganzen Trauer. Sie kam mir künstlich vor, als hätten sie Hannah weggenommen, gestohlen und sie durch diese fürchterlich lächelnde Fremde ersetzt, deren riesiges Farbfoto man laminiert hatte und das jetzt auf dem Fußboden stand, hinter einer dicken, nicht angezündeten Kerze. Das Bild sah ihr gar nicht ähnlich; Schulfotografen, bewaffnet mit lahmen Scheinwerfern und verschmierten Hintergünden, verwischten gut gelaunt die Eigenarten des Einzelnen, sodass alle Leute gleich aussahen. Nein, die richtige Hannah, Hannah, die Kinoliebhaberin, die manchmal ein bisschen zu viel trank und deren BH-Träger manchmal herausrutschten, wurde gegen ihren Willen von diesen schlappen Nelken, von den krakeligen Unterschriften, von den schwülstigen »Sie fehlen uns«-Bekundungen festgehalten.

Ich hörte eine Tür gehen, das laute Klacken von Frauenschuhen. Dann zog jemand die Tür am Ende des Flurs auf, ließ sie zufallen. Einen verrückten Moment lang dachte ich, es sei Hannah; die schlanke Frau, die auf mich zukam, trug schwarz – einen schwarzen Rock und einen kurzärmeligen schwarzen Pulli, schwarze Stilettos – genau wie Hannah, als ich sie das erste Mal gesehen hatte, damals, vor vielen Monaten, im Fat Kat Foods.

Aber es war Jade.

Sie war blass, spindeldürr, ihre blonden Haare hatte sie zu einem Pferdeschwanz zurückgebunden. Unter den Neonröhren leuchtete ihr Kopf weißlich grün. Schatten schwammen über ihr Gesicht. Sie schaute zu Boden. Als sie mich endlich sah, merkte ich, dass sie am liebsten kehrtgemacht hätte, es sich aber nicht gestattete. Jade hasste jede Form von Rückzug, von Umdrehen, Zurückweichen, Umdenken.

»Ich muss dich nicht sehen, wenn ich nicht will«, sagte sie, als sie vor den Blumen und Karten stehen blieb. Sie bückte sich und studierte sie, ein nettes, entspanntes Lächeln auf dem Gesicht, als würde sie Schachteln mit teuren Uhren begutachten. Nach einer Weile wandte sie sich zu mir.

»Willst du noch lang hier stehen wie ein Idiot?«

»Äh, ich –«, begann ich.

»Weil ich nämlich keine Lust habe, hier rumzuhocken und es dir aus der Nase zu ziehen.« Sie stemmte eine Hand in die Hüfte. »Weil du mich doch letzte Woche die ganze Zeit angerufen hast wie ein durchgeknallter Stalker, hab ich gedacht, du hast was zu sagen.«

»Hab ich auch.«

»Was?«

»Ich verstehe nicht, warum alle auf mich wütend sind. Ich habe nichts getan.«

Sie riss schockiert die Augen auf. »Wie kannst du nicht verstehen, was du getan hast?«

»Was hab ich denn getan?«

Sie verschränkte die Arme. »Wenn du es nicht weißt, Kotz, dann werde ich es dir auch nicht sagen.« Sie drehte sich weg und widmete sich wieder den Karten. Nach einer Weile sagte sie: »Ich meine – du bist absichtlich weggegangen, damit sie nach dir sehen muss. Wie bei irgend so 'nem komischen Spiel. Nein, versuch erst gar nicht, dich damit rauszureden, dass du aufs Klo musstest – wir haben nämlich die Klopapierrolle in Hannahs Rucksack gefunden, okay? Und dann hast du – wir wissen nicht, was du getan hast. Aber gerade noch sitzt Hannah am Feuer und lacht mit uns und ist überhaupt bester Laune, und plötzlich hängt sie an einem Baum. Tot. Du hast etwas gemacht.«

»Sie hat mir ein Zeichen gegeben, dass ich aufstehen und in den Wald gehen soll. Es war ihre Idee.«

Jade verzog das Gesicht. »Wann war das?«

»Am Lagerfeuer.«

»Stimmt nicht. Ich war auch da. Und ich kann mich nicht erinnern, dass sie – »

»Außer mir hat niemand es gemerkt.«

»Wie praktisch!«

»Ich bin weggegangen, und sie ist hinter mir hergekommen und hat mich gefunden. Wir sind zehn Minuten lang immer tiefer in den Wald gegangen, dann ist sie stehen geblieben und hat gesagt, sie müsse mir etwas sagen. Ein Geheimnis.«

»Uuuh, was war das für ein Geheimnis? Dass sie tote Menschen sieht?«

»Sie hat es nicht gesagt.«

»Ach, *Gott.*«

»Jemand ist uns gefolgt. Ich habe ihn nicht richtig gesehen, aber ich glaube, er trug eine Brille, und dann – und das ist der Teil, den ich nicht verstehe –, dann ist sie hinter ihm her. Zu mir hat sie gesagt, ich soll mich nicht von der Stelle rühren. Und danach habe ich sie nicht mehr gesehen.« (Das war natürlich eine Lüge, aber ich hatte beschlossen, die Tatsache, dass ich Hannah tot gesehen hatte, aus meiner Lebensgeschichte zu löschen. Es war wie ein Blinddarm, ein funktionsloses Organ, das, wenn es sich entzündet, chirurgisch entfernt werden muss, ohne irgendeinen anderen Teil der Vergangenheit zu beeinträchtigen.)

Jade musterte mich skeptisch. »Das glaube ich dir nicht.«

»Aber es stimmt. Erinnerst du dich an die Zigarettenkippe, die Lu gefunden hat? Da oben war irgendjemand.«

Sie schaute mich mit großen Augen an, dann schüttelte sie theatralisch den Kopf. »Ich glaube, du hast ein echtes Problem.« Sie ließ ihre Tasche zur Seite auf den Boden fallen. Heraus fielen zwei Bücher; *Die Norton-Gedichtanthologie* (Ferguson, Salter, Stallworthy, 1996) und *Wie schreibt man ein Gedicht* (Fifer, 2001). »Du weißt dir nicht mehr zu helfen. Und du bist total jämmerlich und peinlich. Egal, was für faule Ausreden du vorbringst – uns *interessiert* das nicht. Du gehst uns am Arsch vorbei. Es ist aus.«

Sie erwartete, dass ich protestieren, auf die Knie fallen, jammern würde, aber das konnte ich nicht. Es war mir nicht möglich. Ich musste an etwas denken, was Dad einmal gesagt hatte: Dass manche Leute die Antwort auf alle Lebensfragen schon am Tag ihrer Geburt parat haben und es keinen Sinn hat, ihnen etwas Neues beibringen zu wollen. »Sie haben geschlossen, obwohl sie um elf Uhr öffnen, Montag bis Freitag, was ziemlich verwirrend ist«, sagte Dad. Und wenn man versuchte, das, was sie denken, zu verändern und ihnen etwas zu erklären, weil man hoffte, sie könnten vielleicht doch auch eine andere Sicht der Dinge verstehen, war das ein sehr anstrengendes Unterfangen, weil man nichts erreichte und einem hinterher alles wehtat. Es war, als wäre man ein Gefangener in einem Hochsicherheitstrakt, der wissen wollte, wie sich die Hand eines Besuchers anfühlte (siehe *Leben im Dunkeln*, 1967). Egal, wie verzweifelt man es sich wünschte und seine stumme Handfläche gegen die Glasscheibe drückte, genau an der Stelle, wo der Besucher seine Hand hatte – man spürte sie nicht. Man spürte sie erst, wenn man wieder freigelassen wurde.

»Wir denken nicht, dass du irgendwie psychotisch bist oder einer von den Menendez-Brüdern«, sagte Jade. »Wahrscheinlich hast du es nicht absichtlich getan. Aber *trotzdem*. Wir haben darüber geredet und sind zu dem Schluss gekommen: Wenn wir uns selbst gegenüber ehrlich sind, können wir dir nicht verzeihen. Ich meine – sie ist nicht mehr da. Vielleicht ist das für dich nicht so schlimm, aber für uns gibt es nichts Schlimmeres. Milton und Charles haben sie *geliebt*, Leulah und ich haben sie *angebetet*. Sie war unsere *Schwester* – »

»Das sind ja ganz neue Töne«, unterbrach ich sie. (Ich konnte nicht anders, ich war Dads Tochter und reagierte deshalb sehr empfindlich auf Heuchelei und Lügen.) »Das letzte Mal hast du behauptet, sie sei dafür verantwortlich, dass du kein Mint-Chocolate-Chip-Eis mehr essen willst. Außerdem hast du gedacht, sie habe Verbindungen zur Manson-Familie.«

Jade sah so wütend aus, dass ich befürchtete, sie könnte mich aufs Linoleum werfen und mir die Augen auskratzen. Stattdessen schrumpften ihre Lippen, und sie verfärbte sich gazpacholila. Sie redete in spitzen kleinen Wörtern: »Da du so dumm bist und nicht verstehst, warum wir so aus dem Takt sind, dass an Trost gar nicht zu *denken* ist, möchte ich dieses Gespräch nicht weiterführen. Du hast keine Ahnung, was wir durchgemacht haben. Charles ist durchgedreht und ist von einer *Klippe* gestürzt. Lu und Nigel waren hysterisch. Selbst Milton ist zusammengebrochen. Ich war diejenige, die alle irgendwie gerettet hat, aber ich bin immer noch traumatisiert von dieser Erfahrung. Wir dachten, wir müssen sterben, so wie die Leute in dem Film, die in den Alpen festsitzen und gezwungen sind, einander aufzuessen.«

»*Überleben!* Bevor die Geschichte verfilmt wurde, war's ein Buch.«

Sie riss die Augen auf, »Du denkst, das ist ein Witz? Kapierst du eigentlich *gar nichts*?«

Sie wartete, aber ich kapierte wirklich nichts – ganz ehrlich.

»Na, egal«, sagte sie. »Ruf mich nicht mehr an. Es nervt meine Mutter, wenn sie dauernd mit dir reden muss, sie hat keine Lust mehr, irgendwelche Ausreden zu erfinden.«

Sie hob ihre Tasche auf, hängte sie sich über die Schulter. Geziert strich sie sich die Haare glatt, so befangen wie eine Person, die einen großen Abgang plant; sie wusste genau, dass vor ihr schon viele Menschen einen großen Abgang gemacht hatten, seit Millionen von Jahren und aus Millionen von Gründen, und jetzt war sie an der Reihe, und sie wollte ihre Sache gut machen. Mit einem spröden Lächeln hob sie die *Norton-Gedichtanthologie* und *Wie schreibt man ein Gedicht* auf und steckte beide Bücher betont ordentlich in ihre Tasche. Sie schniefte, zog ihren schwarzen Pulli über die Taille (als hätte sie gerade das erste Vorstellungsgespräch bei ich-weiß-nicht-welchem Konzern hinter sich gebracht) und ging. Als ich ihr nachschaute, konnte ich sehen, dass sie sich überlegte, ob sie sich in der Gruppe der Leute, die einen Abgang machten, der Elite-Untergruppe anschließen sollte, einer Sekte, die für die absolut Unsentimentalen und Hartgesottenen reserviert war: die Personen, die nie zurückblickten. Aber sie entschied sich dagegen.

»Weißt du was?« Sie drehte sich noch einmal zu mir um. »Keiner von uns hat es je verstanden.«

Ich schaute sie nur an und erschrak aus irgendeinem unerklärlichen Grund.

»Warum *du*? Warum wollte Hannah *dich* in unsere kleine Gruppe bringen? Ich will nicht unhöflich sein, aber keiner von uns konnte dich ausstehen, von Anfang an. Wir haben dich nur das *Täubchen* genannt. Weil du dich genauso benommen hast. Dieses blöde Täubchen, das verzweifelt herumgurrt und alle Leute um Krümel anbettelt. Aber sie hat dich *geliebt*. ›Blue ist toll. Ihr müsst ihr eine Chance geben. Sie hat ein schweres Schicksal.‹ Ja, *klar*. Aber irgendwie war das alles vollkommen unlogisch. Nein, du hast irgend so ein komisches Traumzuhause mit deinem Super-Dad, über den du pausenlos brabbelst, als wäre er der scheiß Messias. Aber nein. Alle haben gesagt, ich bin gemein und habe Vorurteile. Tja, jetzt ist es zu spät, und sie ist tot.«

Sie sah meinen Gesichtsausdruck und machte *Ha*. Wer einen Abgang macht, braucht auch ein *Ha*, ein verstümmeltes Lachen, bei dem man an das »Game over« bei Videospielen und an das Klingeln an der Schreibmaschine denken muss.

»Wahrscheinlich gehört das zu den kleinen Scherzen, die das Leben so bereithält«, sagte sie.

Am Ende des Ganges stieß sie die Tür auf und wurde eine Sekunde lang von einem gelben Licht erfasst, ihr Schatten wurde in meine Richtung geworfen, lang und dünn, wie ein Stück Schlepptau, aber dann ging sie mit schnellen Schritten durch die Tür, die Tür fiel hinter ihr zu, und ich blieb allein zurück bei den Nelken. (»Die einzige Blume, die, wenn man sie jemandem gibt, nur marginal besser ist als ein verwelkter Strauß«, sagte Dad.)

Der große Schlaf

Am nächsten Tag, am Samstag, den 10. April, brachte der *Stockton Observer* endlich einen knappen Artikel über die Ergebnisse des Rechtsmediziners.

Tod durch Erhängen war Selbstmord

Der Tod von Hannah Louise Schneider, 44, aus Burns County, wurde von der Rechtsmedizin Sluder County gestern als Selbstmord eingestuft. Todesursache war »Ersticken durch Erhängen«.

»Es gibt keinerlei Hinweise auf Fremdeinwirkung«, erklärte Joe Villaverde, Rechtsmediziner in Sluder County.

Villaverde sagte, es gebe auch keine Hinweise auf Drogen, Alkohol oder andere Giftstoffe in Schneiders Leiche, und die Todesart stimme mit Selbstmord überein.

»Mein Befund beruht auf dem Obduktionsbericht und entspricht der Beweisführung des Sheriffs und der staatlichen Gerichtsbarkeit«, sagte Villaverde.

Schneiders Leiche wurde am 28. März gefunden. Sie hing an einem elektrischen Kabel an einem Baum im Umfeld von Schull's Cove im Great Smoky National Park. Schneider hatte mit sechs High-School-Schülern einen Campingausflug unternommen. Die sechs Schüler konnten unverletzt geborgen werden.

»Das kann nicht wahr sein«, sagte ich.

Dad musterte mich besorgt. »Meine Liebe –«

»Mir wird gleich übel. Ich halte das nicht mehr aus.«

»Vielleicht haben sie ja recht. Man kann nie wissen –«

»*Sie haben nicht recht*!«, schrie ich.

* * *

Dad war bereit, mich ins Sheriff's Department von Sluder County zu fahren. Ich wunderte mich, dass er tatsächlich auf meinen extravaganten, impulsiven Wunsch einging. Vermutlich hatte er Mitleid mit mir, weil ihm aufgefallen war, wie blass ich in letzter Zeit aussah, wie wenig ich aß, dass ich nicht schlief, dass ich nach unten rannte wie ein Nachrichtenjunkie, der einen Schuss braucht, um nur ja die *First News at Five* nicht zu verpassen, und dass ich auf alle Fragen, auf die normalen und die existenziellen, mit einer transatlantischen Verspätung von fünf Sekunden reagierte. Er kannte allerdings auch das Zitat: »Wenn Ihr Kind mit der Inbrunst eines fundamentalistischen Bibelverkäufers aus Indiana von einer Idee besessen ist, müssen Sie sich ihm oder ihr in den Weg stellen, auf eigene Gefahr« (siehe *Wie erziehe ich ein hochbegabtes Kind*?, Pennebaker, 1998, S. 232).

Wir fanden die Adresse im Internet, stiegen in den Volvo und fuhren fünfundvierzig Minuten zu der Polizeidienststelle in der kleinen Bergsiedlung Bicksville, westlich von Stockton. Es war ein strahlend heller Tag, das flache, schiefe Polizeigebäude stand wie ein erschöpfter Tramper am Straßenrand.

»Möchtest du im Auto warten?«, fragte ich Dad.

»Nein, nein, ich komme mit.« Er hielt D. F. Youngs *Narzissmus und Kultur-Jamming in den USA* (1986) hoch. »Ich habe mir anspruchslose Lektüre mitgebracht.«

»Dad?«

»Ja, Sweet.«

»Lass mich reden.«

»Oh. Aber selbstverständlich.«

Das Sheriff's Department bestand aus einem einzigen chaotischen Raum, der aussah wie die Primaten-Abteilung in einem besseren Zoo. Es waren alle innerhalb des finanziellen Rahmens möglichen Anstrengungen unternommen worden, um die zehn oder zwölf gefangenen Polizisten davon zu überzeugen, dass sie in ihrer natürlichen Umgebung lebten (plärrende Telefone, graubraun gestrichene Hohlziegelwände, tote Pflanzen mit Blättern, die aussahen wie Schleifen auf Geburtstagsgeschenken, klobige Aktenschränke an der hinteren Wand, aufgereiht wie Football-Spieler, Sheriffsterne an den lehmbraunen Hemden). Sie bekamen eine eingeschränkte Ernährung (Kaffee, Donuts) und viele Spielsachen (Drehstühle, Funkkonsolen, Pistolen, ein Fernsehgerät oben an der Decke, in dem der Wettersender gluckerte). Und doch hing in diesem Habitat der unverkennbare Geruch von Künstlichkeit, von Apathie, und man ahnte, dass jeder einfach nur Dienst nach Vorschrift machte, da der Kampf ums Überleben nicht mehr die vorrangige Sorge war. »Hey, Bill!«, rief einer der Männer von ganz hinten beim Wasserkühler und hielt eine Zeitschrift hoch. »Schau dir mal den neuen Dakota an!« »Hab ich schon gesehen«, antwortete Bill, der komatös auf den blauen Computerbildschirm starrte.

Dad setzte sich auf den einzigen freien Stuhl vorne und machte ein ungebremst angewidertes Gesicht. Neben ihm saß ein bleiches, verblühtes Mädchen in einem lamettaverzierten Spaghetti-Top, ohne Schuhe, die Haare so gnadenlos gebleicht, dass sie aussahen wie Kartoffelchips. Ich ging zu dem Mann hinter dem großen Schreibtisch, der in einer Zeitschrift blätterte und an einem roten Plastiklöffel kaute.

»Ich würde gern mit dem Chefermittler reden, falls er oder sie zu sprechen ist«, sagte ich.

»Wie bitte?«

Er hatte ein flaches rotes Gesicht, das – wenn man von dem vergilbten Zahnbürstenschnurrbart absah – an die Unterseite eines großen Fußes erinnerte. Er war kahl. Sein Schädel war voller Sommersprossen, die aussahen wie Fettflecken. Das Namensschild unter seiner Polizeimarke sagte A. BOONE.

»Die Person, die im Fall Hannah Schneider ermittelt hat«, fügte ich hinzu. »Ich meine den Tod der Lehrerin von St. Gallway.«

A. Boone kaute nach wie vor auf seinem Plastiklöffel herum und schaute mich an. Er war das, was Dad immer als »Macht-Verzögerer« bezeichnete: ein Mensch, der, kaum dass er eine marginale Macht besaß, die Chance hemmungslos beim Schopf ergriff und diese Macht ganz brutal rationierte, damit sie sich möglichst in die Länge zog.

»Was wollen Sie mit Sergeant Harper besprechen?«

»Es gibt einen fundamentalen Irrtum in der Bewertung dieses Falls«, sagte ich mit Nachdruck. Das Gleiche sagte Chefinspektor Ranulph Curry am Anfang von Kapitel 79 in *Die Strategie der Motte* (Lavelle, 1911).

A. Boone notierte sich meinen Namen und bat mich, Platz zu nehmen. Ich setzte mich auf Dads Stuhl, und Dad stand neben einer sterbenden Pflanze. Mit einer pseudointeressierten und pseudobewundernden Miene (hochgezogene Augenbrauen, heruntergezogene Mundwinkel) reichte er mir ein Exemplar des *Sheriffsblatts* Winter, Bd. 2, Heft 1, das er von dem schwarzen Brett hinter sich geholt hatte. Vorne drauf war ein Aufkleber: der amerikanische Adler, der eine schillernde Träne weint (America, United We Stand). Auf Seite 2 war ein Bericht über die verschiedenen Aktivitäten des Departments (zwischen *Berühmt/Berüchtigt* und *Ich wette, ihr wusstet nicht …*). Da stand, dass Sergeant Detective Fayonette Harper in den letzten fünf Monaten die meisten Verhaftungen im ganzen Revier gemacht hatte. Zu Detective Harpers Klienten gehörten Rodolpho Debruhl, gesucht wegen Mordes, Lamont Grimsell, gesucht wegen Raubüberfalls, Kanita Kay Davis, gesucht wegen Sozialhilfebetrugs, Diebstahls und Erwerbs gestohlener Ware sowie Miguel Rumolo Cruz, gesucht wegen Vergewaltigung und kriminell abwegigen Verhaltens. (Officer Gerard Coxley hingegen hatte die wenigsten Verhaftungen getätigt: nur Jeremiah Golden, gesucht wegen unbefugten Fahrens mit einem motorisierten Fahrzeug.)

Außerdem war Sergeant Harper auf Seite 4 auf dem Schwarzweißfoto zu sehen, das die Mannschaft der Baseballliga des Sheriff's Departments zeigte. Sie stand ganz außen rechts, eine Frau mit einer großen, schiefen Nase, um die sich ihre restlichen Gesichtszüge drängten, als wollten sie sich auf ihrem arktisch weißen Gesicht gegenseitig wärmen.

Fünfundzwanzig oder dreißig Minuten später saß ich vor ihr.

* * *

»Der Bericht des Rechtsmediziners enthält einen Fehler«, verkündete ich und räusperte mich. »Die Selbstmordanalyse stimmt nicht. Wissen Sie, ich war die Letzte, die Hannah Schneider gesehen hat, ehe sie tiefer in den Wald ging. Ich weiß, dass sie sich nicht umbringen wollte. Sie hat mir gesagt, sie komme gleich zurück. Sie hat nicht gelogen.«

Sergeant Detective Fayonette Harper kniff die Augen zusammen. Mit ihrer salzweißen Haut und ihren struppigen Lavahaaren war es gar nicht so leicht, sie aus der Nähe zu mustern; es war jedes Mal ein Hieb, ein Schlag, ein Tritt in die Zähne, egal, wie oft man sie anschaute. Sie hatte breite Türknaufschultern, und wenn sie den Kopf bewegte, dann bewegte sie immer auch den Oberkörper, als hätte sie einen steifen Hals.

Wenn das Sheriff's Department die Primaten-Abteilung in einem besseren Zoo war, dann war Sergeant Harper eindeutig die einsame Äffin, die sich bemühte, sämtliche Zweifel vorübergehend wegzuschieben und zu arbeiten, als ginge es um ihr Leben. Ich hatte schon bemerkt, dass sie bei allem und jedem die Augen zusammenkniff, nicht nur bei mir und A. Boone, als er mich zu ihrem Schreibtisch hinten im Zimmer führte (»Na, gut«, sagte sie, ohne zu lächeln, als ich Platz nahm – das war ihre Begrüßung). Ihre Augen wurden auch schmal, wenn sie auf ihre Ablage mit der Aufschrift BITTE ABHEFTEN schaute, auf den abgenutzten Handtrainer neben ihrer Tastatur, auf das Schild über ihrem Computerbildschirm, auf dem stand: »Wenn du etwas sehen kannst, schau genau hin, und wenn du genau hinschauen kannst, beobachte«, sogar bei den beiden gerahmten Fotografien auf ihrem Schreibtisch, das eine von einer älteren Frau mit Wattehaaren und Augenklappe, das andere von ihr selbst mit ihrem Mann und ihrer Tochter (vermutete ich); auf dem Bild umrahmten die zwei sie mit ihren identisch langen Gesichtern, den kastanienbraunen Haaren und den braven Zähnen.

»Und wieso sagen Sie das?«, fragte Sergeant Harper. Ihre Stimme war eintönig und leise, eine Kombination aus Steinen und Oboe. (Und sie stellte ihre Fragen, ohne sich die Mühe zu machen, am Ende des Satzes die Stimme zu heben.)

Ich wiederholte so ungefähr das, was ich Officer Coxley in der Notaufnahme des Sluder County Hospitals erzählt hatte.

»Ich möchte nicht unhöflich oder respektlos sein«, sagte ich, »und ich weiß, dass Sie sich konsequent für die Einhaltung der Gesetze starkmachen, seit vielen Jahren und bestimmt sehr effizient, aber ich glaube nicht, dass Officer Coxley das, was ich ihm gesagt habe, ganz genau notiert hat. Und ich bin ein sehr pragmatischer Mensch. Wenn ich denken würde, dass es auch nur die geringste Selbstmord-Chance gäbe, würde ich mich Ihrer Einschätzung anschließen. Aber es kann einfach nicht sein. Erstens ist uns, wie ich schon erwähnt habe, jemand vom Campingplatz gefolgt. Ich weiß nicht, wer es war, aber wir haben ihn gehört. Wir haben ihn *beide* gehört. Und zweitens war Hannah nicht in der entsprechenden *Verfassung*. Sie war nicht deprimiert – jedenfalls nicht in dem Augenblick. Ich gebe zu, manchmal war sie schon ziemlich traurig. Aber das geht uns allen so. Und als sie von mir weggegangen ist, hat sie sich ganz normal und vernünftig verhalten.«

Sergeant Harper hatte keinen Muskel bewegt. Mir wurde klar, dass sie Leute wie mich schon öfter gesehen hatte (vor allem merkte ich es daran, wie ihr Blick sich allmählich von mir entfernte und dann ganz plötzlich, bei einem besonders betonten Wort meinerseits, wieder zu meinem Gesicht zurückkehrte). Hausfrauen, Apothekerinnen, Zahnhygiene-Assistentinnen, Bankangestellte – sie alle waren hierhergekommen, um ihre Argumente vorzutragen, die Hände ineinander verkrampft, das Parfüm ranzig, der Lidstrich dick. Sie saßen ganz vorn auf der Kante dieses unbequemen Stuhls, auf dem ich jetzt saß (der hinten auf den nackten Beinen interessante Spuren hinterließ), und sie weinten, sie schworen bei allen möglichen Bibeln (Modernes

Englisch, King-James-Bibel, Illustrierte Familienausgabe) und Gräbern (Großmutter, Pa-paa, Archie, der starb, als er noch klein war), dass alle Anklagen, alles, was gegen den lieben Rodolpho, gegen Lamont, Kanita Kay und Miguel vorgebracht wurde, Lügen waren, nichts als Lügen.

»Ich weiß natürlich, wie ich klinge«, sagte ich, bemüht, die Verzweiflungskiekser in meiner Stimme glatt zu bügeln. (Ich begriff, dass Sergeant Harper für Verzweiflungskiekser nichts übrig hatte, so wenig wie für Sehnsuchtsschluchzer, Schuldqualen oder irreparabel gebrochene Herzen.) »Aber ich bin mir *ganz sicher*, dass jemand sie umgebracht hat. Ich weiß es. Und ich finde, sie hat es verdient, dass wir herausfinden, was wirklich passiert ist.«

Harper kratzte sich nachdenklich im Nacken (wie das die Leute immer machen, wenn sie absolut anderer Meinung sind), beugte sich nach links von ihrem Tisch, zog ein Schubfach in einem Aktenschrank auf und holte mit zusammengekniffenen Augen einen grünen, fingerdicken Ordner heraus. Auf dem Etikett stand #5509-SCHN.

»Also«, begann sie mit einem Seufzer und knallte sich den Ordner auf den Schoß. »Sie haben eine Person gehört. Wir haben diese Person durchaus mitgedacht.« Sie blätterte in der Akte – fotokopierte, getippte Formulare, aber die Schrift war so klein, dass ich sie nicht lesen konnte –, bis sie an einer Seite haltmachte und sie überflog. »Matthew und Mazula Church«, las sie langsam, eine strenge Falte zwischen den Augenbrauen, »George und Julia Varghese, zwei Paare aus Yancey County, haben zur selben Zeit wie Sie und Ihre Freunde in dieser Gegend gezeltet. Sie machten ungefähr um achtzehn Uhr am Sugartop Summit Rast, etwa eine Stunde, beschlossen dann, zum zweieinhalb Meilen entfernten Beaver Creek weiterzugehen, wo sie gegen zwanzig Uhr dreißig eintrafen. Matthew Church bestätigte, dass er dann eine Weile herumgelaufen ist, um Feuerholz zu suchen, bis seine Taschenlampe ausging. Er schaffte es, den Campingplatz wiederzufinden, wo er etwa um dreiundzwanzig Uhr eintraf. Danach gingen die beiden Paare schlafen.« Sie schaute mich an. »Beaver

Creek ist keine fünfhundert Meter von der Stelle entfernt, an der wir die Leiche gefunden haben.«

»Hat er gesagt, dass er Hannah und mich gesehen hat?«

Sie schüttelte den Kopf. »Nicht direkt. Er sagte, er habe Rehe gehört. Aber er hatte drei Bier getrunken, und ich bin mir nicht sicher, ob er überhaupt weiß, was er gesehen oder gehört hat. Ich wundere mich sowieso, dass er sich nicht auch verlaufen hat. Aber Sie haben wahrscheinlich gehört, wie er durchs Unterholz gestolpert ist.«

»Hat er eine Brille?«

Sie überlegte kurz. »Ich glaube, ja.« Mit ernster Miene las sie noch einmal die Seite. »Ja, hier steht's. Goldenes Brillengestell. Er ist kurzsichtig.«

Irgendetwas an der Art, wie sie *kurzsichtig* sagte, ließ mich denken, dass sie log, aber als ich mich unmerklich aufrichtete und versuchte, die Akte doch irgendwie zu lesen, klappte Sergeant Harper sie zu und lächelte – ihre schmalen, rissigen Lippen lösten sich von ihren Zähnen wie Silberpapier von einer Schokoladentafel.

»Ich war auch schon zelten«, sagte sie. »Und es stimmt, wenn man da oben ist, weiß man nicht, was man sieht. Sie haben sie hängen sehen, stimmt's?«

Ich nickte.

»Das Gehirn denkt sich alle möglichen Dinge aus, um sich zu schützen. Vier von fünf Zeugen sind komplett unbrauchbar. Sie vergessen alles. Und später bilden sie sich ein, lauter Sachen gesehen zu haben, die gar nicht da waren. Das nennen wir Zeugentraumatisierung. Natürlich berücksichtige ich sämtliche Zeugenaussagen, aber letzten Endes kann ich nur das berücksichtigen, was ich sehe: die Fakten.«

Ich war nicht böse auf sie, weil sie mir nicht glaubte. Ich verstand sie. Wegen all der anderen, der Rodolphos, Lamonts, Kanita Kays und Miguels und der übrigen Verbrecher, die sie auf frischer Tat ertappte, in schmutzigen Unterhosen, wie sie gerade Cartoons im Fernsehen sahen und Cocoa Puffs futterten, dachte sie, sie wüsste alles, was es über die Welt zu wissen gab. Sie hatte das Innenleben, das Gedärm, die Eingeweide von Sluder County gesehen, und deshalb konnte ihr niemand mehr etwas vormachen, sie wusste schon alles. Vermutlich fanden ihr Mann und ihre Tochter das frustrierend, aber sie tolerierten sie, hörten ihr beim Essen, bei Schinkenscheiben und Erbsen, geduldig zu, nickten stumm und lächelten verständnisvoll. Sie schaute die beiden an und liebte sie, aber sie spürte auch die Kluft zwischen ihnen und sich. Die anderen lebten in einer Traumwelt, in der Welt der Hausaufgaben, der guten Büromanieren und der süßen weißen Milchbärte. Sie, Fayonette Harper, lebte hingegen in der Wirklichkeit. Sie kannte sich aus, sie kannte die Tricks, sie wusste, wo oben und wo unten war, und hatte schon in die dunkelsten, verschimmeltsten Ecken geblickt.

Ich hatte keine Ahnung, was ich noch sagen könnte, um sie zu überzeugen. Ich überlegte mir, ob ich aufstehen sollte, den roten Stuhl umschmeißen und rufen: »Das ist doch wirklich empörend!«, so wie Dad, als er auf der Bank ein Einzahlungsformular ausfüllen wollte und keiner der zehn Stifte dort am Schalter funktionierte. Ein mittelalter Mann erschien immer wie aus heiterem Himmel, zog den Reißverschluss hoch, knöpfte den Knopf zu, stopfte das Hemd in die Hose, strich sich widerspenstige Antennenhaare mit den Handflächen aus der Stirn.

Weil Detective Harper meine Frustration spürte, berührte sie kurz meinen Handrücken und lehnte sich dann wieder zurück. Diese Geste sollte trösten, aber die Wirkung war so, als ob man eine Fünf-Cent-Münze in einen Spielautomaten steckte. Man merkte, dass Sergeant Harper mit Zärtlichkeit und Femininität nicht umgehen konnte. Sie behandelte diese Eigenschaften wie mit Rüschen besetzte Pullis, die ihr jemand zum Geburtstag geschenkt hatte und die sie weder wegwerfen noch tragen konnte.

»Ich weiß Ihren Einsatz durchaus zu schätzen«, sagte sie, und ihre whiskeyfarbenen Augen sahen, schauten hin, beobachteten. »Ich meine, dass Sie hier raus gekommen sind. Dass Sie mit mir reden wollten. Deshalb habe ich beschlossen, mir Zeit für Sie zu nehmen. Dazu bin ich nicht verpflichtet. Der Fall ist abgeschlossen. Mir ist nicht erlaubt, mit irgendjemandem darüber zu reden, außer mit der unmittelbaren Familie. Aber Sie sind gekommen, weil Sie sich Sorgen machen, und das ist sehr nett von Ihnen. Die Welt braucht nette Menschen. Aber ich will ganz offen sein. Wir haben keinerlei Zweifel daran, was mit Ihrer Freundin Hannah Schneider passiert ist. Je schneller Sie das akzeptieren, desto besser.«

Ohne ein weiteres Wort beugte sie sich über den Schreibtisch und nahm ein Blatt Papier sowie einen Kugelschreiber. Ganz schnell zeichnete sie vier detaillierte Skizzen.

(Ich denke oft an diesen Moment zurück, weil ich tief beeindruckt war von Sergeant Harpers simpler Genialität. Wenn doch jeder Mensch, der etwas beweisen will, statt zu rechthaberischen Worten oder zu aggressiven Taten zu greifen, still einen Stift und ein Blatt Papier nehmen und seine Begründungen aufzeichnen würde. Es war schockierend überzeugend. Bedauerlicherweise erfasste ich nicht gleich die ganze Tragweite dieses Schatzes und nahm deshalb die Zeichnung nicht mit, als ich ging. Aus diesem Grund muss ich meine eigene Skizze dessen bringen, was sie gezeichnet hatte und was so gewissenhaft war, dass es, ob absichtlich oder nicht, tatsächlich eine gewisse Ähnlichkeit mit Hannah hatte [Abbildung 26.0].)

»Das sind die Abdrücke, die am Körper zu finden sind, wenn man es mit einem Mord zu tun hat«, erklärte Sergeant Harper und deutete auf die beiden Zeichnungen rechts, den Blick auf mich gerichtet. »Und das kann man nicht verfälschen. Sagen wir, jemand beschließt, einen anderen Menschen zu erwürgen. Er hinterlässt eine Druckspur am Hals, die gerade verläuft, so wie diese hier. Überlegen Sie mal. Die Hände. Oder sagen wir, er nimmt einen Strick. Genau das Gleiche. Meistens gibt es auch Quetschungen oder gebrochene Knorpel, weil der Täter mehr Gewalt anwendet als nötig, wegen des Adrenalins.«

Sie zeigte auf die beiden Skizzen links.

»Und so sieht es aus, wenn jemand Selbstmord begeht. Sehen Sie? Der Strick ist ein umgekehrtes V – von der Hängeposition, weil der Strick nach oben gezogen wurde. Normalerweise gibt es keine Kampfspuren an Händen oder Fingernägeln oder am Hals, es sei

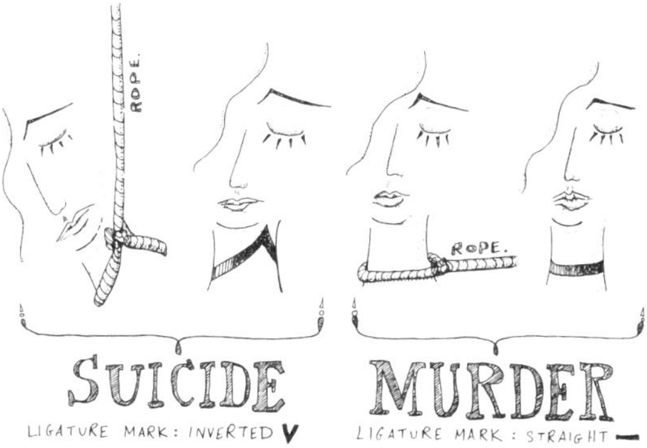

Abbildung 26.0

denn, die Person hat es sich zwischendurch anders überlegt. Manchmal versuchen die Selbstmörder, sich wieder aus der Schlinge zu befreien, weil es so wehtut. Wissen Sie, die meisten Leute machen es nicht richtig. Beim Tod durch Erhängen, so wie früher, musste man direkt nach unten fallen, zwei oder drei Meter, dadurch wurde das Genick gebrochen. Aber der durchschnittliche Selbstmörder springt von einem Stuhl, der Strick ist an einem Deckenbalken oder einem Haken befestigt, so fällt der Betreffende nur einen halben oder höchstens einen Meter. Das genügt nicht, um ihm das Genick zu brechen – das heißt, er erstickt. Das dauert ein paar Minuten. Und genau das hat Ihre Freundin Hannah gemacht.«

»Ist es möglich, jemanden zu ermorden und dabei so ein umgekehrtes V hinzukriegen?«

Detective Harper lehnte sich in ihrem Stuhl zurück. »Es ist möglich. Aber unwahrscheinlich. Man muss dafür sorgen, dass das Opfer vorher ohnmächtig ist, vielleicht. Und es dann aufhängen. Oder es überraschen. Ein Berufskiller, wie im Kino.« Sie lachte. Dann warf sie mir einen misstrauischen Blick zu. »Aber das ist *nicht* passiert, verstehen Sie?«

Ich nickte. »Sie hat ein elektrisches Kabel verwendet?«

»Das kommt relativ häufig vor.«

»Aber sie hatte kein elektrisches Kabel dabei, als sie noch bei mir war.«

»Wahrscheinlich hatte sie es in ihrer Hüfttasche. Die Tasche war leer, bis auf einen Kompass.«

»Gibt es einen Abschiedsbrief?«

»Nein, sie hat keinen Brief hinterlassen. Nicht alle Leute schreiben etwas. Menschen, die keine Familie haben, schreiben meistens nichts. Sie war eine Waise. Sie ist im Horizon House aufgewachsen, einem Waisenhaus in New Jersey. Sie hatte niemanden. Sie hatte noch nie jemanden.«

Ich war so überrascht, dass ich erst einmal gar nichts sagen konnte. Wie ein unerwartetes Ergebnis im Physikpraktikum löschte diese Mitteilung gnadenlos alles aus, was ich über Hannah gedacht hatte. Klar, sie hatte uns nie etwas über ihre Vergangenheit erzählt (außer ein paar Anekdoten, die sie vor uns baumeln ließ, wie Würstchen vor hungrigen Hunden, und die sie dann schnell wieder wegschnappte), aber ich hatte angenommen, dass ihre Kindheit aus Segelbooten, Häusern am See und Pferden bestanden hatte, aus einem Vater mit Taschenuhr, einer Mutter mit knochigen Händen, die das Haus nie ohne ihr Gesicht verließ (eine Kindheit, die in meinem Kopf lustigerweise zum Teil deckungsgleich mit der Kindheit meiner Mutter war).

Ich hatte mir diese Vergangenheit nicht einfach nur ausgedacht – oder? Nein, die Art, wie Hannah ihre Zigaretten anzündete, wie sie ihr Profil wie eine teure Vase zur Schau stellte, wie sie jedes Sofa in eine Chaiselongue verwandelte, wie sie träge die Wörter für ihre Sätze auswählte, als würde sie Schuhe aussuchen – all das deutete, wenn auch unverbindlich, darauf hin, dass sie aus besserem Hause kam. Außerdem war da noch die lärmende Rhetorik im Hyacinth Terrace – *»Es dauert Jahre, diese Konditionierung umzukrempeln. Ich hab's mein ganzes Leben lang versucht«* – Wörter, die symptomatisch für die »Wartezimmer-Selbstgerechtigkeit« waren, aber auch für eine von Dads Formulierungen, für das »Aufgeblasene Milliardärs-Schuldgefühl«, das immer nur »schlampig und kurzlebig war«. Und selbst in Cottonwood, als Hannah mit Doc in Zimmer 22 des Country Styles Motels verschwunden war, da hätte man ohne weiteres denken können, dass sie sich in ihre Opernloge in der Scala begab, um sich Mozarts *Così fan tutte* (1790) anzusehen, so kerzengerade war ihr Rückgrat, so stilvoll der Winkel ihres Kinns.

Sergeant Harper deutete mein Schweigen als widerstrebendes Eingeständnis. »Sie hatte es früher schon einmal versucht«, fuhr sie fort. »Genau auf die gleiche Art. Mit einem Verlängerungskabel. Auch im Wald.«

Ich starrte sie fassungslos an. »*Wann*?«

»Kurz bevor sie von zuhause weggegangen ist. Mit achtzehn. Sie ist fast gestorben.«

Mit ernster Miene beugte sich Harper vor, ihr großes Gesicht war nur ein paar Zentimeter von meinem entfernt. »Also« – sie kam noch näher, ihre Stimme war heiser – »ich habe Ihnen jetzt mehr als genug gesagt. Und Sie müssen mir gut zuhören. Immer und immer wieder habe ich erlebt, wie unschuldige Menschen an so etwas kaputtgehen. Und das ist nicht gut. Weil sie nichts getan haben. Was passiert ist, ist etwas zwischen dieser Person und Gott. Sie gehen jetzt am besten wieder nach Hause und leben Ihr Leben weiter und denken nicht mehr daran. Sie war Ihre Freundin, und Sie wollen ihr helfen. Aber ich sage es Ihnen klipp und klar: Sie hat es die ganze Zeit geplant. Und sie wollte, dass ihr sechs dabei seid. Verstehen Sie mich?«

»Ja.«

»Jemand, der unschuldigen Kindern so etwas antut, hat es nicht verdient, dass man sich seinetwegen in etwas hineinsteigert, verstanden?«

Ich nickte.

»Gut.« Sie räusperte sich, nahm Hannahs Akte und räumte sie zurück in den Aktenschrank.

* * *

Eine Minute später gingen Dad und ich zum Auto. Eine schwere Sonne hing über der Main Street und verwandelte sie in einen Komposthaufen aus glitschigen Schatten, die von den aufgeheizten Autos am Straßenrand herunterfielen, von den dürren Parkschildern und von dem Fahrrad, das, an eine Bank angeschlossen, auf der Seite lag.

»Ich nehme an, jetzt ist alles in Ordnung?«, fragte Dad fröhlich. »Der Fall ist abgeschlossen?«

»Weiß ich nicht.«

»Wie hat die Orange dich behandelt?«

»Sie war nett.«

»Es sah so aus, als würdet ihr zwei euch angeregt unterhalten.«

Ich zuckte die Achseln.

»Weißt du, ich glaube nicht, dass ich je eine Frau gesehen habe, die so obszön orangerot war. Meinst du, ihre Haare kommen naturgegeben in dieser Karottenfarbe aus der Kopfhaut heraus? Oder denkst du, es ist eine spezielle Superoxidspülung, die man sich kauft, weil man insgeheim hofft, die Menschen vorübergehend blenden zu können? Eine Polizeiwaffe, die sie einsetzt gegen die Zügellosen und Verkommenen.«

Er wollte mich zum Lachen bringen, aber ich überschattete nur die Augen mit der Hand und wartete, bis er den Wagen aufgeschlossen hatte.

Die Geschichte der Justine oder Die Nachteile der Tugend

Die Trauerfeier für Hannah, die am folgenden Freitag, dem 16. April, stattfand, war ein mieser Witz. Sie wurde in St. Gallway abgehalten, also gab es keinen Sarg. Am Dienstag verkündete Havermeyer das Datum der Feier (und dass wir anschließend keinen Unterricht mehr hätten, ein Hannah-Feiertag). Mit einer Stimme, die ganz nach Epilog oder Nachwort klang, erklärte er außerdem, dass Hannah in New Jersey begraben worden sei. (Was für eine trostlose Vorstellung. Ich hatte Hannah nie auch nur das Wort *New Jersey* aussprechen hören.)

Und deshalb waren an dem Tag nur wir da, die Schüler, die Lehrer, in erdfarbene Töne gekleidet, die St.-Gallway-Chorgesellschaft (siebzehn eintönige Jugendliche, die vor Kurzem das Wort *Gesellschaft* an ihren Namen angehängt hatten, um exklusiver zu klingen) und der Teilzeit-Kaplan von St. Gallway, der weder Pastor Alfred Johnson noch Prediger Johnson oder Evangelist Johnson war, sondern der sterilisierte und pasteurisierte *Mr* Johnson. Angeblich hatte er das theologische Seminar besucht, aber »als was«, wusste niemand. Er war ein Pfarrer unbekannter Konfession, eine Wahrheit, die er auf Direktor Havermeyers Anweisung hin bei seiner Freitagmorgenansprache nicht bekannt geben durfte und auf die er nicht einmal indirekt anspielen sollte, um nicht die Gefühle des *einen* Schülers zu verletzen, dessen Eltern Mormonen waren (Cadence Bosco). In der Zulassungsbroschüre für St. Gallway, *Je höher, desto besser – High School auf höchstem Niveau*, wurde die zweistöckige Kapelle als »heiliger Raum«

bezeichnet, der mit keiner bestimmten Religion verbunden war (allerdings gab es während der Weihnachtszeit immer »säkulare Botschaften«). Die Kapelle war einfach nur ein »Haus des Glaubens«. Welcher Glaube gemeint sein könnte, blieb jedem selbst überlassen. Ich nehme nicht an, dass Mr Johnson es wusste. Mr Johnson trug keinen Talar, sondern Khakihosen und ein kurzärmeliges Polohemd in Waldgrün und Königsblau – er sah aus wie ein Golfcaddie. Und als er über die Höhere Macht redete, verwendete er Begriffe wie *beglückend, stärkend* und *lebensverändernd*. Diese Macht war etwas, was einem »über die schweren Zeiten hinweghalf« und wozu jeder »mit ein bisschen Anstrengung, Beharrlichkeit und Vertrauen« Zugang finden konnte. Gott war eine Reise nach Cancun.

Ich saß zwischen den anderen Schülern des Abschlussjahrgangs in der zweiten Reihe und starrte in das Theaterstück, das ich mitgebracht hatte, *Ein Mond für die Beladenen* (O'Neill, 1943), um jeden Blickkontakt mit den Bluebloods zu vermeiden. Außer Jade und Nigel (den seine Mutter eines Morgens direkt vor dem Volvo abgesetzt hatte – aber ich hatte das Aussteigen hinausgezögert, indem ich den Reißverschluss an meinem Rucksack so lang auf- und zumachte, bis Nigel in Hanover Hall verschwunden war) hatte ich keinen von ihnen gesehen.

Ich hörte hier und da Gerüchte: »Ich weiß gar nicht mehr, was ich früher an Milton gefunden habe«, sagte Macon Campins in Englisch. »In Biologie hab ich neben ihm gesessen, aber er sieht überhaupt nicht mehr heiß aus.« »Genau deswegen hat ja Joalie mit ihm Schluss gemacht«, sagte Engella Grand. Während der Morgenansprache und während des Mittagessens (die Situationen, bei denen ich hoffte, einen kurzen Blick auf sie werfen zu können, so wie Dad und ich beim Screamfest Fantasy Circus in den Wohnwagen der kleinsten Mannfrau der Welt gespäht hatten) –, nie waren sie zu sehen. Ich konnte nur vermuten, dass ihre Eltern irgendeine Vereinbarung mit Mr Butters getroffen hatten und dass alle fünf von morgens bis abends einen strikten Therapieplan mit Deb Cromwell einhalten mussten. Deb, eine kleine Frau mit gelblichem Teint, mit langsamen Bewegungen und fetthaltigen Worten (eine wandelnde Camembertecke), hatte sich in Raum 109 in Hanover Hall eingenistet, verschiedene Poster aufgehängt und Papp-Displays aufgestellt. Wenn ich auf dem Weg zu meinem Mathematikkurs an ihrem Raum vorbeiraste, sah ich, dass Deb immer allein dort herumsaß (es sei denn, Mirtha Grazeley schaute mal vorbei, aber vermutlich aus Versehen – angeblich verwechselte sie ihr Büro oft mit anderen Räumen in Hanover Hall, sogar mit der Herrentoilette) und ihre eigenen Depressionsheftchen studierte.

Jetzt begann die Chorgesellschaft auf der Empore hinter uns zu singen, »Ruhm, Lob und Ehr'«, und die Bluebloods waren immer noch nicht da. Ich überlegte schon, ob sie vielleicht wieder in Debs Zimmer festsaßen und Deb sie für die Freuden des Sich-selbst-Annehmens und des Loslassens erwärmte, da kam Deb selbst, ein klebriges Lächeln auf dem Gesicht, in die Kapelle gerannt, zusammen mit Ms Jarvis, der Schulkrankenschwester. Die beiden quetschten sich in die Reihe, in der Havermeyer mit seiner Frau Gloria saß, die so ungeheuer schwanger war, dass sie aussah, als würde sie von einem Felsbrocken zu Boden gedrückt.

Dann hörte ich jemanden ächzen – es war Donnamara Chase, die hinter mir saß; sie brauchte Riechsalz –, und so gut wie alle Schüler und auch ein paar Lehrer drehten sich um, weil sie sehen wollten, wie die fünf einzogen, im Gänsemarsch und selbstverliebt (siehe *Abbey Road*, The Beatles, 1969). Sie waren von Kopf bis Fuß schwarz gekleidet. Milton und Nigel sahen aus wie Ninjas (der eine XS, der andere XL); Leulah wirkte in ihrem hochgeschlossenen Chiffonkleid mit dem langen Rock etwas vampirmäßig. Jade machte völlig hemmungslose Anleihen bei Jackie Kennedy in Arlington, dem Militärfriedhof, auf dem JFK begraben wurde (eine untertassengroße Sonnenbrille und eine alte schwarze Krokodillederhandtasche ersetzten den Schleier und John-John). Charles war der verkohlte Elefant, der die Nachhut bildete. Er trug ebenfalls Schwarz, aber der gigantische Gipsverband an seinem linken Bein (Knöchel bis Oberschenkel) stakste hervor wie ein riesiger Elfenbeinzahn. Als ich ihn auf Krücken daherhumpeln sah, den Blick wütend gesenkt, schrecklich bleich, das Gesicht schweißnass (goldene Haare klebten o-förmig auf seiner Stirn, wie aufgeweichte Frühstücksflocken in der Schüssel), wurde mir ganz übel – nicht, weil ich nicht bei ihnen war und weil ich nicht schwarz trug (ich hatte nicht genug über mein Outfit nachgedacht und trug ein blöd geblümtes Fähnchen), sondern weil er so völlig anders aussah als an dem Tag, als ich ihn das erste Mal gesehen und er mir bei der Morgenansprache auf die Schulter getippt hatte, damals, vor vielen Monaten. Er war ein anderer Mensch. Damals war er ein *Goodnight Moon* gewesen (Brown, 1947), aber jetzt war er ein *Wo die wilden Kerle wohnen* (Sendack, 1963). Er sah geschrumpft aus, wie diese Tankwarte an den trockenen, staubigen Straßen, die Benzin pumpen, ohne den Blick klar auszurichten, und deren Haut aussieht, als hätten sie sich hastig ein altes Laken über die Knochen geworfen.

Die Bluebloods zwängten sich in die Reihe vor mir.

»Wir haben heute an diesem heiligen Ort Zuflucht genommen, um zu trauern und um zu danken«, begann Mr Johnson auf der Kanzel. Er leckte sich die Lippen, während er auf sein Manuskript schaute. (Er leckte sich immer die Lippen; sie waren wie Kartoffelchips, salzig und süchtig machend.) »Seit unsere geliebte Hannah Schneider vor mehr als drei Wochen von uns gegangen ist, gab es überall in unserer Gemeinde nachhaltige Zeichen des Respekts, Worte voller Wärme und Zuneigung, Geschichten, wie sie, in großen und in kleinen Dingen, unser Leben beeinflusst hat. Heute sind wir hier versammelt, um unserem Dank dafür Ausdruck zu geben, dass wir mit einer so außergewöhnlichen Lehrerin und Freundin gesegnet waren. Wir sind dankbar für ihre Güte, ihre Menschlichkeit, ihre Anteilnahme, für ihren Mut auch unter widrigen Umständen und für die überwältigende Freude, die sie so vielen von uns geschenkt hat. Das Leben währet ewiglich, die Liebe endet nie, und der Tod ist nichts anderes als ein neuer Horizont, und ein Horizont ist nichts anderes als eine Grenzlinie, hinter die wir noch nicht blicken können.«

Johnson redete immer weiter, verteilte dabei den Augenkontakt gleichmäßig auf drei Drittel der Gemeinde, mechanisch und zuverlässig wie eine Beregnungsanlage, was er höchstwahrscheinlich bei irgendeiner Fortbildung gelernt hatte. Wie hält man eine fesselnde Predigt, mit der man alle anspricht und in jedem ein Gefühl der Zusammengehörigkeit und der universellen Menschlichkeit weckt. Die Ansprache war nicht grässlich, aber sie hatte überhaupt nichts mit Hannah zu tun. Sie strotzte nur so vor Sätzen wie »Sie war das Licht« und »Sie hätte sich gefreut«, ohne dass etwas aus Hannahs *realem* Leben vorkam, diesem Leben, vor dem Havermeyer und der Rest der Verwaltung sich jetzt gewaltig fürchteten, als hätten sie insgeheim in Elton House Asbest entdeckt oder herausgefunden, dass Christian Gordon, der Chefkoch von St. Gallway, an Hepatitis A litt. Fast konnte ich das Konzept auf dem Podium vor mir sehen (*bitte den Namen des/der Verstorbenen hier eintragen*) (siehe www.123eulogy.com, #8).

Als die Predigt vorbei war, legte die Chorgesellschaft wieder los, ein bisschen schief sangen sie: »Komm zu uns, o Liebe, du Göttliche«, und die Schüler verließen die Bänke, lächelnd, lachend, die Krawatten lockernd, die Pferdeschwänze festzurrend. Ich warf einen letzten verbotenen Blick auf die Bluebloods, schockiert, weil sie noch dasaßen und ihre Gesichter ganz versteinert waren. Sie hatten während Johnsons Ansprache kein einziges Mal getuschelt oder das Gesicht verzogen, obwohl Leulah, als hätte sie meinen Blick gespürt, ganz abrupt ihr Spitzendeckchengesicht zu mir umdrehte, als Eva Brewster einen Psalm vorlas. Sie hatte die Zähne so fest aufeinandergepresst, dass ihre Wangen Dellen bekamen, und mir *direkt* ins Gesicht geschaut. (Aber gleich darauf hatte sie sich in einen von diesen Highway-Fensterglotzern verwandelt: Dad und ich überholten sie ständig im Volvo, sie schauten immer an uns vorbei auf irgendetwas, was unendlich viel interessanter war als unsere Gesichter: das Gras, die Reklametafeln, der Himmel.)

Havermeyer ging den Gang hinunter, mit einem bleiernen Lächeln, ohne jede Freude dahinter, und rollte Gloria neben sich her, der wiederum Mr Johnson folgte, vergnügt wie Fred Astaire, wenn er mit einem flotten Mädel Foxtrott tanzte (»Have a great day everybody!«, sang er). Sie sagten alle drei kein Wort und schoben das Kinn in dem gleichen Winkel wie Hannah vor, wenn sie mit ihrem Weinglas zu Peggy Lees »Fever« einen Salsa aufs Parkett legte (oder beim Abendessen, wenn sie so tat, als würde sie sich für die endlosen Geschichten interessieren). In dem Moment erhoben sich die Bluebloods, einer nach dem anderen, schritten den Gang entlang und verschwanden in dem hellen, milden Tag, der sie draußen erwartete.

* * *

Ich hatte vergessen, Dad zu sagen, dass es nur ein halber Schultag war, also lief ich durch den verlassenen Flur in Hanover Hall zum Münzfernsprecher.

»Olives!«, rief jemand hinter mir. »Warte mal.«

Es war Milton. Der Gedanke, mit ihm reden zu müssen, begeisterte mich nicht gerade – bestimmt musste ich wieder wer weiß welche Beschimpfungen über mich ergehen lassen, ausgelöst durch die lauwarme Trauerfeier –, aber ich zwang mich, stehen zu bleiben. »Tritt nie den Rückzug an, es sei denn, der Tod ist dir gewiss«, schrieb Nobunaga Kobayashi in *Wie kämpft ein Shogun* (1989).

»Hey«, sagte er mit seinem typischen trägen Lächeln.

Ich nickte nur.

»Wie geht's denn so?«

»Großartig.«

Er zog die Augenbrauen hoch und vergrub seine großen Pranken in den Taschen. Wie immer nahm er sich beim Reden viel Zeit. Der Aufstieg und Fall einer ganzen Ming-Dynastie passte zwischen das Ende eines Satzes und den Anfang des nächsten.

»Ich wollte mit dir reden«, sagte er.

Ich sagte kein *Wort*. Sollte doch der Ninja sprechen. Sollte *er* doch nach ein paar Sätzen suchen.

»Tja.« Er seufzte. »Ich kann's mir nicht vorstellen, dass sie sich umgebracht hat.«

»Nicht schlecht, stiller Mann. Vielleicht solltest du diesen Gedanken einfach zu einer Schlinge knoten und ausprobieren, ob er stark genug ist, um dich damit zu erhängen?«

Er schaute mich verdutzt an, vielleicht sogar bestürzt. Dad sagte, jemanden in Bestürzung zu versetzen sei fast unmöglich in diesen abgeschmackten Zeiten, »in denen abartiger Sex alltäglich ist« und »ein Exhibitionist im Trenchcoat in einem öffentlichen Park so gängig wie ein Maisfeld in Kansas«, aber ich glaube, bei diesem Knaben hatte ich es geschafft – und zwar nicht zu knapp. Auf meine toughe Rancher-Stimme war er offensichtlich nicht gefasst gewesen. Er war die *neue* Blue noch nicht gewöhnt, die »Der Eroberer«-Blue, die »Man nennt mich Hondo«-Blue, »König von Pecos«-Blue, die »Show-down am Adlerpass«-Blue, die wolfskindmäßige »Die Spielhölle von Wyoming«-Blue, die »Lucky Texan in Gefahr«-Blue, die »Lady aus Louisiana«, die aus der Hüfte schießen konnte, aufrecht im Sattel saß und den einsamen Pfad entlangritt. (Offensichtlich hatte er nicht *Kies* [Reynolds, 1974] gelesen. Da sagt das nämlich Buckeye Birdie zu Shortcut Smith.)

»Wollen wir von hier abhauen?«, fragte Milton.

Ich nickte.

* * *

Ich nehme an, jede/r hat sein/ihr Sesam-öffne-dich, sein/ihr Abrakadabra oder Hey-Presto, irgendein Wort, Ereignis, unvorhersehbares Zeichen, das einen umhaut, das bewirkt, dass man sich entweder auf Dauer oder kurzfristig völlig anders verhält als sonst, aus heiterem Himmel, ohne jeden Grund. Ein Rollladen wird hochgezogen, eine Tür öffnet sich knarrend, und ein Junge verwandelt sich von einem Trottel in einen Glamourboy. Und Miltons Hokuspokus, sein Zentralschlüssel war ein Satz aus Mr Johnsons allgemeingültiger Rede gewesen, aus dieser Rede, von der Dad gesagt hätte, sie sei so »ergreifend wie eine Wand aus Hohlziegeln« und beweise nur, dass das »Hallmark-Fieber neuerdings auch unsere Politiker und unsere offiziellen Vertreter erfasst hat. Wenn sie reden, kommen gar keine richtigen Wörter heraus, sondern Sommernachmittage mit endloser Sonne und einer lauen Brise und zirpenden Indianermeisen, die man am liebsten mit einer Pistole abknallen würde.«

»Als er das gesagt hat, dass Hannah wie 'ne Blume ist«, sagte Milton, »wie 'ne Rose und so, da war ich irgendwie gerührt.« Sein kräftiger rechter Arm rollte wie ein Baumstamm auf dem Lenkrad herum, als er den Nissan zwischen den Autos hindurch aus dem Schülerparkplatz herausmanövrierte. »Da konnte ich nicht mehr wütend sein wegen allem, was passiert ist, und schon gar nicht wütend auf dich, Olives. Ich hab ihnen gesagt, es war nicht deine Schuld, aber die wollen das einfach nicht einsehen.«

Er lächelte. Es war, als würde eins dieser Freizeitpark-Wikingerschiffe auf sein Gesicht gesegelt kommen, das ein paar Sekunden lang fast vertikal in der Luft hing und dann wieder zurückpendelte. Liebe, oder genauer gesagt, Verliebtheit (»Bei den Wörtern, mit denen du deine Gefühle ausdrückst, musst du genauso gut aufpassen wie beim Formulieren deiner Doktorarbeit«, sagte Dad), gehörte zu diesen unzuverlässigen, instabilen Gefühlen. Nach allem, was geschehen war, erwartete ich nicht, dass ich noch etwas für Milton empfinden würde, nicht mehr; ich nahm an, dass meine Zuneigung die Stadt verlassen hatte. Aber jetzt lächelte er, und da waren sie wieder: Die alten, verschwitzten Gefühle kamen die Straße entlanggeschlendert und warteten darauf, dass ich sie an der Bushaltestelle abholte, in ihren verwaschenen Netzhemden, den Cowboyhut auf dem Kopf, die Muskeln glatt und mit beängstigenden Einbuchtungen.

»Hannah hat zu mir gesagt, ich soll mit dir zu ihr fahren, wenn wir von dem Campingausflug zurückkommen. Ich hab gedacht, wir machen das jetzt, wenn's dir recht ist.«

Ich schaute ihn verwirrt an. »Wie bitte?«

Er ließ meine Frage mindestens dreißig Sekunden lang am Dock sitzen, bevor er antwortete.

»Du weißt doch, dass Hannah sich mit jedem von uns einzeln unterhalten hat, als wir da raufgewandert sind?«

Ich nickte.

»Da hat sie das gesagt. Ich hab gar nicht mehr dran gedacht, bis vor ein paar Tagen. Und jetzt –«

»Was hat sie gesagt?«

»›Bring Blue zu mir, wenn ihr zurückkommt. Aber nur ihr zwei.‹ Sie hat es dreimal gesagt. Weißt du noch, wie verrückt sie an dem Tag war? Wie sie uns rumkommandiert hat und wie sie da oben vom Aussichtspunkt runtergeschrien hat? Als sie das gesagt hat, hab ich sie irgendwie gar nicht erkannt. Sie war *gemein*. Aber ich hab nur gelacht und gesagt: ›Versteh ich nicht. Du kannst doch Blue *immer* zu dir einladen.‹ Aber sie hat nicht richtig geantwortet, sondern nur das Gleiche nochmal gesagt. ›Bring Blue zu mir, wenn ihr zurückkommt. Du verstehst es dann schon.‹ Ich musste schwören, dass ich es mache und dass ich den anderen nichts davon sage.«

Er stellte das Radio an. Seine Hemdärmel waren bis zu den Ellbogen hochgekrempelt, und als er einen anderen Gang einlegte, wurden die süßen Zehen des Tattoo-Engelchens sichtbar, wie ein Muschelrand, der aus dem Sand lugt.

»Das Komische war nur«, fuhr er mit seiner Büffelstimme fort, »dass sie *ihr* gesagt hat. Wenn *ihr* zurückkommt. Nicht, wenn *wir* zurückkommen. Na ja, ich hab viel über das *ihr* nachgedacht. Es kann nur eines heißen. Sie hat gar nicht vorgehabt, mit uns zurückzukommen.«

»Ich dachte, du kannst dir nicht vorstellen, dass sie Selbstmord begangen hat.«

Er schien das eine ganze Weile durchzukauen wie Kautabak und blinzelte dabei in die Sonne, klappte die Sonnenblende herunter. Wir waren inzwischen auf dem Highway, bretterten durch den immer dichter werdenden Sonnenschein und die platten Schatten der steif und starr auf dem Seitenstreifen stehenden Bäume. Sie reckten ihre Zweige hoch in die Luft – als wüssten sie die Antwort auf eine wichtige Frage und würden hoffen, gleich aufgerufen zu werden. Der Nissan war alt, und wenn Milton schaltete, krachte und knackte das Getriebe wie eins dieser ausgehungerten Motelbetten, die man mit Vierteldollarmünzen fütterte, was ich zwar noch nie gesehen hatte – aber Dad behauptete, er habe im nördlichen Tschad in einem Radius von einer Meile sieben Stück gesehen. (»Es gibt da weder fließendes Wasser noch Toiletten, aber sie haben Betten, die schnurren.«)

»Sie hat sich bei diesen Gesprächen eindeutig von uns verabschiedet«, sagte er und räusperte sich. »Zu Leulah hat sie gesagt: ›Hab keine Angst davor, dir die Haare abzuschneiden.‹ Und Jade – zu ihr hat sie gesagt: ›Eine Lady muss eine Lady bleiben, auch wenn sie ihr kleines Schwarzes auszieht‹ – was immer das heißen mag. Zu Nigel hat sie gesagt, er solle er selbst sein, und dann noch irgendwas über Tapeten. ›Wechsle die Tapete, so oft du willst, und bohr so viele Dübel in die Wand, wie du brauchst. Du bist es, der da wohnt.‹ Und zu mir hat sie noch was anderes gesagt, bevor sie das mit dir gesagt hat: ›Vielleicht wirst du Astronaut. Vielleicht spazierst du auf dem Mond rum.‹ Und Charles – keiner weiß, was sie zu Charles gesagt hat. Er will es uns nicht sagen. Aber Jade denkt, sie hat ihm gestanden, dass sie ihn liebt. Was hat sie zu dir gesagt?«

Ich antwortete nicht, aber zu mir hatte Hannah ja bekanntlich gar nichts gesagt, keinen einzigen Satz der Ermutigung, auch keinen noch so obskuren oder bizarren (ich will ja Milton nicht beleidigen, aber ich konnte ihn mir, ehrlich gesagt, nicht als Astronauten vorstellen; es war bestimmt gefährlich, wenn ein so großer und kräftiger junger Mann schwerelos durch das Raumschiff schwebte).

»Also, ich will nicht an Selbstmord glauben«, fuhr Milton nachdenklich fort, »weil ich mir dann blöd vorkomme. Aber im Nachhinein passt alles irgendwie zusammen. Sie war immer allein. Diese *Frisur*. Dann die Sache mit diesem Smoke. Dann ihr Ding mit den Lastwagenfahrern, die im Stucky's essen. Es lag auf der Hand. Aber wir haben's nicht gesehen. Wie kann das sein?«

Er schaute mich Hilfe suchend an, aber ich hatte natürlich auch keine richtige Antwort parat. Ich merkte, dass sein Blick im Abfahrtslauf über mein Kleid sauste und irgendwo bei meinen nackten Knien landete.

»Hast du eine Ahnung, wieso sie wollte, dass ich dich zu ihr bringe? Und *allein*?«

Ich zuckte die Achseln, aber die Art, wie er mich fragte, brachte mich auf den Gedanken, ob Hannah, nach meinem gescheiterten Versuch, sie mit Dad zu verkuppeln (man darf nicht vergessen: Das war v. C., vor Cottonwood, oder besser, bevor ich von Cottonwood wusste; n. C. oder nach Cottonwood war ich zu dem Schluss gekommen, dass sie eigentlich schon aus Gesundheitsgründen nichts für Dad war), den Gefallen erwidern wollte und deswegen beschlossen hatte, diesen sexy Satz, mit einem Fragezeichen versehen, in Miltons Brusttasche zu stecken und so dafür zu sorgen, dass Milton und ich uns irgendwann im Laufe des Urknall-Nachspiels des Campingausflugs (ein ganz simples naturwissenschaftliches Prinzip: auf Explosionen folgten Neuanfänge) allein in ihrem leeren Haus befinden würden. Vielleicht hatte sie von Jade oder Lu gehört, dass ich eine Vorliebe für Milton hatte, oder vielleicht war sie ja auch von allein dahintergekommen, weil ich mich bei den Mahlzeiten immer so bescheuert benahm. (Es würde mich nicht wundern, wenn ich während des ganzen Herbst- und Winterquartals mit nervösen Vogelaugen um mich geblickt hätte: Wenn Milton sich auch nur ein bisschen bewegte, flatterte ich schon in die Luft.)

»Hoffentlich hat sie dir einen Koffer mit Bargeld hinterlassen«, sagte Milton und lächelte träge. »Und wenn ich nett bin, teilst du das Geld vielleicht mit mir.«

* * *

Als wir uns Hannahs Haus näherten, vorbei an den Wiesen, den stillen Ställen, den Pferden, die ruhig warteten wie Männer an einer Bushaltestelle (die Sonne hatte ihre Hufe auf das Gras zementiert), vorbei an dem Schraubenbaum und der kleinen Erhebung, bei der Jade mit dem Mercedes immer aufsaß, sodass der Wagen hochging und unsere Mägen sich drehten wie Pfannkuchen, da erzählte ich Milton meine Version der Ereignisse in den Bergen. (Wie bei Jade ließ ich den Teil aus, als ich Hannah tot auffand.)

Er fragte mich, ob ich mir vorstellen könne, was Hannah mir sagen wollte, als sie mich vom Campingplatz wegholte. Ich log und sagte, ich hätte nicht die geringste Ahnung.

Na ja, eigentlich war es keine Lüge. Ich wusste es wirklich nicht. Aber andererseits war ich mitten in der Nacht, in der Bibliothekenstille meines Zimmers an meinem Citizen-Kane-Schreibtisch sitzend (das Licht musste ich immer ausmachen, wenn ich hörte, dass Dad auf der Treppe herumschlich, weil er sich versichern wollte, ob ich schlief), die unendlichen Möglichkeiten bis ins kleinste Detail durchgegangen.

Nachdem ich die Grundlagenforschung abgeschlossen hatte, war ich bei zwei Denkschulen angekommen, die sich aus diesem Rätsel ergaben. (Die Möglichkeit, die Milton mir gerade eröffnet hatte, war noch nicht dabei, nämlich dass Hannah mir ein paar lauwarme Abschiedsgrüße übermitteln wollte – dass ich eines Tages auf dem Mars herumspazieren würde oder dass ich nicht zögern sollte, mein Haus in leuchtenden Farben zu streichen, da ich diejenige war, die dort wohnte –, fade, krümelige Cracker-Phrasen, die sie mir gut hätte sagen können, als wir den Weg entlangwanderten. Nein, ich musste annehmen, dass Hannah mir etwas ganz anderes hatte sagen wollen, lebenswichtiger als alles, was sie den Bluebloods zugewispert hatte.)

Die erste Denkschule war also, dass Hannah mir etwas gestehen wollte. Das war eine attraktive Idee, wenn man an ihre heisere Stimme dachte, an ihre faltermäßig flatternden Augen, die ständigen Ansätze und Unterbrechungen, als würde sie nur sporadisch von Strom betrieben. Und *was* sie gestehen wollte, konnte natürlich alles Mögliche sein, von krass bis verrückt – zum Beispiel ihre Cottonwood-Unternehmungen oder eine zufällige Affäre mit Charles oder dass sie irgendwie Smoke Harvey umgebracht oder eine geheime Verbindung zur Manson-Familie gehabt hatte (auch einer dieser Vorwürfe, die Jade mit aller Macht in die Welt geschleudert hatte, wie die Kugel beim Kugelstoßen, die sie dann wieder vergessen hatte, als sie in die Kabine zurückging, um Dehnübungen zu machen). (Zufällig hatte ich Hannahs Ausgabe von *Blackbird Singing in the Dead of Night* immer noch. Ich hatte das Buch in meiner untersten Schreibtischschublade verstaut. Mir war das Herz stehen geblieben, als ich hörte, wie Dee während der Stillarbeit erzählte, dass Hannah in ihrem Einführungskurs in die Filmgeschichte gefragt hatte, ob jemand ein Buch aus ihrem Schreibtisch genommen habe. »Irgend so ein Buch über Vögel«, fügte Dee achselzuckend hinzu.)

Wenn die Theorie stimmte – dass Hannah mir ein Geheimnis anvertrauen wollte –, dann konnte ich nur vermuten, dass sie *mich* dafür ausgewählt hatte (und nicht, sagen wir mal, Jade oder Leulah), weil ich ungefährlich wirkte. Vielleicht hatte sie auch geahnt, dass ich alles von Scobel Bedlows Jr., gelesen hatte, alle seine Essays über das Fällen von Urteilen; im Grunde liefen sie samt und sonders darauf hinaus, dass man nicht urteilen durfte, solange die »Verwüstung nach innen gerichtet ist, gegen einen selbst, und nicht gegen andere Menschen oder Tiere« (siehe *Wann darf man mit Steinen werfen*, Bedlows, 1968). Hannah schien instinktiv erfasst zu haben, wie Dad tickte, und vielleicht war sie zu dem Schluss gekommen, dass ich eine sehr nachsichtige Person sein musste und mich bemühte, Schwächen und Mängel wie Landstreicher zu behandeln, die man schlafend auf meiner Veranda antraf: Man musste sie mit ins Haus nehmen, vielleicht arbeiteten sie ja für einen.

Die zweite Denkschule – und die war natürlich die viel beängstigendere – war, dass Hannah mir ein Geheimnis über MICH eröffnen wollte.

Ich war die Einzige, die nicht ans Ufer gespült und von Hannah nach einem stürmischen Familienleben aufgelesen worden war. Ich war nicht mit einem älteren Türken durchgebrannt, ich hatte nicht versucht, die Arme um einen Trucker zu schlingen (ohne die Hände auf der anderen Seite wieder zusammenzubringen), ich hatte keine Blackouts, was mein Leben auf der Straße anging, ich hatte keine Junkie-Mutter, und meine Eltern saßen auch nicht in einem Hochsicherheitsgefängnis. Trotzdem fragte ich mich, ob Hannah ein Geheimnis kannte, das bewies, dass ich so war wie die anderen.

Was, wenn Dad gar nicht mein Dad war – nur so als Beispiel? Was, wenn er mich bei einem Spaziergang gefunden hatte? Was, wenn Hannah meine richtige Mutter war, die mich zur Adoption freigegeben hatte, weil Ende der achtziger Jahre niemand heiraten und stattdessen alle mit Rollerskates herumflitzen wollten und Schulterpolster trugen? Oder – was, wenn ich eine zweieiige Zwillingsschwester namens Sapphire hatte, die alles war, was ich nicht war – wunderschön, sportlich, lustig und braun gebrannt, mit einem übermütigen Lachen und nicht mit einem Osmium-Dad gesegnet (das schwerste Metall, das die Menschheit kennt), sondern mit einer Lithium-Mom (das leichteste), die sich nicht als Wanderprofessor und Essayist abrackerte, sondern einfach als Kellnerin in Reno?

Solche paranoiden Was-wenns sorgten mehr als einmal dafür, dass ich in Dads Arbeitszimmer hinunterrannte und leise in seinen Schreibblöcken kramte, seinen unvollendeten Essays und den verblassten Notizen für *Die eiserne Faust*. Ich wollte die Fotos studieren: das Bild von Natasha am Klavier, das Bild von ihr und Dad auf einem Rasen, vor einem Badminton-Netz, Schläger in der Hand, die Arme untergehakt, mit altmodischen Klamotten und altmodischen Gesichtern, sodass sie aussahen wie aus dem Jahr 1946 – als hätten sie gerade den Zweiten Weltkrieg überlebt und befänden sich nicht im Jahr 1986 und würden gerade das Brat Pack und Weird Al überleben.

Diese vergänglichen Fotos sperrten meine Vergangenheit wieder ab, machten sie wasserdicht und undurchdringlich. Allerdings stellte ich Dad immer wieder scheinbar unmotivierte, aber eindringliche Fragen, auf die er mit einem Lachen reagierte.

Dad über unbekannte Zwillinge: »Sag bloß nicht, du hast *Juda der Unberühmte* von Thomas Hardy gelesen.«

Auf dieses Vexierrätsel konnte auch Milton kein neues Licht werfen – warum Hannah *mich* ausgewählt hatte, warum ich nicht bei den anderen war, als Charles versuchte, auf einen Felsvorsprung zu klettern, um ein Gefühl dafür zu bekommen, wo sie sich befanden, um vielleicht einen Hochspannungsmast zu entdecken oder einen Wolkenkratzer mit einem *Motel 6*-Schild, und als er dann »in dieses Grand-Canyon-Dingsda gestürzt ist und so laut gebrüllt hat, dass wir schon dachten, er wird erstochen.« Nachdem ich Milton den Rest meiner Geschichte erzählt hatte, die ich auch ein bisschen auf meine Konfrontation mit Jade in Loomis Hall ausdehnte, schüttelte er nur konsterniert den Kopf.

Inzwischen schlichen wir ganz langsam Hannahs verlassene Zufahrt hinauf.

* * *

Weil mir nichts Besseres einfiel, sagte ich zu Milton – peinlicherweise von Jazlyn Bonnocos *Keine schlüssigen Beweise* (1989) inspiriert –, vielleicht wollte Hannah, dass wir einen Hinweis in ihrem Haus finden, eine Schatzkarte oder alte Briefe, die auf Erpressung oder Betrug hinwiesen – »irgendetwas, wodurch wir mehr über den Campingausflug oder ihren Tod erfahren«, erklärte ich. Wir beschlossen, ihre Sachen durchzugehen, so diskret wie möglich. Und Milton erriet meine Gedanken: »Wir fangen mit der Garage an, einverstanden?« (Ich glaube, wir hatten beide Angst, das Haus zu betreten, weil uns da ihr Gespenst begegnen könnte.) Die Garage, eine Art Holzschuppen für nur einen Wagen, stand in angemessener Entfernung vom Haus. Mit ihrem müden Dach und den verdreckten Fenstern sah sie aus wie eine riesige Streichholzschachtel, die jemand zu lang in der Tasche mit sich herumgetragen hatte.

Ich hatte mir schon Sorgen um die Tiere gemacht, aber Milton sagte, Jade und Lu hätten schon gehofft, sie adoptieren zu können, hätten dann aber erfahren, dass die Tiere jetzt bei Richard lebten, einem Mitarbeiter des Tierheims. Er wohnte auf einer Lama-Farm in Berdin Lake, nördlich von Stockton.

»Es ist schon scheißtraurig«, sagte Milton, als er das Garagentor öffnete. »Weil's ihnen jetzt so geht wie diesem Hund.«

»Welchem Hund?«, fragte ich. Ich schaute hinüber zu Hannahs Veranda, während ich ihm folgte. An der Tür war kein Polizeiabsperrungsband, überhaupt gab es nirgends einen Hinweis, dass jemand hier gewesen war. »Meinst du ›Sein Freund Jello‹?«

Er schüttelte den Kopf und machte das Licht an. Neonlicht erhellte den heißen, rechteckigen Raum. Keine zwei Reifen hätten hier noch reingepasst, geschweige denn ein ganzes Auto, was erklärte, weshalb Hannah ihren Subaru immer vor dem Haus geparkt hatte. Lauter Möbel – fleckige Lampen, kaputte Sessel, Teppiche, Stühle, dazu massenhaft Pappkartons und Campinggerät –, alles hemmungslos aufeinander geworfen, wie Leichen in einem offenen Massengrab.

»Nein, du weißt doch«, sagte Milton und ging um einen der Kartons herum. »Der in der *Odyssee*. Der Hund, der immer auf seinen Herrn wartet.«

»Argos?«

»Ja. Der gute, alte Argos. Er stirbt, oder?«

»Würdest du bitte aufhören? Du machst mich ...«

»Was?«

»Traurig.«

Er zuckte die Achseln. »Hey, hör einfach nicht auf mich.«

* * *

Wir wühlten.

Und je länger wir wühlten, zwischen Rucksäcken, Kisten, Kleiderschränken, Sesseln (Milton war immer noch besessen von seiner Idee, es könnte irgendwo ein Koffer mit Bargeld herumstehen, allerdings glaubte er inzwischen, Hannah hätte die unnummerierten Geldscheine bestimmt in ein Sitzpolster oder in ein Daunenkissen gestopft), desto elektrisierender wurde die Erfahrung des Wühlens (Milton und ich überraschenderweise als das Paar in den Hauptrollen).

Während ich die Stühle und Lampenschirme inspizierte, geschah etwas: Ich stellte mir mich selbst als eine Frau namens Slim, Irene oder Betty vor, eine Frau in einem engen Rock, einem kegelförmigen Büstenhalter, die Haare im Zickzack über einem Auge. Milton war der desillusionierte harte Mann mit weichem Filzhut, blutigen Fingerknöcheln und einem explosiven Temperament.

»*Yep*, wir wollen nur sichergehen, dass die gute Dame uns nichts hinterlassen hat«, sang Milton munter, während er mit einem Schweizermesser, das er vor einer Stunde gefunden hatte, ein orangerotes Sofakissen aufschlitzte. »Wir drehen jeden Stein um. Es würde mir nämlich gar nicht passen, wenn aus ihr ein Oliver-Stone-Film würde.«

Ich nickte und öffnete einen alten Pappkarton. »Wenn man als rätselhafter Fall überall in den Medien ist«, sagte ich, »dann gehört man nicht mehr sich selbst. Jeder stiehlt dich und macht dich zu seiner Sache.«

»O-oh«, machte Milton. Er starrte auf den Hüttenkäseschaumstoff. »Ich hasse Sachen mit offenem Ende. Wie Marilyn Monroe. Was zum Teufel ist mit ihr passiert? War sie zu nah an etwas dran, musste der Präsident sie zum Schweigen bringen? Das ist doch irgendwie verrückt. Dass die Leute einfach jemandem das Leben nehmen können, als wär's –«

»Gratisobst.«

Er grinste. »Genau. Aber vielleicht war's ja auch ein Unfall. Manchmal stehen die Sterne ungünstig. Es ist normal, dass jemand stirbt. Es hätte genauso gut ein Lottogewinn oder ein gebrochenes Bein sein können. Oder vielleicht hat sie gedacht, sie kann nicht weitermachen. Solche Gedanken kennt jeder, aber sie hat beschlossen, danach zu handeln. Ein für alle Mal. Sie zwingt sich dazu. Weil sie denkt, dass sie es verdient hat. Und ein paar Sekunden später weiß sie vielleicht schon, dass es nicht stimmt. Sie will es rückgängig machen. Aber es ist zu spät.«

Ich schaute ihn fragend an. Redete er von Marilyn oder von Hannah?

»So ist das immer.« Er legte das Sitzkissen wieder weg, nahm einen Aschenbecher, drehte ihn um, betrachtete die Unterseite. »Man weiß nie, ob es eine Verschwörung ist oder ob die Sachen eben so laufen – ich weiß auch nicht, eine der ...«

»Lustigen Launen des Lebens?«

Sein Mund stand offen, aber er redete nicht weiter, weil ihn offensichtlich dieser Dadismus, den ich schon immer ziemlich nervig fand, aus dem Gleis geworfen hatte (es war eine Phrase, die man in seinen Notizen für die *Eiserne Faust* finden konnte, wenn man genug Geduld hatte, um sich durch seine Handschrift zu quälen). Er zeigte auf mich.

»Das ist gut, Olives. Das ist *sehr* gut.«

Ich lief kreuz und quer, machte Umwege, fiel aus der Vergangenheit heraus.

Nachdem wir zwei Stunden gesucht hatten, waren wir zwar noch nicht auf eine heiße Spur gestoßen, aber wir hatten lauter verschiedene Hannahs ausgegraben – Schwestern, Kusinen, zweieiige Zwillinge und Stiefkinder der Hannah, die wir gekannt hatten. Da war die Haight-Ashbury-Hannah (alte Platten von Carole King, Bob Dylan, ein Bong, Tai-Chi-Hefte, ein verblasstes Flugblatt für eine Friedensdemonstration im Golden Gate Park am 3. Juni 1980), Hannah, die Stripperin (es war mir nicht angenehm, diese Kiste durchzugehen, aber Milton fand Büstenhalter, Bikinis, einen Unterrock mit Zebrastreifen, ein paar kompliziertere Gegenstände, für deren Anwendung man eine Gebrauchsanweisung brauchte), auch eine Handgranaten-Hannah (Springerstiefel, noch mehr Messer) sowie Hannah, die von den verschwundenen Personen besessen war (der Ordner mit fotokopierten Zeitungsartikeln, den Nigel gefunden hatte – er hatte allerdings mit der Angabe »mindestens fünfzig Seiten« ziemlich übertrieben, es waren nur neun). Mir gefiel am besten die Madonna-Hannah, das *Material Girl* in einem alten Pappkarton.

Unter einem verschrumpelten Basketball, zwischen Nagellack, toten Spinnen und anderem Müll, fand ich ein verblasstes Foto von Hannah mit kurzgeschnittenen, stacheligen roten Haaren. Sie hatte glitzernden lilafarbenen Lidschatten aufgetragen, bis zu den Augenbrauen. Sie sang auf einer Bühne, das Mikro in der Hand, in einem gelben Plastikminirock, dazu käfergrün-und-weiß gestreifte Strumpfhosen und eine schwarze Korsage, die aussah wie aus Plastiksäcken oder alten Autoreifen gebastelt. Sie war offenbar mitten in einem Ton, ihr Mund stand *weit* offen – man hätte ein Hühnerei hineinstecken können, es wäre verschwunden.

»Heilige Scheiße«, ächzte Milton, als er das Foto sah.

Ich drehte es um, aber hintendrauf stand nichts, kein Datum.

»Das ist sie doch, oder?«, fragte ich.

»Allerdings. Ich fass es nicht!«

»Was denkst du – wie alt ist sie da?«

»Achtzehn? Zwanzig?«

Sogar mit ihren jungenhaft kurzen roten Haaren, mit dem clownshaften Make-up, mit den verkniffenen Augen (sie guckte krachwütend), war sie immer noch wunderschön. (Vermutlich ist das bei absoluter Schönheit einfach so: wie Teflon, unzerstörbar.)

* * *

Nachdem ich das Foto gefunden hatte, sagte Milton, jetzt sei es Zeit fürs Haus.

»Geht's dir gut, Olives? Kann's losgehen?«

Er wusste, dass unter dem Geranientopf auf der Veranda ein Ersatzschlüssel versteckt war, und als er den Schlüssel in das Schloss steckte, streckte er seine linke Hand plötzlich nach hinten, tastete nach meinem Handgelenk, drückte und ließ es wieder los (eine banale Geste, wie mit einem Anti-Stress-Ball, aber mein Herz hüpfte, stöhnte aufgeregt »Ahh« und fiel dann in Ohnmacht).

Wir schlichen hinein.

Komischerweise machte uns das Haus keine Angst – überhaupt keine. Ohne Hannah hatte es irgendwie die feierlichen Eigenschaften einer untergegangenen Zivilisation angenommen. Es war Machu Picchu, Teil des antiken Partherreichs. Wie Sir Blake Simbel in seinen Memoiren *Unter dem Blau* (1989) schreibt, als er ausführlich auf die Bergung der *Mary Rose* eingeht, sind untergegangene Zivilisationen nie beängstigend, sondern eher faszinierend, »zurückhaltend und voller Rätsel, ein diskretes Zeugnis dafür, dass die Erde und die Dinge das menschliche Leben überdauern« (S. 92).

Nachdem ich für Dad die Nachricht hinterlassen hatte, dass mich jemand mit dem Auto nach Hause bringen würde, begannen wir mit der Ausgrabung des Wohnzimmers. In gewisser Weise war es, als sähen wir den Raum zum ersten Mal, denn ohne die Ablenkung durch Nina Simone oder Mel Tormé, ohne dass Hannah selbst in ihren abgetragenen Kleidern durch die Gegend schwebte, nahm ich die Dinge ganz anders wahr: den leeren Notizblock und den Kuli in der Küche (Boca Raton stand in verblasster Schrift darauf) unter dem Telefon aus den sechziger Jahren (an derselben Stelle und dieselbe Art Notizblock wie der, auf den Hannah angeblich *Valerio* gekritzelt hatte, aber leider waren auf der Seite keine aufschlussreichen Druckstellen, über die ich mit einem Bleistift hätte schraffieren können, wie das die Detektive im Fernsehen immer so toll machen). Im Esszimmer, diesem Raum, in dem wir hundertmal gegessen hatten, befanden sich Gegenstände, die weder Milton noch ich je gesehen hatten: In der großen Glasvitrine hinter den Stühlen von Nigel und Jade standen zwei scheußliche Meerjungfrauen aus Porzellan, aber noch interessanter war eine hellenistische weibliche Terracottaskulptur, etwa fünfzehn Zentimeter groß. Ich hätte gern gewusst, ob Hannah sie erst ein paar Tage vor unserem Campingausflug geschenkt bekommen hatte, aber nach der dicken Staubschicht zu urteilen, standen die Sachen seit Monaten da.

Und dann holte ich aus dem Videogerät im Wohnzimmer einen Film: *L'Avventura*. Er war zurückgespult.

»Was ist das?«, fragte Milton.

»Ein italienischer Film«, sagte ich. »Hannah hat ihn in ihrem Filmkurs verwendet.« Ich reichte ihm die Videokassette und schaute mir die Hülle an, die allein und verloren auf dem Couchtisch lag. Ich überflog die Rückseite.

»Laventure?«, fragte Milton unsicher, während er mit schiefem Mund die Kassette betrachtete. »Um was geht es da?«

»Eine Frau verschwindet«, sagte ich. Bei diesem Satz überlief es mich kalt.

Milton nickte. Dann warf er das Video mit einem frustrierten Seufzer auf die Couch.

Wir gingen auch die anderen Räume im Erdgeschoss durch, fanden aber keine revolutionären Relikte – keine Zeichnungen von Bison, Auerochse oder Rothirsch auf Feuerstein, Holz oder Knochen, keine Buddhastatuen, keinen Kristall-Reliquienschrein, keine Specksteinschatulle aus der Maurya-Dynastie. Milton meinte, vielleicht habe Hannah ja Tagebuch geführt, also gingen wir nach oben.

Ihr Schlafzimmer sah noch genauso aus wie bei meinem letzten Besuch. Milton inspizierte ihren Nachttisch und ihren Frisiertisch (er fand mein Exemplar von *Die Liebe in den Zeiten der Cholera*, das sich

Hannah ausgeliehen und nie zurückgegeben hatte), ich machte eine kurze Tour durch das Badezimmer und den großen Schrank, wo ich all die Dinge wiederfand, die Nigel und ich damals ausgebuddelt hatten: Die neunzehn Pillenröhrchen, die gerahmten Kinderfotos, die Messersammlung. Das Einzige, was ich nicht fand, war das Foto von Hannah und dem anderen Mädchen in Schuluniform. Es war nicht da, wo Nigel es meiner Erinnerung nach verstaut hatte – in dem Evan-Picone-Schuhkarton. Ich schaute in ein paar andere Schachteln, aber nach der fünften gab ich auf. Entweder hatte Nigel das Foto doch anderswohin gesteckt, oder Hannah hatte es weggeräumt.

»Ich hab keinen Schwung mehr«, verkündete Milton und lehnte sich an den Teil von Hannahs Bett, auf dem ich saß. Er legte den Kopf zurück, sodass er nur noch einen Fingerbreit von meinem nackten Knie entfernt war. Eine schwarze Haarsträhne glitt von seiner verschwitzten Stirn und *berührte* mein nacktes Knie. »Ich kann sie riechen. Ihr Parfüm.«

Ich schaute auf ihn hinunter. Er sah aus wie Hamlet. Und ich rede nicht von den Hamlets, die in die Sprache verliebt sind und immer nur an den bevorstehenden Schwertkampf denken und sich überlegen, wo sie in der nächsten Zeile die Betonung setzen sollen (Geh *du* in ein Kloster, Geh du in ein *Kloster*), nicht der Hamlet, der sich Sorgen machte, wie gut sein Gewand saß und ob man ihn auch noch in der letzten Reihe verstehen würde. Ich rede von den Hamlets, die sich fragen, ob sie diejenigen sein oder nichtsein würden, die von den Ellbogen des Lebens, von den Nierenhaken, den Kopfstößen und Ohrbissen betroffen sind, diejenigen, die nach dem letzten Vorhang kaum noch reden, essen oder ihr Bühnen-Make-up mit Coldcream und Watte abschminken können. Sie gehen nach Hause und starren lang und ausführlich auf die Wand.

»So ein gottverdammter Mist«, sagte er fast unhörbar zur Deckenlampe. »Ich glaube, wir gehen jetzt lieber nach Hause. Für heute reicht's.«

Ich ließ meine linke Hand von meinem nackten Knie herunterfallen, sodass sie sein Gesicht seitlich berührte. Es war feucht, klamm wie ein Keller. Sofort landeten seine Augen auf mir, und ich muss einen Sesam-öffne-dich-Blick auf meinem Gesicht gehabt haben, denn er packte mich und zog mich auf seinen Schoß. Seine großen, klebrigen Hände umschlossen meinen Kopf wie Kopfhörer. Er küsste mich, als würde er in ein Stück Obst beißen. Ich küsste zurück und tat auch so, als würde ich in einen Pfirsich oder eine Pflaume beißen – eher nicht in eine Nektarine. Ich glaube, ich gab komische Geräusche von mir (Silberreiher, Seetaucher). Er hielt sich an meinen Schultern fest, als wäre ich die Seite bei einem Achterbahnwagen und als wolle er nicht rausfallen.

Ich glaube, so etwas passiert bei Ausgrabungen sehr häufig.

Ja, ich würde ziemlich viel Geld wetten, dass sich gar nicht wenige Hüften, Knie, Füße und Hinterteile an den Gräbern im Tal der Könige reiben, an den Herdstellen im Niltal, an den aztekischen Porträttrinkbechern auf einer Insel im Texcoco-See, dass in den Zigarettenpausen bei Schürfarbeiten in Babylon und auf den Untersuchungstischen der Moorleichen jede Menge schneller Karnickelsex stattfindet.

Nach den anstrengenden Grabungen mit Kelle und Breithacke hat man nämlich seinen verschwitzten Landsmann aus fast jedem kritischen Winkel gesehen (90, 60, 30, 1) und in unterschiedlicher Beleuchtung (Taschenlampe, Sonne, Mond, Halogen, Glühwürmchen), und plötzlich wird man von dem Gefühl überwältigt, dass man diesen Menschen versteht, so wie man versteht, was los ist, wenn man über den Unterkiefer und das gesamte Gebiss des *Proconsul Africanus* stolpert: Dass es nicht nur eine Neudeutung der Geschichte der menschlichen Evolution bedeutet, die von nun an mit ein bisschen mehr Genauigkeit dargestellt werden kann, sondern auch, dass der eigene Name für immer in einem Atemzug mit dem von Mary Leakey genannt wird. Man wird nun ebenfalls in *Archaeological Britain* in ausführlichen Artikeln behandelt. Man hat das Gefühl, der Mensch neben einem wäre ein Handschuh, den man umgedreht hat, sodass man all die kleinen Fäden und das zerrissene Futter, das Loch im Daumen sehen kann.

Nicht, dass wir ES getan hätten, weit gefehlt, nicht dass wir mit unbeteiligten Gesichtern Händeschüttelsex gehabt hätten, was unter den zappeligen amerikanischen Jugendlichen mehr als üblich war (siehe »Ist Ihr / e Zwölfjährige / r ein Sex-Teufel?«, *Newsweek*, 14. August 2000). Aber wir zogen uns aus und rollten herum wie gefällte Baumstämme. Sein Engel-Tattoo begrüßte mehr als eine Sommersprosse auf meinem Arm, meinem Rücken und meiner Seite. Wir kratzten einander aus Versehen, weil unsere Körper ungeschickt waren und nicht zusammenpassten. (Niemand sagt einem etwas über zu helles Licht und fehlende stimmungsvolle Musik.) Als er auf mir lag, blickte er ruhig und forschend, als läge er am Rand eines Swimmingpools und würde auf etwas Helles unten im Wasser schauen und sich überlegen, ob er danach tauchen soll.

Ich werde also eine blöde Wahrheit gestehen, was diese Begegnung angeht. Denn eine Minute später, als ich mit ihm auf Hannahs Bett lag, mein Kopf an seiner Schulter, mein dürrer weißer Arm um seinen Hals geschlungen, da wischte er sich die schweißnasse Stirn und sagte: »Ist verdammt heiß hier drin – oder bin ich das?« Und ich sagte, ohne zu überlegen: »Ich bin's.« Ich fühlte mich irgendwie – ach, irgendwie *toll*. Ich hatte das Gefühl, er ist mein Amerikaner in Paris, mein Brigadoon. (»Junge Liebe kommet wie Rosenblütenblätter«, schreibt Georgie Lawrence in seiner letzten Sammlung, *So poetisch* [1962], »und wie ein Blitzstrahl fliehet sie.«)

»Erzähl mir was von der Straße«, murmelte ich, den Blick auf Hannahs quadratisch weiße Zimmerdecke gerichtet. Dann erschrak ich: Der Satz war aus meinem Mund gekommen wie ein Boot mit Leuten aus dem Viktorianischen Zeitalter, die sich mit ihren Sonnenschirmen auf dem Wasser treiben lassen. Wenn er nicht sofort antwortete, hatte ich alles kaputtgemacht, das wusste ich. Das war das Problem mit den van Meers; sie wollten immer noch mehr, sie mussten tiefer graben, sich schmutziger machen, unbeirrbar ihre Angel immer wieder in den Fluss werfen, auch wenn sie nur tote Fische fingen.

Aber dann antwortete er mit einem Gähnen: »Von der Straße?«

Er redete nicht weiter, also schluckte ich, und mein Herz saß schon auf der Stuhlkante.

»Ich meine … damals, als du in dieser … in dieser *Gang* warst – aber du musst nicht darüber reden, wenn du nicht willst.«

»Ich red über alles mit dir«, sagte er.

»Ja, also … bist du von zu Hause weggelaufen?«

»Nein. Du?«

»Nein.«

»Klar, ich hab ganz oft dran *gedacht*, aber gemacht hab ich's nie.«

Ich war durcheinander. Ich hatte erwartet, dass sein Blick mir ausweichen würde, dass sich die Wörter in seiner Kehle verklemmen würden wie Münzen in einem kaputten Münzfernsprecher.

»Aber woher hast du dann das Tattoo?«, fragte ich.

Er drehte seine rechte Schulter und schaute darauf, und seine Mundwinkel verzogen sich nach unten. »Mein arschiger älterer Bruder, John. An seinem achtzehnten Geburtstag. Er und seine Freunde sind mit mir in so 'nen Tattooladen gegangen. Das totale Dreckloch. Wir haben uns beide tätowieren lassen, aber er hat mich total verarscht, weil seins, so ein blöder Salamander, nur so groß ist« – er zeigte mit den Fingern die Größe einer Blaubeere – »und mich hat er zu diesem gottverdammten *Monsterscheiß* überredet. Du hättest sehen sollen, was für ein Gesicht meine Mutter gemacht hat.« Beim Gedanken daran lachte er leise. »So sauer hab ich sie noch nie gesehen. Es war *klassisch*.«

»Aber wie alt bist du?«

»Siebzehn.«

»Nicht einundzwanzig?«

»Äh, nee, es sei denn, ich bin zwischendurch in ein Koma gefallen.«

»Du hast nie auf der Straße gelebt?«

»Was?« Er verzog das Gesicht, als würde ihm die Sonne in die Augen scheinen. »Ich kann ja nicht mal auf diesen beschissenen Sofas bei Jade zu Hause schlafen. Ich brauche mein eigenes Bett, *Sealy Posturepedic* oder was – hey, was soll eigentlich die Frage?«

»Aber Leulah«, beharrte ich, und jetzt kam meine Stimme mit

Wucht aus dem Mund, entschlossen, gegen irgendetwas zu krachen. »Als sie dreizehn war, ist sie mit einem türkischen Mathematiklehrer durchgebrannt, und er – er wurde in Florida verhaftet und kam in den Knast.«

»*Was*?«

»Und Nigels Eltern sind im Gefängnis. Deshalb liest er immer nur diese Krimis und ist überhaupt tendenziell pathologisch – er kann keine Schuldgefühle empfinden, und Charles wurde adoptiert –«

»Das meinst du jetzt doch nicht ernst!« Milton richtete sich auf und schaute auf mich herunter, als wäre ich *loco.* »Nigel empfindet alles Mögliche. Er hat immer noch ein schlechtes Gewissen, weil er diesen Jungen letztes Jahr hat sitzenlassen, wie heißt er nochmal, er sitzt bei der Morgenansprache immer neben dir, und zweitens ist Charles nicht adoptiert.«

Ich runzelte irritiert die Stirn. Sollten diese Sensationsgeschichten etwa nicht wahr sein? »Woher willst du das wissen? Vielleicht redet er nur nie darüber.«

»Kennst du seine Mom?«

Ich schüttelte den Kopf.

»Die zwei könnten Bruder und Schwester sein. Und Nigels Eltern sind nicht im *Knast.* Lieber Gott. Wer hat dir das Zeug erzählt?«

»Aber was ist mit seinen *richtigen* Eltern?«

»Seine *richtigen* Eltern haben diesen Keramikladen – Diana und Ed –«

»Sie sind nicht eingesperrt, weil sie einen Polizisten erschossen haben?«

Bei dieser Frage prustete Milton laut los (ich hatte noch nie gehört, dass er laut losprustete, aber das, was er jetzt machte, konnte man nicht anders nennen), und als er sah, dass ich es ernst meinte und ziemlich aufgebracht war – das Blut schoss mir in die Wangen; bestimmt war ich so rot wie eine Nelke –, legte er sich zurück und rollte sich zu mir, sodass das Bett *kracks* machte, und seine dicken Lippen und Augenbrauen und seine Nasenspitze (auf der ziemlich heroisch eine Sommersprosse saß) waren ganz dicht vor meinem Gesicht.

»Wer hat dir diesen Quatsch erzählt?«

Als ich nichts sagte, pfiff er.

»Egal, wer's war – er ist total plemplem.«

Die grässliche Bescherung in der Via Merulana

»Ich glaube nicht an Wahnsinn«, bemerkt Lord Brummel trocken am Ende von Akt IV in Wilden Benedicts charmantem Theaterstück über die sexuelle Sittenlosigkeit der britischen Oberschicht, *Eine Gruppe von Frauen* (1898). »Wahnsinn ist unfein.«

Ich war derselben Meinung.

Ich glaubte an den Wahnsinn der Verzweiflung, an den durch Drogen ausgelösten Wahnsinn, an Diktatorendemenz und an kriegsbedingtes Irresein (mit seinen tragischen Untergruppen, dem Frontfieber, dem Napalmdelirium tremens). Ich könnte auch bestätigen, dass es Anfälle von Geisteskrankheit in der Supermarktwarteschlange gibt, die völlig unerwartet selbst bei normalen Menschen auftreten, wenn sie hinter einem Mann mit fünfundsiebzig exotischen Waren im Wagen stehen, die allesamt nicht mit einem Preis ausgezeichnet sind. Aber ich glaubte *nicht* an Hannahs Wahnsinn, obwohl manches dafür sprach: Sie hatte die entsprechende Frisur gehabt, sie hatte sich umgebracht oder auch nicht, sie hatte mit Charles geschlafen oder auch nicht, sie hatte fremde Männer mitgenommen, als wären sie Lebensmittel, und sie hatte aus den Durchschnittskindheiten der Bluebloods schamlos die wildesten Lügengeschichten zusammengesponnen.

Wenn ich darüber nachdachte, drehte sich mir alles, weil es so ein erstklassiger Schwindel war; sie war Yellow-Kid Nickel, der berühmteste Betrüger und Hochstapler aller Zeiten, und ich war das leichte Opfer gewesen, der Trottel, das ahnungslose Casino.

»Wenn Jade auch nur eine Meile mit so einem komischen Lastwagen mitgefahren ist, dann bin ich der wiedergeborene Elvis«, sagte Milton, als er mich nach Hause fuhr.

Natürlich kam ich mir jetzt bekloppt vor, weil ich Hannah geglaubt hatte. Es stimmte. Jade ging keine zwanzig Meter ohne Pelz, Seide oder edles italienisches Leder. Klar, sie verschwand mit Männern, die Gesichter hatten wie eingedellte Buicks, in der Behindertentoilette, aber das war einfach ihre Art, für Spannung im Leben zu sorgen, ihre Dosis Koks für fünfzehn Minuten. Sie würde mit keinem dieser Männer aus dem Parkplatz herausfahren und erst recht nicht in den Sonnenuntergang. Ich hatte außerdem vollständig übersehen, wie stark sie jede Art von Verantwortung mied. Sie hatte schon Probleme, einen Geschichtskurs ausfallen zu lassen. »Ich kann nicht mit dem Papierkram umgehen«, sagte sie, obwohl der Papierkram nichts anderes war, als auf einem Formular drei Zeilen auszufüllen.

Als ich Milton gestand, dass Hannah mir diese Geschichten erzählt hatte, sagte er, sie sei reif für die Klapsmühle.

»Aber ich kann mir schon vorstellen, wieso du ihr geglaubt hast«, sagte er, als er vor unserem Haus hielt. »Wenn sie mir die Geschichte über mich selbst erzählt hätte, dass ich in einer Gang war und so –, oder von mir aus auch, dass meine Eltern Aliens waren – ich hätte ihr wahrscheinlich auch geglaubt. Bei ihr klang immer alles so real.« Er hakte seine Finger um das Lenkrad. »Das ist es, würde ich denken. Hannah war irre. Hätt ich nie gedacht. Ich meine – warum soll sich jemand sonst die Mühe machen, so einen Mist zu erfinden?«

»Keine Ahnung«, sagte ich grimmig, als ich ausstieg.

Er warf mir einen Kuss zu, »Also dann – bis Montag? Du. Ich. Ein Film.«

Ich nickte und lächelte. Er fuhr weg.

Aber als ich in mein Zimmer hinaufging, wurde mir klar – ich hatte in meinem Leben durchaus schon Leute gekannt, die reif für die Klapsmühle waren, aber Hannah Schneider gehörte nicht zu ihnen. Dann schon eher Junikäfer Kelsea Stevens, die ich einmal in Dads Badezimmer dabei erwischt hatte, wie sie eine Unterhaltung mit sich selbst im Spiegel führte (»Du siehst *klasse* aus. Nein, *du* siehst klasse aus. Nein, *du* siehst – wie lang stehst du schon da?«), oder auch Junikäfer Phyllis Mixer, die ihren hektischen Standard-Pudel behandelte wie eine neunzigjährige Großmutter (»Auf geht's. So ist's brav. Stört dich die Sonne? Nein? Was hättest du gern zum Mittagessen, Schätzchen? Ach, du willst ein Sandwich. Warte, ich schneide lieber die Kruste für dich ab.«). Und die arme Vera Strauss, ein Junikäfer, über den Dad und ich später erfuhren, dass sie jahrelang manisch gewesen war – im Rückblick finde ich, dass bei ihr tatsächlich Zeichen von Wahnsinn zu beobachten waren. Ihre Augen waren sehr niedergedrückt (in dem Sinn, dass sie auch tief ins Gesicht eingedrückt waren), und wenn sie mit einem redete, hatte das immer etwas Beängstigendes, als würde sie sich eigentlich an ein Gespenst richten oder an einen Poltergeist, der hinter deiner linken Schulter lauert.

Nein, obwohl immer mehr dafür zu sprechen schien – ich hielt diese Erklärung, dass Hannah einfach so verrückt wie ein Kakadu war, nicht für den Ausgang aus dem Labyrinth. Jeder Professor, der diesen Titel verdiente, hätte eine Seminararbeit mit einer so schlecht durchdachten, abgedroschenen Theorie abgelehnt. Nein, ich hatte *Die Rückkehr des Zeugen* (Hastings, 1974) gelesen, auch den zweiten Band, und ich hatte Hannah beobachtet; ich hatte gesehen, wie zielstrebig sie den Weg hinaufgewandert war (mit flottem Schritt), und sie hatte mit großer Überzeugung und überhaupt nicht verzweifelt vom Berg heruntergerufen (das Timbre der Stimme ist bei diesen beiden Emotionen völlig verschieden).

Es musste einen anderen Grund geben.

In meinem Zimmer warf ich meinen Rucksack auf den Boden und holte die Sachen, die ich bei Hannah eingesteckt hatte, aus meinem Ausschnitt und meinem Schuh. Milton hatte hoffentlich nicht gemerkt, dass ich etwas mitgehen ließ. Es war mir inzwischen ziemlich peinlich, wie mein Kopf arbeitete. Er hatte Sachen gesagt wie: »Sieh mal, wer hier schnüffelt«, »Olives ist die Oberschnüfflerin«, »Das ist so *schnüffelig*, Baby«, sechsmal, und es hatte jedes Mal weniger charmant geklungen. Deshalb sagte ich, als wir in seinen Nissan kletterten, ich hätte meine Kette mit dem Geburtsstein auf der Kommode in Hannahs Garage liegen lassen (ich hatte die Kette nicht liegen lassen, ich hatte überhaupt noch nie eine Geburtssteinkette besessen), und während er draußen wartete, holte ich die Sachen, die ich schon vorher in einem Karton in der hinteren Ecke bereitgelegt hatte. Ich stopfte den dünnen Ordner mit den Artikeln vorne in mein Kleid, sodass er gegen meine Taille drückte, legte das Foto von Hannah mit der stacheligen Rockstarfrisur in meinen Schuh, und als ich wieder ins Auto stieg und er »Hast du die Kette?« fragte, grinste ich nur und tat so, als würde ich sie gerade in der Vordertasche meines Rucksacks verstauen. (Er war kein besonders aufmerksamer Mensch; ich saß während der ganzen Fahrt stocksteif da, als würde ich auf Kiefernzapfen sitzen, und er zuckte nicht mit der Wimper.)

Jetzt knipste ich die Nachttischlampe an und klappte den Ordner auf.

Die Offenbarung kam wie ein Schock, aber nicht, weil die Idee so komplex oder brillant war – nein, sie war *so* offensichtlich, dass ich richtig sauer auf mich selbst war, weil ich nicht schon früher drauf gekommen war. Zuerst las ich die Zeitungsartikel (Hannah hatte sie anscheinend in einer Bibliothek von einem grobkörnigen Mikrofilm fotokopiert): zwei aus dem *Stockton Observer*, datiert vom 19. September 1990 und 2. Juni 1979, »Suchaktion nach vermisster Rucksacktouristin gestartet« »Mädchen aus Roseville, 11, unversehrt aufgefunden«; dann ein Artikel aus der *Knoxville Press*, »Vermisstes Mädchen mit Vater wiedervereint, Mutter unter Anklage«, einer aus der *Pineville Herald-Times* in Tennessee, »Vermisster Junge missbraucht« und schließlich »Vermisste Frau in Vermont gefunden, lebte unter falschem Namen« aus dem *Huntley Sentinel*.

Dann las ich die letzte Seite, das Buchexzerpt, den Schluss der Geschichte von Violet May Martinez, von dem Tag, als sie am 29. August 1985 in den Great Smoky Mountains verschwand.

fehlte ein Mitglied der Gruppe. Violet war nirgends zu sehen.

Mike Higgis überprüfte den ganzen Parkplatz und fragte auch fremde Leute, die dort parkten, aber niemand hatte sie gesehen. Nach einer Stunde kontaktierte er den National Park Service. Die Parkverwaltung leitete sofort eine Suchaktion ein, sperrte das Gebiet von Blindman's Bald bis Burnt Creek ab. Violets Vater und ihre Schwester wurden informiert. Sie brachten Kleidungsstücke mit, damit die Suchhunde Violets Geruch identifizieren konnten.

Drei Deutsche Schäferhunde fanden sofort ihre Spur an einer Stelle auf der asphaltierten Straße, zwei Kilometer von der Stelle entfernt, wo Violet das letzte Mal gesehen worden war. Diese Straße geht zur U.S. 441, die aus dem Park hinausführt.

Ranger Bruel teilte Violets Vater, Roy Jr., mit, dies könne bedeuten, dass Violet auf der asphaltierten Straße war und von jemandem in einem Fahrzeug mitgenommen wurde. Eventuell wurde sie gegen ihren Willen entführt.

Roy Jr. wies den Gedanken, dass Violet ihr Verschwinden geplant haben könnte, weit von sich. Sie hatte weder Kreditkarte noch Ausweis bei sich. Vor dem Ausflug hatte sie kein Geld von ihrem Scheckkonto oder ihrem Sparbuch abgehoben. Außerdem freute sie sich auf ihren sechzehnten Geburtstag, den sie in der folgenden Woche im *Roller-Skate America* feiern wollte.

Roy Jr. gab der Polizei einen Hinweis auf einen potenziellen Täter. Kenny Franks, 24, im Januar 1985 aus einer Strafanstalt entlassen, in der er wegen Gewalttätigkeit und Diebstahl eingesessen hatte, hatte Violet im Shoppingcenter gesehen und sich Knall auf Fall in sie verliebt. Er war in der Nähe der Bester High School beobachtet worden und hatte Violet mit Telefonanrufen belästigt. Roy Jr. hatte deswegen bei der Polizei vorgesprochen, woraufhin Kenny Violet in Ruhe ließ, aber seine Freunde berichteten, er sei immer noch ganz besessen von ihr.

»Violet sagte, sie hasst ihn, aber sie hat trotzdem seine Kette getragen«, sagte ihre beste Freundin, Polly Elms.

Die Polizei ging dem Hinweis nach und versuchte herauszufinden, ob Kenny Franks bei Violets Verschwinden die Finger im Spiel gehabt haben könnte. Aber aus sicherer Quelle erfuhren die Ermittler, dass er am 25. August als Hilfskellner im Stag Mill Bar & Grill gearbeitet hatte und daher nicht unter Verdacht stand.

Drei Wochen später zog er nach Myrtle Beach, South Carolina. Die Polizei überwachte ihn weiterhin, um zu erfahren, ob er mit Violet Kontakt hatte, aber es gab nie irgendwelche Beweise.

Ein unlösbares Rätsel

Die Suche nach Violet wurde am 14. September 1985 eingestellt. Ein Suchteam aus 812 Personen, darunter Parkangestellte, Ranger, Nationalgardisten und FBI-Beamte, hatte keine weiteren Spuren ausfindig gemacht, die zu einer Aufklärung von Violets Verschwinden hätten führen können.

Am 21. Oktober 1985 versuchte an der Jonesville National Bank in Jonesville, Florida, eine schwarzhaarige Frau, einen Scheck mit der Nummer von Violets Scheckkonto einzulösen, ausgestellt auf »Trixie Peanuts«. Als die Schalterbeamtin der Dame mitteilte, dass sie den Scheck auf ein Konto einzahlen müsse, damit überprüft werden könne, ob er gedeckt sei, ging die Frau wieder und kam nicht mehr zurück. Als der Bankangestellten ein Foto von Violet vorgelegt wurde, konnte sie nicht bestätigen, ob die Kundin mit ihr identisch war oder nicht. Die schwarzhaarige Kundin wurde nie wieder in Jonesville gesehen.

Roy Jr. schwor, seine Tochter habe keinerlei Grund gehabt, aus ihrem Leben zu verschwinden. Ihre Freundin Polly sah die Sache etwas anders.

»Sie hat immer nur gesagt, dass sie Besters hasst und dass sie keine Baptistin mehr sein will. Sie hatte gute Noten, und ich glaube, deshalb konnte sie das alles so planen, dass die anderen denken, sie ist tot. Dann hören sie nämlich auf, nach ihr zu suchen, und sie muss nie mehr zurückkommen.«

Sieben Jahre später denkt Roy Jr. immer noch jeden Tag an Violet.

»Ich lege es jetzt in Gottes Hand. ›Verlasse dich auf den HERRN von ganzem Herzen‹«, zitiert er die Sprüche Salomos 3.5, »›und verlass dich nicht auf deinen Verstand.‹«

In allen Artikeln ging es nicht nur um vermisste Personen, sondern um Leute, die ihr Verschwinden geplant zu haben schienen – ganz eindeutig bei dem Fall im *Huntley Sentinel*, der das inszenierte Abtauchen einer zweiundfünfzigjährigen Frau schilderte, einer gewissen

Ester Sweeney aus Huntley, New Mexico, die mit Milo Sweeney verheiratet war, ihrem dritten Ehemann, und über 800 000 Dollar Steuer- und Kreditkartenschulden hatte. Die Polizei kam letzten Endes zu dem Schluss, dass sie ihr eigenes Haus verwüstet hatte, die Gittertür in der Küche aufgeschlitzt und ebenso ihren rechten Arm, damit eine Blutspur durch den Vorraum führte und alles nach einem Raubüberfall aussah. Drei Jahre später wurde sie in Winooski, Vermont, gefunden, wo sie unter falschem Namen lebte und zum vierten Mal geheiratet hatte.

Die anderen Artikel waren informativer und gaben detaillierte Berichte über das Vorgehen der Polizei, über eine Entführung in einem Nationalpark und über die Suchaktion. Der Artikel über den vermissten Rucksacktouristen erläuterte ganz genau, wie die Nationalgarde im Yosemite Nationalpark eine Suche durchführte: »Nachdem die Ranger die freiwilligen Helfer auf ihre körperliche Fitness hin überprüft hatten, teilten sie das Gebiet um Glacier Point in ein Gittersystem auf, und jede Gruppe bekam einen Abschnitt zugewiesen.«

Ich konnte es nicht fassen. Und doch war es gar nicht so ungewöhnlich; im *Almanach der seltsamen Angewohnheiten, Spleens und verrückten Verhaltensweisen in den USA* (1994) stand, dass einer von 4932 US-Bürgern seine eigene Entführung oder seinen Tod vortäuschte.

Hannah Schneider hatte nicht vorgehabt zu sterben, sondern zu verschwinden.

Ein wenig schlampig (und nicht gerade sehr umfassend; wäre sie Doktorandin gewesen, hätte ihr Betreuer sie wegen Faulheit zurechtgewiesen) hatte Hannah diese Artikel als Recherche zusammengetragen, bevor sie abhaute, von der Bildfläche verschwand, sich in die Büsche schlug und ihr bisheriges Leben beseitigte wie ein Mafioso einen Verräter.

Anjelica Soledad de Crespo, ein Pseudonym der mit Drogen handelnden Heldin in Jorge Torres' faszinierender Darstellung des panamerikanischen Drogenkartells, *Aus Liebe zum korinthischen Leder* (2003), hatte sich einen ähnlichen Tod zurechtgelegt, als sie von *la vida de las drogas* die Nase voll hatte. Sie begab sich in die Gran Saban in Venezuela und schien dort dreihundert Meter tief einen Wasserfall hinunterzustürzen. Neun Monate vor diesem angeblichen Unfall war ein Boot mit neunzehn polnischen Touristen auf die gleiche Art verunglückt – drei von ihnen konnten nie geborgen werden, weil es unten am Wasserfall so starke Strömungen gab, dass die Leichen durch einen hinterhältigen Strudel so lang nach unten gedrückt wurden, bis sie in Stücke gerissen waren und die Krokodile sie auffraßen. Nach achtundvierzig Stunden erklärte man Anjelica für tot. In Wahrheit war sie aus dem Boot geklettert, hatte sich zu der Taucherausrüstung begeben, die an einem günstigen Ort hinter einem Felsen für sie bereitlag. Sie legte die Sachen an und schwamm unter Wasser vier Meilen flussaufwärts zu einem verabredeten Ort, wo ihr wunderschöner Liebhaber Carlos, ursprünglich eigentlich aus El Silencio in Caracas, sie in einem aufgemotzten silbernen Hummer erwartete. Die beiden fuhren zu einer unbewohnten Gegend am Amazonas, irgendwo in Guyana, wo sie heute noch leben.

Ich starrte zur Decke und zermarterte mir das Gehirn, weil ich mich an jede Einzelheit jener Nacht erinnern wollte. Hannah hatte sich wärmer angezogen, während wir zu Abend aßen. Als sie sich mit mir im Wald traf, trug sie diesen Hüftbeutel um die Taille. Und als sie mich wegführte, schien sie genau zu wissen, wohin sie wollte, denn sie schritt sehr resolut voran und überprüfte immer wieder Karte und Kompass. Sie hatte geplant, mir etwas zu sagen, irgendein Geständnis zu machen, und mich dann allein zurückzulassen. Mit Hilfe des Kompasses wollte sie zu einem bestimmten Pfad gelangen, der zu einer der kleineren Parkstraßen führte, und von da dann zur U. S. 441 und zu einem Campingplatz, wo ein Wagen sie erwartete (vielleicht war es Carlos in einem silbernen Hummer). Bis man uns fand und ihr Verschwinden feststellte, waren bestimmt mindestens vierundzwanzig Stunden vergangen, wenn nicht mehr, angesichts der Wetterbedingungen. Dann war sie schon viele Bundesstaaten weiter, vielleicht sogar in Mexiko.

Und womöglich war der Fremde, der uns gefolgt war, gar nicht so fremd gewesen. Vielleicht war *er* Hannahs Carlos (ihr *Valerio*), und die Unterbrechung, ihr »Gib mir fünf Minuten« und »Ich habe dir gesagt, du sollst dich nicht vom Fleck rühren« war nichts als eine Inszenierung gewesen; vielleicht hatte sie von vornherein geplant, mit ihm zu gehen, mit ihm gemeinsam auf die Ziele loszusteuern: Pfad, Straße, Auto, Mexiko, Margaritas und Fajitas. Und ich sollte, wenn ich gefunden wurde, den Behörden mitteilen, jemand sei hinter uns her gewesen, und wenn Hannah nirgends mehr war, wenn die Deutschen Schäferhunde sie nur bis zu einer Stelle an einer Straße in der Nähe verfolgen konnten, aber nicht weiter, genau wie bei Violet Martinez, dann würde die Polizei vermuten, dass es sich um eine Entführung oder irgendein anderes Gewaltverbrechen handelte oder dass sie ihr Verschwinden geplant hatte – was keine weiteren Folgen haben würde, es sei denn, sie stünde auf der Fahndungsliste. (Detective Harper hatte nichts gesagt, was auf ein Vorstrafenregister hinwies. Und ich konnte nur vermuten, dass sie nicht mit den Gangster-Familien Bonanno, Gambino, Genovese, Lucchese oder Colombo verwandt war.)

Klar, was sie getan hatte, war brutal – mich absichtlich allein in der Dunkelheit zurückzulassen, aber verzweifelte Menschen tun brutale Dinge, meistens ohne schlechtes Gewissen (siehe *Wie überlebt man die »Farm« im Staatsgefängnis Angola in Louisiana*, Glibb, 1979). Aber trotzdem war ihr mein Schicksal nicht völlig gleichgültig gewesen; bevor sie ging, hatte sie mir die Taschenlampe und die Karte in die Hand gedrückt und gesagt, ich solle keine Angst haben. Während der Nachmittagswanderung auf dem Bald Creek Trail hatte sie uns vier- oder fünfmal auf den Karten nicht nur unseren Standort gezeigt, sondern auch darauf hingewiesen, dass Sugartop Summit nur vier Meilen von der Hauptstraße im Park, der U. S. 441, entfernt sei.

Wenn ich den Grund kennen würde, weshalb Hannah aus ihrem Leben ausbrechen wollte, dann könnte ich auch herausfinden, wer sie getötet hatte. Denn es war eine erstklassige Exekution gewesen, ausgeführt von einem Mafioso, der sich mit Obduktionen blendend auskannte; er hatte gewusst, wie die Druckstellen aussehen mussten, damit ein Selbstmord glaubwürdig erschien. Er hatte im Voraus den idealen Platz für den Mord ausgesucht, diese kleine, kreisförmige Lichtung, und deshalb musste er gewusst haben, dass sie weglaufen wollte und welchen Weg sie einschlagen würde, um zur Straße zu kommen. Vielleicht hatte er eine Nachtsichtbrille getragen oder die Tarnkleidung eines Jägers – wie dieses komische Zeug, das ich in Andreo Verdugas Wal-Mart-Einkaufswagen in Nestles, Missouri, gesehen hatte, *ShifTbush™ Invisible Gear, Herbstmischung*, »der Traum jedes Jägers« –, und da er so »in jeder Waldumgebung augenblicklich unsichtbar« war, hatte er sich auf einen Baumstumpf gestellt oder auf irgendetwas anderes, um etwas höher zu stehen, und dort still und stumm auf sie gewartet, das eine Ende des elektrischen Kabels als Schlinge in der Hand, das andere hatte er schon am Baum befestigt. Als sie an ihm vorbeistolperte und ihren Weg suchte, *ihn* suchte – weil sie wusste, wer er war –, da hatte er ihr die Schlinge um den Hals gelegt und so stark an dem Kabel gezogen, dass sie vom Boden abhob. Sie hatte gar keine Zeit gehabt, um zu reagieren, um ihn zu treten oder zu schreien, um die letzten Gedanken ihres Lebens zu organisieren. (»Sogar der Teufel verdient letzte Gedanken«, schrieb William Stonely in *Aschfahle Haut* [1932].)

Während ich die Szene in meinem Kopf nachspielte, begann mein Herz zu hämmern. Schüttelfrost kroch meine Arme und Beine hinunter, und plötzlich plumpste noch ein Fakt reglos vor meine Füße, wie ein mit Blei vergifteter Kanarienvogel, wie ein Boxer, der mit einem rechten Kinnhaken ins K.o. befördert wird.

Hannah hatte Milton aufgetragen, mit mir zu ihr zu fahren – aber nicht, weil sie uns verkuppeln wollte (obwohl das sicher auch eine Rolle spielte; ich konnte die Filmplakate in ihrem Klassenraum nicht vollständig ignorieren), sondern damit ich, ein kluges und neugieriges Mädchen, ein bisschen herumschnüffelte: *»Du besitzt eine gute Auffassungsgabe, dir entgeht nichts«*, hatte sie an jenem Abend zu mir gesagt. Sie hatte ihren Tod nicht vorhergesehen, sondern angenommen, dass die Bluebloods und ich nach ihrem Verschwinden, wenn die Suchaktion nichts gebracht hatte, mit der entnervenden Frage zurückbleiben würden, was ihr zugestoßen war, diese Art von Frage, die einen Menschen umbringen oder ihn in einen Bibelspucker verwandeln konnte, in einen zahnlosen Polizisten, der auf einem Schaukelpferd sitzt und Maiskolben schält. Deshalb hatte sie mich dafür vorgesehen, gemeinsam mit Milton etwas herauszufinden, während ich ganz allein an dem seltsam aufgeräumten Couchtisch saß (der normalerweise von Aschenbechern und Streichholzschachteln, von *National Geographics* und Werbung belagert war), etwas, was uns beruhigte, das Ende ihrer Geschichte: einen Film, *L'Avventura.*

Mir war ganz schwummerig. Weil es so chic war – oh, ja, es war *genial*, absolut à la Schneider: ausgesprochen präzise und doch charmant heimlichtuerisch. (Eine persönliche Note, die sogar Dad gefallen hätte.) Es war spannend, weil es ein Ausmaß an Planung, an zielstrebigem Handeln und Denken bewies, das ich Hannah gar nicht zugetraut hätte. Sie war irritierend schön; klar, sie konnte gut zuhören und ganz wunderbar mit einem Weinglas Rumba tanzen; sie konnte Männer wie auf dem Fußboden herumliegende Socken auflesen, aber es war doch etwas vollkommen anderes, ein so subtiles Ende des eigenen Lebens zu orchestrieren – jedenfalls des Lebens, wie es alle in St. Gallway kannten. Die Aktion besaß dramatische Qualitäten, und es war traurig, dass ihr nun dieses geheimnisvolle Ende, dieses große Fragezeichen, genommen worden war.

Ich versuchte, mich zu beruhigen, rational zu überlegen. (»Emotionen, vor allem Aufregung, sind die Feinde der Ermittlung«, sagte Detective Lieutenant Peterson in *Holzkimono* [Lazim, 1980].)

L'Avventura, Antonionis lyrisches Meisterwerk in Schwarzweiß, gedreht 1960, gehörte auch zu Dads Lieblingsfilmen, weshalb ich den Film im Lauf der Jahre nicht weniger als zwölfmal gesehen hatte. (Dad hatte eine Schwäche für alles Italienische, auch für Frauen mit üppigen Kurven und aufgeplusterten Haaren und für Marcello Mastroiannis Blinzeln, Achselzucken, Zwinkern und Grinsen, das er wie überreife Tomaten den Frauen auf der Via Veneto nachwarf. Wenn Dad in eine mediterrane Bourbon-Stimmung verfiel, gab er auch Teile aus *La Dolce Vita* zum Besten, mit einer perfekt gestylten, anzüglichen italienischen Attitüde: »*Tu sei la prima donna del primo giorno della creazione, sei la madre, la sorella, l'amante, l'amica, l'angelo, il diavolo, la terra, la casa ...*«)

Die Handlung des Films ging folgendermaßen:

Anna, eine reiche Frau der besseren Gesellschaft, unternimmt mit Freunden eine Bootsreise vor der Küste Siziliens. Als sie an einer verlassenen Insel vorbeikommen, gehen sie an Land, um ein Sonnenbad zu nehmen. Anna entfernt sich von den anderen und kommt nicht zurück. Annas Verlobter, Sandro, und ihre beste Freundin, Claudia, suchen auf der ganzen Insel nach ihr und später überall in Italien, verfolgen verschiedene Spuren, die aber alle zu nichts führen, und verwickeln sich in eine Liebesaffäre. Am Ende des Films ist Annas Verschwinden immer noch genauso rätselhaft wie am ersten Tag. Das Leben geht weiter – in diesem Fall ein Leben, das aus leeren Sehnsüchten und materiellen Ausschweifungen besteht –, und Anna ist schon so gut wie vergessen.

Hannah hatte gehofft, dass ich diesen Film finde. Sie hatte gehofft – nein, sie hatte *gewusst* –, dass ich die Parallelen zwischen Annas unaufgeklärter Geschichte und ihrer eigenen sehen würde. (Sogar ihre Namen waren ja praktisch identisch.) Und sie hatte sich darauf verlassen, dass ich es den anderen erklären würde – nicht nur, dass sie dieses Verschwinden geplant hatte, sondern auch, dass wir unser Leben weiterleben sollten, barfuß mit einem Weinglas tanzen, von den Berggipfeln herunterschreien (»Leben im italienischen Stil«, wie Dad gern sagte, obwohl er selbst in der Schweiz geboren war und es deshalb heftig gegen seine Natur ging, die eigenen Ratschläge zu befolgen.).

»*L'Avventura*«, sagte Dad, »hat diese Art von elliptischem Ende, das den meisten Amerikanern absolut widerstrebt: Sie würden eher eine Wurzelbehandlung über sich ergehen lassen, als mit so einem Schluss allein gelassen zu werden, nicht nur, weil sie es nicht ausstehen können, wenn irgendetwas ihrer Vorstellungskraft überlassen bleibt – wir reden hier über das Land, das Elasthan erfunden hat –, sondern auch, weil sie eine selbstbewusste, optimistische Nation sind. Sie wissen, was Familie bedeutet. Sie wissen, was richtig und was falsch ist. Sie kennen sich mit Gott aus – viele von ihnen berichten von täglichen Gesprächen mit diesem Herrn. Und die Idee, dass keiner von uns wirklich etwas wissen kann – das ist ein Gedanke, dem sie auf keinen Fall ins Auge sehen wollen, da würden sie sich lieber mit ihrem eigenen halbautomatischen Sturmgewehr in den Arm schießen lassen. Für mich hat das Nichtwissen etwas Großartiges – wenn der Mensch seine kläglichen Versuche, alles zu kontrollieren, aufgeben muss. Wenn man die Hände hebt und sagt: ›Wer weiß?‹, kann man einfach mit dem Geschenk des Lebens weitermachen, so wie die *paparazzi*, die *puttane*, die *cognoscenti*, die *tappisti* …« (An diesem Punkt schaltete ich immer ab, weil er, wenn er Italienisch redete, wie ein Hell's Angel auf einer Harley war: Er fuhr sehr schnell und wollte, dass alle anderen stehen blieben und ihm nachstarrten.)

Inzwischen war es schon nach sechs Uhr abends. Die Sonne lockerte ihren Zugriff auf den Rasen, und rüschenartige schwarze Schatten lagen überall kollabiert auf meinem Fußboden herum, wie dürre Witwen, die jemand mit Arsen umgebracht hat. Ich rollte vom Bett, verstaute den Ordner und das Foto von Hannah, der Punkrockerin, in der obersten Schreibtischschublade links (wo ich auch das Charles-Manson-Taschenbuch aufbewahrte). Ich überlegte, ob ich Milton anrufen und ihm alles erzählen sollte, aber dann hörte ich den Volvo in die Zufahrt einbiegen. Gleich darauf kam Dad ins Haus.

Er stand noch bei der Haustür, als ich herunterkam, er hatte die Tür noch nicht geschlossen, weil er die Seite eins der südafrikanischen *Cape Daily Press* las.

»Das soll ja wohl ein Witz sein«, murmelte er angewidert, »diese armen, desorganisierten Idioten – wann wird der Wahnsinn – nein, der wird nicht enden, es sei denn, sie lernen – aber das ist durchaus möglich, schließlich sind schon verrücktere Dinge passiert …« Er schaute mich an, mit mürrischer Miene, dann schaute er wieder auf die Zeitung. »Sie schlachten noch mehr Rebellen in der Demokratischen Republik Kongo ab, Sweet. Über fünfhundert –«

Er schaute mich wieder an, erschrak. »Was ist los? Du siehst erschöpft aus.« Er runzelte die Stirn. »Kannst du immer noch nicht schlafen? Ich hatte selbst mal eine ganz unangenehme Schlaflosigkeitsphase, Harvard 1974 –«

»Es geht mir gut.«

Er musterte mich aufmerksam, wollte widersprechen, entschied sich aber dagegen. »Na – keine Bange!« Mit einem Lächeln faltete er die Zeitung zusammen. »Denkst du noch daran, dass wir morgen etwas Besonderes vorhaben – oder hast du vergessen, dass wir einen erholsamen Ruhetag einlegen wollten? Den großen Lake Pennebaker!«

Ich hatte es tatsächlich vergessen. Dad hatte einen Tagesausflug geplant, begeistert wie Captain Scott, als dieser die allererste Expedition zum Südpol vorbereitete und hoffte, den Norweger Amundsen zu schlagen. (In Dads Fall hieß das: Er hoffte, die Rentner zu schlagen und als Erster ein Ruderboot und einen Picknicktisch im Schatten zu ergattern.)

»Einen Ausflug zum See«, fuhr er fort und küsste mich auf die Wange, ehe er seine Aktentasche nahm und den Flur hinunterging. »Ich muss sagen, die Vorstellung belebt mich, zumal wir noch den Schluss des Pionier-Kunstgewerbemarkts erwischen werden. Ich glaube, du und ich, wir können beide einen Nachmittag in der Sonne vertragen, um uns von dem elenden Zustand der Welt abzulenken – obwohl mir irgendetwas sagt, dass ich, wenn ich den Aufmarsch der Wohnmobile sehe, mir eingestehen muss, ich lebe nicht mehr in der Schweiz.«

Okonkwo oder Das Alte stürzt

Es war Montagmorgen, und ich hatte kein Auge zugetan, weil ich die Nacht von Samstag auf Sonntag und fast den ganzen Sonntag damit verbracht hatte, die 782 Seiten von *Die sich in Luft auflösen* (Buddel, 1980) zu lesen, eine Biographie von Boris und Bernice Pochechnik, einem ungarischen Ehepaar, das neununddreißig Mal seinen Tod und seine Wiedergeburt unter anderem Namen inszeniert hatte. Sie hatten alles bis ins Detail choreographiert und so schön arrangiert wie das Bolschoi-Ballett den *Schwanensee*. Ich hatte auch die Statistik der Verschwundenen im *Almanach der seltsamen Angewohnheiten, Spleens und verrückten Verhaltensweisen in den USA* (1994) noch einmal angeschaut und gelernt, dass zwar zwei von neununddreißig Erwachsenen, die aus ihrem Leben verschwanden, dies aus »reiner Langeweile« taten (99,2 Prozent von ihnen waren verheiratet, und ihr Überdruss hing mit ihrem »faden Ehepartner« zusammen), während einundzwanzig von neununddreißig sich dazu gezwungen sahen, weil »das Gesetz mit seinen eisernen Sohlen ihnen auf den Fersen war«; sie waren Kriminelle – kleine Gauner, Schwindler, Betrüger, Ganoven. (Elf von neununddreißig taten es, weil sie drogensüchtig waren, drei von neununddreißig, weil sie »genötigt wurden« und vor der italienischen oder der russischen Mafia fliehen mussten, und zwei aus unbekannten Gründen.)

Ich hatte außerdem die *Geschichte der Lynchjustiz im amerikanischen Süden* (Kittson, 1966) gelesen und darin eine hochspannende Entdeckung gemacht: Bei den Sklavenhaltern in Georgia und später wieder bei der zweiten Gründung des Ku-Klux-Klan im Jahr 1915 war eine höchst effiziente Technik des Hängens besonders beliebt gewesen, die angeblich von Richter Charles Lynch persönlich erfunden worden war. Diese Technik hatte den Beinamen »die fliegende Demoiselle«, weil »der Körper blitzartig in die Höhe schnellte, wenn man ihn in die Luft zog« (S. 213). »Diese Methode blieb populär, weil sie so praktisch war«, schreibt der Autor Ed Kittson auf S. 214. »Ein Mann mit ausreichender Körperkraft konnte jemanden hängen, ohne dass er Hilfe aus der Menge brauchte. Die Schlinge und die Seilführung sind etwas komplexer, aber mit ein bisschen Übung leicht zu lernen: eine Laufschlinge, die sich unter Zug zuzieht, meistens ein Hondaknoten, verbunden mit einem Truckerknoten um einen kräftigen Ast. Sobald das Opfer ein bis zwei Meter – je nach Spiel des Seils – hochgezogen wird, zieht sich der Truckerknoten zusammen und hält so fest wie ein Konstriktorknoten. Allein im Jahr 1919 wurden neununddreißig solcher Lynchfälle bekannt.« Die dazugehörige Abbildung war eine Lynch-Postkarte – »übliche Souvenirs im Alten Süden« –, und am Rand stand »1917, Melville, Mississippi: ›Unsere fliegende Demoiselle / der Körper steigt auf, die Seel' fährt zur Höll'‹« (S. 215).

Begeistert von diesen erhellenden Informationen beschloss ich während der Stillarbeit, das »Unternehmen Barbarossa« in meinem Geschichtsbuch (*Unser Leben, unsere Zeit* [Clanton, 2001]) sausen zu lassen und mich stattdessen den *Todesarten* (Lee, 1987) zu widmen, einem blutrünstigen kleinen Taschenbuch, das ich aus Dads Bibliothek entführt hatte. Der Verfasser war ein gewisser Franklin C. Lee, einer der größten Privatdetektive in L. A. Ich hatte das Buch schon in der ersten Unterrichtsstunde angefangen. (»Blue! Wieso sitzt du ganz hinten?«, hatte Ms Simpson in Englisch gefragt, sichtlich entsetzt; »Weil ich einen Mordfall löse, Ms Simpson – weil nämlich niemand anderes den Arsch hochkriegt, um ihn für mich zu lösen«, hätte ich am liebsten gerufen – aber ich tat es natürlich nicht; ich sagte, das Whiteboard würde mich blenden, deshalb könne ich von meinem normalen Platz aus nicht richtig sehen.) Dee und Dum, die bei der

Hambone-Bestseller-Wunschliste saßen, hatten gerade ihre tägliche Tratschrunde eingeläutet, angestachelt von ihrer Komplizin, Sibley »Little Nose« Hemmings, und Mr Fletcher mit der *Ultimativen Kreuzworträtselsammlung* (Hrsg. Johnson, 2000) tat wieder einmal so, als würde er nichts merken. Ich wollte gerade zu ihnen gehen und sagen, sie sollten gefälligst die Klappe halten (es war unglaublich, wie energisch man wurde, wenn man ein Verbrechen aufklären wollte), als ich mitbekam, worüber sie redeten.

»Ich hab gehört, wie Evita Perón im Lehrerzimmer zu Martine Filobeque gesagt hat, es kann unmöglich stimmen, dass Hannah Schneider Selbstmord begangen hat«, berichtete Little Nose. »Sie hat gesagt, sie weiß genau, dass Hannah Schneider sich nicht umgebracht hat.«

»Und weiter?«, fragte Dee und kniff misstrauisch die Augen zusammen.

»Nichts – sie haben gemerkt, dass ich am Kopierer stehe, und da haben sie nichts mehr gesagt.«

Dee zuckte die Achseln und studierte mit betont desinteressierter Miene ihre Nagelhäutchen.

»Mir hängt dieses ganze Hannah-Schneider-Getue zum Hals raus«, sagte sie. »Der totale Medien-Hype.«

»Sie ist so was von out. Wie Kohlehydrate«, ergänzte Dum mit einem Kopfnicken.

»Außerdem – als ich meiner Mom erzählt habe, welche Filme wir so in ihrem Kurs gesehen haben, Zeug, was man uns nur auf dem Schwarzmarkt anbieten würde und was niemals im Lehrplan steht –, da hat Mom aber losgelegt. Sie sagt, anscheinend war die gute Frau die Chefin des Irrenteams, also echt total schizophren –«

»Völlig durchgeschüttelt«, übersetzte Dum, »innerlich konfus –«

»Genau, und Mom wollte sich bei Havermeyer beschweren, aber dann hat sie gedacht, die Schule muss sowieso schon so viel durchmachen. Die Bewerbungen gehen im Sturzflug nach unten.«

Little Nose kräuselte das Näschen. »Aber wollt ihr nicht wissen, was Eva Brewster meinte? Sie muss irgendein Geheimnis wissen.«

Dee seufzte. »Bestimmt ist das so was in der Art wie Hannah Schneider war schwanger von Mr Fletcher.« Sie hob den Kopf und warf einen Granatenblick auf den armen, ahnungslosen, kahlen Mann am anderen Ende des Raums. »Das Kind wäre der totale Freak geworden.« Sie kicherte. »Die erste lebende Kreuzworträtselsammlung.«

»Wenn's ein Junge geworden wäre, hätten sie ihn *Sunday Times* genannt«, sagte Dum.

Die Zwillinge quiekten vor Lachen und klatschten einander ab.

* * *

Als ich nach der Schule vor Elton House stand, sah ich Perón zum Lehrerparkplatz gehen (siehe »Abschied von Madrid, 15. Juni 1947«, *Eva Duarte Perón*, 1963, S. 334). Sie trug ein kurzes dunkelviolettes Kleid mit passenden Pumps, dazu dicke weiße Strumpfhosen, und sie schleppte einen riesigen Stapel Ordner durch die Gegend. Um die Taille hatte sie sich einen schlaffen beigefarbenen Pulli geschlungen, der demnächst herunterfallen würde – ein Ärmel schleifte schon über den Boden wie eine Geisel, die weggezerrt wird.

Ich hatte ein bisschen Angst, aber ich zwang mich, ihr zu folgen. (»Man muss dem Vögelchen auf den Fersen bleiben«, erklärte Privatdetektiv Rush McFadds seinem Partner in *Chicago Overcoat* [Bulke, 1948].)

»Ms Brewster.«

Sie gehörte zu den Frauen, die sich nicht umdrehten, wenn sie hörten, dass jemand ihren Namen rief – sie marschierte einfach weiter, als stünde sie auf einem Flughafenlaufband.

»Ms Brewster!« Ich erreichte sie an ihrem Wagen, einem Honda Civic. »Ich wollte Sie fragen, ob wir kurz reden könnten.«

Sie knallte die Tür zum Rücksitz zu, wo sie die Ordner abgelegt hatte, und öffnete die Fahrertür. Ungeduldig strich sie sich ihre mangofarbenen Haare aus dem Gesicht.

»Ich komme zu spät in meinen Spinningkurs«, sagte sie.

»Es dauert nicht lang. Ich – ich wollte mich mit Ihnen versöhnen.«

Ihre veilchenblauen Augen stürzten sich auf mich. (Es war vermutlich der gleiche einschüchternde Blick, mit dem sie auch Colonel Juan beglückte, als er mit anderen trägen argentinischen Geschäftsleuten seinem mangelnden Enthusiasmus für ihre neueste Idee Ausdruck gab, nämlich gemeinsam mit ihm bei den Wahlen 1951 als Vizepräsidentin zu kandidieren.)

»Müsste es eigentlich nicht andersherum sein?«, fragte sie und zog eine Braue hoch.

»Das ist mir egal. Ich möchte, dass Sie mir bei etwas helfen.«

Sie schaute auf die Uhr. »Ich kann jetzt wirklich nicht. Ich muss ins Fitness Center –«

»Es hat nichts mit meinem Dad zu tun, falls Sie das denken.«

»Womit dann?«

»Mit Hannah Schneider.«

Sie riss erst die Augen auf – offenbar war ihr dieses Thema noch unangenehmer als Dad – und riss dann die Wagentür so weit auf, dass sie gegen meinen Arm stieß.

»Du solltest dir darüber nicht so viele Gedanken machen«, sagte sie und hievte sich auf den Fahrersitz. Dabei musste sie mit ihrem violetten Kleid kämpfen, das ihre Beine umschloss wie ein enger Serviettenring. Sie klingelte mit ihren Autoschlüsseln (am Schlüsselring hing eine grellrosa Kaninchenpfote) und steckte einen Schlüssel so heftig ins Zündschloss, als würde sie jemanden erstechen. »Wenn du morgen mit mir reden willst – gern. Komm am Vormittag in mein Büro. Aber jetzt muss ich los. Ich bin spät dran.« Sie packte den Griff, um die Tür zu schließen, aber ich rührte mich nicht von der Stelle. Die Tür traf meine Knie.

»Hey«, sagte sie.

Ich blieb standhaft. (»Es interessiert mich nicht, ob sie gerade ein Kind zur Welt bringt – aber eine Zeugin darf man nicht entkommen lassen«, wies Detective Frank Waters von der Miami Police in *Verdrehte Probleme* [Brown, 1968] seinen unerfahrenen Partner Melvin an. »Nicht abwimmeln lassen. Nichts auf später verschieben. Man darf sie nicht nachdenken lassen. Einen Zeugen muss man überrumpeln, dann schickt er aus Versehen sogar seine Mutter in den Knast.«)

»Herrgott nochmal, was soll das?«, fragte Evita verärgert und ließ den Griff los. »Was machst du für ein Gesicht? Hör zu – wenn jemand stirbt, ist das nicht das Ende der Welt. Du bist sechzehn, gütiger Himmel! Wenn dich dein Mann verlässt und du drei Kinder hast und eine Hypothek auf dem Haus und außerdem noch Diabetes – dann können wir weiterreden. Konzentrier dich auf den Wald, nicht auf die Bäume. Wenn du willst, können wir morgen reden, wie gesagt.«

Sie warf jetzt den Charmeturbo an: Sie lächelte mir zu und achtete darauf, dass sich ihre Stimme an den Satzenden hübsch schlängelte, wie Geschenkband.

»Sie haben das Einzige auf der Welt, was ich von meiner Mutter hatte, kaputtgemacht«, sagte ich. »Ich glaube, Sie können mir ruhig fünf Minuten schenken.« Ich starrte auf meine Schuhe und bemühte mich, elend und *melanchólica* dreinzusehen. Evita antwortete nur den *descamisados*, den Hemdlosen. Alle anderen waren Mitglieder der Oligarchie oder ihre Komplizen und hatten es verdient, im Gefängnis zu landen, auf schwarze Listen gesetzt und gefoltert zu werden.

Sie antwortete nicht gleich, aber sie setzte sich anders hin, und der Vinylsitz unter ihr ächzte. Sie drückte den Saum ihres Kleides auf die Knie.

»Du musst verstehen – ich war mit meinen Freundinnen weg«, sagte sie leise. »Ich habe im El Rio ein paar Hurricanes getrunken, und dabei musste ich an deinen Vater denken. Ich wollte nicht –«

»Ich verstehe. Aber was wissen Sie über Hannah Schneider?«

Sie zog eine Grimasse. »Gar nichts.«

»Sie haben gesagt, dass Hannah garantiert nicht Selbstmord begangen hat.«

»Das habe ich nie behauptet. Ich habe keine Ahnung, was passiert ist.« Sie schaute zu mir auf. »Du bist wirklich ein eigenartiges Mädchen, weißt du das? Weiß *Pa*, dass du durch die Gegend rennst und die Leute einschüchterst? Ihnen aufdringliche Fragen stellst?«

Als ich nicht antwortete, blickte sie wieder auf die Uhr, murmelte irgendetwas von Spinning (irgendetwas sagte mir, dass es keinen

Spinningkurs gab, kein Fitness Center, aber ich hatte wichtigere Dinge im Kopf), dann riss sie das Handschuhfach auf und holte ein Päckchen Nicorette-Kaugummis heraus. Sie schob sich zwei in den Mund, schwang erst das linke, dann das rechte Bein aus dem Wagen, schlug sie übereinander – eine tolle Szene, als würde sie sich gerade an der Theke im El Rio niederlassen. Ihre Beine sahen aus wie große, dicke Zuckerstängel, nur ohne rote Streifen.

»Ich weiß, was du tust. Fast nichts«, sagte sie einfach. »Meine einzige Überlegung war, dass es ihr nicht ähnlich sieht. Selbstmord, vor allem Selbstmord durch Erhängen – ich glaube, ich könnte es ja noch verstehen, wenn man Tabletten nimmt – aber nicht, wenn jemand sich aufhängt.«

Sie schwieg eine Weile, kaute nachdenklich und schaute über den Parkplatz, zu den anderen heißen Autos.

»Vor ein paar Jahren hatten wir hier einen Schüler«, begann sie langsam und schaute mich an. »Howie Gibson IV. Angezogen wie ein Premierminister. Er konnte irgendwie nicht anders, glaube ich. Er war der Vierte, und jeder weiß, dass Fortsetzungen nie große Kassenschlager sind. Zwei Monate nach Schuljahresbeginn hat ihn seine Mutter gefunden: Er hatte sich an einem Haken erhängt, den er in seinem Zimmer in die Decke geschraubt hat. Als ich es erfahren habe« – sie schluckte, schlug die Beine anders übereinander – »war ich traurig. Aber überrascht war ich nicht. Sein Vater, ein Dritter, war selbst natürlich auch nicht der große Hit. Er kam nachmittags immer mit einem großen schwarzen Auto, um Howie abzuholen, und der Junge setzte sich auf den Rücksitz, als wäre sein Vater der Chauffeur. Keiner von beiden sagte ein Wort. Und dann sind sie weggefahren.« Sie schniefte. »Später haben wir sein Schließfach geöffnet, und an der Tür innen hingen alle möglichen Sachen, Zeichnungen von Teufeln und umgedrehten Kreuzen. Er konnte eigentlich hervorragend zeichnen, aber seine Themen waren nicht gerade für Hallmark-Karten geeignet, würde ich sagen. Der Punkt ist der – man konnte die Zeichen sehen. Ich bin keine Expertin, aber ich glaube nicht, dass Selbstmord je aus heiterem Himmel kommt. Selbstmord ist kein Blitz.«

Sie schwieg wieder, inspizierte den Boden, ihre violetten Pumps.

»Ich will nicht behaupten, dass Hannah keine Probleme hatte. Manchmal blieb sie endlos lange hier, und dafür gab's ja eigentlich keinen Grund – ein *Film*kurs, was muss man da schon groß vorbereiten, man schiebt eine DVD rein, basta. Ich hatte das Gefühl, sie braucht jemanden zum Reden. Und klar, sie hatte viele Fusseln im Kopf. Jedes Schuljahr hat sie am Anfang verkündet, dass es ihr letztes ist. ›Dann steige ich aus, Eva. Ich gehe nach Griechenland.‹ ›Was willst du denn in Griechenland?‹, hab ich sie dann immer gefragt. ›Mich selbst lieben‹, hat sie geantwortet. Oh, *Mann*. Normalerweise habe ich null Toleranz für solchen Selbsthilfe-Quark. Ich gehöre nicht zu den Leuten, die sich Ratgeber kaufen. Du bist über vierzig, und du hast immer noch keine Freunde gefunden oder Leute beeinflusst? Du bist immer noch der arme Dad, nicht der *reiche* Dad? Tja, tut mir leid, dass ich dir das sagen muss, aber das klappt nicht mehr.«

Eva lachte in sich hinein, aber dann begann das Lachen plötzlich ungeschickt in ihrem Mund zu flattern und flog davon, und sie schniefte, schaute ihm vielleicht hinterher, zum Himmel und zur Sonne, die sich hinter ein paar strähnig dünnen Wolken in den Bäumen versteckte.

»Es gab auch noch andere Sachen«, fuhr sie fort und kaute ihren Nicorette-Kaugummi mit offenem Mund. »Irgendetwas Schlimmes ist passiert, als sie so zwischen zwanzig und dreißig war, es ging um einen Mann, ihre Freundin – sie hat es nie richtig erzählt, aber sie hat gesagt, dass sie jeden Tag Schuldgefühle hat, weil sie irgendetwas getan hat – keine Ahnung, was. Klar, sie war traurig, verunsichert, aber eitel war sie auch. Und eitle Menschen erhängen sich nicht. Sie jammern, sie klagen, machen viel Tamtam, aber sie legen sich keine Schlinge um den Hals. Dann sehen sie nämlich nicht mehr gut aus.«

Sie lachte wieder, diesmal ein aggressives Lachen, eines, das sie vermutlich bei der Radio-Seifenoper *Oro Blanco* einsetzte, ein Lachen, mit dem sie die speckfingrigen Autoren von Radiolandia einschüchtern konnte, die Generäle mit den Schweinenacken, die Compadres mit den vortretenden Backenknochen. Sie machte eine kleine Kaugummiblase und ließ sie mit den Zähnen platzen, ein dezentes Knallgeräusch.

»Was weiß ich denn? Was weiß irgendjemand darüber, was bei anderen im Kopf vor sich geht? Anfang Dezember hat sie sich erkundigt, ob sie eine Woche freinehmen kann, weil sie nach West Virginia fahren wollte, zu der Familie des Mannes, der in ihrem Swimmingpool ertrunken ist.«

»Smoke Harvey?«

»Hieß er so?«

Ich nickte, und dann fiel mir etwas ein. »Hannah hatte Sie auch zu dieser Party eingeladen, stimmt's?«

»Welche Party meinst du?«

»Die, bei der dieser Mann ertrunken ist.«

Sie schüttelte irritiert den Kopf. »Nein, ich habe erst später davon erfahren. Hannah war ziemlich durcheinander. Sie hat mir erzählt, dass sie nicht schlafen kann deswegen. Aber sie hat dann doch keinen Urlaub genommen. Sie hat gesagt, sie hat so ein schlechtes Gewissen, dass sie sich gar nicht traut, vor seine Familie zu treten. Vielleicht habe ich einfach nicht verstanden, wie groß ihre Schuldgefühle waren. Ich habe versucht, ihr zu sagen, dass man sich selbst auch verzeihen muss. Ich meine – einmal musste ich auf die Nachbarkatze aufpassen, weil die Leute auf Hawaii waren –, die Katze war eins von diesen langhaarigen Biestern, sie hätte direkt aus einer Katzenfutterreklame stammen können. Sie hat mich gehasst. Jedes Mal, wenn ich in die Garage gekommen bin, um sie zu füttern, ist sie an die Gittertür gesprungen und hing da wie ein Klettverschluss. Einmal habe ich aus Versehen auf den Schalter für das Garagentor gedrückt. Es war noch keine zehn Zentimeter oben, da war das Vieh auch schon draußen. Hat Spuren hinterlassen. Ich bin losgelaufen, stundenlang hab ich die Katze gesucht, aber ich hab sie nicht gefunden. Zwei Tage später sind die Nachbarn von Maui zurückgekommen, und da lag sie plattgefahren auf der Straße, direkt vor ihrem Haus. Klar, ich war schuld. Ich habe dafür bezahlt. Und eine Weile habe ich mich ganz mies gefühlt. Ich hatte Albträume, in denen das Ding hinter mir her war, mit Tollwut – rote Augen, scharfe Krallen, die ganze Nummer. Aber das Leben geht weiter. Man muss inneren Frieden finden.«

Vielleicht hatte es etwas mit ihrer unehelichen Geburt zu tun und mit der unterprivilegierten Kindheit in Los Toldos, mit der traumatischen Erfahrung, im Alter von fünfzehn Jahren Augustin Magaldi nackt zu sehen, mit der Anstrengung, die schwere Last des Colonel Juan zu höchsten politischen Höhen zu hieven, mit dem Vierundzwanzig-Stunden-Tag im *Secretaria de Trabajo* und bei der *Partido Peronista Feminino*, mit der Plünderung der Staatsfinanzen und mit dem Auffüllen ihres Schranks mit Dior – jedenfalls hatte sie sich im Lauf der Jahre an irgendeinem Punkt in eine kompakte Asphaltfläche verwandelt. Irgendwo musste es natürlich einen Riss geben, in den ein kleiner Apfel- oder Birnenkern oder ein Feigensamen fallen und aufblühen konnte, aber es war unmöglich, diese minimalen Ritzen ausfindig zu machen. Sie wurden ständig überwacht und gefüllt.

»Du musst das abschütteln, Mädchen. Nimm's nicht so schwer. Erwachsene sind komplizierte Wesen. Ich bin die Erste, die das zugibt – wir sind nachlässig und sentimental. Aber das hat nichts mit dir zu tun. Du bist jung. Genieße deine Jugend. Später wird's noch schwierig genug. Am besten lacht man einfach über alles.«

Eines nervte mich immer ganz besonders: Wenn ein Erwachsener dachte, er müsste das Leben für mich säuberlich abpacken, es mir in einem Einmachglas überreichen, in einer Pipette, in einem Pinguin-Briefbeschwerer voller Schnee – der Traum jedes Sammlers. Klar, Dad hatte auch seine Theorien, gab aber immer mit einer stummen Fußnote weiter, dass diese Theorien an sich keine Antworten waren, sondern nur locker zusammengestellte Vorschläge. Dads Hypothesen trafen nie auf das gesamte Leben zu, sondern nur auf einen winzigen Ausschnitt, und auch das nur marginal, das wusste er ganz genau.

Eva schaute wieder auf die Uhr. »Es tut mir wirklich leid, aber ich will in mein Spinning.« Ich nickte und trat zur Seite, damit sie die Autotür zumachen konnte. Sie ließ den Motor an, lächelte mir zu, als wäre ich die Kassiererin in der Mautstelle und als wollte sie, dass ich die Schranke hochmachte, damit sie weiterfahren konnte. Aber sie fuhr nicht sofort aus ihrem Parkplatz heraus. Sie stellte das Radio an, es kam irgendein rappeliger Popsong, und nachdem sie ein, zwei Sekunden in ihrer Handtasche gekramt hatte, öffnete sie noch einmal das Fenster.

»Wie geht es ihm eigentlich?«

»Wem?«, fragte ich, obwohl ich genau wusste, wen sie meinte.

»Deinem *Pa*.«

»Danke, gut.«

»Ehrlich?« Sie nickte, bemüht, lässig und desinteressiert zu wirken. Dann kroch ihr Blick wieder zu mir. »Weißt du – was ich da über ihn gesagt habe, tut mir leid. Es stimmt nicht.«

»Ist schon okay.«

»Nein, es ist nicht okay. Kein Kind sollte sich so etwas anhören müssen. Es tut mir ehrlich leid.« Sie musterte mich von oben bis unten, ihre Augen tummelten sich auf meinem Gesicht, als wäre es ein Klettergerüst. »Er liebt dich. Sehr sogar. Ich weiß nicht, ob er es je zeigt, aber es stimmt. Mehr als alles, mehr als – ich weiß gar nicht, wie ich es nennen soll –, mehr als seinen politischen Quatsch. Wir waren mal abends essen, und eigentlich haben wir gar nicht über dich gesprochen, aber er hat gesagt, du bist das Beste, was ihm im Leben widerfahren ist.« Sie lächelte. »Und das hat er ernst gemeint.«

Ich nickte und tat so, als wäre ich völlig fasziniert von ihrem linken Vorderreifen. Ich redete nicht gern mit irgendwelchen Leuten über Dad und mich, die nektarinenfarbene Haare hatten und immer hin und her schwankten zwischen Beleidigungen und Komplimenten, zwischen Schroffheit und Anteilnahme, wie ein besoffener Autofahrer. Mit solchen Leuten über Dad zu reden war so, als redete man im Viktorianischen Zeitalter über den Unterleib: unangemessen, peinlich, ein absolut verständlicher Grund, bei zukünftigen Schulversammlungen oder -partys an ihnen vorbeizusehen.

Sie seufzte resigniert, als ich schwieg. Es war einer dieser erwachsenen Ich-werfe-das-Handtuch-Seufzer, die bedeuteten, dass sie die jungen Menschen nicht mehr verstanden und froh waren, dass sie diese Zeit schon lange hinter sich hatten. »Also dann – pass gut auf dich auf, Mädchen.« Sie wollte das Fenster wieder hochkurbeln, hielt aber noch einmal inne. »Und iss ab und zu etwas – du bist ja nur noch ein Strich in der Landschaft. Kauf dir ’ne Pizza. Und denk nicht mehr an Hannah Schneider«, fügte sie noch hinzu. »Ich weiß nicht, was passiert ist, aber ich weiß, sie würde wollen, dass du glücklich bist, okay?«

Ich lächelte verkrampft, als sie mir zuwinkte, rückwärts ausscherte (ihre Bremsen klangen, als würden sie gefoltert) und dann aus dem Lehrerparkplatz fuhr: ihr weißer Honda, der Wagen, der sie durch die ärmsten, nach Schweinen stinkenden *barrios* tragen würde, wo sie den armen, verzauberten Menschen an den Straßen zuwinken würde.

* * *

Ich sagte Dad, dass er mich nicht abzuholen brauche. Als Milton mich am Freitag nach Hause brachte, hatten wir vereinbart, uns nach dem Unterricht an seinem Schließfach zu treffen, ich war schon eine halbe Stunde zu spät. Ich rannte die Stufen zum zweiten Stock von Elton House hinauf, aber der Gang war leer, bis auf Dinky und Mr Ed »Favio« Camonetti, der in der Tür seines Englischklassenraums stand. (Da die meisten Leute gern süffige Details hören, möchte ich nebenbei erwähnen, dass Favio der heißeste Lehrer von St. Gallway war. Er hatte ein braun gebranntes Gesicht à la Rock Hudson, war mit einer unscheinbaren, molligen Frau verheiratet, die Kinderlätzchen trug. Er schien sich für genauso sexy zu halten wie alle anderen auch, obwohl ich persönlich fand, dass seine Figur an eine Luftmatratze erinnerte, die irgendwo einen noch unentdeckten Nadelstich hatte.) Die beiden verstummten, als ich vorbeiging.

Ich ging zu Zorba (wo Amy Hempshaw und Bill Chews ineinander verschlungen standen) und dann weiter zum Schülerparkplatz. Miltons Nissan stand noch an seinem Platz, also beschloss ich, in der Cafeteria nachzusehen, und als ich ihn da auch nicht fand, ging ich zur Hypocrite’s Alley im Untergeschoss vom Love Auditorium, dem

Zentrum des Schwarzmarktes von St. Gallway, wo sich auch Milton und Charles manchmal mit anderen aufgeregten Schülern herumtrieben, illegal Klausuren, Prüfungen, Notizen von Superschülern sowie Referate vertickten und sexuelle Begünstigungen gegen die neueste Ausgabe der *Schummel-Bibel* tauschten, ein 543-seitiges, von Ghostwritern verfasstes Werk, wie man sich am besten durch St. Gallway mogeln konnte, eingeteilt nach Lehrern und Texten, Methoden und Mitteln. (Ein paar Titel: »Ein Zimmer für sich allein: Tipps für die Nachprüfungen«, »Toy Story: Die Vorteile des TI82-Taschenrechner und der Timex-Data-Link-Watch«, »Handgeschriebene Minidiamanten auf deinen Schuhsohlen«). Als ich den Gang entlangging und in die kleinen rechteckigen Fenster der sieben Musikübungsräume spähte, sah ich unzählige Schattengestalten in den Ecken, auf Klavierbänken, hinter Notenständern (niemand übte irgendwelche Musikinstrumente, es sei denn, man zählt Körperteile mit). Milton war nicht dabei.

Ich beschloss, im Hof hinter dem Love Auditorium nachzusehen; manchmal zog sich Milton dorthin zurück, um zwischen den Unterrichtsstunden einen Joint zu rauchen. Ich rannte die Stufen wieder nach oben, durch die Donna-Faye-Johnson-Galerie (der moderne Maler und Gallway-Alumnus Peter Rocke, Abschlussjahr 1987, steckte tief in seiner Matschperiode und schien nicht vorzuhaben, daraus aufzutauchen), zur Hintertür mit dem AUSGANG-Schild hinaus, über den Parkplatz mit dem schrottigen Pontiac beim Müllcontainer (sie sagten, es sei die Schrottmühle eines ehemaligen Lehrers, der eine Schülerin verführt hatte und erwischt wurde) und eilte dann zwischen den Bäumen hindurch.

Ich sah ihn gleich.

Er trug einen dunkelblauen Blazer und lehnte an einem Baum.

»Hi!«, rief ich.

Er lächelte, aber als ich näher kam, merkte ich, dass er nicht meinetwegen lächelte, sondern weil er sich mit den anderen unterhielt. Sie waren alle da: Jade saß auf einem dicken, herabgefallenen Ast, Leulah auf einem großen Stein (und hielt sich an ihrem Zopf fest wie an einer Reißleine), Nigel hockte neben ihr und Charles auf dem Boden, sein riesiger weißer Gips streckte sich vor ihm aus wie eine Halbinsel.

Sie sahen mich. Das Lächeln fiel von Miltons Gesicht ab wie schlechtklebendes Klebeband. Und ich wusste sofort, ich war eine Boyband, ein Versager, der absolute Idiot. Er würde eine Nummer abziehen wie Danny Zuko in *Grease*, als Sandy ihn vor den T-Birds begrüßt, wie Mrs Robinson, als sie zu Elaine sagt, sie habe Benjamin nicht verführt, wie Daisy, die sich für den kiwisauren Tom entscheidet und nicht für Gatsby, den Selfmademan, einen Mann voller Träume, der auch mal einen Stapel Hemden durchs Zimmer warf, wenn ihm danach zumute war.

Mein Herz vollführte einen Erdrutsch. In meinen Beinen tobte ein Erdbeben.

»Sieh mal, was die Katze uns gebracht hat«, sagte Jade.

»Hi, Würg«, sagte Milton. »Wie geht's dir?«

»Was will *die* denn hier, verdammte Scheiße?«, fragte Charles. Ich schaute ihn an und stellte überrascht fest, dass sein Gesicht, nur weil ich in der Nähe war, vor Wut so rot anlief wie eine Rote Feuerameise (siehe *Insekten*, Powell, 1992, S. 91).

»Hallo«, sagte ich. »Äh, ich denke, wir sehen uns spä–«

»Moment mal.« Charles war aufgestanden und kam jetzt auf seinem guten Bein zu mir gehopst, etwas mühselig, weil Leulah eine seiner Krücken hatte. Sie streckte ihm die Krücke hin, aber er nahm sie nicht an. Er hopste lieber, so wie es die Kriegsveteranen manchmal machten, als wäre es rühmlicher, zu hoppeln, zu watscheln, zu humpeln.

»Ich würde mich gern ein bisschen *unterhalten*«, sagte er.

»Lohnt sich nicht«, sagte Jade und zog an ihrer Zigarette.

»Doch, doch, es lohnt sich sehr wohl.«

»Charles!«, warnte Milton.

»Du bist ein verdammtes Stück Scheiße, weißt du das?«

»Meine Güte, entspann dich«, sagte Nigel grinsend.

»Nein, ich werde mich nicht entspannen. Ich – ich bring sie um!«

Sein Gesicht war knallrot, seine Augen quollen aus den Höhlen wie bei einem Goldfröschchen, aber er hatte ja nur ein Bein, deshalb fürchtete ich mich nicht vor ihm, obwohl er mich so bitterböse anfunkelte. Ich wusste, dass ich ihn im Ernstfall ohne großen Kraftaufwand einfach umschubsen und dann weglaufen konnte, ehe einer von den anderen mich festhielt. Trotzdem war es extrem unangenehm, dass sich meinetwegen seine Gesichtszüge so verzerrten und er aussah wie ein Neugeborenes im Kreißsaal. Seine Augen waren jetzt so schmal wie die Schlitze in einem Pappkarton, in die man Münzen stecken konnte, als Spende für Kinder mit zerebraler Lähmung. Das brachte mich dermaßen durcheinander, dass ich einen Moment lang tatsächlich dachte, ich hätte Hannah umgebracht, vielleicht litt ich ja an Schizophrenie und war unter dem Einfluss der bösen Blue gewesen, der Blue, die keine Kompromisse machte, der Blue, die den Leuten das Herz aus der Brust riss und es zum Frühstück verspeiste (siehe *Eva mit den drei Gesichtern*). Das konnte der einzige Grund sein, warum er mich so hasste, warum sein Gesicht so verletzt war, so zerquetscht und zerfurcht wie ein Reifenprofil.

»Du willst sie umbringen und den Rest deines Lebens im Knast verbringen?«, fragte Jade.

»Schlechte Idee«, sagte Nigel.

»Such dir lieber 'nen Kopfgeldjäger.«

Leulah meldete sich. »Ich mach's.«

Jade drückte ihre Zigarette auf der Schuhsohle aus. »Wir könnten sie auch steinigen, wie die Leute in dieser Kurzgeschichte. In der alle Dorfbewohner kommen und sie anfängt zu schreien.«

»›Die Lotterie‹«, sagte ich, weil ich nicht anders konnte (Jackson, 1982). Ich hätte es aber nicht sagen sollen, weil Charles jetzt anfing, mit den Zähnen zu knirschen, und sein Gesicht noch weiter vorstreckte, dass ich die winzigen Lücken zwischen seinen Zähnen sah, ein kleiner weißer Lattenzaun. Ich spürte seinen Backofenatem auf der Stirn.

»Willst du wissen, was du mir angetan hast?« Seine Hände zitterten, und bei dem Wort *angetan* kam ein bisschen Spucke aus seinem

Mund und landete zwischen uns auf dem Boden. »Du hast mich *zerstört* –«

»Charles«, sagte Nigel behutsam und trat hinter ihn.

»Führ dich hier nicht auf wie ein Irrer«, schimpfte Jade. »Wenn du ihr was tust, sorgt sie dafür, dass du von der Schule fliegst. Ihr Dad, dieser Superheld, wird's schon richten –«

»Du hast mir das scheiß Bein gebrochen, an drei Stellen«, sagte Charles. »Du hast mir das Herz gebrochen –«

»*Charles* –«

»Und ich will, dass du weißt, dass ich dich umbringen werde. Ich werde dich an deinem undankbaren kleinen Hals aufknüpfen, bis – bis du tot bist.« Er schluckte laut. Es klang, als wenn ein Stein in einen Tümpel fällt. Tränen stürmten in seine roten Augen. Eine warf sich sogar über die Brüstung und kullerte über sein Gesicht. »So wie du's mit ihr gemacht hast.«

»*Scheiße*, Charles –«

»Hör auf.«

»Das ist sie gar nicht wert.«

»Ja, Mann. Sie küsst miserabel.«

Alle schwiegen, dann fing Jade an, hemmungslos zu kichern.

»Ehrlich?« Charles hörte sofort auf zu weinen. Er schniefte und rieb sich die Augen mit dem Handrücken.

»Schlechter geht's nicht. Als ob man 'nen Thunfisch küsst.«

»Thunfisch?«

»Vielleicht auch 'ne Sardine. Oder 'ne Krabbe. Keine Ahnung. Hab versucht, es zu verdrängen.«

Ich bekam keine Luft mehr. Das Blut schoss mir ins Gesicht, als hätte er nicht etwas *gesagt*, sondern mir einen Tritt ins Gesicht verpasst. Und ich wusste, es war einer dieser vernichtenden Augenblicke im Leben, wenn man zu seinem Kongress sprechen musste, wie James Stewart. Ich musste ihnen zeigen, dass sie es nicht mit einer verwundeten, ängstlichen Nation zu tun hatten, sondern mit einem erwachten Riesen. Aber ich konnte mich nicht mit irgendwelchen Marschflugkörpern rächen. Es wäre schon ein *Little Boy*, ein *Fat Man* nötig, eine riesige Blumenkohlwolke (Augenzeugen würden sagen, sie hätten eine zweite Sonne gesehen), verkohlte Leichen und der kreidige Geschmack von Atomspaltung im Mund der Piloten. Danach würde ich es bedauern, ich würde das unvermeidliche »Mein Gott, was habe ich getan?«, denken, aber das hatte noch niemanden an irgendetwas gehindert.

Dad hatte immer ein kleines schwarzes Buch auf dem Nachttisch liegen, *Worte eines Glühwürmchens* (Punch, 1978), dem er sich abends widmete, wenn er müde war und etwas Süßes brauchte, so wie manche Frauen dunkle Schokolade. Es war ein Buch mit den besten Zitaten der Welt. Ich kannte die meisten. »Geschichte ist eine Aneinanderreihung von Lügen, auf die sich die Allgemeinheit geeinigt hat«, sagte Napoleon. »Führe mich, folge mir, oder geh mir aus dem Weg«, sagte General George Patton. »Auf der Bühne mache ich mit fünftausend Menschen Liebe, und dann gehe ich allein nach Hause«, klagte Janis Joplin mit roten Augen und wirren Haaren. »Geh in den Himmel wegen des Klimas, in die Hölle wegen der Gesellschaft«, sagte Mark Twain.

Ich starrte Milton an. Er konnte mich nicht ansehen, sondern drückte sich gegen den Baumstamm, als würde er am liebsten von ihm aufgefressen.

»›Wir sind alle Würmer‹«, sagte ich bedächtig, »›aber ich glaube, ich bin ein Glühwürmchen.‹«

»Wie bitte?«, rief Jade.

Ich drehte mich um und ging.

»Was war *das* denn?«

»Das nennt man den Moment für sich nutzen.«

»Hast du sie gesehen? Sie ist total besessen.«

»Holt einen Exorzisten!«, schrie Charles und lachte, ein Lachen, das wie ein Goldmünzenregen klimperte; mit ihrer perfekten Akustik trugen die Bäume den Klang nach oben, sodass er durch die Luft schwebte.

Als ich zum Parkplatz kam, sah ich Mr Moats, der mit einem Stapel Schulbücher unter dem Arm zu seinem Auto ging. Er machte ein ganz erschrockenes Gesicht, als er mich aus den Bäumen kommen sah, als hielte er mich für den Geist von El Greco.

»Blue van Meer?«, rief er unsicher, aber ich lächelte nicht, und ich redete auch nicht mit ihm.

Ich hatte schon angefangen zu rennen.

Die nächtliche Verschwörung

Es ist einer der größten Skandale im Leben, wenn man begreift: Das Grausamste, was einem jemand sagen kann, ist, dass man miserabel küsst.

Man könnte meinen, es wäre schlimmer, als Verräter, Heuchler, Biest, Nutte oder sonst wie unangenehme Person bezeichnet zu werden, oder noch schlimmer als ahnungslose Irre, als Fußmatte, als Ehemalige, als Petze. Ich vermute, man käme sogar besser mit »schlecht im Bett« zurecht, weil jeder mal einen schlechten Tag hat, einen Tag, an dem der Kopf mit jedem Gedanken, der zufällig vorbeikommt, mitfährt – selbst die besten Rennpferde wie Couldn't Be Happier, der 1971 sowohl das Derby als auch die Preakness Stakes gewonnen hat, konnten plötzlich als Allerletzte durchs Ziel kommen. Aber miserabel zu küssen – ein Thunfisch zu sein – das war das Allerallerschlimmste, weil es bedeutete, keine Leidenschaft in sich zu haben, und ohne Leidenschaft konnte man genauso gut tot sein.

Ich ging zu Fuß nach Hause (6,4 km) und ließ diese demütigende Bemerkung immer wieder durch meinen Kopf rattern (in Zeitlupe, damit ich im Geist schreckliche kleine Kreise um jeden Moment des Festhaltens und zu Boden Bringens, des den Gegner mit dem Körper Wegdrückens, des persönlichen Fouls ziehen konnte). In meinem Zimmer brach ich zusammen und fing an zu schluchzen. Es war einer dieser Kopfwehweinkrämpfe, bei denen man eigentlich denken sollte, sie seien für den Tod eines nahen Angehörigen reserviert oder für eine tödliche Krankheit oder für den Weltuntergang. Ich weinte in mein klammes Kopfkissen, über eine Stunde, während das Dunkel im Zimmer anschwoll und die Nacht draußen in den Fenstern kauerte. Unser Haus, das komplizierte, leere Gebäude 24 Armor Street, schien auf mich zu warten wie Fledermäuse auf die Dunkelheit, wie ein Orchester auf den Dirigenten, es schien darauf zu warten, dass ich mich beruhigte und weitermachte.

Mit verstopftem Kopf und knallroten Augen rollte ich von meinem Bett, wanderte nach unten, hörte die Nachricht ab, die mir Dad auf dem Anrufbeantworter hinterlassen hatte: dass er mit Arnie Anderson essen gehe, holte aus dem Kühlschrank den Schokoladenkuchen von Stonerose Bakery, den Dad neulich mitgebracht hatte (als Teil der Van-Meer-heitert-Blue-auf Kampagne), nahm mir eine Gabel und trug den Kuchen nach oben.

»Wir schicken Sie heute Abend mit wichtigen Neuigkeiten ins Bett«, flötete Cherry Jeffries in meinem Kopf. »Man brauchte keine Polizei und keine Nationalgarde, keine Parkranger, auch nicht K-9, FBI, CIA oder Pentagon, niemand holte Prediger, Wahrsager, Handleser, Traumfänger, Superhelden oder Marsbewohner, nicht einmal eine Reise nach Lourdes wurde gemacht – nein, ein mutiges junges Mädchen aus unserer Gegend hat es im Alleingang geschafft, den Mord an Hannah Louise Schneider, 44, zu klären, deren Tod letzte Woche vom Sheriff's Department in Sluder County irrtümlicherweise als Selbstmord eingestuft wurde. Eine hochbegabte Schülerin der St. Gallway School in Stockton, eine gewisse Miss Blue van Meer, die einen IQ hat, dass es einen umhaut, nämlich 175, setzte sich über die Einwände von Eltern und Schülern hinweg und entschlüsselte eine Reihe fast nicht wahrnehmbarer Spuren, die zum Mörder der Frau führten, der sich inzwischen bereits in Polizeigewahrsam befindet und auf seinen Prozess wartet. Miss van Meer, die nun den Beinamen ›Sam Spade der Schule‹ trägt, ist nicht nur Gast in allen Talkshows, von *Oprah* und *Leno* bis zur *Today Show* und *The View*, und schmückt diesen Monat das Titelblatt des *Rolling Stone*, nein – sie wurde auch ins Weiße Haus eingeladen, um mit dem Präsidenten zu speisen, der sie, obwohl sie erst sechzehn ist, dringend bat, als Gesandte der USA eine Goodwill-Tour durch zweiunddreißig Länder zu unternehmen, um für Frieden und Freiheit zu werben. All dies tut sie, bevor sie im Herbst das Studium in Harvard aufnehmen wird. Ist das nicht großartig, Norvel? Norvel?«

»Oh. Äh – ja.«

»Daran können Sie sehen, dass die Welt doch nicht so schlecht ist. Denn es gibt tatsächlich noch echte Helden da draußen, und auch heute noch können Träume wahr werden.«

Ich hatte keine andere Wahl, als das zu tun, was Chefinspektor Curry immer tat, wenn er bei seinen Ermittlungen in eine Sackgasse geriet, wie zum Beispiel auf Seite 512 von *Die Eitelkeit des Einhorns* (Lavelle, 1901): »Alle Türen bleiben verschlossen, jede Truhe ist verriegelt, sie verbergen die Bosheit, der wir uns, mein werter Horace, in unserer Mutlosigkeit nur anfallsweise zuwenden, wie der magere Köter, der durch unsere Stadt aus Schiefer und Stein wandert und den Müll durchwühlt, in der Hoffnung auf ein Stück Hammelfleisch, das ein Kaufmann oder ein Anwalt auf dem Heimweg unachtsam weggeworfen hat. Ja, es gibt Hoffnung! Denn vergessen Sie nicht, mein lieber Freund, dass dem hungrigen Hund nichts entgeht. Im Zweifelsfall muss man zum Opfer zurückgehen. Das Opfer wird Ihnen den Weg zeigen.«

Ich nahm eine neonpinke Karteikarte und machte eine Liste mit Hannahs Freunden. Ich kannte kaum einen Namen. Da waren Smoke Harvey und seine Familie, die in Findley, West Virginia, lebte, und der Mann vom Tierheim, Richard Ichweißnichtwieweiter, der auf der Lama-Farm wohnte, und Eva Brewster, Doc, die anderen Männer von Cottonwood (obwohl ich mir nicht sicher war, ob man sie als Freunde bezeichnen konnte – vielleicht eher als Bekannte).

Alles in allem eine ziemlich mickrige Liste.

Trotzdem beschloss ich, die Sache in Angriff zu nehmen und oben anzufangen: mit den Mitgliedern der Familie Harvey. Ich rannte in Dads Arbeitszimmer, schaltete sein Laptop ein und gab bei »People Search« von Worldquest den Namen Smoke Harvey ein.

Es gab keinen Eintrag. Allerdings wurden neunundfünfzig andere Harveys angeboten, unter anderem auch eine Ada Harvey in Findley, in einem der Werbe-Links, www.noneofyourbusiness.com. Ada, das fiel mir jetzt wieder ein, war eine von Smokes Töchtern; Hannah hatte sie bei dem Essen im Hyacinth Terrace erwähnt. (Ich erinnerte mich daran, weil ihr Name ein Buchtitel von Nabokov war: *Ada* (1969) – einer von Dads Lieblingsromanen. Wenn ich 89,99 Dollar an die Website bezahlte, konnte ich nicht nur Adas Privatnummer bekommen, sondern auch ihre Adresse, ihren Geburtstag, eine Überprüfung ihres Hintergrunds, all ihrer Daten, ihres Vorstrafenregisters, landesweit, sowie ein Satellitenfoto. Ich lief nach oben in Dads Schlafzimmer und holte mir eine seiner zusätzlichen Mastercards aus der Nachttischschublade. Ich wollte 8,00 Dollar für die Telefonnummer investieren.

Dann ging ich zurück in mein Zimmer. Auf drei weitere Karteikarten, die ich alle oben mit FALLNOTIZEN kennzeichnete, notierte ich mir exakt ausformulierte Fragen. Nachdem ich diese drei- oder viermal durchgegangen war, ging ich hinunter in die Bibliothek, schraubte Dads fünfzehnjährigen George T. Stagg-Bourbon auf, nahm einen kräftigen Schluck direkt aus der Flasche (so ganz wohl fühlte ich mich bei dieser Schnüffelei noch nicht, und welcher Detektiv kippte nicht gern mal einen?), ging wieder in mein Zimmer und versuchte, mich zu sammeln. »Ihr müsst euch die Stahlpritsche vorstellen, auf der die Leiche liegt, und daran müsst ihr euch halten, Leute«, verlangte Sergeant Detective Buddy Mills von seinem relativ schüchternen Team in *Die letzte Attacke* (Nubbs, 1958).

Ich wählte die Nummer. Nach dem dritten Klingeln meldete sich eine Frau.

»Hallo?«

»Kann ich bitte mit Ada Harvey sprechen?«

»Am Apparat. Darf ich fragen, wer Sie sind?«

Es war eine dieser einschüchternden, entschiedenen Vor-Bürgerkriegs-Südstaatenstimmen, handfest, kampflustig und doch unnatürlich ältlich (nichts als Falten und Gezitter, unabhängig vom Alter der Person).

»Ähm, hallo, ja, mein Name ist Blue van Meer, und ich –«

»Besten Dank, aber ich habe keine Interesse an –«

»Ich bin kein Telemarketer –«

»Nein, danke, sehr freundlich –«

»Ich bin eine Freundin von Hannah Schneider.«

Ich hörte, wie sie nach Luft schnappte, als hätte ich ihr eine subkutane Spritze in den Arm gerammt. Sie schwieg. Dann legte sie auf.

Verdattert drückte ich die Wiederwahltaste. Sie nahm sofort ab – ich hörte einen Fernseher, eine Seifenopernwiederholung, eine Frau. »Blaine!« und »Wie *konntest* du nur?« –, dann knallte sie den Hörer auf die Gabel, hart, wortlos. Bei meinem vierten Anlauf klingelte es fünfzehnmal, ehe die Nachricht kam, dass die Nummer momentan nicht zur Verfügung stehe. Ich wartete zehn Minuten, aß ein paar Bissen Schokoladenkuchen und versuchte es ein fünftes Mal. Sie antwortete beim ersten Klingeln.

»Was soll diese Unverschämtheit – wenn Sie nicht aufhören, werde ich die zuständigen Behörden informieren –«

»Ich bin keine Freundin von Hannah Schneider.«

»Nein? Was sind Sie denn dann?«

»Ich bin ein Schnüff – ich ermittle«, korrigierte ich mich hastig. »Ich bin Privatdetektivin und arbeite im Auftrag von« – meine Augen wanderten zu meinem Bücherregal, landeten zwischen *Anonym* (Felm, 2001) und *Strikte Verhöre* (Grono, 1995) – »von einer anonymen Partei. Ich hatte gehofft, Sie können mir helfen, indem Sie mir ein paar Fragen beantworten. Es dauert höchstens fünf Minuten.«

»Sie sind Privatdetektivin?«, wiederholte sie.

»Ja.«

»Dann trägt der Herr Pantalons und Sattelschuhe – wie alt sind Sie? Sie klingen, als wären Sie nicht größer als ein Zwerg.«

Dad sagte, man könne an der Telefonstimme sehr viel über einen Menschen herausfinden, und diese Frau klang wie Anfang vierzig mit braunen flachen Schuhen mit winzigen Quasten, die wie Minibesen über ihre Füße fegten.

»Ich bin sechzehn«, gab ich zu.

»Und für *wen* arbeitest du, hast du gesagt?«

Es hatte wenig Sinn, weiter zu lügen; denn wie Dad sagte: »Sweet, jeder deiner Gedanken wandert durch deine Stimme wie eine riesige Reklametafel.«

»Für mich selbst. Ich bin Schülerin an der St. Gallway School, an der Hannah Schneider unterrichtet hat. Es – es tut mir leid, dass ich gelogen habe, aber ich hatte Angst, Sie würden gleich wieder auflegen, und ich« – hektisch schaute ich auf meine Fallnotizen – »Sie sind meine einzige Spur. Ich habe Ihren Vater kennengelernt. An dem Abend, bevor er starb. Er schien ein interessanter Mann zu sein. Was passiert ist, tut mir sehr leid.«

Es war einigermaßen widerlich, ein verstorbenes Familienmitglied zu instrumentalisieren, um zu bekommen, was man wollte – wenn irgendjemand meinen toten Dad erwähnen würde, dann würde ich zweifellos singen wie eine Elster –, aber es war meine einzige Hoffnung; und offensichtlich schwankte Ada jetzt und wusste nicht, ob sie mich aushorchen, auflegen oder den Hörer neben das Telefon legen sollte.

»Weil«, fuhr ich wackelig fort, »weil Ihr Vater und der Rest Ihrer Familie früher mit Hannah befreundet waren, hatte ich gehofft –«

»*Befreundet*?« Sie spuckte das Wort aus, als wäre es eine zermatschte Avocado. »Wir waren mit dieser Frau nicht *befreundet*.«

»Oh. Entschuldigen Sie. Ich dachte –«

»Du hast falsch gedacht.«

Wenn ihre Stimme vorher klein und pudelmäßig gewesen war, dann hatte sie sich jetzt in einen Rottweiler verwandelt. Sie redete nicht weiter. Sie war das, was man in der Welt der Privatdetektive als eine »Wahnsinnslady« bezeichnen würde.

Ich schluckte. »Also, dann, äh, Ms Harvey –«

»Ich heiße Ada Rose Harvey Lowell.«

»Ms *Lowell*. Sie kannten Hannah Schneider überhaupt nicht?«

Wieder sagte sie nichts. Eine Autowerbung brauste durch ihr Wohnzimmer. Eilig kritzelte ich »Keine?« in meine Fallnotizen unter Frage Nr. 4. »Wie sah Ihre Beziehung zu Hannah Schneider aus?« Ich wollte schon zu Frage Nr. 5 übergehen. »Wussten Sie, dass Hannah einen Campingausflug plante?«, da seufzte sie und begann zu reden, mit knappen Worten.

»Du weißt nicht, wer sie war«, sagte Ada.

Jetzt war ich an der Reihe zu schweigen, weil es eine dieser dramatischen Bemerkungen war, die in Sciencefictionfilmen nach der ersten Hälfte kamen, dann, wenn eine Person kurz davor war, der anderen mitzuteilen, dass das, womit sie es zu tun hatten, nicht »von dieser Welt« war. Trotzdem merkte ich, dass ich atmete wie ein Landstreicher, mein Herz begann in der Brust zu rappeln wie ein Voodoo-Beerdigungsmarsch in New Orleans.

»Was weißt du denn?«, fragte sie mit ungeduldigem Unterton. »Weißt du irgendwas?«

»Ich weiß, dass sie Lehrerin war«, sagte ich leise.

Das entlockte ihr ein bissiges »Hah!«

»Ich weiß, dass Ihr Vater, Smoke, ein pensionierter Banker war und –«

»Mein Vater war investigativer Journalist«, verbesserte sie mich. (siehe »Südstaatenstolz«, *Moon Pies und Verdammt noch mal!*, Wyatt, 2001). »Er hat fünfunddreißig Jahre als Banker gearbeitet, ehe er in den Ruhestand gehen und sich seiner großen Liebe, dem Schreiben, widmen konnte. Und dem Verbrechen.«

»Er hat ein Buch geschrieben, stimmt's? Einen – äh – Krimi?«

»Der *Doloroso Verrat* ist kein Krimi. In dem Buch geht es um illegale Einwanderer und die Grenze von Texas, um Korruption und Drogenschmuggel.« (Mit ihrem Südstaatenakzent zog sie das Wort Einwanderer verblüffend in die Länge.) »Es war ein großer Erfolg. Er bekam dafür einen Stadtschlüssel überreicht.« Sie schniefte. »Und was sonst?«

»Ich – ich weiß, dass Ihr Vater in Hannahs Swimmingpool ertrunken ist.«

Sie schnappte wieder nach Luft. Diesmal klang es so, als hätte ich sie bei einem Toffee-Pull vor hundert Gästen ins Gesicht geschlagen. »Mein Vater ist *nicht*« – ihre Stimme zitterte und klang schrill, als würde man mit künstlichen Fingernägeln über eine Strumpfhose kratzen. »*Ich – hast du überhaupt eine Ahnung, wer mein Vater war?*«

»Entschuldigen Sie, ich wollte wirklich nicht –«

»Er wurde von einem Trecker angefahren, als er mit vier auf seinem Dreirad fuhr. Als Soldat in Korea hat er sich eine schwere Rückenverletzung zugezogen. Er saß in einem Wagen fest, der von der Feather Bridge runter in den Fluss gestürzt war, und ist dann aus dem Fenster geschwommen, so wie sie das in Filmen immer machen. Er ist zweimal gebissen worden – einmal von einem Dobermann, das zweite Mal von einem Tennessee Rattler –, und vor der Küste von Way Paw We in Indonesien wäre er fast von einem Hai angegriffen worden, aber er hatte so eine Tiersendung gesehen und wusste deshalb, dass man den Hai direkt auf die Schnauze hauen muss, das hilft, wenn er direkt auf einen zukommt, nur dass die meisten Leute nicht den Mumm dazu haben. Aber Smoke hat es gemacht. Und jetzt willst *du* mir erzählen, seine Medikamente, vermischt mit ein bisschen Whiskey, bringen ihn um? Dass ich nicht lache. Er hat das sechs Monate lang so gemacht, und es hat ihm nicht geschadet, Punkt! Diesen Mann kann man sechsmal in den Kopf schießen, und er – einfach weiter, ich sag's dir!«

Ich erschrak, weil ihre Stimme, statt »lebt« zu sagen, ein Loch ließ – ein ziemlich großes Loch, so wie es klang. Ich war mir nicht ganz sicher, aber ich glaube, sie weinte auch, ein furchtbares, unterdrücktes Glucksen, das in das Gebrabbel und die Fahrstuhlmusik der Seifenoper überging, sodass man keinen Unterschied zwischen ihrem Drama und dem Drama im Fernsehen feststellen konnte. Vielleicht hatte *sie* gerade gesagt: »Travis, ich kann nicht lügen und behaupten, ich hätte keine Gefühle für dich«, und nicht die Frau im Fernsehen, und vielleicht weinte auch die Frau im Fernsehen und nicht Ada um ihren toten Vater.

»Es tut mir leid«, sagte ich. »Ich bin nur irgendwie – durcheinander –«

»Ich hab den Zusammenhang erst später gesehen«, schniefte sie.

Ich wartete – lange genug, damit sie das Loch in ihrer Stimme wieder einigermaßen stopfen konnte.

»Welchen Zusammenhang haben Sie erst später … gesehen?«

Sie räusperte sich.

»Weißt du, wer die Nightwatchmen sind?«, fragte sie. »Natürlich weißt du das nicht … du weißt wahrscheinlich nicht mal deinen eigenen Namen –«

»Doch, ich weiß, wer die Nightwatchmen sind. Mein Vater ist Politikprofessor.«

Sie war verblüfft – oder auch erleichtert. »Ach, ja?«

»Sie waren eine Gruppe von Radikalen«, sagte ich. »Aber bis auf ein, zwei Vorfälle Anfang der siebziger Jahre gibt es eigentlich keine Beweise dafür, dass es sie überhaupt je gegeben hat. Sie sind eher eine Art schöne Idee – die Idee vom Kampf gegen die Raffgier – als etwas Wirkliches.« Ich paraphrasierte Teile aus »Eine kurze Geschichte der amerikanischen Revolutionäre« (siehe van Meer, *Federal Forum*, Bd. 23, Nr. 9, 1990).

»Bis auf ein, zwei Vorfälle«, wiederholte Ada. »Ganz genau. Dann weißt du auch, wer Gracey ist.«

»Er war der Gründer. Aber er ist tot, oder?«

»Bis auf *eine* andere Person«, begann Ada langsam, »ist George Gracey das einzige Mitglied, das man kennt. Und er wird immer noch vom FBI gesucht. 1970 … nein, 1971 hat er einen Senator von West Virginia getötet, er hat eine Rohrbombe in seinem Auto versteckt. Ein Jahr später hat er in Texas ein Gebäude in die Luft gejagt. Vier Menschen starben. Er war auf einem Video zu sehen, und danach haben sie eine Skizze von ihm gemacht, aber seither ist er wie vom Erdboden verschwunden. In den achtziger Jahren gab es in einer Stadtwohnung in England eine Explosion. Selbst gebastelte Bomben. Es ging das Gerücht, dass Gracey dort lebte, also nahm man an, dass er tot war. Die Zerstörung war so massiv, dass man die Zähne der gefundenen Leichen nicht mehr sichern konnte. So identifiziert man die Leute. An den Zähnen.«

Sie schwieg, schluckte.

»Der Senator, der umgebracht wurde, war Michael McCullough, Dubs' Onkel mütterlicherseits, mein Großonkel. Es passierte in

Meade, das ist zwanzig Minuten von Findley entfernt. Als wir Kinder waren, hat Dubs immer gesagt: ›Ich fliege bis nach Timbuktu und sorge dafür, dass dieser Verbrecher vor Gericht kommt.‹ Als Dubs ertrunken ist, haben alle der Polizei geglaubt. Die Polizei sagte, er hat zu viel getrunken, das Ganze war ein Unfall. *Ich* wollte das nicht glauben. Ich bin die ganze Nacht wach geblieben und habe in seinen Notizen gewühlt, obwohl Archie mit mir geschimpft hat. Er hat gesagt, ich spinne. Aber dann habe ich gesehen, wie alles zusammengehört. Ich habe es Archie gezeigt. Und Cal. Und *sie* hat es natürlich auch gewusst. Sie hat gewusst, dass wir ihr auf der Spur sind. Wir haben das FBI informiert. Deshalb hat sie sich aufgehängt. Für sie hieß es: Tod oder Gefängnis.«

Ich war verwirrt. »Ich verstehe nicht ganz –«

»*Die nächtliche Verschwörung*«, sagte Ada leise.

Wenn man der Logik dieser Frau folgen wollte, war das so, als versuchte man, mit bloßem Auge zu beobachten, wie ein Elektron um einen Nucleus kreist.

»Was ist *Die nächtliche Verschwörung*?«

»Sein nächstes *Buch*. Ein Buch über George Gracey. Das war der Titel, den er ihm geben wollte, und es sollte ein Bestseller werden. Smoke hat ihn ausfindig gemacht. Letzten Mai. Auf einer Trauminsel namens Paxos, wo er ein Luxusleben geführt hat.«

Sie holte zitternd Luft. »Du weißt nicht, wie sich das angefühlt hat, als die Polizei anrief und sagte, dass unser Vater, den wir gerade zwei Tage vorher bei Chrysanthemums Taufe gesehen hatten, nicht mehr unter uns ist. Dass er uns genommen wurde. Wir hatten den Namen Hannah Schneider in unserem ganzen Leben noch nicht gehört. Zuerst dachten wir, sie ist die laute, geschiedene Frau, die der Rider's Club nur mit Mühe zur Schatzmeisterin ernennen konnte, aber die hieß Hannah Smithers. Dann haben wir gedacht, vielleicht ist sie Gretchen Petersons Cousine, die Dubs zu der Marquis-Polo-Benefizveranstaltung mitgenommen hat, aber die hieß Lizzie Sheldon. Dann« – Ada hatte so gut wie alle Satzzeichen und sämtliche Pausen herausgerissen; die Wörter rasten panisch in den Hörer – »nach zwei

Tagen schaut sich Cal das Foto an, das die Polizei uns geschickt hat, weil ich es haben wollte, und ob man's glaubt oder nicht, er sagt, er erinnert sich, dass sie im Handy Pantry mit Dubs geredet hat, im Juni, als sie von der Auto Show 4000 zurückgekommen sind – das war einen Monat, nachdem Dubs von Paxos zurückgekommen ist. Cal sagt, ja, Dubs ging ins Handy Pantry, um Kaugummi zu kaufen, und da kam diese Frau hinter ihm her – und Cal hat ein fotografisches Gedächtnis. ›Das war sie‹, hat er gesagt. Groß. Dunkle Haare. Ein Gesicht wie 'ne Pralinenschachtel für den Valentinstag, und das war Dubs Lieblingsfeiertag. Sie wollte wissen, wie man nach Charleston kommt, und dann haben sie sich noch unterhalten. Cal musste aus dem Auto aussteigen und ihn holen. Und das war's. Als wir Dubs' Sachen durchsuchten, haben wir ihre Nummer in seinem Adressbuch gefunden. Laut Telefonrechnung hat er sie mindestens ein-, zweimal in der Woche angerufen. Die Frau hat genau gewusst, wie man's macht. Nach meiner Mutter hat es in Dubs' Leben nie wieder einen so wichtigen Menschen gegeben. Ich – ich rede immer noch in der Gegenwart von ihm. Archie sagt, ich muss damit aufhören.«

Sie schwieg, atmete keuchend, begann wieder zu reden. Und während sie redete, sah ich plötzlich das Bild einer minikleinen Gartenspinne vor mir, die beschließt, ein Netz zu spinnen, aber nicht in einer vernünftigen Ecke, sondern an einem riesigen Platz, so groß und weit, dass zwei afrikanische Elefanten reinpassen würden. Dad und ich hatten auf unserer Veranda in Howard, Louisiana, einmal eine dieser wild entschlossenen Spinnen beobachtet: Egal wie oft der Wind die Verankerung losriss, wie oft das Netz in sich zusammensackte, weil es sich zwischen den falschen Säulen nicht halten konnte – die Spinne machte weiter, kletterte bis ganz nach oben, ließ sich fallen, den zitternden Silberfaden hinter sich, Zahnseide im Wind. »Sie hat die Welt durchschaut«, sagte Dad. »Sie näht sie zusammen, so gut sie kann.«

»Wir wissen immer noch nicht, wie sie's geschafft hat«, fuhr Ada fort. »Mein Vater hat über hundertzehn Kilo gewogen. Es muss Gift gewesen sein. Sie hat ihm irgendetwas gespritzt, zwischen die Zehen … Zyanid vielleicht. Die Polizei schwört natürlich, dass sie alles überprüft haben und es keine Zeichen dafür gibt. Ich kann es mir einfach nicht vorstellen. Er hat seinen Whiskey geliebt …, das will ich gar nicht bestreiten. Und dann seine Medikamente –«

»Was für Medikamente?«, fragte ich.

»Minipress. Für den Blutdruck. Dr. Nixley hat ihm gesagt, dass er keinen Alkohol trinken darf, aber daran hat er sich schon vorher nicht gehalten, und es ist nie etwas passiert. Er ist ganz allein von der King-of-Hearts-Benefizveranstaltung nach Hause gefahren, nachdem er gerade angefangen hatte, das Zeug zu nehmen, und ich war da, als er heimkam. Es ging ihm blendend. Glaub mir, wenn ich gedacht hätte, es geht ihm nicht gut, dann hätte ich ihm eine Szene gemacht. Was nicht heißt, dass er auf mich gehört hätte.«

»Aber Ada« – ich dämpfte meine Stimme, als wären wir in einer Bibliothek – »ich glaube wirklich nicht, dass Hannah –«

»Gracey war in Kontakt mit ihr. Er hat ihr gesagt, sie soll Smoke umbringen. Genau wie die anderen. Sie war der Lockvogel.«

»Aber –«

»Sie ist *die andere*«, unterbrach sie mich. »›Bis auf eine andere Person‹. Das andere Mitglied – hast du mir nicht zugehört?«

»Aber ich weiß, dass sie keine Verbrecherin ist. Ich habe mit einer Polizistin gesprochen –«

»Hannah Schneider ist nicht ihr richtiger Name. Den Namen hat sie einer armen Frau gestohlen, die in einem Waisenhaus in New Jersey aufgewachsen und verschwunden ist. Seit Jahren lebt sie unter der Identität dieses Mädchens. Eigentlich heißt sie Catherine Baker und wird vom FBI gesucht, weil sie einen Polizisten zwischen die Augen geschossen hat. Zweimal. Irgendwo in Texas.« Ada räusperte sich. »Smoke hat sie nicht erkannt, weil niemand weiß, wie Baker aussieht. Vor allem jetzt. Es gibt alte Zeugenaussagen, eine Beschreibung, die zwanzig Jahre alt ist – in den achtziger Jahren hatten alle Leute komische Haare und sahen irgendwie wild aus –, du weißt schon, diese grauenhaften Hippie-Überbleibsel. Und auf der Skizze ist sie blond. Und angeblich hat sie blaue Augen. Smoke hatte dieses Bild. Und das ganze Material über George Gracey. Aber wie das manchmal so ist – es könnte auch eine Skizze von *mir* sein. Oder von sonst irgendjemandem.«

»Können Sie mir Kopien von seinen Notizen schicken? Für meine Recherchen?«

Ada schniefte, und obwohl sie sich nicht direkt bereit erklärte, mir die Kopien zu schicken, gab ich ihr meine Adresse. Eine Weile schwiegen wir beide. Ich hörte den Abspann der Seifenoper, den Anfang einer Werbung.

»Ich wollte, ich wäre da gewesen«, sagte sie. »Ich habe den sechsten Sinn, musst du wissen. Wenn ich bei der Auto Show gewesen wäre, hätte ich mit ihm in den Laden gehen können, um den Kaugummi zu kaufen. Ich hätte gesehen, was sie tut – wie sie in ihren engen Jeans an ihm vorbeischleicht, mit Sonnenbrille, als wäre alles reiner Zufall. Cal hat geschworen, dass er sie ein paar Tage vorher schon mal gesehen hat, als er und Smoke im Winn-Dixie waren und Spare Ribs geholt haben. Sie ist an ihnen vorbeigegangen, mit einem leeren Einkaufswagen, total aufgemotzt, als hätte sie noch was vor, sie hat Cal direkt ins Gesicht geschaut und gegrinst wie der Teufel höchstpersönlich. Klar, mit letzter Sicherheit kann man das nicht sagen. Sonntags ist immer so viel los –«

»Was haben Sie gesagt?«, fragte ich leise.

Ada schwieg. Die plötzliche Veränderung in meiner Stimme muss sie erschreckt haben.

»Ich habe gesagt, mit Sicherheit kann man das nicht sagen«, antwortete sie ängstlich.

Ohne nachzudenken, legte ich auf.

Che Guevara spricht zur Jugend

Die Nightwatchmen sind schon immer unter verschiedenen Namen bekannt – auf Deutsch heißen sie *Die Nächtlichen* oder *Die niemals Schlafenden.* Im Französischen sind sie *Les Veilleurs de nuit.* Die Mitgliederzahl in ihrer Hochphase, von 1971 bis etwa 1980, ist unbekannt, einmal heißt es, es waren fünfundzwanzig Männer und Frauen in Amerika, dann ist wieder die Rede von über tausend auf der ganzen Welt. Wie auch immer die Wahrheit aussieht, und leider werden wir sie vermutlich nie erfahren – Tatsache ist, dass heute viel mehr und viel enthusiastischer über die Bewegung gemunkelt wird als zur Zeit ihres Höhepunktes (eine Internet-Suche bringt über 100 000 Seiten), und ihre gegenwärtige Popularität, teils als Geschichtslektion und teils als Märchen, beweist, wie lebendig das Freiheitsideal ist, der Traum von der Befreiung aller Menschen, ohne Rücksicht auf Rasse und Glauben, ein Traum, der, so atomisiert und zynisch die moderne Gesellschaft auch ist, niemals sterben wird.
van Meer
»*Die Nächtlichen*: Populärmythen des Freiheitskampfes«,
Federal Forum, Bd. 10, Nr. 5, 1998.

Dad hatte mich zu einem skeptischen Menschen erzogen, zu jemandem, der erst dann von etwas überzeugt ist, wenn »sich die Fakten reihen wie Chorus-Girls«, und deshalb hatte ich Ada Harvey nicht geglaubt – bis sie mit dem Winn-Dixie-Vorfall anfing (oder vielleicht schon ein bisschen vorher, bei den »engen Jeans« und der »Sonnenbrille«). Da hatte es nämlich so geklungen, als würde sie nicht von Smoke und Cal im Winn-Dixie reden, sondern von Dad und mir im Fat Kat, im September, als ich Hannah in der Tiefkühlabteilung zum ersten Mal gesehen hatte.

Als hätte das noch nicht genügt, um mir den Boden unter den Füßen wegzuziehen, musste sie auch noch auf Südstaatengrusel machen und den Teufel samt seinem Grinsen ins Spiel bringen. Und wenn jemand mit einem schwammigen Südstaatenakzent das Wort *Teufel* aussprach, hatte man unweigerlich das Gefühl, dass er etwas wusste, was man selbst nicht wusste – wie Yam Chestley in *Die Dixiekratie* (1979) schrieb: »Mit zwei Dingen kennt sich der Süden wirklich aus: mit Maisbrot und mit dem Satan« (S. 166). Nachdem ich aufgelegt hatte, füllte sich mein Zimmer mit Schattenstalagmiten, ich starrte auf meine Fallnotizen. Im minimalistischen Officer Coxley-Haiku-Stil hatte ich geschrieben: NIGHTWATCHMEN CATHERINE BAKER GRACEY. Mein erster Gedanke war: Dad ist tot.

Er war auch auf Catherine Bakers Todesliste geraten, weil er ebenfalls an einem Buch über Gracey arbeitete (was die logische Erklärung dafür war, weshalb sich Hannah an uns auf die gleiche Weise rangemacht hatte wie an Smoke Harvey), und wenn es kein Buch war, woran er arbeitete (»Ich weiß nicht, ob ich das Durchhaltevermögen für ein weiteres Buch habe«, gab Dad in Bourbon-Laune zu, ein trauriges Eingeständnis, das er bei Tageslicht nie machen würde), dann war es ein Artikel, ein Aufsatz oder irgendeine Art von Vortrag, seine eigene *Nächtliche Verschwörung*. Aber – ich rannte durchs Zimmer, um die Deckenlampe anzuknipsen, und zum Glück verschwanden die Schatten so schnell wie modisch überholte schwarze Kleider von den Kaufhausständern – Hannah Schneider war ja tot (das kleine Wahrheitshäppchen, dessen ich mir sicher war), und Dad saß wohlbehalten mit Professor Arnie Sanderson im Piazza Pitti, einem italienischen Restaurant im Zentrum von Stockton. Trotzdem hatte ich das dringende Bedürfnis, seine Sandpapierstimme zu hören, sein »Sei nicht albern,

Sweet.« Ich rannte nach unten, blätterte hektisch die *Gelben Seiten* durch und rief in dem Restaurant an. (Dad hatte kein Handy; »Damit ich sieben Tage die Woche rund um die Uhr erreichbar bin, wie so ein unterbezahlter Trottel bei der Kunden-Hotline? Verbindlichsten Dank.«) Die Bedienung brauchte nur eine Minute, um ihn zu identifizieren; nicht viele Männer trugen im Frühling irischen Tweed.

»Sweet?« Er war beunruhigt. »Was ist los?«

»Nichts – na ja, *alles*. Geht's dir gut?«

»Was – ja, klar. Ist irgendetwas passiert?«

»Nein, nichts.« Ein paranoider Gedanke überfiel mich. »Traust du Arnie Sanderson? Vielleicht solltest du dein Essen nicht unbeaufsichtigt lassen. Geh nicht auf die Toilette –«

»*Wie bitte?*«

»Ich habe die Wahrheit über Hannah Schneider herausgefunden. Ich glaube, ich weiß jetzt, warum sie umgebracht worden ist oder-oder sich umgebracht hat –, das weiß ich noch nicht, aber ich weiß, *warum*.«

Dad schwieg. Bestimmt nervte ihn der Name inzwischen, aber er war vermutlich auch ganz und gar nicht überzeugt von dem, was ich sagte. Was ich ihm nicht übel nehmen konnte; ich atmete wie eine Wahnsinnige, mein Herz randalierte wie ein besoffener Penner in einer Ausnüchterungszelle – ich war nicht gerade eine überzeugende Verkörperung von Wahrheit und klarem Verstand.

»Sweet«, sagte er sanft, »du weißt ja, ich habe heute Nachmittag *Vom Winde verweht* mitgebracht. Vielleicht solltest du dir einfach den Film anschauen. Ein Stück von dem Schokoladenkuchen essen. Ich bin spätestens in einer Stunde zu Hause.« Er wollte noch etwas sagen, etwas, was mit »Hannah« begann, aber das Wort vollführte so eine Yogaverrenkung in seinem Mund, dass es als »Hmmpf« herauskam; er hatte anscheinend Angst, ihren Namen zu sagen, weil es mich möglicherweise noch ankurbelte. »Ist wirklich alles in Ordnung? Ich kann auch *jetzt gleich* gehen –«

»Nicht nötig, es geht mir gut«, sagte ich schnell. »Wir reden, wenn du kommst.«

Ich legte auf (unendlich beruhigt; Dads Stimme war eine Eispackung auf einer Verstauchung). Ich nahm meine Fallnotizen und rannte hinunter in die Küche, um Kaffee zu machen. (»Erfahrung, Scharfsinn, Kriminaltechnik, Fingerabdrücke, Fußspuren – sicher, das ist alles wichtig«, schrieb Officer Christina Vericault in *Die letzte Uniform* (1982) auf S. 4. »Aber der entscheidende Faktor bei der Aufklärung eines Verbrechens ist eine feine dunkle Röstmischung oder ein kolumbianischer Hochlandkaffee. Ohne dieses Element wird kein Mordfall gelöst.«) Nachdem ich noch schnell ein paar Details des Ada-Harvey-Gesprächs notiert hatte, ging ich hinunter in Dads Arbeitszimmer und machte Licht.

Dad hatte nur einen relativ kurzen Artikel über die Nightwatchmen geschrieben, der 1998 erschienen war: »*Die Nächtlichen*: Populärmythen des Freiheitskampfes.« Und ab und zu setzte er auf die Lektüreliste für seine Bürgerkriegsseminare noch eine ausführlichere Abhandlung über die Vorgehensweise dieser Bewegung, einen Essay aus Herbert Littletons Anthologie *Anatomie des Materialismus* (1990), »Die Nightwatchmen und die mythischen Prinzipien der praktischen Veränderung.« Ohne größere Probleme fand ich beides im Regal (Dad kaufte immer fünf Exemplare jeder *Federal-Forum*-Nummer, in der etwas von ihm stand, ein bisschen wie ein Starlet, das auf Paparazzi lauert und dessen Foto in der *Vor-die-Linse-gelaufen*-Spalte von *Celebrastory Weekly* erschienen ist.).

Mit den beiden Publikationen setzte ich mich wieder an Dads Schreibtisch. Links neben seinem Laptop lag ein Stapel mit Schreibblöcken und diversen zusammengefalteten ausländischen Zeitungen. Neugierig blätterte ich darin herum. Meine Augen mussten sich aber erst auf Dads Stacheldrahtschrift einstellen. Leider hatte das alles überhaupt nichts mit den Nightwatchmen oder George Graceys Aufenthaltsort zu tun (noch so eine gespenstische Parallele zu der Smoke-Geschichte). Vielmehr ging es um Dads *cause célèbre*, um die bürgerkriegsartigen Unruhen in der Demokratischen Republik Kongo und in anderen zentralafrikanischen Staaten. »Wann hört Töten auf?«, fragten die unbeholfen übersetzten Leitartikel von *Afrikaan*

News, der kleinen politischen Tageszeitung aus Kapstadt. »Wo sind Freiheitskämpfer?«

Ich legte die Zeitungen wieder hin (in der ursprünglichen Reihenfolge, Dad roch Schnüffelei wie ein Hund Angst) und begann mit meinen systematischen Recherchen über die Nightwatchmen (oder »*Mai addormentato*«, wie sie auf Italienisch hießen, und 決して眠った, was offenbar ihr japanischer Name war). Zuerst las ich Dads *Federal-Forum*-Artikel. Dann überflog ich das langatmige Kapitel 19 in Littletons Buch. Und schließlich schaltete ich Dads Laptop an und suchte im Internet nach der Gruppe.

Seit 1998 hatten sich die Websites, auf denen die Gruppe erwähnt wurde, wie die Karnickel vermehrt, aus den 100 000 waren 500 000 geworden. Ohne irgendwelche Quellen als zu tendenziös, schwärmerisch oder spekulativ auszuschließen (»Auf dem Boden des Vorurteils sprießen alle möglichen erstaunlichen Wahrheiten«, sagte Dad), überflog ich so viele Seiten, wie ich konnte: Web-Enzyklopädien, geschichtliche Texte, politische Seiten, linke Blogs, kommunistische und neomaoistische Seiten (ein Glanzlicht: www.thehairyman.com, in Anspielung auf Karl Marx' Löwenmähne), verschwörungstheoretische und anarchistische Seiten, Seiten über Kartelle, Kulte, Heldenverehrung, urbane Legenden, organisiertes Verbrechen, Orwell, Malcolm X, Erin Brockovich und etwas aus Nicaragua, was sich Streiter für Che nannte. Anscheinend war die Gruppe wie Greta Garbo nach ihrem Rückzug aus der Öffentlichkeit: rätselhaft und ungreifbar, und jeder reklamierte ein Stückchen für sich.

Ich brauchte über eine Stunde, um alles Wesentliche zu lesen.

Als ich fertig war, waren meine Augen rot und meine Kehle trocken. Ich fühlte mich ausgelaugt und doch – unverschämt lebendig, betrunken wie die knallgrüne Teufelsnadellibelle, die am Lake Pennebaker in Dads Haare gesaust war, was ihn veranlasst hatte, wie eine Marionette herumzuhampeln und mit einem lauten »Aaahhh!« durch eine Herde Senioren zu rasen, alle mit den gleichen gelben Sonnenschilden, die aussahen wie der gelbe Heiligenschein, den Christus auf Fresken des fünfzehnten Jahrhunderts hat.

Mein freudiges Herzklopfen kam nicht nur daher, dass ich jetzt genug über die Nightwatchmen wusste, um eine Vorlesung wie Dad zu halten – meine Stimme war eine Flutwelle, die immer mehr anschwoll und über die schlampig gekämmten Köpfe der Studenten hinwegrauschte –, und auch nicht daher, dass die Informationen, die ich von Ada Harvey bekommen hatte, verblüffenderweise der genaueren Prüfung so heroisch standhielten wie die britische Seeblockade den Deutschen im Ersten Weltkrieg. Meine Hochstimmung beruhte nicht einmal darauf, dass Hannah Schneider (alles, was sie getan hatte, ihr ganzes seltsames Verhalten, ihre Lügengeschichten) plötzlich so offen vor mir lag wie der äußere Sarkophag des Pharao Heteraah-mes vor Carlson Quay Meades, als er sich 1927 durch eine finstere Grabkammer hoch in den Felsen des Tals der Könige tastete. (Zum ersten Mal konnte ich mich hinkauern, mit meiner Petroleumlaterne direkt in Hannahs knochenglattes Gesicht leuchten und jedes Detail erstaunlich klar erkennen.)

Da war noch etwas anderes, etwas, was Dad einmal im Anschluss an seine Schilderung der letzten Stunden Che Guevaras gesagt hatte: »Es ist etwas Berauschendes am Traum von der Freiheit und an all jenen, die ihr Leben für diesen Traum aufs Spiel setzen – vor allem in diesen jammervollen, verdrossenen Zeiten, in denen die Leute kaum aus ihrem Fernsehsessel hochkommen, um auf das Klingeln des Pizzaboten zu reagieren, geschweige denn auf einen Schrei nach Freiheit.«

Ich hatte es *gelöst*.

Ich konnte es nicht fassen. Ich hatte x und y ermittelt (mit Ada Harveys entscheidender Hilfe; ich war nicht so eitel wie die meisten Mathematiker, die unbedingt allein in die Annalen der Geschichte eingehen wollen). Ich verspürte sowohl Furcht als auch Ehrfurcht – das, was Einstein 1905 empfand, als er in Bern mitten in der Nacht aus einem Albtraum hochfuhr, in dem er gesehen hatte, wie zwei pulsierende Sterne zusammenknallten, was seltsame Wellen im All auslöste – eine Vision, die ihn zur Allgemeinen Relativitätstheorie inspirieren sollte.

»*It vas ze sceriest end most beautiful sing I haf ever seen*«, sagte er.

Ich eilte wieder zu Dads Bücherregal und holte mir diesmal Colonel Heligs Abhandlung über Mord, *Unsichtbare Machenschaften* (1889). Ich durchsuchte den Band (der so alt war, dass die Seiten 1–22 herausfielen wie Schuppen) nach den Passagen, die die letzten Lichtpfützen auf die nunmehr vor mir liegende Wahrheit werfen würden. Auf diese erstaunliche – und offensichtlich tückische – Neue Welt.

* * *

Der seltsamste Einblick in die Wirkungsgeschichte der Nightwatchmen (ein Vorfall, von dem Dad sagen würde, er zeigt, »dass man sich einer Legende wie eines Trenchcoats bedienen kann, zum Guten, gegen den Regen, und zum Bösen, indem man darin im Park herumstrolcht und Kinder erschreckt«) war die auf www.goodrebels.net/nw ausgeführte Geschichte von zwei Achtklässlerinnen aus einem wohlhabenden Vorort von Houston, die am 14. Januar 1995 gemeinsam Selbstmord begangen hatten. Die eine, dreizehn Jahre alt, hatte einen – auf der Website veröffentlichten – Abschiedsbrief hinterlassen, in dem sie auf erschreckend süßlichem Briefpapier (rosa mit Regenbogen) in steifer Handschrift erklärte: »Wir eliminieren uns hiermit selbst, im Namen der Nightwatchmen und um unseren Eltern zu demonstrieren, dass ihr Geld schmutzig ist. Tod allen Ölschweinen.«

Der Urheber der Seite (wenn man auf »Über Randy« klickte, entpuppte er sich als ein ausgemergelter Wollmammut-Typ unbestimmten Alters mit einem grellroten Mund, der wie ein strammer Reißverschluss in seinem Gesicht saß) beschwerte sich darüber, dass das »Erbe« der Nightwatchmen auf diese Art missbraucht werde, denn »es heißt nirgends in ihren Manifesten, man soll sich umbringen, weil man reich ist. Sie sind Kämpfer gegen kapitalistische Auswüchse, keine durchgeknallten Mitglieder der Manson-Familie.« »Tod allen Schweinen« hatte in Blutlettern auf der Tür des Hauses am Cielo Drive gestanden (siehe *Blackbird Singing in the Dead of Night: Das Leben des Charles Milles Manson*, Ivys, 1985, S. 226).

Fast allen Quellen zufolge hatte Randy recht: Es gab kein Manifest, in dem *die Nächtlichen* irgendwie zum Selbstmord aufriefen. Ja, es gab *überhaupt* kein Manifest der Gruppe, keine Flugblätter, Schriften, Grundsatzpapiere, O-Töne oder glühende Aufrufe, in denen sie ihre Absichten erklärt hätten. (Dad würde das als außerordentlich kluge Entscheidung bezeichnen: »Wenn Rebellen nichtöffentlich verkünden, wer sie sind, werden diejenigen, die sie bekämpfen, nie genau wissen, gegen wen sie kämpfen.«) Der einzige schriftliche Beweis für die Existenz der Gruppe war ein George Gracey zugeschriebenes, 9. Juli 1971 datiertes Notizbuchblatt, das die Geburtsstunde der Nightwatchmen markierte – jedenfalls nach dem Informationsstand der Nation, der Polizei und des FBI. (Es war kein willkommenes Neugeborenes; das Establishment hatte schon alle Hände voll zu tun mit dem Weather Underground, den Black Panthers, den Students for a Democratic Society und einer Handvoll weiterer »halluzinierender Hippie-Spinner«, wie Dad sie nannte.)

An jenem Tag im Jahr 1971 entdeckte ein Polizist in Meade, West Virginia, dieses Notizbuchblatt, das mit Klebestreifen an einem Telefonmast befestigt war, drei Meter von der Stelle, wo Senator Michael McCulloughs weißer Cadillac Fleetwood 75 in einem Wohnviertel der Reichen namens Marlowe Gardens in die Luft geflogen war. (Senator Michael McCullough war eingestiegen und sofort durch die Explosion umgekommen.)

Dieses einzige Manifest der Nightwatchmen war auf www.mindfucks.net/gg zu lesen (Orthographie war nicht Graceys größte Stärke): »Heute stirbt ein gefräßiger krummer Hund« – was auf der wörtlichen Ebene nicht ganz aus der Luft gegriffen war: McCullough wog angeblich drei Zentner und litt an Skoliose – »ein Mann, der sich am Leiden von Frauen und Kindern bereichert, ein raffgieriger Mensch. Und deshalb werden ich und die vielen, die mit mir sind, die Nightwatchmen sein und helfen, diese Nation und die Welt von der menschenverachtenden kapitalistischen Raffgier zu befreien, welche die Demokratie unterhöhlt, den Leuten die Augen verbindet und sie zwingt, im Dunkeln zu leben.«

Dad und Herbert Littleton deduzierten die Ziele der Nightwatchmen aus dem Attentat von 1971 sowie aus dem Bombenanschlag auf ein Bürogebäude im Zentrum von Houston, den Gracey am 29. Oktober 1973 verübte. Littleton argumentierte, Senator McCullough sei das erste bekannte Attentatsopfer der Gruppe geworden, weil er 1966 in einen Giftmüllskandal verstrickt war. Über siebzig Tonnen schädlicher Abfälle waren von der Textilfabrik Shohawk Industries illegal in den Pooley River in West Virginia gekippt worden, und 1965 hatten die verarmten Kohlegrubenstädtchen Beudde und Morrisville eine Zunahme der Krebserkrankungen unter ihrer einkommensschwachen Einwohnerschaft verzeichnet. Als der Skandal aufflog, zeigte sich McCullough, damals Gouverneur des Bundesstaates, betroffen und empört, und sein in den Medien allgegenwärtiger heroischer Befehl, den Fluss zu säubern, koste es (den Steuerzahler), was es wolle, hatte ihm bei den Wahlen im darauf folgenden Jahr einen Sitz im Senat eingetragen (siehe »Gouverneur McCullough besucht leukämiekranken Fünfjährigen«, *Anatomie*, Littleton, S. 193).

In Wahrheit hatte McCullough, wie Littleton 1989 aufdeckte, nicht nur von der Giftmüllentsorgung und den Auswirkungen gewusst, die sie auf die flussabwärts gelegenen Gemeinden haben würde, sondern auch ein beträchtliches Honorar für sein Schweigen kassiert: Schätzungen zufolge zwischen 500 000 und 750 000 Dollar.

Der Bombenanschlag von Houston 1973 illustrierte laut Dad die Entschlossenheit der Nighwatchmen, den Kampf gegen »kapitalistische Raffgier und Ausbeutung auf globaler Ebene« zu führen. Anschlagsziel war jetzt nicht mehr ein Einzelner, sondern der Firmenhauptsitz von Oxico Oil & Gas (OOG). Als Mitarbeiter des Hausmeisterdiensts verkleidet, deponierte George Gracey einen Sprengsatz vom Typ AN/FO (auf Ammoniumnitrat und Heizöl basierend) auf der Geschäftsleitungsetage; eine Überwachungskamera zeichnete auf, wie er und zwei weitere Gestalten – eine davon angeblich eine Frau – mit Skimützen unter den Hausmeisterkappen am frühen Morgen des betreffenden Tages aus dem Gebäude trabten. Bei der Explosion kamen drei hochrangige Manager ums Leben, darunter der langjährige Vorstandvorsitzende und Direktor der Firma, Carlton Ward.

Laut Littleton war der Anschlag dadurch provoziert worden, dass Ward 1971 einen Kostensparvorschlag für die südamerikanischen Raffinerien von Oxico gebilligt hatte. Dieser Vorschlag sah vor, künftig die Deponien für die Raffinerieabfälle in Ecuador nicht mehr mit einer Schutzschicht auszukleiden, was zwar Versickerung und schwere Umweltschäden bedeutete, aber andererseits eine Einsparung von 3 Dollar pro Barrel brachte – »ein eklatantes Beispiel für die Missachtung menschlichen Lebens um der Profitraten willen.« Bereits 1972 verseuchte giftiges Bohrwasser die Trinkwasserversorgung von über dreitausend Männern, Frauen und Kindern, und 1989 hatten fünf indigene Kulturen nicht nur mit steigenden Krebs- und Missbildungsraten zu kämpfen, sie waren sogar vom Aussterben bedroht (siehe »Mädchen ohne Beine«, *Anatomie*, Littleton, S. 211).

Das Bombenattentat von Houston markierte eine einschneidende Wende, was die Taktik der Nightwatchmen betraf. Es war der Punkt, an dem laut Dad »die Realität eines Grüppchens weinerlicher Radikaler endete und die Legende begann«. Die Ermordung der Oxico-Manager hatte auf die Sekte eine frustrierende (andere sagten, »demoralisierende«) Wirkung: Sie veranlasste die Ölgesellschaften keineswegs, ihre Politik in Südamerika zu verändern – nein, sie führte lediglich zu verstärktem Gebäudeschutz und zu immer minuziöseren Überprüfungen der Wartungs- und Instandhaltungsleute, durch die viele ihre Jobs verloren. Außerdem war bei der Explosion eine unschuldige Sekretärin, Mutter von vier Kindern, ums Leben gekommen. Gracey musste untertauchen. Das zweitletzte Mal, dass er gesichtet wurde, war im November 1973, einen Monat nach dem Houstoner Attentat: Man sah ihn im kalifornischen Berkeley in einem Diner bei der Universität essen, in Begleitung eines »unbekannten dreizehn- oder vierzehnjährigen Mädchens mit dunklen Haaren«.

Nachdem die Nightwatchmen bis dahin – wenn auch nur durch ihre Sprengsätze – hochgradig sichtbar gewesen waren, beschlossen Gracey und die übrigen zwanzig bis fünfundzwanzig Mitglieder im

Januar 1974, von jetzt an ihre Ziele absolut unsichtbar zu verfolgen, oder wie Dad sagte, »ohne jedes Tamtam«. Was die meisten Revolutionäre (auch Che selbst) für unklug und selbstschädigend gehalten hätten – »Was ist ein Bürgerkrieg, wenn er nicht offen ausgetragen wird, laut und grell, sodass die Massen ermutigt werden, zu den Waffen zu greifen?«, fragte Lou Swann, Dads stümperhafter Harvard-Kollege, Autor des viel beachteten Werks *Eiserne Hände* (1999), zu dem Dad säuerlich bemerkte: »Er hat mir meinen Titel geklaut« –, war in Wirklichkeit ein Strategiewechsel, den Dad als klug und höchst raffiniert bewertete. In seinen diversen Aufsätzen zum Thema Rebellion erklärte Dad immer wieder: »Wenn Freiheitskämpfer zum Einsatz von Gewalt gezwungen sind, müssen sie dies, um langfristig etwas zu bewirken, in aller Stille tun.« (siehe »Furcht in Kapstadt«, van Meer, *Federal Forum*, Bd. 19, Nr. 13). (Der Gedanke war nicht von Dad selbst, sondern ein Plagiat aus *La Grimace* [anonym, 1824].)

Die nächsten drei, vier Jahre taten die Nightwatchmen genau das: Sie betrieben in aller Stille ihre eigene Reorganisation, schulten Sympathisanten und rekrutierten Mitglieder. »Die Mitgliederzahl verdreifachte sich, nicht nur in Amerika, sondern international«, berichtete ein niederländischer Theoretiker, der eine Website namens »*De Echte Waarheid*« unterhielt. Sie bauten angeblich ein weitverzweigtes, geheimes Netzwerk auf: Im Zentrum Gracey, umgeben von anderen »Denkern«, wie sie genannt wurden, und an der Peripherie unzählige untergeordnete Mitglieder, die in der Mehrzahl weder Gracey noch einander jemals begegneten.

»Niemand weiß, was das Gros der Mitglieder zu tun hatte«, schrieb Randy auf www.goodrebels.net.

Ich hatte da so eine Ahnung. In *Der ewige Kampf: Warum sich die Demokratie in Südamerika nicht halten kann* (1971) (einem Dauerbrenner auf Dads Lektürelisten) schrieb Charlie Quick von einer notwendigen »Trächtigkeitsperiode«, in der es für den potenziellen Freiheitskämpfer ratsam sei, nichts weiter zu tun, als »alles über den Feind in Erfahrung zu bringen – einschließlich seiner Frühstücksgewohnheiten, seiner Rasierwassermarke, der Zahl der Haare auf seinem linken großen Zeh«. Vielleicht war das ja der Auftrag der meisten Mitglieder: Mit der Präzision und Geduld eines Schmetterlingssammlers, der auch die seltenen, scheuen Arten findet, ihrerseits Informationen über die Männer zu sammeln, die Gracey als Anschlagsziele ausgewählt hatte. Als Hannah im Hyacinth Terrace über Harveys Familie redete, war deutlich geworden, wie genau sie Bescheid wusste: Sie hatte die Bürgerkriegsanekdote über seine Villa Moorgate gekannt und intime Einzelheiten über Leute gewusst, die sie nie getroffen, ja, vermutlich nie *gesehen* hatte. Vielleicht war Gracey ja wie Gordon Gekko (»Sie hören jetzt auf, mir Informationen zu senden, und fangen an, mir welche zu beschaffen.«), und die untergeordneten Mitglieder waren allesamt Bud Foxes (»Er hat im La Cirque mit einer Gruppe gut gekleideter, dicklicher Erbsenzähler zu Mittag gegessen«).

(Nachdem ich diese Spekulationen in meine Fallnotizen gekritzelt hatte, las ich weiter.)

In dieser Zeit gaben die Nightwatchmen auch die allzu auffälligen und unproduktiven Gruppentreffen auf – im März 1974 wäre eine ihrer Versammlungen in einem leer stehenden Lagerhaus in Braintree, Massachusetts, fast aufgeflogen – und ersetzten sie durch verdeckte, gut getarnte, private »Einzeltreffen«. Laut www.livingoffthegrid.net/gracey begannen diese typischerweise »in einem Diner irgendwo an der Landstraße, einer Fernfahrerkneipe oder einem lokalen Amüsierschuppen und setzten sich dann in einem Holiday Inn oder billigen Motel fort – damit sie für Außenstehende aussahen wie eine Zufallsbekanntschaft, irgendein One-Night-Stand« und deshalb »völlig unauffällig« waren. (Natürlich wäre ich, als ich das las, vor Freude am liebsten herumgehüpft, aber ich zwang mich, konzentriert weiterzuforschen.)

Laut www.historytheydonttellyou.net/nachtlich kamen Anfang 1978 wieder Gerüchte über die inzwischen lautlos funktionierenden erneuerten Strukturen der Nightwatchmen auf, als der Direktor von Cottonwell Industries, Peter Fitzwilliam, bei einem durch elektrisches Versagen ausgelösten Brand auf seinem 20-Hektar-Anwesen in Connecticut starb. Fitzwilliam hatte geheime Fusionsverhandlungen mit der Discounter-Kette Sav-Mart geführt. Nach seinem Tod platzten die Verhandlungen, und im Oktober 1980 musste die Firma Cottonwell (deren Sweatshops in Indonesien laut *Global Humanitarian Watch* »zu den schlimmsten der Welt« zählten) Insolvenz anmelden. Ihre Aktien waren ins Bodenlose gesunken.

1982 wurde Graceys radikale Gruppe – die jetzt angeblich unter dem Namen *Die niemals Schlafenden* lief (oder laut www.mayhem.ru auch проснтеь в ноче, russisch für »nachts wach«) – wieder ein Thema in unzähligen linksextremen und verschwörungstheoretischen Publikationen (etwa *Liberal Man* und einem Erzeugnis namens *Mind Control Quarterly*), nachdem die vier leitenden Manager, die direkt für die Entwicklung und den Vertrieb des neuen Ford Pinto verantwortlich waren, in einem Zeitraum von drei Monaten starben. Zwei erlagen einem plötzlichen Herzstillstand (wobei einer von ihnen, Howie McFarlin, ein Gesundheits- und Sportfanatiker gewesen war), der Dritte starb an einem Kopfschuss, den er sich selbst beigebracht hatte. Der Vierte, Mitchell Cantino, ertrank in seinem eigenen Swimmingpool. Die Obduktion ergab bei Cantino einen Alkoholspiegel von 2,5 Promille, und man fand in seinem Organismus eine hohe Dosis Methaqualon – ein Sedativum, das ihm sein Hausarzt gegen Schlafstörungen und nervöse Spannungszustände verschrieben hatte. Er war gerade dabei gewesen, sich nach zweiundzwanzig Ehejahren scheiden zu lassen, seine Frau erklärte der Polizei, seit sechs Monaten habe er etwas mit einer anderen Frau gehabt.

»Er hat gesagt, sie heißt Catherine und er ist wahnsinnig in sie verliebt. Gesehen habe ich sie nie, aber ich weiß, dass sie blond ist. Als ich im Haus war, um mir Sachen zu holen, habe ich ein blondes Haar in meinem Kamm gefunden«, sagte Cantinos Noch-Ehefrau aus (siehe www.angelfire.com/save-ferris80s/pinto).

Die Polizei stufte den Tod im Pool als Unfall ein. Es gab keinerlci Indizien dafür, dass Catherine oder sonst jemand in der betreffenden Nacht in Cantinos Haus gewesen war.

Im Zeitraum 1983–1987 begann Catherine Baker – oder besser gesagt, ihr Mythos – sich zu materialisieren. Sie tauchte auf zahllosen Websites als *Totenkopfschwärmer* auf oder auch, wie auf einer Hamburger Anarchisten-Seite, schlicht als *Die Motte* (siehe www.anarchieeine.de). (Anscheinend hatte jeder in der Gruppe einen Decknamen. Graceys Deckname war Nero. Andere [keiner war einer konkreten Person zugeordnet, alle waren umstritten] lauteten Bull's Eye, Mohave, Sokrates und Franklin.) Bei Dad und Littleton kam die Motte so gut wie nicht vor, Littleton erwähnte sie nur in einem Postscriptum, Dad erst ganz gegen Ende, im Zusammenhang mit »der Macht des Freiheitsmärchens, die zur Folge hat, dass Kämpfer und Kämpferinnen gegen Ungerechtigkeit mit Attributen von Popstars oder Comic-Helden versehen werden«. Warum sie von beiden weitgehend ignoriert wurde, konnte ich nur vermuten: Während Graceys Identität belegt und unstrittig war – er war türkischer Abstammung, hatte nach einem nicht näher bekannten Unfall eine Hüftoperation gehabt, weshalb ein Bein gut einen Zentimeter kürzer war als das andere –, gab es in Catherine Bakers Leben mehr Haarnadelkurven, Hintertürchen, Dunkel und im Nichts endende Fußspuren als im Plot eines Film noir.

Einige Stimmen (www.geocities.com/revolooshonlaydees) behaupteten, sie sei nie *real* mit den Nightwatchmen assoziiert gewesen. Die Tatsache, dass der Ort, wo Gracey zuletzt gesehen wurde, und der Schauplatz ihrer eigenen brutalen Bluttat nur dreiundzwanzig Meilen auseinander lagen (und beides sich innerhalb von zwei Stunden ereignete), sei reiner Zufall. Der »extremistische Zusammenhang«, den das FBI sah, galt als Konstrukt.

Niemand konnte mit Sicherheit sagen, ob die Blondine, die am 19. September 1987 mit Gracey auf dem Parkplatz eines Lord's Drugstore in Ariel, Texas, gesehen wurde, *dieselbe* Blondine war, die auf einer verlassenen Landstraße bei Vallarmo, in der Nähe des Highway 18, von einem State Trooper an den Straßenrand gewinkt worden war. Der vierundfünfzigjährige Trooper Baldwin Sullins hielt hinter dem blauen 68er-Mercury Cougar auf dem Seitenstreifen und teilte der

Zentrale mit, es handle sich um eine Routineverwarnung wegen eines nicht funktionierenden Rücklichts. Aber irgendetwas an der Frau musste ihn veranlasst haben, sie zum Aussteigen aufzufordern (laut www.copkillers.com/cbaker87 wollte er, dass sie den Kofferraum öffnete, in dem sich Gracey versteckte), und als sie, in Blue Jeans und einem schwarzen T-Shirt, auf der Fahrerseite ausstieg, zog sie eine RG .22, im Volksmund auch Saturday Night Special oder Junk Gun genannt, und feuerte ihm zweimal ins Gesicht.

(Ich hatte gehofft, Ada Harvey hätte dieses Detail etwas ausgeschmückt, ich hatte mir einen Versehentlich-abgegebenen-Schuss, ein Nicht-gemerkt-dass-das-Ding-entsichert-war gewünscht, aber leider neigte Ada nicht zu Schnörkeln.)

Trooper Sullins hatte die Nummer des Mercury Cougar durchgegeben, ehe er aus dem Streifenwagen stieg – das Auto war auf einen Mr Owen Tackle aus Los Ebanos, Texas, zugelassen. Rasch stellte sich heraus, dass Tackle den Wagen vor drei Monaten bei Reece's Gebrauchtwagenmarkt in Ariel in Kommission gegeben hatte und dass ihn eine große Blondine, die sich Catherine Baker nannte, am Vortag gegen Barzahlung erworben hatte. Sekunden bevor die Schüsse fielen, war zufällig ein Lincoln Continental an dem Mercury und dem Streifenwagen vorbeigefahren, und die Aussage der Fahrerin – Shirley Lavina, 53 – hatte zu dem Phantombild von Catherine Baker geführt, dem einzig gesicherten Bild, das es überhaupt von ihr gab.

(Eine grobkörnige Wiedergabe des Phantombilds fand sich auf www.americanoutlaws.net/deathmoth, und Ada Harvey hatte recht. Es sah Hannah Schneider kein bisschen ähnlich. Es hätte auch Junikäfer Phyllis Mixers Standard-Pudel sein können.)

Es gab im Netz noch Hunderte von Details über *die Motte* (laut www.members.aol/smokefilledrooms/moth sah sie aus wie Betty Page, während www.ironcurtain.net behauptete, sie sei oft mit Kim Basinger verwechselt worden) und diese Details – und natürlich das verblüffende Wiederauftauchen von Lord's Drugstore (wo in Hannahs Geschichte *Jade* von der Polizei gestoppt wurde, nachdem sie von zu Hause abgehauen war) – machten mir Angst: Ich befürchtete, ich könnte jeden Moment vor lauter Skeptizismus in Ohnmacht fallen. Aber ich zwang mich, mit eiserner Selbstbeherrschung weiterzumachen, wie die altjüngferliche Britin Mary Kingsley (1862–1900), die als erste Entdeckerin ohne mit der Wimper zu zucken den von Krokodilen wimmelnden Ogooué-Fluss in Gabun hinaufgefahren war, um die Kannibalen und die Polygamie zu erforschen.

Zwar waren einige Quellen nicht davon abzubringen, dass Catherine Baker britisch-französischer Herkunft sei (oder sogar ecuadorianischer; laut www.amigosdaliberdade.br war ihre Zwillingsschwester wegen des von Oxico verseuchten Wassers an Magenkrebs gestorben, weshalb sich Catherine der Gruppe angeschlossen hatte), aber die meisten glaubten, dass es sich um die Catherine Baker handelte, die im Sommer 1973 als Dreizehnjährige von ihren Eltern in New York vermisst gemeldet worden war. Sie sei auch mit »an Sicherheit grenzender Wahrscheinlichkeit« die »unbekannte dunkelhaarige Dreizehn- bis Vierzehnjährige«, die im November desselben Jahres, einen Monat nach dem Bombenanschlag von Houston, mit George Gracey in Berkeley gesehen wurde.

Laut www.wherearetheynow.com/felns/cb3 waren die Eltern der vermissten Catherine Baker astronomisch reich gewesen. Ihr Vater war ein Lariott, Nachfahre von Edward P. Lariott, dem amerikanischen Ölmagnaten und Großkapitalisten, einst zweitreichster Mann der Vereinigten Staaten (und Erzfeind von John D. Rockefeller), und der rebellische Geist der kleinen Catherine, die erwachende Kritik am Leben in ihrem Elternhaus und eine kindliche Schwärmerei für Gracey (dem sie vermutlich im Winter 1973 in New York begegnet war) hätten sie dazu getrieben, für immer dem Leben »in kapitalistischem Überfluss und voller Privilegien« zu entfliehen.

Natürlich schmiegte sich für mich diese luxuriöse Herkunft viel besser um Hannah Schneiders bloße, knochige Schultern als die Behauptung von Sergeant Detective Harper, sie sei als Waisenkind im Horizon House in New Jersey aufgewachsen – der Unterschied zwischen Nerzstola und Karnickelkragen. Wenn man Ada Harvey glauben konnte (und bisher sprach nichts dagegen), dann hatte Fayonette

Harper den Fehler gemacht, das Leben der Hannah Schneider unter die Lupe zu nehmen – das Leben der Vermissten, des Waisenkindes, in dessen Identität Catherine Baker offenbar geschlüpft war (wie in einen Mantel, in dem sie einfach, ohne ihn zu bezahlen, aus dem Kaufhaus spaziert war). Aber das Frustrierende war, dass ich Adas Vermutung weder als Fakt noch als Fiktion bestätigt fand. Die Suche nach »Hannah Schneider« und nach »vermisste Person« erbrachte kein einziges Ergebnis, was mir zunächst komisch vorkam, bis mir dann wieder einfiel, was Hannah selbst in jener Nacht in ihrem Haus gesagt hatte: »*Ausreißer, Waisen, sie werden gekidnappt, getötet – sie verschwinden aus den öffentlichen Datenbanken. Nach einem Jahr hört die Polizei auf, nach ihnen zu suchen. Sie lassen nichts zurück außer einem Namen, und selbst der wird schließlich vergessen.*«

So war es der Person ergangen, deren Namen sie sich zugelegt hatte.

Während ich die ersten Details über Catherine Bakers Leben las (www.greatcommierevolt.net/women/baker war besonders gut recherchiert, mit vielen bibliographischen Angaben und Links zu anderen Quellen), spurtete ich wie ein Laufjunge zurück zu unserem Gespräch, als ich allein bei ihr war, und sammelte jedes ihrer Worte, jedes bisschen Mimik und Gestik ein. Und sobald ich diese Fragmente (irgendetwas mit *Nacht*, Polizeibeamter, The Gone) abgeladen hatte, drehte ich mich um und sauste wieder los, um noch mehr zu suchen.

Hannah hatte behauptet, es sei die Wahrheit über die Bluebloods, während es in Wirklichkeit ihre eigene Geschichte war, die sie zwischen all den Zigaretten und Seufzern erzählt hatte. Sie hatte jeden von ihnen mit einem Teil ihrer eigenen Geschichte ausgestattet, hatte ihnen diese Bruchstücke mit einem unsichtbaren Appliqué-Stich auf den Leib genäht und das Ganze mit ein paar falschen, barocken Details (»Prostituierte, Junkie«, »Blackouts«) garniert, damit es so phantastisch wirkte, dass es wahr sein musste.

Es war nicht Jades Vater gewesen, sondern *ihrer*: Er war reich geworden durch »*Ölgeld und hatte das Blut und das Leid Tausender Menschen an den Händen.*« Sie war es, die von zu Hause ausgerissen war, von New York nach San Francisco. Diese sechstägige Reise hatte »ihr Leben verändert«. Sie, nicht Leulah, war als Dreizehnjährige mit einem Türken durchgebrannt (»er sah toll aus und war sehr leidenschaftlich«, hatte sie gesagt). Und sie, nicht Milton, hatte etwas gesucht, woran man glauben konnte, etwas, was einen über Wasser hielt. Sie hatte sich einer Gruppe angeschlossen, keiner »Straßengang«, sondern »irgendwas mit *Nacht*« – den Nightwatchmen.

Sie hatte die Ermordung des Polizisten aus ihrer eigenen Geschichte herausgeschnitten und Nigels Eltern angehängt, als wenn sie Papierpuppen Kleider anhängen würde.

»*Das Leben macht sich an ein paar Sekunden fest, die du überhaupt nicht kommen siehst*«, hatte sie düster erklärt (extrem düster sogar – ich hätte wissen müssen, dass sie nur von sich selbst sprechen konnte, denn eins von Dads Lebensgeschichte-Gesetzen lautete: »Das finstere Brüten, die düstere Miene und den melancholischen Heathcliff-Blick reservieren die Leute immer für ihre eigene Geschichte und für nichts anderes – das gehört zu dem Narzissmus, der aus der gesamten westlichen Kultur hervorleckt wie Öl aus einem Edsel.«).

»*Manche Leute drücken ab, drücken den Auslöser, und alles vor ihnen explodiert. Andere laufen weg*«, hatte Hannah (geradezu greifbare Düsternis im Gesicht) gesagt.

Der renommierte Kriminologe Matthew Namode schrieb in *Würgegriff der Vergangenheit* (1999), dass Menschen, die ein schweres Trauma erlitten haben – ein Kind, das einen Elternteil verloren, ein Mann, der ein brutales Verbrechen begangen hat – »häufig zwanghaft mit einem bestimmten Wort oder Bild beschäftigt sind, das sich direkt auf das betreffende Geschehnis zurückführen lässt« (S. 249). »Sie sagen es im Schlaf oder in angespannten Situationen vor sich hin, kritzeln es an den Rand irgendwelcher Papiere, schreiben es in den Staub auf der Fensterbank oder dem Bücherregal – ein Wort, das oft so obskur ist, dass Außenstehende die Verbindung zu der traumatischen Situation, die ihm zugrunde liegt, gar nicht erkennen können.« (S. 250) In Hannahs Fall war es *nicht* obskur: Leulah sah das Wort, das Hannah unbewusst auf den Notizblock beim Telefon gekritzelt hatte, aber da Hannah den Zettel so hastig vor ihr versteckte, verlas sich Leulah. Da hatte nicht »Valerio« gestanden, sondern »Vallarmo«, der Name der texanischen Ortschaft, in der Hannah einen Menschen getötet hatte. (Es war Hannahs tiefstes Geheimnis gewesen, ihr *Rosebud*, nur dass es in ihrem Fall etwas war, dem sie entkommen, nicht etwas, was sie wiederfinden wollte.)

Und dann – inzwischen hatte ich magische Kräfte: Wenn man mich auf eine Aschenbahn gestellt hätte, hätte ich sämtliche Hürdenlaufrekorde gebrochen, beim Hochsprung wäre ich so hoch geflogen, dass die Zuschauer geschworen hätten, ich hätte Flügel –, dann sah ich die Wahrheit hinter der Campinggeschichte, die uns Hannah erzählt hatte.

Hüftverletzung, Hüftoperation, »ein Bein kürzer als das andere«: Der Mann, dem sie auf dem Campingausflug das Leben gerettet hatte, war George Gracey. Er hatte sich in den Adirondacks versteckt gehalten. Oder vielleicht hatte sie dieses Detail auch erfunden, vielleicht hatte er sich ja am Appalachian Trail versteckt oder in den Great Smokies, wie die Jacksonville-Flüchtlinge, deren Geschichte in *Die Flucht* (Pillars, 2004) dargestellt war. Vielleicht war Hannah ja deshalb eine erfahrene Bergsteigerin geworden: Es war ihre Aufgabe gewesen, ihm Essen und sonstige Vorräte zu bringen, ihn am Leben zu erhalten. Und jetzt lebte er auf Paxos, einer Insel vor der griechischen Westküste, und Hannah hatte Eva Brewster am Anfang jedes Schuljahrs erzählt, dass sie am liebsten nach Griechenland gehen würde, um »sich selbst lieben« zu können.

Aber – warum hatte sie beschlossen, mir auf so indirekte Art ihre Lebensgeschichte zu erzählen? Warum hatte sie in Stockton gelebt und nicht mit Gracey in Griechenland? Und worin bestanden die gegenwärtigen Aktivitäten der *Nächtlichen* – wenn es überhaupt welche gab? (Die Fragen im Umfeld eines Verbrechens zu klären ist wie der Versuch, das eigene Haus mäusefrei zu kriegen: Kaum hat man eine erwischt, schwupp, huschen die nächsten sechs über den Fußboden.)

Vielleicht hatte Hannah ja beschlossen, es mir zu erzählen, weil sie spürte, dass ich die Einzige der Bluebloods war, die genug Grips hatte, um das Rätsel ihres Lebens zu lösen (Jade und die anderen waren nicht systematisch genug; Milton hatte den Verstand – und auch den Körper – einer Jersey-Kuh). »*In zehn Jahren – dann entscheidest du*«, hatte Hannah gesagt. Offensichtlich hatte sie gewollt, dass jemand die Wahrheit erfuhr – aber nicht jetzt, sondern später, nach ihrem Abgang. In der Nacht, als ich vor ihrer Tür aufgetaucht war, hatte sie zweifellos alles über Ada Harvey gewusst und sich beunruhigt gefragt, ob diese wild entschlossene Südstaatenschönheit (die unbedingt Big Daddys Tod rächen wollte) das Geheimnis aufdecken und dem FBI verraten würde: Hannahs wahre Identität und ihr Verbrechen.

Sie und Gracey *konnten* aus Sicherheitsgründen nicht zusammen sein: Sie wurden immer noch gesucht, und deshalb mussten sie jeden Kontakt abbrechen und auf entgegengesetzten Seiten des Erdballs leben. Oder aber ihre Liebe war schal geworden wie abgestandenes San Pellegrino; »Die Haltbarkeitsdauer jeder großen Liebe beträgt fünfzehn Jahre«, schrieb Dr. Wendy Aldridge in *Für immer und ewig?* (1999). »Danach benötigt man ein hochwirksames Konservierungsmittel, und das kann gesundheitsschädlich sein.«

Die vorherrschende Meinung war, dass *Die Nächtlichen* noch am Leben und aktiv waren. (Littleton schloss sich dieser Meinung an, obwohl er keine Beweise hatte. Dad war skeptischer.) »Dank kreativer Rekrutierungsmethoden«, schrieb Guillaume auf www.hautain.fr, »haben sie mehr Mitglieder denn je. Aber du kannst nicht einfach hingehen und beitreten. Das ist ihr Trick, um unsichtbar zu bleiben. Sie suchen *dich* aus. *Sie* entscheiden, ob du zu ihnen passt.« Im November 2000 hatte sich ein Mark Lecinque (ein Manager, der im Mittelpunkt eines Bilanzfälschungsskandals stand) überraschend in seinem Haus zwanzig Minuten nördlich von Baton Rouge erhängt. Neben ihm auf dem Boden war eine Pistole gefunden worden – das Magazin bis auf eine Kugel voll. Sein augenscheinlicher Selbstmord war ein Schock gewesen, weil Lecinque und seine Anwälte in Fernsehinterviews immer siegesgewiss und überheblich aufgetreten waren. Deshalb wurde gemunkelt, sein Tod sei das Werk der *Veilleurs de Nuit* gewesen.

Auch aus anderen Ländern wurden solche stillschweigenden Hinrichtungen von Magnaten, Industriekapitänen und korrupten Beamten vermeldet. Der anonyme Herausgeber von www.newworldkuomintang.org schrieb, zwischen 1980 und heute seien dank der Nightwatchmen über 330 Mogule (Männer, die insgesamt über 400 Milliarden Dollar wert waren) aus neununddreißig Ländern, darunter auch Saudi-Arabien, »leise und effizient beseitigt« worden, und obwohl unklar war, ob diese plötzlichen Todesfälle den Geschundenen und Unterdrückten tatsächlich etwas nützten, stürzten sie doch zumindest die betroffenen Firmen zeitweilig ins Chaos: Die Ereignisse zwangen die Unternehmen, sich mit internen Führungsproblemen zu beschäftigen, statt sich zu überlegen, wie sie Land und Leute ihrem Profitstreben opfern konnten. Außerdem beklagten sich zahllose Beschäftigte, dass es nach dem Tod ihres Firmenchefs oder anderer leitender Manager einen steilen Produktivitätsrückgang gab – einige sprachen von einem »nicht enden wollenden bürokratischen Albtraum«. Es sei fast unmöglich, irgendetwas zu erledigen oder irgendeine definitive Entscheidung zu treffen, weil auch der kleinste Vorschlag von so vielen Managern aus verschiedenen Abteilungen abgesegnet werden müsse. Etliche Websites, vor allem aus Deutschland, behaupteten, Mitglieder der *Nächtlichen* seien in den Konzernen in Aufsichtsfunktionen tätig und verfolgten das Ziel, diese Unbeweglichkeit durch endlosen obligatorischen Papierkram, sich im Kreis drehende Kontroll- und Gegenkontrollvorschriften und labyrinthische bürokratische Wege noch zu zementieren. So vergeudeten die Firmen täglich Millionen durch die endlose Warterei und »fraßen sich allmählich von innen selbst auf« (siehe www.verschworung.de/firmaalptraume).

Ich wollte gern glauben, dass die *Nächtlichen* noch aktiv waren, weil das hieß, dass Hannah auf ihren monatlichen Trips nach Cottonwood nicht, wie wir alle geglaubt hatten, einfach nur Männer wie Pfanddosen aufgesammelt hatte. Nein, es waren arrangierte Begegnungen gewesen, »private Einzeltreffen«, die nur wie schäbige One-Night-Stands aussehen sollten – in Wirklichkeit wurden wichtige Informationen ausgetauscht, aber ganz platonisch. Und vielleicht war es ja Doc gewesen, der nette Doc mit dem Reliefkartengesicht und den ausklappbaren Beinen, der Hannah über Smoke Harveys jüngste Aktivitäten und Nachforschungen unterrichtet hatte, und nach jenem Rendezvous – in der ersten Novemberwoche – hatte Hannah befunden, dass sie Smoke töten musste. Sie hatte keine andere Wahl gehabt, wenn sie wollte, dass das Versteck ihres Ex-Geliebten auf Paxos, sein *Sanctum sanctorum*, weiterhin sicher blieb.

Aber wie hatte sie es gemacht?

Das war die Frage, an der Ada Harvey bisher gescheitert war, aber nachdem ich jetzt alles über die anderen Morde der *Nächtlichen* gelesen hatte, konnte ich sie mit geschlossenen Augen (und mit etwas Unterstützung durch Connault Heligs *Unsichtbare Machenschaften*) beantworten.

Wenn man den Gerüchten Glauben schenken konnte, bedienten sich die Nightwatchmen, in Übereinstimmung mit ihrem Unsichtbarkeits-Credo aus der Phase nach Januar 1974, spurloser Mordmethoden. Zu ihrem Repertoire musste so etwas Ähnliches gehören wie die in der *Geschichte der Lynchjustiz im amerikanischen Süden* (Kittson, 1966) beschriebene Methode »die fliegende Demoiselle«. (Meiner Meinung nach war Mark Lecinque aus Baton Rouge auf diese Weise umgebracht worden, da man seinen Tod als klaren Selbstmord eingestuft hatte.) Sie mussten aber auch ein noch wasserdichteres Verfahren anwenden, wie es Connault Helig beschrieb, ein Londoner Arzt, den die ratlose Polizei hinzuzog, um den Leichnam von Mary Kelly zu untersuchen, dem fünften und letzten Opfer des Mannes mit dem Spitznamen »Lederschürze«, gemeinhin als Jack the Ripper bekannt. Der hochangesehene, wenn auch abgründige Mediziner und Naturwissenschaftler Helig beschreibt in Kapitel 3 ausführlich die seiner Meinung nach »einzig perfekte heimliche Exekutionsmethode, die es auf der Welt gibt« (*Machenschaften*, S. 18).

Perfekt war die Methode deshalb, weil sie rein technisch gar kein Mord war, sondern eine kalkulierte Herbeiführung tödlicher Umstände. Der Plan wurde nicht von einer Person umgesetzt, sondern von einem »Konsortium von fünf bis dreizehn gleichgesinnten Gentlemen«, die jeweils an einem bestimmten Tag, unabhängig voneinander, etwas ausführten, was ihnen der zentrale Kopf des Ganzen, »der Organisator«, aufgetragen hatte. Für sich genommen, war jede dieser Maßnahmen legal, ja, sogar banal, aber auf einen so engen Zeitraum zusammengedrängt, ergaben sie kombiniert eine »absolut tödliche Situation, in der dem designierten Opfer nichts anderes übrig bleibt als zu sterben« (S. 22). »Jeder der Männer handelt allein«, schrieb er auf S. 21. »Er kennt weder die Gesichter noch die Aktionen derer, mit denen er operiert, ja, er kennt nicht einmal das Endziel. Diese Unwissenheit ist unabdingbar, denn sie gewährleistet jedem die Unschuld. Nur der Organisator kennt den Plan von Anfang bis Ende.«

Man musste ganz genau über das Privat- und Berufsleben des Opfers Bescheid wissen, um das »ideale Gift« für die »Tötung« bestimmen zu können (S. 23–25). Der Ansatzpunkt konnte irgendein Gegenstand aus dem persönlichen Besitz sein oder eine Schwäche, ein körperliches Handicap, vielleicht auch eine spezifische Empfindlichkeit des Betreffenden – eine geliebte Waffensammlung, die steile Eingangstreppe eines Hauses in Belgravia (die dann »in den frühen Morgenstunden eines kühlen Februartages überraschend glatt wird«), ein wohlbekannter Hang zum Opium, die Fuchsjagd auf nervösen Hengsten, der Umgang mit krankheitsbehafteten Straßendirnen nachts unter klapprigen Brücken oder auch einfach nur die tägliche Einnahme eines vom Hausarzt verschriebenen Medikaments. Das Konzept sah vor, dass sämtliche gegen das Opfer verwendete Waffen seine eigenen waren und sein Tod daher auch dem »listigsten und einfallsreichsten Ermittler« als Unfall erscheinen musste (S. 26).

So hatte Hannah es gemacht – oder vielmehr, hatten *sie* es gemacht, weil ich nicht glaubte, dass sie es allein getan hatte. Sie hatte mehrere Helfer gehabt, von denen die meisten praktischerweise maskiert waren – *Elvis: Aloha from Hawaii* vielleicht, *er* hatte verschlagen und verdächtig gewirkt, oder der Astronaut, den Nigel und ich mit der Chinesin im Gorillakostüm hatten Griechisch sprechen hören. (»Die Mitgliederzahl wächst nicht nur in Amerika, sondern international«, vermeldete Jacobus auf www.deechtewaarheid.nl.)

»Der zentrale Gentleman, den wir hinfort Nummer Eins nennen werden, präpariert die Gifte bereits vor dem betreffenden Tag«, schreibt Helig auf S. 31.

Hannah war Nummer Eins gewesen. Sie hatte sich bei Smoke eingeschmeichelt und seine Gifte ausfindig gemacht: sein Blutdruckmedikament, Minipress, und seine Lieblingsgetränke, Jameson, Bushmills, vielleicht noch Tullamore Dew. (»Er hat seinen Whiskey geliebt ... das will ich gar nicht bestreiten«, hatte Ada gesagt.) Auf www.drugdata.com las ich, dass das Mittel »mit alkoholischen Getränken unverträglich« war, in Kombination konnte beides zu den Symptomen einer »Synkope« führen: Benommenheit, Verwirrtheit, sogar Bewusstseinsverlust. Hannah hatte das Mittel erworben – oder vielleicht hatte sie es ja auch schon besessen, vielleicht waren die neunzehn Fläschchen mit verschreibungspflichtigen Medikamenten in ihrem Badezimmerschränkchen gar nicht für sie bestimmt gewesen, sondern ausschließlich für ihre Killerjobs. Sie zerstieß eine bestimmte Menge Pillen (exakt die verordnete Tagesdosis, damit die erhöhten Wirkstoffwerte, wenn sie bei der Obduktion gefunden wurden, leicht damit zu erklären waren, dass das Opfer am fraglichen Tag seine Dosis versehentlich zweimal eingenommen hatte – es gab ja keine anderen Hinweise auf Fremdverschulden). Sie löste das pulverisierte Mittel in dem Whiskey auf, den sie ihm reichte, sobald er auf der Party ankam.

»Nummer Eins«, schreibt Helig auf S. 42, »ist dafür zuständig, das Opfer in einen entspannten Zustand zu versetzen, dafür zu sorgen, dass es arglos ist. Für die Gruppe ist es sehr nützlich, wenn Eins eine besonders gut aussehende und charmante Person ist.«

Sie begegneten Nigel und mir auf der Treppe, gingen nach oben in Hannahs Schlafzimmer, redeten – und kurz darauf entschuldigte sich Hannah, vielleicht unter dem Vorwand, neue Drinks holen zu wollen; sie nahm beide Gläser mit nach unten in die Küche, spülte sie aus, womit sie das einzig belastende Indiz bei der ganzen Sache vernichtete – und vollendete so, was Helig den »Ersten Akt« nennt: den einleitenden Schritt. Für den Rest des Abends hielt sie sich von Smoke fern.

Der Zweite Akt war die scheinbar zufällige Stafette, die »den Mann langsam, aber sicher seinem Ende entgegenführt« (S. 51). Hannah musste gewusst haben, dass Smoke die olivgrüne Uniform der Roten Armee tragen würde, also kannten die übrigen Vollstreckungshelfer nicht nur seine äußere Beschreibung, sondern auch seine Kostümierung. Nummer Zwei, Drei, Vier, Fünf (und wie viele es sonst noch waren) erschienen an den vereinbarten Orten, gingen auf Smoke zu, sprachen ihn an, drückten ihm einen Drink in die Hand und redeten pausenlos auf ihn ein, während sie ihn allmählich vom Schlafzimmer die Treppe hinunter und auf den Patio hinaus geleiteten – alle sehr zugewandt, charmant und scheinbar betrunken. Vielleicht waren ein, zwei Männer darunter, aber die meisten waren Frauen. (Ernest Hemingway, der nicht besonders scharf auf das schöne Geschlecht war, schrieb: »Eine junge Dame mit hübschen Augen und einem Lächeln kann einen alten Mann zu fast allem bringen« [Tagebücher, Hemingway, 1947].)

Diese sorgfältig inszenierte Stafette setzte sich ein bis zwei Stunden fort, so lange, bis Smoke am Rand des Pools positioniert war, mit rotem, verquollenem Gesicht und nicht mehr fähig, den Blick von den Schuppen, Engelsflügeln und Rückenflossen loszureißen, um zu merken, wo er stand. Sein Kopf war ein Sack Hühnerfutter. Das war der Moment, in dem ihn Nummer Sechs, der sich mit ein paar Leuten unterhielt, »aus Versehen« anrempelte, damit er das Gleichgewicht verlor und fiel, und Nummer Sieben – Sieben musste eine von den Ratten gewesen sein, die Marco Polo spielten – vergewisserte sich, dass er hilflos war, wenn die Ratte ihm nicht sogar den Kopf unter Wasser drückte und dann dafür sorgte, dass er noch ein paar Mal um sich patschte, zum tiefen Ende des Pools hinüber trieb und dort sich selbst überlassen blieb.

Und so endet mit dem Tod des Opfers der zweite und »bemerkenswerteste Akt unserer kleinen Tragödie« (S. 68). Der Dritte Akt beginnt, wenn der Tote gefunden wird, und endet damit, dass die beteiligten Personen »sich in alle Winde zerstreuen wie die Blütenblätter einer welken Blume, um nie wieder zusammenzukommen« (S. 98).

* * *

Nachdem ich diese letzten Punkte meinen Fallnotizen hinzugefügt hatte (die inzwischen zwölf Seiten eines linierten Schreibblocks umfassten), rieb ich mir die Augen, warf den Stift hin und presste den Kopf gegen Dads Schreibtischstuhllehne. Das Haus war still. An dem Fenster unterhalb der Decke klebte die Dunkelheit wie ein billiges Nachthemd. Die holzgetäfelte Wand, wo noch vor Kurzem die sechs Schmetterlingskästen meiner Mutter hingen, starrte mich ausdruckslos an.

Wenn ich an Smoke Harvey dachte, ihn durch das Kostümfest – eines langen Tages Reise in den Tod – verfolgte, dann war das Ganze ein ziemlicher Schlag für die heimlichen Revolutionäre, die gegen die Raffgier der Konzerne kämpften.

Das war das Problem bei gerechten Sachen, das billige Plastikspielzeug in ihrem Happy Meal: Es kam unweigerlich der Punkt, an dem sie sich nicht mehr vom Feind unterschieden: Sie wurden selbst das, was sie so erbittert bekämpften. Freiheit, Demokratie – die großen Worte, die die Leute mit erhobener Faust riefen (oder auch mit gesenkten Lidern flüsterten) – waren wunderschöne Katalogbräute aus fernen Ländern, und man konnte noch so lang darauf insistieren, dass sie für immer bleiben sollten – wenn man erst einmal richtig hinsah (und nicht mehr in ihrer Gegenwart auf Wolke sieben schwebte), merkte man, dass sie nie *wirklich* in die eigene Welt passen würden: Sie lernten weder die Sitten und Gebräuche richtig noch die Sprache. Ihre Verpflanzung aus einem Manifest oder Grundlagenwerk in die Wirklichkeit war bestenfalls eine ziemlich wackelige, fragile Angelegenheit.

»So wie selbst die imposanteste Figur in einem Buch nie klüger sein kann als der winzige Autor«, hatte Dad in seinem Vortrag »Binnenland Schweiz: Nur deshalb nett und neutral, weil winzig und ohne Macht« erklärt, »kann auch keine Regierung großartiger sein als die Personen, die sie ausüben. Falls es nicht in der näheren Zukunft zu einer Invasion der kleinen grünen Männchen kommt – wenn ich eine Woche die *New York Times* gelesen habe, denke ich fast, dass es gar nicht so übel wäre –, werden diese Regierenden immer nur Menschen sein, Männer und Frauen, komische, paradoxe Wesen, die zu erstaunlichem Mitgefühl, aber auch zu erstaunlicher Grausamkeit fähig sind. Sie werden überrascht sein: Kommunismus, Kapitalismus, Sozialismus, Totalitarismus, was auch immer für ein *-ismus* gerade dran ist – es spielt im Grunde keine große Rolle, es wird immer das empfindliche Gleichgewicht zwischen den menschlichen Extremen geben. Und so leben wir unser Leben, treffen informierte Entscheidungen über das, woran wir glauben wollen, und stehen dazu. Das ist alles.«

Es war 21 Uhr 12, und Dad war immer noch nicht zu Hause.

Ich schaltete seinen Computer aus, stellte die Nummer des *Federal Forum* und die übrigen Bücher wieder ins Regal, nahm meine Fallnotizen, machte die Lichter im Arbeitszimmer aus und ging schnell hinauf in mein Zimmer. Dort warf ich die Papiere auf mein Bett, nahm einen schwarzen Pullover heraus und zog ihn über.

Ich wollte noch einmal in Hannahs Haus gehen. Ich musste hingehen, nicht morgen, wenn das grelle Tageslicht die Wahrheit töten würde, indem es sie lächerlich machte, sondern *jetzt*, solange sie noch zappelte. Ich war noch nicht fertig. Ich konnte noch niemandem von meiner Theorie erzählen – wirklich nicht. Ich brauchte mehr, konkrete Beweise, Fakten, Unterlagen, Briefe – Minipress in einem der neunzehn Pillenfläschchen etwa, einen Artikel aus dem *Vallarmo Daily*, »Polizist erschossen, Täterin flüchtig«, datiert vom 20. September 1987 – *irgendetwas*, was Hannah Schneider mit Catherine Baker mit Smoke Harvey mit den Nightwatchmen verkettete. *Ich* glaubte es natürlich. Ich *wusste*, dass Hannah Schneider Catherine Baker war, so sicher wie ich wusste, dass eine Schildkröte bis zu zehn Zentner wiegen konnte (siehe Lederrückenschildkröte, *Enzyklopädie der Lebewesen*, 4. Ausg.). Ich war mit ihr in ihrem Wohnzimmer und auf dem

Berg gewesen und hatte die Splitter ihrer Lebensgeschichte, die sie auf dem Boden verstreut hatte, mühsam zusammengeklaubt. Ich hatte schon immer gewusst, dass in ihrem Schatten etwas Großartiges und Groteskes lebte, und jetzt war es endlich da, kroch zentimeterweise aus dem Dunkel.

Aber wer würde mir glauben? Ich hatte in letzter Zeit nicht viel Erfolg gehabt, wenn ich andere von dem überzeugen wollte, was ich glaubte – meine Erfolgsrate lag bei etwa null von acht. (Ich würde eine lausige Missionarin abgeben.) Die Bluebloods glaubten, ich hätte Hannah umgebracht, Detective Harper glaubte, ich hätte ein Augenzeugentrauma, und Dad schien zu befürchten, dass ich leise in den Wahnsinn abglitt. Nein, der Rest der Welt, Dad eingeschlossen, brauchte Beweise, um an etwas zu glauben (darin bestand die Krise der katholischen Kirche mit ihrer rapide schwindenden Mitgliederzahl), und zwar *nicht* die Sorte Beweis, die nur ein vager Schatten war, der in einem Hauseingang verschwand, ein Hicksen auf der Treppe, ein Hauch von Parfüm in der Luft, sondern ein Beweis wie eine stämmige russische Lehrerin direkt unter einer Flutlichtlampe (und nicht bereit, klein beizugeben): Dreifachkinn, wildes graues Haar (kaum gebändigt durch Klemmen und ein Dutt), riesiges orangefarbenes T-Shirt (unter dem sich ein erwachsener Orang-Utan erfolgreich verstecken könnte) und Kneifer.

Diese Art Beweis musste ich finden – auch wenn es mich umbrachte.

Doch als ich mir gerade die Schuhe zugebunden hatte, hörte ich den Volvo in die Einfahrt einbiegen – also konnte ich meinen Plan erst einmal vergessen. Dad würde mich nie und nimmer jetzt noch in Hannahs Haus gehen lassen, und bis ich ihm alles erklärt hatte, bis ich mit jeder einzelnen seiner hartnäckigen, unerbittlichen Fragen fertig wäre (um Dad von etwas zu überzeugen, musste man ein Arsenal auffahren wie Gott im 1. Buch Mose), würde die Sonne schon aufgehen, und ich würde mich fühlen, als hätte ich gerade eine Riesenkrake abgewehrt. (Ich gebe zu, dass, obwohl ich meine Hypothese für hinreichend bewiesen hielt, ich trotzdem Angst hatte, dass sie im Gegensatz zur Boltzmann-Konstante, zur Avogadro-Zahl, zur Quantenfeldtheorie und zur Theorie von der Inflation des Universums innerhalb von vierundzwanzig Stunden in sich zusammenbrechen konnte. Ich musste mich beeilen.)

Ich hörte, wie Dad zur Haustür hereinkam und seine Schlüssel auf den Tisch warf. Er summte vor sich hin – ich glaube, es war »I Got Rhythm«.

»Sweet?«

Mein Blick huschte hektisch im Zimmer herum. Ich musste aus dem Fenster klettern. Ich entriegelte es, schob es mit aller Kraft hoch (es war seit der Carter-Administration nicht mehr geöffnet worden), machte dann das Gleiche mit dem rostigen Fliegenfenster. Ich steckte den Kopf hinaus, blickte hinunter. Anders als in den kitschigen Familiendramen im Fernsehen waren da keine mächtige Eiche mit leiterförmig angeordneten Ästen, keine Pergola, kein Rosenspalier und keine passende Gartenmauer – nur ein drei Stockwerke tiefer Abgrund, ein schräges Dächlein über dem Erkerfenster des Esszimmers und ein paar mickrige Efeuranken, die an der Hauswand klebten wie Haare an einem Pullover.

Dad hörte die Botschaften auf dem Anrufbeantworter ab, seine eigene wegen des Essens mit Arnie Sanderson, dann Arnold Schmidt vom *New Seattle Journal for Foreign Policy*, der lispelte und die letzten vier Zahlen seiner Telefonnummer vernuschelte.

»Sweet, bist du oben? Ich habe Essen aus dem Restaurant mitgebracht.«

Ich setzte hastig meinen Rucksack auf, schwang erst ein Bein aus dem Fenster, dann das andere und ließ mich auf die Ellbogen hinunter. So hing ich eine Minute da und starrte auf die Sträucher unter mir – ich wusste, dass ich ohne weiteres sterben oder mir mindestens Arme und Beine oder vielleicht auch das Rückgrat brechen konnte, sodass ich querschnittsgelähmt wäre – und was würde ich *dann* noch für Verbrechen aufklären, welche großen Fragen des Lebens würde ich jemals beantworten? Es war der Moment, in dem ich mich fragen musste, ob es das wert war, und genau das tat ich: Ich dachte an Hannah und an Catherine Baker und an George Gracey. Ich sah Gracey vor mir, auf Paxos, braun gebrannt an einem riesigen Pool, eine Margarita in der Hand, im Hintergrund das ferne jadegrüne Meer und zu beiden Seiten superschlanke Mädchen, fächerförmig angeordnet wie Selleriestängel auf einer Platte mit Dips. Wie weit weg waren jetzt Jade und Milton und St. Gallway und sogar Hannah – ihr Gesicht verblasste schon wie eine Reihe Geschichtsdaten, die ich mir für einen Test eingehämmert hatte. Wie einsam und lächerlich man sich fühlte, wenn man aus einem Fenster baumelte. Ich holte tief Luft, öffnete die Augen – ich war keine Memme, ich machte nicht die Augen zu, nicht *mehr.* Wenn das mein letzter Augenblick war, ehe ich vollständig gelähmt war, ehe alles aus den Fugen geriet, dann wollte ich es *sehen*, während ich fiel: die endlose Nacht, das zitternde Gras, die Scheinwerfer eines vorbeifahrenden Autos, die durch die Bäume schnitten.

Ich ließ los.

»Die guten Landleute«

Das bisschen Dach, das wie haarspraysteife Ponyfransen über dem Erkerfenster des Esszimmers hervorstand, bremste meinen Sturz. Die Hauswand und die Rhododendren, in denen ich gelandet war, hatten mir zwar die ganze linke Seite zerkratzt, aber ich stand doch erstaunlich unversehrt auf und klopfte mich ab. Jetzt brauchte ich natürlich ein Auto (wenn ich es wagte, zur Haustür hineinzuschleichen, um die Volvoschlüssel zu holen, riskierte ich, Dad zu begegnen), und der einzige Ort, der mir einfiel, der einzige Mensch, der mir helfen konnte, war Larson von der BP-Tankstelle.

Eine Dreiviertelstunde später betrat ich mit Ding-Dong den Food Mart.

»Sieh mal an, wer da von den Toten zurückkehrt«, verkündete die Sprechanlage. »Hab schon gedacht, du hast dir ein Auto gekauft. Oder du magst mich nicht.«

Hinter der kugelsicheren Scheibe verschränkte er die Arme und zwinkerte mir zu. Er trug ein schwarzes T-Shirt mit abgeschnittenen Ärmeln und der Aufschrift CAT! CAT! Bei den Batterien stand seine neueste Freundin, eine blonde Bohnenstange in einem kurzen roten Kleid, und aß Kartoffelchips.

»*Senorita*«, sagte er. »Hab dich vermisst.«

»Hi«, sagte ich und ging zum Schalterfenster.

»Was ist *los*? Warum biste mich nie besuchen gekommen? Du brichst mir das *corazón*.«

Bohnenstange beäugte mich skeptisch und leckte sich Salz von den Fingern.

»Wie geht's in der Schule?«, fragte er.

»Ganz gut«, sagte ich.

Er nickte und hielt ein aufgeschlagenes Buch hoch, *Spanisch im Selbststudium* (Berlitz, 2000). »Bin selbst grad am Lernen. Hab mir überlegt, ich steige ins Filmbusiness ein. Wenn man hierbleibt, muss man ganz unten anfangen, zu viele Leute. Aber im Ausland? Da kann man ein dicker Fisch in einem kleinen Teich sein. Hab mich für Venezuela entschieden. Hab gehört, da brauchen sie Schauspieler –«

»Ich brauche deine Hilfe«, platzte ich heraus. »Ich – ich dachte, ich könnte vielleicht nochmal deinen Truck borgen. Ich bringe ihn in drei, vier Stunden wieder zurück, versprochen. Es ist ein Notfall und –«

»Typisch *chica*. Kommt nur vorbei, wenn sie was will. Kannste deinen Pops nicht fragen, weil's mit ihm grad nicht so leicht ist – brauchste mir nicht zu sagen. Ich seh's an den *símbolos*. Den Zeichen.«

»Es geht nicht um meinen Vater. Es geht um etwas, was in der Schule passiert ist. Hast du das mit der Lehrerin gehört, die gestorben ist? Hannah Schneider?«

»Hat sich umgebracht«, sagte Bohnenstange, den Mund voller Chipskrümel.

»Stimmt«, sagte Larson und nickte. »Hab schon drüber nachdenken müssen. Ich hab mich gefragt, wie's dein Dad wohl verkraftet. Männer trauern nun mal anders als Frauen. Bevor er wegging, hatte mein Dad was mit Tina, der, die bei Hair Fantasy gearbeitet hat. Hat sie ausgeführt, da war's gerade mal eine Woche her, dass meine Stiefmutter am Hirntumor gestorben war. Ich hab 'nen Anfall gekriegt. Aber er hat sich mit mir hingesetzt und mir erklärt, dass die Leute ihre Trauer eben verschieden zeigen. Dass man den Trauerprozess respektieren muss. Also, wenn dein Pops wieder was anfängt, darfste's ihm nicht übelnehmen. Er ist sicher ganz schön aus der Spur. Hat ihm wirklich was bedeutet. Weißte, hier kommen so viele Leute durch, alle Sorten, und wahre Liebe erkenn ich, so wie ich erkenne, wenn ein

Schauspieler nicht wirklich in der Rolle drin ist, sondern nur seinen Text runterspult –«

»Wovon redest du?«

Er grinste. »Von deinem Pops.«

»Von meinem Pops.«

»Schätze mal, er ist ziemlich fertig.«

Ich starrte ihn an. »Warum?«

»Na ja, wenn sein Mädel einfach hingeht und sich das Leben nimmt –«

»Sein *Mädel*?«

»Na, klar.«

»Hannah Schneider?«

Er starrte mich an.

»Aber sie kannten sich doch kaum.« Sobald der Satz draußen war, klang er lächerlich lahm und schwach. Er rollte sich zusammen und begann sich aufzulösen wie eine leere Strohhalmhülle, wenn ein Tropfen Wasser drauf fällt.

Larson sagte nichts mehr. Er schien unsicher: Er hatte gemerkt, dass er im falschen Treppenhaus gelandet war, konnte sich aber nicht entscheiden, ob er weiter runtergehen sollte oder wieder zurück.

»Wie kommst du drauf, dass sie ein Paar waren?«, fragte ich.

»So wie die sich angeguckt haben«, sagte er nach kurzem Überlegen und beugte sich vor, bis seine sommersprossige Stirn nur noch einen Fingerbreit vor der Scheibe war. »Einmal ist sie hier reingekommen, während er draußen im Wagen gewartet hat. Hat mich angelächelt. Hat Tums gekauft. Das andere Mal haben sie Benzin mit der Kreditkarte bezahlt. Sind gar nicht ausgestiegen. Aber ich hab das Mädel gesehen. Und als Nächstes ist ihr Foto in der Zeitung. Ihr Gesicht war so hübsch, das gräbt sich einem ins Hirn.«

»Bist du sicher? Es war nicht – es war keine kleine Frau mit orangenem Haar?«

»Ach, *die* hab ich auch gesehen. Wahnsinnsblaue Augen. Nein. Die, die ich meine, war die aus der Zeitung. Dunkle Haare. Sah aus, als wär sie nicht von hier.«

»Wie oft hast du sie zusammen gesehen?«

»Zweimal. Vielleicht dreimal.«

»Ich kann nicht – ich muss« – meine Stimme klang beängstigend, sie kam in Klumpen heraus – »Entschuldigung«, brachte ich noch hervor. Und dann, plötzlich, war »Ihr freundlicher Tankstellenshop« gar nicht mehr freundlich. Ich drehte mich hastig um, weil ich nicht mehr in Larsons Gesicht schauen konnte, der ganze Laden schien verwischt, unscharf (oder aber sämtliche Gravitationsfelder waren erschlafft). Beim Umdrehen knallte ich mit dem linken Arm gegen den Grußkartenständer, und dann krachte ich voll gegen Bohnenstange, die ihren Posten bei den Batterien aufgegeben hatte, um sich einen Becher kochend heißen Kaffee zu holen, der so groß war wie ein Kind. Er spritzte über uns beide (Bohnenstange schrie und jammerte wegen ihrer verbrühten Beine), aber ich blieb nicht stehen. Ich entschuldigte mich auch nicht. Ich rannte los, stieß mit dem Fuß gegen den Ständer mit den Brillenperlenketten und den Luftfrische-Engeln, und die Tür ding-dongte, und endlich schlug mir die Nacht ins Gesicht. Ich glaube, Larson rief mir noch etwas hinterher: »Überleg dir, ob du die Wahrheit verkraftest«, rief er mit seinem Kettensägenakzent –, aber vielleicht waren es auch die quietschenden Reifen und das Gehupe der Autos, oder es waren meine eigenen Worte, die mir durch den Kopf schossen.

Der Prozeß

Ich fand Dad in der Bibliothek.

Er war überhaupt nicht überrascht, als ich plötzlich auftauchte – aber ich kann mich eigentlich nicht erinnern, dass Dad je überrascht war, außer das eine Mal, als er sich bückte, um Junikäfer Phyllis Mixers schokobraunen Standard-Pudel zu streicheln, und das Vieh in die Luft sprang und seine Zähne Dads Gesicht nur um einen Zentimeter verfehlten.

Ich blieb erst mal in der Tür stehen. Ich starrte ihn an und brachte kein Wort heraus. Er legte, mit der Geste einer Frau, die eine Perlenkette in Händen hält, seine Lesebrille in das Etui.

»Du hast dir *Vom Winde verweht* also doch nicht angeschaut«, sagte er.

»Wie lange warst du mit Hannah Schneider zusammen?«, fragte ich.

»Zusammen?« Er runzelte die Stirn.

»Lüg nicht. Ich kenne Leute, die haben dich mit ihr gesehen.« Ich öffnete den Mund, um noch mehr zu sagen, aber es ging nicht.

»Sweet?« Er beugte sich in seinem Sessel ein wenig vor, um mich besser studieren zu können, so als wäre ich ein interessantes Prinzip der Konfliktlösung, das auf eine Wandtafel gekritzelt war.

»Ich hasse dich«, sagte ich mit zitternder Stimme.

»Wie bitte?«

»*Ich hasse dich*!«

»Mein Gott«, sagte er mit einem Lächeln. »Ich – das ist wirklich eine interessante Wende. Ziemlich lächerlich.«

»*Ich bin nicht lächerlich! Du bist lächerlich*!« Ich drehte mich um, riss ein Buch aus dem Regal hinter mir und warf es nach ihm. Er wehrte es mit dem Arm ab. Es war *Ein Porträt des Künstlers als junger Mann* (Joyce, 1916), es fiel ihm aufgeklappt vor die Füße. Sofort griff ich mir ein weiteres Buch, *Amtseinführungsreden amerikanischer Präsidenten* (Bicentennial ed., 1989).

Dad starrte mich an. »Um Himmels willen, beruhige dich.«

»*Du bist ein Lügner! Ein Affe*!«, schrie ich und warf das Buch nach ihm.

Er wehrte auch dieses ab. »Der Gebrauch des Satzes *Ich hasse dich*«, sagte er ruhig, »ist nicht nur nicht wahrheitsgemäß, er ist –«

Ich warf *Eine Geschichte aus zwei Städten* (Dickens, 1859) nach seinem Kopf. Er schmetterte den Roman ab, also packte ich alles, was an Büchern in meine beiden Arme passte, wie eine halbverhungerte Irre, die der Aufforderung nachkommt, sich an einem Selbstbedienungsbüfett alles zu nehmen, was sie essen kann. Da waren *Das anstrengende Leben* (Roosevelt, 1900), *Grashalme* (Whitman, 1891), *Diesseits vom Paradies* (Fitzgerald, 1920) und ein sehr schweres, grünes, gebundenes Werk – *Das elisabethanische England* (Harrison, 1914), glaube ich. Ich warf sie alle nach ihm, eine Schnellfeuersalve. Die meisten wehrte er ab, aber *Das elisabethanische England* traf ihn am rechten Knie.

»*Du bist ein mieser Lügner! Du bist widerlich*!«

Ich schmiss *Lolita* (Nabokov, 1955).

»*Ich hoffe, du stirbst einen langsamen, qualvollen Tod*!«

Obwohl er die Bücher mit den Armen und manchmal auch mit den Beinen abwehren musste, stand Dad nicht auf, um mich zu bremsen. Er blieb in seinem Lesesessel sitzen.

»Jetzt fass dich mal wieder«, sagte er. »Sei nicht so melodramatisch. Das ist hier keine Miniserie auf AB –«

Ich feuerte *Das Herz aller Dinge* (Greene, 1948) in seine Magengegend und *Common Sense* (Paine, 1776) nach seinem Gesicht.

»Muss das sein?«

Ich schmiss *Vier Texte über Sokrates* (West, 1998) und ergriff *Das verlorene Paradies* (Milton, 1667).

»Das ist eine seltene Ausgabe«, sagte Dad.

»*Dann soll sie dich erschlagen*!«

Dad seufzte und schirmte sein Gesicht ab. Er fing das Buch, klappte es zu und legte es ordentlich auf das Lampentischchen. Auf der Stelle schmiss ich *Rip Van Winkle & Die Sage vom Schläfertal* (Irving, 1819) und traf ihn seitlich in die Rippen.

»Wenn du dich fassen und dich wie ein vernünftiger Mensch verhalten würdest, wäre ich vielleicht bereit, dir zu erzählen, wie ich die höchst desequilibrierte Miss Schneider kennengelernt habe.«

Der *Diskurs über die Ungleichheit* (Rousseau, 1754) traf seine linke Schulter.

»Blue, also *wirklich*. Beruhige dich. Du tust dir selbst mehr an als mir. *Schau* dich doch –«

Ein Großdruck-*Ulysses* (Joyce, 1922), aus der Überkopf-Rückhand geworfen, nachdem ich die *King-James-Bibel* als Ablenkungsmanöver vorausgeschickt hatte, überrumpelte ihn und erwischte ihn seitlich im Gesicht, unter dem linken Auge. Er fasste sich an die Stelle, wo ihn der Buchrücken getroffen hatte, und betrachtete seine Finger.

»Bist du jetzt fertig damit, deinen Vater mit dem abendländischen Kanon zu bombardieren?«

»Warum lügst du?« Meine Stimme klang heiser. »Warum finde ich immer raus, dass du mich anlügst?«

»Setz dich *hin*.« Er kam auf mich zu, aber ich brachte ein ramponiertes Exemplar von *Wie die andere Hälfte lebt* (Riis, 1890) in Anschlag. »Wenn du dich beruhigen könntest, würdest du dir den Stress dieser Hysterie ersparen.« Er nahm mir das Buch ab. Diese weiche Stelle direkt unterm Auge – ich weiß nicht, wie man die nennt – blutete: Ein Blutstropfen glänzte wie eine Perle. »Jetzt beruhige dich –«

»Lenk nicht vom Thema ab«, sagte ich.

Er setzte sich wieder in seinen Sessel.

»Wirst du jetzt vernünftig sein?«

»*Du solltest vernünftig sein*«, sagte ich laut, aber nicht mehr so laut wie eben, weil mir die Kehle wehtat.

»Ich verstehe ja, was du jetzt denken musst –«

»Immer, wenn ich irgendwohin gehe, erfahre ich von anderen Leuten Sachen, die du mir nicht gesagt hast.«

Dad nickte. »Das verstehe ich *vollkommen*. Bei wem warst du denn heute Abend?«

»Ich gebe meine Quellen nicht preis.«

Er seufzte und legte die Hände zu einem perfekten Das-ist-die-Kirche-und-das-ist-der-Kirchturm zusammen. »Es ist im Grunde ganz einfach. Du hast uns nochmal zusammengeführt, als sie dich damals nach Hause gefahren hat. Irgendwann im Oktober, weißt du noch?«

Ich nickte.

»Na ja, kurz darauf ruft diese Frau mich an. Sagt, sie mache sich Sorgen um dich. Du und ich, wir kamen damals nicht so besonders gut zurecht, wenn du dich erinnerst, also war ich natürlich beunruhigt und nahm ihre Einladung an, einmal zusammen essen zu gehen. Sie hat ein ziemlich unangemessenes Restaurant ausgesucht, viel zu schwül und überladen, Hyacinth irgendwas, und während des siebengängigen Menüs hat sie mir erklärt, es wäre doch eine *prima* Idee, wenn du zu einer Kinderpsychologin gehen würdest, um irgendwelche Probleme wegen deiner verstorbenen Mutter zu bearbeiten. Ich war natürlich außer mir. Was bildete diese Frau sich ein! Aber als ich dann nach Hause kam und dich *sah* – mit deinen feldspatfarbenen Haaren –, da habe ich gedacht, vielleicht hatte sie recht. Ja, es war eine idiotische, *beleidigende* Unterstellung meinerseits, aber ich war eben immer schon ängstlich, weil ich dich ohne deine Mutter großziehen musste. Man könnte sagen, es war meine Achillesferse. Und deshalb war ich noch zweimal mit ihr essen, um darüber zu reden, ob du vielleicht wirklich zu jemandem gehen solltest, aber am Ende ist mir klar geworden, dass nicht *du* Hilfe brauchst, sondern *sie*. Und zwar dringend.« Dad seufzte. »Ich weiß, du mochtest sie, aber sie war wirklich nicht die Stabilste. Später hat sie mich noch ein paar Mal im Büro angerufen. Ich habe ihr gesagt, du und ich, wir hätten diese Probleme inzwischen geklärt, alles sei in *bester* Ordnung. Und sie hat es akzeptiert. Kurz darauf sind wir dann nach Paris geflogen. Und seither habe ich nicht mehr mit ihr gesprochen und nichts mehr von ihr gehört. Bis zu ihrem Selbstmord. Tragisch, sicher, aber ich kann nicht sagen, dass es mich überrascht hat.«

»Wann hast du ihr die Barbaresco-Lilien geschickt?«, fragte ich.

»Ich – die *was*?«

»Du hast die Blumen garantiert nicht für diese Janet Finnsbroke gekauft, die aus dem Paläozoikum stammt. Du hast sie für Hannah Schneider gekauft.«

Er starrte mich an. »Ja. Ich – na ja, ich wollte nicht, dass du –«

»Du *warst* also wahnsinnig in sie verliebt«, falle ich ihm ins Wort. »Lüg nicht. *Sag* es.«

Dad lachte. »Stimmt nicht.«

»Niemand kauft Barbaresco-Lilien für jemanden, in den er nicht verliebt ist.«

»Dann sag Guinness Bescheid, weil ich der Erste bin.« Er schüttelte den Kopf. »Ich habe es dir doch erklärt. Ich fand, dass sie ziemlich trübsinnig war. Ich habe ihr die Blumen geschickt, nachdem ich ihr bei einem unserer gemeinsamen Essen ziemlich unverblümt gesagt hatte, was ich von ihr halte – dass sie zu diesen verzweifelten Menschen gehört, die sich irrwitzige Theorien über andere zusammenbasteln, und zwar aus reinem Eigennutz, als Unterhaltung sozusagen, weil ihr eigenes Leben so langweilig ist. Solche Leute wollen größer sein, als sie sind. Und wenn man jemandem die Meinung sagt – wenn man die Wahrheit sagt, jedenfalls die eigene Version –, dann geht das nie problemlos ab. Am Ende heult immer jemand. Weißt du noch, was ich immer über die Wahrheit gesagt habe? Die Wahrheit, die in einem langen, schwarzen Kleid in der Ecke steht, die Füße dicht nebeneinander und den Kopf gesenkt?«

»Sie ist das einsamste Mädchen im Raum.«

»Genau. Entgegen der volkstümlichen Meinung will nämlich keiner etwas mit ihr zu tun haben. Sie ist zu deprimierend, als dass man sie um sich haben wollte. Zu demoralisierend. Glaub mir, jeder tanzt lieber mit etwas, was ein bisschen attraktiver ist, ein bisschen tröstlicher. Und deshalb habe ich ihr die Blumen geschickt. Ich wusste gar nicht, was für welche es waren. Ich habe die Frau im Blumenladen gebeten, einfach etwas auszusuchen –«

»Es waren Barbaresco-Lilien.«

Dad lächelte. »Jetzt weiß ich es.«

Ich sagte nichts. So wie Dad dasaß, von der Lampe weggedreht, wirkte sein Gesicht alt. Die Falten waren überall, um seine Augen, auf dem ganzen Gesicht, auf seinen Händen, winzige Risse, überall.

»Dann hast du also in der Nacht damals angerufen«, sagte ich.

Er sah mich an. »Was?«

»In der Nacht, als ich weggerannt bin, zu ihr. Du hast sie angerufen.«

»Wen?«

»Hannah Schneider. Ich war dort, als das Telefon klingelte. Sie hat gesagt, es war Jade, aber es war nicht Jade. Du warst es.«

»Ja«, sagte er leise und nickte. »Das kann sein. Ich habe sie angerufen.«

»Siehst du? Du – du hast eine ausgewachsene *Beziehung* mit ihr und du –«

»Was glaubst du, warum ich sie angerufen habe?«, brüllte Dad. »Diese Verrückte war doch mein einziger Ansatzpunkt! Ich wusste keine Namen und keine Telefonnummern von diesen anderen Windbeuteln, mit denen du dich angefreundet hattest. Und als sie mir gesagt hat, dass du gerade vor ihrer Tür aufgetaucht bist, wollte ich dich sofort abholen, aber sie kam mir wieder mit einer ihrer dämlichen psychoanalytischen Ideen, und da ich, wie wir bereits festgestellt haben, ein ziemlicher Idiot bin, wenn es um meine Tochter geht, habe ich mich darauf eingelassen. ›Lassen Sie sie. Wir müssen mal richtig reden. Unter Frauen.‹ Ach, du guter Gott. Wenn etwas in der gesamten westlichen Kultur heillos überbewertet ist, dann ist das *Reden*. Kennt denn niemand mehr das nette kleine Sprichwort, das ich für mein Teil ungemein klug finde? Reden kann man viel, wenn der Tag lang ist?«

»Warum hast du nie etwas gesagt?«

»Ich nehme an, es war mir peinlich.« Dad sah auf den Fußboden, auf die Landschaft aus Büchern. »Schließlich warst du gerade an deiner Bewerbung für Harvard. Ich wollte dich nicht belasten.«

»Vielleicht hätte es mich ja gar nicht belastet. Vielleicht belastet es mich jetzt viel mehr.«

»Zugegeben, es war nicht das Klügste, aber es war das Beste, was mir in der Situation eingefallen ist. Außerdem ist diese Hannah-Schneider-Geschichte ja jetzt beendet. Möge die Dame in Frieden ruhen. Das Schuljahr ist fast vorbei.« Dad seufzte. »Das Ganze hat etwas Literarisches, stimmt's? Ich finde, Stockton ist mit Abstand der dramatischste Ort, an dem wir je gewohnt haben. Es bietet alle Elemente einer guten Geschichte. Mehr Leidenschaft als Peyton Place, mehr Frustration als Yoknapatawpha County. Und in puncto Bizarres kann Stockton sogar mit Macondo mithalten. Es bietet Sex, Sünde – und das Schmerzlichste von allem: den Verlust jugendlicher Illusionen. Du bist so weit, Sweet. Du brauchst deinen alten Pa nicht mehr.«

Meine Hände waren kalt. Ich ging zu der gelben Couch am Fenster und setzte mich hin.

»Die Hannah-Schneider-Geschichte ist nicht beendet«, sagte ich. »Du hast da Blut.« Ich zeigte es ihm.

»Hast mich erwischt, hm?«, sagte er verlegen und fasste sich ans Gesicht. »War es *Die Bibel* oder *Eine amerikanische Tragödie*? Ich wüsste es gern, wegen der Symbolik.«

»Da ist noch mehr an Hannah Schneider.«

»Ich müsste vielleicht genäht werden.«

»Ihr richtiger Name war Catherine Baker. Sie war ein Mitglied der Nightwatchmen. Sie hat einen Polizisten erschossen.«

Es war, als würde Dad ein Gespenst sehen. Nicht, dass ich schon mal miterlebt gehabt hätte, wie jemand ein Gespenst sieht, aber alle Farbe wich aus seinem Gesicht – so schnell, als würde jemand einen Eimer auskippen. Er starrte mich an.

»Das ist kein Witz«, sagte ich. »Und wenn du irgendetwas zu gestehen hast, was deine eigene Verwicklung in so was angeht, Rekrutieren oder–oder Mord oder einen Bombenanschlag auf einen deiner kapitalistischen Harvard-Kollegen, dann tu's lieber gleich, weil ich nämlich alles herausfinde. Ich lasse nicht locker.« Die Entschlossenheit in meiner Stimme überraschte Dad – aber sie überraschte vor allem mich selbst. Es war, als wäre meine Stimme stärker als ich. Sie warf sich vor mir auf den Boden, führte mich wie ein Plattenweg.

Dad blinzelte. Er sah aus, als hätte er plötzlich keine Ahnung mehr, wer ich war. »Aber die gibt es doch gar nicht«, sagte er langsam. »Schon seit dreißig Jahren nicht mehr. Das ist nur ein Märchen.«

»Nicht unbedingt. Überall im Internet steht, dass –«

»Ach, im *Internet*«, fiel mir Dad ins Wort. »Großartige Quelle. Wenn man dieses Tor öffnet, schneit einem gleich noch Elvis ins Haus, quicklebendig wie eh und je, und diese Werbe-Pop-ups – ich verstehe nicht, wie du auf die Watchmen kommst. Hast du meine alten Vorträge gelesen, *Federal Forum* –?«

»Der Gründer, George Gracey, lebt noch. Auf Paxos. Ein Mann namens Smoke Harvey ist letzten Herbst in Hannahs Swimmingpool ertrunken, und er hatte Gracey aufgespürt und –«

»Natürlich.« Dad nickte. »Ich erinnere mich, wie sie darüber gejammert hat – offenbar noch ein Grund, warum sie übergeschnappt ist.«

»Nein«, sagte ich. »Sie hat ihn *umgebracht*. Weil er für ein Buch über Gracey recherchiert hat. Er wollte ihn hochgehen lassen. Sie alle. Die ganze Organisation.«

Dad zog die Augenbrauen hoch. »Du hast gründliche Arbeit geleistet, um darauf zu kommen. Erzähl weiter.«

Ich zögerte. Burt Towelson schrieb in *Guerilla Girls* (1986), um die Unverfälschtheit der eigenen Untersuchungen nicht zu gefährden, muss man sehr vorsichtig sein, mit wem man über die erschreckenden Wahrheiten spricht, die man zutage gefördert hat. Aber andererseits – wenn ich Dad nicht trauen konnte, konnte ich niemandem trauen. Er schaute mich an, wie er mich schon hundertmal angeschaut hatte, wenn wir zusammen meine Thesen für ein bevorstehendes Referat durchgegangen waren (interessiert, aber nicht davon überzeugt, dass es ihn vom Hocker reißen würde), und deshalb schien es unumgänglich, ihm meine Theorie darzulegen, mein großes Wie-alles-zusammenhängt. Ich fing damit an, wie Hannah wegen Ada Harveys Erkenntnissen ihren eigenen Abgang geplant hatte, wie sie mir *L'Avventura* hinterlassen hatte, ging dann über zur fliegenden Demoiselle, zu dem Kostümfest, der perfekten Eliminierungsmethode nach Connault Helig, die sie auf Smoke angewandt hatten, kam dann zu Hannahs Geschichten über die Bluebloods, die so erstaunliche Parallelen mit Catherine Bakers Geschichte aufwiesen, erwähnte, dass sie von verschwundenen Personen besessen war, und erzählte schließlich von meinem Telefongespräch mit Ada Harvey. Am Anfang starrte mich Dad an, als wäre ich nicht ganz dicht, aber dann hing er an meinen Lippen. Ja, ich hatte Dad noch nie so gefesselt gesehen, seit er 1999 ein Kioskexemplar der *New Republic* in Händen gehalten hatte, in dem seine ausführliche, satirische Antwort auf einen Artikel mit dem Titel »Der kleine Horrorladen: Eine Geschichte Afghanistans« im Leserbriefteil abgedruckt war.

Als ich ausgeredet hatte, war ich darauf gefasst, dass er mich mit Fragen bombardieren würde, aber eine ganze Minute, wenn nicht sogar zwei Minuten, schwieg er einfach nur.

Dann runzelte er die Stirn. »Und wer hat die arme Miss Schneider umgebracht?«

Klar, dass Dad die *eine* Frage stellen musste, auf die ich nur eine windige Antwort hatte. Ada Harvey hatte gesagt, ihrer Meinung nach habe Hannah Selbstmord begangen, aber weil *ich* diese unbekannte Person durch die Bäume hatte rennen hören, neigte ich zu der Annahme, dass jemand von den *Nächtlichen* sie umgebracht hatte. Durch die Erschießung des State Troopers war Hannah zum Risiko geworden, und wenn sie, nachdem Ada das FBI informiert hatte, festgenommen worden wäre, hätte sie Gracey und die gesamte Gruppe in Gefahr gebracht. Aber das alles wusste ich nicht mit Sicherheit, und, wie Dad immer sagte, man sollte nicht »Spekulationen in die Gegend tröpfeln wie ein kaputter Müllbeutel.«

»Das weiß ich nicht genau«, sagte ich wahrheitsgemäß.

Er nickte und sagte nichts mehr.

»Hast du in letzter Zeit etwas über die *Nächtlichen* geschrieben?«, fragte ich.

Er schüttelte den Kopf. »Nein. Wieso?«

»Weißt du noch, wie wir Hannah Schneider damals begegnet sind – sie war erst im Fat Kat Foods, und dann ist sie im Schuhgeschäft wieder aufgetaucht.«

»Ja«, sagte er nach kurzem Überlegen.

»Genau das Gleiche hat Ada Harvey erzählt – Hannah hat Adas Vater ganz ähnlich kennengelernt. Es war alles geplant. Also habe ich Angst, du könntest das nächste Opfer sein, weil du irgendwas schreibst –«

»Sweet«, unterbrach mich Dad, »so sehr es mir schmeicheln würde, wenn ich auf Miss Bakers Todesliste gestanden hätte – ich habe noch nie auf irgendjemands Todesliste gestanden –, es *gibt* keine Nightwatchmen, nicht mehr. Selbst die borniertesten politischen Theoretiker halten sie inzwischen für ein Phantasiegespinst. Und was sind solche Phantasien? Das, womit wir uns gegen die Welt abpolstern. Unsere Welt ist ein brutales Parkett – darauf zu schlafen ist reiner Mord. Außerdem haben wir zurzeit keine Epoche der Revolutionäre, sondern eine Epoche der Isolationisten. Die Menschen wollen sich nicht mit anderen zusammentun, sondern über sie hinwegtrampeln und sich so viel *Kohle* unter den Nagel reißen, wie sie nur können. Du weißt, die Geschichte verläuft zyklisch, und eine neue Rebellion – selbst eine heimliche – steht in den nächsten zweihundert Jahren nicht auf dem Programm. Oder konkreter: Ich erinnere mich, einen ziemlich fundierten Artikel darüber gelesen zu haben, dass Catherine Baker ursprünglich eine Pariser Zigeunerin war, also ist die Behauptung, Schneider und Baker seien ein und dieselbe Person – so faszinierend sie auch klingen mag –, doch ziemlich weit hergeholt. Und dass sie dir das alles auf diese seltsame Art erzählt hat – woher weißt du, dass sie nicht einfach nur ein Buch gelesen hatte, einen echten *Reißer* über die mysteriöse Catherine Baker, und dann hat sie ihrer Phantasie freien Lauf gelassen? Sie wollte vor ihrem Tod, dass du glaubst, dass *alle* glauben, *dass* ihr Leben ein wildes, rebellisches, radikales Leben war – sie als Bonnie, und irgendein Kerl ist Clyde. Das war doch *die* Chance, ewig weiterzuleben, *n'est-ce pas*? Sie würde eine aufregende Story hinterlassen, nicht den drögen Leitartikel, der ihr Leben in Wirklichkeit war. Solche Dinge lassen sich die Leute einfallen. Das gibt's öfter, als man denkt.«

»Aber die Art, wie sie Smoke kennengelernt hat –?«

»Wir wissen nur eins mit Sicherheit: Dass sie die Männer gern in einer Umgebung aufgerissen hat, die irgendwie mit Essen zu tun hatte«, sagte Dad bestimmt. »Sie suchte Liebe zwischen Tiefkühlerbsen.«

Ich starrte ihn an. Er hatte ein paar klitzekleine Indizien auf seiner Seite. Auf www.ironbutterfly.net behauptete der Verfasser, dass Catherine Baker eine französische Zigeunerin war. Und angesichts der Filmplakate in Hannahs Klassenzimmer war es vielleicht nicht *völlig* unplausibel, dass sie sich ein aufregenderes Leben zurechtgebastelt hatte. En passant schaffte es Dad, ernsthafte Löcher in das Ruderboot meiner Theorie zu bohren und sie peinlich überdesignt und undurchdacht dastehen zu lassen (siehe »De Lorean DMC-12«, *Pfusch im Kapitalismus*, Glover, 1988).

»Dann spinne ich also?«, sagte ich.

»Das habe ich nicht gesagt«, erwiderte er scharf. »Sicher, deine kleine Theorie ist sehr kunstvoll. Weit hergeholt? Ohne Zweifel. Aber sie ist, mit einem Wort, bemerkenswert. Und ziemlich aufregend. Nichts bringt das Blut so in Wallung wie Nachrichten von heimlichen Revolutionären –«

»Glaubst du mir?«

Er schwieg und schaute zur Decke, um diese Frage abzuwägen, so wie nur Dad Dinge abwägen konnte.

»Ja«, sagte er schlicht. »Ich glaube dir.«

»*Wirklich*?«

»Aber sicher. Du weißt doch, ich habe eine Schwäche für das weit Hergeholte und Phantastische. Das ganz und gar Absurde. Ich würde sagen, einige Details bedürfen noch weiterer –«

»Ich bin nicht verrückt.«

Er lächelte. »Für das gewöhnliche, ungeschulte Ohr mag es vielleicht ein kleines bisschen überspannt klingen. Aber für einen van Meer? Klingt es ganz alltäglich.«

Ich sprang von der Couch auf und umarmte ihn.

»*Jetzt* umarmst du mich wieder? Darf ich daraus schließen, du verzeihst mir, dass ich dir nichts von meinen unbedachten Verabredungen mit dieser seltsamen, launenhaften Frau erzählt habe, die wir von jetzt an, in Anbetracht ihrer subversiven Verbindungen, *Blackbeard* nennen werden?«

Ich nickte.

»Gott sei Dank«, sagte er. »Ich glaube nicht, dass ich einen weiteren Bücher-Blitzkrieg überlebt hätte. Zumal die zwanzigpfündige Ausgabe von *Berühmte Reden der Welt* noch im Regal steht. Wie wär's mit etwas zu essen?« Er strich mir die Haare aus der Stirn. »Du bist in letzter Zeit so dünn geworden.«

»Bestimmt wollte mir Hannah das alles da oben auf dem Berg erzählen – du weißt doch?«

»Ja – aber wie willst du deine Erkenntnisse unter die Leute bringen? Werden wir zusammen ein Werk verfassen, sagen wir, *Irre aller Art: Verschwörungen und anti-amerikanische Umtriebe mitten unter uns* oder *Die alltägliche Physik des Unglücks* – irgendein Titel, der ein bisschen Pep hat? Oder schreibst du einen Bestseller, in dem alle Namen geändert sind und auf der ersten Seite das berühmte ›nach einer wahren Begebenheit‹ steht, damit er sich noch besser verkauft? Du wirst das ganze Land in Angst und Schrecken versetzen, weil alle befürchten, dass irgendwelche übergeschnappten Aktivisten als Lehrer an ihren Schulen arbeiten und die Gehirne ihrer kostbaren, einfältigen Sprösslinge vergiften.«

»Ich weiß nicht.«

»Pass auf, ich *hab*'s – du schreibst alles einfach nur in dein Tagebuch, eine Anekdote für deine Enkel, die sie lesen, wenn sie nach deinem Tod deine säuberlich in einem alten Überseekoffer verstauten Habseligkeiten durchsehen. Sie sitzen dann um den Esszimmertisch herum und murmeln ungläubig: ›Nicht zu fassen, was Grandma alles getan hat, im zarten Alter von sechzehn Jahren.‹ Und durch dieses Tagebuch, das dann bei Christie's für nicht weniger als eine halbe Million Dollar versteigert wird, ist diese Kleinstadtterrorstory in aller Munde und endet im magischen Realismus. Blue van Meer, wird es heißen, ist mit einem Schweineringelschwänzchen auf die Welt gekommen, die unglückliche Miss Schneider ist durch eine ewig unerwiderte Liebe, eine *Liebe in den Zeiten der Cholera*, in den Fanatismus getrieben worden, und deine Freunde, die Miltons und Greens, sind die Revolutionäre, die zweiunddreißig bewaffnete Aufstände angezettelt haben – allesamt gescheitert. Und vergessen wir nicht deinen Dad. Weise und verhutzelt im Hintergrund, der *General in seinem Labyrinth*, auf der siebenmonatigen Flussreise von Bogotá ans Meer.«

»Ich finde, wir gehen zur Polizei«, sagte ich.

Er gluckste amüsiert. »Du willst mich auf den Arm nehmen.«

»Nein. Wir *müssen* zur Polizei gehen.«

»Warum?«

»Wir müssen einfach.«

»Das ist doch nicht realistisch.«

»Doch.«

Er schüttelte den Kopf. »Denk mal nach. Nehmen wir an, da ist etwas dran. Du brauchst Beweise. Aussagen ehemaliger Mitglieder der Gruppe, Manifeste, Belege für Rekrutierungsvorgänge – was alles ziemlich schwer zu finden ist, vor allem, wenn deine Vermutung hinsichtlich der spurlosen Mordmethoden stimmt. Und wichtiger noch – es ist schon an und für sich ein Risiko, hinzugehen und mit dem Finger auf solche Leute zu zeigen. Hast du das bedacht? Eine Theorie aufzustellen ist sehr spannend, aber wenn an dieser Theorie etwas Wahres ist, dann ist es nicht länger eine Runde *Glücksrad*. Ich werde nicht zulassen, dass du ins Fadenkreuz gerätst, immer unter der Prämisse natürlich, dass das alles stimmt – was wir wahrscheinlich nie mit letzter Sicherheit wissen werden. Zur Polizei zu gehen ist eine ehrenwerte Sache für Einfaltspinsel und Dummköpfe – was würde das bringen? Dass der Sheriff eine Geschichte für seine Donut-Pause hat?«

»Nein«, sagte ich. »Dass Menschenleben gerettet werden.«

»Wie rührend. Und *wessen* Leben rettest du damit?«

»Man kann nicht einfach rumlaufen und Leute umbringen, nur weil einem das, was sie tun, nicht passt. Dann sind wir doch Tiere. Selbst – selbst wenn wir es nie schaffen, dürfen wir doch nicht nachlassen im Streben nach – nach ...« Ich verstummte, weil ich nicht wusste, wonach genau wir streben sollten. »Nach Gerechtigkeit«, sagte ich lahm.

Dad lachte nur. »›Die Gerechtigkeit ist nur auf der Bühne‹. Friedrich Schiller. Deutscher Dichter.«

»›Alle guten Dinge lassen sich in ein Wort fassen‹«, sagte ich. »›Freiheit, Gerechtigkeit, Ehre, Pflicht, Barmherzigkeit. Und Hoffnung.‹ Winston Churchill. Britischer Premierminister.«

»›Denn, weil du dringst auf Recht, so sei gewiss: Recht soll dir werden, mehr als du begehrst!‹ *Kaufmann von Venedig*.«

»›Erratisch schwingt Gerechtigkeit ihr Schwert, ist gnädig nur den wenigsten gesinnt, doch kämpft der Mensch nicht mehr für diesen Wert, die Chaosherrschaft auf der Welt beginnt.‹«

Dad öffnete den Mund, um etwas zu sagen, hielt dann aber stirnrunzelnd inne. »Mackay?«

»Gareth van Meer. ›Die verratene Revolution.‹ *Civic Journal of Foreign Affairs*, Band sechs, Nummer neunzehn.«

Dad grinste, legte den Kopf zurück und gab ein lautes »*Ha!*« von sich.

Dieses »*Ha!*« hatte ich völlig vergessen. Normalerweise reservierte er es für Fakultätssitzungen mit dem Dekan: Wenn ein akademischer Kollege etwas Witziges oder Mitreißendes sagte und Dad leicht verschnupft war, weil *ihm* das nicht eingefallen war, gab er ein sehr lautes *Ha!* von sich, als Ausdruck von Ärger und um die allgemeine Aufmerksamkeit auf sich zu ziehen. Jetzt aber, während er dasaß und mich anschaute, hatte Dad, anders als in den Fakultätssitzungen (wo er mich immer in einer Ecke dabeisitzen ließ, wenn ich wegen einer leichten Erkältung nicht in der Schule war, und ich jedes potenzielle Niesen unterdrückte und mucksmäuschenstill zuhörte, wie die versammelten Professoren und Doktoren mit ihren kreidigen Gesichtern und ihrem schütteren Haar im gewichtigen Tafelritterton disputierten), dicke, zitternde Tränen in den Augenwinkeln, Tränen, die schüchtern herabzugleiten drohten wie schüchterne Mädchen im Badeanzug, die ihre Handtücher ablegten und zum Pool huschten.

Er stand auf, legte mir die Hand auf die Schulter und ging an mir vorbei zur Tür.

»Dann soll es so sein, mein gerechtigkeitsbestrebtes Kind.«

Ich blieb noch einen Moment vor dem leeren Sessel zwischen den Büchern sitzen. Sie hatten alle diese stille, hochmütige Unerschütterlichkeit. Sie waren durch banale menschliche Werferei nicht zu zerstören, oh, nein. Bis auf *Fragen der Demokratie* (Hudson, 1992), das ein Bündel Seiten hervorgerülpst hatte, waren die Bücher unversehrt und stellten, hämisch aufgeschlagen, ihren Inhalt zur Schau. Die kleinen, schwarzen Worte der Weisheit saßen immer noch in makellosen Reihen da, reglos und aufmerksam wie Schüler, die sich von einem ungezogenen Kind in keiner Weise beeinflussen lassen. *Common Sense* lag direkt neben mir und spreizte seine Seiten wie ein Pfau.

»Hör auf zu grübeln und komm her«, rief Dad aus der Küche. »Du musst etwas essen, wenn du den Kampf mit wabbelarmigen, bierbäuchigen Radikalen aufnehmen willst. Ich glaube nicht, dass Radikale besonders gut altern, also müsstest du ihnen eigentlich davonrennen können.«

Das verlorene Paradies

Zum ersten Mal seit Hannahs Tod schlief ich die ganze Nacht durch. Dad nannte diese Art Schlaf den »Schlaf der Bäume«, nicht zu verwechseln mit dem »Winterschlaf-Schlaf« und dem »Todmüder-Hund-Schlaf«. Der Schlaf der Bäume war die vollkommenste und erfrischendste Form des Schlafs. Er war einfach nur Dunkel, ohne Träume, ein Zeitsprung.

Ich regte mich nicht, als der Wecker klingelte, und wachte auch nicht auf, als Dad von unten den van Meer'schen Vokabel-Weckruf heraufbrüllte: »Aufwachen, Sweet! Das Wort des Tages lautet *Pneumokokkus*!«

Ich schlug die Augen auf. Der Wecker zeigte 10.36. Unten klickte der Anrufbeantworter.

»Mr van Meer, ich wollte Sie davon in Kenntnis setzen, dass Blue heute nicht in der Schule ist. Bitte rufen Sie uns an und teilen Sie uns den Grund für ihr Fehlen mit.« Eva Brewster ratterte die Nummer des Sekretariats herunter und legte auf. Ich wartete darauf, dass Dad durch die Diele ging, um zu schauen, wer da angerufen hatte, hörte aber nichts als das Klimpern von Besteck in der Küche.

Ich kletterte aus dem Bett, stolperte ins Bad, spritzte mir Wasser ins Gesicht. Im Spiegel wirkten meine Augen ungewöhnlich groß, mein Gesicht schmal. Ich fror, also zog ich die Decke vom Bett, wickelte mich hinein und wanderte so die Treppe hinunter.

»Dad! Hast du die Schule angerufen?«

Ich ging in die Küche. Sie war leer. Das Klimpern, das ich gehört hatte, war der Wind, der durchs offene Fenster gegen die Besteckwindharfe über der Spüle wehte. Ich knipste das Licht auf der Treppe zum Untergeschoss an und rief runter: »Dad!«

Früher hatte ich mich immer vor einem Haus ohne Dad gefürchtet. Es konnte sich so leer anfühlen wie eine alte Blechdose, wie Muschelschalen, wie ein blinder, wüstengebleichter Schädel auf einem Bild von Georgia O'Keefe. Mit der Zeit hatte ich verschiedene Techniken entwickelt, wie ich der Wahrheit eines Hauses ohne Dad ausweichen konnte. Zum Beispiel: »Ganz laut *General Hospital* gucken« (verblüffend viel tröstlicher, als man hätte meinen sollen) und »*Es geschah in einer Nacht* einlegen« (Clark Gable ohne Unterhemd konnte jeden ablenken).

Vormittagslicht fiel durch die Fenster, hell und boshaft. Ich öffnete den Kühlschrank und stellte zu meiner Überraschung fest, dass Dad einen Obstsalat gemacht hatte. Ich pickte eine Traube heraus und aß sie. Außerdem waren im Kühlschrank Lasagne, die er mit einem zu kleinen Stück Alufolie abzudecken versucht hatte. Die Folie ließ zwei Ecken und eine Seite unbedeckt, wie ein Wintermantel, der die gesamten Unterschenkel, die halben Arme und den Hals frei lässt. (Dad schaffte es nie, die richtige Folienlänge abzuschätzen.) Ich aß noch eine Traube und rief in seinem Büro an.

Die Sekretärin der Politikwissenschaft meldete sich.

»Hallo, ist mein Dad da? Hier ist Blue.«

»Hmm?«

Ich schaute auf die Uhr. Er hatte vor halb zwölf keine Lehrveranstaltung. »Mein Dad. Dr. van Meer. Kann ich ihn bitte sprechen? Es ist was Dringendes.«

»Er kommt heute nicht«, sagte sie. »Da ist doch dieser Kongress in Atlanta, stimmt's?«

»Wie bitte?«

»Ich dachte, er wollte nach Atlanta, um für den Herrn einzuspringen, der einen Autounfall hatte –?«

»Was?«

»Er hat heute Morgen um Vertretung gebeten. Er wird sicher den ganzen –«

Ich legte auf.

»Dad!«

Ich ließ die Bettdecke in der Küche liegen, rannte die Treppe zu seinem Arbeitszimmer hinunter, knipste die Deckenlampe an. Ich stand vor seinem Schreibtisch und starrte darauf.

Der Schreibtisch war leer.

Ich riss eine Schublade auf. Leer. Ich riss noch eine auf. Leer. Da war nichts, kein Laptop, kein einziger Schreibblock, kein Schreibtischkalender. Leer war auch der Keramikbecher, in dem er normalerweise seine fünf blauen und fünf schwarzen Stifte aufbewahrte, gleich neben der grünen Schreibtischlampe, die er von dem freundlichen Dekan der University of Arkansas in Wilsonville geschenkt bekommen hatte – und die ebenfalls verschwunden war. Das kleine Bücherregal neben dem Schreibtisch war leer, bis auf fünf Exemplare von Marx' *Kapital* (1867).

Ich raste die Treppe hinauf, durch die Küche, den Flur und riss die Haustür auf. Der blaue Volvo-Kombi stand, wo er immer stand, vor dem Garagentor. Ich starrte ihn an, den vogelei-blauen Lack, den Rost um die Räder herum.

Ich machte kehrt und rannte in sein Schlafzimmer. Die Vorhänge waren offen. Das Bett war gemacht. Aber seine alten Lammfellhausschuhe von Bet-R-Shoes in Stockley, New Hampshire, lagen nicht gekentert unter dem Fernseher und auch nicht unter dem Polstersessel in der Ecke. Ich ging zum großen Kleiderschrank und schob die Tür auf.

Keine Kleider.

Da war nichts – außer den Kleiderbügeln, die verschreckt an der Stange zitterten wie Vögel, wenn Leute zu dicht an das Käfiggitter treten, um sie zu begaffen.

Ich lief in Dads Bad und riss das Medizinschränkchen auf. Gähnende Leere. Das Gleiche in der Dusche. Ich berührte die Wand der Wanne, fühlte den klebrigen Belag, die paar noch verbliebenen Wassertropfen. Ich musterte das Waschbecken: eine Spur von Colgate-Zahnpasta, ein kleiner Klecks getrockneter Rasiercreme am Spiegel.

Er muss beschlossen haben, dass wir wieder umziehen, sagte ich mir. *Er ist auf der Post, um einen Nachsendeantrag auszufüllen. Er ist im Supermarkt und holt Umzugskartons. Und weil der Kombi nicht angesprungen ist, hat er ein Taxi gerufen.*

Ich ging in die Küche und hörte den Anrufbeantworter ab, aber es war nur die Botschaft von Eva Brewster drauf. Ich überprüfte, ob auf dem Computer ein Zettel lag, aber da war keiner. Ich rief nochmal die Sekretärin an der Uni an, Barbara, und tat so, als wüsste ich bestens über den Kongress in Atlanta Bescheid. Dad sagte, Barbara sei »eine Quasselstrippe, behaftet mit dem Mief des Lächerlichen« (gegenüber Dritten nannte er sie gern die »Witwe Haze«). Ich gab dem Kongress sogar einen Namen, den ich mir vorher noch schnell ausgedacht hatte. Ich glaube, ich nannte ihn SPOEFAR, »Sichere politische Organisationsformen für den Erhalt der First-Amendment-Rechte« oder so ähnlich.

Ich fragte sie, ob Dad eine Nummer hinterlassen habe, unter der ich ihn erreichen könne.

»Nein«, sagte sie.

»Wann hat er mit Ihnen gesprochen?«

»Er hat eine Nachricht hinterlassen – heute früh um sechs. Aber Moment mal, warum –«

Ich legte auf.

Ich wickelte mich wieder in die Decke, stellte den Fernseher an und guckte Cherry Jeffries. Sie trug ein verkehrsschildgelbes Kostüm mit Schulterpolstern, die so scharfkantig waren, dass man einen Baum damit hätte fällen können. Ich sah auf die Küchenuhr, auf den Wecker in meinem Zimmer. Ich ging nach draußen und starrte den blauen Kombi an. Ich setzte mich ans Steuer und drehte den Zündschlüssel. Der Motor sprang an. Ich strich mit den Händen übers Lenkrad, übers Armaturenbrett, musterte den Rücksitz, als könnte dort irgendwo ein Hinweis liegen, eine Pistole, ein Leuchter, ein Seil oder eine Rohrzange, achtlos zurückgelassen von der Mrs Peacock, Colonel Mustard oder Professor Plum, nachdem er oder sie Dad in der Bibliothek, im Musikzimmer oder im Billardzimmer ermordet hatte. Ich untersuchte die Perserteppiche in der Diele auf außergewöhnliche Fußabdrücke. Ich inspizierte die Spüle und die Spülmaschine, aber das ganze Besteck war weggeräumt.

Sie hatten ihn geholt.

Die Nächtlichen waren in der Nacht gekommen, hatten ein Leinentaschentuch (das in einer Ecke das rote Monogramm *N* hatte) mit einem Narkosemittel getränkt und ihm dann auf den arglos schnarchenden Mund gepresst. Er hatte sich nicht wehren können, weil Dad zwar groß und kräftig, aber keine Kämpfernatur war. Dad zog die intellektuelle Auseinandersetzung der körperlichen vor, mied Kontaktsportarten und hielt Ringen und Boxen für »einigermaßen absurd«. Karate, Judo und Taekwando respektierte er zwar, hatte aber selbst nie einen einzigen Griff, Schlag oder Wurf gelernt.

Natürlich hatten sie eigentlich mich holen wollen, aber Dad hatte sie beschworen, »*Nein! Nehmen Sie mich stattdessen! Nehmen Sie mich!*« Und so hatte ihm der Fiesling – es war immer ein Fiesling dabei, den Menschenleben einen Dreck kümmerten und der die anderen herumkommandierte – eine Pistole an die Schläfe gehalten und ihm befohlen, in der Uni anzurufen. »Und wehe, es klingt nicht ganz normal, dann puste ich Ihrer Tochter vor Ihren Augen das Gehirn weg.«

Und dann hatten sie Dad gezwungen, seine Sachen in die beiden großen Louis-Vuitton-Reisetaschen zu packen, die Junikäfer Eleanor Miles, 38, ihm geschenkt hatte, damit er immer an sie (und ihre spitzen Stalagmitenzähne) dachte, wenn er seine Sachen packte. Denn obwohl sie »Revolutionäre« im klassischen Sinn waren, waren sie doch keine Barbaren, keine südamerikanischen Guerilleros oder islamistischen Extremisten, die sich hin und wieder mal eine kleine Enthauptung gönnten. Nein, sie hielten an der Überzeugung fest, dass alle Menschen, selbst die, die gegen ihren Willen festgehalten wurden und darauf warten mussten, dass bestimmte politische Forderungen der Gruppe erfüllt wurden, ihre persönlichen Dinge brauchten, zum Beispiel Cordhosen, Tweedjacketts, Wollpullover, Oxfordhemden,

Rasierzeug, Zahnbürste, Rasierapparat, Seife, Zahnseide, Pfefferminz-Fußpeeling, Timex-Uhren, GUM-Manschettenknöpfe, Kreditkarten, Vortragsunterlagen, alte Seminarpläne und Notizen für *Die eiserne Faust.*

»Wir möchten, dass Sie sich wohlfühlen«, hatte der Fiesling gesagt.

* * *

Am Abend hatte er immer noch nicht angerufen.

Niemand hatte angerufen, außer Arnold Lowe Schmidt vom *New Seattle Journal of Foreign Policy*, der dem Anrufbeantworter mitteilte, wie fer er ef bedaure, daff Dad fein Angebot ablehne, einen Cover-Artikel über Kuba fu freiben, aber er möge doch bitte an die Feitfrift denken, wenn er »ein herausragendes Forum für die Publikation feiner Ideen« fuche.

Ich ging etwa zwanzigmal im Dunkeln ums Haus. Ich starrte in den Fischteich, in dem kein Fisch war. Ich ging wieder hinein, setzte mich aufs Sofa, widmete mich Cherry Jeffries, pickte in dem halb aufgegessenen Obstsalat herum – bestimmt hatten die Radikalen Dad noch erlaubt, ihn zuzubereiten, ehe sie ihn verschleppten.

»*Meine Tochter muss etwas essen*!«, hatte Dad gebieterisch erklärt.

»Gut«, hatte der Fiese gesagt, »aber machen Sie schnell.«

»Soll ich vielleicht die Melone schneiden?«, hatte ein anderer angeboten.

Ich konnte nicht anders – ich musste immer wieder den Telefonhörer abnehmen und ihn fragen: »Soll ich die Polizei anrufen und eine Vermisstenmeldung machen?« Ich wollte, dass mir der Hörer antwortete: »Ja, auf jeden Fall«, »Meine Antwort lautet nein« oder »Konzentrieren Sie sich und wiederholen Sie die Frage.« Ich konnte das Sheriff's Department von Sluder County anrufen und A. Boone sagen, ich müsse Detective Harper sprechen. »Sie wissen doch, wer ich bin? Die, die wegen Hannah Schneider mit Ihnen gesprochen hat? Na ja, jetzt ist mein Vater verschwunden. Ja. Mir kommen dauernd Leute abhanden.« Innerhalb einer Stunde würde sie vor der Tür stehen, mit ihren Kürbishaaren und ihrem Teint wie raffinierter Zucker. Mit zusammengekniffenen Augen würde sie Dads leeren Lesesessel mustern. »Erzählen Sie mir, was er als Letztes gesagt hat. Gab es in Ihrer Familie psychische Erkrankungen? Haben Sie sonst irgendjemanden? Einen Onkel? Eine Großmutter?« Vier Stunden später hätte ich schon eine eigene grüne Akte in dem Aktenschrank neben ihrem Schreibtisch, Nr. 5510-VANM. Im *Stockton Observer* würde ein Artikel stehen, »Stocktoner Schülerin als Todesengel – erst Lehrerin erhängt, jetzt Vater vermisst.« Ich legte den Hörer auf.

Ich durchsuchte das Haus noch einmal, befahl mir, jetzt besonders systematisch vorzugehen und nichts auszulassen, weder den Duschvorhang, noch das Schränkchen unterm Waschbecken, das voll mit Q-Tips und Wattebäuschchen war, ja, nicht einmal die Innenseite der Klopapierrolle – vielleicht hatte Dad dort noch hastig mit einem Zahnstocher *Sie haben mich geholt mach dir keine Sorgen* hingeritzt. Ich untersuchte sämtliche Bücher, die wir am Vorabend in das Bibliotheksregal zurückgestellt hatten, denn er hätte ja rasch ein Schreibblockblatt mit *Ich komme da wieder raus ich versprech's* zwischen die Seiten stecken können. Ich drehte jedes Einzelne um und schüttelte es, aber da war nichts, außer dass *Fragen der Demokratie* ein weiteres Bündel Seiten ausspuckte. Die Durchsuchungsaktion zog sich hin, bis Dads Nachttischwecker 2.00 anzeigte.

Verdrängung ist wie Versailles: nicht leicht aufrechtzuerhalten. Es erforderte ein ziemlich hohes Maß an Entschlossenheit, Einsatzbereitschaft und Chuzpe – was ich alles nicht aufzuweisen hatte, während ich auf Dads schwarzweiß gefliestem Badfußboden herumrobbte.

Ganz offensichtlich musste ich akzeptieren, dass die Theorie von Dads Entführung in dasselbe Reich gehörte wie die Zahnfee, der Heilige Gral und andere Dinge, die sich Leute zusammenträumten, weil die Realität sie zu Tode langweilte und sie an etwas glauben wollten, was größer war als sie selbst. Selbst wenn diese Radikalen noch so mildherzig waren – sie hätten Dad nie und nimmer erlaubt, seine *gesamte* persönliche Habe mitzunehmen, samt Scheckbüchern, Kreditkarten und Kontoauszügen. Selbst seine Lieblings-Petit-Point-Stickerei von Junikäfer Dorthea Driser, das winzige, gerahmte »Bleib dir selbst stets treu«, das rechts vom Küchentelefon gehangen hatte, war weg. Und sie hätten sicher auch nicht geduldet, dass Dad eine halbe Stunde darauf verwandte, die Bücher herauszusuchen, die er mitnehmen wollte: Maurice Girodias' zweibändige 1955er-Olympia-Press-Ausgabe von *Lolita* (Nabokov, 1955), *Ada, Das verlorene Paradies* (Dad hatte versucht, mich daran zu hindern, es nach ihm zu werfen), das riesige *Delovian: Eine Retrospektive* (Finn, 1998), in dem Dads Lieblingsbild abgedruckt war, das überaus treffend betitelte Werk *Geheimnis* (siehe S. 391, Nr. 61, 1992, Öl auf Leinwand). Außerdem fehlten *La Grimace, Napoleons Aufstieg, Jenseits von Gut und Böse* (Nietzsche, 1909–13) und die Fotokopie von »In der Strafkolonie« (Kafka, 1919).

Mein Schädel pochte. Mein Gesicht fühlte sich gespannt und heiß an. Ich schleppte mich vom Bad auf Dads schwammartigen Schlafzimmerteppich (das Einzige, was er im Haus nicht ausstehen konnte – »man hat das Gefühl, man geht auf Marshmallows«) und begann zu weinen, aber nach einer Weile kündigten meine Tränen einfach den Dienst auf, ich weiß nicht, ob aus Langeweile oder aus Frustration, aber jedenfalls warfen sie das Handtuch, stapften vom Set.

Ich tat gar nichts, ich starrte nur an die Schlafzimmerdecke, die ganz blass und still war und sich pflichtschuldig in göttliches Schweigen hüllte. Und irgendwie, einfach aus Erschöpfung, schlief ich ein.

* * *

In den nächsten drei Tagen – die ich auf der Couch vor Cherry Jeffries vertrödelte – malte ich mir immer wieder Dads letzte Augenblicke in unserem Haus aus, in unserer geliebten 24 Armor Street, dem Schauplatz unseres letzten gemeinsamen Jahres, unseres letzten Kapitels, ehe ich »auszog, die Welt zu erobern«.

Er war ganz Planung und Organisation, warf dauernd schnelle Vogelblicke auf seine Armbanduhr, die fünf Minuten vorging, und eilte mit lautlosen Schritten durch unsere dämmrigen Räume. Und er war nervös – eine Nervosität, die nur *ich* erkennen konnte: Ich hatte ihn gesehen, bevor er an einer neuen Universität anfing und eine neue

Vorlesung hielt (dieses kaum merkliche Zittern von Zeigefingern und Daumen).

Das Münzgeld in seiner Tasche klimperte wie seine verdorrte Seele, während er durch die Küche ging und nach unten in sein Arbeitszimmer. Er machte nur wenig Licht an, seine Schreibtischlampe und die rote Lampe auf seinem Nachttisch, die den Raum in das sülzige Rot von Mägen und Herzen tauchte. Er verwandte viel Zeit darauf, seine Sachen ordentlich zu richten. Die Oxfordhemden auf dem Bett, oben rot, darunter blau, dann blau gemustert, blauweiß gestreift, weiß, jedes gefaltet wie ein schlafender Vogel mit eingeklappten Flügeln, und die sechs Paar Manschettenknöpfe in Silber und Gold (natürlich auch sein Lieblingspaar, die aus 24-karätigem Gold mit dem eingravierten GUM, die ihm Bitsy Plaster, 42, zu seinem siebenundvierzigsten Geburtstag geschenkt hatte – ein Verschreiber des Juweliers, an dem Bitsys blubberige Handschrift schuld war) in dem Tiffany-Filzsäckchen wie kostbare Samen in einem Tütchen. Und dann waren da seine Socken, alle zu einer dichten Herde zusammengetrieben, schwarze, weiße, lange, kurze, baumwollene, wollene. Er trug seine braunen Loafer (weil er darin schnell gehen konnte), das goldgelb-braune Tweedjackett (das so treu an ihm hing wie ein alter Hund) und die alten Khakihosen, die so bequem waren, dass sie, wie er sagte, »selbst die unerträglichsten Aufgaben erträglich machten«. (Er trug sie immer, wenn er sich durch »die schlammigen Thesen und die stinkenden Morast-Belege« kämpfte, die er unweigerlich in den Referaten seiner Studenten fand. Wenn er die Hosen anhatte, bekam er nicht einmal Schuldgefühle, wenn er eine schlechte Note neben den betreffenden Namen setzte, ehe er schonungslos weitermachte.)

Und dann war er so weit, er konnte die Kartons und die Reisetaschen ins Auto laden – aber ich hatte keine Ahnung, was da auf ihn wartete; in meiner Vorstellung war es ein ganz normales gelbes Taxi mit einem seeigelköpfigen Fahrer, der, während er darauf wartete, dass Dr. John Ray Jr. aus dem Haus kam, mit klammen Händen die Rhythmen der *Early Bluegrass Hour* von Public Radio auf dem Lenkrad mitklopfte und an die Frau dachte, die er zu Hause zurückgelassen hatte, Alva oder Dottie, so warm wie ein frisch gebackenes Brötchen.

Als Dad sicher war, dass er nichts vergessen hatte, als alles verstaut war, ging er zurück ins Haus und nach oben in mein Zimmer. Er machte kein Licht und sah mich nicht einmal an, während er meinen Rucksack öffnete und sich den Schreibblock vornahm, auf dem ich meine Recherche-Ergebnisse und meine Theorie festgehalten hatte. Als er alles durchgelesen hatte, steckte er den Block zurück und hängte den Rucksack über die Lehne meines Schreibtischstuhls.

Das war ein Fehler. Dort hängte ich ihn nämlich nie hin, ich hatte ihn immer am Fußende meines Betts auf dem Boden stehen. Aber er war in Eile und brauchte sich wegen solcher Details keine Gedanken mehr zu machen. Darauf kam es jetzt nicht mehr an. Wahrscheinlich lachte er über die Absurdität der Situation. Dad nahm sich in den abwegigsten Momenten Zeit, über die Absurdität der Situation zu lachen. Aber vielleicht war das hier ja ausnahmsweise eine Situation, in der er es nicht tat, denn wenn er erst einmal anfing zu lachen, konnte er leicht auf die seitenstreifenlose, ausfahrtlose Straße der Gefühle geraten, die ziemlich schnell zum Wimmern und zum Wie-ein-Schlosshund-Heulen führte, und für solche Umwege hatte er keine Zeit. Er musste aus dem Haus.

Er sah mich an, wie ich dalag und schlief, prägte sich mein Gesicht ein, als wäre es ein Absatz aus einem hochinteressanten Buch, auf das er zufällig gestoßen war, und dessen entscheidende Stelle er parat haben wollte, um sie in einem Gespräch mit dem Dekan anbringen zu können.

Oder aber – und ich will glauben, dass es so war – es brach ihm das Herz. Kein Buch sagt einem, wie man sein eigenes Kind ansieht, das man gleich verlassen und nie wieder sehen wird (es sei denn heimlich, in fünfunddreißig oder vierzig Jahren, und auch dann nur von weitem, durch ein Fernglas oder ein Teleobjektiv oder auf einem Satellitenfoto für 89,99 Dollar). Man geht wahrscheinlich nah heran und versucht, den exakten Winkel der Nase zum Gesicht zu bestimmen. Man zählt Sommersprossen, die man noch nie bemerkt hat. Und man zählt auch die feinen Fältchen auf den Augenlidern und auf der Stirn. Man beobachtet das Atmen, das friedliche Lächeln – und falls das Kind nicht lächelt, ignoriert man bewusst den offen stehenden, röchelnden Mund, um die Erinnerung höflich zu gestalten. Man lässt sich wahrscheinlich sowieso ein bisschen hinreißen und fügt Mondschein hinzu, der dem Gesicht etwas Silbernes gibt, man überschminkt die dunklen Ringe unter den Augen, unterlegt das Ganze mit lieblichem Insektengezirpe – oder besser noch, mit einem wunderschön singenden Nachtvogel –, um die kalte Zellenstille des Zimmers abzumildern.

Dad schloss die Augen, um sich zu vergewissern, dass er sich alles gemerkt hatte (vierzig Grad, sechzehn, drei, eine, Meeresatmen, friedliches Lächeln, silbrige Augen, enthusiastische Nachtigall). Er deckte mich fester zu, küsste mich auf die Stirn.

»Du wirst blendend zurechtkommen, Sweet. Bestimmt.«

Er schlüpfte aus meinem Zimmer, ging leise die Treppe hinunter zum Taxi hinaus.

»Mr Ray?«, fragte der Fahrer.

»Dr. Ray«, sagte Dad.

Und dann – war er weg, einfach so.

Der geheime Garten

Die Tage zockelten vorbei wie eine Herde Schulmädchen. Ich registrierte keine Gesichter, nur die Uniformen: Tag und Nacht, Tag und Nacht.

Für die Dusche oder für eine ausgewogene Ernährung hatte ich keinen Nerv. Ich lag viel auf Fußböden herum – kindisch, klar, aber wenn man auf dem Fußboden liegen kann, ohne dass es jemand sieht, dann tut man's, das ist so. Ich entdeckte auch das flüchtige, aber durchaus spürbare Vergnügen, eine Whitman's Praline anzubeißen und die andere Hälfte hinter das Sofa in der Bibliothek zu werfen. Ich konnte lesen, lesen, lesen, bis mir die Augen brannten und die Wörter wie Nudeln in der Suppe schwammen.

Ich servierte dic Schule ab wie einen Jungen mit ranzigem Atem und klebrigen Handflächen. Stattdessen ließ ich mich mit *Don Quijote* (Cervantes, 1605) ein – man sollte meinen, ich wäre zum Videomekka gefahren und hätte mir Pornos ausgeliehen oder wenigstens *Wilde Orchidee* mit Mickey Rourke, aber nein, das tat ich nicht –, und dann widmete ich mich einem schwülen Taschenbuch, das ich jahrelang vor Dad versteckt hatte, *Sag nichts, Liebster* (Esther, 1992).

Ich dachte über den Tod nach – ich dachte nicht an Selbstmord, meine Gedanken waren nicht annähernd so theatralisch. Es war eher eine Art widerstrebende Zurkenntnisnahme, als ob ich den Tod jahrelang hochmütig übersehen hätte und jetzt, da ich sonst niemanden mehr hatte, wohl oder übel Nettigkeiten mit ihm austauschen musste.

Ich stellte mir vor, wie Evita, Havermeyer, Moats, Dee und meinetwegen auch Dum eine nächtliche Suchaktion starteten, Fackeln, Mistgabeln und Prügel schwingend (wie es bigotte Kleinstädter taten, wenn sie ein Monster jagten), und wie sie dann meinen ausgemergelten Leichnam fanden, auf den Küchentisch gesunken, mit baumelnden Armen, das Gesicht im Knick von Tschechows *Kirschgarten* (1903) vergraben.

Selbst wenn ich mir vornahm, mich zusammenzureißen, wie es Molly Brown im Rettungsboot der *Titanic* getan hatte, oder mir wenigstens ein produktives Hobby zuzulegen wie der Gefangene von Alcatraz, gelang es mir nicht. Ich dachte *Zukunft*, sah *schwarzes Loch*. Ich war spaghettifiziert. Ich hatte keinen Freund, keinen Führerschein und keinen Überlebensinstinkt. Ich hatte nicht mal eins dieser Sparkonten, die gewissenhafte Eltern für ihre Kinder anlegen, damit sie lernen, wie Geld funktioniert. Und ich war minderjährig, würde es noch ein ganzes Jahr lang sein. (Mein Geburtstag ist am 18. Juni.) Ich hatte keine Lust, in einer Pflegefamilie zu landen, die aus einem Rentnerehepaar bestand, Bill und Bertha, die ihre Bibeln wie Faustfeuerwaffen schwenkten, von mir »Mamaa« und »Papaa« genannt werden wollten und jedes Mal über sämtliche Backen strahlten, wenn sie mich, ihren brandneuen Truthahn, mit den bewährten Füllzutaten (Maisbrötchen, Kermesbeersalat und Pekannusskuchen) stopften.

Sieben Tage nach Dads Verschwinden begann das Telefon zu klingeln.

Ich ging nicht ran, stand aber mit hämmerndem Herzen neben dem Anrufbeantworter – es könnte ja Dad sein.

»Gareth, Sie sorgen ja hier ganz schön für Unruhe«, sagte Professor Mike Devlin. »Wo stecken Sie nur?«

»Was in aller Welt ist mit Ihnen *los*? Jetzt heißt es hier, Sie kämen gar nicht wieder«, sagte Dr. Elijah Masters, Chef des Englischen Seminars und Harvard-Beauftragter für Bewerberinterviews. »Ich wäre sehr enttäuscht, wenn das stimmen würde. Wie Sie wissen, haben wir noch eine Partie Schach laufen, und ich bin gerade dabei, Sie vernichtend zu schlagen. Es wäre ein Schock für mich, wenn Sie einfach verschwänden, nur um mich des Vergnügens zu berauben, ›Schachmatt‹ sagen zu können.«

»Dr. van Meer, Sie müssen so schnell wie möglich hier im Sekretariat anrufen. Ihre Tochter Blue ist schon wieder die ganze Woche nicht im Unterricht erschienen. Ihnen ist hoffentlich klar, wenn sie jetzt nicht mit dem Nachholen des versäumten Stoffs beginnt, ist ihr Schulabschluss –«

»Dr. van Meer, hier ist Jenny Murdoch, die, die in Ihrem Demokratie-und-Gesellschaftsstruktur-Seminar in der ersten Reihe sitzt? Ich wollte wissen, ob Solomon jetzt für unsere Seminararbeiten zuständig ist, weil er uns nämlich total andere Parameter vorgegeben hat. Er sagt, es müssen nur sieben bis zehn Seiten sein. Aber *Sie* haben in Ihrem Seminarprogramm zwanzig bis fünfundzwanzig geschrieben, deshalb sind jetzt alle total verwirrt. Wir wären sehr dankbar, wenn Sie das klären würden. Ich habe Ihnen auch schon eine E-Mail geschrieben.«

»Bitte rufen Sie mich so bald wie möglich zu Hause oder im Büro an, Gareth«, sagte Dekan Kushner.

Ich hatte Dads Sekretärin Barbara erklärt, dass ich mir eine falsche Kontaktnummer für Dad während des Kongresses notiert hätte und sie solle mir doch Bescheid sagen, sobald er sich melde. Sie hatte noch nicht angerufen, also rief ich sie an.

»Wir haben immer noch nichts gehört«, sagte sie. »Dekan Kushner steht kurz vor dem Herzinfarkt. Solomon Freeman wird die Kurse Ihres Vaters für die Abschlussklausuren übernehmen müssen. Wo *ist* er?«

»Er musste nach Europa«, sagte ich. »Seine Mutter hatte einen Herzinfarkt.«

»Oh«, sagte Barbara. »Das tut mir leid. Wird sie sich wieder erholen?«

»Nein.«

»Gott. Wie schrecklich. Aber warum hat er dann nicht –?«

Ich legte auf.

Ich fragte mich, ob meine Erstarrung, meine totale Apathie, ein

Symptom beginnenden Wahnsinns war. Noch vor einer Woche hätte ich das für eine völlig abwegige Idee gehalten, aber jetzt erinnerte ich mich, wie Dad und ich ein paarmal eine Frau gesehen hatten, die Beschimpfungen ausstieß, als hätte sie einen Niesanfall. Ich überlegte, wie sie so geworden war – ob das ein langsamer Abstieg war, so wie eine Debütantin träumerisch eine große Treppe hinabwandelt, oder eine plötzliche Fehlzündung im Gehirn, mit sofortigen Auswirkungen, wie ein Schlangenbiss. Die Haut dieser Frau war rot wie von Spülwasser aufgeweichte Hände, und ihre Fußsohlen waren so schwarz, als hätte sie ihre Füße gründlich in Teer getunkt. Einmal, als Dad und ich an ihr vorbeigingen, hatte ich die Luft angehalten und seine Hand gedrückt. Er hatte zurückgedrückt – eine stillschweigende Vereinbarung, dass er mich *nie* so durch die Straßen wandern lassen würde, mit Haaren wie ein Vogelnest und einer dreckigen Latzhose voller Urinflecken.

Jetzt konnte ich ohne Probleme durch die Straßen wandern, mit Haaren wie ein Vogelnest und einer dreckigen Latzhose voller Urinflecken. Das Das-ist-doch-Lächerlich, das Red-keinen-Unsinn war eingetreten. Ich würde meinen Körper für einen tiefgefrorenen Bagel verkaufen. Offensichtlich hatte ich mich die ganze Zeit geirrt, was den Wahnsinn anging. Der Wahnsinn konnte jeden treffen.

* * *

Alle *Marat/Sade*-Fans muss ich leider enttäuschen. Die Haltbarkeitsdauer eines depressiven Stupors bei einem ansonsten gesunden Individuum beträgt zehn, elf oder höchstens zwölf Tage. Danach bemerkt der Verstand zwangsläufig, dass dieser Zustand so sinnvoll ist wie die Teilnahme eines Einbeinigen an einem Arschtrittwettbewerb und dass man einpacken kann, wenn man nicht aufhört, herumzuwabbeln wie die Bluse, die Erdbeertörtchen, die Titularien eines dicken Mädchens (siehe *Britische Euphemismen*, Lewis, 2001).

Ich wurde nicht wahnsinnig. Ich wurde wahnsinnig wütend (siehe »Peter Finch«, *Network*). Zorn, nicht Abe Lincoln, ist der große Befreier. Nicht lange, und ich stürmte durch die 24 Armor Street, ich fühlte mich überhaupt nicht mehr verloren und kraftlos, nein, ich warf mit Hemden, Petit-Point-Stickereien und Umzugskartons mit der Aufschrift OBEN um mich wie der tobende Jay Gatsby, weil ich irgendetwas finden wollte – und sei es noch so winzig –, was mir verriet, wohin er verschwunden war und warum. Nicht, dass ich gehofft hätte, einen Stein von Rosetta zu finden, ein zwanzigseitiges Geständnis, sorgsam versteckt in meinem Kopfkissenbezug, zwischen Matratzen, im Eisfach: »*Sweet. Jetzt weißt du es also. Es tut mir leid, mein Wölkchen. Aber lass mich alles erklären. Fangen wir am besten mit Mississippi an* ...« Das war nicht sonderlich wahrscheinlich. Wie uns Mrs McGillicrest, diese pinguinförmige Xanthippe von der Alexandria Day School, so triumphierend erklärt hatte: »Ein *Deus ex Machina* taucht im wirklichen Leben nie auf, also regelt die Sachen lieber anders.«

Der Schock über Dads Verschwinden (*Schock* trifft es nicht ganz, es war eher Ungläubigkeit, Entsetzen, Fassungslosigkeit – Entglaublosigkeit), die Tatsache, dass er *mich*, seine Tochter, eine Person, die, um Dr. Luke Ordinote zu zitieren, »eine hellwache Intelligenz« besaß, und der, um Hannah Schneider zu zitieren, »nichts entging« – dass er mich einfach so beschwindelt, beschissen, verarscht hatte (wieder alles zu lau für meinen Fall – beschissarscht), das war so unfassbar, schmerzlich, abwegig (unabschmerzbar), dass mir jetzt klar wurde: Dad war ein ausgewachsener Wahnsinniger, ein genialer Hochstapler, ein aalglatter Betrüger, der raffinierteste Süßholzraspler aller Zeiten.

Dad ist auf dem Gebiet der Heimlichkeiten das, was Beethoven auf dem Gebiet der Symphonie ist, sagte ich wie ein Mantra vor mich hin. (Es war die erste einer Reihe von düsteren Behauptungen, die ich in der folgenden Woche ausbrütete. Wenn man beschissarscht wurde, stürzte das Gehirn ab, und wenn man es neu startete, kehrte es zu unerwarteten, rudimentären Formaten zurück, von denen eins an die schwachsinnigen »Autor-Analogien« erinnerte, die Dad sich ausgedacht hatte, als wir durch die Staaten tourten.)

Aber Dad war nicht Beethoven. Er war noch nicht mal Brahms.

Und dass Dad kein unerreichter Maestro des Mysteriösen war, fand ich bedauerlich, denn es war unendlich viel quälender, ein paar unangenehme Antworten zu haben, als mit einer Reihe obskurer Fragen zurückzubleiben – die man nach Belieben beantworten konnte, ohne eine Benotung fürchten zu müssen.

Meine Wüterei im ganzen Haus erbrachte keinen nennenswerten Hinweis, nur verschiedene Artikel über bürgerkriegsartige Unruhen in Westafrika und Peter Cowers *In Angola* (1980), das in den Spalt zwischen Dads Bett und dem Nachttisch gerutscht war (denkbar unergiebige Indizien), sowie 3000 Dollar in bar, ordentlich zusammengerollt in Junikäfer Penelope Slates SPECIAL THOUGHTS-Keramikbecher, der auf dem Kühlschrank stand (Dad hatte mir das Geld absichtlich hinterlassen, denn normalerweise war der Becher nur für Kleingeld da). Elf Tage nach seinem Verschwinden wanderte ich auf die Straße hinunter, um die Post des Tages zu holen: ein Heftchen mit Coupons, zwei Modeprospekte, einen Kreditkartenantrag für Mr Meery von Gare (mit 0 Prozent Kreditzinsen) und einen dicken braunen Umschlag, adressiert an Miss Blue van Meer, in einer majestätischen Handschrift, dem Schriftäquivalent zu Trompetenschall und einer von edlen Rossen gezogenen Kutsche.

Ich riss ihn sofort auf und zog den zwei Finger dicken Stapel Papiere heraus. Da war keine Landkarte des südamerikanischen Menschenhandelsnetzwerks mit Rettungsinstruktionen und auch nicht Dads einseitige Unabhängigkeitserklärung (»Wenn es im Zuge der Menschheitsentwicklung für einen Vater notwendig wird, die elterlichen Bande zu lösen, die ihn mit seiner Tochter verbinden ...«), sondern nur eine kurze Mitteilung auf Monogramm-Briefpapier, das an die oberste Seite geheftet war.

»Sie baten um das hier. Ich hoffe, es hilft Ihnen«, hatte Ada Harvey geschrieben und dann ihren schnörkeligen Namen unter den Knoten ihrer Initialen gesetzt.

Obwohl ich einfach aufgehängt und ihre Stimme ohne ein Wort der Entschuldigung abgehackt hatte wie ein Sushi-Koch die Aalköpfe, schickte sie mir das, worum ich sie gebeten hatte: die Recherche-Ergebnisse ihres Vaters. Als ich mit den Papieren die Zufahrt hinauf ins Haus rannte, merkte ich, dass ich weinte, seltsame Kondenstränen, die ganz von allein auf meinem Gesicht erschienen. Ich setzte mich an den Küchentisch und begann, den Stapel sorgfältig durchzusehen.

Smoke Harveys Handschrift war eine entfernte Cousine von Dads Schrift, winzige Buchstaben, von einem unbarmherzigen Nordostwind durcheinander geweht. DIE NÄCHTLICHE VERSCHWÖRUNG hatte der Mann in Großbuchstaben in die rechte obere Ecke jeder einzelnen Seite geschrieben. Die ersten Kapitel behandelten die Geschichte, die verschiedenen Namen und die Vorgehensweise der Gruppe (ich fragte mich, woher er diese Informationen hatte, da er weder auf Dads Artikel noch auf Littleton verwies), dann folgten etwa dreißig Seiten über Gracey, das meiste davon kaum leserlich (Ada hatte einen Fotokopierer benutzt, der Reifenspuren quer über die Seite druckte): »Griechischer Abstammung, *nicht* türkischer«, »Geboren am 12. Februar 1944 in Athen, Mutter Griechin, Vater Amerikaner«, »Gründe für Radikalisierung unbekannt«. Ich las weiter. Da waren Fotokopien alter Zeitungsartikel aus West Virginia und Texas über die beiden bekannten Bombenattentate, »Senator getötet, Friedensfreaks unter Verdacht«, »Bombe gegen Oxico, 4 Tote, Fahndung nach Nightwatchmen«, ein Artikel aus *Life* vom Dezember 1978, »Das Ende des Aktivismus«, über die Auflösung der Weather Underground, der Students for a Democratic Society und weiterer Dissidentenorganisationen, ein paar Papiere über COINTELPRO und andere Unternehmungen des FBI, ein kleiner kalifornischer Artikel »Radikaler bei Drugstore gesehen« und dann ein Newsletter vom 15. November 1987, *Daily Bulletin*, Polizeibehörde Houston, Vertraulich, Nur für den Polizeigebrauch, BUNDESWEIT GESUCHT, Haftbefehle liegen beim Sheriff's Department von Harris County, Bell 432–6329 –

Mir blieb das Herz stehen.

Der Mann, der mir über den Zeilen »Gracey, George. I. R. 329 573. männlich, weiß, 43, ca. 100 kg, kräftige Statur. Bundespolizeilicher Haftbefehl Nr. 78–3298. Tätowierungen auf rechter Brustseite.

Abbildung 35.0

Hinkt. Die Gesuchten sind als bewaffnet und gefährlich anzusehen« entgegensah, war Baba au Rhum (Abbildung 35.0).

Zugegeben, auf dem Steckbrieffoto hatte Servo einen dichten Bart aus Stahlwolle, der sein Bestes tat, das ovale Gesicht wegzuschrubben, und es war überhaupt eine schlechte Schwarzweißaufnahme (von einer Überwachungskamera). Aber die glühenden Augen, der lippenlose Mund, der an den Plastikschlitz einer leeren Kleenex-Box erinnerte, die Art, wie der kleine Kopf auf den bulligen Schultern saß – das war unverwechselbar.

»Er humpelt seit jeher«, hatte mir Dad in Paris erklärt. »Schon als wir in Harvard waren.«

Ich schnappte mir das Blatt, auf dem auch das Phantombild von Catherine Baker war, das ich im Internet gesehen hatte. (»Die Bundesbehörden und das Sheriff's Department von Harris County bitten um sachdienliche Hinweise…« stand auf der zweiten Seite.) Ich rannte nach oben, riss meine Schreibtischschubladen auf und wühlte in meinen alten Hausarbeiten, Heften und Tests, bis ich die Air-France-Boarding-Pässe fand, etwas Ritz-Briefpapier und schließlich das Fetzchen Millimeterpapier, auf dem Dad an dem Tag, an dem sie ohne mich in die Sorbonne gegangen waren, für mich Servos Festnetz- und Handynummer notiert hatte.

Nach einigem Hin und Her – Landesvorwahl, Umstellen von Einsen und Nullen – schaffte ich es, die Handynummer korrekt zu wählen. Augenblicklich drang mir das atmosphärische Rauschen einer nicht mehr aktiven Nummer ins Ohr. Als ich die Festnetznummer anrief, wurde ich nach ausgiebigem »*Como?*« und »*Qué?*« von einer geduldigen Spanierin davon in Kenntnis gesetzt, dass das Apartment keine Privatwohnung sei, sondern von der Firma Go Chateaux wochenweise vermietet werde. Sie verwies mich auf die Angebotswebsite (siehe »ILE-297«, www.gochateaux.com). Ich rief die Buchungshotline an, und ein Mann erklärte mir kurz und knapp, das Apartment sei seit der Gründung der Firma 1981 nie eine Privatwohnung gewesen. Ich versuchte daraufhin, ihm irgendwelche Informationen über denjenigen, der das Apartment in der Woche des 26. Dezember gemietet hatte, aus der Nase zu ziehen, aber er sagte, Go Chateaux sei nicht befugt, Kundendaten weiterzugeben.

»Habe ich Ihnen nach besten Kräften weitergeholfen?«

»Hier geht es um Leben um Tod. Menschen werden *umgebracht*.«

»Sind Ihre Fragen zufriedenstellend beantwortet?«

»*Nein.*«

»Go Chateaux dankt für Ihren Anruf.«

Ich legte auf und tat gar nichts. Ich saß nur auf meiner Bettkante und war verblüfft über die blasierte Reaktion des Nachmittags. Der Himmel hätte doch platzen müssen wie die Hose über dem Hinterteil eines Klempners, oder es hätte sich wenigstens Rauch aus den Bäumen emporkräuseln müssen, von den versengten obersten Ästen – aber nein, der Nachmittag war ein dumpfäugiger Jugendlicher, eine abgetakelte Frau, die in einer Kaschemme herumhing, altes Lametta. Meine Entdeckung war *mein* Problem, sie tangierte weder das Zimmer noch das Licht, das an betrunkene Mauerblümchen erinnerte, die in formlosen goldenen Kleidern an den Heizkörpern und Regalen lehnten. Auch die Fensterschatten, die wie blöde Sonnenbadende auf dem Fußboden herumlagen, blieben völlig ungerührt. Ich musste daran denken, wie ich Servos Krückstock aufgehoben hatte, nachdem Servo ihn an einen *Boulangerie*-Tresen gelehnt hatte und er genau auf den schwarzen Schuh der Frau hinter ihm gekracht war, worauf sie nach Luft schnappte und so rot aufleuchtete wie ein Hau-den-Lukas auf dem Jahrmarkt. Der Knauf des Stocks, ein Adlerkopf, war von Servos steakfettiger Hand heiß und klebrig gewesen. Als ich den Stock wieder neben ihn gestellt hatte, sagte er über die linke Schulter so hastig wie jemand, der Salz verschüttet hat: »Mmmm, merci beaucoup. Ich brauch bald eine Leine für das Ding, was?« Es war sinnlos, mir Vorwürfe zu machen, weil ich die offenkundig zusammenpassenden Lebensschnipsel nicht früher zusammengesetzt hatte (Wie viele Männer mit Hüftproblemen hatte ich je gekannt? Keinen außer Servo, lautete die beschämende Antwort), und natürlich musste ich (obwohl ich mich dagegen wehrte) auch an das denken, was Dad einmal gesagt hatte: »Eine Überraschung – das ist selten jemand Fremdes, sondern der gesichtslose Patient, der einem die ganze Zeit im Wartezimmer gegenübergesessen hat. Der Kopf war hinter einer Illustrierten versteckt, aber die orangefarbenen Socken, die goldene Taschenuhr und die abgewetzte Hose hatte man die ganze Zeit im Blick.«

Aber wenn Servo Gracey war, wer war dann Dad?

Servo verhält sich zu Gracey wie Dad zu – plötzlich stürzte die Antwort aus ihrem Versteck hervor, warf sich auf den Boden, bettelte um Verzeihung, flehte mich an, ihr nicht bei lebendigem Leibe die Haut abzuziehen.

Ich rannte an meinen Schreibtisch, schnappte mir meine Fallnotizen, suchte die Seiten nach diesen komischen Decknamen ab, die ich mir nicht richtig gemerkt hatte, und fand sie schließlich ganz unten auf Seite 4: Nero, Bull's Eye, Mohave, Sokrates und Franklin. Jetzt war es lächerlich klar: Dad war Sokrates, laut www.looseyourrevolutioncherry.net auch *Der Denker* genannt – *natürlich* war er Sokrates, wer sonst hätte Dad sein können? Marx, Hume, Descartes, Sartre, Emerson, keiner dieser Decknamen wäre Dad gut genug gewesen (»pompöse Schwätzer, die niemandem mehr etwas zu sagen haben«), und er wäre lieber gestorben, als sich Plato zu nennen (»als Logiker hemmungslos überschätzt«). Ich fragte mich, ob sich jemand von den Nightwatchmen diesen Decknamen ausgedacht hatte. Nein, viel wahrscheinlicher war, dass Dad ihn Servo vor einem Gruppentreffen unter vier Augen vorgeschlagen hatte. Dad tat sich schwer mit Subtilitäten, mit Improvisation; wenn es um Gareth'sche Belange ging, trug Dad den Mantel der Lässigkeit wie ein käsecrackerdünner Salonlöwe, den man gezwungen hat, in einem Footballtrikot zu speisen. Mein Blick stolperte jetzt die Seite hinunter, meinen eigenen, sorgfältigen Notizen folgend: »Der Januar 1974 markiert den Strategiewechsel der Gruppe: von der Sichtbarkeit zur Unsichtbarkeit.« Im Januar 1974 hatte sich Dad an der Kennedy School of Government in Harvard immatrikuliert. Im März 1974 »wäre eine der Versammlungen der Nightwatchmen in einem leer stehenden Lagerhaus in Braintree, Massachusetts, beinahe aufgeflogen«. Braintree, Massachusetts, lag keine dreißig Minuten von Cambridge, Massachusetts, entfernt, also waren die Nightwatchmen keine dreißig Minuten von Dad entfernt gewesen – bei solchen Koordinaten zweier sich in Raum und Zeit bewegender Körper war eine Überschneidung ihrer Bahnen mehr als wahrscheinlich.

Dads Aufnahme in die Gruppe hatte zu dem Strategiewandel geführt. »Blind Dates: Vorteile des stillen Bürgerkriegs« und »Rebellion im Informationszeitalter« waren zwei besonders beliebte Aufsätze von Dad in *Federal Forum* gewesen, und das Thema hatte die Grundlage seiner viel beachteten Harvard-Dissertation von 1978, »Der Fluch des Freiheitskämpfers: Irrtümer in Guerilla-Kriegführung und revolutionärer Strategie in der Dritten Welt«, gebildet. (Und es war auch der Grund, weshalb er Lou Swann eine »Mogelpackung« schimpfte.) Und dann war da Dads großer Wendepunkt, ein Moment, über den er in Bourbon-Laune liebevoll sprach (als ginge es um eine Frau, die er auf einem Bahnhof gesehen hatte, eine Frau mit seidigen Haaren, die den Kopf so nah an die Scheibe neigte, dass er da, wo ihr Mund hätte sein sollen, nur ein Wölkchen sah): der Moment, als er bei einer Protestdemonstration in Berlin auf Benno Ohnesorgs Schnürsenkel getreten war und der unschuldige Student von der Polizei erschossen wurde. Da hatte er begriffen: »Der Mensch, der aufsteht und nein sagt, der einsame Mensch, der nein sagt – er wird gekreuzigt.«

»Das war sozusagen mein Bolschewikenmoment«, erklärte er. »Als ich beschlossen habe, das Winterpalais zu stürmen.«

Bei der Kartierung meines Lebens hatte ich es irgendwie geschafft, einen ganzen Kontinent auszulassen (siehe *Antarktis: Der kälteste Ort auf der Erde*, Turg, 1987). »Du bist *immer* zufrieden damit, dich hinter einem Rednerpult zu verstecken, nicht wahr?«, hatte ich Servo Dad anbrüllen hören. Servo war der »hormongebeutelte Knabe«, Dad der Theoretiker. (Ehrlich gesagt hatte Servo den Nagel auf den Kopf getroffen: Dad mochte noch nicht mal Spülwasser an den Händen, geschweige denn Menschenblut.) Und zweifellos bezahlte Servo Dad gut für seine theoretischen Bemühungen. Obwohl Dad all die Jahre immer behauptet hatte, arm zu sein, konnte er doch, wenn es darauf ankam, klotzen wie Kublai Khan, ein prächtiges Haus wie 24 Armor Street mieten, im Ritz übernachten, einen zwei Zentner schweren antiken 17000-Dollar-Schreibtisch quer durchs Land transportieren lassen und den Preis leugnen. Selbst Dads bevorzugte Bourbonsorte,

George T. Stagg, galt laut *Stuart Mill's Booze Bible* (Ausg. v. 2003) als »der Bentley unter den Bourbons«.

Hatte ich sie in Paris wegen Hannah Schneider oder wegen der wachsenden Probleme mit Ada Harvey streiten hören? Hochgradig hysterisch, Problem, Simone de Beauvoir – das Gespräch, das ich mitgehört hatte, war ein Maulesel, es wollte einfach nicht freiwillig in meinen Kopf zurückkommen. Ich musste es locken, ihm gut zureden, ziehen und zerren, und als ich die Fragmente schließlich zur Inspektion aufgereiht hatte, war ich genauso verwirrt wie vorher. Mein Kopf fühlte sich an wie mit einem Löffel ausgehöhlt.

* * *

Nach dem anfänglichen Schmerz fiel mein Leben – vollgepackt mit Highways, Sonettmarathons, Bourbon-Launen, denkwürdigen Aussprüchen toter Leute – erstaunlich leicht von mir ab.

Es verblüffte mich, wie ungerührt und unerschütterlich ich war. Wenn Vivien Leigh unter Halluzinationen und hysterischen Anfällen litt und Elektroschocks, Eispackungen und eine Diät aus rohen Eiern brauchte, nur weil sie *Elefantenpfad* drehte (einen Film, von dem nie jemand etwas gehört hat, außer Peter Finchs direkten Nachfahren), dann war es doch vorstellbar, wenn nicht sogar zwangsläufig, dass ich irgendeine *Form* von Geisteskrankheit entwickelte, wenn sich herausstellte, dass mein Leben nichts weiter gewesen war als ein Trompe l'Oeil, Gonzo-Journalismus, die *64 000-Dollar-Frage*, die Fidschi-Meerjungfrau, ein Hitler-Tagebuch, Milli Vanilli (siehe *Diven und Dämonen*, Lee, 1973, Kap. 3, »Miss O'Hara«).

Doch nach meinem sokratischen Erkenntnismoment waren die übrigen Antworten, die ich zutage förderte, längst nicht mehr so erschütternd. (Mit der Entglaublosigkeit ist es wie mit einer Kreditkarte: Irgendwann ist das Limit erreicht.)

In den zehn Jahren, die wir durchs Land gereist waren, war Dad offenbar weniger mit meiner Erziehung als vielmehr mit Nightwatchmen-Nachwuchsbeschaffungsmaßnahmen beschäftigt gewesen. Dad war ihr mächtiger Personalchef gewesen, mit seiner verführerischen

Sirenenstimme höchstwahrscheinlich direkt für die »kreative Rekrutierungsstrategie« zuständig, die Guillaume auf www.hautain.fr. erläuterte. Es war die einzig logische Erklärung: All die Professoren und Doktoren, die im Lauf der Jahre zum Essen zu uns gekommen waren, die stillen jungen Männer, die so gebannt zugehört hatten, wenn Dad seine Bergpredigt hielt, seine Story von Tobias Jones, dem Armen, erzählte, seine Determinationstheorie entwickelte – »*Es gibt Wölfe, und es gibt Salzkrebse*«, hatte er sein Verkaufsgespräch eingeleitet – waren nicht nur *keine* Dozenten gewesen, sie existierten gar nicht.

Es gab keinen hörbehinderten Dr. Luke Ordinote an der Spitze des Historischen Seminars der University of Missouri in Archer. Es gab keinen feigenäugigen Linguistikprofessor Mark Hill in Dodson-Miner. Es *gab* zwar einen Zoologieprofessor Mark Hubbard, aber den konnte ich nicht sprechen, weil er schon im zwölften Sabbatjahr in Folge in Israel war, um die vom Aussterben bedrohte Zwergtrappe (*Tetrax tetrax*) zu studieren. Aber das Unheimlichste war: Es gab keinen Professor Arnie Sanderson, der die Einführung in das Drama und die Geschichte des Welttheaters unterrichtete und mit dem Dad an dem Abend, als Eva Brewster die Schmetterlingssammlung meiner Mutter zerstörte, ausschweifend gespeist hatte und mit dem er auch an dem Abend vor seinem Verschwinden im Piazza Pitti gegessen hatte.

»Hallo?«

»Hallo. Ich bin auf der Suche nach einem außerordentlichen Professor, der im Herbst 2001 in Ihrer Englischabteilung gelehrt hat. Er heißt Lee Sanjay Song.«

»Wie war der Name?«

»Song.«

Kurze Pause.

»Hier gab es nie jemanden, der so hieß.«

»Ich weiß nicht genau, ob er vielleicht nur einen befristeten Lehrauftrag hatte.«

»Verstehe, aber es gab niemanden, der –«

»Vielleicht ist er weggegangen? Nach Kalkutta? Timbuktu? Vielleicht hat ihn ein Bus überfahren?«

»*Wie bitte*?«

»Verzeihung. Ich meine nur, wenn irgendjemand *irgendetwas* weiß, wenn es jemand anderen gibt, mit dem ich sprechen kann, wäre ich sehr dankbar –«

»Ich stehe dieser Englischabteilung seit neunundzwanzig *Jahren* vor, und ich versichere Ihnen, hier hat nie jemand mit dem Nachnamen Song gelehrt. Tut mir leid, dass ich Ihnen nicht weiterhelfen kann, Miss –«

Natürlich fragte ich mich, ob Dad auch kein echter Professor gewesen war. Ich hatte ihn ein paarmal in Hörsälen sprechen sehen, aber es gab etliche Colleges, in denen ich *nicht* gewesen war. Und wenn ich Dads Abstellkammerbüro, das er als seinen »Käfig«, seine »Gruft« bezeichnete und von dem er sagte: »und die glauben, ich kann in dieser Katakombe sitzen und neue Ideen entwickeln, um die phlegmatische Jugend dieses Landes zu begeistern«, nicht mit eigenen Augen gesehen hatte – vielleicht war es dann ja wie mit dem berühmten Baum, der im Wald umfällt. Es hatte das Büro nie gegeben.

An dieser Front lag ich absolut falsch. Jeder und seine Großmutter hatten von Dad gehört, selbst ein paar Fakultätsschreibkräfte, die gerade erst eingestellt worden waren. Wo Dad ging und stand, schien er eine gelb gepflasterte Straße von Lobeshymnen zu hinterlassen.

»Wie *geht's* dem alten Knaben?«, fragte Dekan Richardson von der University of Arkansas in Wilsonville.

»Es geht ihm hervorragend.«

»Ich habe mich oft gefragt, was aus ihm geworden ist. Erst neulich musste ich an ihn denken, als ich in *Proposals* auf einen Artikel gestoßen bin, in dem die Nahostpolitik bejubelt wurde. Ich habe Garry förmlich vor Lachen brüllen hören! Apropos, ich habe schon lange keinen Aufsatz mehr von ihm gesehen. Na ja, ist wohl alles ein bisschen enger geworden, Außenseiter, Nonkonformisten, Leute, die zu ihrer eigenen Trommel marschieren, die den Mund aufmachen, finden eben nicht mehr dieselben Foren wie früher.«

»Er kommt ganz gut zurecht.«

Offenbar muss man, wenn sich in einer Ecke des eigenen Lebens hinterrücks ein ekliger Schleimpilzbelag gebildet hat, unschmeichelhafte Neonlampen anschalten (die brutale Sorte, die sie in Legebatterien haben), auf allen vieren herumkriechen und *sämtliche* Ecken ausschrubben. Also beschloss ich, noch einer erschreckenden Möglichkeit ins Auge zu sehen: Wenn nun die Junikäfer gar keine Junikäfer waren, sondern Isabellaspinner (*Graellsia isabellae*), die elegantesten und kultiviertesten aller europäischen Motten? Wenn sie, wie die falschen Professoren, begabte Individuen waren, die Dad sorgfältig für die Nightwatchmen ausgewählt hatte? Wenn sie nur so *getan* hatten, als fühlten sie sich zu Dad so heftig hingezogen wie Lithium zu Fluor (siehe *Unwiderstehliche Anziehung – die Welt der Ionen*, Booley, 1975)? Ich wollte, dass es so war, ich wollte mein Boot neben ihres manövrieren und sie retten, sie herausholen aus ihrer Welt der vergeudeten Usambara-Veilchen und der mit bebender Stimme geführten Anrufe, aus ihren brackigen Gewässern, in denen nichts gedieh, keine Riffe, keine Papageifische oder Engelbarsche (und schon gar keine Meeresschildkröten). Dad hatte sie dort hilflos dümpelnd zurückgelassen, aber ich würde sie befreien, sie mit einem kräftigen Passatwind davonschicken. Sie würden nach Casablanca entschwinden, nach Bombay, nach Rio (alle wollten immer nach Rio entschwinden), und man würde nie wieder etwas von ihnen hören oder sehen – konnten sie sich ein poetischeres Schicksal wünschen?

Ich begann meine Nachforschungen damit, die Auskunft anzurufen und die Telefonnummer von Junikäfer Jessie Rose Rubiman zu erfragen, die immer noch in Newton, Texas, wohnte und immer noch Erbin des Rubiman Teppich-Unternehmens war: »Wenn du diesen Namen noch *einmal* erwähnst, dann – soll ich dir was sagen? Ich überlege mir immer noch, ob ich nicht seine Adresse ausfindig machen und mich, während er schläft, in sein Zimmer schleichen und ihm seinen Schniedel abschneiden soll. Genau das hätte der Scheißkerl verdient.«

Ich beendete meine Nachforschungen, indem ich die Auskunft anrief und die Telefonnummer von Junikäfer Shelby Hollow erfragte: »Night-Watch? Hey, heißt das, ich habe eine Gratis-Indiglo-Timex gewonnen?«

Wenn die Junikäfer nicht alle miteinander erstklassige Schauspielerinnen in der Tradition einer Davis oder Dietrich waren (geeignet für A-Filme, nicht für B- oder C-Filme), dann schien klar, dass die einzige Motte, die durch diese stickige Nacht geschwirrt war und (wie ein verwirrter Kamikaze-Pilot) stur ihre Kreise um jede Veranda- und Gartenlaterne gezogen hatte, die sich einfach nicht hatte abwimmeln lassen, auch wenn ich das Licht ausgeknipst und sie ignoriert hatte, Hannah Schneider war.

Das war das Verblüffende, wenn man einfach so verlassen worden war, wenn man plötzlich mit keinem mehr redete: Die eigenen Gedanken hatten die ganze Welt für sich, sie konnten tagelang dahindriften, ohne sich an jemandem zu stoßen. Ich konnte ja schlucken, dass Dad sich Sokrates nannte. Ich konnte meinetwegen auch das mit den Nightwatchmen schlucken, konnte jedem Gerücht über ihre Aktivitäten hinterherjagen wie ein Privatdetektiv, der unbedingt die verschwundene Dame finden will. Ich konnte sogar die Liebesbeziehung zwischen Hannah und Servo schlucken (siehe Afrikanische Eierschlange, *Enzyklopädie der Lebewesen*, 4. Ausg.). Ich konnte unterstellen, dass Servo nicht immer gerasselt und ge-mmm-t hatte – damals, im langhaarigen Sommer 1973, hatte er zweifellos eine faszinierende Rebellengestalt abgegeben (oder Poe so ähnlich gesehen, dass die dreizehnjährige Catherine beschlossen hatte, für immer seine Virginia zu werden).

Was ich *nicht* schlucken, ja nicht mal mit lidlosen Augen fixieren konnte, das war: *Dad* und Hannah. Während die Tage vergingen, merkte ich, dass ich wie ein Großmütterchen diesen Gedanken immer wieder wegpackte, um ihn für eine besondere Gelegenheit aufzubewahren, die nie kommen würde. Ich bemühte mich, manchmal sogar mit Erfolg, auf andere Gedanken zu kommen, nicht durch ein Buch oder Theaterstück (nein, und Keats zu rezitieren war eine Schnapsidee, so als würde man bei einem Erdbeben in ein Ruderboot flüchten), sondern durch Fernsehen, Rasierklingen- und Gap-Reklamen, Prime-Time-Melodramen, in denen braun gebrannte Typen namens Brett verkündeten: »Jetzt wird abgerechnet.«

Sie waren aus meinem Leben verschwunden. Sie waren Riesenexemplare in Glaskästen, in schummrigen leeren Räumen. Ich konnte auf sie herabstarren und mich über mich selbst lustig machen, weil ich so dumm gewesen war, die offensichtlichen Ähnlichkeiten nicht gleich zu bemerken: die imposanten Maße (überlebensgroße Personen), die leuchtend gefärbten Hinterflügel (auffallend in jedem Raum), die Anfänge als Raupe (Waisenkind bzw. armes, reiches kleines Mädchen), die Tatsache, dass sie nur nachts flogen (ihr in mysteriöses Dunkel gehüllter Abgang), die unbekannten Grenzen ihres Verbreitungsgebiets.

Wenn ein Mann eine Frau so demonstrativ heruntermachte wie Dad Hannah (»banal«, »seltsam und launisch«, »eine Jammertante«, hatte er sie genannt), dann parkte hinter dem ersten Vorhang dieser heftigen Antipathie fast immer eine nagelneue, goldmetallicfarbene Liebe, funkelnd und unpraktisch (dafür bestimmt, innerhalb eines Jahres zusammenzubrechen), und wartete darauf, angelassen und vom Parkplatz gefahren zu werden. Es war der älteste aller Tricks, auf den ich nie hätte hereinfallen dürfen, nachdem ich den gesamten Shakespeare gelesen hatte, auch die späten Romanzen, und die definitive Cary-Grant-Biographie *Der widerstrebende Liebhaber* (Murdy, 1999).

SCHMETTERLINGE – ZERBRECHLICH. Warum landete diese alte Umzugskiste krachend in meinem Kopf, sobald ich mich zwang, Dad und Hannah ins Auge zu fassen? Das waren die Wörter, mit denen Dad immer meine Mutter beschrieben hatte. Nach dem Glanz und Glamour mit den *battements frappés* und *demi-pliés*, dem Technicolor-Traumkleid, erschienen diese Wörter oft wie unerwünschte, verarmte Gäste auf einem rauschenden Fest, peinlich und traurig, als würde Dad von ihrem Glasauge oder einem fehlenden Arm reden. Im Hyacinth Terrace hatte Hannah, mit Augen wie verstopfte Gullys und pflaumenrotem Mund, ebendiese Wörter benutzt, nicht an die anderen, sondern an mich gerichtet. Mit einem Blick, der so schwer auf mir lastete wie ein umgekipptes Bücherregal, hatte sie gesagt: »Manche Menschen sind zerbrechlich wie – wie Schmetterlinge.«

Sie hatten dieselben fragilen Wörter benutzt, um dieselbe zarte Person zu beschreiben. Immer wieder prägte Dad einen griffigen Slogan für eine Person und heftete ihr diese Bezeichnung in allen nachfolgenden Gesprächen gnadenlos an (für Dekan Roy von der University of Arkansas in Wilsonville war es das wenig inspirierte »sanft wie Honigmilch« gewesen). Hannah musste gehört haben, wie er meine Mutter mit diesen Worten charakterisierte. Und so wie sie mir beim Essen Dads Lieblingszitat (Glück, Hund, Sonne) aufgetischt und wie sie Dads italienischen Lieblingsfilm (*L'Avventura*) in den Videorecorder geschoben hatte (Hannah war jetzt eingestaubt und wurde mit Ultraviolettlicht angeleuchtet; ich sah Dads Fingerabdrücke überall auf ihr), so hatte sie mir auch diesen Satz über meine Mutter hingeworfen und mit all den Partikelchen des brennenden Geheimnisses, das sie in beiden Händen hielt, durch ihre Finger rieseln lassen, damit ich diese Wörter sah und ihnen folgte wie einer feinen Sandspur. Nicht einmal, als ich im Wald mit ihr allein war, hatte sie den Mumm gehabt, dieses Geheimnis einfach in die Luft zu werfen, damit es auf uns herabregnete und auf unseren Haaren und Mündern landete.

Hatte ich es gewusst oder nicht? Ich war mir nicht mehr sicher. Die Wahrheit, die die beiden verborgen hatten (Dad mit der Inbrunst der Fünften Symphonie, Hannah nur schlampig): dass sie sich (seit 1992, wie ich ausgerechnet hatte) *kannten*, im Kinoplakatsinn des Wortes (und ich würde nie herausfinden, ob sie *Il Caso Thomas Crown* oder *Colazione da Tiffany* gewesen waren oder ob sie sich dreihundertmal nebeneinander die Zähne mit Zahnseide gereinigt haben), entlockte mir keinen Laut, ja, nicht einmal ein Nach-Luft-Schnappen.

Ich kehrte einfach nur zu der Umzugskiste zurück, kniete mich hin und wühlte mit den Fingern in den samtigen Splittern, den Fühlern und Vorderflügeln und Brustsegmenten, den Fetzen von Steckkarton und den Nadeln – in der Hoffnung, dass Natasha mir irgendeine codierte Botschaft hinterlassen hatte, einen Abschiedsbrief, in welchem sie mit dem Finger auf ihren treulosen Ehemann deutete, so wie sie mit dem Finger auf den Teil des Delias pasithoe gedeutet hatte, der den Vögeln andeutete, dass dieser Falter ungenießbar war – eine Erklärung, ein Puzzle, über dem ich brüten konnte, ein Flüstern aus dem Jenseits, eine optische Hilfestellung, eine Abbildung. (Da war nichts.)

Aber inzwischen füllten meine Fallnotizen einen ganzen Stapel von Karteikarten, über fünfzig Seiten, und mir war das Foto wieder eingefallen, das mir Nigel in Hannahs Schlafzimmer gezeigt hatte (und das sie vor dem Campingtrip vernichtet haben musste, weil ich es in dem Evan-Picone-Schuhkarton nicht mehr gefunden hatte): das von Hannah als jungem Mädchen, mit dem anderen Mädchen, das sich wegdrehte, und der Jahreszahl 1973 in blauer Tinte auf der Rückseite. Ich war mit dem Volvo ins Cyberroast, das Internetcafé in Orlando, gefahren und hatte das Emblem mit dem goldenen Löwen, das ich auf der Brusttasche von Hannahs Schuluniformblazer gesehen hatte, als das Wappen einer Privatschule an der East 81st Street identifiziert, der Schule, auf die Natasha 1973 gegangen war, nachdem ihre Eltern sie vom Larson Ballet Conservatory genommen hatten (siehe www.theivyschool.edu). (*Salva veritate* war der wenig originelle Wahlspruch der Schule.) Und nachdem ich stundenlang das andere Foto von Hannah angestarrt hatte, das, das ich aus ihrer Garage geklaut hatte, Rockstar Hannah mit den hahnengefiederroten Haaren, wurde mir klar, warum ich damals im Januar, als ich sie mit der Irrenfrisur sah, dieses Déjà-vu-Gefühl nicht losgeworden war.

Die Frau, die mich nach dem Tod meiner Mutter vom Kindergarten nach Hause gefahren hatte, die Hübsche in Jeans und mit der kurzen roten Stachelfrisur – war Hannah gewesen.

Ich schnitt aus allen sonstigen Gesprächen, die mir einfielen, Beweisfragmente heraus und klebte sie zu einer beeindruckenden, aber auch bestürzenden Collage zusammen (siehe »Liegender Akt, Patchwork XI«, *Die unautorisierte Biographie der Indonesia Sotto*, Greydon, 1989, S. 211). »Sie hatte eine beste Freundin, als sie klein war«, hatte mir Hannah erklärt, während sich Rauch aus ihren Fingern kringelte, »ein hübsches Mädchen, zart, fragil. Die beiden waren wie Schwestern. Sie konnte sich ihr anvertrauen, ihr alles unter der Sonne erzählen – aber mir will beim besten Willen ihr Name nicht einfallen.« Und: »Weißt du – es gibt Menschen. Zerbrechliche Menschen, die du liebst und denen du trotzdem wehtust, und ich – ich bin schrecklich, stimmt's?«, hatte sie mir im Wald erklärt. »Irgendetwas Schlimmes ist passiert, als sie so zwischen zwanzig und dreißig war, es ging um einen Mann«, hatte Eva Brewster gesagt, »ihre Freundin – sie hat es nie richtig erzählt, aber sie hat gesagt, dass sie jeden Tag Schuldgefühle hat, weil sie irgendetwas getan hat – keine Ahnung, was.«

War Hannah der Grund, weshalb sich Servo und Dad (trotz ihrer dynamischen Arbeitsbeziehung) so bekämpft hatten – hatten sie dieselbe Frau geliebt (oder war es nie etwas so Edles wie Liebe gewesen, sondern nur ein Fall von schlecht verlegter Elektrik)? War Hannah der Grund, weshalb wir nach Stockton gezogen waren, waren es die Gewissensbisse wegen des Tods ihrer besten Freundin, die aus Liebeskummer Selbstmord beging, die sie dazu getrieben hatten, mich mit hauchigen Komplimenten zu überschütten und an ihre knochigen Schultern zu ziehen, hatten sich ihre Blicke deshalb auf mir niedergelassen wie freche Spatzen? Wie konnte es sein, dass die Wissenschaft mittlerweile in der Lage war, die Grenze des Universums, den kosmischen Lichthorizont, genau zu orten (»Unser Universum hat eine Länge von 13,7 Milliarden Lichtjahren«, schrieb Dr. Harry Mills Cornblow mit verblüffender Gewissheit in *Das ABC des Kosmos* [2003]), während die Menschen immer noch so verschwommen und undurchschaubar waren wie eh und je?

Ja, Nicht sicher, Wahrscheinlich und Weiß der Teufel lauteten meine Antworten.

Vierzehn Tage nach Dads Verschwinden (und zwei Tage, nachdem mir Mr William Baumgartner von der Bank of New York seine herzlichen Grüße übermittelt und mir meine Kontonummern mitgeteilt hatte: Offenbar hatte Dad 1993, in dem Jahr, als wir aus Mississippi fortgezogen waren, ein Treuhandkonto für mich eingerichtet) war ich unten in der Gerümpelkammer neben Dads einstigem Arbeitszimmer und durchforstete die Regale mit kaputtem *Krempel*, hauptsächlich

Hinterlassenschaften des Eigentümers von 24 Armor Street, aber auch Zeug, das Dad und ich im Lauf der Jahre angesammelt hatten: zueinander passende Lampen in Mintgrün, einen Briefbeschwerer in Form eines marmornen Obelisken (ein Geschenk von einem seiner studentischen Bewunderer), ein paar belanglose, verblasste Bildbände *(Reiseziel Südafrika* von J. C. Bulrich, 1968). Zufällig schob ich eine kleine flache Schachtel weg, die Dad mit BESTECK beschriftet hatte, und sah, dass hinter einer knittrigen, vergilbten Zeitung (mit dem grimmigen Namen *Rwandan-Standard-Times*) und einem Stapel verschossener Polohemden Dads Brighella-Kostüm steckte: der schwarze Umhang zusammengeknüllt, die Maske mit der abblätternden Bronze und der Angelhakennase höhnisch zu den Regalen hinaufgrinsend. Automatisch nahm ich den Umhang, schüttelte ihn aus und presste das Gesicht hinein, ein peinlicher, kindlicher Reflex, und sofort nahm ich einen Geruch wahr, der mir vage bekannt vorkam, er roch nach Howard und Wal-Mart und nach Hannahs Schlafzimmer – diese Tahiti-Aura, die Sorte Eau de Cologne, die sich, wenn sie einmal in einen Raum gelangt ist, dort stundenlang hielt.

Aber andererseits – es war nur ein Gesicht in der Menge. Man bemerkt ein Profil, ein Augenpaar oder eins dieser faszinierenden Kinne, die aussehen, als hätte jemand mit einer Nadel einen verknoteten Faden in der Mitte durchgezogen und festgezurrt, und man will es unbedingt noch einmal sehen, schafft es aber nicht, so verzweifelt man sich auch zwischen Ellbogen, Handtaschen und Stöckelschuhen hindurchkämpft. Kaum dass ich den Duft erkannt hatte und der Name durch meinen Kopf huschte, driftete es auch schon wieder davon, ging irgendwo unter und war weg.

Metamorphosen

Ich wusste, dass am Tag der Schulabschlussfeier etwas Verrücktes, Romantisches passieren würde. Ich wusste es, weil an diesem Morgen der Himmel über dem Haus gar nicht aufhören wollte zu erröten und weil sich die Luft, als ich mein Fenster aufmachte, seltsam matt anfühlte. Selbst die jungmädchenhaften Kiefern, die in dicht gedrängten Grüppchen um den Hof herumstanden, zitterten vor freudiger Erwartung. Und dann setzte ich mich mit Dads *Wall Street Journal* (das immer noch jeden Morgen in aller Frühe für ihn kam, so wie ein Freier immer noch zu der Straßenecke geht, wo einst seine Lieblingsnutte ihr Angebot zur Schau trug) an den Küchentisch, schaltete WQOX News 13 ein, das *Guten-Morgen-Magazin mit Cherry* um 6 Uhr 30, und Cherry Jeffries war nicht da.

An ihrer Stelle saß Norvel Owen in einem engen neptunblauen Sportsakko. Er flocht die runden Finger ineinander und begann, mit glühendem Gesicht und einem Blinzeln, als würde ihm jemand mit einer Taschenlampe in die Augen leuchten, die Nachrichten zu verlesen – ohne jede Erklärung oder Entschuldigung, ohne irgendein persönliches Wort über Cherrys Abwesenheit. Er brachte nicht mal ein höfliches »Wir wünschen Cherry alles Gute« oder »Unsere besten Genesungswünsche gehen an Cherry« heraus. Noch verblüffender war der neue Titel der Sendung, der mir erst bei der Werbeunterbrechung auffiel: das *Guten-Morgen-Magazin mit Norvel.* Die Verantwortlichen von WQOX News 13 hatten Cherrys *Existenz* ausgelöscht, so wie die Leute im Schneideraum die *Äh*s, *Hm*s und *Also*s aus einem Augenzeugenbericht zu einem Topnachrichtenthema tilgten.

Mit seinem Halbe-Ananasscheibe-Grinsen übergab Norvel an Ashleigh Goldwell vom Wetter. Sie verkündete, Stockton müsse mit »hoher Luftfeuchtigkeit und einer Niederschlagswahrscheinlichkeit von achtzig Prozent« rechnen.

Trotz dieser ungünstigen Vorhersage empfing mich, als ich (nach ein paar letzten Erledigungen, Sherwig-Immobilien, Heilsarmee) in die Schule kam, Eva Brewsters Stimme, die über die Lautsprecheranlage verkündete, stolze Eltern würden *nach wie vor* um Punkt elf Uhr auf den für sie reservierten Metallklappstühlen auf dem Footballfeld vor dem Bartleby Sports Center platziert. (Pro Schüler waren maximal fünf Plätze vorgesehen. Überschüssige Verwandtschaft wurde auf die Tribüne verwiesen.) Die Zeremonie werde *nach wie vor* um elf Uhr dreißig beginnen. Entgegen anderslautenden Gerüchten würden sämtliche Programmpunkte und Festreden plangemäß stattfinden, einschließlich der Hors d'Oeuvres im Garten (musikalisch und tänzerisch untermalt von der Jelly Roll Jazz Band und den St. Gallway Fosse Dancers, soweit diese nicht zum Abschlussjahrgang gehörten), wo Eltern, Schüler und Lehrer Gelegenheit hatten, wie Tagora-pallida-Prachtexemplare zwischen dem Wer-wo-angenommen-wurde-Getuschel, dem Apfelperlwein und den Calla-Lilien hin und her zu flattern.

»Ich habe mit einigen Radiosendern telefoniert – der Regen ist erst für heute Nachmittag vorhergesagt«, erklärte Eva Brewster. »Sofern sich alle Abschlussschüler rechtzeitig aufstellen, dürfte es kein Problem geben. Alles Gute und herzlichen Glückwunsch.«

Ich konnte Ms Simpsons Klassenraum in Hanover Hall erst mit einiger Verspätung verlassen (O-Ton Ms Simpson: »Ich möchte dir nur sagen, deine Anwesenheit in diesem Klassenzimmer war mir eine Ehre. Eine Schülerin, die ein so tief gehendes Verständnis des Stoffes zeigt …«). Mr Moats wollte mich auch kurz sprechen, als ich meine Zeichenmappe abgab. Obwohl ich pedantisch darauf geachtet hatte, so auszusehen und mich so zu verhalten wie vor meiner abrupten, insgesamt sechzehntägigen Schulpause – ich hatte mich genauso angezogen, ging genauso, hatte genau dieselbe Frisur (das waren die Dinge, auf die die Bluthundnasen der Leute geeicht waren, wenn es darum ging, einen Fall von häuslicher Apokalypse oder psychischer Zerrüttung aufzuspüren), schien mich Dads Verschwinden doch irgendwie verändert zu haben. Es war, als hätte es mich einer minimalen Überarbeitung unterzogen – hier ein ergänzendes Wörtchen, da eine kleine Klarstellung. Ich fühlte ständig Blicke auf mir, aber nicht die neidischen Blicke wie in meiner Blueblood-Hochphase. Nein, jetzt waren es die Erwachsenen, die mich zur Kenntnis nahmen, jeweils mit einem kurzen, verdutzten Hinstarren, als würden sie plötzlich etwas Gealtertes in mir sehen, sich in mir wiedererkennen.

»Ich bin froh, dass alles wieder so weit im Lot ist«, sagte Mr Moats.

»Danke«, sagte ich.

»Wir haben uns Sorgen gemacht. Wir hatten ja keine Ahnung, was mit dir los war.«

»Ich weiß. Es war auf einmal alles so hektisch.«

»Als du Eva schließlich mitgeteilt hast, was los ist, waren wir doch erleichtert. Du musst ja eine Menge durchgemacht haben. Wie geht es deinem Vater denn jetzt?«

»Die Prognose ist nicht besonders gut«, sagte ich. Das war der Drehbuchsatz, den ich bis jetzt immer mit einem gewissen Genuss gesagt hatte – zu Ms Thermopolis (die mir daraufhin erklärte, heutzutage verfüge die Medizin über Wundermittel und könne »das mit dem Krebs wieder hinkriegen« – als ginge es um einen missglückten Haarschnitt), zu Ms Gershon (die das Gespräch schnell wieder auf meinen Abschlussprüfungsaufsatz über die Stringtheorie zurückbrachte) und sogar zu Mr Archer (der auf das Tizian-Poster an der Wand starrte, sprachlos, weil das junge Mädchen ein Kleid mit tollen Rüschen trug). Aber jetzt hatte ich ein schlechtes Gewissen, als Mr Moats so traurig auf den Boden schaute und nickte. »Mein Vater ist auch an Kehlkopfkrebs gestorben«, sagte er leise. »Das kann sehr schlimm sein. Der Verlust der Stimme, die Unfähigkeit, sich mitzuteilen – das ist für niemanden leicht, aber für einen Professor muss es besonders hart sein. Du weißt ja, dass Modigliani auch daran litt. Degas. Und Toulouse-Lautrec. Viele historisch bedeutende Männer und Frauen.« Moats seufzte. »Und nächstes Jahr bist du in Harvard?«

Ich nickte.

»Es wird sicher nicht einfach, aber du musst dich auf dein Studium konzentrieren. Dein Vater will es bestimmt auch so. Und bitte – zeichne weiter, Blue«, fügte er noch hinzu, und dieser letzte Satz schien ihn selbst am meisten zu trösten. Seufzend fasste er an den Kragen seines magentafarbenen Baumwollhemds. »Ich sage das wahrhaftig nicht jedem. Viele Leute sollten dem weißen Blatt so fern wie möglich bleiben. Aber du – weißt du, die Zeichnung, die mit Bedacht angelegte Skizze eines Menschen, eines Tiers oder eines unbelebten Gegenstands, ist nicht nur ein Bild, sondern eine Blaupause der Seele. Fotografie? Die Kunst der Faulen. Zeichnen? Das Medium der Denker, der Träumer.«

»Danke«, sagte ich.

Ein paar Minuten später flitzte ich in meinem langen weißen Kleid und meinen flachen weißen Schuhen über das Schulgelände. Der Himmel hatte jetzt die Farbe von Bleigeschossen, und Eltern in Pastelltönen wanderten in Richtung Bartleby-Sportgelände. Manche lachten, manche umklammerten ihre Handtasche oder die Hand eines kleinen Kindes, manche lockerten ihr Haar, als ob sie ein Gänsedaunenkissen ausschütteln würden.

Ms Eugenia Sturds hatte uns angewiesen, spätestens um 10 Uhr 45 im Nathan-Bly-Trophäenraum am Start zu stehen (wir waren Bullen, die in den Rodeoring hinausgelassen wurden), und als ich die Tür öffnete und mich in den überfüllten Raum quetschte, war ich offensichtlich die Letzte.

»Keine Störungen während der Zeremonie«, sagte Mr Butters gerade. »Nicht lachen. Nicht herumhampeln.«

»Nicht klatschen, bevor alle aufgerufen worden sind –« ergänzte Ms Sturds.

»Nicht aufstehen und aufs *Örtchen* gehen –«

»Also, Mädels, wenn ihr pinkeln müsst – jetzt ist der richtige Moment.«

Ich entdeckte Jade und die anderen in der Ecke. Jade, in einem marshmallow-weißen Kostüm, die Haare zu einem *Mais-Oui*-Knoten zurückgenommen, überprüfte ihr Erscheinungsbild in einem Taschenspiegel, rieb sich Lippenstift von den Zähnen, presste die Lippen aufeinander und löste sie wieder. Lu stand still für sich, die Hände ineinandergelegt, den Blick gesenkt, und kippelte auf den Absätzen. Charles, Milton und Nigel diskutierten über Bier. »Budweiser schmeckt wie Karnickelpisse«, hörte ich Milton laut sagen, als ich mich um das Gedränge herumarbeitete. (Ich hatte mich oft gefragt, worüber sie jetzt wohl redeten, da Hannah tot war, und irgendwie war ich erleichtert, dass es banales Zeug war und nichts mit dem ewigen Warum zu tun hatte; ich verpasste also nicht viel.) Ich zwängte mich weiter, vorbei an Point Richardson, an Donnamara Chase, die, den Tränen nahe, mit einer feuchten Papierserviette einen blauen Füllerstrich vorn auf ihrer Bluse bearbeitete, an Trucker, in dessen grünem Schlips winzige Pferdeköpfe schwammen, und an Dee, die gerade Dums knallrote BH-Träger mit Sicherheitsnadeln so an ihre Kleidträger pinnte, dass sie nicht hervorlugten.

»Ich *kapiere* nicht, wieso du Mom gesagt hast, elf Uhr fünfundvierzig«, sagte Dee verärgert.

»Na und? Was ist denn dabei?«

»Der feierliche Einzug, das ist dabei.«

»Wieso?«

»Weil Mom kein einziges Foto machen kann. Wegen deinem *mal à la tête* verpasst Mom den letzten Tag unserer Kindheit wie einen blöden Bus.«

»Sie hat doch gesagt, sie kommt *zeitig* –«

»Ich hab sie aber nicht gesehen, dabei hat sie doch das grelllila Outfit an, das sie zu *allem* trägt –«

»Ich dachte, du hast ihr verboten, das grelllila –«

»Es geht los!«, kreischte Little Nose, die auf dem Heizkörper am Fenster saß. »Wir müssen raus! *Jetzt*!«

»Abschlusszeugnis mit der rechten Hand in Empfang nehmen und Händedruck mit der linken oder umgekehrt?«, fragte Tim »Raging« Waters.

»Zach, hast du unsere Eltern gesehen?«, fragte Lonny Felix.

»Ich muss pinkeln«, sagte Krista Jibsen.

»Jetzt ist es also so weit«, sagte Sal Mineo feierlich hinter mir. »Das ist das Ende.«

Obwohl die Jelly Roll Jazz Band bereits »Pomp and Circumstance« intonierte, teilte uns Ms Sturds streng mit, dass niemand irgendein Abschlusszeugnis erhalten würde, wenn sich nicht alle beruhigten und augenblicklich in alphabetischer Reihenfolge aufstellten. Wir bildeten einen Bandwurm, wie wir es die ganze Woche geübt hatten. Mr Butters gab das Zeichen, öffnete mit einem *American-Bandstand*-Tusch die Tür. Ms Sturds tat so, als würde sie dem staunenden Publikum eine neue Maultierkarawane präsentieren, und marschierte mit erhobenen Armen und um die Knöchel schwingendem Blumenrock an unserer Spitze auf den Rasen hinaus.

Der Himmel war ein einziger riesiger Bluterguss, ganz offensichtlich hatte ihm jemand eins aufs Maul gegeben. Und außerdem wehte ein ziemlich ungehobelter Wind. Er wollte nicht aufhören, an den langen, blauen St.-Gallway-Fahnen, die rechts und links von der Festaktbühne hingen, zu zerren und zu zausen, und als ihm das zu langweilig wurde, wandte er sich der Musik zu. Mr Johnson rief zwar der Jelly Roll Jazz Band zu, sie solle lauter spielen (einen Moment lang dachte ich, er würde etwas aus »Sing out, Louise!« schmettern, doch das stimmte nicht), aber der Wind fing die Töne ab, rannte mit ihnen über den Sportplatz und beförderte sie per Fallstoß zwischen den Torpfosten hindurch, sodass nur noch ein armselig scheppernder und trötender Rest zu hören war.

Wir defilierten durch den Mittelgang. Um uns herum waren wabernde Wogen aus grinsenden, klatschenden Eltern, und die Großmütter bemühten sich in Zeitlupe, mit Kameras, die sie handhabten wie Juwelen, *Fooo-tos* zu machen. Ein drahtiger Eidechsenfotograf von Ellis Hills versuchte unauffällig mitzumischen, wieselte vor unserer Prozession her, hockte sich hin und spähte blinzelnd durch seine Kamera. Er streckte die Zunge heraus, ehe er ein paar Schnappschüsse einfing und wieder davonhuschte.

Der Rest des Jahrgangs begab sich zu den Metallklappstühlen in den ersten Reihen. Radley Clifton und ich stiegen die fünf Stufen zur Festaktbühne hinauf. Wir setzten uns auf die Stühle rechts von Havermeyer und dessen Gattin Claudia (die endlich von dem riesigen Wackerstein befreit war, den sie mit sich herumgeschleppt hatte, dafür hatte sie jetzt etwas Blasses, Starres, Plexiglasmäßiges). Eva Brewster saß auch da und warf mir ein aufmunterndes Lächeln zu, zog es aber gleich wieder zurück, als würde sie mir ihr Taschentuch anbieten, aber nicht wollen, dass es dreckig wurde.

Havermeyer trat ans Mikrophon und redete ausgiebig über unsere unvergleichlichen Leistungen, unsere enormen Begabungen und unsere glänzende Zukunft. Und dann hielt Radley Clifton seine Begrüßungsansprache. Er war gerade ins Philosophieren gekommen – »Eine Armee mit leerem Magen kämpft nicht gut«, sagte er –, als der Wind, der offensichtlich für Gelehrte, Wahrheitssucher, Logiker (und überhaupt für alle diejenigen, die sich mit dem ewigen Warum befassten) nur Verachtung übrig hatte, Radley aufs Korn nahm, freche Scherze mit seinem roten Schlips und seinen (säuberlich gekämmten, pappfarbenen) Haaren trieb, und als man gerade dachte, er würde den Unfug lassen, begann er an den adretten weißen Blättern des Redemanuskripts zu rupfen, sodass Bradley den Faden verlor, sich wiederholte, stammelte und stockte und sein Schulabschlussfeiercredo holpernd, wirr und widersprüchlich vortrug – eine erstaunlich gegenstandsangemessene Form, über das Leben zu philosophieren.

Havermeyer trat wieder ans Rednerpult. Sandfarbene Strähnen hingen ihm wie Spinnenbeine in die Stirn. »Ich möchte Ihnen jetzt unsere Abschlussrednerin vorstellen, eine hochbegabte junge Frau, die eigentlich aus Ohio kommt, die wir aber dieses Jahr hier bei uns an der St. Gallway School unterrichten durften. Miss Blue van Meer.«

Er sprach Meer wie *Mär* aus, aber ich versuchte, nicht darüber nachzudenken, während ich aufstand, mein Kleid glatt strich und unter mäßigem, aber durchaus respektablem Applaus über die gummibeschichtete Bühne ging (angeblich hatte es vor ein paar Jahren einen bösen Sturz gegeben: Martine Filobeque, hinterlistiger Kiefernzapfen, Hüfthalter). Ich war dankbar für den Applaus, dankbar, dass die Leute so großmütig waren, für jemanden zu klatschen, der nicht ihr eigener Sprössling war, ja, der ihren eigenen Sprössling sogar, zumindest schulisch, an die Wand gespielt hatte (was Dad zum Anlass genommen hätte, schamlos anzugeben: »*So* sieht eine Ausnahmebegabung aus«). Ich legte meine Blätter aufs Rednerpult, zog das Mikro herab und machte den Fehler, in die zweihundert Gesichter zu blicken, die mich so ausdruckslos anstarrten wie ein riesiges Feld von reifen Weißkohlköpfen. Mein Herz probierte ganz neue Dance-Moves aus (den *Roboter* und etwas, was sich *Kugelblitz* nannte), und eine Schrecksekunde lang war ich mir nicht sicher, ob ich überhaupt den Mut haben würde zu sprechen. Irgendwo in der Menge strich sich Jade die goldenen Haare aus dem Gesicht und seufzte, »O *Gott*, nicht schon wieder das Täubchen«, und Milton dachte: Thunfischtatar, *Salade Niçoise* – aber ich stellte diese Gedanken, so gut ich konnte, unter Quarantäne. Die Blätter meines Manuskripts waren anscheinend ebenfalls in Panik: Die Ränder zitterten im Wind.

»In einer der ersten berühmt gewordenen Abschlussreden«, begann ich, wobei meine Stimme irritierenderweise über all die wohlfrisierten Köpfe hinwegsegelte und vermutlich nur den großen Mann im blauen Anzug erreichte, der ganz hinten stand und den ich einen Sekundenbruchteil lang für Dad hielt (er war es nicht, es sei denn, Dad wäre ohne mich verwelkt wie eine Blume ohne Wasser und hätte einen erheblichen Teil seiner Haare verloren), »erklärte im Jahr 1801 an der Doverfield Academy in Massachusetts der siebzehnjährige Michael Finpost seinen Jahrgangskameraden, ›Wir werden auf diese goldenen Tage zurückblicken und sie als die besten Jahre unseres Lebens betrachten‹. Nun ja, ich hoffe, dass das für euch alle, die ihr hier vor mir sitzt, nicht so sein wird.«

Eine Blondine in einem kurzen Rock, die in der ersten Reihe des Elternblocks saß, entflocht ihre Beine und schwang sie hin und her, eine Art Dehnungsübung, aber auch eine Bewegung, die auf dem Flughafen zum Einweisen von Maschinen hätte dienen können.

»Und ich – ich werde mich auch nicht hier hinstellen und euch sagen, ›Bleibt euch selbst stets treu‹. Denn bei den meisten von euch wird es nicht so sein. Laut Kriminalstatistik erlebt Amerika derzeit eine deutliche Zunahme von Untreuedelikten, nicht nur in Großstädten, sondern auch in ländlichen Gegenden. Und außerdem bezweifle ich, dass es irgendjemand von uns in diesen vier High-School-Jahren geschafft hat, sein eigenes Selbst so weit kennenzulernen, dass er ihm treu sein kann. Vielleicht ahnen wir ungefähr, wie es *nicht* aussieht, aber das ist auch alles. Und ich werde euch auch nicht sagen« — eine grässliche Sekunde lang fiel der Landstreicher meiner Konzentration vom Zug, der Moment drohte davonzurattern, aber zu meiner Erleichterung schaffte er es dann doch, sich aufzurappeln, loszuspurten und sich wieder an Bord zu schwingen – »ich werde euch nicht sagen, reibt euch mit Sonnenschutzmittel ein. Die meisten von euch werden es nicht tun. Laut dem *New England Journal of Medicine* vom Juni 2002 ist der Hautkrebs bei den Unterdreißigjährigen auf dem Vormarsch, aber in der westlichen Welt finden dreiundvierzig von fünfzig Personen selbst unscheinbar aussehende Menschen zwanzigmal attraktiver, wenn sie sonnengebrannt sind.« Ich stutzte. Ich konnte es nicht fassen, aber ich hatte tatsächlich *sonnengebrannt* gesagt, und ein kleines Lachbeben ging durch die Menge. »Nein. Ich möchte euch etwas anderes mit auf den Weg geben. Etwas Praktisches. Etwas, was euch helfen kann, wenn in eurem Leben etwas schiefgeht und ihr Angst habt, euch nie mehr davon zu erholen. Wenn ihr am Boden seid.«

Ich bemerkte Dee und Dum in der ersten Reihe, vierter und fünfter Platz von links. Sie starrten zu mir herauf, als wären sie im falschen Film, und ihr Lächeln hatte sich in ihren Zähnen verfangen wie ein Rocksaum in der Strumpfhose.

»Ich möchte euch auffordern, euer Leben an einem Vorbild auszurichten«, sagte ich, »nicht am Dalai Lama oder an Jesus – obwohl auch die sicher hilfreich sind –, sondern an jemand viel Handfesterem: am *Carassius auratus auratus*, gemeinhin Goldfisch genannt.«

Ein paar wohlwollende Partylacher waren zu hören, der Stimmung wegen da und dort verteilt, aber ich fuhr ohne Pause fort.

»Die Leute nehmen den Goldfisch nicht ernst. Sie haben keine Skrupel, ihn zu verschlucken. Jonas Ornata III, Princeton-Abschlussjahrgang zweiundvierzig, steht im *Guinness-Buch der Rekorde*, weil er es geschafft hat, in fünfzehn Minuten die meisten Goldfische zu verschlucken, brutale neununddreißig Stück. Zu Jonas' Verteidigung sei allerdings gesagt, dass er wahrscheinlich nicht wusste, was für großartige Geschöpfe Goldfische sind und welche unschätzbare Lektion sie uns zu erteilen haben.«

Ich sah auf, und mein Blick prallte genau auf Milton, erste Reihe, sechster von links. Er kippelte mit seinem Stuhl und redete mit jemandem hinter sich, Jade.

»Wenn ihr lebt wie die Goldfische«, fuhr ich fort, »dann könnt ihr die schlimmsten und widrigsten Situationen überstehen. Ihr werdet Strapazen überleben, bei denen eure Gefährten – die Guppys, die Neonsalmler – längst den Bauch nach oben gedreht hätten. In einer Zeitschrift der Goldfischfreunde Amerikas wird ein besonders infamer Vorfall beschrieben: Eine sadistische Fünfjährige warf ihren Goldfisch auf den Teppich und stampfte nicht nur ein-, nein *zwei*mal mit dem Fuß darauf. Zum Glück handelte es sich um einen hochflorigen Teppich, sodass ihr Absatz den Fisch nicht mit *voller* Wucht traf. Nach einer schauerlichen halben Minute warf sie ihn wieder in sein Glas. Er lebte noch siebenundvierzig Jahre.« Ich räusperte mich. »Goldfische können bei klirrender Kälte in zugefrorenen Teichen überleben. Sie überdauern in Aquarien, die schon ein Jahr nicht mehr gereinigt wurden. Und sie sterben auch nicht an Vernachlässigung, jedenfalls nicht gleich. Sie halten drei, manchmal sogar vier Monate durch, ohne dass sich jemand um sie kümmert.«

Ein paar Zuhörer sickerten jetzt in die Außengänge, in der Hoffnung, dass ich sie nicht bemerkte: Ein silberhaariger Mann, der seine Beine strecken musste, eine Frau, die ein Kleinkind schuckelte und ihm Geheimnisse ins Haar flüsterte.

»Wenn ihr wie die Goldfische lebt, passt ihr euch an, aber nicht im

Lauf von Jahrhunderten oder Jahrtausenden wie die meisten Arten, die erst die bürokratische Prozedur der natürlichen Selektion durchlaufen müssen, sondern innerhalb von Monaten oder sogar Wochen. Man gibt einem Goldfisch ein kleines Glas? Er bleibt klein. Ein großes Aquarium? Er wird groß. Drinnen. Draußen. Aquarium, Glas. Trübes Wasser, klares Wasser. Sozial oder einzelgängerisch. Er kommt mit allem zurecht.«

Der Wind zerrte an meinen Blättern.

»Das Unglaublichste am Goldfisch ist allerdings sein Gedächtnis. Jeder bemitleidet ihn, weil er sich nur an die letzten drei Sekunden erinnern kann, aber in Wirklichkeit ist es ein Segen, dass er auf diese Weise an die Gegenwart gekettet ist. Es ist ein Geschenk. Der Goldfisch ist frei. Kein rückwärtsgewandtes Gegrübel über Fehler, Versäumnisse, Entgleisungen oder Kindheitstraumata. Keine inneren Dämonen. Der Keller des Goldfischs ist hell, es gibt dort keine Leichen. Und was könnte aufregender sein, als die Welt immer wieder neu zu erleben, in ihrer ganzen Schönheit, über dreißigtausend Mal am Tag? Was für ein wunderbares Gefühl, dass die goldene Zeit des eigenen Lebens nicht vor vierzig Jahren war, als man noch volles Haar hatte, sondern vor *drei Sekunden*, was bedeutet, dass sie mit einiger Wahrscheinlichkeit *immer noch* andauert, jetzt, in diesem Moment.« Ich zählte im Stillen *ein-und-zwan-zig*, *zwei-und-zwan-zig*, *drei-und-zwan-zig*, wenn auch vielleicht vor lauter Nervosität etwas zu schnell. »Und in diesem.« Weitere drei Sekunden. »Und diesem.« Nochmal. »Und auch in diesem.«

Dad hatte nie drüber geredet, wie es war, wenn einem die Leute bei einem Vortrag *nicht* an den Lippen hingen. Er hatte nie über dieses komische menschliche Bedürfnis gesprochen, anderen etwas mitzuteilen, sie zu erreichen, eine winzige Brücke zu ihnen zu schlagen und sie zu sich zu holen. Er hatte nie drüber geredet, was man tun konnte, wenn das Publikum in einem fort zuckte wie ein Pferderücken. Das ununterbrochene Geschniefe und Geräusper, Väterblicke, die gelangweilt die Reihen entlangskateten, einen 180-Grad-Ollie um die scharfe Mom auf dem sechsten Stuhl von rechts vollführten –; davon hatte er kein *Wort* gesagt. Die hohen Hemlocktannen standen am Rand des Footballfelds wie hünenhafte Wächter. Der Wind zauste an den Ärmeln von hundert Blusen. Ich fragte mich, ob der Junge mit dem roten Hemd, dritte Reihe, ganz außen (der so seltsam an seiner Faust nagte und mich unter der gerunzelten Stirn mit James-Dean-hafter Intensität musterte) –, ob *er* wusste, dass ich eine Schwindlerin war und heimlich den hübschen Teil der Wahrheit herausgeschnitten und den Rest weggeschmissen hatte. In Wirklichkeit hatten es die Goldfische im Leben so schwer wie wir alle, sie verendeten permanent an Temperaturschocks, und schon der leiseste Schatten eines Reihers ließ sie panisch unter Steine flüchten. Aber vielleicht war es ja gar nicht so wichtig, was ich sagte oder nicht sagte, welchen Teil der Wahrheit ich auf die Wange küsste und welchem ich die kalte Schulter zeigte. (Mein Gott, Rothemd saß jetzt, beide Hände vor dem Mund und Fingernägel kauend, so weit vorgebeugt, dass sein Kopf aussah wie ein Blumentopf auf der Fensterbank von Sal Mineos Schulter. Ich kannte ihn nicht. Ich hatte ihn noch nie gesehen.) Vorträge, Theorien, Sachbücher – vielleicht verdienten sie dieselbe wohlwollende Behandlung wie Kunstwerke, vielleicht waren auch sie nur menschliche Schöpfungen, die ein paar der Schrecken und Freuden dieser Welt zu schultern versuchten: zu einem bestimmten Zeitpunkt an einem bestimmten Ort geschaffen, damit man sie auf sich wirken ließ, mit gerunzelter Stirn beäugte, sie mochte oder verabscheute – und dann ging man in den Museumsshop, kaufte die Postkarte und steckte sie zu Hause in einen Schuhkarton auf dem obersten Regal.

Das Ende meiner Rede war ein Desaster – insofern, als gar nichts passierte. Natürlich hatte ich – wie alle Leute, die sich vor ein Publikum stellen und ein bisschen Bein zeigen – darauf gehofft, dass das Ganze in einem Moment strahlender Erleuchtung kulminieren würde, dass ein Stück aus dem Himmel brechen und auf die Betonfrisuren herabkrachen würde, wie jener große Gipsbrocken mit Michelangelos Zeigefinger Gottes, der sich 1789 unerwartet aus der Decke der Sixtinischen Kapelle löste und Pater Cantinolli auf den Kopf fiel, was ein Geschwader durchreisender Nonnen in ekstatische

Verzückung versetzte. Als sie wieder zu sich kamen, gaben sie für alles, was sie taten, egal, ob gottesfürchtig oder zwielichtig, immer die Begründung an: »Weil Gott es mir befohlen hat.« (siehe *Lo Spoke Del Dio Di Giorno*, Funachese, 1983)

Doch wenn Gott existierte, zog er es an diesem Tag – wie an den meisten Tagen – vor, sich in Schweigen zu hüllen. Da waren nur Gesichter, Wind und gähnender Himmel. Unter Applaus, der so pflichtschuldig klang wie das Lachen bei einer sehr späten Late-Night-Show, kehrte ich zu meinem Stuhl zurück. Havermeyer begann, die Namen der Abschlussschüler zu verlesen. Ich schenkte dem Vorgang keine große Aufmerksamkeit, bis er zu den Bluebloods kam. Ihre Lebensgeschichten blinkten vor meinem inneren Auge auf.

»Milton Black.«

Milton trampelte die Stufen hinauf, das Kinn auf täuschend demütige 75 Grad angewinkelt. (Er war ein schwerfälliger Coming-of-Age-Roman.)

»Nigel Creech.«

Er lächelte – dieser Im-Licht-funkelnde-Armbanduhr-Effekt. (Er war eine unsentimentale Komödie in fünf Akten, gepfeffert mit Witz, Erotik und Schmerz. Das Ende war ein bisschen zynisch, aber der Verfasser weigerte sich, es umzuschreiben.)

»Charles Loren.«

Charles hoppelte mit seinen Krücken die Stufen hinauf. (Er war eine Romanze.)

»Glückwunsch, mein Junge.«

Der Himmel war jetzt gelblich – einer seiner besten Tricks: bewölkt, aber doch so, dass die Leute die Augen zusammenkneifen mussten.

»Leulah Maloney.«

Sie hüpfte die Treppe hinauf. Sie hatte sich die Haare gestutzt, nicht ganz so brutal wie Hannah, aber das Ergebnis war ähnlich ungünstig. Die stumpfen Strähnen klatschten gegen ihre Kieferpartie. (Sie war ein zwölfzeiliges Gedicht aus Alliteration und Reim.)

Regentropfen, so groß und dick wie Wespen, prallten jetzt auf Havermeyers Schulterpolster und den pinkfarbenen Hut, der wie ein Sonnenaufgang über dem Kopf einer Mutter leuchtete. Sofort erblühten Regenschirme – schwarze, rote, gelbe, gestreifte, ein ganzer Garten –, und die Jelly Roll Jazz Band begann, ihre Instrumente einzupacken und in die Turnhalle zu evakuieren.

»Sieht nicht gut aus, was?«, bemerkte Havermeyer seufzend. »Wir sollten uns lieber ein bisschen beeilen.« Er lächelte. »Abschlussfeier im Regen. Für diejenigen von euch, die das für ein schlechtes Omen halten, haben wir noch Platz im nächsten Abschlussjahrgang. Falls ihr auf einen verheißungsvolleren Abgang warten möchtet.« Niemand lachte, und Havermeyer verlas die nächsten Namen, etwas schneller jetzt, Kopf hoch, Kopf runter: Mikrophon, Liste, Mikrophon. Petrus hatte ihn auf Schnelldurchlauf gestellt. Man bekam gar nicht richtig mit, bei welchem Namen er gerade war, weil der Wind jetzt das Mikrophon entdeckt hatte und Geisterbahn-*Huuhuus* über die Menge hinwegschickte. Havermeyers Frau Gloria trat zu ihrem Gatten und hielt ihm einen Regenschirm über den Kopf.

»Jade Churchill Whitestone.«

Jade stand auf, trug ihren orangefarbenen Schirm wie die Freiheitsstatue ihre Fackel und nahm Havermeyer das Abschlusszeugnis ab, als täte sie ihm einen Gefallen, als dürfte er ihr seinen Lebenslauf übergeben. Sie stolzierte zu ihrem Platz zurück. (Sie war ein atemberaubendes Buch in sehr knappem Stil. Sie hielt sich nicht oft mit einem »sagte er« oder »sagte sie« auf, das konnte sich der Leser selbst dazudenken. Und immer wieder war ein Satz so schön, dass es einem den Atem verschlug.)

Gleich war Radley dran und dann ich. Ich hatte meinen Schirm in Mr Moats' Klassenraum vergessen, und Radley hielt seinen über sich und ein Stück gummibeschichteter Bühne auf seiner anderen Seite, sodass ich langsam, aber sicher klatschnass wurde. Der Regen hatte eine seltsam angenehme Temperatur, gerade richtig, Goldilocks' Haferbrei. Ich stand auf, und Eva Brewster murmelte »Ach, Gottchen« und drückte mir ihren kleinen rosaroten Katzenschirm in die Hand. Ich nahm ihn, hatte aber ein schlechtes Gewissen, weil ihr der Regen sowieso schon die Haare an die Stirn klatschte. Ich schüttelte schnell Havermeyers kalte, runzlige Hand, ging wieder an meinen Platz und gab ihr den Schirm zurück.

Havermeyer beschleunigte seine abschließenden Worte – irgendwas mit Glück –, die Menge klatschte und zerstreute sich. Sie folgte den Verregnetes-Picknick-Automatismen des Nichts-wie-rein: Haben wir alles, wo ist Kimmie, ach, du lieber Gott, meine Haare, die sehen ja aus wie Seetang, herrje. Väter mit gequälten Mienen rissen Kleinkinder aus ihren Stühlen. Mütter in durchweichtem weißen Leinen merkten gar nicht, dass sie der Welt ihre Unterwäsche offenbarten.

Ich wartete noch einen Moment. Ich zog meine Bin-im-Begriff-Nummer ab. Man wirkt nicht verdächtig allein, wenn man so tut, als wäre man gerade im Begriff, etwas zu tun, also stand ich auf, schüttelte demonstrativ den imaginären Stein aus meinem Schuh, kratzte meine scheinbar juckende Hand, dann noch eine Stelle in meinem Nacken (wie Flöhe, dieser Juckreiz), tat so, als hätte ich irgendwo irgendwas verloren – okay, in diesem Punkt musste ich gar nicht groß schauspielern. Wenig später war ich allein mit der Bühne und den Stühlen. Ich tappte die Stufen hinunter und watete über den Sportplatz.

Wenn ich in den letzten Wochen an diesen Tag gedacht hatte, hatte ich mir immer vorgestellt, dass genau jetzt Dad einen letzten großen Auftritt hinlegen würde (nur noch einmal). Da drüben würde er stehen, weit weg, eine schwarze Silhouette auf einem kahlen Hügel. Oder er wäre in die Krone einer dieser mächtigen Eichen geklettert, im Tigerstreifentarnanzug, um unbemerkt meine Schulabgangsfeier zu beobachten. Oder aber er säße in einer hermetisch verschlossenen Limousine, die (gerade als ich merkte, dass er es war) den Horatio Way herabgesaust kam, mich beinahe überfuhr und mir noch grausam mein eigenes Spiegelbild zurückwarf, ehe sie um die Kurve preschte, vorbei an der steinernen Kapelle und dem hölzernen Willkommen-in-St.-Gallway-Schild, um dann zu verschwinden wie ein Wal im Sund.

Aber ich sah keine dunkle Silhouette, keine Limousine und keinen Verrückten in einer Baumkrone. Vor mir lagen Hanover Hall, Elton und Barrow House, wie alte Hunde, die nicht einmal mehr den Kopf hoben, wenn man sie mit einem Tennisball bewarf.

»Blue«, rief jemand hinter mir.

Ich ignorierte die Stimme, marschierte weiter den Hügel hinauf, aber er rief wieder, diesmal dichter hinter mir, also blieb ich stehen und drehte mich um. Rothemd kam schnell auf mich zu. Ich erkannte ihn sofort – na ja, ich muss das umformulieren: Ich merkte sofort, dass ich unbeabsichtigt etwas ganz Unwahrscheinliches getan hatte und meinem eigenen Ratschlag gefolgt war – der Goldfischmethode –, denn der Junge im roten Hemd war eindeutig Zach Soderberg, obwohl ich ihn noch nie im Leben gesehen hatte. Er sah radikal anders aus, weil er irgendwann zwischen unserer letzten Physikstunde und der Abschlussfeier beschlossen hatte, sich den Schädel kahl zu rasieren. Und es war keiner von diesen Schädeln mit lauter komischen Dellen und Schlaglöchern (als sollte der Betrachter gleich darauf hingewiesen werden, dass das darunterliegende Gehirn ein bisschen weich war), sondern ein schön robustes Exemplar. Sogar seine Ohren waren okay. Er wirkte funkelnagelneu, auf eine blendende, verwirrende Art, weshalb ich nicht einfach nur »Sayonara, Kid«, sagte und zum Volvo spurtete, der fertig gepackt auf dem Schülerparkplatz auf mich wartete. (Direkt an der Treppe war eine große Parklücke frei gewesen.) Ich hatte der 24 Armor Street tschüs gesagt und dem Citizen-Kane-Schreibtisch viel Glück gewünscht, ich hatte die drei Hausschlüssel in einem verschlossenen braunen Umschlag bei Sherwig-Immobilien abgegeben, mit einem handgeschriebenen Vielen-Dank-Zettel für Miss Diane Simpson, auf den ich als kleine Zugabe noch ein paar Ausrufezeichen gemalt hatte. Ich hatte die Straßenkarten in der richtigen Reihenfolge im Handschuhfach gestapelt. Ich hatte die Strecke zwischen North Carolina und New York (wie eine gerecht zu verteilende Geburtstagstorte) minuziös in die Zahl der Audiokassetten aus der Bookworm Library in der Elm Street (hauptsächlich blutrünstige Thriller, die Dad verabscheut hätte) portioniert.

Ich hatte einen Führerschein mit einem ziemlich verunglückten Foto, und ich hatte vor, in jedem Sinn des Wortes das Steuer zu ergreifen.

Zach merkte, dass ich mich über seine neue Frisur wunderte, und strich sich mit der Hand über den Kopf. Er fühlte sich vermutlich an wie der Samt einer abgewetzten Récamiere. »Yeah«, sagte er verlegen. »Ich hab gestern Abend beschlossen, ein neues Kapitel anzufangen.« Er runzelte die Stirn. »Wo willst du jetzt hin?« Er stand dicht neben mir und hielt den schwarzen Schirm so über mich, dass sein Arm so steif war wie ein Handtuchhalter, auf den man nasse Handtücher hängen konnte.

»Nach Hause«, sagte ich.

Das überraschte ihn. »Aber es wird doch gerade erst richtig gut. Havermeyer tanzt mit Sturds. Es gibt Mini-Quiches.« Sein grellrotes Hemd machte mit seinem Kinn den Butterblumentest – Blume dranhalten, und wenn das Kinn gelb leuchtet, mag derjenige Butter. Ich fragte mich, was es hieß, wenn das Kinn rot leuchtete.

»Ich kann nicht«, sagte ich. Es klang furchtbar hölzern. Wenn er Polizist gewesen wäre und ich schuldig, hätte er es sofort gewusst.

Er musterte mich und schüttelte den Kopf, als hätte jemand eine unverständliche Gleichung auf mein Gesicht geschrieben. »Hey, deine Rede hat mir super gefallen ... also ... echt, Mann.«

Es lag an der Art, wie er es sagte, dass ein Lachen in mir hochstieg, aber irgendwo auf Höhe meines Schlüsselbeins blieb es auf der Strecke.

»Danke«, sagte ich.

»Das mit – was war's nochmal ... als du über die Kunst geredet hast und ... wer du im Innersten bist ... und über *Kunst* ... das war schon irre.«

Ich hatte keine Ahnung, wovon er faselte. Nirgends in meiner Ansprache war von Kunst die Rede gewesen oder davon, wer ich im Innersten war. Das waren nicht mal sekundäre oder tertiäre Themen gewesen. Aber als ich zu ihm hinaufsah, so weit hinauf – komisch, ich hatte die winzigen Fältchen in seinen Augenwinkeln noch nie bemerkt; sein Gesicht verriet ihn, es zeigte den Mann, der er geworden war –, da begriff ich plötzlich, dass genau das der Punkt war: Wenn man jemandem zuhören wollte, hörte man das, was man brauchte, um sich demjenigen zu nähern. Und es war egal, ob man etwas über Kunst hörte oder darüber, wer man innerlich war, oder über Goldfische; jeder von uns konnte sich das Material für sein klappriges Bötchen nach Belieben selbst zusammenstellen. Für mich war da auch etwas gewesen, in der Art, wie er sich *so* weit vorgebeugt hatte, wie er so linkisch versucht hatte, zu mir zu gelangen (und dabei jede Schwanenhalslampe um Längen geschlagen hätte), wie er jedes Wort, das ich in die Luft warf, aufzufangen versuchte, weil er kein einziges auf den Boden fallen lassen wollte. Dieses Krümelchen Wahrheit gefiel mir, ich versuchte, es zweimal zu denken, dreimal, damit ich es nicht vergaß – ich wollte später ausgiebig drüber nachdenken, auf dem Highway, dem besten Ort, um gründlich über die Dinge nachzudenken.

Zach räusperte sich. Er drehte sich um und starrte mit zusammengekniffenen Augen irgendwohin, auf die Stelle, wo sich der Horatio Way an den Narzissen und dem Vogelbad vorbeizwängte, oder vielleicht auch auf etwas höher Gelegenes, das Dach von Elton, wo die Wetterfahne auf irgendetwas zeigte, was sich außerhalb der Bildfläche befand.

»Ich schätze mal, wenn ich dich und deinen Dad heute Abend zum Roast-Beef-Büfett in unseren Club einlade, würdest du nein sagen.« Er drehte sich wieder zu mir, und sein Blick berührte mein Gesicht, so wie Leute die Hände an die Scheibe legen, wenn sie traurig aus dem Fenster schauen. Und ich sah wieder, zum Klick-Klick von Mr Archers Diaprojektor, das kleine Gemälde, das in seinem Haus gefangen war. Ich fragte mich, ob es immer noch tapfer dort am Ende des Flurs hing. Er hatte gesagt, ich sei wie dieses Bild, dieses Boot in Seenot.

Er wölbte eine Augenbraue, noch so ein kleines Talent, das mir nie an ihm aufgefallen war. »Kann dich gar nicht locken? Die haben dort tollen Käsekuchen.«

»Ich muss jetzt wirklich los«, sagte ich.

Er akzeptierte es mit einem Nicken. »Ich schätze mal, wenn ich dich frage, ob ich ... den Sommer über manchmal ein bisschen was von dir sehen kann ... und es muss gar nicht *alles* sein, sagen wir vielleicht ... einen *Zeh* – dann würdest du sagen, das geht nicht, du hast schon Sachen vor, bis du fünfundsiebzig bist. Ach, übrigens, da klebt Gras an deinen Schuhen.«

Erschrocken beugte ich mich runter und wischte das nasse Gras von meinen Sandalen, die vor ein paar Stunden noch weiß gewesen waren und jetzt so fleckig-bläulich aussahen wie die Hände von alten Frauen.

»Ich bin im Sommer gar nicht hier«, sagte ich.

»Wo gehst du hin?«

»Meine Großeltern besuchen. Und vielleicht noch woandershin.« (»Chippawaa, New Mexico, Land des Zaubers, Heimat des Rennkuckucks, des Moskitograses, der Cutthroat-Forelle, Industrie, Bergbau, Silber, Kali ...«)

»Du und dein Dad oder nur du?«, fragte er.

Dieser Typ hatte eine unheimliche Gabe, mit seinen Fragen ins Schwarze zu treffen, immer wieder. Dad war der Erste, der erklärt hätte, dass die Es-gibt-keine-falschen-Fragen-Politik nur eine Erfindung sei, um Dummköpfe nicht ganz so dumm dastehen zu lassen. *Ja*, ob es einem passte oder nicht, es gab nur eine Handvoll richtiger Fragen und Milliarden falscher Fragen, und von all *diesen* hatte Zach sich ausgerechnet die ausgesucht, die mir das Gefühl gab, dass meine Kehle einen Riss hatte, die Frage, die mir Angst machte, ich könnte gleich losheulen oder umfallen, und die einen sofortigen Ausbruch des imaginären Juckreizes auf meinem Arm und in meinem Nacken auslöste. Dad hätte Zach vermutlich gemocht – das war das Komische. Die letzte Frage, dieser Volltreffer, hätte Dad beeindruckt.

»Nur ich«, sagte ich.

Und dann ging ich los – ohne es richtig zu merken. Ich ging den Hügel hinauf und über die Straße. Nicht aufgewühlt oder weinend oder so was – nein, es ging mir prima. Na ja, nicht *prima* (»Prima ist nur was für die Dumpfen und Trägen.«), sondern irgendwie anders – ich hatte kein Wort dafür. Ich war erschüttert von der leeren Weite des blassgrauen Himmels, auf die ich alles zeichnen konnte, Kunstwerk oder Goldfisch, so klein oder so groß, wie ich wollte.

Ich ging den Gehweg entlang, vorbei an Hanover Hall, dem mit Ästen übersäten Rasen vor der Cafeteria und dem Scratch, und der Regen verwandelte alles in eine einzige Suppe. Und Zach – ohne ein »Warte!« oder »Wo willst du –?« – blieb genau da, wo er war, direkt an meiner rechten Seite, ohne darüber plappern zu müssen. Wir gingen immer weiter, ohne jede Formel, Hypothese oder detaillierte Schlussfolgerung. Seine Schuhe platschten unbeirrt durch den Regen, Schwanzflossenspritzer in einem Teich, die Fische selbst ein verborgenes Geheimnis – genau wie meine. Er hielt den Schirm in einem exakt bemessenen Abstand über meinem Kopf. Und ich testete es – weil die van Meers immer alles testen müssen –, indem ich ein ganz kleines bisschen nach rechts zog, schneller ging, langsamer ging, stehen blieb, um mir wieder Gras von den Schuhen zu wischen, neugierig, ob ich es schaffte, dass ein kleiner Prozentsatz meines Knies oder Ellbogens, *irgendein* Teil, nass wurde, aber Zach hielt den Schirm ganz zuverlässig über mich. Als wir die Treppe und den Volvo erreichten und die Bäume an der Straße tanzten, aber nur ganz leicht – schließlich waren sie Statisten und wollten nicht von den Hauptdarstellern ablenken –, hatte mich kein neuer Regentropfen getroffen.

Abschlussprüfung

Anleitung. Dieser umfassende Abschlusstest soll Ihr Verständnis umfassender Konzepte überprüfen. Er besteht aus drei Teilen, die Sie bitte nach bestem Wissen und Gewissen beantworten (prozentualer Anteil an der Endnote jeweils in Klammern angegeben): 14 Richtig/Falsch-Fragen (30 Prozent), 7 Multiple-Choice-Fragen (20 Prozent) und ein Aufsatz (50 Prozent).[1] Sie dürfen ein Klemmbrett benutzen, aber keine Nachschlagewerke, Notizblöcke, keine zusätzlichen Bücher oder Papiere. Falls zwischen Ihnen und Ihren Nachbarn kein Platz frei ist, setzen Sie sich bitte entsprechend um.

Danke und viel Glück.

Teil I: richtig/falsch?

1. Blue van Meer hat zu viele Bücher gelesen. R/F?
2. Gareth van Meer war ein gut aussehender, charismatischer Mann der Ideen – großer (und oft weitschweifiger) Ideen, die, wenn man sie konsequent auf die Wirklichkeit anwendet, unangenehme Folgen haben können. R/F?
3. Blue van Meer war blind, aber man kann es ihr nicht vorwerfen,

1 Ich empfehle die Benutzung eines Bleistifts B, für den unwahrscheinlichen Fall, dass Sie sich beim ersten Durchlauf vertun und, falls Sie noch Zeit übrig haben, Ihre Antworten korrigieren möchten.

weil man fast immer blind ist, wenn es um einen selbst und die nächsten Angehörigen geht; ebenso gut könnte man mit bloßem Auge in die Sonne starren und versuchen, auf diesem gleißenden Ball Sonnenflecken, Eruptionen und Protuberanzen zu erkennen. R/F?

4. Junikäfer sind unheilbare Romantikerinnen und erscheinen selbst zu formellsten Anlässen mit Lippenstift an den Zähnen und mit Haaren, die so angefressen sind wie ein Geschäftsmann, der eine Stunde im Berufsverkehr feststeckt. R/F?
5. Andreo Verduga war ein Gärtner, der ein schweres Eau de Cologne benutzte, nicht mehr und nicht weniger. R/F?
6. Smoke Harvey erschlug Robbenbabys. R/F?
7. Die Tatsache, dass Gareth van Meer und Hannah Schneider in ihrem jeweiligen Exemplar von *Blackbird Singing in the Dead of Night: Das Leben des Charles Mills Manson* (Ivys, 1985) den gleichen Satz auf S. 481 – »Wenn Manson dir zuhörte, war es, als ob er dein Gesicht in sich aufsaugte« – unterstrichen hatten, bedeutet wahrscheinlich weit weniger, als Blue denkt. Wir sollten aus dieser Kleinigkeit allenfalls schließen, dass beide das Verhalten von Irren faszinierend fanden. R/F?
8. Die Nightwatchmen existieren immer noch, zumindest in den Köpfen von Verschwörungstheoretikern, Neo-Marxisten, rotäugigen Bloggern und Streitern für Che sowie Individuen aller Rassen und Überzeugungen, denen der Gedanke gefällt, dass es zwar keine *Gerechtigkeit als solche* gibt (Blue ist aufgefallen, dass Gerechtigkeit in den Händen von Menschen das gleiche Verhalten zeigt wie Chabasit in HCI [Salzsäure] – langsame Auflösung, oft unter Hinterlassung schleimiger Rückstände), aber doch wenigstens die teelöffelchenweise Einebnung eines winzigen Teils des (derzeit schiedsrichterlosen) globalen Spielfelds. R/F?
9. Das Houstoner Polizeifoto von George Gracey zeigt zweifelsfrei Baba au Rhum; Blue kann das schon aus den unverwechselbaren Augen schließen, die wie zwei tief in einen Teller Hummus gedrückte Oliven aussehen – auch wenn der restliche Kopf auf dem

grobkörnigen Bild von einem Haar- und Bartwuchs bedeckt ist, dessen Dichte die von Neutronen (1018 kg/m^3) übertrifft. R/F?

10. Sämtliche Filme, die Hannah spontan in ihrem Einführungskurs Film zeigte und die, wie Dee ihrer Schwester Dum erklärte, im offiziellen Kursprogramm *nirgends* auftauchten, hatten etwas Subversives – Beweis für ihre freakige Blumenkindermentalität. R/F?
11. Mit Hilfe anderer Nightwatchmen tötete Hannah Schneider (auf ziemlich nachlässige Art) einen Menschen, sehr zum Ärger von Gareth van Meer, der seine (ihm auf den Leib geschneiderte) Rolle als Sokrates genoss, durch die Lande tourte, neu rekrutierten Mitgliedern Vorträge über Determination und andere zwingende Ideen hielt – ausgeführt in unzähligen *Federal-Forum*-Artikeln, so etwa in »Viva Las Violence: Transgressionen des Elvis-Imperiums« – und es *immer noch* vorzog, ein Mann der Theorie und nicht der Gewalt zu sein: Trotzki statt Stalin. Wie Sie sich vielleicht erinnern, scheute der Mann alle Kontaktsportarten. R/F?
12. Aller Wahrscheinlichkeit nach (auch wenn dies zugegebenermaßen die Vermutung einer Person ist, deren einziger Anhaltspunkt die Erinnerung an ein Foto ist) beging Natasha van Meer Selbstmord, nachdem sie erfahren hatte, dass ihre beste Freundin, mit der sie auf eine exklusive Privatschule gegangen war, eine glühende Affäre mit ihrem Ehemann hatte, einem Mann, der in den Klang seiner eigenen Stimme verliebt war. R/F?
13. Man kann es kaum glauben, aber das Leben ist verwirrenderweise gleichzeitig traurig und komisch. R/F?
14. Eine obszöne Menge Nachschlagewerke zu lesen ist sehr gut für die geistige Gesundheit. R/F?

Teil II: Multiple Choice

1. Hannah Schneider war:

A. Ein Waisenkind, das im Horizon House in New Jersey aufwuchs (wo die Kinder Uniform tragen mussten; auf die Brusttasche war das Wappen des Heims aufgenäht, ein goldener Pegasus, den man auf den ersten Blick auch für einen Löwen halten konnte). Sie war kein besonders gewinnendes Kind. Nach der Lektüre von *Braut der Befreiung* (Arielle Soiffe, 1982), das ein ausführliches Kapitel über Catherine Baker enthielt, wünschte sie sich plötzlich, sie hätte mit ihrem Leben etwas ähnlich Kühnes angefangen, und deutete in einem Moment rastlosen Grübelns Blue gegenüber an, sie sei in Wahrheit diese furchtlose Revolutionärin, diese »Handgranate von einer Frau« (siehe S. 313). Trotz dieser Bemühungen, ihr Leben in den Kontext von etwas Großartigem zu stellen, drohte ihr das, was sie am meisten fürchtete – zu *The Gone* zu gehören –, wenn Blue nicht über sie schrieb. Ihr Haus steht derzeit auf Platz 22 der »Hot List« von Sherwig-Immobilien.

B. Catherine Baker, zu gleichen Teilen Ausreißerin, Kriminelle, Mythos und Motte.

C. Eine dieser Frauen, die wie eine untergegangene Zivilisation sind, über die kaum etwas bekannt ist, außer ihrer erstaunlichen Architektur; viele Räume, darunter ein gesamter Festsaal, werden ewig unentdeckt bleiben.

D. Ein Sammelsurium aus A, B und C.

2. Miss Schneiders Tod war in Wirklichkeit:

A. Selbstmord; in einem unachtsamen Moment (und derer hatte sie viele), als sie zu lange mit ihrem Weinglas getanzt hatte, schlief sie mit Charles, ein Fehler, der sie von innen her zerfraß und dazu trieb, fantastische Geschichten zu erfinden, sich die Haare abzuschneiden und sich schließlich das Leben zu nehmen.

B. Mord, verübt von einem Mitglied der Nightwatchmen (*Nunca Dormindo* auf Portugiesisch); wie Gareth »Sokrates« van Meer und Servo »Nero« Gracey bei ihrem Krisen-Powwow in Paris erörterten, war Hannah zum Risiko geworden. Ada Harvey wühlte zu tief in Hannahs Vergangenheit: Es waren höchstens noch Wochen, bis sie die Polizei informieren würde, also standen Graceys Freiheit und die gesamte Anti-Raffgier-Bewegung auf dem Spiel. Hannah musste weg – eine schwere Entscheidung, die schließlich Gracey fällte. Der Mann im Wald – den gehört zu haben Blue sich so sicher ist, wie sie sich der Tatsache sicher ist, dass die Schweinsnasenfledermaus (3,5 cm) das kleinste Säugetier auf Erden ist – war der raffinierteste Killer der Nightwatchmen, Andreo Verduga, im ShifTbush™Invisible-Gear-Herbsttarnzeug, dem Traum jedes Jägers.

C. Mord, begangen von »Sloppy Ed«, demjenigen der Vicious Three, der sich immer noch auf freiem Fuß befand.

D. Eins dieser undurchsichtigen Ereignisse, die sich nie eindeutig klären lassen (siehe *Getötet*, Winn, 1988, Kap. 2, »Die schwarze Dahlie«).

3. Jade Churchill Whitestone ist:

A. Eine Angeberin und Blufferin.

B. Bezaubernd.

C. Lästig wie ein verstauchter Zeh.

D. Eine ganz gewöhnliche Jugendliche, die den Himmel hinter der Luft nicht sehen kann.

4. Mit Milton Black zu knutschen war wie:

A. Einen Tintenfisch zu küssen.

B. Von einem *Octopus vulgaris* umschlungen zu werden.

C. Einen Kopfsprung in Wackelpudding zu machen.

D. In einem Bett aus Stirnlappen zu versinken.

5. Zach Soderberg ist:

A. Ein Erdnussbuttersandwich ohne Kruste.

B. Jemand, der in Zimmer 222 des Dynasty-Motels *Lion Sex* praktiziert hat.

C. Auch nachdem ihm Blue van Meer, während sie einen Sommer lang in einem blauen Volvo-Kombi durchs Land kutschierten, Myriaden von Erklärungen und Illustrationen geliefert hat, *immer noch* nicht in der Lage, auch nur die rudimentärsten Grundzüge von Einsteins Allgemeiner Relativitätstheorie zu begreifen. Derzeit lernt er gerade Pi auf fünfundsechzig Stellen hinter dem Komma auswendig.

D. Ein delphisches Orakel.

6. Gareth van Meer verließ seine Tochter, weil:

A. Er von Blues Paranoia und Hysterie die Nase voll hatte.

B. Er, um Jessie Rose Rubiman zu zitieren, »ein Schwein« war.

C. Er endlich den Mumm hatte, einen Schritt in Richtung Unsterblichkeit zu tun und auszuziehen, den Che der Demokratischen Republik Kongo zu spielen. Das war es, was er und seine falschen Professoren im ganzen Land heimlich vorbereitet hatten, und das war auch der Grund, weshalb unmittelbar nach seiner Abreise im ganzen Haus afrikanische Zeitungen und *In Angola* herumlagen.

D. Er es nicht ertragen konnte, vor seiner Tochter Blue das Gesicht zu verlieren –, vor Blue, die ihn immer für den Größten gehalten hatte, vor Blue, die – auch nachdem sie erkannt hat, dass er als Intellektueller so überholt war wie die große sozialistische Oktoberrevolution von 1917, dass er ein katastrophengefährdeter Träumer war, ein Showboat-Theoretiker (und noch dazu ein eher unbedeutender), ein Schürzenjäger, dessen heimliche Affären ihre Mutter in den Tod getrieben hatten, ein Mann, der zweifelsohne wie Trotzki enden wird, wenn er nicht aufpasst (Eispickel, Kopf) – *immer noch* nicht anders kann, als ihn für den Größten zu halten, und die sich, sooft sie auf den letzten Drücker in ihre Vorlesung »Neue Perspektiven amerikanischer Politik« rennt oder durch einen Park kommt, in dem die Bäume über ihr flüstern, als wollten sie ihr ein Geheimnis verraten, *immer noch* wünscht, er würde dort im Tweedjackett auf einer Bank sitzen und auf sie warten.

7. Blues auf fünfzig Schreibblockseiten niedergelegte Theorie in Sachen Liebe, Sex, Schuld und Mord ist:

A. 100 % Wahrheit, so wie Kleidungsstücke 100 % Baumwolle sind.

B. Absurd und wahnhaft.

C. Ein fragiles Netz, gesponnen von einer Gartenspinne, nicht vernünftig in einer Verandaecke, sondern in einem Raum, der so riesig ist, dass problemlos zwei Cadillac DeVille Stretchlimousinen hintereinander darin Platz hätten.
D. Das Material, das Blue für ihr Boot benutzte, um eklige Gewässer zu durchqueren, ohne ernsthaft Schaden zu nehmen (siehe *Die Odyssee*, Homer, 9. Gesang, »Skylla und Charybdis«).

Teil III: Aufsatzthema
Viele berühmte Filme und publizierte akademische Werke bemühen sich, den Zustand der amerikanischen Kultur, die heimlichen Leiden der Menschen, das Ringen um die eigene Individualität, die generelle Verwirrung, die das Leben so mit sich bringt, im Rahmen ihrer Möglichkeiten zu beleuchten. Liefern Sie unter Verwendung konkreter Beispiele aus derartigen Texten eine umfassende Argumentation *für* die These, dass solche Werke zwar erhellend, amüsant und tröstlich sind – vor allem, wenn man sich in einer neuen Situation befindet und eine gewisse geistige Ablenkung braucht –, dass sie aber auf keinen Fall die eigenen Erfahrungen ersetzen können. Denn das Leben ist, um Danny Yeargoods außergewöhnlich brutale Erinnerungen, *Die Erdziehung der Iiiitaliener (*1977*)* zu zitieren, »ein Schlag nach dem anderen, und selbst wenn du am Boden liegst und nichts mehr siehst, weil sie dich da auf den Kopf gehauen haben, wo das Sehen sitzt, und wenn du nicht mehr atmen kannst, weil sie dich da in die Magengrube getreten haben, wo das Atmen sitzt, und deine Nase ein blutiger Brei ist, weil sie dich festgehalten und dir ins Gesicht geboxt haben, rappelst du dich auf und fühlst dich gut. Toll sogar. Weil du am Leben bist.«

Nehmen Sie sich so viel Zeit, wie Sie brauchen.

Dank

Ich bin Susan Golomb und Carole DeSanti zu großem Dank verpflichtet für ihren unermüdlichen Enthusiasmus, ihre Kritik und ihre guten Ratschläge. Vielen Dank an Kate Barker – und auch an Jon Mozes für sein Feedback zu den ersten Entwürfen (er machte den zwingenden Vorschlag, ich soll *High Heels* durch *Stilettos* ersetzen). Dank an Carolyn Horst, die gewissenhaft die Punkte auf die i's und Striche durch die t's gemacht hat. Dank an Adam Weber dafür, dass er der großherzigste Freund auf der Welt ist. Dank an meine Familie, Elke, Vov und Toni, und meinen erstaunlichen Ehemann Nic, meinen Clyde, der geduldig zusieht, wie seine Frau jeden Tag mit ihrem Computer in einem dunklen Zimmer verschwindet, zehn, zwölf Stunden lang, und keine Fragen stellt. Vor allem aber Dank an meine Mutter, Anne. Ohne ihre Inspiration und ihre unglaubliche Großzügigkeit wäre dieses Buch nicht möglich gewesen.

J.R. Moehringer
Tender Bar
Roman
Aus dem Amerikanischen von Brigitte Jakobeit
459 Seiten. Gebunden

»Komisch, ehrlich, traurig und lebensnah –
JR Moehringer schreibt unwiderstehlich.«
Vanity Fair

Eine Kindheit in Long Island in einer verrauchten Bar voller liebenswürdiger Gestalten, eine Mutter, die mit lebensklugen Lügen die Moral aufrecht erhält, und mittendrin der kleine Junge JR, der lernt, dass zwischen Bier und Whiskey manchmal Welten liegen. Ein abwechselnd bewegender und urkomischer Roman über tapfere Kinder, mitfühlende Männer, starke Mütter und die Kraft von Träumen.

»... man begegnet skurrilen Typen
und verwegenen Frauen zuhauf, hört ihre
urkomischen und tränenreichen Geschichten.
Am Ende wankt man eigentümlich beseelt
hinaus aus dieser Wunder-Bar.«
Focus

Albert Sánchez Piñol

Pandora im Kongo

Roman

Aus dem Katalanischen von Charlotte Frei

480 Seiten. Gebunden

Der Kongo ist ein grüner Ozean – geheimnisvoll und voller Gefahren. Um einen Mord aufzuklären begibt sich Thomson auf eine abenteuerliche Expedition ins Dickicht des Urwalds und leidenschaftlicher Gefühle. Die Suche nach der Wahrheit führt ihn immer tiefer in das Herz Afrikas – dieses endlose Meer von Bäumen.

Nach dem großen Bestseller »Im Rausch der Stille« ein zweiter großer Wurf des Weltenerfinders Albert Sánchez Piñol.

»Urgewaltig, große Literatur.«
Für Sie

»Spannend bis zum Schluss.«
Der Spiegel

Richard Powers

Das Echo der Erinnerung

Roman

Aus dem Amerikanischen von

Manfred Allié und Gabriele Kempf-Allié

544 Seiten. Gebunden

Ein verschlafener Ort in der Mitte der USA, eine halbe Million Kraniche, die jedes Frühjahr auf einem tausend Meilen langen Zug nach Norden hier Rast machen, eine Landstraße in einer Februarnacht. Mark überschlägt sich mit seinem Auto und kommt noch einmal davon. Allerdings ist nichts mehr so wie davor. Seine Schwester versucht alles, um sein Leben wieder herzustellen und wird von ihrem eigenen dabei eingeholt.

In einem Roman voller Spannung erforscht Richard Powers, was Familien im Innersten zusammenhält: das zerbrechliche Geflecht aus Gefühl und Erinnerung. Die ergreifende Geschichte eines Geschwisterpaares und ein Panorama des heutigen Amerikas vereinen sich im neuen gewaltigen Roman des Bestsellerautors.

»Wir wüssten in der gegenwärtigen jungen europäischen Literatur schon Franzen und Eugenides nur wenige an die Seite zu stellen. Aber Powers geht über beide noch ein gutes Stück hinaus.«

Andreas Isenschmid, Neue Zürcher Zeitung

S. Fischer

fi 1-059022 / 1